P9-AOK-626

Underworld USA

Du même auteur
chez le même éditeur

Lune sanglante
À cause de la nuit
La Colline aux suicidés
Brown's Requiem
Clandestin
Le Dahlia noir
Un tueur sur la route
Le Grand Nulle Part
L.A. Confidential
White Jazz
Dick Contino's Blues
American Tabloid
Ma part d'ombre
Crimes en série
American Death Trip
Moisson noire 2003 (anthologie sous la direction de James Ellroy)
Destination morgue
Revue POLAR *spécial James Ellroy*
Tijuana mon amour

James Ellroy

Underworld USA

Traduit de l'anglais (États-Unis)
par Jean-Paul Gratias

Collection dirigée
par François Guérif

Rivages/Thriller

Retrouvez l'ensemble des parutions
des Éditions Payot & Rivages sur

www.payot-rivages.fr

Titre original : *Blood's A Rover*

106 boulevard Saint-Germain – 75006 Paris

ISBN : 978-2-7436-2037-0

à J.M.

Pour tout ce que tu m’as donné, camarade.

L'argile reste immobile, mais le sang court sur la terre ;
Le souffle est un bien de tout temps éphémère.
Debout, petit ; quand le voyage viendra à finir
Tu auras bien assez de temps pour dormir.

A. E. HOUSMAN

ALORS

Los Angeles, *24 février 1964*

SOUDAIN :

Le camion laitier braqua sèchement à droite et mordit le trottoir. Le volant échappa aux mains du chauffeur. Pris de panique, il écrasa les freins. Le coup de patins fit chasser l'arrière. Un fourgon blindé de la Wells Fargo percuta le flanc du camion laitier – de plein fouet.

Notez bien l'heure :

7 h 16 du matin, au sud de Los Angeles, à l'angle de la 84e Rue et de Budlong Avenue. La partie résidentielle du quartier noir. Des baraques merdiques avec des cours en terre battue.

Le choc fit caler les moteurs des deux véhicules. Le chauffeur du camion laitier se cogna contre le tableau de bord. Sa portière s'ouvrit à la volée. Le chauffeur bascula dans le vide et tomba sur le trottoir. C'était un Noir d'une quarantaine d'années.

Le capot du fourgon avait morflé. Trois convoyeurs de fonds descendirent pour évaluer les dégâts. Trois Blancs en combinaisons kaki moulantes. Ils portaient des ceinturons à baudrier avec des rabats à bouton pression pour leur pistolet.

Ils s'agenouillèrent près du chauffeur du camion laitier. Le type suffoquait, secoué de convulsions. Le choc contre le tableau de bord lui avait entamé le front. Du sang lui coulait dans les yeux.

Notez bien l'heure :

7 h 17 du matin. Un ciel plombé d'hiver. Une rue calme. Pas de passants sur les trottoirs. Pas encore de brouhaha causé par l'accident.

Le camion laitier eut un hoquet. Son radiateur explosa. La vapeur d'eau siffla et se répandit largement. Les convoyeurs toussèrent et s'essuyèrent les yeux. Trois hommes sortirent d'une Ford 1962 garée derrière eux à deux longueurs.

Ils portaient des masques. Ils portaient des gants et des chaussures à semelles de crêpe. Ils avaient des ceintures porte-outils avec des bombes asphyxiantes dans des étuis. Ils avaient des vestes à manches longues boutonnées jusqu'au cou. La couleur de leur peau était masquée.

La vapeur d'eau leur servait de paravent. Ils s'approchèrent et sortirent des armes munies de silencieux. Les convoyeurs toussaient. De quoi couvrir les détonations. Le chauffeur du camion laitier sortit un pistolet à silencieux et tira sur le convoyeur le plus proche. En pleine tête.

Un coup de feu assourdi. Le front du convoyeur explosa. Ses deux collègues tripotèrent maladroitement les étuis de leurs armes. Les hommes masqués leur tirèrent dans le dos. Les convoyeurs s'effondrèrent en avant. Les hommes masqués leur tirèrent dans la tête à bout touchant. L'éclatement sourd des crânes répondit en écho aux détonations étouffées.

Il est 7 h 19. La rue est encore calme. Il n'y a toujours pas de passants ni de brouhaha causé par l'accident.

Du bruit, à présent – deux coups de feu suivis d'échos retentissants. Des flammes aux formes bizarres sorties du canon des armes, des tirs partis de la meurtrière du fourgon blindé.

Les projectiles ont ricoché sur la chaussée. Les hommes masqués se sont jetés au sol. Ils roulent sur eux-mêmes *en direction* du fourgon. Pour sortir de la plage de tir des convoyeurs. Quatre détonations supplémentaires. Quatre plus deux : le contenu d'un barillet de revolver.

L'Homme Masqué n° 1 est grand et mince. L'Homme Masqué n° 2 est de taille moyenne, l'Homme Masqué n° 3 est râblé. Il n'y a toujours pas de passants dans la rue. Dans le ciel, un gros dirigeable traînait une banderole publicitaire pour un grand magasin.

L'Homme Masqué n° 1 se releva et s'accroupit sous la meurtrière. Il sortit une bombe asphyxiante de son étui et en arracha la goupille. La bombe se mit à crachoter du gaz. Il enfonça la bombe dans la meurtrière. À l'intérieur, le convoyeur hurla et expectora bruyamment. La porte arrière s'ouvrit à la volée. Le convoyeur sauta. Il tomba à genoux sur la chaussée. Il saignait du nez et de la bouche. L'Homme Masqué n° 2 lui tira deux balles dans la tête.

Le chauffeur du camion laitier mit un masque à gaz. Les hommes masqués mirent un masque à gaz par-dessus leur cagoule. Le souffle puissant du gaz asphyxiant s'échappa du fourgon. L'Homme

Masqué n° 1 dégoupilla la bombe asphyxiante n° 2 et la balança à l'intérieur.

Les émanations en surgirent et se répandirent sous forme de brume acide – rouge, rose, transparente. Les curieux commençaient à se manifester. Des gens écartent le rideau de leur fenêtre, d'autres entrouvrent la porte, on voit des Noirs sur leurs vérandas.

Il est 7 h 22. Les émanations se sont dissipées. Il n'y a pas de second convoyeur à l'intérieur.

Maintenant ils entrent dans le fourgon.

Ils sont à l'étroit. L'espace était réduit. Des sacs d'argent liquide et des mallettes étaient entassés sur des étagères murales. L'Homme Masqué n° 1 fit le compte : 16 sacs et 14 mallettes.

Ils raflent. L'Homme Masqué n° 2 avait un sac de toile fourré dans son pantalon. Il l'en sortit et le tint ouvert.

Ils raflent. Ils bourrèrent le sac. Une mallette s'ouvrit d'un coup. Ils virent des tas d'émeraudes enveloppées dans du plastique.

L'Homme Masqué n° 3 ouvrit un sac de billets. Un rouleau de billets de cent dollars dépassait du lot. Il tira sur le bordereau de la banque. Des jets d'encre l'arrosèrent, atteignant les orifices de sa cagoule. Il reçut de l'encre dans la bouche et de l'encre dans les yeux.

Il suffoqua, il cracha de l'encre, il se frotta les yeux et franchit la porte en trébuchant. Il chia dans son pantalon et resta sur place à brasser l'air de ses bras. L'Homme Masqué n° 1 se dégagea de la porte et lui tira deux balles dans le dos.

Il est 7 h 24. C'est *maintenant* qu'on remarque le brouhaha. Le charivari de la jungle confiné aux vérandas.

L'Homme Masqué n° 1 s'en approcha. Il sortit quatre bombes asphyxiantes, les amorça et les lança. Il les projeta à droite et à gauche. Les gaz s'élevèrent rouges, roses et transparents. Un ciel acide, un micro-front de tempête, un arc-en-ciel. Les imbéciles des vérandas crièrent, toussèrent, et rentrèrent en courant dans leurs baraques.

Le chauffeur du camion laitier et l'Homme Masqué n° 2 bourrèrent quatre sacs de jute, raflant tout le chargement : les 16 sacs de billets et les 14 mallettes. Ils se dirigèrent vers la Ford 62. L'Homme Masqué n° 1 ouvrit le coffre. Ils balancèrent les sacs à l'intérieur.

7 h 26.

Le vent se leva. Une rafale fit tourbillonner les gaz qui se mélangèrent, prenant des couleurs incroyables. Le chauffeur du camion et l'Homme Masqué nº 2 ouvraient de grands yeux derrière leurs lunettes.

L'Homme Masqué nº 1 se planta devant eux. Les deux autres s'énervèrent – *Qu'est-ce que tu fous ? Tu nous caches le spectacle.* L'Homme Masqué nº 1 leur tira dessus, en plein visage. Les balles déchiquetèrent les verres de leurs lunettes et les tuyaux de leurs masques à gaz et les foudroyèrent en quelques secondes.

Notez bien l'heure :

7 h 27. Quatre convoyeurs morts, trois braqueurs morts. Des nuages de gaz roses. Des retombées acides. Des buissons virant au gris malsain sous l'effet des émanations.

L'Homme Masqué nº 1 ouvrit la portière du côté conducteur et plongea la main sous le siège. Cachés là : un chalumeau et un sac marron rempli de granulés de combustible solide. Les granulés ressemblaient à un hybride de bonbons à la gelée et de graines pour oiseaux.

Il prit son temps.

Il s'approcha de l'Homme Masqué nº 3. Il répandit des granulés sur son dos et lui en emplit la bouche. Il alluma son chalumeau et embrasa le cadavre. Il s'approcha du chauffeur de camion et de l'Homme Masqué nº 2. Il répandit des granulés sur leur dos et leur en emplit la bouche et passa les cadavres au chalumeau.

Le soleil était haut dans le ciel à présent. Les émanations de gaz captaient ses rayons et transformaient un coin de ciel en un gigantesque prisme. Au volant de la Ford l'Homme Masqué nº 1 s'éloigna en direction du sud.

Il arriva le premier sur les lieux. Il arrivait toujours le premier. Sur la fréquence radio des voitures de police, il interceptait les alertes signalant les attaques à main armée à Nègreville.

Il se gara près du fourgon blindé et du camion laitier. Il examina la rue. Il vit des bronzés qui biglaient le carnage. L'air piquait les yeux et la gorge. Sa première hypothèse : bombes asphyxiantes et collision bidon.

Les bronzés le virent. Ils affichèrent cette expression qui voulait dire : « Oh, merde... » Il entendit des sirènes. À la façon dont elles se superposaient, il devina que six ou sept unités étaient en route. Newton et la 77e Rue : deux divisions envoyaient des voitures. Il avait trois minutes pour se faire une idée.

Il vit les quatre convoyeurs morts. Il vit deux cadavres calcinés près du trottoir, côté *est*, quelques longueurs plus loin.

Il dédaigna les convoyeurs. Il s'intéressa aux corps noircis. Les brûlures étaient profondes, leur peau craquelée, leurs vêtements fondus dans la chair. Sa première hypothèse : traîtrise instantanée. Rendons impossible l'identification de ces complices qu'on peut éliminer sans arrière-pensée.

Les sirènes se rapprochaient. Au bout de la rue, un môme lui fit un signe de la main. Il inclina la tête et lui fit signe à son tour.

Il avait déjà saisi la *Gestalt*. Le genre de combine qu'on espère toute sa vie. Le jour où vous tombez dessus, vous comprenez *tout de suite*.

Physiquement, il était impressionnant. Il portait un costume de tweed et un nœud papillon écossais. De petits chiffres « 14 » étaient brodés dans la soie. Il avait abattu 14 braqueurs armés.

MAINTENANT

L'AMÉRIQUE :

Le nez au carreau, j'ai espionné notre Histoire pendant quatre ans. Ce fut une longue enquête itinérante et une extorsion à coups de pied dans la porte. J'avais le droit de voler et la bride sur le cou.

J'ai suivi des gens. J'ai posé des micros et mis des téléphones sur écoute et j'ai suivi les grands événements par ellipses. Je suis resté dans l'ombre. Mon travail de surveillance établit le lien entre « Alors » et « Maintenant » d'une façon qui n'a jamais été révélée auparavant. J'étais là. Mon reportage est étayé par des rumeurs plausibles et des indiscrétions d'initiés. Des masses de documents écrits permettent de le vérifier. Ce livre est construit sur des documents publics détournés et des journaux intimes dérobés. Il représente la somme de mon aventure personnelle et de quarante années d'études approfondies. Je suis à la fois un exécuteur littéraire et un agent provocateur. J'ai fait ce que j'ai fait et j'ai vu ce que j'ai vu et c'est à force de travailler sur le sujet que je suis parvenu à découvrir le reste de l'histoire.

La véracité pure des textes sacrés et un contenu du niveau des feuilles à scandales. C'est cet assemblage qui lui donne tout son mordant. Vous portez déjà en vous le germe grâce auquel vous vous laisserez convaincre. Vous vous rappelez l'époque que ce récit fait revivre et vous pressentez qu'il s'agit d'une conspiration. Je suis venu vous dire que tout est vrai et que ce n'est pas du tout ce que vous pensez.

Vous me lirez avec une certaine réticence et vous finirez par capituler. Les pages qui suivent vous contraindront à succomber.

Je vais tout vous raconter.

ALORS

PREMIÈRE PARTIE

Bordel organisé

24 juin – 11 septembre 1968

1

WAYNE TEDROW JUNIOR. *Las Vegas, 14 juin 1968*

HÉROÏNE :

Il avait monté un labo dans la suite qu'il occupait à l'hôtel. Des verres gradués, des cristallisoirs et des becs Bunsen remplissaient les étagères murales. Une plaque chauffante à trois brûleurs pour les préparations en petites quantités. Il confectionnait un produit de la catégorie des antalgiques. Il n'avait pas fabriqué de drogue depuis Saigon.

Une suite mise gratuitement à sa disposition, avec l'aval de Carlos Marcello. Carlos savait que Janice avait un cancer en phase terminale et qu'il possédait des compétences dans le domaine pharmaceutique.

Wayne mélangea la morphine base avec de l'ammoniaque. En la chauffant pendant deux minutes, il en sépara les fragments de mica et le limon. Il porta de l'eau à une température de 84 degrés. Il y ajouta l'anhydride acétique et réduisit les proportions de la liaison chimique. Le bouillonnement en fit sortir les déchets organiques.

Ensuite, les précipitants – le processus de cuisson lente – diacétylmorphine et carbonate de sodium.

Wayne mélangea et mesura deux doses, et les posa sur deux brûleurs réglés bas. Il balaya du regard l'ensemble de la suite. La femme de chambre avait laissé un journal. Les gros titres se ramenaient tous à *lui*.

La mort de Wayne Senior à la suite d'une « crise cardiaque ». James Earl Ray et Sirhan Sirhan en taule.

C'était *lui* qui avait inspiré la une. Mais de *lui*, il n'était pas fait mention. Carlos avait étouffé les vraies causes du décès de Wayne Senior. M. Hoover avait étouffé le contrecoup des assassinats de Martin Luther King et de Bobby Kennedy.

Wayne regarda se former la masse de diacétyl. Sa préparation plongerait Janice dans un état de semi-anesthésie. Il visait un emploi important pour le compte de Howard Hughes. Hughes était accro aux narcotiques pharmaceutiques. Il pourrait lui préparer un mélange de sa composition et l'apporter à son entretien d'embauche.

La masse se figea en cubes et monta à la surface du liquide. Wayne trouva des photos de Ray et de Sirhan en page deux. Il avait participé à l'assassinat de King. Son père aussi, mais de plus haut dans la hiérarchie. Freddy Otash avait manipulé les boucs émissaires : James Earl Ray pour la mort de King et Sirhan Sirhan pour celle de Bobby.

Le téléphone sonna. Wayne décrocha. Les cliquetis d'un système de brouillage audibles sur la ligne : ce devait être un appel de Dwight Holly sécurisé par les fédéraux.

– C'est moi, Dwight.

– Tu l'as tué ?

– Oui.

– « Crise cardiaque », merde... J'aurais préféré : « Apoplexie foudroyante ».

Wayne toussa.

– Carlos s'en occupe personnellement. Par ici, il a le pouvoir de noyer n'importe quel poisson.

– Je ne veux pas que M. Hoover se mette dans tous ses états pour cette histoire.

– *C'est réglé.* La question, c'est : Que se passe-t-il pour les autres ?

Dwight répondit :

– Il y a toujours des rumeurs de conspirations. Une personnalité publique se fait descendre, et ce genre de bobard a tendance à se répandre. Freddy a manipulé Ray à son insu et Sirhan ouvertement, mais il avait maigri et modifié son apparence. Tout bien pesé, je dirais qu'on est couverts dans les deux cas.

Wayne surveillait la cuisson de sa drogue. Dwight lui communiqua d'autres nouvelles : Freddy O. venait d'acheter le Golden Cavern Casino. C'était Pete Bondurant qui le lui avait vendu.

– On est couverts, Dwight. Dis-moi qu'on est couverts et sois convaincant.

Dwight rit.

– Tu m'as l'air un peu à cran, petit.

– Je suis un peu sur les nerfs, oui. Le parricide, ça fait drôle, pratiqué de cette façon.

Dwight s'esclaffa. Le contenu des récipients se mit à bouillir. Wayne coupa les brûleurs et regarda la photo posée sur son bureau.

C'est Janice Lukens Tedrow, sa maîtresse, son ex-belle-mère. On est en 1961. Elle danse le twist aux Dunes. Elle danse sans partenaire, elle a perdu une chaussure, une couture de sa robe a cédé.

Dwight demanda :

– Hé ! Tu es toujours là ?

– Je suis là.

– Je suis content que tu me le dises. Et je suis content d'entendre qu'on est couverts de ton côté.

Wayne fixait la photo.

– Mon père était ton ami. Je te trouve plutôt indulgent, quand il s'agit de me juger.

– Bon sang, petit, il t'a quand même envoyé à Dallas.

Dallas. Novembre 63. Il était là-bas au moment du Grand Week-end. Il a vécu le Grand Moment et il a participé à ce Grand Tournant de l'Histoire.

Il était sergent dans la police de Dallas. Il était marié. Il avait un diplôme de chimie. Son père était un gros ponte chez les mormons. Wayne Senior était acoquiné avec tous les milieux de la droite excitée. Il lançait des opérations liées au Ku Klux Klan pour M. Hoover et Dwight Holly. Il diffusait des pamphlets racistes de haute volée. Opportuniste, il emboîtait le pas aux militants de pointe de l'extrême droite, et il se tenait au courant de tout. Il savait ce qui se préparait pour liquider JFK. L'œuvre de plusieurs factions : des exilés cubains, des francs-tireurs de la CIA, la mafia. Senior offrit à Junior un billet pour le grand cirque.

Une mission d'extradition, avec une clause particulière : il devait tuer l'extradé.

La police chapeautait la mission. Un souteneur noir nommé Wendell Durfee avait agressé à coups de couteau un croupier de casino. Le type avait survécu. Aucune importance. Le Syndicat des exploitants de casinos voulait la peau de Wendell. En général, on confiait ce genre de boulot aux flics de Vegas. C'étaient des missions de choix, assorties de gros bonus. Elles servaient de tests. Les services de police voulaient savoir si leurs subordonnés avaient des couilles. Wayne Senior pouvait faire pression sur la police de Vegas. Il savait qu'on allait assassiner JFK. Senior voulait que Junior soit sur place au bon moment. Wendell Durfee avait fui Vegas pour Dallas. Senior n'était pas sûr que Junior serait à la hauteur. Senior pensait que Junior devrait être capable de tuer un homme noir non armé. Wayne prit l'avion pour Dallas le 22 novembre 63.

Il n'avait pas envie de tuer Wendell Durfee. Il ne savait rien de l'attentat qui visait JFK. Il se retrouva pourvu d'un équipier pour cette extradition. Le flic en question s'appelait Maynard Moore. Il travaillait pour la police de Dallas. C'était un peigne-cul cinglé qui faisait des extras en rapport direct avec l'assassinat.

Wayne eut des heurts avec Maynard Moore. Il voulait éviter de tuer Wendell Durfee. Sans l'avoir cherché, pendant la période de folie qui suivit la mort de JFK, Wayne découvrit la machination qui avait abouti à l'attentat. Il établit un lien entre Jack Ruby et le mercenaire de droite Pete Bondurant. Il vit Ruby descendre Lee Harvey Oswald en direct à la télévision.

Il savait. Il ne savait pas que son père savait. Tout est allé de travers ce dimanche-là.

JFK était mort. Oswald était mort. Il finit par coincer Wendell Durfee et il lui dit de foutre le camp. Maynard Moore intervint. Wayne tua Moore et laissa partir Durfee. Pete Bondurant intervint et laissa la vie sauve à Wayne.

Pete considérait son propre acte de clémence comme prudent et celui de Wayne comme dangereux. Pete prévint Wayne que Wendell Durfee risquait de refaire surface.

Wayne retourna à Vegas. Pete B. s'installa à Vegas pour travailler au service de Carlos Marcello. Pete enquêta sur Durfee et récolta des renseignements : c'est un salopard de violeur et pire encore. On était en janvier 64. Pete apprit que Wendell Durfee s'était réfugié à Vegas de nouveau. Il en informa Wayne. Wayne partit sur les traces de Wendell. Trois drogués noirs entravaient ses recherches. Wayne les élimina. Wendell Durfee viola et assassina la femme de Wayne, Lynette.

Ce fut le début de sa propre folie. Cela commença à Dallas et se prolongea sans interruption jusqu'à Maintenant.

Wendell Durfee prit la fuite. Wayne Senior et la police collaborèrent pour que Wayne ne soit pas inquiété pour le meurtre des trois junkies. M. Hoover était prêt à se laisser convaincre. Dwight Holly, ami de longue date de Senior, ne l'était pas. Dwight travaillait pour le Bureau fédéral des narcotiques, à l'époque. Les trois junkies vendaient de l'héroïne et devaient passer en jugement. Dwight alla se plaindre au procureur général : Wayne Junior avait saboté son enquête. Il voulait que Wayne Junior soit inculpé et jugé. Les services de police confectionnèrent des preuves de toutes pièces et embobinèrent le grand jury. Wayne sortit libre du tribunal. Le verdict laissa en lui un grand vide. Il démissionna de la police et choisit le Milieu.

Mercenaire. Passeur d'héroïne. Assassin.

Lynette était morte. Il jura de trouver Wendell Durfee et de le tuer. Lynette était sa meilleure amie et sa bien-aimée et le mur qui le préservait de son amour pour la seconde épouse de son père. Janice était plus âgée que lui, elle l'avait vu grandir, elle restait avec Senior pour son argent et son influence. Janice répondit à l'amour de Wayne. L'attirance était réciproque. Elle ne faiblit pas, elle ne fit que se renforcer.

Wayne se mit à fréquenter Pete Bondurant et sa femme, Barb. Pete était intime avec un avocat de la mafia nommé Ward Littell. Ward était un ancien du FBI et le cerveau de l'assassinat de Kennedy. Il travaillait pour Carlos Marcello et Howard Hughes et il jouait sur les deux tableaux, de front, par-derrière et par la bande. Wayne eut Pete et Ward comme professeurs. C'est d'eux qu'il apprit à connaître le Milieu. Il avala leur programme de formation à la vitesse grand V qui était celle de sa folie.

Pete s'enflammait pour la cause des exilés cubains. Cela commençait à chauffer sérieusement au Vietnam. Howard Hughes nourrissait des projets insensés pour acheter Las Vegas. Wayne Senior s'acoquina avec la garde rapprochée de Hughes, constituée de mormons. Ward Littell ressentit bientôt une animosité grandissante envers Senior. Un franc-tireur de la CIA recruta Pete pour monter entre Saigon et Vegas un trafic de drogue dont les bénéfices iraient à la cause cubaine, avec l'aval de Carlos Marcello. Pete avait besoin d'un chimiste pour confectionner la drogue. Il recruta Wayne. La haine de Ward Littell pour Wayne Senior s'aggrava. Ward joua un sale tour à Senior. Il apprit à Junior que c'était son père qui l'avait envoyé à Dallas.

Wayne vacilla, l'air lui manqua, il eut du mal à rester debout. Wayne sauta Janice dans la maison de son père et il veilla à ce que Wayne Senior assiste à la scène.

« Le Milieu ». Un nom. Un refuge pour les mormons grillés, les chimistes solitaires, les tueurs de nègres.

Wayne Senior divorça de Janice. Pour compenser le coût de l'indemnité, il la frappa avec sa canne à bout d'argent. À partir de ce jour-là, Janice ne put marcher sans claudiquer, mais elle continua à jouer au golf avec les meilleurs. Ward Littell vendit Las Vegas à Howard Hughes, aux prix extravagants fixés par la mafia, et il commença une liaison sporadique avec Janice. Wayne Senior fit ce qu'il fallait pour avoir de plus en plus d'influence sur Hughes, et il fit de la lèche à l'ancien vice-président Richard Nixon. Dwight Holly quitta le Bureau des narcotiques et réintégra le FBI. M. Hoover ordonna à Dwight de déstabiliser Martin Luther King et le mouvement pour les droits civiques. Dwight chargea Wayne Senior d'une opération anti-Klan consistant à s'attaquer aux fraudes postales du KKK, de quoi calmer les pleureuses du ministère de la Justice.

Wayne fabriquait de l'héroïne à Saigon et la faisait parvenir à Vegas. Wayne poursuivit Wendell Durfee pendant quatre ans. Le pays tout entier vit éclater des émeutes et connut un déluge de haine raciale. Dans le domaine de l'éthique, sur tous les fronts, le Dr King damait le pion à M. Hoover, et il épuisait le vieil homme par le simple fait qu'il *existait*. M. Hoover avait tout essayé. M. Hoover se plaignit à Dwight qu'il avait fait tout ce qu'il avait pu. Dwight saisit l'allusion et recruta Wayne Senior. Wayne Senior voulait que Wayne Junior soit de la partie. Senior estimait qu'ils avaient besoin d'un subterfuge pour l'enrôler. Dwight fit des recherches et dénicha Wendell Durfee.

Wayne reçut un tuyau prétendument anonyme. Il trouva Wendell Durfee dans un quartier pouilleux de Los Angeles et le tua en mars. C'était un assassinat téléguidé. Dwight possédait des preuves matérielles de sa culpabilité. Il s'en servit, pour le contraindre à participer à l'attentat contre King. Wayne travailla avec son père, Dwight, Freddy Otash et le tireur d'élite Bob Relyea.

On diagnostiqua chez Janice un cancer en phase terminale. Les blessures provoquées par les coups de canne de Senior avaient empêché les médecins de détecter la maladie plus tôt. Le trafic de drogue en provenance de Saigon finit par imploser, les partenaires se déchirant : d'un côté, des junkies de la mafia et des exilés cubains givrés. De l'autre : Wayne, Pete, et un mercenaire français nommé Jean-Philippe Mesplède. Avril et mai furent deux mois de folie totale. L'élection approchait. Martin Luther King était mort. Carlos Marcello et ses sbires décidèrent d'éliminer Bobby Kennedy. On força la main à Pete Bondurant pour qu'il se joigne à l'équipe. Freddy Otash les rejoignit, juste après l'assassinat de King. Ward Littell manipulait toujours Carlos et Howard Hughes. Ward avait hérité d'un dossier anti-mafia. Il le confia à Janice pour qu'elle le garde.

Wayne rendit visite à Janice le 4 juin. Le cancer avait miné ses forces et ses rondeurs et l'avait privée de son énergie. Ils firent l'amour une deuxième fois. Elle lui révéla l'existence du dossier de Ward. Il fouilla son appartement et le découvrit. Le dossier était extrêmement détaillé. Il incriminait nommément Carlos et son opération de La Nouvelle-Orléans. Wayne l'envoya à Carlos, accompagné d'un petit mot :

Monsieur, mon père avait l'intention de vous faire chanter à l'aide de ce document. Monsieur, pourrions-nous en discuter ?

Robert F. Kennedy fut abattu deux heures plus tard. Ward Littell mit fin à ses jours. Howard Hughes proposa à Wayne Senior le boulot de Ward Littell : intermédiaire et monsieur bons offices auprès de la mafia. Sa première mission : acheter la loyauté du favori du parti républicain, Dick Nixon.

Carlos appela Wayne et le remercia pour le tuyau. Carlos lui dit :

– Dînons ensemble.

Wayne décida d'assassiner son père. Wayne décida que Janice devrait le battre à mort avec un club de golf.

À l'hôtel-casino Sands, Carlos logeait dans une suite pseudo-romaine. Un crétin en toge qui jouait au centurion fit entrer Wayne. La suite comportait des colonnes romaines et des œuvres d'art façon « sac de Rome ». Les étiquettes pendaient des cadres.

On avait dressé un buffet. Le crétin fit asseoir Wayne à une table laquée ornée des lettres « SPQR ». Carlos entra. Il portait un caleçon en ratine de soie et une chemise de smoking tachée.

Wayne se leva.

– Ne bougez pas ! fit Carlos.

Wayne se rassit. Le crétin remplit deux assiettes et disparut. Carlos leur servit le vin d'une bouteille fermée par un bouchon à vis.

– C'est un plaisir, monsieur, dit Wayne.

– Ne faites pas comme si je ne vous connaissais pas. Vous êtes la recrue de Pete et Ward, et vous avez travaillé pour moi à Saigon. Vous en savez plus long sur mon compte que vous ne devriez, sans compter tous les renseignements contenus dans ce dossier. Je connais votre histoire, et c'est une putain d'histoire comparée à celles des autres têtes de nœud que j'ai entendues ces derniers temps.

Wayne sourit. Carlos sortit de ses poches deux poupées qui remuaient la tête. La première représentait le Dr King. La seconde représentait RFK. Carlos sourit et leur arracha la tête.

– *Salud*, Wayne.

– Merci, Carlos.

– Vous cherchez du travail, n'est-ce pas ? Vous n'êtes pas venu pour que je vous serre la main et que je vous remercie en vous glissant une enveloppe ?

Wayne but une gorgée de vin. C'était du vin de l'année acheté dans la première boutique venue.

– Je souhaite reprendre le rôle que jouait Ward Littell dans votre organisation, de même que la fonction dans l'organisation de M. Hughes que mon père venait d'hériter de Ward. Je possède les compétences et les relations nécessaires pour me rendre utile, je suis prêt à vous accorder un traitement de faveur dans toutes les opérations que j'effectuerai pour le compte de M. Hughes, et je suis conscient des sanctions que vous infligez aux traîtres.

Carlos éperonna un anchois. Sa fourchette glissa. Un jet d'huile d'olive atterrit sur sa chemise.

– Quelle place occupera votre père dans toutes vos activités ?

Wayne renversa la poupée de RFK. Un bras en plastique se détacha du tronc. Carlos se cura le nez.

– Bon, même si je suis sacrément sensible aux services qu'on me rend, et plutôt disposé à vous trouver sympathique, pourquoi Howard Hughes irait-il chercher ailleurs que dans son organisation, remplie de lèche-bottes avec qui il se sent en confiance, pour engager un ex-flic fêlé qui flingue des nègres pour le plaisir ?

Wayne accusa le coup. Il serra son verre entre ses doigts et faillit en briser le pied.

– M. Hughes est un drogué xénophobe dont on sait qu'il s'injecte des narcotiques dans une veine du pénis, et je sais concocter...

Carlos s'esclaffa et frappa la table du plat de la main. Son verre de vin se renversa. Des morceaux de poivron s'envolèrent. De l'huile d'olive gicla.

– ... des drogues qui le stimuleront et qui le soulageront et qui diminueront ses capacités mentales à tel point qu'il deviendra beaucoup plus accommodant lors de ses transactions avec vous. Je sais aussi que vous avez une très grosse enveloppe pour Richard Nixon, au cas où il serait choisi pour représenter son parti aux présidentielles. M. Hughes a prévu d'y contribuer à hauteur de 20 %, et j'ai l'intention de piller les réserves de liquidités laissées par mon père et de vous apporter cinq millions de plus.

Le crétin en toge entra. Il apportait une éponge et il nettoya les dégâts fissa. Carlos fit claquer ses doigts. Le crétin en toge disparut.

– J'en reviens à votre père. Que va donc faire Wayne Tedrow *Senior* pendant que Wayne Tedrow *Junior* la lui met bien profond là où ça fait le plus mal ?

Wayne désigna les poupées puis pointa l'index vers le ciel. Carlos fit craquer ses phalanges.

– D'accord. Je marche.

Wayne leva son verre.

– Merci.

Carlos leva son verre.

– Vous aurez 250 000 dollars par an, plus un pourcentage sur les bénéfices, et vous prenez tout de suite l'ancien boulot de Ward. J'ai besoin de vous pour superviser le rachat d'entreprises légales créées à l'aide des prêts de la caisse de retraite des camionneurs, pour qu'on puisse blanchir les sommes et les injecter dans un fonds de réserve qui servira à construire ces hôtels-casinos quelque part en Amérique centrale ou bien aux Caraïbes. Vous savez ce qu'on recherche. Il nous faut un genre d'*El Jefe* docile, anticommuniste, qui fera ce qu'on lui demandera et qui saura museler toutes ces conneries de contestations des dissidents et des hippies. C'est Sam Giancana qui dirige la manœuvre, à présent. On a ciblé nos choix sur le Panama, le Nicaragua et la République dominicaine. C'est l'essentiel de votre foutu boulot. Vous assurez le coup, vous veillez à ce que votre copain junkie continue de nous acheter nos hôtels, et vous faites ce qu'il faut pour que nos infiltrés restent en place, pour qu'ils puissent éventuellement nous faciliter la tâche en détournant pour nous une partie de l'écrémage.

Wayne dit :

– Vous pouvez compter sur moi.

Carlos dit :

– Papa n'assistera pas à votre réussite.

Wayne se leva trop vite. Le décor pseudo-romain se mit à tourner autour de lui. Carlos se leva. Sa chemise était éclaboussée, presque trempée.

– Je veillerai à ce que vous soyez couvert.

Janice avait aux Dunes une suite de style casbah. Wayne lui procurait la présence d'infirmières vingt-quatre heures sur vingt-quatre. Janice ne quittait plus l'hôtel, à présent.

L'infirmière qui assurait le service de l'après-midi fumait sur la terrasse. La vue offrait un jeu de lumière à travers la brume du désert. Janice était pelotonnée dans son lit, le climatiseur fonctionnait au maximum. Déréglé, son système ne connaissait plus que les extrêmes. Soit elle était gelée, soit elle était bouillante.

Wayne s'assit près d'elle.

– Il y a du golf à la télé.

– Je crois que j'ai eu ma dose de golf pour un bon moment.

Wayne sourit.

– Très juste !

– Le rendez-vous chez Hughes, ce n'est pas pour bientôt ?

– Dans quelques jours.

– Il t'embauchera. Il s'imaginera que tu es mormon, et que ton père t'a appris deux ou trois choses.

– Ma foi, c'est vrai.

Janice sourit.

– Qui est-ce que tu vas voir ? Le collaborateur de Hughes, je veux dire.

– Il s'appelle Farlan Brown.

– Je le connais. Sa femme était la championne du club, au Frontier, mais je l'ai battue de 9 et 8 coups la seule fois où j'ai joué contre elle.

Wayne rit.

– Il y a autre chose ?

Janice rit. Cela provoqua chez elle une quinte de toux et une suée soudaine. Elle repoussa ses couvertures. Sa chemise de nuit voleta. Wayne aperçut de nouveaux creux, de nouvelles zones de chair flasque.

Il lui épongea le front avec la manche de sa chemise. Elle fourra son nez contre le bras de Wayne et fit mine de le mordre. Wayne singea une grimace de douleur.

– J'allais dire qu'il boit et qu'il court après les femmes, comme tout bon mormon. Il y a une trinité pour les hommes comme lui : les danseuses de revue, les serveuses de bar, et les bordels.

La chambre était glacée. Le simple fait de parler avait inondé Janice de transpiration. Elle se mordit la lèvre. Les veines battaient à ses tempes. Elle se toucha le ventre. Wayne reconstitua l'itinéraire de sa douleur.

Janice dit :

– Merde.

Wayne ouvrit sa mallette et prépara une seringue. Janice lui tendit son bras. Wayne trouva une veine, la désinfecta, et fit un garrot. L'aiguille, le piston. Voilà.

Le temps d'une pulsation...

Elle se raidit et s'apaisa. Ses paupières battirent. Un bâillement et elle s'endormit.

Wayne prit son pouls. Il était faible mais régulier. Son bras ne pesait presque rien.

Le *L.A. Times* était ouvert sur la table de nuit. Il montrait un triptyque photographique : JFK, RFK, le Dr King. Wayne referma le journal pour les faire disparaître, et il regarda Janice dormir.

2

DON CRUTCHFIELD. *Los Angeles, 15 juin 1968*

DES FEMMES :

Deux essaims passèrent près du parking. Le premier groupe semblait composé de vendeuses. Elles portaient des vêtements sages et des coiffures bouffantes élaborées. Celles du second groupe étaient purement de style hippie. Elles portaient des jeans rapiécés, des symboles pour la paix dans le monde, des cheveux longs et raides qui volaient au vent.

Elles s'approchent et s'éloignent. Les chauffeurs leur adressent des signes. Les vendeuses leur répondent de la même façon. Les hippies leur font des doigts. Les chauffeurs les sifflent.

Le parking de la station Shell. À l'angle de Beverly et de Hayworth. Quatre pompes et un bloc atelier-bureau. Trois chauffeurs vautrés dans leurs caisses.

Bobby Gallard avait une Oldsmobile Rocket. Phil Irwin, une Chevrolet 409. Crutch, une GTO 65. Par rapport aux deux autres, c'était un bleu, dans le métier. Mais c'est lui qui avait *la* meilleure tire : 390 chevaux, boîte Hurst 4 vitesses, peinture marron comme celles des nègres.

À la mi-journée, Bobby et Phil étaient à moitié raides d'avoir siroté de la vodka à haut degré d'alcool. Crutch était encore passablement excité après le défilé de jolies filles. Il scruta la rue, guettant de nouvelles arrivées. Nada – juste quelques vieux juifs se rendant avec entrain à la synagogue.

Retour aux articles du journal. Pénible : encore du bla-bla sur James Earl Ray et Sirhan Sirhan. Soûlant : « L'Amérique en deuil » ; « La tanière de l'assassin présumé ». Ray avait tout l'air d'un crétin, Sirhan d'un bédouin. Hé, l'Amérique, je donne du relief à ta tristesse !

Crutch fit tourner les pages. Il tomba sur un combat de poids mouche au Forum, et une annonce qui sautait aux yeux : le magazine *Life* offre un million de dollars pour une photo de Howard Hughes ! Une rousse passa. Crutch lui fit signe. Elle lui jeta un regard de mépris, comme à une merde de chien. Les chauffeurs émettaient des vibrations carrément *mauvaises*. C'étaient des prolos intrinsèquement secoués. Ils attendaient le boulot que pouvaient leur confier des détectives privés cradingues et des avocats spécialisés dans les divorces. Ils filaient des épouses infidèles, enfonçaient des portes à coups de pied, et prenaient des photos de ces idiotes en train de baiser. C'était un métier à haut risque et à haute teneur en rigolade, avec un fort potentiel en femmes à poil. Crutch était un bleu dans le métier. Il voulait s'y vautrer pour toujours.

Le journal qualifiait Howard Hughes de « reclus milliardaire ». Crutch se mit à carburer. Il pourrait se mettre au régime, perdre un paquet de kilos, et s'introduire chez Hughes en grimpant à l'intérieur d'un conduit d'aération. Clic-clac ! Un polaroïd, et *Vamos !*

Le parking somnolait. Bobby Gallard feuilletait des magazines de cul et sirotait de la Smirnoff à 50 degrés. Phil Irwin passait sa 409 à la peau de chamois. Phil faisait des filatures et servait d'homme de paille à Freddy Otash. Freddy O. pratiquait l'extorsion de fonds et jouait les gros bras quand on avait besoin de lui. C'était un ancien flic du LAPD [1]. Il avait perdu sa licence de détective privé après une histoire de chevaux dopés. Phil était son chauffeur et son cire-pompes préféré.

Le parking somnolait. Pas de boulot, pas de nanas à reluquer. À la station-service, ennui pesant.

Il faisait chaud et humide. Crutch bâilla et dirigea la clim sur ses couilles. Revigoré, il se mit à gamberger. Le spleen de la station-service, adieu.

Il avait 23 ans. Il s'était fait virer du lycée de Hollywood pour avoir pris des instantanés dans le gymnase des filles. Son père vivait dans un conteneur destiné aux dons de vêtements, près de Santa Anita. Crutch Senior faisait la manche, jouait aux courses toute la journée, et ne se nourrissait que de burritos au pastrami. La mère de Crutch était partie le 18 juin 55. Elle avait fait sa valise et n'était jamais revenue. Chaque année, à Noël, elle lui envoyait une carte

1. Los Angeles Police Department. (*Toutes les notes sont du traducteur.*)

de vœux et un billet de cinq dollars, postés chaque fois d'un endroit différent, sans adresse de retour. Crutch constitua son propre fichier de personne disparue. Il occupait quatre gros cartons. Cela lui servait à tuer le temps. Il passait des coups de téléphone aux quatre coins du pays, il se renseignait auprès des services de police, des hôpitaux, des services d'état civil enregistrant les décès. Il était encore collégien quand il commença sa quête.

Rien – Margaret Woodard Crutchfield restait désespérément *introuvable*.

Ce boulot de chauffeur lui était tombé dessus par hasard. C'était arrivé comme ça :

Il n'avait jamais perdu de vue son copain de lycée Buzz Duber. Buzz partageait sa passion pour les violations de domicile. Les violations *en douceur*, comme ceci :

Hancock Park. De grandes maisons plongées dans le noir. Des repaires de lycéennes de boîtes privées. Toc-toc. Y a personne ? *Parfait*.

Vous entrez discrètement, une lampe de poche à la main, vous découvrez des baraques somptueuses. Vous explorez des chambres de filles et vous ressortez les poches pleines de lingerie fine.

Il l'avait fait plusieurs fois avec Buzz. Il l'avait fait *plein* de fois tout seul. Le père de Buzz, c'était Clyde Duber, un détective privé très coté. Il traitait les affaires de divorce et sortait de la merde pas mal de célébrités. Il infiltrait des étudiants dans des groupuscules de gauche et les incitait à cafter leurs menées subversives. Les flics avaient serré Crutch pendant un de ses vols de petites culottes. Pris sur le fait, avec des sous-vêtements en dentelle noire et un sandwich qu'il avait piqué dans le frigo de Sally Compton. Clyde avait fait sortir Crutch en payant sa caution et rendu sa virginité à son casier judiciaire. Clyde le faisait travailler comme chauffeur et lui confiait des missions de surveillance fastoches. Clyde disait qu'on ne faisait rien de mal en collant son œil aux trous de serrure, mais il bannissait formellement les violations de domicile avec effraction. Clyde lui avait dit : « Petit, si tu veux faire le voyeur, je vais te *payer* pour ça. »

Le parking somnolait. Bobby Gallard peignait à la bombe une croix de fer sur son Oldsmobile. Phil Irwin s'enfilait des capsules de phénobarbital et les faisait passer avec une gorgée d'Old Crow. Crutch rêvassait toujours à son scoop sur Howard Hughes. Tempête sous un crâne : et si je prenais d'assaut son appartement de grand luxe ? Je pourrais m'y introduire à l'aide d'un grappin au bout d'une corde !

Une voiture de police banalisée entra dans la station. Le parking en fut revitalisé. Crutch aperçut un bout de nœud papillon rouge écossais et capta une odeur de pizza.

Droit sur l'objectif – Crutch suivit Bobby et Phil. Scotty Bennett sortit de la voiture et frappa le sol du pied pour faire circuler le sang. Il mesurait 1,95 mètre et pesait 105 kilos. Il travaillait au LAPD, à la brigade de répression des vols. Son nœud papillon était brodé de petits chiffres « 18 ».

La banquette arrière était bourrée de packs de bière et de pizzas. Bobby et Phil sautèrent à l'intérieur et se servirent. Crutch passa la tête dans la voiture et regarda le tableau de bord. Toujours à la même place : les photos de la scène de crime, toutes scotchées, jaunissantes.

La fixation de Scotty : la grande attaque du fourgon blindé. Hiver 64. Pas encore élucidée. Des convoyeurs morts et des braqueurs carbonisés – toujours pas identifiés. Envolés : des sacs pleins de billets de banque et des mallettes remplies d'émeraudes.

Scotty désigna les photos :

– Au cas où j'oublierais.

Scotty avala sa salive. Scotty était toujours aussi *impressionnant*. Il portait deux .45 et une matraque suspendue à une lanière. Bobby et Phil engloutissaient de la bière et se bâfraient de pizza. Ils transformaient la banquette arrière en auge de ménagerie. Crutch braqua son index sur le nœud papillon de Scotty.

– Vous aviez des chiffres « 16 » la dernière fois.

– Deux Noirs ont braqué un magasin d'alcool à l'angle d'Avalon et de la 74e. Le hasard a voulu que je me trouve au fond de la boutique, avec un fusil à pompe Remington.

Crutch s'esclaffa.

– C'est le record, non ? De tirs mortels dans l'exercice de vos fonctions ?

– Exact. J'en ai six d'avance sur mon concurrent immédiat.

– Qu'est-ce qu'il lui est arrivé ?

– Il a été abattu par deux Noirs.

– Et *eux*, qu'est-ce qu'il leur est arrivé ?

– Ils ont braqué un magasin d'alcool à l'angle de Normandie et de Slauson. Le hasard a voulu que je me trouve au fond de la boutique, avec un fusil à pompe Remington.

L'air ambiant sentait le fromage fait et les vapeurs de bière. Scotty fronça le nez. Pour manger, Phil s'était agenouillé sur le bitume. Son pantalon taille basse découvrait la raie de ses fesses. Scotty le souleva par la ceinture.

Phil décolla. Phil affichait cet air terrifié que Scotty inspirait. Phil atterrit sur ses pieds et se mit au garde-à-vous. Bobby déglutit et se redressa. Scotty adressa un clin d'œil à Crutch.

– Je cherche deux Blancs qui roulent dans une Thunderbird bleu pastel de 62, avec des cache-roues bleu nuit. Ils s'attaquent à des restaurants, ils vident la caisse, ils retiennent les clients en otages et forcent les femmes à leur tailler des pipes. Je vous serais reconnaissant d'ouvrir l'œil.

Crutch demanda :

– On a un signalement ?

Scotty sourit.

– Ils portaient des masques. Leurs victimes de sexe féminin les ont décrits comme étant « raisonnablement membrés ».

« Membrés » – *hein ?* – Bobby et Phil en restèrent interloqués, la mâchoire pendante. Crutch eut un sourire narquois. Scotty ramassa les restes de pizza et les canettes vides et lui fourgua le tout. Un bout de saucisse tomba sur la veste de costume de Scotty. Phil trembla et le chassa d'une pichenette.

Scotty remonta dans sa voiture et partit vers l'est. Crutch reluqua une blonde aux pompes à essence.

Phil dit :

– Il se croit balaise, mais je sais que je pourrais le mater.

Le parking retomba dans sa somnolence. Bobby hérita d'une mission, confiée par son avocat juif favori : tendre un traquenard. L'avocat lui fournit l'essentiel du scénario. C'est une histoire de mari en rut qui va aux putes. Ma cliente, c'est l'épouse du monsieur. Tu loues une chambre dans un hôtel de passe. Tu vas trouver le mari dans son rade favori. Tu facilites une rencontre impromptue. Tu me rapportes des épreuves papier et le négatif.

Buzz Duber passa dans le coin. Crutch lui soumit le plan Howard Hughes. Buzz se mit à cogiter. Il dit à Crutch qu'il connaissait un nègre lilliputien. Ce type jouait les Pygmées dans les films censés se passer dans la jungle. Ils pourraient l'envoyer dans la tanière de Hughes, planqué dans un chariot du service des chambres.

Freddy Otash passa dans le coin. Il avait maigri. Il se vanta d'avoir racheté un hôtel-casino de seconde zone. Il confia à Phil une mission de surveillance. Phil, à moitié gris, partit au volant de sa voiture.

Crutch et Buzz commençaient à s'assoupir – trop de bière et de pizza. Dans son demi-sommeil, Crutch eut quelques visions fugitives de Dana Lund, dans une lumière douce, à travers sa fenêtre.

Un klaxon retentit, trop violent. Crutch ouvrit les yeux. Merde... C'est Chick Weiss, l'avocat véreux qui fait bosser Phil.

Dans son kayak de youdok, une Cadillac. Avec ses cheveux crépus façon poils de cul, et son costard de dandy british. Avec sa fixation débile sur l'art des Caraïbes.

Weiss annonça :

– J'ai un boulot pour toi : piéger un pédé. C'est un mec qui adore s'embourber des Philippins bien montés, et j'ai un mutant avec une queue de vingt-six centimètres. Madame veut divorcer, et qui pourrait le lui reprocher ?

Le petit mari louait un baisodrome au Ravenswood. Crutch apporta un Rolleiflex et une barrette d'ampoules de flash. Buzz avait mis des chaussures à bout renforcé pour défoncer les portes.

Le Mutant les attendait dans le hall de l'immeuble. Il avait une clé de l'appartement. Crutch se sentit frustré. Il rêvait d'un peu d'action, style porte qu'on fait sauter à grands coups de lattes. Les trois hommes se concertèrent. Crutch dit au Mutant d'entraîner le petit mari au plumard pronto. Buzz lui dit de leur fournir un éclairage correct. Le Mutant leur dit de bien cadrer son mandrin sur la photo. Il faisait bénéficier de ses services des personnes mariées des deux sexes. Il souhaitait travailler davantage pour ces histoires de divorce. Il voulait faire savoir que la nature l'avait gâté.

Ils se mirent d'accord sur un compte à rebours de quatre minutes. Le Mutant fila vers l'appartement 311. Crutch bricola les réglages de son appareil photo pour qu'il soit fin prêt. Buzz décomptait les secondes sur un chronomètre.

10, 9, 8, 7, 6, 5, 4, 3, 2, 1, 0 – *partez.*

Ils montèrent l'escalier en courant. Ils dévalèrent des couloirs et trouvèrent le 311. Buzz ouvrit la porte. Crutch brandit son Rollei. Ils suivirent les gémissements d'extase jusqu'à une porte qu'ils ouvrirent à la volée.

C'était grec en diable. Ils ne pouvaient rien manquer du spectacle : devant eux, le Mutant trombinait le petit mari avec son engin monstrueux. Crutch pressa le déclencheur. *Pop pop pop pop* – la chambre fut illuminée quatre fois par l'éclair aveuglant du flash. Le petit mari se mit à meugler le blues classique des pièges à pédés : *Comment as-tu pu me faire ça ?* Le Mutant renfila son pantalon et sortit par l'escalier de secours. Buzz repéra un sac d'herbe sur la commode et le rafla. Crutch se dit : *C'est ça, la grande vie.*

Buzz dit :

– Elle devait bien mesurer un demi-mètre.

Crutch rectifia :

– Moins de trente centimètres. Rappelle-toi, Chick Weiss nous a donné ses mensurations.

Clyde Duber dit :

– On pourrait le réemployer à l'occasion. Tu as son numéro ?

Buzz répondit :

– On peut le demander à l'association des acteurs de cinéma. Il joue l'acolyte de la vedette dans je ne sais plus quel téléfilm.

Le bureau de Clyde Duber, à Beverly Hills. Sur les murs, des panneaux en pin noueux, des trophées de golf et du cuir rouge. Visez un peu la frise :

Elle retraçait le célèbre braquage du fourgon blindé. Clyde se passionnait pour cette histoire. Cela tournait même à l'obsession. Il y a un billet de banque taché d'encre dans un sous-verre. Il y a des photos encadrées de cadavres carbonisés et d'émeraudes en vrac. Il y a le sergent Scotty Bennett. Il tabasse deux Noirs.

En amateur, Clyde constituait un dossier sur l'affaire. C'était son projet préféré. Pour lui faire plaisir, Scotty lui donnait des babioles. Clyde adorait les bandes magnétiques de ses interrogatoires. On y entendait des Noirs hurler.

Crutch dit :

– Freddy Otash a acheté un hôtel à Vegas.

Clyde se servit un triple scotch.

– Freddy est un crétin. Des rumeurs circulent à son sujet, et je n'en dirai pas plus.

Buzz suggéra :

– Explique à Papa le projet Hughes.

Crutch se gratta les couilles.

– Le magazine *Life* offre un million de dollars pour une photo de Howard Hughes. Je pense qu'on peut y arriver.

Clyde mima une branlette. *Les gamins* – le fardeau de l'homme blanc. Des gamins chauffeurs, des gamins agents doubles, des gamins en planque.

Buzz poussa Crutch du coude.

– T'as des projets, pour ce soir ?

– Je pensais aller me balader en bagnole.

– Merde, tu vas aller reluquer Chrissie Lund.

Clyde demanda :

– Qui est Chrissie Lund ?

– Une étudiante de première année, à l'université de Californie du Sud. Crutch en est dingue.

Clyde but une gorgée de scotch.

– Ne fais pas ce que je ne ferais jamais. Par exemple, infraction à l'article 459 du code pénal : violation de domicile avec effraction.

Crutch rougit et jeta un coup d'œil à la frise. Ne pas oublier : acheter des nœuds papillons écossais et se payer une coupe en brosse à la Scotty Bennett.

Buzz ajouta une giclée d'eau de seltz à son scotch.

– Trouve-nous un boulot d'agent double, Papa. Fais-nous entrer dans un groupuscule communiste.

– Pas question. Vous êtes trop inexpérimentés et vous faites bien trop bourgeois. Pour que ce genre de surveillance réussisse, il faut être crédible quand on parle du style de vie communiste. Des mômes comme vous, ça ignore tout de l'insurrection sociale. Tout ce qui vous intéresse, c'est de sauter des petites étudiantes.

Buzz s'esclaffa. Crutch rougit. Ne pas oublier : étudie ton dossier, et pars sur la piste des obsédés de la turlute que veut coincer Scotty.

– Qui commandite ces missions d'infiltration ?

Clyde recula sa chaise.

– Des cinglés de droite qui ont du *fric*. Ils sont tous rois ou docteurs. Vous avez le Dr Charles S. Toron, le Roi de l'Eugénisme. Vous avez le Dr Fred Hiltz, le Roi de la Haine, et le Dr Wesley Swift, le Roi de la Bible nazie.

Buzz commenta :

– Ce Dr Fred, c'est un dentiste. Les autres types ont obtenu des diplômes par correspondance, comme tous ces prédicateurs nègres.

Clyde rectifia :

– Un dentiste *défroqué*. Il est devenu accro à la cocaïne anesthésique, et il a commencé à bousiller les dents de ses patients.

Crutch pensait à Dana Lund. Ne pas oublier : apporter un téléobjectif à flou artistique. Buzz sortit le sac d'herbe qu'il avait raflé. Clyde leva les yeux au ciel – *ah, ces mômes !*

– Ça me fait penser... Le Dr Fred a un petit boulot pour nous. Une femme lui a volé de l'argent et s'est enfuie avec.

Buzz regarda Clyde. Crutch regarda Clyde. Les deux regards signifiaient *moi*. Clyde lança une pièce en l'air. Buzz choisit pile. La pièce retomba du côté face.

Crutch avait une bauge aux Vivian Apartments. C'était un immeuble minable sans ascenseur, juste au sud de Paramount. Des accessoiristes et des assistants de plateau habitaient là. À l'heure du déjeuner, des actrices de seconde zone y faisaient des passes dans un placard à balais géant. Crutch avait entassé tout son matériel dans deux pièces.

Ses dossiers. Son matériel photo. Son matériel électronique. Sa documentation sur les bagnoles. C'est Clyde qui lui avait appris les techniques de surveillance. Il avait du câble téléphonique et des supports de micro à profusion. Il avait une collection complète du magazine *Playboy*. Il avait tous les numéros de la revue automobile *Car Craft* depuis 1952. Son papier peint, c'était 41 doubles pages de *Playmates*.

Il s'installa pour la nuit. Il mit à jour les notes sur la dernière résidence connue de sa mère. Noël 67 – Margaret Woodard Crutchfield écrit de Des Moines. Vérification de toutes les archives connues, résultat : zéro. Retour en arrière jusqu'en 66 – une carte de Noël postée à Dubuque. Dans toutes les villes intermédiaires, vérification complète des documents accessibles, résultat : zéro.

Crutch commençait à ne plus tenir en place. Buzz se trouvait il-ne-savait-où, défoncé à il-ne-savait-quoi. Buzz avait un côté vicieux qui lui manquait. Buzz avait sur lui un faux insigne de flic et il s'en servait pour forcer les prostituées à lui tailler des pipes. Pour lui, pas de ça. Garder ses réserves en lui, c'était mieux.

Il faisait chaud, dehors. Un orage d'été se préparait. Crutch prit sa voiture. Il fit un tour jusqu'à Hollywood Boulevard et s'engagea sur le Strip. Il regardait les gens. Les filles à cheveux longs l'excitaient, les mecs à cheveux longs le dégoûtaient. Il cherchait cette

Thunderbird de 62 et les deux voyous amateurs de gâteries signalés par Scotty. Il vit deux tantouses dans une Thunderbird de 61 et rien de plus.

Il roula vers l'est jusqu'à Hancock Park. Il éteignit ses phares et se gara à l'angle de la 2e Rue et de Plymouth. Cette grande maison de style espagnol le fascinait.

Derrière les fenêtres, des lumières dansaient, dans les étages et au rez-de-chaussée. Il aperçut Chrissie en survêtement de l'université – une brève apparition, et puis plus rien. Il vit Dana se nouer les cheveux, dans la cuisine.

Buzz ne comprenait pas. Personne ne comprenait. C'est pourquoi il n'en parlait à personne. Ce n'était pas à Chrissie Lund qu'il s'intéressait. Mais à Dana Lund. Et elle avait 53 ans.

3

DWIGHT HOLLY. *Washington, D.C., 16 juin 1968*

DES NÈGRES :

Le restaurant en regorgeait. M. Hoover se livra à un décompte. Dwight suivait son regard qui enregistrait tous ces détails. Des serveurs noirs, un lobbyiste noir, un champion de base-ball, noir. Cette vieille tante d'Hoover était frêle. Il avalait sa soupe à grandes lampées sonores, d'une main agitée de tremblements. Il avait un temps de retard, à présent, par rapport à son état normal, mais son cerveau faisait toujours des étincelles, ses circuits alimentés par la *HAINE*.

Le restaurant Harvey, au centre-ville de Washington, le coup de feu de midi. Un endroit très couru par ceux qui veulent être vus. Beaucoup de regards qui enregistrent tous les détails.

M. Hoover demanda :

– Wayne Tedrow Junior a-t-il tué Wayne Tedrow Senior ?

– Oui, monsieur. Il l'a tué.

– Extrapolez, je vous prie.

Dwight repoussa son assiette.

– Carlos Marcello a acheté le silence de la police de Las Vegas et celui du coroner du comté de Clark. Ce dernier a requalifié en « crise cardiaque » un homicide par traumatismes provoqués à l'aide d'un instrument contondant.

M. Hoover sourit.

– Un « coup de sang » aurait souligné l'aspect golfique du décès.

Dwight alluma une cigarette.

– Je ne vous demanderai aucun détail supplémentaire, monsieur. Je fais confiance à vos sources et je passerai à autre chose.

– Le capitaine Bob Gilstrap et le lieutenant Buddy Fritsch ont examiné la scène de crime. Ils étaient conscients du ressentiment qui existait entre Tedrow *père* et Tedrow *fils*, et ces deux officiers sont redevables à M. Marcello.

– M. Marcello est un merveilleux ami des forces de l'ordre du Nevada, monsieur. Il envoie de superbes corbeilles de cadeaux à Noël.

M. Hoover sourit *jusqu'aux oreilles*.

– Vraiment ?

– Oui, monsieur. Les doubles fonds contiennent des jetons de casino et des billets de cent dollars.

M. Hoover *rayonna*.

– Junior a-t-il participé à des opérations récentes, à Memphis, dont vous auriez pu entendre parler ?

Dwight fit un clin d'œil. Motus et bouche cousue. M. Hoover s'empara d'un triangle de pain grillé et chassa un serveur.

– Vous êtes éloquent, Dwight. Vous comprenez votre public et vous le flattez d'une façon inimitable.

– En votre compagnie, monsieur, j'essaie de me montrer à la hauteur. Je ne fais pas autre chose.

Des nègres en action côté cour. Un serveur nègre faisait de la lèche au champion de base-ball nègre. M. Hoover se déconnecta des amabilités en cours et se focalisa sur les nègres. Il avait 73 ans. Son haleine empestait. Ses ongles étaient bordés de petites peaux sanguinolentes. Il tenait grâce à la digitaline et aux injections d'amphétamines. Un Dr Guérit-Tout lui faisait des piqûres tous les jours.

Clic ! Il est de retour. Clic ! Il vous regarde de nouveau.

– Nos autres homicides. Ceux qui sont plus voyants, donc plus susceptibles d'être examinés de près et de faire naître des rumeurs.

Dwight écrasa sa cigarette.

– Ray et Sirhan sont des psychopathes, monsieur. Leurs dépositions confirment leur paranoïa, et l'opinion américaine s'est habituée à l'idée que les assassins de ce genre sont sujets à des délires de grandeur. Il y aura *inévitablement* des rumeurs, mais avec le temps, elles seront remplacées par l'indifférence générale.

– Et en ce qui concerne les Tedrow ? Sommes-nous vulnérables sur ce point ? Rassurez-moi avec cet aplomb inébranlable qui est le vôtre.

– La mort de Senior, répondit Dwight, n'a rien de suspect. Oui, il a mené pour notre compte des opérations en rapport avec le Klan, mais cela n'a jamais été de notoriété publique. Oui, il a diffusé de la propagande raciste, mais en public il n'a jamais été aussi disert que notre compère Fred Hiltz, autre pamphlétaire anti-Noirs. Oui, il était pressenti pour reprendre l'emploi occupé par Ward Littell au service de Howard Hughes, ce qui aurait pu donner lieu à certaines spéculations. Oui, je pense que c'est Junior qui va décrocher cet emploi, à présent. Non, je ne crois pas qu'aucun de ces éléments risque de nous rendre vulnérables de façon tangible.

M. Hoover harponna son dernier triangle de pain grillé. Sa main tremblait. Quelques politiciens qui passaient de table en table le fixèrent avec insistance.

– Le pouvoir. Était-ce le mobile de Junior ?

– Je le connais depuis toujours, monsieur. Je pense qu'une meilleure définition de son mobile serait : une haine parfaitement justifiée.

Un prédicateur nègre accosta les politiciens. Échange de rires sonores et de claques dans le dos. Le bonhomme portait des bottes de cow-boy avec son complet ecclésiastique. Dwight le reconnut. Il présentait des téléthons pour une quelconque maladie de nègre et il adhérait à l'idéologie gauchiste.

M. Hoover déclara :

– Le Prince Bobby et Martin Lucifer King nous ont quittés, laissant les gens à la moralité douteuse franchement inconsolables, et procurant un soulagement bienvenu aux sains d'esprit. L'opération Lapin Noir n'a pas donné les résultats que nous avions espérés, et de toute évidence, des nuages toxiques de nationalisme noir tourbillonnent au-dessus de nos têtes. J'aimerais que vous analysiez le potentiel du parti des Panthères Noires et de celui des Esclaves Unis, également nommé « E.U. », en tant que cibles éventuelles d'une opération de déstabilisation. Je pense à un Cointelpro [1] de grande envergure. Il existe à Los Angeles deux cabales moins connues qui méritent peut-être qu'on les examine. Notez bien leurs tapageuses appellations : l'Alliance des Tribus Noires, et le Front de Libération des Mau-Mau.

Dwight en eut la chair de poule.

– J'ai une indic à L.A. Je vais prendre l'avion et lui parler.

– *Une* indic, Dwight ? L'informatrice confidentielle n° 4361 du Bureau ?

Dwight sourit.

---

1. COunter INTELligence PROgramme : programme de contre-espionnage.

– Oui, monsieur. Il se peut que nous ayons besoin d'infiltrer une taupe, et elle connaît tous les gauchistes sournois en captivité.
– Tous les gauchistes devraient être en captivité.
– Oui, monsieur.
– Faites escale à Las Vegas aussi. Évaluez la santé mentale de Wayne Tedrow Junior.
– Oui, monsieur.
– Les Mau-Mau étaient une secte de cannibales africains sans aucun grief valable. Ils sodomisaient des babouins et mangeaient leur propre progéniture.
– Oui, monsieur. Je le savais.
– L'étendue de vos connaissances ne me surprend pas. Je suis ravi d'avoir à ma solde un voyou qui sort d'une grande université.

Il vivait dans des suites d'hôtels. Les agents en déplacement avaient à leur disposition dans tout le pays des points de chute agréés par le FBI. Il aimait bien le Statler à Los Angeles et le Sheraton de Chicago. Le Mayflower de Washington était un Ritz raté. Le service des chambres était minable, les canalisations sifflaient, le lit grinçait.

Les dossiers qu'il devait étudier se trouvaient sur le bureau, avec ses billets d'avion. M. Hoover les avait fait apporter pendant le déjeuner. Les Panthères/les E.U./les Mau-Mau/les Tribus. *M. Hoover voulait ce travail.* Son vol partait dans deux heures.

Dwight donna un coup de brosse à ses chaussures, nettoya son pistolet et fit des tractions à l'aide d'une barre fixée dans l'encadrement de la porte. Les corvées merdiques lui tapaient sur les nerfs et le contraignaient à se limiter à un verre par soirée. *Tout était verrouillé.* L'assassinat de RFK était du pur Carlos. C'était son fantasme. Sirhan Sirhan était pratiquement gaga. Jamais il ne serait capable d'identifier Otash de façon crédible. On avait arrêté Jimmy Ray à l'aéroport de Londres. Les accords d'extradition allaient être appliqués. Jimmy parlerait – c'était certain. Otash l'avait blousé sur toute la ligne. La version que donnerait Jimmy passerait pour un délire de junkie.

Pete tiendrait bon. Otash tiendrait bon. Le consensus se mettrait en place : c'était l'œuvre d'un solitaire illuminé. M. Hoover s'emploierait à court-circuiter toutes les interrogations qui remettraient en cause la version officielle. Le seul élément qui représentait un risque, c'était Wayne Junior.

« Je le connais depuis toujours, monsieur. »

Et son père et mon père et l'Indiana, il y avait longtemps de ça.

Le père de Dwight, c'était « Daddy » Holly, activiste parvenu et propagandiste du Ku Klux Klan. Daddy Holly s'était enrichi en vendant des klanneries kitschissimes pendant l'âge d'or du Klan, dans les années 20. Dwight avait engendré ses deux fils Dwight et Lyle hors des liens du mariage et renvoyé Louisa Dunn Chalfont dans le Kentucky. Dwight et Lyle avaient grandi dans les kamps du Klan. Daddy leur apprit à écrire avec des « k » tous les mots contenant des « c » durs. Daddy haïssait les Juifs, les papistes et les nègres et il comprenait bien que le Klan était une mascarade.

Daddy se hissa jusqu'au grade d'Auguste Cyclope. Daddy vendait des robes du Klan kustomisées, divers akkoutrements et autres défrokes, et même de la haute kouture pour la race kanine. Daddy s'enrichit, porté par le boom des années 20. Ce qui le fit chuter, ce fut une histoire de viol dégénérant en suicide. Le Grand Dragon qui lui servait de mentor agressa une jeune femme dans un train. Elle mit fin à ses jours en absorbant du mercure. L'histoire fit couler beaucoup d'encre. Une censure féroce entraîna la disgrâce du Klan dans l'opinion publique. Les politiciens soutenus par le Klan furent évincés en masse. Daddy chercha de nouvelles perspectives et investit massivement en Bourse. Sa fortune s'accrut régulièrement jusqu'au « mardi noir » de 1929.

Dwight avait alors 12 ans, Lyle 19. Ils perdirent leur grande maison à Peru, Indiana, et s'installèrent à Merdeville. Daddy commença à les ignorer. Daddy trouva un protégé : un homme plus jeune que lui, nommé Wayne Tedrow. Ils imaginèrent des scénarios pour s'enrichir rapidement et distribuèrent des tracts racistes. Les crétins de l'Indiana adorèrent les karikatures, les kommentaires et les invektives lancées à Franklin Déloyal Rosenfeld. Wayne Tedrow fit un môme à une fille du coin, vers 1934. Wayne Junior était un gamin intelligent, porté sur la chimie. Dès le début, Dwight l'aima comme un petit frère ou comme un fils.

Daddy Holly lâcha la rampe en 39, emporté par une cirrhose. Wayne Senior éleva Wayne Junior à Peru. Il largua sa première femme pour épouser une fille peu farouche nommée Janice Lukens. Dwight et Lyle payèrent leurs études supérieures en faisant des boulots minables. Dwight fit son droit à Yale, Lyle à Stanford.

Wayne Senior emmena sa famille au Nevada et s'enrichit grâce à ses publications racistes et à l'immobilier. Dwight s'engagea dans les fusiliers marins, fut nommé officier, et tua des Japonais sur l'île de Saipan. Lyle s'engagea dans la marine, fut nommé officier, et tua des Japonais sur des bateaux. Dwight intégra le FBI en 46. Lyle intégra la police de Chicago en 47. Ils restèrent l'un et l'autre en contact avec les Tedrow.

Wayne Junior grandit. Studieux et impulsif. Il fit son service militaire dans le 82e régiment aéroporté vers la fin des années 50 et obtint un diplôme en chimie. Dwight, sans affectation particulière, accomplit diverses tâches pour le FBI et établit de bonnes relations avec M. Hoover. Il faillit craquer au début de 57. M. Hoover lui accorda un bref répit pour qu'il se repose. Lyle démissionna de la police de Chicago. M. Hoover lui confia une mission à plein temps.

Approchez-vous de Martin Luther King. Infiltrez et déstabilisez l'Assemblée des autorités chrétiennes des États du Sud.

Lyle fit de son mieux. Lyle échoua. Lyle échoua parce qu'en fait il aimait bien Martin Luther King et que rien ne pouvait arrêter Martin Luther King.

Wayne Junior intégra la police de Las Vegas. Dwight fut transféré au Bureau fédéral des narcotiques. Travaillant à la section du Sud-Nevada, il passait du temps avec Wayne Senior. La vie de Wayne Junior implosa à Dallas. Une gigantesque chasse au bronzé en résulta. Wayne Junior descendit trois bamboulas que Dwight était fin prêt à traîner en justice. Ouais, il aimait bien ce gamin. Mais pas de passe-droit pour les amitiés de longue date. On ne fait pas échouer les plans de l'agent Dwight C. Holly.

Il s'attaqua à Wayne Junior. Ward Littell et Pete Bondurant intercédèrent en faveur de celui-ci. Wayne Junior ne fut pas inculpé pour la mort des trois bronzés. Ward et Pete tirèrent les ficelles *pour* Dwight et forgèrent une trêve fragile. Dwight fut nommé enquêteur en chef de la section du Sud-Nevada. Il ne resta pas longtemps. Le job l'ennuyait. M. Hoover l'appâta pour qu'il revienne au FBI.

Lyle se suicida en août 65. Sa mort parut un peu louche. Ward Littell était brouillé avec Lyle à ce moment-là. Ward répandait la désolation partout où il passait, et parfois transformait une peine légère en chagrin fatal. Lyle Dunn Holly, décédé à l'âge de 45 ans. Ivrogne, joueur, et coureur de jupons. Une bonne nature au bout du rouleau.

Le Dr King avait usé M. Hoover jusqu'à la trame. C'était un combat entre un putain de grizzly et un chihuahua. Le Dr King était un coco en granit. M. Hoover était un réac en granit. Le Dr King baisait des femmes avec fougue. M. Hoover collectionnait les antiquités et la pornographie rétro. L'histoire tendait les bras au Dr King. L'histoire ôtait le paillasson de sous les pieds de M. Hoover pour qu'il se retrouve assis sur son cul. Il avait concocté l'Opération Lapin Noir. Il avait *tout* essayé.

Micros clandestins, écoutes téléphoniques, perquisitions illégales, extorsions, campagnes de diffamation. Filatures. Calomnies par voie de presse. Insinuations, coercition, taupes, agents doubles, propagande, guerre psychologique. Lapin Noir se poursuivit pendant trois ans. Les acteurs principaux de l'opération portaient des noms de lapins. Le Dr King était Lapin Rouge. Dwight s'appelait Lapin Bleu. Lyle fut Lapin Blanc pendant un moment. Lapin Rouge avait un conseiller pédé dont le nom de code était Lapin Rose. Wayne Senior était Père Lapin. L'opération tout entière était un clapier rempli de lapins enragés et un bordel organisé condamné à ne déboucher sur rien. Dans l'opinion, le Dr King décollait alors que M. Hoover se ratatinait de plus en plus. Le Dr King avait son numéro de nègre flamboyant, le discours « J'ai fait un rêve ». M. Hoover fit savoir à Dwight qu'il avait *lui aussi* un rêve, sans même prononcer ces mots. Il resta en dehors, dans l'éther du rêve. Lapin Bleu fit se réaliser le rêve à Memphis. Lapin Bleu regarda les émeutes qui en résultèrent en direct à la télévision. Lapin Bleu vit une petite fille mourir d'une balle perdue.

Dwight fit 50 tractions en tout. Pour n'être plus que sueur et douleur musculaire. Il prit une douche, s'habilla, et fit ses bagages. Il sortit son équipement pour la confection de chèques anonymes.

Un mandat postal et une enveloppe. Trois cents dollars à l'ordre de M. George Diskant à Nyack, État de New York.

Dwight rédigea le chèque, colla l'enveloppe, et l'essuya pour en ôter les empreintes digitales.

L'avion décolla en retard de Washington. Dwight mangea des cacahuètes salées en lisant le dossier sur le militantisme noir.

Les Panthères Noires. Un super nom, une super mascotte. Fondées en 66. Les membres : des repris de justice et des bronzés en colère. Beaucoup de meetings, beaucoup de débats animés, croissance exponentielle assurée. Ils haïssent la police. Quelques « frères » sont des célébrités : Eldridge Cleaver, Huey Newton et Bobby Seale. La rhétorique : « Flinguez les flics ! » Des tirs sans mort d'homme sur des policiers. Une fusillade mortelle près d'Oakland, en Californie – le 28 octobre 67.

Huey Newton est blessé. Un policier est tué. Les poursuites judiciaires sont en cours.

Les Panthères haïssaient les Esclaves Unis. Rivalité entre factieux bronzés. Les E.U. avaient un slogan accrocheur : « Vous êtes là, EU aussi. »

Nouvelle fusillade mortelle – le 6 avril 68, deux jours après Memphis. À Oakland, encore – le point névralgique de la haine raciale anti-Blancs. Les Panthères parlèrent d'embuscade. Les flics, de « surveillance tactique ». Un membre des Panthères fut tué. Eldridge Cleaver fut blessé. Note en bas de page : le Frère Cleaver avait fait de la prison pour viol.

Dwight tourna les pages. Les services de police de la plupart des grandes villes avaient des dossiers sur les Panthères et des indics noirs en place. Collectes de denrées alimentaires, programmes éducatifs, les foutaises de la « culture noire ». Effectifs en pleine croissance, image de marque branchée, influence minimum dans la presse.

Conclusion instinctive : *Les Panthères étaient trop connues pour mener ouvertement une opération.*

Le FBI avait lancé un Cointelpro foireux l'été précédent. L'objectif : créer une dissension entre les Panthères et les Esclaves Unis. Quelques agents de San Diego avaient fait circuler des tracts bidon pour faire monter la pression. On y lisait que les Panthères traitaient les E.U. de « corniauds qui bouffent des boyaux ». Les E.U. traitaient les Panthères de « nègres qui bouffent des côtes de porc ».

Conclusion instinctive : *Les E.U. sont trop connus pour mener ouvertement une opération.*

Note à M. Hoover : ne pas accroître la pression sur les Panthères ou les E.U. Maintenir le statu quo sur les opérations en cours. À terme, les deux groupes se discréditeront tout seuls.

Dwight tourna les pages. Il découvrit des comptes rendus sur l'Alliance des Tribus Noires et le Font de Libération des Mau-Mau.

Ces deux groupuscules étaient tapageurs, extravagants, et résolument criminels.

Nègreville à Los Angeles. Rivalités entre opérations aux façades comparables. Effectifs modestes en augmentation progressive. Valable pour les deux groupes : « On présume qu'ils cherchent à vendre des stupéfiants pour financer leurs activités. »

Pas d'informateurs connus en place au sein des groupes. Une nomenclature du niveau de la série *Amos & Andy* : « Haut-Commissaire du Seigneur », « Ministre de la Propagande », « Souverain Panafricain ». Des casquettes d'indics potentiels sur les acteurs clés :

Un taré arrêté quatre fois pour trafic de drogue. Un voiturier pédé condamné deux fois pour vol à main armée. Un prêtre vaudou doublé d'un escroc. Un joueur professionnel avec comme pedigree 91 arrestations et un casier judiciaire épais comme un annuaire. Un violeur « motivé politiquement ». Des arrivistes, des opportunistes, des Panthères Noires manquées. Des bouffons fantasques prompts au carnage.

Dwight en eut la chair de poule. Dwight tripota sa bague aux armes de sa faculté de droit et lut quelques pages de plus.

D'autres noms, d'autres dates, d'autres lieux. D'autres détails sur les bisbilles ATN/FLMM. Une note du sergent Robert S. Bennett, du LAPD : « Concernant l'attaque du fourgon blindé et les homicides connexes du 22 février 64, rien ne permet d'étayer les rumeurs d'une participation de l'ATN et du FLMM. »

Querelles de quartier. Bagarres à coups de poing, arrestations pour délits mineurs. Le voiturier pédé maquereautait des travelos. Le joueur professionnel maquereautait sa femme pour rembourser ses dettes de jeu. Le Souverain Panafricain possédait une librairie porno et trombinait la chèvre de son voisin.

Sa chair de poule s'aggrava exponentiellement. Ses nerfs le trahissaient. Il commanda plus tôt que d'habitude l'unique verre qu'il s'octroyait le soir. Calme-toi, maintenant – bascule ton dossier et pense à Karen.

L'informatrice confidentielle n° 4361 du Bureau – Karen (pas de deuxième prénom) Sifakis. Née le 2 février 1925 à New York. Sa condisciple à Yale, professeur d'histoire à l'université, élément subversif quaker de gauche.

Il avait emporté le dossier de Karen. Il adorait ses vieilles photos prises pendant les missions de surveillance, et ses portraits anthropométriques. Voici Karen en 49, à une soirée chez Paul Robeson.

Voici Karen devant Sing Sing – les Rosenberg venaient d'être exécutés. Los Angeles, le 12 mars 61 – Karen à une manif contre la bombe atomique. Sa préférée : Karen, sereine, en prière, tandis que les flics de Berkeley frappent des crânes tout autour d'elle.

Elle a enseigné l'histoire à l'université de Santa Barbara. Son mari était un avocat de gauche à Jew York. Il revenait dans l'Ouest deux semaines par mois. Ils ne baisaient plus ensemble depuis quatre millions d'années. Ils restaient ensemble pour d'obscures raisons liées à leurs convictions communistes et pour le bien de leur fille de deux ans. Karen dédaignait la violence. Karen confectionnait des bombes, faisait sauter des monuments, et s'assurait toujours qu'aucun humain, qu'aucun chien de garde ne soit blessé. Elle opérait sous la direction de l'agent spécial Dwight C. Holly.

Donnant donnant. Dwight laissait Karen détruire les statues à la gloire du chauvinisme. Assez régulièrement, Dwight sortait de la merde les copains activistes de Karen. Elle caftait les rouges qui franchissaient les limites très restreintes dans lesquelles elle tolérait qu'on inflige des sévices corporels. Elle était enceinte de nouveau, à 43 ans. Grâce à une sorte de manip genre je-me-branle-dans-un-tube-à-essai qui nécessitait la participation du petit mari. Karen Sifakis – Nom de Dieu de bordel de merde.

Ils s'étaient connus à Yale. Automne 48. Dwight était un bleu chez les agents fédéraux. Karen avait intégré Yale en sortant de Smith College. Ils avaient bavardé dans un pub pendant deux heures. Ils avaient vidé ensemble une bouteille de scotch et un paquet de cigarettes et produit l'un sur l'autre une impression durable. Dwight aimait le physique de Karen. Karen aimait le physique de Dwight. Il ne savait pas que son admiration était réciproque. Dwight l'avait découvert trois ans plus tôt, seulement.

Los Angeles, août 65. Les émeutes de Watts. Des nègres enragés de plus en plus incontrôlables. M. Hoover était atterré. Il ordonna qu'on épluche les dossiers de tous les profs de fac signataires de pétitions pro-bamboulas. Dwight travailla une semaine entière sur lesdits dossiers. Tiens, voilà celui de Karen. Tiens, voilà sa photo. Merde... c'est cette grande rousse d'origine grecque qu'il a rencontrée à Yale.

Il fit quelques recherches. Il apprit que Karen avait consacré sa thèse de doctorat au Ku Klux Klan de l'Indiana. Mentionné en bonne place : Walter « Daddy » Holly en personne.

Il interrogea des gens. Il apprit que quelques Klowns du Klan de l'Indiana avaient lynché le grand-père de Karen, immigrant grec. C'était en 1922. Daddy Holly dirigeait une klavern deux comtés au sud du lieu du lynchage.

Il poursuivit ses recherches. Il fit sortir des archives centrales du FBI le dossier constitué sur Karen. Il fit effacer les mentions de ses arrestations lors de manifs tenues dans neuf villes. Il se livra à un numéro de haute voltige pour venger tardivement le grand-père grec.

L'un des lyncheurs avait parmi ses descendants un petit-fils néo-nazi. Dwight retrouva sa trace dans une prison de comté en Ohio. Ce type était un salopard malfaisant. Dwight le fit transférer dans un quartier de la maison d'arrêt où tous les détenus étaient noirs. Les bamboulas lui infligèrent une correction mémorable.

Dwight prit l'avion pour L.A. et frappa à la porte de Karen. Dix-sept ans après, elle le reconnut. Il lui raconta ce qu'il avait fait et il lui apprit qu'il était le fils de Daddy Holly. Elle lui demanda pourquoi il avait fait ça. Il lui dit qu'il voulait lui offrir quelque chose que personne d'autre ne pouvait lui donner.

Elle l'invita à entrer.

Ils élaborèrent un arrangement.

En l'absence de Karen, il a fouillé son appartement. Il a lu son journal. Elle y décrit tendrement son amant qui lèche les bottes des fascistes.

Elle lui dit toujours : « Nous sommes trop circonspects pour nous immoler. » Il lui dit toujours : « Nous sommes trop grands et trop beaux pour perdre. » Parfois, il s'arrache brutalement à un cauchemar et découvre qu'il est pelotonné dans les bras de Karen.

L'avion traversa une perturbation. L'indicateur lumineux se mit à clignoter – attachez vos ceintures. Dwight griffonna quelques notes sur une fiche cartonnée :

« Meilleures cibles : l'ATN et le FLMM. Consulter divers dossiers de police & listes abonnés aux publications subversives (de gauche, anti-Blancs) pour pistes taupe potentielle (archives de Wayne Sr, Dr Fred Hiltz). »

Le vol redevint stable. L'avion descendit. Tout à coup, une grande clarté. Bon sang, L.A. était vraiment superbe.

Il faisait chaud dans la chambre. Le climatiseur de la fenêtre était en panne et brassait de l'air vicié. Ils avaient détrempé les draps et jusqu'au matelas. Karen appelait ça « baiser dans un sauna ». Dwight embrassa ses cheveux humides, d'autant plus roux qu'ils paraissaient brillants.

Le mari était sur la côte est. Il avait un nom, mais Dwight ne le prononçait jamais. Dina était à la crèche. Ils avaient trois heures.

Karen roula sur le dos. Elle était enceinte de trois mois. Cela commençait un peu à se voir. Sa sveltesse prenait quelques rondeurs.

Elle s'étira. Elle agrippa les barreaux du lit et se cambra. Dwight posa une main sur son ventre et la fit redescendre en douceur. Elle roula vers lui. Il passa une jambe par-dessus elle et l'attira tout près.

– Tu es sûre qu'il n'est pas de moi ?

– Oui. Il y a eu un protocole, et tu étais loin du réceptacle.

Dwight sourit.

– C'est une fille.

– Pas nécessairement.

– Les filles causent moins de tracas. Tout enfant de sexe masculin auquel tu donneras naissance sera source de problèmes pour moi. Je passerai le reste de ma carrière à caviarder ses dossiers et à le faire sortir de prison.

Karen alluma une cigarette.

– Dina fera sauter le mont Rushmore. Elle commence à me donner cette impression.

– Dina épousera un républicain. Tu sais comment je l'ai deviné ? Elle veut toujours que je lui montre mon insigne.

Le climatiseur se remit au boulot. Un air glacial souffla sur eux. Karen frissonna et se blottit contre lui.

– Un collègue à moi a besoin d'un coup de main. Sa demande de titularisation va être examinée, mais il a été sur la liste noire de 51 à 54. Le président de la commission le déteste, et je le crois capable d'avoir recours à ce genre d'argument pour le blackbouler.

Dwight rit.

– Je pensais que tous les profs de fac étaient des cocos à l'âme noble, au-dessus de ce genre de mesquineries.

– C'est mon cas, mais pas le leur.

– Je vais égarer son dossier, ou le caviarder. Tu me diras de quoi tu as besoin.

Karen fit des ronds de fumée. Ils rencontrèrent le courant d'air froid et se dissipèrent. Dwight prit la cigarette et l'éteignit.

– Fumer, c'est déconseillé aux femmes enceintes.

– Une par jour, et seulement quand on est ensemble.

– J'ai besoin d'aide.
– Dis-moi.
– Il se peut qu'on me confie un Cointelpro contre quelques groupes de militants noirs. Je trouverai la taupe tout seul, mais j'aurai peut-être besoin d'aide pour trouver un indic.
Karen lui fit un baiser dans le cou et son doigt suivit la cicatrice laissée sur son épaule par une lame de couteau.
– Pourquoi est-ce que je t'aiderais à faire une chose pareille ? Donne-moi des raisons et explique-moi de quelle façon elles sont conformes à notre arrangement.
Dwight leva la tête vers elle. Leurs yeux étaient tout près. Ce bleu étrange parsemé de sombre – une sacrée Grecque.
– Parce qu'ils ne cherchent qu'à vendre de la drogue et à tirer profit de l'agitation sociale. Parce que ce sont des salopards qui maltraitent les femmes. Parce qu'ils vont monter la tête à une foule de jeunes Noirs trop influençables, et les pousser à des actes insensés à cause desquels leur vie sera foutue irrémédiablement. Et, globalement, les avancées sociales qu'ils créeront par leurs activités se résumeront à zéro.
Karen l'embrassa.
– Très bien. Je vais y réfléchir.
– J'ai raison, sur ce sujet. En m'apportant ton aide, tu ferais quelque chose de bien.
Karen se mordit les lèvres. Dwight l'embrassa pour qu'elle cesse. Ils entrèrent en communication télépathique. Karen énonça son credo.
– Je ne ferai pas d'autre commentaire sur la nature usuraire de notre relation, de crainte de m'accuser moi-même de collaboration avec un fasciste et de m'enfuir en hurlant.
À point nommé, avec un timing parfait, juste après un baiser. Au-delà du pince-sans-rire, en deçà du comique.
Dwight se tordit de rire. Karen lui plaqua sa main sur la bouche. Il lui mordilla la paume pour qu'elle cesse. Elle désigna les vêtements de Dwight. Son carnet de chèques avait glissé hors de sa poche de veste.
– Ces chèques anonymes. Tu ne m'as jamais dit *pourquoi*.
– Je t'ai dit que je les postais.
– Tu me dis un minimum, et rien de plus.
– Tu fais la même chose.
– C'est comme ça qu'on reste ensemble sans courir de risques.

Leurs visages étaient proches. Karen se pencha vers Dwight et leurs yeux furent plus près encore.

– Tu as commis quelque chose d'abominable. Je ne te demanderai pas quoi, mais il faut que tu saches que je ne l'ignore pas.

Dwight ferma les yeux.

Il demanda :

– Tu m'aimes ?

Karen répondit :

– Je vais y réfléchir.

4

Las Vegas, 17 juin 1968

Les services du shérif bloquaient l'accès à Fremont. Les casinos bas de gamme avaient mis leurs drapeaux en berne. Un convoi de voitures dépourvu d'éclat franchit le barrage au pas.

Voyez-moi ça : une procession à la mémoire de Wayne Tedrow Senior.

Midi à Vegas. 43 degrés, et la température grimpait encore. Des édiles en chapeaux de cow-boys et qui rissolent dans leurs costumes. Une idée géniale que le maire a eue à la dernière minute. Senior était une grosse pointure. Manifestons notre respect.

Le convoi se traînait. Les spectateurs debout cuisaient sur place et restaient bouche bée, abrutis de soleil. Quelques commis de cuisine agitaient des banderoles et lançaient des huées. C'était Wayne Senior qui dirigeait leur syndicat et qui les baisait en passant des accords secrets avec leurs employeurs.

La police de Vegas avait envoyé une garde d'honneur. Wayne se tenait sur une estrade avec Buddy Fritsch et Bob Gilstrap. Buddy était *nerveux*. L'impression qu'il donnait : J'ai-besoin-de-boire-un-verre. Il avait sans doute vu le cadavre de Wayne Senior.

Un défilé d'escargots – les voitures avançaient pare-chocs contre pare-chocs. Des touristes gambadaient, agitant leurs bières et leurs cornets de frites. Des manifestants noirs brandissaient des pancartes anti-flics. Un sous-groupe s'en prenait à Wayne. Il entendit les mots, étouffés, du slogan qu'ils scandaient : « Sale Blanc ! Assassin ! »

Sonny Liston s'approcha de l'estrade. Un crétin hurla : « Ali t'a botté le cul ! » Sonny lui fit un doigt. Ça déclencha quelques rires. Sonny tétait une demi-pinte d'alcool de grain à 75°. Buddy et Bob gardèrent leurs distances. Wayne descendit de l'estrade.

Sonny demanda :

– Tu l'as tué ?

Wayne répondit :

– Oui.

Sonny dit :

– Bien. C'était un salopard de raciste. *Toi aussi*, t'es un salopard de raciste, mais seulement avec les nègres qui le méritent.

Le même abruti hurla de nouveau : « Ali t'a botté le cul ! » Sonny balança sa gourde dans sa direction et lui courut après. La foule se prépara à un petit intermède. Une Cadillac décapotable passa au ralenti. La banquette arrière était remplie de danseuses de revue. Elles leur adressèrent des sourires, agitèrent la main, avant de se reprendre – Oups ! On est censées avoir l'air triste.

Wayne vit Carlos Marcello de l'autre côté de la rue. Ils échangèrent des sourires et des signes. Wayne fut bousculé. La foule enfla et le plaqua contre l'estrade. Les badauds semblaient furieux. Wayne vit pourquoi : Dwight Holly se frayait un chemin en brandissant son insigne.

Wayne se dirigea vers un endroit ombragé, semi-privé. Dwight le trouva vite.

– Mes condoléances pour la mort de ton père. Mais à ta place, je l'aurais tué aussi.

– J'apprécie le commentaire, mais j'aimerais qu'on change de sujet tout de suite.

– On se connaît depuis longtemps, petit. Tu devrais pouvoir supporter que je te taquine un peu.

– Nous partageons une histoire. Tu appellerais ça de l'affection, moi pas.

Dwight alluma une cigarette.

– Dis-moi qu'on est couverts.

– Tu veux dire : rassure M. Hoover.

Dwight leva les yeux au ciel.

– Ne coupe pas les cheveux en quatre avec moi, Wayne. Dis-moi qu'on est couverts et je ferai passer le message.

– On est couverts, Dwight. Dis-moi qu'on est couverts pour Memphis et on sera quittes.

Dwight s'approcha encore.

– On a un petit problème de fuites, là-bas. Je t'en parlerai dans une seconde, mais il faut que tu écoutes mon laïus d'abord.

Wayne vacilla un brin. Un manifestant le repéra et brandit un poing serré dans sa direction. Dwight l'entraîna derrière l'estrade.

– Tu as monté en grade, à présent. Tu travailles pour Oncle

Carlos, et tu vas peut-être travailler pour Hughes. Je serais un bien piètre ami si je ne te conseillais pas d'être prudent.

Wayne s'approcha à son tour.

– Un ami ? Pour m'envoyer à Memphis, tu m'as carrément forcé la main, bordel !

Dwight s'approcha aussi. Il accula Wayne contre un réverbère et le coinça sur place.

– Wendell Durfee, ce n'était pas gratuit, petit. Et ne me dis pas que tu ne désirais pas ce boulot, à un niveau ou un autre.

Wayne repoussa Dwight. Sans violence, ne l'irrite pas. Dwight fit son aimable, il épousseta la veste de Wayne.

– Mets-moi au courant, en ce qui concerne Carlos. Donne-moi quelque chose qui fasse plaisir à cette vieille tante d'Hoover.

– Rien que du réchauffé. Les Parrains veulent vendre à Hughes le reste de leurs hôtels, en s'assurant que leurs hommes, ceux qui pratiquent l'écrémage pour leur compte, restent en place. Hughes veut une ville paisible. Il faut que quelqu'un reprenne le boulot de Ward Littell, et c'est moi.

Senior était un raciste ! Junior est un assassin ! – Wayne entendait des cris lointains.

– L'enveloppe pour Dick Nixon. Parle-moi de ça.

– Comment est-ce que tu as pu... ?

– On a installé des micros dans son appartement de Key Biscayne. Nixon a parlé de l'enveloppe à Bebe Rebozo.

Le vent arracha les banderoles de l'estrade. Les slogans scandés contre Senior et Junior augmentèrent d'intensité.

– Les Parrains veulent construire des casinos en Amérique centrale ou aux Caraïbes, et ils veulent que ça se calme pour eux à la Justice. Ils aimeraient bien un pardon pour Jimmy Hoffa d'ici à 71. Ils pensent que Nixon sera élu et qu'il sera bien disposé à leur égard.

Dwight hocha la tête.

– Je veux bien le croire. Pour l'instant.

– Les « fuites » ? Memphis ? Tu devais...

– J'aimerais mettre la main sur quelques abonnés à des publications racistes. J'aimerais jeter un coup d'œil aux listes de ton père.

Wayne secoua la tête.

– *Non*. Je n'ai rien à voir avec cette activité-là. Parle à Fred Hiltz.

– Enfin, merde, Wayne ! Ce que je te demande, ce n'est pas le bout du monde. Je veux seulement...

– *Les « fuites » ? Memphis.* Allons. Ne me fais pas languir avec ça.

Dwight chercha une cigarette. Son paquet était vide. Il le lança dans la foule.

– L'agent spécial en charge de Saint Louis m'a appelé ce matin. Il y a des bruits en provenance du Grapevine Tavern.

– Je ne te suis pas.

– C'est un rade pour bouseux. L'un des frères de Jimmy Ray en possède des parts. J'y ai fait installer des micros. Une rumeur bidon circulait là-bas, et Jimmy y a cru dur comme fer : une prime de cinquante mille dollars pour la tête de King. Otash a appâté Ray à partir de là, et il l'a manipulé en se retranchant derrière.

Senior/Raciste, Junior/Assassin, Senior/Ra...

– Continue. Je n'ai pas participé à cet aspect-là de l'opération.

– Des péquenauds ont découvert les micros. Ils ont deviné que c'était du matériel fourni par le FBI, et maintenant on raconte que l'assassinat était télécommandé par le Bureau.

Wayne se hérissa.

– Les bavardages ne sont que des bavardages, Dwight. Et les rumeurs, des rumeurs.

– Oui, mais elles sont un peu trop proches de Jimmy et des histoires délirantes qu'il raconte.

– Ce qui veut dire ?

– Ce qui veut dire qu'elles pourraient se dissiper ou PAS, et si elles subsistent, nous allons devoir faire quelque chose pour y remédier.

– *Nous*, ou *toi* ?

Dwight lui empoigna la cravate.

– *Nous*, petit. Wendell Durfee, ce n'était pas gratuit.

Le goutte-à-goutte par intraveineuse s'était vidé. L'infirmière dormait sur le canapé. Janice s'était assoupie en regardant la télé.

Wayne lui prit le pouls. Il était faible, presque normal. Le téléviseur diffusait les informations du soir, à faible volume. Un journaliste fit le parallèle classique entre King et Bobby, puis il enchaîna sur Nixon et Humphrey.

Les conventions nationales à venir : Miami pour les républicains, Chicago pour les démocrates. Le choix des candidats au premier tour est assuré. Le statut de Nixon et d'Humphrey dans les prévisions : on les dit maintenant à égalité.

Wayne regarda Richard le Roublard et Hubert le Disert se pavaner et cabotiner. Il avait rendez-vous avec Farlan Brown tout de suite après. Les nouvelles en provenance du Grapevine Tavern le contrariaient. Des « bavardages » et des « rumeurs », cela pouvait annoncer des problèmes avec des témoins. Dwight voulait voir les listes d'abonnés de Wayne Senior. Elles étaient planquées dans un bunker à la sortie de Vegas. Senior l'appelait toujours sa « Hutte de la haine ». Des tonnes de pamphlets racistes s'entassaient dedans.

Janice bougea et tressaillit. Wayne installa une nouvelle poche de liquide pour perfusion. Nixon et Humphrey poursuivaient leur bla-bla. Janice ouvrit les yeux.

Wayne dit :

– Bonjour.

Janice désigna le téléviseur.

– Ces hommes sont laids. Si je suis encore en vie, je ne sais pas pour qui je voterai.

Wayne sourit.

– Le physique des gens t'a toujours induite en erreur.

– Ce qui explique que je n'ai jamais eu de chance avec les hommes.

Le liquide commençait à s'écouler hors de la poche. Il circulait dans le tube. Wayne manipula le cadran et régla le débit. Janice frissonna. La perfusion atteignit son bras et transmit un peu de couleur à son visage.

Elle dit :

– Buddy Fritsch a appelé, aujourd'hui.

– Et alors ?

– Et il a peur. Il dit que des rumeurs ont circulé.

Wayne éteignit le téléviseur.

– Au sujet de cette nuit-là ?

– Oui.

– Et puis ?

– Et d'après Buddy, des voisins ont parlé. Ils ont déclaré avoir vu un homme et une femme devant la maison.

Wayne lui prit les mains.

– Nous sommes couverts. Tu sais qui je connais, et tu sais de quelle façon on arrange ces choses-là.

Janice secoua la tête et libéra ses mains. Elle retrouva un peu de forces. Le lit glissa. Wayne lui immobilisa le bras pour que l'aiguille reste en place.

– Je serai bientôt partie, et je ne veux pas que les gens sachent que c'est nous qui l'avons tué.

– Ma douce...

– Nous n'aurions jamais dû faire ça. C'était un acte motivé par la haine et un désir de vengeance. C'était mal.

Wayne tourna le cadran. La poche se plissa et alimenta le tube. Janice s'endormit en un instant.

Il lui prit le pouls. Trop faible pour être normal.

Farlan Brown dit :

– J'ai été navré d'apprendre la nouvelle, pour votre père.

– Ces choses-là arrivent, monsieur. Il avait le cœur malade et ne voulait pas renoncer à ses mauvaises habitudes.

– Des mauvaises habitudes ? Un mormon comme lui, à l'hygiène de vie exemplaire ?

Wayne sourit.

– Les mormons boivent et font l'amour plus que tous les autres habitants de la planète réunis. Et je suis sûr que vous le savez de par votre expérience personnelle.

Brown se tapa sur les cuisses. Il était grand, et amical dans le genre faux péquenaud. Ses lunettes à la Michael Caine grossissaient ses yeux déficients. Sa suite était décorée dans une parodie de style Tudor. Le groupe de Howard Hughes possédait les six derniers étages du Desert Inn. Le grand Manitou se reposait dans l'appartement de grand luxe du dernier étage.

– Vous êtes franchement facétieux, monsieur.

– Considérez-moi simplement comme le fils de mon père. Donnez-moi son poste, et je reprendrai le travail là où il l'a laissé.

Brown alluma une cigarette.

– Dites-moi pour quelle raison je devrais vous engager, et essayez de me convaincre en moins d'une minute.

Wayne dit :

– La collusion.

Brown tapota sa montre. Wayne tira sur ses manchettes pour exhiber sa Rolex en or. Wayne Senior lui avait appris le truc.

– Howard Hughes est un xénophobe paranoïaque, qui souffre d'une addiction aux stupéfiants pharmaceutiques et aux transfusions sanguines additionnées de vitamines. Ses employés l'appellent « Dracula ». M. Hughes s'en remet à des hommes lucides tels que vous pour servir d'intermédiaires entre lui et le monde extérieur et pour faciliter ses transactions avec les politiciens vénaux et les figures du crime organisé qui dirigent l'État du Nevada et peut-être même le pays tout entier. Je suis l'agent de liaison de Carlos Marcello qui le représente dans le monde des affaires. Je suis un chimiste très doué capable de concocter des mélanges qui enverront Dracula en orbite quand il voudra décoller. Je serai le coursier de M. Marcello qui apportera à Richard Nixon les fonds dont il a besoin et qui, nous l'espérons, le feront accéder à la Maison Blanche. Dracula verse des pots-de-vin à M. Nixon à hauteur de cinq millions de dollars, et je pillerai les avoirs de mon défunt père pour m'aligner sur cette somme. Je la remettrai, ainsi que les quinze millions de M. Marcello, personnellement à M. Nixon lors de la convention du parti républicain. Je suis chargé de superviser le futur grand projet de M. Marcello, qui est de construire des hôtels-casinos de grand luxe dans une république bananière sous la coupe d'un dictateur, quelque part au sud des États-Unis, et je vous garantis que la compagnie Hughes Airways aura en exclusivité le droit de transporter les gogos là-bas. Vous devriez étudier soigneusement ma candidature, parce que vous savez qui je connais et ce que je sais, et parce que votre esprit pratique vous permet de comprendre que grâce à moi, c'est *vous* qui aurez le beau rôle à chaque moment.

Brown consulta sa montre.

– Cinquante-six secondes. Vous aviez les faveurs de M. Hughes en entrant ici, et à présent vous avez les miennes.

– Pourquoi est-ce que j'avais les faveurs de M. Hughes ?

– Parce que vous avez descendu trois drogués crépus en 1964, et que M. Hughes pense que vous seriez la personne idéale pour dissuader les gens de couleur d'entrer dans ses hôtels.

Wayne s'exprima à voix *basse*.

– Je n'ai plus rien à voir avec les pratiques racistes, monsieur. Veuillez dire à M. Hughes que je n'ai aucune envie de faire cela, et veuillez lui dire également que j'aurai besoin de le rencontrer en personne avant que vous ne m'engagiez.

Brown s'exprima à voix *basse*.

– Monsieur, votre candidature est fortement compromise à cet instant précis.

Wayne lança quatre capsules dans son giron et sortit de la pièce.

Deux heures. Trois au maximum.

Il regagna sa suite et s'étendit. Il se représenta Dracula virevoltant autour des anneaux de Saturne et sautant de l'une à l'autre des nombreuses lunes de Jupiter. Peut-être qu'il pilote un avion ou qu'il s'écrase aux commandes d'un autre. Peut-être qu'il saute Kate Hepburn dans les coulisses d'un plateau chez RKO.

Le téléphone sonna. Wayne décrocha. Brown lui coupa la parole dès qu'il dit « Allô ».

– Vous êtes engagé. Et M. Hughes *accepte* de vous recevoir.

5

Los Angeles, 18 juin 1968

– Clyde m'a dit que vous aimiez rechercher des femmes.

Bing ! – les premières paroles du Roi de la Haine. *Bing !* – dès la porte, pas de poignée de main, pas de présentation.

Crutch répondit :

– Oui, monsieur, c'est vrai.

Le Dr Fred Hiltz s'esclaffa.

– Il m'a dit : « reluquer » des femmes, mais je n'insiste pas.

L'hacienda de la haine du Dr Hiltz : une vaste demeure de style espagnol. Beverly Hills, un emplacement de premier choix, des voisins juifs à foison. Un immense salon en contrebas, décoré de toiles inspirées par la haine.

Des peintures à l'huile de qualité. Les grands maîtres revisités. Un lynchage à la Van Gogh. Des scènes de chambre à gaz façon Rembrandt. Matisse qui commet des atrocités au Congo. Paul Klee qui grille Martin Luther King au feu de bois.

Crutch examine les murs. Man Ray a peint Bobby Kennedy mort sur une table d'autopsie. Picasso a représenté Lady Bird Johnson broutant la chatte d'Anne Frank.

Merde...

Crutch repoussa un brusque accès de vertige. Hiltz expliqua :

– J'ai rencontré une nana au restaurant Lawry. Elle s'appelle Gretchen Farr. Elle s'est laissé sauter, et j'y ai pris goût. Elle m'a volé quatorze mille dollars que je planquais dans mon abri antiaérien, au fond de la cour. Vous la trouvez, vous me rapportez mon argent.

Des Juifs avec des cornes de diable par Frederic Remington. Grant Wood peint Lyndon B. Johnson éventré et éviscéré.

– Signalement ? Dernière adresse connue ? Une photo, si vous avez ?

Hiltz propulsa Crutch jusque dans le jardin. Manu militari : *Raus ! Mach schnell !* Ils dévalèrent de longs couloirs. Ils évitèrent des chats et des bacs pleins de litière. Des photos de JFK prises à la morgue étaient collées aux murs.

La cour comprenait un jardin rempli de statues. Un sans-papiers mexicain lavait au jet un Christ grandeur nature akkoutré en Klansman. Hiltz répondit :

– Je n'ai pas de photo. Gretchen était photophobe. C'est une grande nana bien roulée, avec un teint légèrement latino. Elle était descendue au Beverly Hills Hotel, alors j'ai cru qu'elle était réglo. J'ai mis Phil Irwin sur l'affaire, mais il est parti se cuiter et il m'a fait faux bond. J'ai essayé d'engager Freddy Otash, mais il ne prend plus d'affaires de disparitions, ces derniers temps.

Le Mexicain aspergea Hitler et Hermann Goering. Les fientes et la boue se décomposèrent.

– Que pouvez-vous me dire d'autre ?

– *Vous ne m'écoutez pas.* Je sais *bubbkis*[1]. Je me suis laissé mener par le *schvantz*[2], et ça m'a coûté quatorze mille dollars. *Vous avez compris ? C'est moi* qui *vous* engage, parce que *vous* savez comment retrouver les gens, et moi, pas.

Un chat escalada Mussolini et resta perché pour guetter les oiseaux. Hiltz poussa Crutch au pas de charge vers un escalier souterrain qu'il lui fit descendre. Ils arrivèrent devant une porte blindée. Hiltz la déverrouilla et manipula un interrupteur. Des tubes fluorescents éclairèrent une huche de la haine mesurant quatre mètres sur quatre.

Des tracts haineux en guise de papier peint. Anti-nègres, anti-juifs, anti-japs, anti-chinetoques, anti-espingos, anti-enfoirés-d'oppresseurs-blancs. Des affiches racistes empilées sur le sol. Des caisses remplies de brassards nazi. Des poupées vaudou criblées d'épingles : Jackie Kennedy Onassis, le pape Paul VI, Moricaud Luther King.

Hiltz s'empara d'une affiche. On y voyait un esclave géant poignarder un marchand juif terrifié. L'esclave avait l'entrejambe monstrueusement boursouflé. Le Juif avait des pieds griffus et une queue de rat. Le slogan en grosses lettres proclamait : « LE GÉNOCIDE EST LE MANDAT SACRÉ D'ALLAH !!! »

---

1. (Yiddish) : rien, que dalle.
2. (Yiddish) : braquemart.

– Les *schvartzes*[1], ils raffolent de ces conneries. Vous seriez étonné du marché créé par toute cette agitation des militants noirs. J'ai lancé toute une ligne de produits exprès. Ça se présente comme des tracts de *shvoogies*[2] incarcérés, prétendument écrits par les bronzés radicaux de San Quentin. Et vous savez qui les rédige, en réalité ? Un type avec qui je joue au golf, et qui adore les youpins et les nègres.

Crutch éternua. La huche de la haine empestait le moisi et la pisse de chat. Son vertige le reprit.

– Gretchen Farr. Dites-moi de quoi vous avez parlé ensemble. Dites-moi ce qu'elle vous a raconté sur elle-même. Dites-moi...

– On n'a pas parlé, on a *shtuppé*[3]. On a fait un 69 et puis la bête à deux dos. On n'a pas gaspillé un temps précieux à bavarder.

– Monsieur, si vous pouviez me donner *n'importe quoi* que je pourrais...

Hiltz souleva le couvercle d'une énorme malle en osier. L'intérieur était bourré de billets de cent dollars. Le total devait friser le demi-million.

– Voilà le lancinant mystère, *schmendrick*[4]. Elle ne m'a fauché que quatorze mille dollars. Je le sais, parce que je compte mon *gelt*[5] tous les soirs. Vous voulez mon opinion ? Gretchen est subtile. Cette salope de *ganef*[6] m'a piqué cette somme en pensant que je n'en remarquerais pas la disparition.

Crutch regarda l'intérieur de la malle. Hiltz rafla un billet et le lui fourra dans la poche de sa chemise.

– C'est moi qui vous offre votre déjeuner. Trouvez-la, et je vous arrangerai une partouze à trois avec Brigitte Bardot et Julie Christie. Croyez-moi, j'ai le bras assez long pour ça.

Schvartzes, shvantz, shvoogies, la bête à deux dos. Une possibilité de partouze à trois. Une mission de routine pour Clyde Duber et Associés.

---

1. (Yiddish) : les Noirs.
2. (Yiddish) : les Noirs.
3. (Yiddish) : niqué.
4. (Yiddish) : crétin.
5. (Yiddish) : argent.
6. (Yiddish) : voleuse.

Crutch retourna au parking et se renseigna auprès de Phil Irwin. Phil était en conciliabule avec Chick Weiss, pour une histoire de divorce. Crutch le prit à part pour lui poser les questions habituelles en cas de recherche de personne. Phil était vaseux au sujet de Gretchen Farr. Sans déconner : Phil était vaseux tous les jours dès dix heures du matin. Ouais, le Dr Fred l'avait viré. Ouais, il avait appelé le LAPD et le service des recherches dépendant du shérif, et il avait appris que la dénommée Farr n'avait pas d'antécédents. Il avait baratiné le réceptionniste du Beverly Hills Hotel. Le type avait refusé de consulter ses registres. Il était allé faire une virée à Tijuana, ensuite. Il avait emmené là-bas un groupe de Rotariens pour qu'ils voient un spectacle zoophile. Et le Dr Fred l'a sacqué.

Crutch lui posa la *grande* question : est-ce que le Dr. Fred est un schmoutz ? Phil répondit :

– Non, mais toutes ses ex-femmes sont juives.

Rayons Phil de la liste. Prochaine étape : le Beverly Hills Hotel.

Crutch s'y rendit en voiture et prit ses repères. Il brandit son faux insigne de flic sous le nez d'un groom pédé et produisit sur lui une impression favorable. Le groom pédé alla chercher le réceptionniste pédé. Le réceptionniste pédé regarda de travers les fringues miteuses de Crutch. Crutch lui dit qu'il travaillait pour Clyde Duber. Ce détail séduisit le réceptionniste pédé. Clyde avait du *panache* [1] et un certain *je-ne-sais-quoi*[1]. Très bien, jeune homme, parlons.

Crutch lui posa les questions habituelles en cas de recherche de personne. Le réceptionniste pédé lui répondit. Il avait trouvé Gretch Farr « dangereuse ». Elle avait loué le bungalow n° 21 pendant trois semaines. Il se demandait d'où elle sortait le fric. Elle faisait des passes avec des clients européens ou latinos des deux sexes. Elle payait cash tous les matins pour sa turne et les suppléments. À la réception, en guise d'adresse, elle avait donné le numéro d'un service de messagerie nommé « Le Standard de Bev ». C'était une officine qui gérait les messages téléphoniques à l'usage des individus interlopes. Gretch était l'archétype de la femelle interlope.

Et c'était tout. Le réceptionniste pédé s'éloigna d'une démarche aérienne pour aller faire de la lèche à des douairières à caniches. Crutch se dirigea vers les téléphones et appela les renseignements. Le standard de Bev : 8814 Fountain Avenue, West Hollywood.

---

1. En français dans le texte.

Il s'y rendit en voiture et prit ses repères. L'adresse était celle d'une boutique adjacente à une pharmacie. Tous les chauffeurs s'y fournissaient en amphètes.

Il se gara. Il se peigna. Il agrafa son insigne bidon sur le devant de sa veste et mâcha des Clorets. Il s'entraîna à lancer des clins d'œil façon Scotty Bennett. Ne pas oublier : acheter des nœuds papillons écossais.

Il entra. Une vieille bonne femme s'activait devant un *vrai* standard téléphonique. Une pièce à rendre claustrophobe – 3 mètres sur 4 au maximum. Crutch capta les relents d'une pulvérisation d'insecticide.

La vieille remarqua sa présence. Il la reconnut avec un temps de retard. Bev « Bouche-Chaude » Shoftel. Une légende de L.A. Elle taillait des pipes à toutes les grandes stars dans les années 30.

Elle lui dit :

– Cet insigne est un faux. Je mange des Rice Krispies tous les matins, alors je sais quel genre de cadeaux on peut trouver dans les boîtes.

Crutch annonça :

– Je suis détective privé. Je travaille pour Clyde Duber.

Bev ôta ses écouteurs et fit bouffer ses cheveux. Elle provoqua une pluie de pellicules.

– Je suçais déjà Clyde Duber avant votre naissance. J'ai sucé Buzz Duber le jour de son douzième anniversaire, alors n'espérez pas m'intimider.

Crutch lui fit un clin d'œil. Sa paupière tressaillit et fut prise d'un spasme. Bev Bouche-Chaude hurla de rire.

– Ma réponse est « non ». Quoi que vous vouliez savoir, c'est tout ce que vous entendrez.

– Gretchen Farr. On m'a dit qu'elle était dangereuse, et j'ai besoin de jeter un coup d'œil à son dossier.

– *Niet*. Et n'essayez même pas de me demander une gâterie, parce que j'ai 63 ans et je n'exerce plus mes talents.

– Je pourrais vous aider, mon chou. Croyez-moi, j'ai le bras assez long pour ça.

Bev hurla de rire de nouveau.

– L'heure des petits comiques est terminée, *mon chou*. Mais vous m'avez fait sourire, alors je vais vous faire un cadeau. J'ai entendu Gretchen parler espagnol au téléphone.

Un appel parvint au standard. Bev remit ses écouteurs. Crutch dit :

– S'il vous plaît...

Bev dit :

– Déguerpissez.

Des turlutes. Bev Bouche-Chaude suce Buzz et Clyde. Buzz se fait sucer sous la menace, à présent. Les braqueurs de Scotty qui se font pomper le nœud.

Ça commençait à faire beaucoup. Crutch ne tenait plus en place. Il ne savait plus où il en était.

Il entra dans la pharmacie et acheta des comprimés de dexédrine, des *dexies*. Il en avala quatre avec un café. Il se calma puis s'agita de nouveau. Il rentra chez lui et feuilleta quelques *Playboy*. Il fit un saut jusqu'au toit de l'immeuble et lorgna une fille qui prenait un bain de soleil. La dexamphétamine ravivait des souvenirs. Voilà Dana Lund au bord de la piscine, en maillot une pièce sans bretelles. Voilà Dana qui fait le chaperon dans une fête d'école privée.

Dana. Gretchen Farr. Des rendez-vous dans des hôtels. Gretchen couche avec des hommes *et* avec des femmes.

Crutch sentit revenir cette *booooonne* vieille sensation et il embarqua ses *booooons* vieux outils.

La pharmacie était fermée. Le Standard de Bev aussi. Un passage pour piétons menait à un parking situé derrière les boutiques. Les nuages absorbaient le clair de lune. La porte latérale avait un air faiblard.

Crutch introduisit un crochet n° 4 dans la serrure. Deux petites secousses repoussèrent les gorges principales. Il glissa un n° 6. Il les fit tourner en même temps. La sûreté coulissa. La porte céda.

Crutch entra et referma la porte derrière lui. Les émanations d'insecticide le firent éternuer. Il sortit sa lampe-crayon et la régla pour obtenir un faisceau étroit. Il vit un classeur métallique contre le standard.

Trois tiroirs coulissants. Marqués : « A à G », « H à P », « Q à Z ». Il tira sur les poignées. Ils étaient verrouillés tous les trois.

Il se concentra sur la serrure du « A à G ». Il y enfonça un crochet n° 6 jusqu'à la garde. Une poussée, et *pop*...

« A à G ». Aaronson, Adams, Allworth. Quelques B, C et D. Echert, Ehrlich, Falmouth. Là, Gretchen Farr.

Crutch coinça la lampe-crayon entre ses dents et prit le dossier à deux mains. Il était mince. Il contenait une seule page. Il le parcourut rapidement. Le relevé des appels s'étendait sur trois semaines, remontant jusqu'à fin mai 68.

Pas d'indication d'adresse ni de renseignements personnels sur Gretchen Farr elle-même. Seulement une liste d'appels reçus.

La bijouterie Avco, à Santa Monica – quatre appels en tout. Six appels provenant de consulats étrangers : Panama, Nicaragua, la République dominicaine. Hein ? – *qu'est-ce que ça veut dire ?* – ce micmac se présentait bizarrement.

Trois hommes listés par leur prénom : « Lew », « Al », « Chuck ». Un paquet de messages se résumant à « rappelez-moi » laissés à Gretchen Farr. Tous provenant de numéros avec le préfixe de L.A.

Du-32758/« n'a pas voulu laisser son nom ». Sal/No-52808. Ce nom-là, il le connaissait : le copain acteur de Clyde.

Crutch sortit son calepin et recopia tout. Il avait une suée de cambrioleur. Les émanations d'insecticide lui chatouillaient les narines. Cette putain de lampe-crayon lui faisait mal aux dents.

Le Klondike Bar, à l'angle de LaBrea Avenue et de la 8e Rue. Un Graal grec et un puissant pôle magnétique aux murs mauves pour pédés de tout poil.

Crutch appela Buzz depuis le téléphone à pièces disponible à l'extérieur. Le trottoir était un corral comacos où s'accostaient les cow-boys encaldossés. Crutch communiqua le « Du-32758 » à Buzz et lui demanda de vérifier dans l'annuaire inversé. Buzz alla chercher le bouquin, le feuilleta, et dit à Crutch : « Que dalle. » Crutch lui dit d'appeler le central téléphonique de la compagnie Bell et de réclamer une recherche de ligne pirate.

Sur le trottoir, l'action devenait trop torride. Crutch s'assit dans sa voiture et surveilla la porte. La Lincoln de Sal était garée derrière, sur le parking. Sal *habitait* au Klondike. Tôt ou tard, il sortirait, avec ou sans son amant de la nuit.

Sal Mineo. Rétribué comme indic par Clyde et par Freddy Otash. Deux nominations aux Oscars, puis la débine. Le genre de giton qui attire les emmerdes.

Crutch refit le point. Les dexies lui jouaient des tours. Le cinéma Toho était juste au sud. Des couples branchés faisaient la queue pour aller voir un film d'art débile. Les filles avaient toutes de longs cheveux raides. Chaque petit mouvement de tête déclenchait une gerbe d'étincelles.

Quelqu'un tambourina sur le pare-brise. Crutch vit Sal Mineo – jean moulant et accroche-cœur. Il ouvrit la porte. Sal monta. Il affichait son charme de tapette ritale.

Crutch tourna le coin de la rue et se gara de nouveau. Sal lui dit :

– Tu aurais pu entrer. T'étais pas obligé de planquer toute la nuit.

– Je planquais pas.

– Tu planques tout le temps.

– Enfin, merde ! *J'attendais*.

– Tu *planquais*.

Crutch rit.

– Bon, d'accord. Je planquais.

Sal s'esclaffa.

– Clyde a besoin de quelque chose, c'est ça ? Si t'étais pas ici pour le boulot, tu serais en planque sous les fenêtres d'une nana quelconque.

Crutch serra son volant à s'en faire pâlir les phalanges. Sal leva les mains – Hé, le prends pas mal.

– Bon, je recommence depuis le début. Qu'est-ce que je peux faire pour vous aider, Clyde et toi ?

– Gretchen Farr. Elle a piqué du fric à un client de Clyde, et je sais que tu la connais.

Sal alluma une cigarette.

– Bien sûr que je la connais. Je sais qu'elle se tape des mecs à la chaîne et qu'elle se tire avec leur pognon, constamment. Mais je ne sais pas comment tu es remonté jusqu'à moi en cherchant ses traces. Si tu m'expliques ça de façon convaincante, je te dirai ce que tu as besoin de savoir.

Cette moue boudeuse... Ces cheveux gras de métèque... Crutch serra les poings.

– J'ai vérifié ses communications téléphoniques. Tu as appelé son service de messagerie il y a deux semaines.

Sal baissa la vitre et désenfuma la voiture. Sal releva ses genoux et fit ses yeux de biche.

– À mon avis, Gretchen Farr est un faux nom. Ne me demande pas comment je le sais. Je le sais, et puis c'est tout. Je n'ai aucune idée de l'endroit où elle se trouve, parce qu'elle ne révèle jamais où elle vit. Comme je le disais, elle se tape des mecs à la chaîne, elle leur vole ou elle leur emprunte du fric, et elle disparaît. J'ai appelé son service de messagerie parce qu'elle a appelé le mien. On ne s'est pas parlé, en fait. C'était pas la première fois que je l'aiguillais sur des types, mais d'habitude, elle trouve ses clients toute seule. Elle est *trèèès* prudente, notre Gretch. Elle s'assure toujours que ses michetons ne circulent pas dans les mêmes milieux.

Des passes, des types à la chaîne, des michetons...

– Des photos ?

Sal secoua la tête.

– Jamais vu une fille qui déteste autant qu'on la prenne en photo.

– Les « michetons ». Donne-moi des noms.

– Pas question. J'ai *vraiment* un trou de mémoire, et Gretch m'a *payé* pour la cornaquer, et je lui ai promis que je ne dirais rien sur elle. Croix de bois, croix de fer, si je mens je vais en enfer.

Crutch frappa le volant. Crutch frappa le tableau de bord. Sal aux yeux de biche ne sursauta même pas.

– Tu te sens mieux, ma choute ?

Crutch ferma et rouvrit ses poings. Il ressentait des picotements dans les doigts et les paumes. Sal tripota son accroche-cœur et soupira.

Crutch demanda :

– Pourquoi tu penses que Gretchen Farr n'est pas son vrai nom ?

– Elle ressemble trop à une latino pour être une Farr. C'est plutôt un genre de métisse anglo-saxonne/latino qu'autre chose.

– Et elle *n'habite pas* à L.A. ?

– Non, elle ne fait qu'y passer, elle sème la pagaille, et elle part ailleurs.

– Elle a des complices ? Tu ne connais *personne* qui la connaisse ?

Sal lui lança une œillade.

– Tu m'as l'air résigné, alors je vais te donner un os à ronger. J'ai arrangé un rendez-vous entre Gretchen et un promoteur immobilier qui s'appelle Arnie Moffett, un type *abominable* qui ravitaillait autrefois Howard Hughes en putes. Il a racheté à Hughes plusieurs de ses anciens baisodromes dans les Hollywood Hills. Alors, Gretchie est peut-être installée dans l'un d'eux.

Crutch fit craquer ses jointures. Il avait des élancements dans le crâne. Il n'arrivait plus à se repérer. Ses pensées se mélangeaient et changeaient de direction.

Sal lança :

– J'attends ça avec impatience, ma choute.

– T'attends quoi ?

– Le jour où tu te rendras compte que tu n'as rien d'un vrai dur.

Les noms du relevé d'appels : « Al », « Lew » et « Chuck ». C'étaient peut-être des michetons de Gretchen. Ça lui donnerait peut-être des repères. Ça pourrait faire germer chez lui de nouvelles intuitions.

Crutch atténua les effets des dexies avec des diables rouges[1] et de l'Old Crow. Il dormit, puis il appela les trois types le lendemain matin. Il mentionna le nom de Gretchen. Il leur flanqua la trouille. Il leur donna rendez-vous au Carolina Pines Coffee Shop – les trois michetons potentiels à une heure d'intervalle. Il arriva sur place une heure en avance et investit un box au fond de la salle. Il se goinfra de beignets et de café et s'éclaircit de nouveau les idées.

Al se pointa à l'heure. Il était furieux. Espèce de salopard. Je suis marié. Vous m'avez attiré ici pour me cuisiner sur cette nana que j'ai sautée en douce. Crutch harcela Al. Al lui révéla ceci :

Il avait rencontré Gretch chez Trader Vic's. Ils avaient baisé plusieurs fois chez lui et chez elle à l'heure du déjeuner. Elle avait une baraque dans Beachwood Canyon. Ne me demandez pas où, à chaque fois que j'y suis allé, j'étais à moitié bourré.

Gretchie disait qu'elle avait des ressources. Elle avait parlé d'import-export. Elle lui avait demandé cinq mille dollars. Il avait réfléchi à la question. Il avait failli accepter. Un détail l'en avait dissuadé.

Elle avait quelque chose de louche. Il avait jeté un coup d'œil à son sac à main. Il y avait vu quatre passeports. Il avait refusé de lui avancer le fric.

Des passeports de quels pays ? Bon sang, j'en sais rien. Des complices ? Des gens dont elle aurait parlé ? Petit, on *baisait*, on faisait rien d'autre.

Crutch promit le silence et dit à Al qu'il pouvait partir. Al décampa. Lew se pointa. Il était furieux. Espèce d'enfoiré. Je suis marié. Vous m'avez attiré ici pour me cuisiner sur cette nana que j'ai sautée en douce. Crutch harcela Lew. Lew lui révéla ceci :

1. Capsules de sécobarbital.

Il avait rencontré Gretch au Stat's Char-Broil. Ils avaient commencé à coucher ensemble. Il l'avait sautée au Miramar Hotel et dans une baraque vers Beachwood Canyon. Elle l'avait tapé de cinq mille dollars. Elle avait disparu dans la nature. Il avait essayé de retrouver la maison du canyon. Sans succès. Il était pété à chaque fois qu'il était allé là-bas. Pas moyen de repérer cette foutue baraque.

Des relations connues ? Des passeports ? Des sujets de conversation ? Petit, vous ne m'avez pas bien compris – on n'a pas vraiment pris le temps de bavasser.

Crutch promit le silence et dit à Lew qu'il pouvait partir. Lew déguerpit. Chuck se pointa. Il était furieux. Espèce d'ordure. Je suis marié. Vous m'avez attiré ici pour me cuisiner sur cette nana que j'ai sautée en douce. Crutch harcela Chuck. Chuck lui révéla ceci :

Il avait rencontré Gretchie au Westward Ho Steak House. Il l'avait sautée dans une villa à un kilomètre à l'est de Beachwood Canyon. C'était une location. Les étiquettes étaient encore collées sur les meubles. J'aurais dû me méfier.

Il avait prêté cinq mille dollars à Gretchie. Elle s'était éclipsée. Il avait appelé cette officine, le Standard de Bev, pour essayer de la retrouver. La vieille Bev était un sphinx. Elle l'avait envoyé promener. Le lendemain, il trouvait un cadeau dans sa boîte à lettres.

Un polaroïd : Chuck et Gretchie Farr en train de baiser. Chuck saisit l'allusion : laissez tomber, ou bien votre femme recevra la même.

Chuck laissa tomber. Chuck savait que dalle au sujet des passeports et des relations connues. De quoi vous me parlez, là ? Bon sang, petit, on a seulement *niqué*, rien d'autre.

Crutch promit le silence. Chuck détala. Crutch tanna la serveuse pour avoir une feuille de papier et un crayon. Elle les lui apporta. Crutch dessina et redessina Gretchen Farr.

Les michetons lui avaient donné des signalements légèrement différents. Une Américaine avec du sang hispanique ? Bien sûr. Peut-être. Peut-être pas. Bev l'avait entendue parler espagnol. Elle avait reçu des appels de trois consulats : Panama, Nicaragua, République dominicaine. Des pays d'Amérique latine. C'est la fête aux espingos en 68. Elle est redoutable, elle a des cheveux bruns, le teint pâle virant au mat... Le crayon n'arrête pas.

Il dessina Gretchen six fois. Il lui donna des coiffures différentes, il la fit souriante puis perplexe. Il se sentit guidé par une inspiration incontrôlable. Son crayon se brisa. Il se sentit frustré et dégoûté quand il vit quelle direction tous ses efforts prenaient.

Il avait dessiné Gretchen Farr sous les traits de Dana Lund. Six fois de suite. Gretchie, c'était Dana en brune.

La bijouterie Avco se trouvait près de la plage. La vitrine exposait des montres de luxe posées sur des présentoirs en velours. Crutch était planté sous un auvent à rayures. Il était sur les nerfs. Il carburait aux beignets trop gras et aux résidus de dope.

Il entra. Un bonhomme du genre tatillon se tenait derrière le comptoir, où il tripotait des perles. Il jaugea Crutch d'un coup d'œil. Blazer bleu marine et pantalon gris – bon, ça ira.

– Monsieur ?

– J'aurais quelques questions à vous poser, si vous aviez la gentillesse...

– Certainement. Y a-t-il une belle pièce qui vous intéresse particulièrement ?

« Belle pièce » produisit sur lui un effet étrange.

– Gretchen Farr..., laissa-t-il échapper sans rien ajouter.

Le tatillon tâtait ses perles.

– Et ceci est en rapport avec...

– Une enquête.

– Je m'en doutais, mais vous paraissez trop jeune pour être inspecteur de police.

– Je suis détective privé.

– C'est peu crédible, mais je vous laisse le bénéfice du doute.

Crutch eut une suée soudaine qui lui picota la peau.

– Écoutez, quelqu'un a appelé son service de messagerie depuis votre numéro. J'essaie seulement de...

Le carillon de la porte retentit. Une vieille dame entra d'un pas désinvolte, comprimant un chihuahua contre sa poitrine. Elle paraissait potentiellement preneuse de perles de prix.

Le tatillon chuchota :

– Mlle Farr est venue il y a deux semaines environ, alors que j'étais absent. Elle a laissé un message me demandant de lui téléphoner, ce que j'ai fait. Nous avons échangé quelques appels. Elle désirait des conseils pour faire retailler un certain nombre d'émeraudes de valeur qu'elle avait en sa possession. Je l'ai questionnée sur la provenance de ces pierres. Elle n'avait pas de réponse à me proposer, ce que j'ai trouvé curieux.

La vieille dame libéra son chihuahua. Cette saleté de clébard atterrit sur le plancher en jappant. Le tatillon contourna le comptoir, pratiquement en pâmoison.

Le boulot pour Fred Hiltz, Buzz l'avait surnommé « L'Enquête ». Dans sa tête, Crutch l'appelait « *Mon* affaire ». Le Dr Fred avait le fric pour faire tourner le compteur de Clyde. *Cherchez la femme*[1] – le Roi de la Haine bandait dur pour Gretchie. Buzz avait appelé le central téléphonique de la compagnie Bell et soudoyé un sous-fifre pour qu'il identifie la ligne pirate. Jusqu'à maintenant, pas de résultat. Buzz s'était adressé aux contacts de Clyde chez les flics pour avoir des tuyaux sur *La belle*[2] Farr. Jusqu'à maintenant, pas de résultat. Arnie Moffett était la seule piste qu'il leur restait. Une piste brûlante, disait Buzz. Une piste torride, disait Crutch.

Ils étaient montés sur le toit du Vivian pour discuter de tout ça. C'était le crépuscule. Il faisait chaud. Les derniers rayons du soleil frangeaient le ciel d'une mousse vert pâle. Buzz fumait un joint et parlait à toute vitesse, de bagnoles et de nanas. Crutch tripotait son télescope.

Il surprit une arrivée de figurantes chez Paramount – des danseuses grandes et minces. Il vit Lonnie Ecklund qui travaillait sur une Mercedes de 1953. Il vit des poivrots sortir en titubant du Nickodell. Il vit Sandy Danner fumer une cigarette en cachette de sa mère, sur la terrasse, derrière la maison. Lonnie, Sandy, Buzz, Crutch – ils étaient tous au lycée ensemble, à Hollywood, en 62.

Dana Lund était hors de portée du télescope. Crutch fit pivoter celui-ci en direction de l'ouest. Il vit Barb Cathcart qui faisait griller des saucisses. Elle portait un haut tie-and-dye et un médaillon pour la paix dans le monde. Son décolleté laissait voir ses taches de rousseur. Barb chantait dans un groupe nommé « The Loveseekers ». Ils perdaient tous les concours d'orchestres auxquels ils se présentaient. Barb lui avait fait voir sa chatte au collège Le Conte, au printemps

1. En français dans le texte.
2. En français dans le texte.

58. Son univers avait basculé, ce jour-là. Le frère de Barb, Bobby, était gigolo. D'après la rumeur, il avait une bite de 35 centimètres.

Des émeraudes, des baisodromes, des listes de baiseurs, des inventaires de passes, des michetons...

Buzz dit :

– T'es encore plus tordu que moi.

Crutch dit :

– Viens, on va s'occuper d'Arnie.

Les amphètes leur donnèrent la pêche. Quatre dexies, deux diables rouges et de bonnes rasades de Jim Beam. Ils arrivèrent au Miracle Mile *en lévitation*. Crutch sentait ses orbites s'agrandir.

Moffett Immobilier, c'était un petit local minable. Il se trouvait juste à côté du Deli de Ma Gordon, « Le Havre du Héros Hébreu ». La porte était ouverte, la lumière allumée. Un type tout maigre se prélassait derrière le seul bureau du bouclard. Il portait une chemise rouge de joueur de bowling, avec un nom brodé dessus : « Arnie ».

Il était très occupé. Les yeux fixés sur un miroir pivotant, il s'extrayait les points noirs. Crutch s'éclaircit la gorge. Buzz s'éclaircit la gorge. Arnie resta de marbre.

Buzz dit :

– Euh, monsieur... ?

Crutch lui fit signe de se taire.

Arnie dit :

– Étudiants, hein ? Vous voulez louer l'un de mes trous à rats pour vous bourrer la gueule et y faire venir des nanas.

La pièce perdit ses proportions. Des lumières bizarres se mirent à tournoyer. Crutch dit :

– Nous sommes détectives privés.

Arnie se leva. Arnie s'agrippa l'entrejambe et dit :

– Détectez-moi ça.

Crutch vit *ROUGE*. Une pièce *ROUGE*, des lumières *ROUGES*, un univers *ROUGE*. Il flanqua un coup de pied dans les couilles d'Arnie. Il le plia en deux d'un coup de poing à l'estomac. Il lui frappa la nuque d'une manchette. Il le projeta à plat ventre sur le plancher. Le nez d'Arnie craqua. Du sang jaillit. Arnie s'affala et chercha à tâtons le fil de son téléphone. Crutch arracha le fil du mur et balança ce putain d'appareil à l'autre bout de la pièce.

Buzz tremblait. Ses lèvres faisaient des choses bizarres. Crutch vit une tache de pisse sur son jean et capta l'odeur de merde qui provenait de son caleçon.

Arnie battait l'air de ses bras. Le sang qui lui coulait du nez formait une flaque. Crutch posa un pied sur son cou. Arnie cessa de s'agiter. Crutch dit :

– Gretchen Farr.

Arnie émit des gargouillis. Buzz fonça vers les toilettes. Il semblait prêt à vomir. Crutch jeta un mouchoir par terre. Arnie roula sur le dos, se couvrit le nez pour étancher le flot de sang. Crutch sortit sa fiole. Arnie fit signe de lui donner à boire et renversa la tête. Crutch lui en versa de petites gorgées. Du Jim Beam, 50 degrés.

Arnie suça le goulot, s'étrangla, toussa. Arnie puisa dans son *savoir-faire*. Arnie dit :

– Espèce de petit merdeux malfaisant.

Crutch s'accroupit. Il resta à l'écart des mares de sang. Ses circuits fonctionnaient de nouveau tandis que le décor faisait des bonds et tournoyait.

– Gretchen Farr.

– C'est une communiste. Une sorte de transfuge de gauche avec plus de noms que la moitié de la planète.

– Continue.

– Elle a entendu dire que je fournissais des filles à Howard Hughes.

Crutch dit :

– Continue.

Arnie fit un signe. Crutch lui donna trois petites gorgées. Arnie avala un mélange de bourbon et de sang et respira à fond.

– Elle louait une de mes baraques. Dans les Hollywood Hills, une petite maison pas terrible. Une location de deux semaines, à peine entrée, déjà repartie.

– Continue.

– Ce genre de bicoque, c'est pour des tournages de films de cul, des beuveries, des locations de courte durée.

– Continue, Arnie. Plus vite tu me diras tout, plus vite je serai reparti.

Le sang détrempait le mouchoir. Arnie le jeta et essuya le surplus sur son pantalon. Buzz revint, remontant sa braguette. Il était verdâtre, d'un vert psychédélique.

Crutch dit :

– Accouche, Arnie.

– Accouche de *quoi* ? C'est une communiste avec des projets pas nets.

– *Arnie...*

– D'accord, d'accord. Elle m'a soutiré des renseignements sur l'organisation de Howard Hughes. Elle m'a dit qu'elle voulait approcher un type, un certain Farlan Brown. Je le connais. C'est un brouteur de chattes qui joue au mormon pour rester dans les petits papiers de Hughes. Quand il passe par L.A., il se rend toujours à l'Oasis Secrète de Dale.

TILT : Hughes, Gretchie, les émeraudes et cette récompense d'un million de dollars...

– Des doubles de clés, Arnie. Pour la maison louée par Gretchen et tous tes autres gourbis.

Arnie hocha la tête et se releva. Crutch l'aida à retrouver l'équilibre. Arnie tituba pendant une bonne minute. Crutch se planta sur ses jambes pour rester immobile. Son Univers Rouge prenait des virages et faisait des embardées.

Buzz partit se changer et se rendit à l'Oasis Secrète de Dale. Crutch voyait toujours le décor basculer. L'idée lui passa par la tête de relancer Phil Irwin et de demander une recherche de permis de conduire. Il s'arrêta à un téléphone public pour appeler le SIPC – le Service de l'Immatriculation et des Permis de Conduire. Il donna le nom de Clyde Duber et les renseignements approximatifs qu'il possédait sur Gretchie. Zéro – il n'y avait qu'une Gretchen Farr, âgée de 82 ans, qui vivait à Visalia, à 300 kilomètres au nord de L.A. Il téléphona à l'Oasis Secrète de Dale et fit appeler Buzz. Buzz fit son rapport : oui, il s'était renseigné. Il avait appris que Farlan Brown était *vraiment* un type important chez Hughes. La compagnie Hughes Airways était son principal employeur.

Il était tard. Crutch passa en voiture près du parking. La 409 de Phil était partie. Crutch retrouva ses repères. Son tournis laissait la place à des bâillements et des nerfs en pelote. Il tenta sa chance dans plusieurs restaurants : Canter's Deli, Linny's Deli, Art's Deli – Phil dînait toujours en fin de soirée avec l'avocat juif Chick Weiss.

Trois arrêts, pas de Phil. Il se rendit au Tommy Tucker's Playroom, au carrefour de Washington Boulevard et LaBrea Avenue. Phil aimait le bois d'ébène. Il lui fallait de la chatte noire. Le

Playroom servait de façade à un bordel rempli de négresses. Phil s'y trouvait peut-être.

Ouais, il y était bien. Voilà sa voiture, près de la porte de derrière. Elle est garée. Elle fait des bonds. Voilà le cul blanc de Phil bien visible sur la banquette. Il y a deux jambes grasses et noires bien écartées de part et d'autre.

Ça durait, ça durait. Crutch se gara et regarda de l'autre côté. Phil et la moricaude fournissaient la bande-son – « Oh, oui... Oh, oui... » Crutch se boucha les oreilles au moment du crescendo. La moricaude descendit de la voiture. Elle avait une coiffure afro et pesait cent kilos. Elle repartit tranquillement vers le Playroom. Phil *tomba* de la voiture. Il se leva et repéra la GTO de Crutch. Hé, je la connais, cette caisse.

Crutch en sortit et s'étira. Phil s'approcha de lui d'un pas chancelant.

– Tu me filais ?

– Enfin, je te cherchais.

– À une heure du matin ?

– Allez ! Les types comme nous, ça n'a pas d'horaires fixes.

Phil alluma une cigarette. Il lui fallut griller quatre allumettes. Il empestait le parfum de la moricaude.

– On a un boulot à faire, c'est ça ? On a un nouveau truc, et tu es venu me chercher.

Crutch secoua la tête.

– Non, je veux seulement t'entendre une deuxième fois. Je voulais que tu me racontes encore ton enquête sur Gretchen Farr.

Phil exhala un rond de fumée bizarre.

– D'accord. Vingt dollars.

– *Vingt dollars ?*

– C'est ça. J'ai blousé le Dr Fred sur ce coup-là, mais pour vingt dollars, je vais te dire la vérité.

Crutch sortit sa liasse et lui allongea deux billets de dix. D'une pichenette, Phil expédia sa cigarette sur la carrosserie d'une Oldsmobile 64. Elle salopa la peinture rose qui plaît aux nègres.

– Bon, d'accord, j'ai fait deux rapports au Dr Fred lui disant qu'il n'y avait aucune piste. C'était surtout parce que je n'avais pas envie de poursuivre dans des endroits impossibles cette Gretchen plus fuyante qu'une anguille. Mais c'était aussi parce que j'ai été payé pour lâcher l'affaire.

– Par qui ? Qui t'a payé ?

– Un règlement en liquide. Anonyme. Un coursier m'a apporté la somme, et j'ai remonté les traces du coursier. Écoute bien, il était envoyé par la Hughes Tool Company [1]. Je me suis dit : « Bon sang, *ça* c'est intéressant », et puis j'ai pensé à autre chose et je suis allé faire la bringue.

Encore Hughes. Et le bras droit de Hughes, Farlan Brown. L'Univers Rouge tangua de nouveau.

Phil bâilla.

– Ce laps de temps tout entier est très flou dans ma mémoire, mais j'ai dans l'idée que j'ai réellement *vu* Gretchen Farr, quelque part dans les Hollywood Hills. Elle était avec une fille plus âgée qu'elle, et qui a une cicatrice de blessure au couteau sur le bras droit. Je revois aussi une Comet de 66, peut-être blanche... peut-être immatriculée ADF2 quelque chose... Merde, qu'est-ce que j'en sais ? J'étais bourré.

Le SIPC possédait des archives ouvertes vingt-quatre heures sur vingt-quatre. Les flics pouvaient y faire un saut et consulter leurs fichiers à tout moment. Crutch lâcha vingt dollars et le nom de Clyde Duber au préposé qui assurait le service de nuit. Le type le fit entrer dans la salle.

Il avait la marque, le modèle, et une immatriculation *partielle*. Cela voulait dire que l'identification prendrait du temps. Phil était un ivrogne. Sa mémoire n'était pas fiable. La Comet pouvait ne pas avoir été immatriculée en Californie. Les fiches d'immatriculation étaient rangées dans des grandes boîtes. Elles étaient identifiées par le comté d'origine et classées selon le nom du propriétaire. Commençons par le comté de L.A. ; F comme Farr. *C'est parti.*

Crutch descendit des boîtes et les parcourut en basculant les fiches avec deux doigts. Pas de Comet 66 au nom de Gretchen Farr dans le comté de L.A. – continuons à partir de là.

Il travailla. Il consulta des fiches toute la nuit. Il passait d'un comté à l'autre. Il partit de F-comme-Farr et progressait dans les deux sens. Gretch utilisait sans doute des faux noms. « Farr » pouvait être le nom n° 16 ou le nom n° 42. Crutch sentait que son système

1. Entreprise d'outillage pour forages pétroliers dont Howard Hughes hérita à la mort de son père.

se débarrassait des derniers résidus de drogue. Il avait l'impression d'être un énorme bâillement et d'avoir mal partout. Des toiles d'araignées lui collaient aux mains. La moisissure lui congestionnait la tête.

Il vit pointer l'aube à travers la fenêtre. Il attaqua le comté de Kern. Pas de fiche pour F-comme-Farr, passons à « G » et « H ». Il tomba sur une série de voitures de location appartenant à Hertz. Il tomba sur *le gros lot*.

Une Comet blanche de 66. Immatriculée dans le comté de Kern et envoyée dans le comté de L.A. Louée par l'agence Sunset-Vermont.

Crutch sortit la fiche et courut jusqu'à un téléphone public. Il appela le numéro de l'agence Hertz. Il se présenta sous l'identité du sergent Robert S. Bennett, du LAPD. L'employé de Hertz avala son bobard. Scotty/Crutch lui sortit un baratin sur la Comet 66 et Gretchen Farr – « Que pouvez-vous me dire à ce sujet ? »

L'employé remua des paperasses. L'employé n'avait rien sur « Gretchen Farr » – pas étonnant. Scotty/Crutch demanda : « Qui s'est servi de ce véhicule récemment, et qui l'utilise actuellement ? » L'employé répondit que la Comet devait être rendue à 10 heures ce soir. Une location de deux semaines. La cliente : une dame nommée « Celia Reyes ». Adresse locale : le Beverly Hills Hotel. Permis de conduire délivré en République dominicaine, l'endroit à la mode des Caraïbes, la Dominique des branchés.

Crutch se gara devant l'Hacienda de la Haine. Un opéra criard tonitruait dans la cour. Il s'engagea dans l'allée. Le portillon n'était pas verrouillé. Des oiseaux s'étaient posés sur les statues des dictateurs. La musique braillait depuis la porte de l'abri anti-aérien.

Il s'approcha et descendit les marches. Il fit du bruit *exprès*. Le Dr Fred était assis derrière un bureau de dessinateur. Il terminait une caricature. Vise un peu ce moricaud foldingue avec sa tête en forme de citrouille.

Le Dr Fred portait une robe du Klan et des sandales. Un Lüger accroché à un ceinturon retroussait son drap. La musique perçait les tympans.

Il vit Crutch. Il enfonça un bouton sur son bureau et flingua un aria au milieu d'un hurlement. Il dégaina son Lüger en un éclair et fit un numéro façon cow-boy.

– Vous avez les yeux marron. Vous êtes juif ?

– Vous aussi, vous avez les yeux marron.

– Oui, mais je *sais* que je ne suis pas juif.

Crutch se frotta les oreilles – l'écho des vociférations résonnait encore dans sa tête. Le Dr Fred dit :

– Vous vous êtes taché. Il y a du sang sur votre pantalon.

– C'était en travaillant pour vous, monsieur.

– Vous mourez d'envie de me raconter quelque chose. Vous voulez connaître mon opinion ? Je crois que vous avez capté l'odeur de l'argent.

L'abri était rempli d'odeurs : l'humidité, le moisi, l'argent très certainement.

– Gretchen, Arnie Moffett et Farlan Brown. Racontez-moi ce que vous ne m'avez pas dit.

– Et pourquoi est-ce que je ferais ça, *schmendrick* ? Vous savez ce que c'est, un *schmendrick* ? La même chose qu'un *schlemiel*.

– J'essaie de vous aider, monsieur. Je ne suis qu'un...

– ... qu'un aventurier débutant qui s'est retrouvé à travailler avec Clyde Duber. Et maintenant vous vous retrouvez à travailler pour moi. Clyde vous paie six dollars de l'heure, mais moi, c'est un bon million que je vais partager avec vous.

Un écureuil était assis dans l'escalier. Le Dr Fred pointa son Lüger et tira. L'écureuil se vaporisa. Le Dr Fred attrapa au vol la douille vide quand elle surgit de l'éjecteur.

– Je savais que Gretchen me faisait marcher, mais je ne savais pas qu'elle allait me voler. Une fille, c'est une fille, mais une *ganef*, c'est une *ganef*.

Crutch se frotta les oreilles.

– Ça ne s'arrête pas là.

– Pourquoi dites-vous ça ? Vous êtes un *schmendrick*. Vous êtes Phil Irwin moins sa dose de gnôle.

– N'essayez pas d'embobiner un bonimenteur, monsieur. J'ai fait le lien entre plusieurs noms, et ils indiquent tous la même direction.

Le Dr Fred dit :

– Dracula.

Crutch prit l'air du type qui fait : *hein ?* Des vestiges de martèlements sonores torturaient ses tympans.

Le Dr Fred rengaina.

– Bon, j'ai eu des doutes sur Gretchie. Donc, j'ai fouillé son sac à main et j'ai trouvé le numéro d'Arnie. Alors, j'ai appelé Arnie. Et Arnie s'est montré malléable. Donc j'ai payé Arnie pour qu'il me livre son scoop sur Gretchie. Et il m'a dit que Gretchie essayait d'approcher un *macher* de Howard Hughes, un certain Farlan Brown.

Crutch fit :

– Alors ?

Un dernier écho sonore s'estompa.

– Alors, *moi aussi*, j'ai voulu approcher Hughes. Nous avons la même sensibilité en ce qui concerne les races, et j'ai un plan de purification que Hughes pourrait financer. J'avais un rival, nommé Wayne Tedrow Senior. À nous deux, on tenait tout le marché des publications racistes. Il vient de mourir, et son abruti de fils Wayne Junior pourrait devenir le nouveau porte-parole de Dracula. Je veux mettre la main sur les archives racistes de Senior et prendre contact avec Dracula, et à mon avis, la solution, c'est de passer par ce fornicateur mormon de Farlan Brown. Je suis trop contesté pour tenter cette démarche, mais un jeune raté dans votre genre pourrait l'aborder comme une fleur sans éveiller les soupçons. Le magazine *Life* offre un million de dollars pour une photo de Hughes, et un jeune opportuniste comme vous parviendrait à s'approcher de lui.

Roulis, tangage, tournis, et du sang sur son froc – Crutch dit :

– Oui, patron.

6

Las Vegas, 20 juin 1968

Encore une suite d'hôtel. Encore un repas merdique apporté par le service des chambres.

M. Hoover lui a dit de rester perché à Las Vegas. L'assassinat de Wayne Senior le contrariait. Il voulait que Wayne Junior soit amadoué et évalué. D'où cette étape à la con. D'où cette visite à la police de Vegas. D'où cette salade mollassonne et ce steak immangeable.

Dwight repoussa son assiette. La nourriture lui pesait. Elle l'engluait, sapant le coup de fouet que lui procuraient le café et la nicotine. Le Stardust appartenait aux Parrains de Chicago. Le FBI était prétendument anti-Mafia. Ce qui ne l'empêchait pas de bénéficier à l'année d'une suite au Stardust. M. Hoover n'avait pas de comptes à régler avec le crime organisé. Qui était strictement la bête noire de Bobby K., et qui avait causé sa chute. M. Hoover haïssait les communistes, les nègres, et les contestataires de gauche. Sans doute M. Hoover *adorait*-il les salades mollassonnes et les steaks immangeables.

Ce putain de Stardust. Quatre mille machines à sous et des suites aux murs couverts de papier floqué. Les Parrains de Chicago étaient impatients de refourguer le Stardust à Howard Hughes. Le Comte Dracula était impatient de l'acheter. Les Parrains allaient entuber le Comte dans les grandes largeurs.

Et c'est Wayne Tedrow *Junior* qui facilite la transaction. Wayne saute sa belle-mère qui est mourante. À eux deux, ils ont tué Wayne *Senior*. Dwight et Senior se connaissaient depuis *loooongtemps*. Dwight appréciait Junior pour son côté *diiiingue*. Et maintenant, il a pour mission de lui éviter une inculpation pour homicide avec préméditation.

Bordel organisé.

Il faisait 45 degrés dehors. Les climatiseurs muraux crachaient de la glace. Dwight sentait revenir cette impression bien connue d'être prisonnier dans un hôtel. Il faisait les cent pas dans sa suite.

Les emmerdements s'enchevêtraient. Buddy Fritsch était *trop* nerveux. D'après l'agent spécial en charge de Vegas, l'air du désert était de plus en plus contaminé par la rumeur « Junior a tué Senior ». M. Hoover perdait la boule. M. Hoover l'avait *encore* sur les épaules jusqu'à un certain point. Sirhan Sirhan écumait de rage à L.A. Jimmy Ray écumait de rage et se battait pour ne pas être extradé. L'histoire du Grapevine Tavern se propageait. Il avait vu un télex de l'ATF [1] le matin même. Envoyé dans l'affolement par M. Hoover. L'ATF allait peut-être mettre le Grapevine sous surveillance. Les péquenauds qui le fréquentaient vendaient des armes et de la drogue. Bisbilles inter-agences. C'était le retour de manivelle après la découverte des micros cachés qui avait inspiré les rumeurs de conspiration. On pouvait tenir pour négligeables la plupart des rumeurs de conspiration. Celles-ci ne l'étaient peut-être pas. Elles pourraient nécessiter la fermeture de l'établissement. Une fermeture ne serait *pas* envisageable si l'ATF rôdait dans les parages.

La proximité. Les bavardages de Jimmy Ray. Les bavardages du Grapevine. Des bavardages *valables* – le frère de Jimmy Ray possédait des parts dans l'affaire.

Bordel organisé.

Il avait les nerfs à vif. Il dormait mal. Memphis revenait le hanter chaque nuit à 3 heures. Les bruits de voitures ressemblaient à des coups de feu. Quand il se retournait dans son lit, la moindre petite douleur ressemblait à un coup porté par un agresseur.

Dwight s'approcha de la fenêtre de la chambre. Quand il se trouvait dans une suite d'hôtel, Karen lui manquait. Les suites d'hôtel lui donnaient la nostalgie des vraies chambres. À six reprises, il avait fouillé clandestinement l'appartement de Karen. Il avait eu envie de rester entre ses murs, sans bouger, en son absence. Il s'en remettait à son instinct pour obtenir la preuve qu'elle n'avait pas d'autre amant. Il trouva le calme qu'il avait cherché, et la confirmation de sa preuve. Une fois, Karen était entrée dans sa suite. Il découvrit des signes d'effraction, fit un relevé, et trouva deux

---

1. *Bureau of Alcohol, Tobacco and Firearms* (ATF) : service fédéral des États-Unis chargé de faire respecter la loi sur l'alcool, le tabac et les armes et de lutter contre leur trafic.

empreintes latentes de Karen Sifakis. Elle avait vu son nécessaire à chèques anonymes. Elle avait lu son journal. Il y avait écrit : « Je suis foutrement amoureux d'elle » juste deux jours avant.

De façon oblique, ils s'avouèrent : « Je t'espionne. » Il a lu le journal de Karen. Elle cache sans doute les pages qu'elle ne veut pas lui laisser lire. Elle le harcèle au sujet des chèques. Un jour, peut-être, il lui dira tout.

Dwight se versa de bonne heure son unique verre de la soirée. Le crépuscule tomba, la nuit aussi. Le ciel noir vibrait et détonnait derrière tous les néons de Vegas.

Janvier 57. Les routes sont verglacées sur le Merritt Parkway. Il travaillait à l'agence de New York à ce moment-là. Il conduisait une voiture du FBI. Il était ivre. Il partait passer le week-end à Cape Cod avec sa petite amie. Il franchit le terre-plein central et percuta un véhicule arrivant dans l'autre sens. Il tua les deux filles adolescentes de M. et Mme George Diskant.

Il ne souffrait que de blessures légères. M. Hoover gela toutes les enquêtes menées par la police de l'État du Connecticut. Dwight fut admis dans un centre de soins près de New Canaan. Il alternait des crises de sanglots et de longues périodes de silence. Il resta à Silver Hill pendant un mois et quatre jours. Il recouvra son équilibre nerveux et retourna au travail. Il évita les femmes jusqu'à ce qu'il rencontre Karen.

Dwight buvait son verre du soir à petites gorgées. Le spectacle du ciel illuminé commençait à l'agacer. Il sortit son dossier sur les militants noirs et le passa en revue.

Sa seconde lecture confirma la première. Les Panthères et les E.U. – trop connus et trop infiltrés. L'Alliance des Tribus Noires et le Front de Libération des Mau-Mau – obscurs, avec un fort potentiel de présence dans les médias.

Karen pouvait lui trouver un ou une indic. Qui serait de race noire ou blanche. Qui pourrait cafter les deux groupes sur le plan politique. L'inflitré ne pouvait être que noir et de sexe masculin. Il pourrait dénoncer tous les actes criminels à justification politique.

Wayne Junior avait accès aux listes de Wayne Senior. Wayne Junior affirmait qu'il n'avait rien à voir avec le commerce de publications racistes. Le Dr Fred Hiltz était un indicateur du FBI. Il était intime avec ce détective privé de L.A. qui s'appelait Clyde Duber. Clyde était intime avec l'agent spécial en charge de L.A.

Une sonnette retentit à l'autre bout du couloir. Dwight fit un bond dans son fauteuil.

7

Las Vegas, 20 juin 1968

Le Comte fit passer ses pilules en buvant une concoction de couleur rouge. Cela ressemblait à un mélange de jus de fruit et de sang. Il portait une blouse stérile de chirurgien et des boîtes de Kleenex en guise de chaussures. Ses cheveux étaient longs. Ses ongles étaient des griffes. Il portait un bonnet de marin en laine et une visière teintée en plexi.

Wayne accrocha son regard. Ce fut rude. Farlan Brown accrocha son regard. Il avait davantage de pratique. C'était lui qui chapeautait l'entretien.

Le dernier étage du Desert Inn. Chez Dracula. Une salle d'hôpital avec de grands téléviseurs d'un mur à l'autre. Trois écrans retransmettaient des débats sur l'actualité. Des légendes dont on avait fait des martyrs. Des assassins mis en accusation. Nixon contre Humphrey et des sondages sur les intentions de vote.

Le son réglé bas n'était qu'un murmure. Wayne en fit abstraction. Sa chaise était contiguë au lit de Drac. Il captait une odeur de désinfectant industriel.

Brown dit :

– M. Tedrow sait que vous avez des questions à lui poser.

Drac enfila un masque chirurgical. Sa voix filtra au travers.

– Monsieur, croyez-vous que le président John F. Kennedy a été tué par un tireur isolé ?

– Oui, monsieur, je le crois.

– Croyez-vous que le sénateur Robert F. Kennedy a été tué par un tireur isolé ?

– Oui, monsieur, je le crois.

– Croyez-vous que le révérend Martin Luther King a été tué par un tireur isolé ?

– Oui, monsieur, je le crois.

Dracula soupira.

– C'est un réaliste, Farlan. C'est un solide mormon, et il n'est pas disposé à s'en laisser conter.

Brown joignit ses mains comme pour prier.

– Vous avez fait un choix judicieux, monsieur. Wayne possède toutes les compétences requises et connaît toutes les personnes qu'il faut connaître.

Drac toussa. Son masque se gonfla. Des mucosités coulèrent sur son menton.

– Vous connaissez nos amis italiens. Est-ce exact ?

– Parfaitement, monsieur. Je connais très bien M. Marcello et M. Giancana.

– Ils m'ont vendu de merveilleux hôtels-casinos, et j'ai l'intention d'en acheter plusieurs autres.

– Ils seront heureux de vous les vendre, monsieur. Ils se félicitent de votre présence à Las Vegas.

– Las Vegas est une zone de reproduction pour les bactéries noires. Les Noirs ont une proportion élevée de leucocytes. On ne devrait jamais leur serrer la main. Les extrémités de leurs doigts émettent des particules de pus.

Wayne resta de marbre. Les secondes se traînèrent. Brown sourit et intervint.

– Wayne va doubler votre soutien à M. Nixon, monsieur.

Drac hocha la tête.

– Richard le retors. J'ai prêté de l'argent à son frère en 56. Cela s'est su et s'est retourné contre Richard. C'est peut-être ce qui a fait pencher le vote en faveur de Jack Kennedy.

Wayne précisa :

– Je lui remettrai l'enveloppe à la convention. M. Marcello veut s'assurer que la nomination n'échappera pas à M. Nixon.

Brown sourit.

– Je suis délégué. Miami en août, Seigneur !

Drac dit :

– Les Noirs vont déclencher des émeutes et il faudra leur administrer des calmants en masse. Des tranquillisants pour animaux seraient peut-être la solution. M. Tedrow pourrait superviser la mise au point de la formule et tester le dosage sur quelques épaves humaines de race noire qui se trouvent déjà derrière les barreaux.

Wayne resta de marbre. Les secondes s'éternisèrent. Brown sourit et intervint.

– Wayne a dit qu'il suivrait de près la convention pour notre compte. C'est entendu ainsi, n'est-ce pas, Wayne ?

– Absolument. Je serai ravi de surveiller cela de près et de faire ce que je pourrai pour protéger nos intérêts.

Drac avala une gorgée de sa mixture rouge.

– C'est Chicago qui m'inquiète. Des factions de jeunes se mobilisent pour créer une agitation massive qui discréditera les démocrates. Accepteriez-vous de les aider à jouer quelques bons tours ?

– Avec plaisir, monsieur.

– Hubert Humphrey a un visage mou et porcin. Cela ne m'étonnerait pas qu'il ait un taux de leucocytes élevé. Il est né pour perdre les élections présidentielles et mourir de leucémie.

Wayne hocha la tête. Brown hocha la tête. Un infirmier entra dans la pièce. Il posa une pizza fumante sur la table de chevet de Drac. Brown le congédia d'un geste.

– Monsieur, avez-vous lu ma note ? Nos amis italiens élaborent un projet d'implantation d'hôtels-casinos en Amérique centrale ou dans les Caraïbes. Wayne est chargé de le superviser, et Hughes Air aura l'exclusivité pour le transport des futurs clients.

Drac renifla la pizza.

– Quels pays ?

Wayne répondit :

– Le Panama, le Nicaragua, ou la République dominicaine.

– De bons endroits. Situés tous les trois dans des zones où le taux de leucocytes est bas. Monsieur Tedrow, pourriez-vous confirmer ou réfuter une rumeur qui m'est parvenue ? Elle ne cesse de me troubler.

Wayne sourit. La pizza faisait des bulles. Drac demanda :

– Votre père a-t-il été assassiné ?

Brown se tortilla un peu.

Wayne dit :

– Je vous réponds par un « non » catégorique, monsieur.

8

Los Angeles, 20 juin 1968

Surveillance :

Le parking de Hertz. 21 h 56. Des voitures qu'on rend à la va-vite avant la fermeture. La Comet 66 : attendue dans quatre minutes, ou bien des pénalités seront appliquées.

Crutch était assis dans sa GTO. Il portait un nœud papillon écossais et une coupe de cheveux à la Scotty Bennett. Le nœud pap et sa coupe en brosse dataient d'aujourd'hui même. Il se les était payés pour fêter son affaire et le marché passé avec le Dr Fred. Et pour faire honneur à la raclée infligée à Arnie la veille.

Il tenait son Rolleiflex équipé d'un zoom. Il avait le trousseau des doubles de clés fournis par Arnie. Son nœud pap jurait avec son polo. Sa coupe en brosse jurait avec la mode du moment. Les gars de L.A. portaient les cheveux longs. Rien à foutre – Scotty et lui étaient à l'*avant-garde*.

Il faisait chaud. Il mit la clim et dirigea l'air froid sur ses couilles. Il avait parlé à Buzz une heure plus tôt. Mauvaise nouvelle : jusqu'à maintenant, aucune trace de la ligne de téléphone pirate. Ne pas oublier : pas un mot à Buzz ou Clyde du marché conclu avec le Dr Fred. Prends la photo de Hughes d'abord et partage avec eux après.

Des voitures entrèrent dans le parking : des Buick, des Ford, des Dodge Dart. Les gens en sortaient et rendaient les clés au comptoir. Compte à rebours : dix heures moins trois, dix heures moins deux, dix heures moins une. Quelques secondes avant l'heure : voilà la Comet ADF212.

Elle entra depuis la partie de Sunset Boulevard qui mène vers l'est. De la vapeur d'eau sortait par les ouïes du capot. Le radiateur avait sans doute lâché.

Deux femmes en sortirent. Crutch fit la mise au point de son zoom et les cadra serré.

Gretchen Farr/Celia Reyes – grande, et de type latin. Ce ne pouvait être qu'elle. Elle était de race blanche, avec quelque chose en plus : ce peps propre aux Espagnoles. Elle portait une chemise marron clair et un pantalon pattes d'éléphant. Elle était superbe et sculpturalement séduisante. Dans les 32 ans. Surclassée par sa compagne.

De dix ans plus âgée, peut-être. Avec plein de *petits quelques choses* en plus. Moins grande, avec une démarche indolente et chaloupée. Pâle. Des lunettes. Des cheveux presque noirs avec des mèches grises. Les bras nus et la cicatrice d'un coup de couteau – Phil Irwin avait bien capté ça.

Les deux femmes entrèrent dans le bureau. Crutch prit des photos. Pellicule ultrasensible – six clichés pendant qu'elles entraient, six autres tandis qu'elles ressortaient.

Elles montèrent dans une Fairlane 63. Crutch zooma *ultra*-serré. Des giclées de boue sur la plaque d'immatriculation, impossible de lire le numéro. *Pourquoi changer de voiture ? C'est une précaution de pro.*

La voiture sortit dans Sunset, en direction de l'ouest. Crutch la suivit. Il conduisait d'une main. Il joua à saute-mouton. Il changea de file et laissa un taxi se glisser entre elles et lui. La voiture tourna à droite dans Berendo, à gauche dans Franklin, à droite dans Chermoya. Crutch arriva trop vite à l'intersection et fit son double débrayage trop vite. Le moteur cala. La Fairlane prit le large, en direction du nord.

Crutch lança le moteur, enfonça trop vite les gaz et noya les carburateurs. *Doucement, maintenant* – ne rate pas ce coup-là. Il attendit une bonne minute. Il regarda les adresses sur les doubles de clés d'Arnie. La baraque anciennement louée par Gretchen Farr se trouvait à quinze cents mètres, en haut de la côte. Trois autres bicoques pour sauteries étaient situées dans un rayon de huit cents mètres. Gretchie se rendait sûrement dans l'une des quatre.

Doucement, maintenant. Reprends tes marques. Tourne le contact *leeeentement.*

Il réussit. Le moteur démarra. Il s'engagea dans Beachwood Canyon, lorgnant au passage à travers les fenêtres des maisons. Il vit des tas d'écrans de télé blafards. Il vit une soirée marijuana. Il vit une fille style *flower power* danser toute seule le watusi.

Les routes étaient sinueuses pour remonter le canyon. Première adresse : 2250 Gladeview. C'est là – une petite maison, genre résidence d'artiste.

Sombre. Pas de lumière, pas de Fairlane 63. Va voir les autres bicoques pour sauteries – *elles n'ont pas pris cette route sans raison.*

La plus proche était à six pâtés de maisons au sud-ouest. Crutch s'y rendit et se gara le long du trottoir, moteur au ralenti. Merde – pas de lumière, pas de Fairlane. Il repartit vers la baraque suivante – à quatre pâtés de maisons vers le sud. La voilà – une petite maison en stuc. Il y a de la lumière à la fenêtre et la voiture est dans l'allée.

Il se gara contre le trottoir d'en face et traversa la route. Les rideaux étaient tirés derrière la fenêtre de la façade. Une lumière terne filtrait au travers. Il vit des silhouettes se déplacer. Il descendit l'allée et les suivit des yeux vers l'arrière de la maison. Les fenêtres latérales étaient entrouvertes pour laisser entrer l'air et aucun rideau ne les masquait. Il s'accroupit sous les rebords de fenêtres et suivit des ombres.

Il entendit des mots étouffés. Un salmigondis de mots : « Tommy », « grapevine », « taupe ». Les ombres atteignirent la dernière fenêtre. Les deux femmes apparurent. Elles échangèrent un regard. Elles s'enlacèrent pour s'embrasser.

Crutch cligna des yeux. Ce n'est pas vrai/si, c'est vrai/l'image persista et se grava dans sa mémoire.

Gretchen/Celia glissa les mains sous la chemise de la femme à la cicatrice. La femme à la cicatrice dénoua ses cheveux et les rejeta en arrière. La lumière de la pièce se réfléchit sur les mèches grises.

Elles repartirent vers le vestibule. Elles redevinrent des ombres. Crutch cligna des yeux et passa d'une fenêtre à la suivante. Il marchait plié en deux. Il vit des ombres mêlées, mais il ne les vit pas, *elles*, en chair et en os.

Il retourna à sa voiture et attendit. Il n'arrivait pas à retrouver son calme. Sa respiration et son rythme cardiaque lui jouaient des tours de nouveau.

Les deux femmes ressortirent une demi-heure plus tard. Elles transportèrent leurs bagages jusqu'à la Fairlane et les rangèrent dans le coffre. Le clair de lune apporta à Crutch quelques détails. Gretchen/Celia avait l'air rêveur. La femme à la cicatrice n'avait plus de rouge à lèvres à force de l'avoir embrassée.

Elles montèrent dans la voiture et repartirent. Il était tard. Sur cette route, aucune circulation pour lui servir de couverture. Il ne pouvait pas les suivre. Il se résigna à rester là et il regarda disparaître leurs feux arrière.

Il ne pouvait rien faire.

Elles le quittèrent, tout simplement.

Il savait qu'il n'arriverait jamais à dormir. Il décida de continuer à rouler. Il passa près des autres bicoques pour sauteries et vit des soirées de beuveries qui commençaient à s'animer. C'était un mélange : des hippies, des étudiants, des cheveux longs partout. Il retourna à la maison en stuc, força la serrure d'une porte latérale et entra. Il se sentait hardi. Il alluma la lumière à l'intérieur.

La chambre l'attira en premier. Le lit était tiède. Il toucha les oreillers et imagina leurs corps sur les draps. Il vit un cheveu gris solitaire sur le couvre-lit. Il posa sa joue dessus et le laissa à sa place.

Après cela, quelque chose lui dit de s'en aller. Il quitta la maison, remonta dans sa voiture et se contenta de rouler. Il resta dans le canyon. Il décrivit paresseusement des 8 autour de la maison en stuc. Le temps perdit de sa substance. Ses phares épinglèrent une maison blanche de style espagnol. La porte d'entrée à panneaux de bois était couverte de marques étranges. Quelque chose lui dit de sortir de sa voiture et d'aller voir.

Ce qu'il fit. Il se gara de l'autre côté de la rue et s'en approcha. Il éclaira la porte avec sa lampe-crayon pour examiner les marques. Étonnant : des motifs géométriques dessinés en rouge sombre.

Des lignes verticales descendant jusqu'à la terrasse. Un oiseau déchiqueté sur le paillasson.

Tu te sens chez toi ici. Ça pourrait être ta maison.

Quelque chose lui dit que la porte n'était pas verrouillée et qu'il lui faudrait tourner à droite une fois à l'intérieur. Le salon était plongé dans le noir complet et sentait le renfermé. Des feuilles de plastique recouvraient les meubles. Il suivit une odeur de craie et de métal qui le mena jusqu'à la cuisine. Sa respiration s'affola. Ses mains tremblèrent. Le faisceau de sa lampe fit un bond. Il le maîtrisa à deux mains et il vit :

Les tripes dans l'évier. Le bras coupé privé de main. La peau brune, purement féminine. Le tatouage géométrique sur le biceps. Le profond sillon dans la chair qui traversait le tatouage et qui le longeait. Les pierres vertes pulvérisées incrustées jusqu'à l'os.

DOCUMENT EN ENCART : 21/6/68. *Manchette et sous-titre du* Los Angeles Herald Express :

MANŒUVRES D'AVANT-PROCÈS
DANS L'AFFAIRE KENNEDY

Sirhan, inculpé d'assassinat :
« Je suis un prisonnier politique. »

DOCUMENT EN ENCART : 24/6/68. *Manchette et sous-titre du* Milwaukee Sentinel :

RAY, ASSASSIN PRÉSUMÉ DE KING,
INCARCÉRÉ EN GRANDE-BRETAGNE

Le FBI juge « fantaisiste » sa thèse d'un complot.

DOCUMENT EN ENCART : 27/6/68. *Sous-titre du* Los Angeles Times :

« LES SIONISTES ONT EMPOISONNÉ MA NOURRITURE »,
DÉCLARE L'ASSASSIN INCULPÉ.

DOCUMENT EN ENCART : 2/7/68. *Manchette et sous-titre du* Hartford Courant :

RAY PROBABLEMENT EXTRADÉ

L'assassin inculpé parle d'une « vaste
conspiration pour se servir de moi ».

DOCUMENT EN ENCART : 8/7/68. *Sous-titre du* San Francisco Chronicle :

Le FBI affirme au Président :

L'assassinat de King
est l'œuvre d'un tireur isolé.

DOCUMENT EN ENCART : 12/7/68. *Sous-titre du* Nashville Tennessean :

Hoover à l'American Legion :

« Le tireur isolé, c'était Ray,
tout simplement. »

DOCUMENT EN ENCART : 13/7/68. *Manchette et sous-titre du* Des Moines Register :

LA COURSE EST SERRÉE ENTRE NIXON ET HUMPHREY

Les organisateurs de la convention
prédisent des désordres orchestrés par
« de jeunes hippies et des éléments subversifs ».

DOCUMENT EN ENCART : 16/7/68. *Manchette et sous-titre du* Seattle Post-Intelligencer :

NIXON CONTRE HUMPHREY – C'EST SERRÉ

Miami et Chicago se préparent
pour « le tohu-bohu de la convention ».

DOCUMENT EN ENCART : 18/7/68. *Article du* Las Vegas Sun :

LE PITTORESQUE FREDDY O

Il a été policier à Los Angeles et détective privé au service des célébrités, mais aussi sergent instructeur dans l'infanterie de marine pendant la Deuxième Guerre mondiale. Ce courageux gamin libano-américain d'une petite ville du Massachusetts a vécu plus de neuf vies au cours de ses 46 années d'existence, et aujourd'hui il commence sa Vie Numéro Dix en tant que propriétaire-directeur de l'hôtel-casino Golden Cavern.

Bienvenue à Las Vegas, monsieur Fred Otash !

Il a racheté le Golden Cavern à "Big" Pete Bondurant, un autre personnage haut en couleur, lui aussi anciennement flic de L.A., détective privé et mercenaire. « Pete B. voulait prendre sa retraite », a déclaré Otash à notre reporter. « J'ai repris le Golden Cavern pour une bouchée de pain, et ce pain, c'est le pain blanc que je vais manger à Vegas. »

Freddy O. a porté de nombreuses casquettes au cours de sa vie. « C'est vrai, a-t-il confirmé, et il y en a quelques-unes qu'un vent mauvais m'a arrachées de la tête. » Prié de s'expliquer, il a répondu : « J'ai été exclu de la police de L.A. sans raison valable. J'ai obtenu ma licence de détective privé et j'ai enquêté sur des scandales que révélait ensuite le magazine *Confidentiel*. Mais *Confidentiel* a été coulé par les procès en diffamation. Cette rumeur selon laquelle j'aurais dopé un cheval de course appelé "Wonder Boy" ? Fausse à 100 %. Bon, elle m'a coûté ma licence, mais quand les célébrités de Hollywood sont dans une sale situation, elles continuent de réclamer : "Trouvez-moi Otash !" Alors, je suis toujours l'homme qu'il faut aller voir à L.A. »

Charles "Chick" Weiss, avocat de Beverly Hills spécialisé dans les divorces, confirme les dires de Freddy O. : « Freddy est le roi des détectives privés de L.A., même s'il a perdu sa licence et s'est reconverti dans l'hôtellerie aujourd'hui. Écoutez, je traite des affaires de divorce, et parfois ce n'est pas joli. Freddy me sert d'intermédiaire avec la confrérie des chauffeurs, ces gars qui conduisent des voitures rapides et qui pistent les épouses infidèles jusqu'à leurs rendez-vous galants. C'est un guerrier urbain qui a une longue expérience des champs de bataille, donc typiquement le genre de type qui a tout pour réussir dans un bled super stressant comme Vegas. »

« Howard Hughes a les moyens de racheter tous les grands casinos du Strip et de Glitter Gulch », nous a dit Otash. « Moi, je suis là pour la foule des fêtards et pour le salarié de base qui a envie de jouer sans perdre sa chemise. Je ne tiens ni un établissement de luxe, ni un casino au rabais. Je suis l'ami du joueur avisé au budget serré qui vient pour s'amuser et qui apprécie d'en avoir pour son argent. »

Le détective privé de Los Angeles Clyde Duber nous livre une opinion bien différente de Fred Otash, une opinion dont il prétend qu'elle est partagée par beaucoup de gens. « Fred est intrinsèquement un arnaqueur », dit-il. « Son seul ami, c'est le fric, donc on pourrait dire que Las Vegas est l'endroit idéal pour lui. »

Aïe ! Dites-moi, Fred O., qu'avez-vous à répondre à *ça* ?

« Clyde est jaloux, c'est tout », nous a répondu Otash avec le sourire. « Comparé à moi, il a toujours joué les seconds couteaux, et il a du mal à l'avaler. Ouais, je suis pittoresque, et j'ai quelques côtés abrupts. Vous connaissez ma devise ? "Je suis prêt à faire n'importe quoi, sauf à commettre un meurtre, et à travailler pour n'importe qui, sauf pour les communistes." Comment pourrait-on me le reprocher ? »

Comment pourrait-on, en effet ? Voilà qui est parler, et en vrai citoyen de Las Vegas ! Alors, une fois de plus, bienvenue au Joyau du Désert, monsieur Fred Otash !

DOCUMENT EN ENCART : 20/7/68. *Communiqué du FBI par télex. Expéditeur : A.S.C.*[1] *Wilton J. Laird, agence de Saint Louis. Destinataire : Agent spécial Dwight C. Holly. Marqué : « CONFIDENTIEL NIVEAU 1-A ; DESTINATAIRE UNIQUE. »*

A.S. Holly,

Concernant notre conversation téléphonique et votre précédent mémo (mémorandum n° 8506 confidentiel 1-A) me demandant de faire le point sur les rumeurs concernant l'assassinat de M.L. King qui circulent au Grapevine Tavern, Saint Louis, les faits suivants retiendront sans doute votre attention :

1.- Du matériel de surveillance électronique, qui a pu être conçu chez nous, a été découvert dans l'enceinte du Grapevine Tavern durant la première quinzaine du mois de juin dernier. Les informateurs confidentiels du Bureau qui fréquentent l'établissement nous ont fait savoir que le dispositif fut repéré par NORBERT DONALD KLING & ROWLAND MARK DE JOHN, repris de justice et clients habituels de l'établissement, et « meneurs » reconnus de plusieurs autres clients (CLARK DAVIS BRUNDAGE, LEAMAN RUSSELL CURRIE, THOMAS OGDEN PIERCE & GEORGE JAMES LUCE), tous repris de justice et membres actifs de nombreuses organisations paramilitaires d'extrême droite.

2.- La découverte du matériel a suscité des conjectures de plus en plus nombreuses parmi les individus susmentionnés. Par exemple : que les micros espions faisaient partie d'un dispositif de surveillance conçu pour attirer l'assassin de King, JAMES EARL RAY, dans un complot « mandaté par le FBI » pour éliminer King. Bien que manifestement ridicule, cette rumeur pourrait se révéler dommageable pour le prestige du Bureau, étant donné les nombreux commentaires

1. Agent Spécial en Charge.

désobligeants de M. Hoover à l'égard de King, et le fait que le frère de Ray, CHARLES ELDON RAY, est en partie propriétaire du Grapevine.

3.- L'agence de Saint Louis n'a joué aucun rôle dans l'installation du dispositif de surveillance, si le matériel découvert au Grapevine Tavern a été effectivement conçu par le Bureau. Si c'est une autre équipe opérationnelle du Bureau qui a installé le dispositif, je n'en ai pas eu connaissance personnellement, et l'installation n'a pas été effectuée par un agent sous mon commandement.

4.- Selon les déclarations des habitués du Grapevine cités plus haut, les discussions portaient fréquemment sur une « prime » de 50 000 dollars pour éliminer King, censément offerte par une cabale de ségrégationnistes fortunés au premier « Guerrier de la Race Blanche » prêt à « se rebeller contre l'hégémonie libérale de LBJ pour avoir la peau de Moricaud Luther King ». Ce sujet de conversation ridicule a été fréquemment abordé avec complaisance par de nombreux habitués du Grapevine au cours des mois précédant la mort de King.

5.- Les rumeurs de « complot du FBI pour assassiner King » sont de plus en plus virulentes et de plus en plus fréquentes. Plus inquiétant, des sources confidentielles travaillant au siège de Saint Louis du Bureau des Alcools, du Tabac et des armes à Feu m'ont informé que le Grapevine sera bientôt placé sous surveillance par l'ATF, en raison de l'existence avérée d'un trafic d'armes basé dans les locaux mêmes de l'établissement. Les habitués du Grapevine cités plus haut ne sont pas soupçonnés de ce trafic, mais je trouve inquiétante l'intérêt de l'ATF pour la Tavern, étant donné la virulence et la fréquence des rumeurs anti-FBI et le fait que CHARLES ELDON RAY est en partie propriétaire du Grapevine Tavern.

Respectueusement, A.S.C Wilton J. Laird, agence de Saint Louis/DÉTRUIRE APRÈS LECTURE.

DOCUMENT EN ENCART : 26/7/68. *Article du* Los Angeles Herald-Express :

L'ÉNIGME QUI RÉSISTE AU TEMPS :
« LE GRAND BRAQUAGE » ET LE FLIC
DONT CELA RESTE L'OBSESSION

Mardi 24 février 1964. Il faisait frisquet à Los Angeles, et un orage menaçait. Le silence du petit matin fut soudain brisé par la collision d'un camion de lait et d'un fourgon blindé de la Wells Fargo transportant une cargaison de plusieurs millions de dollars en billets de banque et en émeraudes d'une valeur inestimable. Le carrefour paisible de Budlong Avenue et de la 84e Rue devint bientôt le théâtre d'un massacre, car en quelques minutes quatre convoyeurs armés et deux membres d'un commando de braqueurs intrépides trouvèrent la mort – ces derniers manifestement trahis par un complice – et cette affaire de vol et de meurtre n'est toujours pas élucidée au bout de quatre ans et demi.

« Pas exactement », nous a déclaré le sergent Robert S. "Scotty" Bennett au Piper's Coffee Shop. « Cela remonte à quatre ans, cinq mois et deux jours. »

On n'ergote pas avec le sergent Bennett sur le moindre détail concernant l'affaire à laquelle il travaille depuis si longtemps et avec autant de ténacité. C'est lui qui se consacre le plus à l'enquête depuis cette matinée sanglante, et sa détermination à résoudre l'affaire est devenue légendaire au sein de la police de Los Angeles. L'homme, qui vous regarde du haut de son mètre quatre-vingt-quinze, est lui-même une légende. Dans l'exercice de ses fonctions, il a tué 18 voleurs armés et il célèbre ce record du LAPD grâce à de petits chiffres 18 brodés sur les nœuds papillons en tissu écossais qu'il porte toujours. Quand nous l'avons interrogé sur ces fusillades, il nous a répondu : « Quand vous lâchez ces décharges de chevrotines, il n'y a pas moyen de les retenir. »

C'est une repartie amusante qui cache une vérité abominable : les policiers de la Brigade de répression des vols sont couramment confrontés à des criminels armés et dangereux, et ce sont des hommes déterminés qui sont fiers de porter des épingles de cravate ornées du chiffre 211, le numéro de l'article du code pénal de Californie désignant le vol à main armée. « Le Braquage », ainsi qu'on l'appelle dans la salle de permanence de la brigade, est un sujet presque constant de spéculations, et Scotty Bennett aborde le sujet avec gourmandise. « L'attaque a été préparée dans les moindres détails », dit-il. « La collision provoquée par le camion de lait fut très violente et potentiellement fatale, ce qui de toute évidence a convaincu les convoyeurs qu'elle était vraiment accidentelle. L'équipe de braqueurs savait ce que le fourgon transportait, et nous n'avons jamais déterminé avec précision de quelle manière ils s'étaient procuré cette information. Plus important encore, nous n'avons jamais pu savoir si les braqueurs étaient de race blanche ou noire. »

Le sergent Bennett boit une gorgée de café avant de poursuivre : « L'attaque a été conçue et exécutée avec audace. Et je crois que le chef du gang avait décidé dès le départ de liquider sur place ses sous-fifres et d'occulter leur identité, et leur race, en carbonisant leurs cadavres pour les rendre méconnaissables. Le principe est séduisant, mais empêcher l'identification de la race nécessite bien autre chose que de brûler l'épiderme, et cet homme a d'abord arrosé les corps d'un accélérateur chimique qui a considérablement aggravé la détérioration des tissus provoquée par les flammes. Nous n'avons jamais réussi à identifier cet élément chimique, et c'est encore une raison pour laquelle cette attaque à main armée demeure une énigme. »

Et les autres raisons ?

« Eh bien, dit le sergent Bennett, nous savons que de nombreuses liasses de billets volées dans le fourgon étaient entourées de bandes explosives contenant de l'encre, et on a trouvé des taches d'encre sur la scène de crime. De plus, des billets maculés d'encre ont refait périodiquement surface dans les quartiers sud de Los Angeles, donc je suis persuadé qu'il y avait au moins un Noir parmi les membres du gang. D'autre part, l'origine des émeraudes demeure inconnue. Le fourgon contenait une cargaison extrêmement coûteuse, et les intermédiaires de l'expéditeur et du destinataire avaient signé avec la Wells Fargo des décharges garantissant le secret, ce qui a entravé l'enquête. »

Et cette rumeur persistante selon laquelle les pierres précieuses proviendraient d'Amérique centrale ou des Caraïbes ?

Le sergent Bennett est formel : « Ce n'est rien d'autre qu'une rumeur. Sans aucun fondement. »

Et la rumeur qui attribue l'organisation et l'exécution du braquage à des organisations de militants noirs ?

Scotty Bennett s'esclaffe franchement. « Pourquoi mâcher ses mots ? Les militants noirs sont des cabotins qui revendiquent toujours la paternité de leurs exploits. Les Panthères et les E.U. sont infiltrés par des indics, et depuis le temps, nous aurions trouvé des pistes. En ce moment, nous avons deux groupuscules de militants tapageurs qui font un peu de chahut à L.A., l'Alliance des Tribus Noires et le Front de Libération des Mau-Mau, mais je n'arrive pas à les imaginer commettant quoi que ce soit de plus compliqué qu'un braquage de magasin d'alcool ou qu'un vol de sac à main à l'arraché. »

Et le chef de gang ? Le cerveau impitoyable qui a exécuté ses propres hommes sur les lieux du crime ?

Scotty Bennett s'esclaffe de plus belle. « Dites-lui ceci de ma part », conclut-il. « Quand je lâche une décharge de chevrotines, il n'y a pas moyen de la retenir. »

DOCUMENT EN ENCART : 27/7/68. *Mémorandum interne du FBI. Marqué : « SECRET NIVEAU 1 ; DESTINATAIRE UNIQUE : LE DIRECTEUR ; DÉTRUIRE APRÈS LECTURE. » Destinataire : Le Directeur. Expéditeur : A.S. Dwight C. Holly.*

Monsieur,

Ce rapport expose la conception et les objectifs de notre COINTELPRO destiné à discréditer et à déstabiliser le mouvement militant noir dans son ensemble et spécifiquement les groupes de nationalistes noirs plus restreints et plus localisés. En attendant votre approbation, j'ai baptisé le programme OPÉRATION MÉÉÉCHANT FRÈRE. C'est un clin d'œil à notre OPÉRATION LAPIN NOIR qui fut loin d'apporter les résultats escomptés, et ce nom salue de façon ironique le tic verbal des Noirs qui utilisent « méchant » pour parler de ce qui est « bon ». Les hommes de race noire se saluent souvent en s'appelant « frère », et j'ai pensé que vous apprécieriez peut-être. Comme vous le savez certainement, un groupe extrémiste noir nommé

« Les nationalistes noirs de le Nouvelle Libye » a provoqué la semaine dernière à Cleveland, Ohio, des violences raciales qui ont fait 11 morts, dont 3 policiers blancs. Le moment est donc idéal pour lancer un COINTELPRO de taille réduite qui pourrait bien obtenir des résultats de grande envergure au plan national.

Je crois fermement que le PARTI DES PANTHÈRES NOIRES (PPN) et les ESCLAVES UNIS (EU) sont tous deux trop connus et déjà bien infiltrés. Il me semble que nous pourrions atteindre plus efficacement nos objectifs en prenant pour cibles deux groupes basés à Los Angeles, l'ALLIANCE DES TRIBUS NOIRES (ATN) et le FRONT DE LIBÉRATION DES MAU-MAU (FLMM). Notre COINTELPRO pourrait en même temps les faire accéder à la notoriété et les discréditer complètement. En contrôlant dès le départ la perception par l'opinion publique de deux groupes moins connus, nous discréditerions également le mouvement militant noir dans son ensemble. J'ai étudié les rapports initiaux du Bureau sur l'ATN et le FLMM que vous m'avez fait parvenir, et j'ai demandé à la brigade de répression du banditisme du LAPD les dossiers qu'elle possède sur leurs membres. J'affirme sans hésitation qu'ils constituent des cibles idéales pour un COINTELPRO et que leur destruction devrait constituer l'objectif final de l'OPÉRATION MÉÉÉCHANT FRÈRE. Je pense que notre objectif pourrait être atteint de la façon suivante :

1.- La rumeur prête aux deux groupes l'intention de vendre des narcotiques afin de financer leurs activités, ce qui pourrait nous procurer des passerelles pour exploiter leurs penchants criminels inhérents et pour souligner publiquement que les activités criminelles et les activités politiques subversives forment un tout indissociable ;

2.- Nous devons trouver un informateur confidentiel de haut niveau qui s'insinuera dans les bonnes grâces de l'un des groupes ou des deux, et qui nous fera parvenir régulièrement des rapports détaillés sur leurs activités politiques. Il me semble que ce rôle serait tenu d'une manière encore plus efficace s'il était confié à une informatrice. Une femme versée dans le jargon de la gauche révolutionnaire aurait de meilleures chances de susciter des confidences et d'inspirer des conversations indiscrètes, et serait probablement plus à même de manœuvrer entre les deux groupes (sous domination masculine) sans créer de rancœurs. En ce qui concerne le recrutement, je peux compter sur l'aide de l'informatrice confidentielle n° 4361 du Bureau ;

3.- La cheville ouvrière de notre noyautage devrait être l'introduction d'un infiltrateur de race noire qui sera chargé de découvrir les activités criminelles de l'ATN et du FLMM et de nous en informer. Dans l'idéal, notre infiltrateur devrait posséder une expérience professionnelle du métier de policier. Toujours dans l'idéal (mais beaucoup plus improbable), son passé devrait témoigner d'une animosité de longue date envers les Blancs. Dans cette optique, j'ai demandé auprès de plusieurs services de police à consulter un large éventail de fichiers des personnels, et je cherche actuellement à obtenir le droit d'examiner les listes d'abonnés aux publications racistes de feu Wayne Tedrow Senior et à celles du Dr Fred Hiltz, par ailleurs informateur confidentiel du Bureau. Wayne Tedrow Junior m'a refusé l'accès aux listes de son père, mais je vais insister auprès de lui ;

4.- Avec votre autorisation, j'aimerais m'installer à Los Angeles pour y établir une résidence temporaire, dans des locaux commerciaux d'apparence respectable qui serviront de paravent à l'OPÉRATION MÉÉÉCHANT FRÈRE. En ce qui concerne les frais d'installation, j'aurais besoin de 60 000 dollars en liquidités ;

En conclusion :

Je crois fermement que l'ALLIANCE DES TRIBUS NOIRES et le FRONT DE LIBÉRATION DES MAU-MAU nous offrent une opportunité sans précédent de déstabiliser et de discréditer les desseins subversifs du mouvement militant noir dans son ensemble. Dans l'attente de votre opinion et de votre décision,

Respectueusement,

A.S. Dwight C. Holly

DOCUMENT EN ENCART : 28/7/68. *Communiqué du FBI par télex. Expéditeur : A.S.C. Marvin D. Waldrin, agence de Las Vegas. Destinataire : Agent spécial Dwight C. Holly. Marqué : « CONFIDENTIEL NIVEAU 1-A ; DESTINATAIRE UNIQUE. »*

A.S. Holly,

Concernant votre précédent mémo (mémorandum n° 8518 confidentiel 1-A) réclamant des renseignements sur les rumeurs relatives au décès de M. WAYNE TEDROW SENIOR, j'ai récolté les informations suivantes :

A.- Des rumeurs, toutes dénuées de fondements, selon lesquelles le décès de M. TEDROW serait le résultat d'un homicide, sont effectivement en circulation, selon les informateurs du Bureau en place au sein de la police de Las Vegas et du service du coroner du comté de Clark ;

B.- L'une des sources semblerait être un officier de police qui est censé avoir vu le cadavre de M. TEDROW le soir de sa mort ;

C.- Un assistant du coroner a confié à notre informateur : « Ce n'était pas une crise cardiaque, pas avec le crâne défoncé de cette façon. » ;

D.- Des voisins de M. TEDROW, témoins oculaires interrogés par des officiers de police chargés d'une enquête de voisinage, auraient confié aux dits officiers que le fils et l'ex-épouse de M. Tedrow (l'ancien sergent de la police de Las Vegas WAYNE TEDROW JUNIOR et JANICE LUKENS TEDROW) ont été vus près du domicile de M. TEDROW dans l'après-midi du 9 juin 68.

Je vous ferai suivre toutes les futures données afférentes à cette question selon les procédures Confidentielles 1-A.

Marvin D. Waldrin, A.S.C., Las Vegas.

DESTINATAIRE UNIQUE/VEUILLEZ DÉTRUIRE APRÈS LECTURE.

DOCUMENT EN ENCART : 30/7/68. *Communiqué du FBI par télex. Expéditeur : A.S.C. Wilton J. Laird, agence de Saint Louis. Destinataire : Agent spécial Dwight C. Holly. Marqué : « CONFIDENTIEL NIVEAU 1-A ; DESTINATAIRE UNIQUE. »*

A.S. Holly,

Concernant mémo confidentiel 1-A n° 8506 : les rumeurs de « micros clandestins posés par le FBI » et d'« assassinat mandaté par le FBI » sur la personne du Rév. M.L. King croissent à la fois en virulence et en fréquence, selon des sources placées de façon informelle qui fréquentent le Grapevine Tavern.

Respectueusement,

Wilton J. Laird, A.S.C., Saint Louis.

DESTINATAIRE UNIQUE/VEUILLEZ DÉTRUIRE APRÈS LECTURE.

DOCUMENT EN ENCART : 1/8/68. *Communiqué du FBI par télex. Expéditeur : A.S.C. Marvin D. Waldrin, agence de Las Vegas. Destinataire : Agent spécial Dwight C. Holly. Marqué : « CONFIDENTIEL NIVEAU 1-A ; DESTINATAIRE UNIQUE. »*

A.S. Holly,

Concernant n° 8518 et ma réponse du 28/7/68, une mise à jour :

A.- Des sources extérieures à la police de Las Vegas et du service du coroner du comté de Clark nous rapportent à présent des rumeurs « abondantes » et « largement répandues » attribuant la cause du décès de WAYNE TEDROW SR. à un homicide.

B.- Les informateurs du Bureau travaillant au Las Vegas Sun indiquent que le journal pourrait envisager une enquête, principalement en raison du « passé contrasté » de WAYNE TEDROW JUNIOR et des relations particulières qu'il est censé entretenir actuellement avec JANICE LUKENS TEDROW.

Ferai suivre toutes les futures données selon procédures Confidentielles 1-A.

Marvin D. Waldrin, A.S.C., Las Vegas.

DESTINATAIRE UNIQUE/VEUILLEZ DÉTRUIRE APRÈS LECTURE.

DOCUMENT EN ENCART : 3/8/68. *Transcription mot pour mot d'une communication téléphonique du FBI. – ENREGISTRÉE À LA DEMANDE DU DIRECTEUR – CLASSÉE : CONFIDENTIEL 1-A ; DESTINATAIRE UNIQUE : LE DIRECTEUR – Interlocuteurs : Directeur Hoover, Agent spécial Dwight Holly.*

JEH. - Bonjour, Dwight.

DH. - Bonjour, monsieur le directeur.

JEH. - Avant que vous ne me posiez la question, la réponse est « oui ». Lancez l'OPÉRATION MÉÉÉCHANT FRÈRE selon la façon que vous avez décrite dans votre mémo.

DH. – Merci, monsieur.

JEH. – Le titre possède cette sublime qualité du jargon de la jungle, comme dans : « Le frère John Edgar Hoover, c'est un *mééééchant* frère. »

DH. – Vous êtes *mééééchant*, monsieur. Et d'une façon inimitable, si je puis me permettre.

JEH. – Vous pouvez, et vous devez. Et sur ce sujet des activités artistiques de la jungle, j'ai entendu ce matin à la radio une chanson très troublante.

DH. – Monsieur ?

JEH. – Elle s'intitule « Tighten Up ». Jouée par un groupe noir nommé « Archie Bell & The Drells ». Cette chanson propage une atmosphère d'insurrection et d'activité sexuelle. Je suis sûr que les libéraux blancs lui trouveront un air d'authenticité. J'ai demandé à l'A.S.C. de Los Angeles d'ouvrir un dossier sur M. Bell et de déterminer l'identité de ses Drells.

DH. – Oui, monsieur.

JEH. – Laissons-là les propos plaisants. Dwight, je suis très inquiet de ces bavardages autour de Wayne Senior et du Grapevine Tavern. J'ai lu tous les communiqués qui s'y rapportent, et je prends comme une insulte personnelle et un affront au Bureau cette confluence de ragots. Wayne Senior était un atout du FBI et James Earl Ray a tué Martin Lucifer King sans recevoir aucune aide de vous, de moi, de cette agence, de Wayne Senior, de Wayne Junior, de Fred Otash, du tireur d'élite de la cambrousse Bob Relyea, ni d'aucune autre source. Vous me comprenez, Dwight ?

DH. – Oui, monsieur, je vous comprends.

JEH. – Faites cesser les rumeurs, Dwight.

DH. – Oui, monsieur.

JEH. – Bonne journée, Dwight.

DH. – Bonne journée, monsieur.

9

Miami, 5 août 1968

Collins Avenue était remplie d'éléphants d'un trottoir à l'autre. Ils portaient des bannières du Parti Républicain et balançaient leur trompe en pleine chaleur. Des cornacs les dirigeaient avec leurs crochets. Ils portaient des hauts-de-forme parsemés de boutons à l'effigie de Nixon. Un type donnait des cacahuètes aux bestiaux. Un autre incitait les badauds à applaudir.

Le vacarme était énorme. Wayne évitait les excités qui agitaient des pancartes. Des portraits de Nixon bondissaient au-dessus de sa tête. Wayne trimballait deux grosses malles. Nixon était descendu au Fontainebleau. Wayne ne pouvait pas faire autrement que de s'y rendre à pied. Impossible d'y aller en voiture. Le défilé des éléphants interdisait la circulation.

La convention venait de commencer. Il faisait 35 degrés, et l'air lourd emprisonnait un arôme de merde d'éléphant. Le costume de Wayne se froissait. Son estomac était sur le point de se soulever.

D'autres crétins brandissant des panneaux envahirent le trottoir. Des Cubains scandeurs de slogans débarquèrent à leur tour – *Cas-tro de-hors ! Cas-tro de-hors ! Cas-tro de-hors tout de suite !* Ils semblaient prêts à l'émeute. Wayne repéra des matraques dans leurs poches. Les crétins pro-Nixon leur cédèrent un bout de terrain.

Le Fontainebleau se dressait devant lui. Deux grands costauds repérèrent Wayne et fendirent la foule. Ils portaient des costumes sombres et des écouteurs. Ils étaient munis de talkies-walkies. La foule comprit de quoi il retournait et leur ouvrit aussitôt un passage.

Ils le rejoignirent. Ils empoignèrent les malles et entraînèrent Wayne dans un véritable tourbillon comme il sied aux personnalités. Suivirent deux minutes chaotiques. Ils atteignirent l'hôtel. Une porte latérale s'ouvrit, des commis de cuisine se dispersèrent, un ascenseur apparut. Ils montèrent en douceur tout en haut de l'hôtel. Ils suivirent comme en marchant sur un nuage un long couloir au tapis épais. Leurs chaussures lançaient des étincelles. Les costauds firent une courbette et s'éclipsèrent. Un type plus imposant encore ouvrit une porte et disparut deux fois plus vite.

Wayne cligna des yeux. Clic – voilà l'ancien vice-président Dick Nixon.

Un chamarrage en Technicolor. Pantalon de toile et chemise en synthétique. Il avait besoin de son rasage de 13 heures. Il dit :

– Bonjour, monsieur Tedrow.

Wayne se retint de cligner des yeux. Nixon s'avança vers lui, les mains dans les poches. Pas de poignée de main.

– J'ai été désolé d'apprendre la nouvelle, pour votre père. Nous étions devenus de très bons amis.

Wayne hocha la tête.

– Je vous remercie de vos condoléances, monsieur.

– Et la ravissante Janice ? Comment va-t-elle ?

– Elle est mourante, monsieur. Atteinte d'un cancer.

Nixon prit un air triste. Raté. Zéro pointé pour l'Ami Sincère.

– Je suis désolé de l'apprendre. Je vous prierai de lui transmettre mes amitiés.

– Merci, monsieur. Je n'y manquerai pas.

Un vacarme retentit au-dehors. Wayne entendit « *Nix-on !* » et des barrissements.

– Je ne voudrais pas abuser de votre temps, monsieur.

– Non, mais je suis sûr que vous attendez de ma part une sorte d'accusé de réception.

– Afin que je puisse le transmettre, monsieur, c'est exact.

– Vous voulez m'entendre dire que je vous renverrai l'ascenseur.

Wayne détourna les yeux pour examiner la suite. Il vit une foule de sceaux représentant la fonction présidentielle et autres colifichets. L'ex-vice-président se voyait déjà à la Maison Blanche.

Nixon dit :

– Mon département de la justice ne prendra aucune mesure contre vos amis. Je crois savoir que vous avez des projets en Amérique latine ou dans les Caraïbes, et ma politique étrangère envers le pays de votre choix en tiendra compte. Si l'élection promet d'être serrée, j'apprécierais un coup de main dans les bureaux de vote.

Wayne inclina la tête. Nixon fronça le nez.

– Ma femme est allée se promener, ce matin. Elle m'a dit que la plage était couverte de merde d'éléphant.

– À Chicago, il y aura du crottin d'âne, monsieur.

– Hubert Humphrey est un enfoiré trop docile qui cherche toujours la conciliation. Il n'est pas digne de diriger ce pays.

– Oui, monsieur.

– Les hippies se mobilisent pour Chicago.

– Effectivement, monsieur. Et je serai là-bas pour leur apporter mon aide.

Carlos avait un appartement qui donnait sur Biscayne Bay. Wayne avait du temps devant lui. Il se promena dans Miami au volant d'une voiture de location.

Grâce à un plan de la ville, il se retrouva à l'ouest des éléphants. Il ne pouvait pas complètement éviter le tohu-bohu de la convention. La ville était envahie.

Partout des guignols brandissant des pancartes. Choisissez votre grief : le Vietnam, l'aide sociale, la politique cubaine. Des mômes à cheveux longs vilipendaient Richard le Roublard et pleuraient le Dr King. Des Sud-Américains belliqueux voulaient *CASTRO DEHORS ! TOUT DE SUITE !*

Des convois de cinq et dix voitures. Des chars de carnaval avec des enfants et des chiens affublés de vêtements. Des baudruches en forme d'éléphants attachées aux antennes des voitures. Des imbéciles munis de mégaphones qui débitaient du charabia.

Des ballons rouge, blanc et bleu. Une épidémie de bannières pro-Nixon. Celles de l'autre candidat à l'investiture sont peu nombreuses en comparaison. Un cortège de douze fauteuils roulants sorti d'une maison de retraite – des vieilles assommées par la chaleur.

Douze Nixonites. Ballons et banderoles accrochés aux fauteuils. Quatre vieilles avec des masques à oxygène. Quatre autres qui fumaient.

Janice était mourante. Par éclipses, il la voyait se battre pour vivre et souhaiter mourir. Il préparait de la drogue pour elle. Elle s'accrochait pour avoir droit à sa perfusion et luttait pour s'arracher à sa torpeur. Il préparait de la drogue pour Dracula. Il avait eu trois autres rendez-vous avec Drac et Farlan Brown. Farlan devait venir à la convention. Ils avaient prévu de s'y rencontrer.

Drac voulait posséder le comté de Clark, Nevada. Les Parrains voulaient lui vendre leurs parts à des taux usuraires. Alimenter l'entonnoir à liquidités. Passer au crible les registres comptables de la caisse de retraite des camionneurs pour repérer les débiteurs défaillants. S'approprier leurs entreprises. S'en emparer, les vendre, et alimenter l'entonnoir à liquidités. Castro a viré les Parrains de Cuba. Trouver un endroit à la mode en Amérique latine, s'y implanter et reconstruire.

Encore des bannières. Encore des convois. Une autre brigade de fauteuils roulants – des anciens combattants du Vietnam.

Wayne détourna les yeux et s'engouffra dans une rue latérale. Il avait fabriqué de la drogue à Saigon. Il avait vu la guerre faucher des vies. La cause anticastriste le contrariait. Sa méfiance était née lors de son week-end à Dallas.

Dwight l'appelait sans cesse. Un Dwight Holly qui ne le lâchait pas une minute, c'était une putain de pression à supporter. Son numéro de « grand frère » rendait la situation deux fois plus pénible. Dwight disait que les rumeurs allaient toujours bon train au Grapevine Tavern. Dwight disait que Vegas concoctait de vilains ragots sur la mort de Wayne Senior. Dwight voulait voir les listes d'abonnés de Senior. Wayne refusait toujours. Dwight maintenait la pression.

Wayne franchit une longue passerelle et rejoignit les rues du niveau inférieur. Il crut voir...

Une voiture qui le suivait. En jouant à saute-mouton. Une berline bleue qui lui collait au train puis se laissait distancer.

Il tourna à droite trois fois de suite. Il louvoya d'une file à l'autre. Il s'engagea dans une rue à deux voies, éliminant toute couverture pour le pisteur. La berline bleue lui laissa prendre du champ, revint au contact, reprit ses distances. Il capta quelques visions fugitives du conducteur : un gros type, au cou épais.

Tiens, une ruelle...

Wayne braqua brusquement à gauche. La voiture suiveuse freina, dérapa, et laboura plusieurs poubelles. Wayne emprunta deux autres ruelles et la sema.

C'était une vraie nouba. Sam Giancana expliqua qu'ils faisaient la fête parce qu'ils venaient « d'acheter Nixon ». Santo Trafficante s'esclaffa et le fit taire. Carlos faisait griller un cochon sur la terrasse. Des régiments de larbins et de call-girls. Des crétins qui soufflaient dans des trompes pour faire du bruit. Des délégués de la convention aux noms à consonance italienne. Trois bars et un buffet long d'un kilomètre.

Wayne circulait. L'appartement était plus grand qu'un stade de football. En passant d'une pièce à l'autre, il s'était perdu deux fois. Tout lui rappelait sa ville natale. Il venait de voir un malfrat qu'il avait serré pour escroquerie, en 61 ou dans ces eaux-là. Il venait de voir un acteur pédé qu'il avait arrêté dans une pissotière. Il venait de voir un essaim de putes venues de Vegas.

Sam G. passa près de lui, une femme à son bras. Wayne saisit au vol « Celia » et « *hola* » au lieu de « hello ». Carlos passa près de lui en tapotant sa montre. Wayne saisit au vol « bureau » et « cinq minutes ».

Wayne circulait. Un remue-ménage se produisit. Des flammes jaillies du grill mirent le feu à des rideaux. Un larbin noya le début d'incendie à l'aide d'une bouteille d'eau de Seltz et récolta des applaudissements enthousiastes.

Une call-girl amena Wayne au bureau. Carlos, Sam et Santo y étaient déjà installés. Les murs étaient couverts de panneaux en contreplaqué. Une frise photographique montrait Carlos jouant au golf avec le pape Pie XII.

La call-girl s'éclipsa. Wayne s'assit. Sam demanda :

– Il a dit « merci » ?

Wayne sourit.

– Non, mais il a traité Hubert Humphrey d'« enfoiré trop docile ».

Santo s'esclaffa.

– Sur ce point, il a absolument raison.

Carlos dit :

– Humphrey ne peut pas gagner. Il a une position trop laxiste sur le chaos social.

Sam ajouta :

– C'est un gauchiste. Il est issu du Mouvement Ouvriers et Paysans du Minnesota. Des rouges à 100 %.

Santo but une gorgée de Galliano.

– Howard Hughes. Raconte-nous ses dernières et ses meilleures.

Wayne répondit :

– Il veut acheter le Stardust et le Landmark. Je lui ai affirmé qu'ils étaient à vendre. Farlan Brown pense qu'il risque d'enfreindre les lois antitrust, ce qui pourrait repousser l'achat jusqu'à l'an prochain.

Carlos prit une gorgée de cognac hors d'âge.

– Ces enfoirés du département de la justice...

Santo avala un peu de Galliano.

– Oui, mais LBJ ne fera rien d'ici à la fin de son mandat. Et je dois dire que notre Dick ne laissera pas ce genre de connerie nous entraver.

Sam dégusta son anisette.

– Nos hommes en place. Voilà ce qui me tracasse. Il faut qu'on réussisse à les maintenir dans les établissements.

Wayne hocha la tête.

– M. Hughes est d'accord. Je l'ai persuadé que la transition se ferait bien plus en douceur de cette façon.

Carlos passa au Drambuie.

– Les registres de la caisse de retraite. Que se passe-t-il de ce côté-là ?

– Je veux racheter des banques et des organismes de prêts, afin qu'ils puissent réaliser des bénéfices marginaux et servir aussi de couverture au blanchiment. À Los Angeles, il y a une banque appartenant à des Noirs qui m'intéresse. La compagnie Hughes Air est installée à L.A., et il nous faut un débouché proche de la frontière.

Sam secoua la tête.

– Je n'aime pas traiter des affaires avec des nègres.

Carlos secoua la tête.

– Ils sont impétueux et s'agitent trop facilement.

Santos secoua la tête.

– L'aide sociale les a pervertis.

Sam prit une gorgée d'anisette.

– L'aide sociale, à laquelle notre Dick va mettre des bâtons dans les roues.

Wayne sentit un fourmillement l'envahir. Un picotement lui parcourut l'épiderme. Ses oreilles bourdonnèrent.

Santo fit observer :

– Wayne réagit négativement à cette conversation.

Sam commenta :

– Wayne est un livre ouvert, d'une certaine façon.

Santo but un peu de Galliano.

– Comment s'appelle le livre ? « Les bamboulas que j'ai flingués » ?

Carlos dit :

– Wayne est un tueur de moricauds depuis bien longtemps.

Sam s'esclaffa.

– C'est peut-être là que le bât blesse ?

Santo dit :

– Ça veut dire quoi, « le bât blesse » ? On croirait entendre un pédé, quand tu parles comme ça.

Carlos regarda Wayne. Carlos leva les mains et fit des signes d'apaisement, les paumes tournées vers le bas – *Allons, allons, du calme*.

Santo toussa.

– Bon, changeons de sujet.

Sam toussa.

– D'accord. Et si on parlait politique ? Moi, je vote pour Dick.

Carlos toussa.

– Comment s'est passé ton voyage de repérage ? J'aimerais bien que tu nous parles de ça.

Sam passa au cognac hors d'âge.

– Je suis allé dans les trois pays. Pour moi, c'est comme si on comparait les carottes et les navets. Le Panama a son putain de canal, le Nicaragua sa putain de jungle, et la République dominicaine ses putains d'alizés. Ils ont tous des types de droite qui tirent les ficelles, ce qui est le plus important. Mon amie Celia vient de la Dominique, alors elle fait pression sur moi en faveur de son pays.

Carlos mima une branlette.

– Sam se laisse mener par sa bonne femme.

Santo mima une branlette.

– *Celia ceci, Celia cela...* Sam a pris un coup de chaleur avec sa beauté des îles.

Sam rougit. Carlos leva les mains et fit des signes d'apaisement, les paumes tournées vers le bas – *Allons, allons, du calme.*

Santo passa au Drambuie.

– L'équipe de pointe. Parlons-en. Une fois qu'on aura choisi le pays, il faudra qu'on envoie des hommes là-bas.

Wayne toussa.

– Je veux faire venir Jean-Philippe Mesplède.

Carlos s'étrangla. Santo s'étrangla. Sam s'étrangla. Des regards s'échangèrent dans les trois directions. Mesplède avait baisé Carlos sur le trafic d'héroïne en provenance de Saigon. C'était un mercenaire franco-corse. Un militant anticastriste. Il était à Dallas ce fameux week-end. Il avait tiré depuis le monticule.

Sam soupira.

– Je dois admettre que c'est un bon choix, mais nous avons des problèmes avec lui.

Santo ajouta :

– Il paraît qu'il se trouve ici, à Miami. Partout où il y a des manifs anti-Fidel, on trouve Jean-Philippe.

Santo demanda :

– C'est ici qu'on dit : « Oublions le passé » ?

Carlos but une gorgée de Drambuie.

– Trois noms reviennent sans cesse dans ma tête. Mon petit doigt me dit que Mesplède veut les éliminer.

Bob Relyea. Gaspar Fuentes. Miguel Diaz Arredondo.

Un tireur d'élite venu de sa cambrousse et deux exilés cubains. Une partie de la cabale saigonnaise. Relyea s'était rallié à la faction de Carlos pour court-circuiter Wayne et Mesplède. Relyea avait rejoint l'équipe de Memphis pour supprimer le Dr King. Fuentes et Arredondo étaient anti-Wayne et anti-Mesplède. Ils avaient carrément disparu au printemps dernier.

Santo soupira.

– Je dois concéder que c'est un bon choix.

Sam soupira.

– Je sais qu'il parle l'espagnol. « Oublions le passé » ? Je ne sais pas, dites-moi ce que vous en pensez.

Wayne insista :

– J'ai besoin de lui.

Santo but un peu de Drambuie.

– Il va vouloir descendre ces types.

Carlos conclut :

– C'est à vous de décider, Wayne.

Wayne roulait au hasard dans Little Havana. C'était une nuit brûlante où se baladaient des brigades de bestioles. Des essaims de bestioles, des bombardements de bestioles. Des bestioles plus balaises que Rodan et Godzilla. Des bestioles percutaient son pare-brise. Il mit en marche son essuie-glace et les broya à en extraire du jus. Little Havana était *CHAUDE*.

Il roulait au ralenti. Il reluquait le spectacle des trottoirs. Des bodegas, des étals de marchands de fruits qui vendaient des douceurs rafraîchies à la glace pilée. Des distributeurs de pamphlets. De jeunes cons en T-shirt « Tuez Fidel » qui trimbalaient des tracts. Des sièges d'organisations politiques : Alpha 66, *Venceremos*, Le Bataillon du 17 avril. Il quitta Flagler Street et scruta des rangées de maisons. Il consultait son rétro à chaque poignée de secondes. Oui – c'est bien la berline bleue de nouveau, à deux voitures de distance.

Il écrasa l'accélérateur, prit quatre virages en catastrophe, et trouva une place pour se garer dans Flagler Street. Pas de berline bleue. Très bien.

Wayne continua à pied. Son costume se refripa instantanément. Des crétins le bousculaient. Il avait droit à des regards bizarres – tou es pas *Cubano*, tou es blanc. Le ciel explosa. Vise un peu ces illuminations ! Wayne en devina la source : le feu d'artifice de la convention.

Les gens restaient debout, immobiles, bouche bée. Les pères de famille hissaient leurs mômes pour qu'ils voient mieux. Au coin de la rue, une bagarre s'arrêta net au milieu d'un coup de poing.

Wayne observait. Un type qui distribuait des prospectus agitait un petit drapeau. Wayne jeta un regard à travers la vitre d'un café et vit Jean-Philippe Mesplède.

Le coup d'œil circula dans les deux sens. Mesplède se leva et inclina la tête. *Le Frenchie sauvage – habillé tout en noir*. Chemise noire, veste noire, pantalon noir.

Wayne entra dans le café. Jean-Philippe le serra dans ses bras. Wayne sentit *au moins* trois armes à feu sous ses vêtements.

Ils s'assirent. Mesplède avait vidé la moitié d'une bouteille de Pernod. Un serveur apporta un verre vide.

– *Ça va, Wayne ?*

– *Ça va bien*, Jean-Philippe.

– Et qu'est-ce que tu fais à Miami ?

– De la politique.

– *Par exemple, s'il te plaît ?*

– Par exemple, je te cherchais.

Mesplède ferma les poings. Les molosses que représentaient ses tatouages entrèrent en érection en montrant les dents. C'était un ancien para français. Il avait fait la guerre d'Algérie, il avait été à Dien Bien Phu. Il vendait de l'héroïne dans tous les coins où il mettait les pieds.

Ils poursuivirent leur conversation en français. Ils sirotèrent du Pernod. Les feux d'artifice illuminaient les vitrines tout autour d'eux. Ils évoquèrent le Vietnam et leur opération spéciale. Mesplède maudit Carlos, ce porc. Wayne se lança dans une tirade sur les alliances de circonstance, le mariage de la carpe et du lapin. Oublions le passé. Carlos avait un boulot pour eux. Laisse-moi t'expliquer.

D'accord, Wayne. Je t'écoute.

Wayne décrivit le projet d'implantation des casinos et lui détailla les choix territoriaux envisageables. Mesplède fit des commentaires sur la géopolitique du Panama, du Nicaragua, et sur le commerce et l'agriculture de la République dominicaine. Les despotes au pouvoir s'employaient à écraser toutes les contestations et les mouvements subversifs des Rouges. Wayne buvait du Pernod, et l'alcool et la conversation en français lui faisaient gentiment tourner la tête. Mesplède prolongea son exposé pour y inclure Cuba. Il restait dévoué à La Cause. LBJ, Nixon, Humphrey – des salauds de castristes, tous autant qu'ils étaient. L'élection à venir, c'était de la merde. La politique américaine « on ne touche pas à Cuba » allait continuer. Ils se chicanèrent, un petit peu, sur ce sujet. Mesplède savait que Wayne n'était pas partisan de *La Causa*. Wayne détestait le trafic de drogue. Leur opération au Vietnam l'en avait dégoûté. La carpe et le lapin – *oui, oui*.

Ils en arrivèrent au stade où il fallait se décider : c'était oui ou c'était non ? Mesplède répondit : peut-être. Il avait des affaires urgentes à régler d'abord. Wayne leva trois doigts. Mesplède hocha la tête. Wayne dit qu'il avait parlé à Carlos. C'est *moi* qui décide, maintenant. Je te laisserai en tuer deux sur les trois.

Le feu d'artifice se termina en beauté. *Boum !* – le grand jour à minuit. Derrière la baie vitrée, la lumière s'évanouit. Mesplède passa à l'anglais.

– Qui a le droit de vivre ?

– Bob Relyea.

– Je sais pourquoi, mais donne-moi des informations précises, s'il te plaît.

– Il a participé à une opération d'envergure en avril. Il est trop proche de certaines personnes avec qui je suis.

– Memphis.

– Oui.

– Tu y étais, toi aussi.

Wayne ressentit des picotements.

– Oui, j'y étais.

Mesplède cracha par terre.

– C'est une honte. Un coup terrible porté aux Noirs américains. Je compatis à leur douleur, parce que je révère leurs artistes de jazz.

Picotements, bouffées de chaleur, le coup de chaud n'est plus très loin...

– Tu peux descendre Fuentes et Arredondo. C'est tout ce que je peux te permettre.

Mesplède haussa les épaules et inclina la tête.

– Ils pourraient être ici, à Miami.

– Allons les chercher.

Ils prirent la voiture de location de Wayne. Mesplède l'empuantit avec ses gauloises. Ils roulèrent. Ils sortirent de la voiture pour entrer dans des bars et des *bodegas* ouverts toute la nuit. Ils laissèrent des pourboires et s'enquirent au sujet de Fuentes et Arredondo. Sans résultat.

Wayne sentait s'estomper l'effet du Pernod. Il regardait sans cesse son rétro. Pas de berline bleue en vue. Il *crut* voir un coupé marron clair jouer à saute-mouton. La voiture se rapprochait, se laissait distancer, revenait. Le conducteur : un gamin d'une vingtaine d'années, aux cheveux coupés en brosse.

Cela le rendit nerveux. Il prit des virages à la dernière seconde qui donnèrent la nausée à Mesplède. Le coupé marron disparut. Ils revinrent dans Flagler Street et remontèrent la rue à pied de nouveau. Les permanences des organisations restaient ouvertes très tard. Le Comité d'action pour les libertés cubaines. Le Comité électoral pour la libération de Cuba. Le Concile pour la libération cubaine. Mesplède se régalait. Il parlait en espagnol et il captivait une foule de badauds noctambules. Ils lui tapaient des cigarettes. Mesplède en profitait pour se renseigner. Il récolta trois tuyaux en tout.

Tuyau n° 1 : Fuentes et Arredondo étaient partis pour le Midwest. Tuyau n° 2 : Ils braquaient peut-être des grands magasins. Tuyau n° 3 : Ils braquaient peut-être des stations-service à Chicago.

Il était 4 heures du matin. Mesplède s'était endormi dans la voiture. Wayne le réveilla et le déposa à son meublé. Il retourna en voiture à son hôtel, un peu vaseux. Des éléphants et Dick Nixon. Cuba, des filatures en voiture, des mafieux dépravés, des insectes gros comme Godzilla.

Il déverrouilla sa porte. La lumière de la chambre était allumée. Le type de la berline bleue était installé dans l'un des fauteuils. Il tenait un Smith calibre 38. Sur sa veste, l'insigne des services du procureur général du Nevada.

Wayne referma la porte et s'adossa au panneau. Le type désigna la bosse que formait son arme. Wayne jeta son .45 sur le lit.

Le type annonça :
– Chuck Woodrell.
Wayne *bâiiilla*.
– Dites-moi pourquoi vous êtes là, même si je le sais déjà.
Woodrell *bâiiilla*.
– Vous et votre belle-mère, vous avez tué votre père. Le procureur général sait qu'il s'agit d'un homicide, et il aimerait engager des poursuites. Il n'ignore pas que vous travaillez pour Oncle Carlos et M. Hughes, et il s'en moque *quand même*, car c'est le genre de type qui a des couilles. On a une empreinte dans une tache de sang, et elle appartient à Janice. Huit points de comparaison, aucune erreur possible. On n'a pas envie d'inculper une femme qui est en train de mourir, mais les affaires sont les affaires.
Wayne se frotta les yeux.
– Combien ?
Woodrell bâilla et s'étira.
– Et si Buddy Fritsch et vous me trouviez un suspect ? Ça et cinquante mille dollars, et on n'en parle plus.

10

Los Angeles, 6 août 1968

Le local qui allait lui servir de paravent était loué meublé : trois pièces avec du skaï et de la chenille mitée. Les climatiseurs fonctionnaient. Le canapé se dépliait pour servir de lit. L'espace était amplement suffisant. Dwight se dit qu'il pourrait y vivre à temps plein.

Silver Lake. Un local à usage commercial payé par le FBI à l'angle de Sunset et de Mohawk. Au rez-de-chaussée, une école de coiffure, un bar homo et une librairie porno.

Karen habitait à quinze cents mètres à l'ouest. C'était l'endroit rêvé pour faire l'amour de façon impromptue à l'heure du déjeuner. Il attribua à ses bureaux la raison commerciale « Cove Enterprises ». C'était un nom d'une neutralité appropriée. Un clin d'œil à l'appartement de Karen, situé au carrefour de Baxter Street et Cove Avenue.

Dwight emménagea. Il rangea ses vêtements dans la penderie et installa un réchaud et une cafetière électriques. Il câbla deux lignes téléphoniques standard et une ligne de sécurité équipée d'un système de brouillage. Il déballa son matériel de surveillance. Il enferma dans le coffre-fort une boîte remplie d'armes de poing dont l'origine n'était pas identifiable.

Il était carrément harassé. Il avait pris l'avion de nuit depuis Washington. Il s'était retrouvé coincé dans un siège pour nain, les jambes calées contre la poitrine. Son unique verre d'alcool et un unique comprimé lui avaient accordé une heure de sommeil rempli de cauchemars.

M. Hoover a donné son accord à un transfert de fonds : soixante mille dollars virés dans une banque du centre-ville. C'était son budget pour six mois. Frais d'entretien, primes aux informateurs, dépenses diverses. L'OPÉRATION MÉÉÉCHANT FRÈRE était lancée.

Dwight démarra les climatiseurs placés sous les fenêtres et obtint l'effet igloo. *Aaaah*, L.A. en août – une chaleur sans aucun répit. De ses fenêtres, il avait trois vues sur la rue, toutes orientées au nord. Des restos à tacos, des gangsters mexicains, du smog en cinémascope.

M. Hoover lui menait la vie dure. La vieille tante cherchait des poux dans la tête à tous ses agents. Les rumeurs en stéréo : le Grapevine Tavern et Wayne Junior. Il avait dit à M. Hoover que tous les problèmes étaient réglés. C'était un mensonge pur et simple destiné à gagner du temps. L'ATF encerclait le Grapevine. Il avait envoyé Fred Otash à Saint Louis pour le vérifier. L'accord avec Wayne Junior pouvait voler en éclats en un instant. Wayne ne voulait pas lâcher les listes d'abonnés aux publications racistes de Wayne Senior. Même problème avec le Dr Fred Hiltz.

Wayne affirmait qu'il n'avait rien à voir avec cette combine. Le Dr Fred réclamait trop d'argent. La veille au soir, il avait annoncé son arrivée à l'agent spécial en charge de L.A., Jack Leahy. Au téléphone, Jack avait eu la dent dure pour M. Hoover, presque de façon dangereuse. Jack appelait la vieille tante « Amphetamine Annie ». Dwight avait éclaté de rire et s'était rappelé leur dernière conversation téléphonique : M. Hoover qui enrageait, qui faisait sa dégoûtée, qui fanfaronnait. M. Hoover avait deux temps de retard, à présent, par rapport à son état normal. M. Hoover énonçait la liste du personnel de Memphis rien que pour dire JE SAIS.

Dwight commençait à claquer des dents. L'igloo était devenu *trop* froid.

Allons nous balader dans Nègreville.

Des enseignes pour des marques de bière concrétisaient la frontière. Les cigarettes au menthol les suivaient de près. De la Schlitz, des Colt .45, des auvents pour moricaudmobiles, des Kool. Consumérisme pour bronzés. Orgueil afro. Des crépus à la page avec des traits de Blancs et des cheveux négroïdes.

Dwight roulait vers le sud. Sa charrette de fédé récoltait des regards apeurés et des ricanements de mépris. Le smog planait bas. Une foule de *méééchants* frères étaient de sortie. Des parlotes et des parties de dés dans les parkings. Une foule de filets à cheveux. Une foule de chapeaux ronds à bords étroits et plats plantés sur des cheveux gominés. Une foule d'arrestations en pleine rue par le LAPD.

Il passa en voiture devant le quartier général des Panthères. La fresque en façade était gigantesque. Deux félins noirs éventraient un cochon rose qui perdait son sang. Le cochon portait un badge annonçant : « Oppresseur fasciste ». En arrière-plan, la Cène. Huey Newton jouait Jésus. Eldridge Cleaver et Bobby Seale tenaient le rôle de ses principaux disciples. Les autres disciples portaient des T-shirts : « Libérez Huey ».

Le quartier général des Esclaves Unis n'était pas loin. À la porte, les gardes portaient des lunettes réfléchissantes et des bérets noirs. Ils se tenaient de part et d'autre d'une chaîne stéréo posée sur le trottoir. Elle crachotait du charabia. Des bongos marquaient le rythme. Dwight saisit au passage « Inoculez de l'insecticide à l'insecte blanc ».

Assez. Dwight vira vers l'ouest. L'Alliance des Tribus Noires avait une vitrine à l'angle de Vernon et de la 43e. Leur fronton représentait des poings noirs, des fusils, et des flics blancs sous la forme de cochons avec de petites bites. Le Front de Libération des Mau-Mau – à quatre pâtés de maisons au sud. Peinture murale cannibale : des flics blancs qui hurlent dans des marmites pendant que des types noirs remuent la sauce et ajoutent des épices.

Assez. C'était le Président Mao rencontre Minstrel Mike, assaisonné de Ramar de la Jungle[1]. Dwight vira vers l'ouest. Il passa devant la Banque populaire de Los Angeles-Sud. Il se rappela les notes de ses dossiers. C'était une officine censée pratiquer le blanchiment d'argent.

Karen était invitée à donner des conférences à l'Université de Californie du Sud. Son intuition lui disant que l'heure était propice, il passa devant le bâtiment et vit ses étudiants sortir de cours. Les mômes avaient les cheveux longs et des fringues pas nettes. Ils virent son costume gris et son étui d'arme et firent *beurk*. La salle de conférences était vaste. Karen s'attardait près du pupitre. Dwight sauta sur l'estrade et déclencha des ondes sonores. Karen leva la tête et sourit.

---

1. Série télévisée dont le héros est un médecin blanc qui soigne les indigènes au cœur de la jungle (52 épisodes de 1952 à 1954).

Ils s'embrassèrent par-dessus le pupitre. Quelques étudiants surprirent la scène et semblèrent étonnés. Karen leva une diapositive pour la tenir à la lumière. Dwight la regarda. C'était M. Hoover, vers l'année 52.

– Ne me dis pas que tu fais de nouveau un cours sur la liste noire.

– Ne me dis pas que tu penses que ça se justifiait.

– Ne me dis pas que je n'ai pas aidé quelques-uns de tes amis cocos à récupérer leur boulot.

– Ne me dis pas que je n'ai pas renvoyé l'ascenseur en te rendant service.

Dwight sourit.

– Est-ce que Machin-Chose est en ville ?

– Oui.

– Quand repart-il ?

– Demain matin.

– On se voit demain soir, alors ?

– Oui, ce serait parfait.

Ils s'assirent au bord de l'estrade et laissèrent leurs jambes pendre dans le vide. Ils étaient grands. Leurs pieds raclaient le plancher. Karen sortit ses cigarettes et en alluma une.

– Une par jour, c'est ça ?

– Oui, et seulement quand on est ensemble.

– Je ne suis pas sûr de te croire.

– Bon, d'accord. De temps en temps, après le petit déjeuner.

Dwight lui toucha le ventre.

– Ça se voit un peu plus.

Karen posa les mains sur son abdomen.

– Elle s'appellera Eleanora.

– Suppose que ce soit un garçon ?

– Alors, ce sera Machin-Chose ou Dwight.

– Et tu es sûre qu'il n'est pas de moi ?

– Chéri, ce n'est pas une parthénogenèse, et tu étais loin du réceptacle.

Dwight souleva ses jambes et s'étendit sur l'estrade. Il bâilla. Il eut un étourdissement d'une demi-seconde.

Karen demanda :

– Est-ce que tu dors bien ?

– Non, j'ai des nuits merdiques.

– Des cauchemars ?

– Oui.

– Des atrocités que tu as commises pour le Bureau et que tu aimerais avouer ?

– Pas tout de suite.

Karen jeta sa cigarette et s'allongea près de lui. Il lui toucha les cheveux. Il compta les paillettes sombres dans ses yeux.

– Tu en vois de nouvelles ?

– Non.

– Les yeux des gens changeant au fil des années. C'est parfaitement normal, alors il ne faut pas que ça t'inquiète.

– Je m'inquiète de tout.

Karen lui toucha les cheveux.

– Je ne t'accusais pas. Je faisais un simple commentaire.

Dwight s'approcha encore plus. Leurs têtes se touchèrent. Il sentit l'odeur d'amande de son shampoing.

– Trouve-moi cet indic dont j'ai besoin. Une femme. C'est moi qui les piloterai, elle et ma taupe, et je veillerai à ce qu'elles ignorent tout l'une de l'autre.

– Je vais y réfléchir.

– Tu pourrais rendre de grands services, dans cette histoire. Ni l'un ni l'autre de ces deux groupes n'est infiltré, ce qui veut dire qu'ils ont toute latitude pour faire des dégâts.

Karen se pelotonna un peu plus contre lui.

– Donnant, donnant ?

– Bien sûr.

– Il y a un rassemblement ici, la semaine prochaine.

– Contre la guerre ?

– Oui.

– Ne me dis rien. Tu veux que j'empêche l'équipe de photosurveillance de faire son boulot.

– Tu ferais ça ?

– Bien sûr. Je vais appeler Jack Leahy.

Karen roula sur le dos et s'étira. Dwight lui toucha le ventre. Il lui sembla sentir Eleanora donner un coup de pied.

Il dit :

– Tu m'aimes ?

Karen répondit :

– Je vais y réfléchir.

Ils étaient installés dans le bureau de Fred Hiltz. Dwight y tenait. Les murs étaient vierges de toute iconographie raciste. Le reste de la Maison de la Haine lui portait sur les nerfs.

Le Dr Fred dit :

– Cent mille dollars. Ça et un petit service vous donnent le droit de passer au crible toutes mes listes.

Dwight bâilla.

– En quoi consiste ce service ?

– Aidez-moi à retrouver cette femme. Elle m'a volé quatorze mille dollars et elle a disparu.

Dwight haussa les épaules.

– Appelez Clyde Duber. Il vous arrangera ça.

– Il l'a déjà fait. Il m'a envoyé un crétin de môme pour qu'il travaille pour moi. Il est à Miami en ce moment, mais il est peut-être complètement nul. Allons, Dwight. Le fric en liquide et un petit service.

Dwight secoua la tête.

– Dix mille en liquide et une livre de cocaïne que je garde sous le coude. Qualité exceptionnelle. Avec elle, vous allez planer comme jamais. Jusqu'à ce qu'elle vous tue.

Le téléphone sonna. Le Dr Fred décrocha, marmonna quelque chose, puis tendit l'oreille. Dwight capta un bruit genre *scriii-scriii*. Cela ressemblait à un appel filtré par le Bureau.

Le Dr Fred hocha la tête. Dwight prit le combiné. Les *scriii-scriii* s'atténuèrent et firent place à un accent de l'Oklahoma. L'interlocuteur annonça :

– Dwight, c'est Buddy Fritsch. Je suis dans une merde noire, ici. Il vaudrait mieux que tu viennes.

Un petit avion l'amena jusqu'à McCarran. Il prit un taxi pour le centre-ville et le siège de la police de Las Vegas. Buddy était terré dans son bureau. Il était à moitié bourré. Il faisait les cent pas. Trois cigarettes se consumaient dans un cendrier.

Dwight referma la porte et la verrouilla. Buddy arrêta de déambuler et remarqua sa présence.

– J'ai sur le dos un type qui travaille pour le procureur général. Il a une empreinte digitale de Janice, et c'est lui qui mène le jeu. Bon, d'accord, il m'a proposé de l'argent, mais je ne vois toujours pas de moyen de m'en sortir, à part lui livrer Wayne, et...

Dwight l'empoigna. Dwight le balança par-dessus le bureau et fit s'écrouler sur lui un classeur métallique. Dwight arracha le climatiseur du mur et le lui lâcha sur le dos. Dwight lui balança un coup de pied dans les couilles, trois fois de suite.

– Tu me trouves un taré à livrer pour la mort de Wayne Senior, et tu le fais maintenant.

11

Miami, 8 août 1968

Pose de micros :

Les fils, les pinces, les tournevis. Les chignoles, les supports, le chiffon pour ôter le plâtre tombé sur les plinthes. Les objets qui vous glissent des mains : des doigts dégoulinant de sueur qui saisissent des appareils de la taille d'un moucheron.

L'Eden Roc Hotel. Un perçage à faire : entre la suite 1206 et la 1207. Crutch travaillait avec Freddy Turentine. Freddy était le « Roi du Micro caché ». Le C.V. de Freddy en matière de pose de micros était stupéfiant. Freddy faisait un extra pour Clyde Duber et Associés. Habituellement, Freddy travaillait pour Fred Otash, le « Roi de l'Extorsion ».

Ils perçaient. La suite 1206 était leur poste d'écoute. Farlan Brown ne devait pas tarder à s'installer dans la 1207. Le compteur tournait : la facture pour la mission « Trouvez Gretchen Farr » allait atteindre allégrement un total à cinq chiffres.

Ils perçaient. Ils traversèrent le mur mitoyen avec la 1207 et y firent passer des fils. Crutch avait crocheté la serrure de la porte. Ils avaient accès à toute la suite. Ils équipèrent de micros les abat-jour des lampes de la chambre. Ils branchèrent un raccordement sur les deux lignes téléphoniques. Ils couvrirent d'enduit les fils longeant les murs et les masquèrent par une retouche de peinture. Ils rebouchèrent au Polyfilla les trous pratiqués à la chignole et poncèrent les rugosités après séchage. Ils nettoyèrent les plinthes de toute la poussière de plâtre due aux travaux et repartirent dare-dare dans la 1206.

Un boulot ingrat à attraper des crampes dans les doigts – pendant quatre heures pleines. Crutch avait la peau couverte de poussière. Ses doigts étaient douloureux. Il avait des particules de plâtre dans les oreilles, les yeux et les narines. Il prit une douche et se nettoya.

Freddy partit roupiller dans sa chambre. Crutch alluma le téléviseur du salon et régla le son au minimum. L'écran faisait face à l'ampli auquel étaient raccordés les micros et les lignes téléphoniques. Il prit une chaise, mit son casque sur ses oreilles, puis écouta le silence de la suite voisine.

La télé l'absorba à moitié. Nixon avait été choisi par son parti, au premier tour. Sans intérêt/chiant comme la pluie/soporifique. Nixon avait l'air abruti. Il brandissait l'index et le majeur pour faire le « V » de la victoire et ressemblait à un robot péquenaud. Le journal télévisé enchaîna avec des séquences sur les émeutes. Le Congo de Miami s'embrasait. L'origine du conflit : une cité à loyers modérés pour bamboulas. Les bronzés balançaient des pierres et tiraient à la carabine sur les bagnoles conduites par des Blancs. Des cliques de nègres, incendies volontaires, pillages. Des séquences à sensations.

Crutch bâilla. Cela allait faire six semaines qu'il manquait de sommeil. Uniquement à cause de SON ENQUÊTE.

SON enquête. Pas celle de Clyde ou de Buzz Duber. *SON* à-côté avec le Dr Fred. *SON* projet pour rafler le million de dollars que valait une photo de Hughes. Et l'à-côté de SON à-côté : Gretchen Farr alias Celia Reyes. Ajoutez la femme à la cicatrice. Et la maison avec les marques sur la porte et les bouts de cadavre dans la cuisine.

SON ENQUÊTE.

Farlan Brown était en route pour Miami. Wayne Junior était déjà arrivé. Junior possédait la liste d'abonnés aux publications racistes de Senior. Le Dr Fred la voulait. Junior travaillait pour Farlan Brown et Dracula Hughes. Le Dr Fred voulait vendre à Drac son plan pour la pureté raciale. Un vrai délire – évidemment. Mais un délire avec plein de dollars derrière.

$$$$$$$$$$$$...

Crutch a gardé pour lui les secrets qu'il a appris. Il n'en a fait part ni à Clyde, ni à Buzz, ni au Dr Fred. Ils ne savent rien sur Gretchen alias Celia. Ils ne savent rien sur la femme à la cicatrice ou sur la Maison de l'Horreur de North Tamarind Road.

SON ENQUÊTE – depuis six semaines maintenant.

Sa piaule était déjà bourrée de dossiers. Celui consacré à sa mère bouffait une bonne partie du plancher et des étagères. Il louait une seconde piaule en ville pour ses archives. À l'Elm Hotel – douze dollars par semaine. Un bouge pour poivrots qui pissent dans le lavabo. Il y entrepose des cartons de dossiers et des ramettes de papier. Il travaille à temps plein sur l'affaire.

Archivage : un dossier sur l'identité de Gretchen/Celia, un dossier sur les véhicules utilisés, un dossier médico-légal, un dossier sur le 2216 North Tamarind Road.

Il avait fait des recherches sur la Maison de l'Horreur. Ce n'était *pas* l'une des locations pour fêtards d'Arnie Moffett. Elle se trouvait *dans les parages* de la maison louée par Gretchen/Celia et des autres baraques pour faire la bringue. Proximité ne signifiait pas connexion. Oui, mais – la quête insensée de cette nuit-là était telle que *tout* semblait lié. C'était comme un état de rêve éveillé. Gretchen/Celia et la femme à la cicatrice s'embrassent – et son univers se resitue.

Recherches sur la maison. Bingo : la Maison de l'Horreur appartenait à la Chambre de commerce qui l'utilisait pour des banquets destinés à collecter des fonds. Elle était restée inoccupée depuis le milieu de l'année 67. Il s'y introduisit de nouveau et fit des recherches d'empreintes dans toutes ses satanées pièces. Il ne récolta rien d'autre que des empreintes maculées et des partielles inutilisables. La Chambre de commerce le laissa consulter leur dossier de banquets de bienfaisance. La liste des organisateurs existait bien, mais pas celle des invités. *Il n'y avait aucun moyen de savoir qui était venu dans cette maison.* L'employée de la Chambre de commerce lui avait révélé un fait à vous tourner les sangs : parfois, des genres de hippies très louches y entraient par effraction pour s'y incruster. Question : pourquoi, le soir où il les avait suivies, Gretchen/Celia et la femme à la cicatrice se trouvaient-elles *encore* dans la location de Moffett, et que faisaient-elles là ? La réponse était simple : elles s'incrustaient, elles aussi, gratuitement, après l'expiration de leur période de location. Question : qui avait payé Phil Irwin pour qu'il laisse tomber son enquête sur Gretchen ? Une réponse possible : Farlan Brown, par l'intermédiaire de la compagnie Hughes Tool. Brown avait eu vent de cette enquête. Brown voulait qu'on foute la paix à Gretchen. Son motif ? Il n'en savait foutre rien.

Après le dossier sur la maison, celui sur la voiture.

Il avait soudoyé un employé de l'agence Hertz. Gretchen/Celia avait rendu la Comet 66 avec une fuite au radiateur. Ce qui immobilisait le véhicule pour réparation. Crutch avait re-soudoyé le type pour avoir le droit de rester seul avec la Comet pendant deux heures. Il y avait cherché des empreintes et trouvé une trace latente. Il avait passé cinq semaines à consulter à la main les fichiers d'empreintes de femmes des services du shérif du comté de L.A. et ceux de la police. Jusqu'à présent, aucune similitude.

Après la voiture, le dossier médico-légal.

Clyde avait des infos confidentielles et compromettantes sur le coroner du comté, Tojo Tom Takahashi. Tojo Tom était un obsédé du détournement de mineures, avec un penchant pour les gamines japonaises. Crutch fit pression sur lui et lui interdit de parler à Clyde de cette affaire. Tojo Tom accepta. Crutch le fit entrer dans la Maison de l'Horreur deux nuits après sa première incursion. Ils partagèrent une bouteille de Jim Beam pour se calmer les nerfs. Ils travaillèrent à la lumière d'une lampe Coleman. Crutch prit des photos. Tojo Tom examina et emballa les morceaux de cadavre et préleva des échantillons de sang et de tissus. Crutch photographia le tatouage sur le bras coupé et les motifs géométriques sur les murs. Tojo Tom ôta de l'entaille du bras les pierres vertes pulvérisées et les emballa à part.

Cela prit des heures. L'odeur était pestilentielle. Crutch tenait la lanterne pendant que Tojo Tom écartait les asticots à la brosse. Tojo Tom qualifia la cause du décès de meurtre par éviscération. La victime était une jeune femme d'origine latine. Il fit analyser son sang et appela Crutch pour lui donner les résultats. Il était de type O+, très courant, sans caractéristiques particulières. Il avait trouvé des fragments d'une poudre bizarre dans les tissus labourés à l'arme blanche et les avait fait analyser. Très curieux : l'examen toxicologique n'avait rien décelé. Crutch confia les fragments de pierre verte à un gemmologue. Des émeraudes ? – non, rien que du verre teinté.

Du dossier médico-légal à celui sur le tatouage. Du porte-à-porte pour celui-là.

Crutch s'était rendu dans un total de 47 salons spécialisés, montrant sa photo du dessin partiel à un nombre incroyable de fondus du tatouage. Jusqu'à présent, sans résultat.

Après le dossier tatouage, le dossier Gretchen. Il était retourné voir les archives « recherches et enquêtes » des services du shérif et du LAPD, dans l'espoir d'y découvrir quelque chose sur Gretchen/Celia. Il avait consulté les classeurs de portraits anthropométriques, les télex, et les comptes rendus d'interrogatoires sur le terrain relatifs à divers incidents. Zéro. Aucune mention de son nom nulle part. Des archives des flics aux archives des services d'immigration. Il avait scruté les planches photographiques des immigrantes venues de tous les pays d'Amérique latine, sans y voir Gretchen/Celia. Il repensa au Standard de Bev. Gretchen/Celia avait reçu des appels de trois consulats étrangers : ceux du Panama, du Nicaragua et de la République dominicaine. Il téléphona aux trois et engrangea trois zéros supplémentaires : aucune trace d'un appel à Gretchen/Celia. Son permis de conduire dominicain se révéla bidon. Le SIPC de la République dominicaine n'avait pas ces noms-là dans ses listes. Cet appel vers le Standard de Bev passé depuis une ligne pirate ? Toujours rien de ce côté-là non plus.

De $$$ jusqu'à ??? – aller et retour. Des dollars, des interrogations, et des zéros.

Le baiser. Les ombres qui entrent et ressortent de son champ de vision. Les cheveux parsemés de gris de la femme à la cicatrice. Elle n'avait pas de nom. Gretchen/Celia en avait deux. *Le nom de cette femme, il voulait le connaître*. Il dessinait des portraits d'elle et en couvrait ses murs. Il lui donnait ses véritables traits, pas ceux de Dana Lund.

Leur conversation – « Grapevine », « Tommy », « Taupe » – que signifiait-elle ? Il consulta les annuaires des villes de tout le pays. Ils répertoriaient 216 restaurants, hôtels, motels et bars nommés « Grapevine ». Il ne savait pas par lesquels commencer ses vérifications, ni s'il devait commencer à se renseigner, ni si cela avait un sens de suivre cette piste-là.

Donc, Gretchen/Celia couchait avec des types et leur volait leur argent. « Al », « Chuck », « Lew », le Dr Fred, potentiellement Farlan Brown. Sal Mineo avait craché tout ce qu'*il* savait. Gretchen/Celia était censément de gauche. Qu'est-ce que *ça* signifiait ? Elle voulait « approcher » Farlan Brown – pour quoi faire ? Et la femme à la cicatrice – quel rôle est-ce qu'*elle* jouait dans l'histoire ? La femme morte de la Maison de l'Horreur – *elle* avait un lien avec tout ça, ou non ?

Crutch retournait tout ça dans sa tête en regardant la télé. Il avait devant les yeux des séquences avec des émeutiers noirs et dans les oreilles le bruit de fond des micros de la suite voisine. À côté, silence de *mort*. Farlan Brown n'était pas encore là.

La bijouterie Avco. Gretchen/Celia demande des conseils pour faire retailler des émeraudes. Les éclats de verre teinté dans le bras de la morte.

Points d'interrogation, dollars...

Il a fait le tour de Las Vegas à six reprises. Il a suivi Farlan Brown et Wayne Tedrow Junior. Il les a vus au Desert Inn. Ils ont pris l'ascenseur privé qui mène jusqu'au repaire de Dracula. Brown n'a *pas* vu Gretchen/Celia à Vegas. Il en est sûr. Elle n'est peut-être jamais entrée en contact avec lui. Elle l'a peut-être arnaqué à L.A. avant de disparaître. Avec l'aide de l'annuaire de Miami, Crutch a vérifié auprès des compagnies aériennes s'il y avait sur leurs listes de passagers des Gretchen Farr ou des Celia Reyes. Résultat : zéro Gretchen. Il a trouvé neuf Celia et a fait des vérifications à partir de leurs permis de conduire. Aucune des neuf n'était *la sienne*.

Il s'est renseigné sur la présence de Wayne Tedrow Junior à bord d'un vol pour Miami. Réponse affirmative. Il a téléphoné à tous les hôtels et l'a localisé au Doral. Il a suivi Wayne Junior trois fois. Wayne Junior a peut-être repéré la filature. Le district attorney du comté de Clark a communiqué à Clyde Duber une rumeur qui court à Vegas : il est possible que Wayne Junior ait assassiné Wayne Senior en juin.

Cela donnait le vertige. C'était le genre d'imbroglio qui vous force à tout resituer, à recâbler tous vos circuits.

Les filatures se sont bien passées. Wayne Junior a rencontré un type vêtu de noir, d'allure étrangère. Crutch a regagné sa chambre meublée et consulté ses archives au sujet de ce bonhomme. Jean-Philippe Mesplède, mercenaire français, 45 ans. Mesplède et Wayne Junior ont passé Little Havana au peigne fin deux fois. Leur but : ils cherchaient deux Cubains nommés Gaspar Fuentes et Miguel Diaz Arredondo.

L'émeute nègre montait en température. L'écran du téléviseur en palpitait presque. Des bronzés balançaient des cocktails Molotov. Des moricauds chassaient les faces-de-craie à coups de bastaings de 5 sur 10. Crutch entendit remuer à côté.

Ouais, c'est la voix de Farlan Brown. C'est lui qui donne un pourboire au groom. Tiens, la porte se referme. Le groom est reparti. On entend tourner le cadran du téléphone. Bof... C'est Brown qui appelle sa femme.

Bla, bla... Les mômes vont bien, le chien a des puces, je t'aime, moi aussi. Crutch entend Brown raccrocher. Ce bruit, c'est la porte qui s'ouvre. Une voix de femme, jeune.

Ouais, écoute bien ça...

Ils négociaient – cinquante dollars la pipe, cent pour la totale. Brown choisit la deuxième solution. Le lit était tout près du climatiseur de la fenêtre. La soufflerie couvrit presque toute la bande-son de la passe. L'orgasme fut un peu noyé dans le bruit de fond.

Brown se vantait post-coïtum : je suis le bras droit de Howard Hughes. La call-girl dit : « Ah, oui ? » Brown se faisait mousser. Je suis un type génial, je suis un caïd, c'est moi qui tire les ficelles. Je dirige Hughes Airways. Je vais organiser les vols pour des nouvelles destinations de luxe montées par la mafia.

La fille étouffe un bâillement. Les ressorts du lit grincent. Une fermeture à glissière coulisse. Adieu, ma jolie – elle a pris la porte.

Brown décrocha le téléphone. Crutch tripota les boutons de la console pour activer l'écoute de la ligne. Il obtint des distorsions puis une tonalité de numérotation. Il entendit un « Allô » bourru.

Brown dit « Freddy, c'est Farlan. » Un homme fit : « Qu'est-ce qui se passe, *paisan* ? » Crutch reconnut la voix : Freddy « l'Extorqueur » Otash.

Crutch enclencha son magnéto. La bande se mit à tourner. Il enregistra les distorsions et les voix mot pour mot.

Brown : « ... Miami. Pour la convention. »

Otash : « Nixon. Bon sang, ce vieux cheval de retour à neuf putains de vies. »

Brown : « Cette fois-ci, c'est la bonne. Il va gagner. »

Otash : « Au Cavern, j'ai un bookmaker qui prend les paris sur les courses de chevaux. Mon gars dit que pour la présidentielle, c'est cinquante-cinquante. »

Brown : « C'est une cote qui me convient. »

Otash : « Alors, parie ton fric sur lui, espèce d'enfoiré de radin mormon. »

Brown : « Mille dollars sur Dick. Je blague pas, Freddy. Je sens déjà l'odeur de la victoire. »

Otash : « Ce que je sens, moi, c'est que tu essayes de faire ton Juif pour avoir un rabais sur le prix d'une chambre. C'est ça, hein ? Ton vieux pote Freddy est hôtelier, maintenant. Alors, on va le saigner à blanc. »

Rires – pendant six secondes.

Brown : « ... Freddy, tu es un sacré pistolet. »

Otash : « Et j'en *ai* un, de sacré pistolet. Je suis un Américain bien monté d'origine libanaise. »

Rires – pendant neuf secondes.

Brown : « Bon. J'ai besoin d'une grande suite au Cavern. C'est pour recevoir des délégués démocrates, juste avant la convention. De l'alcool et des filles, Freddy. Tu connais mon mode opératoire. »

Otash : « Quand ? »

Brown : « Le 23 août. »

Otash : « Je vais te donner la 308. C'est ma suite privée, alors prends-en soin, sinon je lance Dracula à tes trousses. »

Brown : « Hou ! Tout, mais pas ça ! »

Otash : « T'as raison, le mormon. Espèce de suceur de bites. »

Brown : « De bite sucée, tu veux dire. »

Otash : « Bon, confirme ou démens une rumeur pour moi. »

Brown : « Bien sûr. »

Otash : « Dis-moi la vérité. Est-ce que Wayne Junior travaille pour le Comte ? »

Brown : « Affirmatif. Et au plus haut niveau, en plus. »

Otash : « Cet enfoiré de Junior retombe toujours sur ses pieds. »

Brown : « Tu voudrais bien expliciter ? »

Otash : « Pas de commentaire. »

Brown : « Sur ce sujet. »

Otash : « Ouais. Au 23 août, alors. Merci, va te faire foutre, et au revoir. »

Deux déclics – deux téléphones qu'on raccroche, à Miami et à Vegas. Crutch repassa sur les micros. Tiens : des bâillements, le lit qui grince, le silence, puis des ronflements.

Crutch manipula des interrupteurs et coupa les lignes d'écoute. Il était 1 h 14 du matin. Son estomac grognait. Il était resté à son poste de surveillance pendant l'heure du dîner et bien au-delà. Il appela la chambre de Freddy Turentine et le réveilla. Il lui dit qu'ils avaient une suite d'hôtel à piéger à Vegas – avant le 22 août. Freddy répondit : « Rappelle-le-moi demain » et raccrocha.

La télé est toujours allumée. Nixon fit le « V » de la victoire. Quel crétin. Il avait toujours l'air mal rasé.

Crutch bâilla et eut envie de bouger en même temps. Il avala quatre dexédrines et rafla les clés de sa voiture de location.

À force de tourner à droite et à gauche aux mauvais endroits et de revenir sur ses pas, il finit par ne plus savoir où il était. Le Doral se trouvait près de l'Eden Roc. L'hôtel de Wayne Junior – à deux minutes seulement. Les rues à sens unique l'envoyèrent sur la route à quatre voies longeant la côte. L'eau de la baie remuait des confettis et des affiches de Nixon. Les panneaux de sortie semaient la confusion dans son esprit. Les rues transversales l'égaraient encore plus. Il sentit une odeur de fumée. Il entendit des coups de feu. Les quartiers périphériques se muaient en bidonvilles pour nègres. Il vit deux bronzés mettre le feu à une Plymouth 59.

Les bronzés l'aperçurent – Face-de-craie ! Face-de-craie ! Crutch accéléra à fond et négocia un demi-tour. Les bronzés coururent après sa voiture. Un bamboula balaise balança un parpaing sur sa lunette arrière. La vitre tint bon. Le bloc se décomposa. Les crépus hurlèrent des slogans exprimant leur indignation de bronzés et retournèrent ravager la Plymouth.

Crutch retrouva son sang-froid. Il roula plus vite en restant à l'écart des relents de fumée et des flammes. Le pourcentage de moricauds qui traînaient dehors gagna en qualité, les rôdeurs laissant la place à des poivrots et des types qui prenaient le frais sur leurs vérandas. Il atteignit une zone sans bamboulas et retrouva la route de la côte et la plage de Miami elle-même. Son détour l'avait réveillé. Il débordait d'énergie, il avait envie de claquer des doigts. En tournant le sélecteur de l'autoradio, il trouva une station qui diffusait de la soul. Il prit son pied avec *Tighten Up*, d'Archie Bell and the Drells.

Il se gara devant le Doral. Il surveilla la porte en écoutant la radio. L'animateur débitait des conneries communistes pro-émeutes entre deux disques de soul. Wayne Tedrow Junior sortit à 2 h 49. Il monta dans *sa* voiture de location. Crutch le suivit.

Convention oblige, la circulation était encore dense. La couverture était bonne pour une filature. Crutch traînait à deux voitures de distance. Wayne Junior restait dans les quartiers sans bronzés et se rendait à Little Havana. Il passa en coup de vent au meublé de Mesplède et embarqua le Frenchie. Crutch le sentait : ils repartaient sur la piste de Gaspar Fuentes et Miguel Diaz Arredondo.

Il y avait de l'ambiance dans Flagler Street. Les cafés restaient ouverts tard. Un type de la radio faisait des interviews style micro-trottoir. Des flammes devant le Concile pour la libération cubaine – des Latinos brûlaient un Fidel en paille.

Mesplède et Wayne Junior faisaient leur enquête. Crutch était au courant, à présent. Ils se débarrassèrent de leur voiture, partirent à pied faire la tournée des commerces ouverts et posèrent des questions. Crutch resta motorisé. Il dragua Flagler Street au ralenti et il *observa*. Mesplède et Wayne Junior bouclèrent un circuit d'une heure et reprirent leur véhicule. La circulation était clairsemée. Crutch traînait quatre voitures en arrière.

Wayne Junior se gara le long du trottoir et entra dans une cabine téléphonique. Mesplède resta dans la voiture. Crutch freina et se rangea *huit* longueurs de voiture en retrait.

Il sortit ses jumelles et fit le point. Wayne Junior glissait plusieurs pièces de 25 cts dans la fente de l'appareil – pour un appel longue distance, sûrement. Crutch le voyait de *trèèès près*. Les lèvres de Wayne Junior remuèrent. Pendant deux secondes, et puis *stop* – Wayne Junior se contenta d'écouter.

Et de trembler. Et de pâlir. Il raccrocha, regagna la voiture, et se pencha à la fenêtre de Mesplède.

Nouveaux mouvements de lèvres. Crutch les cadra *très* serré. La conversation semblait tourner à la panique. Mesplède se glissa derrière le volant et démarra, en laissant de la gomme sur le bitume. Junior s'approcha d'un taxi garé et monta à l'arrière.

Le taxi démarra. Crutch le suivit. La circulation était trop diluée pour qu'il puisse s'approcher. Crutch éteignit ses phares et se guida grâce aux feux arrière du taxi. Ils traversèrent un *immense* secteur de Miami.

Le terrain devint rural, les routes inégales et sinueuses. Le taxi s'arrêta un peu plus loin. Crutch alluma ses phares juste pour *voir*. Des chemins de terre montaient en serpentant jusqu'à un terrain d'aviation minable. Crutch vit un avion de tourisme à deux places sur la piste.

Il arrêta sa voiture. Il ne voyait plus le taxi. Il sortit et plissa les paupières pour tenter de percer l'obscurité. Il était désorienté. Il ne voyait rien.

Des projecteurs s'allumèrent. Crutch fut aveuglé par leurs faisceaux. Il cligna des yeux. Il se frotta les paupières. Il récupéra un peu de vision. Il vit Wayne Junior, debout près de l'avion, qui regardait tout droit dans sa direction.

12

Las Vegas, 9 août 1968

Buddy Fritsch annonça :

– J'ai un suspect.

Son antre était d'un froid polaire. Il servait des whisky-sodas et des Fritos[1]. Chuck Woodrell avait la grippe et reniflait sans cesse. Dwight n'arrêtait pas de tripoter sa chevalière de la fac de droit. Wayne était harassé – un vol chaotique et trente-six heures sans sommeil.

Il était 9 heures du soir. Miami avait pour lui l'aspect d'un mauvais rêve engendré par la fièvre. Ses fuseaux horaires se distendaient de façon disproportionnée.

Fritsch leur fit passer une série de portraits anthropométriques : trois photos du même individu de race noire, une de face et deux de profil. Sylvester « Pappy » Dawkins, 48 ans. Un homme mince, avec une attitude qui disait clairement : « Je vous emmerde. » Inscrit au dos : multiples condamnations pour cambriolage depuis 1942.

Woodrell commenta :

– Sacré client, dis donc.

Dwight ajouta :

– Planquez les mômes.

Fritsch expliqua :

– C'est un cambrioleur de maisons d'habitation avec des tendances au viol. Il était en détention près de Barstow le soir où Wayne Senior est mort, ce qui ne change rien pour nous. Il n'a pas d'alibi pour ce soir-là, et c'est un petit poste de police où il n'y a que deux officiers. Je peux acheter leur complicité à tous les deux.

La série de clichés circula de nouveau. Woodrell dit :

– Il faut faire gaffe. On risque gros.

1. Chips de maïs.

Dwight fit :

– La chaise électrique, mon chou.

Wayne ferma les yeux et rendit les photos.

Fritsch avala bruyamment une gorgée de son whisky-soda.

– Le comté de Washoe croit à sa culpabilité dans deux affaires de cambriolages avec meurtre. Donc, ce n'est pas précisément un membre éminent de la société. Quand il commet ses cambriolages, il est toujours abruti par les barbituriques, alors il fera un témoin minable au tribunal.

Woodrell grignota une Fritos.

– Il me plaît bien. Il y a cinq secondes qu'il est descendu de l'arbre.

Fritsch dit :

– J'ai une de ses empreintes sur un transparent. On peut la transférer sur un échantillon sanguin et l'antidater.

Dwight se massa la nuque.

– Combien ?

Woodrell répondit :

– Cinquante mille de mon côté.

Fritsch se tortilla.

– Euh... Vingt mille pour moi ? Et les flics de Barstow, je les arrose avec quoi ?

Dwight hocha la tête.

– Je vais solliciter vous-savez-qui. Il veut que cette histoire soit enterrée.

Wayne dit :

– Non.

Fritsch se figea au milieu d'une gorgée. Woodrell se figea au milieu d'une bouchée.

Wayne dit :

– On arrête.

Woodrell soupira.

– C'est sans doute le plus beau cadeau qu'on te fera de toute ta vie.

Fritsch soupira.

– Fais pas ton bolchevique, petit.

Woodrell ricana.

– Monsieur l'hypersensible. Avec tous les nègres qu'il a, *lui*, à son tableau de chasse.

Wayne le regarda.

– Je te dis d'arrêter tout de suite. Ne m'oblige pas à passer à l'étape suivante.

Woodrell s'empourpra et il flageola sur ses jambes. Fritsch dit :

– Nom de Dieu.

Dwight braqua son index tour à tour sur eux deux et sur la porte. Ils saisirent le message et sortirent. Dwight se leva et hissa Wayne sur ses pieds. Dwight l'empoigna par le devant de sa chemise et le gifla.

Une baffe cuisante. Qui fit monter des gouttelettes de sang à la surface de la peau. Des larmes de douleur jaillirent des yeux de Wayne. Selon les critères de Dwight Holly, c'était seulement une caresse affectueuse.

– C'est pour Janice. C'est pour nous deux et toutes les salades où tu as mis les mains. C'est pour ce merdier sans nom dans lequel tu nous as fourrés.

Wayne s'épongea le nez. Du sang s'amassait dans sa bouche. Ses larmes séchèrent vite.

– On n'a pas d'autre solution, alors tu laisses faire, *et tu ne me claques pas entre les doigts*. Je compte sur toi, et je risque d'avoir besoin de toi pour le Grapevine. Otash est parti à Saint Louis, il va falloir qu'on lui en parle, et on aura peut-être besoin de s'en mêler à un moment ou un autre.

Son sang avait un goût bizarre. Dwight l'aida à se relever. Il ne tenait plus sur ses jambes.

– J'ai besoin de ton aide. J'ai besoin des listes de ton père, et si la situation s'envenime au Grapevine, je veux que tu sois sur place.

Wayne hocha la tête. Dwight le relâcha. Wayne vacilla un peu et resta debout.

Les draps étaient moites, sa chemise de nuit trempée de sueur. Son pouls était faible mais régulier. Wayne tourna le cadran d'un cran et envoya de la drogue dans le tube.

De l'héroïne. Sa préparation personnelle. Synthétisée à partir de morphine base.

Janice se détendit. Wayne lui épongea le front et assécha un peu les draps à l'aide d'une serviette de toilette. L'infirmière de nuit dormait dans le salon. Janice n'était que sueur et frissons.

Wayne lui prit les mains.

– Il y a quelque chose qui doit être fait pour assurer notre sécurité. Quand tu en entendras parler, tu sauras de quoi il est question. Ce n'était pas mon idée, mais on ne peut pas faire autrement.

Janice ferma les yeux. Des larmes s'en échappaient. Elle lui retira ses mains. Elles semblaient ne rien peser, tout en os et en veines.

Wayne tourna le cadran. La drogue s'écoula du sac vers le tube. Janice perdit connaissance, en grelottant.

Son pouls était faible mais normal. Wayne arrangea ses cheveux sur l'oreiller. Il décrocha le téléphone de la table de nuit et appela Mesplède à Miami.

Trois sonneries. Une réponse engluée dans le sommeil :

– *Oui ?*

– C'est Wayne.

– Oui, bien sûr. Mon ami américain dans l'embarras.

– Fais quelque chose pour moi.

– Bien sûr.

– Il y avait un môme qui me filait à Miami. Je ne sais pas ce qu'il voulait, mais ça ne présage rien de bon.

– Oui ? Et tu désires... ?

– Une vingtaine d'années, taille moyenne, cheveux en brosse. Il roule dans une voiture louée chez Avis. Immatriculée GQV-881.

– Oui ? Et tu désires... ?

– Découvre ce qu'il me veut et tue-le.

La chambre forte se trouvait à vingt kilomètres à l'est de Vegas. Wayne Senior l'avait baptisée « Le Bunker du Führer ». C'était un cube de ciment enfoncé dans un amoncellement de sable et couvert de broussailles. On y accédait directement par la route inter-États I-15.

Wayne emporta une lampe-torche, un bidon d'essence et un briquet Zippo. L'emplacement exact était situé à quinze cents mètres de la route. La chambre forte contenait des exemplaires de toutes les publications racistes de Senior et ses listes d'abonnés.

Wayne se gara sur une aire près d'une station-service et partit à pied dans le désert. Il faisait 40 degrés à minuit. Le sable aspirait ses pieds vers les profondeurs et entravait sa marche. C'était comme une progression pesante filmée au ralenti. Il pensa à Dallas tout le long du chemin.

Il finit par y arriver. Il arracha des broussailles, déverrouilla la porte, et traîna à l'extérieur les fascicules haineux. Des titres lui sautèrent aux yeux. Il lut : « GÉNÉRATION SANG-MÊLÉ » et « JUIFS À L'ÉTOUFFÉE : UN LIVRE DE RECETTES ». Il lut : « LE PAPE PONCE : COMMENT LES PAPISTES GOUVERNENT LES NATIONS JUIVES UNIES ». Il vit des photos trafiquées du Dr King avec des petits mômes noirs. Il vit des éditions en fac-similé d'anciens kodes du Klan.

Il vida les étagères. Il transporta des tonnes de papier et se tacha les bras à l'encre d'imprimerie. Il vit des dessins humoristiques racistes. Il vit des photos de lynchages avec des légendes destinées à faire rire.

Il érigea une immense pyramide de haine. Haute de plus de deux mètres. Il l'arrosa d'essence. Il alluma son Zippo et approcha la flamme de la pile.

Elle s'embrasa d'un coup, illuminant les alentours. Le grand ciel noir devint rouge.

13

Las Vegas, 10 août 1968

Le ciel passa du rouge à l'orange. Debout près des pompes à essence, Dwight contemplait le spectacle.

L'embrasement éclairait à contre-jour la surface du désert et la route à quatre voies. Il vit la voiture de Wayne sur l'aire de stationnement. Sa filature-à-l'instinct lui avait valu ce résultat-*là*.

Deux pompistes restaient plantés sur le bitume, bouche bée. Un vent brûlant chassait la fumée vers eux. Dwight entra dans une cabine téléphonique, glissa des piécettes dans la fente, et composa un numéro situé à L.A.

La fumée charriait des bouts de papier. Dwight éprouva aussitôt un picotement. Karen décrocha aussitôt.

– Allô ?

– C'est moi.

– Tu n'es pas censé appeler quand il est en ville, bon sang !

Dwight dit :

– Parle-moi lentement. Juste une minute, s'il te plaît.

Karen lui répondit. Il ne l'entendit pas. Ses yeux étaient trempés de larmes et ne voyaient plus clair. Il ne savait pas si c'était à cause de la fumée ou de son amour insensé pour Wayne.

14

Miami, 10 août 1968

De la fumée et du feu. Les bronzés ne voulaient rien lâcher. Coups de feu, sirènes, spectacle son et lumière à 4 heures du matin.

Crutch entra dans le parking d'Avis. L'embrayage de sa voiture de location avait lâché, la boîte de vitesses était bousillée. La voiture avançait par à-coups et patinait. Il avait appelé peu avant. Le type de l'agence lui avait dit : rien à foutre des émeutes, vous revenez tout de suite.

Des half-tracks descendaient Biscayne Boulevard. Le gouverneur avait fait appel à la garde nationale. Voilà un convoi de voitures de flics et une Jeep à six places. Merde, le chauffeur fume un joint.

De la fumée et du feu. La chaleur des marais. Ce ciel orange qui vire au mauve.

La voiture eut un dernier soubresaut et cala près des pompes à essence. Crutch en sortit et s'étira. La chaleur et les émanations l'assommèrent. Il avait mal à la tête. Il était resté à l'écoute de la suite 1207 sans interruption. Il était debout depuis Dieu savait quelle...

Quelqu'un/Quelque chose le poussa. Il trébucha et retomba dans la voiture. Sa tête heurta le levier de vitesses. Ses bras heurtèrent le tableau de bord. Le Quelqu'un/Quelque chose l'immobilisa sur le siège. Il était entièrement vêtu de noir.

Puis un genou dans les reins. Puis un pistolet devant son visage. Avec un silencieux vissé au bout du canon, et le chien armé.

– Pourquoi est-ce que vous surveillez Wayne Tedrow ? Soyez franc. Une réponse évasive vous vaudra une mort encore plus horrible.

L'accent français. Le Frenchie. Les vêtements noirs uniformément.

– Je répète. Pourquoi est-ce que vous surveillez Wayne Tedrow ?

Crutch tenta de prier. Les mots parvinrent en désordre à son cerveau. Ses conduits urinaires enflèrent. Il se retint. Le poids qui le clouait sur le siège l'aida à y parvenir. Il se souvint de sa patte de lapin porte-bonheur et d'obscures coutumes de l'église luthérienne.

– Je répète.

Son rectum enfla. Il se retint. Le poids qui l'immobilisait l'aida à y parvenir. Il ouvrit la bouche. Il lâcha un petit cri et sortit quelques sons. Dieu ou un enfoiré invisible lui servit une soupe de mots. Il vit sa mère. Il entendit « Dr Fred », « Howard Hughes », « micros du Grapevine », « million de dollars ». Il entendit « Femme morte, femme introuvable, femme à la cicatrice, pierres vertes ». Il entendit « S'il vous plaît ne me tuez pas » six milliards de fois en six secondes.

Il ferma les yeux. Ses conduits lacrymaux enflèrent. Il se retint. Se mordre la langue l'aida. Six milliards d'années s'écoulèrent en six secondes. Il vit sa mère et Dana Lund six milliards de fois. Il tenta de se rappeler des prières et n'extirpa de sa mémoire que des cantiques.

La pression sur son dos s'allégea. Il contracta ses sphincters et ses canaux et resta sec. Il sentit une odeur de cognac. Son arôme frappa ses lèvres avec force. Il ouvrit la bouche. Il pencha la tête et prit une gorgée. Sa gorge se contracta. Il ouvrit plus largement et laissa l'alcool s'écouler. Il ouvrit les yeux et vit le Français.

– Il m'est déjà arrivé, par faiblesse, de céder à mes élans de sympathie. À vous de confirmer mon impression première d'une obstination juvénile et d'une certaine disposition à l'acquiescement.

Crutch se réfugia sur le siège passager. Son rythme cardiaque ne cessait d'accélérer. Il transpirait de la tête aux pieds. Le Français s'étira sur le siège du conducteur. Il but au goulot de la flasque et la lui redonna. Crutch avala une nouvelle gorgée et regarda par la fenêtre. Il y a encore plus de fumée, de sirènes et de flics anti-émeutes. Les bronzés ne veulent rien lâcher.

Mesplède dit :

– Il se peut que je vous demande de me communiquer vos informations.

Crutch hocha la tête – oui m'sieur, oui m'sieur, oui m'sieur.

La flasque passait de l'un à l'autre. Une entente s'installa. Leurs regards restèrent soudés tandis que le Français monologuait. Il ne parlait que de CUBA. C'était *Cette grande pute* de Fidel Castro et la Cause de la libération cubaine. C'était la trahison de la Baie des

Cochons soutenue par Kennedy. C'étaient les mesures d'apaisement de LBJ envers les Cocos. C'étaient les compromis d'une Amérique qui n'avait plus de couilles et les Caraïbes qui devenaient un Lac Rouge qui s'étendait sans cesse. C'étaient les braves qui étaient prêts à mourir pour arrêter la Marée Rouge.

La flasque passait de l'un à l'autre. Le discours continuait. Crutch vivait la griserie la plus excitante du monde.

15

Las Vegas, 10 août 1968

L'infirmière de nuit fit une pause pour aller jouer aux machines à sous du rez-de-chaussée. Wayne la croisa par hasard à l'intérieur du casino. Elle lui dit qu'il paraissait malade – je vais vous apporter quelque chose.

Il choisit de monter par l'escalier pour évacuer son trop-plein de tension. Il portait encore sur lui l'odeur du papier carbonisé. La porte de la suite n'était pas verrouillée. Il entra dans la chambre de Janice.

Les lumières brûlaient. Le support de l'intraveineuse et la poche de liquide étaient par terre. Le tube était encore attaché au bras de Janice, l'aiguille à demi enfoncée, à demi sortie.

Deux fioles vides sur la table de nuit. Du Seconal et du Dilaudid. Un petit mot : « Quel que soit ton plan... S'il te plaît, ne le fais pas pour moi. »

Wayne s'assit près d'elle. Sa chemise de nuit était encore moite. La scène se brouilla et se mêla à celle de 64. En rentrant chez lui, il avait trouvé Lynette. Wendell Durfee était venu et reparti. Un orage d'hiver laminait Vegas. Il s'était assis près de Lynette pour écouter la pluie.

Janice était morte en agrippant les draps. Wayne déplia ses doigts, libérant ses mains qu'il croisa sur sa poitrine.

Beaucoup d'animation à Vegas-Ouest à 2 heures du matin. Les bars étaient climatisés. Les bicoques ne l'étaient pas. Les gens restaient dehors tard pour se rafraîchir.

Wayne roulait au ralenti. Il passa devant le Wild Goose, le Colony Club et le Sugar Hill Lounge. Souvenirs, souvenirs. Les panneaux « Notre Seigneur, c'est Allah ». Des couche-tard qui faisaient des barbecues dans des fûts de 200 litres. Des avenues portant des noms de présidents et des rues désignées par des lettres.

Il avait l'adresse de Pappy Dawkins. Cela devait se trouver tout près du croisement de Monroe Avenue et de G Street. Il scrutait les visages. Ils étaient tous noirs. Des voitures garées moteurs en marche. Des tas de ferraille climatisés. Luttons contre la chaleur. Laissons les ventilos tourner pour pouvoir dormir.

Voilà la cahute : un clapier en parpaings couleur fuchsia posé sur des cales en contreplaqué.

Wayne gara sa voiture et s'en approcha à pied. Les lumières brûlaient. La porte était ouverte. Le salon était meublé de banquettes de voitures récupérées dans des épaves. Une douzaine de ventilos faisaient circuler l'air ambiant.

Deux Noirs étaient assis à l'intérieur. Côte à côte sur un siège en cuir de Chevrolet. Pappy paraissait plus vieux que sur ses portraits anthropométriques. L'autre homme semblait avoir une cinquantaine d'années et portait un habit ecclésiastique.

Ils remarquèrent sa présence. Ils le reconnurent. Wayne s'en rendit compte à la façon dont ils clignaient des yeux. Les ventilos brassaient des remugles : pisse de chat et marijuana refroidie.

Wayne ferma la porte. La puanteur augmenta. Pappy fit :

– Le sergent Wayne Tedrow Junior.

Wayne toussa.

– Plus maintenant.

– Vous voulez dire : plus dans la police, ou le seul Wayne Tedrow qui reste ?

– Les deux.

L'autre homme dit :

– Il veut quelque chose. Tu devrais le laisser parler.

Pappy fit tourner un cendrier.

– Le révérend Hazzard essaie de me faire perdre mes mauvaises manières. Il vient me voir une fois par mois, que je le lui demande ou non. Si je lui dis : « Ce salopard de Blanc a tué trois de nos frères il y a un certain temps », il me conseillera sans doute : « Tends l'autre joue. »

Wayne s'adressa à Hazzard.

– Ça ne prendra qu'une minute.

Pappy lança le cendrier. Il fit tomber un ventilateur. Le flux d'air souffla vers le plafond. Des papillons de nuit qui faisaient leur nid en furent tout secoués.

– Le révérend Hazzard croit qu'il faut tendre l'autre joue, mais ce n'est absolument pas mon cas. Sauf si vous êtes prêt à vous pencher pour embrasser les deux joues de mon cul de nègre.

Hazzard posa la main sur le bras de Pappy. Pappy ramassa une godasse qui traînait sur le plancher et la balança. Un autre ventilo tomba. Le souffle partit vers le fond de la pièce. Une photo de Malcolm X scotchée au mur s'envola.

– Le révérend Hazzard dit : « Savoir pardonner, c'est avoir une âme pure », mais ce n'est absolument pas mon avis. Sauf si vous voulez commencer par vous excuser d'avoir tué Leroy Williams et les frères Swasey et tout autre nègre surnuméraire que vous auriez pu tuer en cours de route.

Hazzard fit :

– Pappy, je t'en prie.

Wayne dit :

– Monsieur, je m'excuse.

Pappy rafla l'autre chaussure.

– Et c'est tout ce que vous avez à dire ?

– Non, il y a autre chose.

– Comme quoi ?

Les jambes de Wayne flageolèrent.

– Des flics essayent de vous coller une sale histoire sur le dos. Je ne veux pas que cela arrive. Je vous donnerai de l'argent, mais il faudra que vous quittiez Vegas.

Pappy se récria :

– Et quitter *tout ça* ? Parce que c'est un enfoiré de Blanc qui me le demande ?

Hazzard intervint :

– Laisse-le parler.

Pappy s'emballa, ajoutant d'une voix de fausset :

– Pas avant d'avoir savouré ce moment, et exigé mon dû, impitoyablement. En commençant par : Hé, Junior, tu t'excuses encore une fois.

Wayne dit :

– Monsieur, je m'excuse.

Hurlement de joie.

– Encore une fois, je commence à bien m'amuser.

Wayne secoua la tête. *Non.* Ses jambes faillirent céder sous lui. Pappy lança la chaussure *droit sur lui.* Wayne l'esquiva. Pappy plongea la main dans sa poche. Wayne se jeta sur le plancher.

Un éclair métallique. Wayne avala la poussière du tapis et sortit l'arme qu'il portait à la cheville. Pappy tripotait maladroitement un automatique à canon court. Le révérend Hazzard se figea. Pappy bascula du siège de voiture et visa Wayne en contrebas.

Les deux coups de feu partirent en même temps. Le plancher explosa près du visage de Wayne. Il visa à travers la poussière de plâtre et pressa la détente *lentement*. Il toucha Pappy en pleine poitrine. Pappy virevolta et enfonça brusquement la détente. Sa main fut prise d'un spasme. Il tira des balles dans toutes les directions.

Elles atteignirent les ventilos. Des balles à tête creuse – elles les tranchèrent et les firent ricocher. Les fragments de balles devinrent des bouts de shrapnel. Elles rejaillirent en éventail et déchirèrent la gorge de Hazzard. Il suffoqua et tomba du siège de voiture. Wayne leva son arme et pressa *lentement* la détente. Le projectile atteignit Pappy en plein visage. Pappy tomba en arrière. Sa tête heurta un ventilateur en marche et projeta du rouge vers le plafond et dans toute la pièce.

16

Las Vegas, 10 août 1968

Calme plat dans la salle de permanence. La police de Vegas tournait à effectif réduit à partir de minuit. Quatre lieutenants prenaient les appels d'urgence venus de toute la ville. Ils étaient payés à roupiller ou à se bouger le cul en vitesse.

Ils dormaient. Dwight n'arrivait pas à dormir. L'incendie dans le désert le hantait toujours. Il était passé devant le Golden Cavern une heure plus tôt. Fred Otash n'était pas encore couché. Ils avaient parlé de son voyage à Saint Louis. Freddy avait passé du temps au Grapevine. Les rumeurs sur l'assassinat : elles enflaient toujours. Ceux qui les répandaient : six salopards de droite. La surveillance de l'ATF : intermittente, mais encore à l'ordre du jour. Conclusion : on ne peut pas y aller tant que l'ATF rôde dans les parages. Pour l'instant, on attend.

Dwight bâilla. Les salles de permanence en pleine nuit le consolaient. C'étaient des tableaux figés de la vie de flic. L'agent spécial en charge de Saint Louis lui avait promis un télex avant le matin. Dwight restait près de la machine, perché sur une chaise.

La salle était silencieuse. Les flics somnolaient. Les pochetrons de la cellule de dégrisement ronflaient. Le télex se mit à crépiter. Dwight en retira une feuille.

Des nouvelles succinctes et merdiques. *Attention : surveillance rigoureuse de l'ATF au Grapevine Tavern.*

Dwight déchira la feuille et la jeta à la poubelle. Un flic en tenue entra en courant. C'était un bleubite genre grand échalas avec la bave aux lèvres. Il brailla sa bonne nouvelle et réveilla l'équipe de nuit.

Y a de la viande froide ! Quelqu'un a flingué cet enfoiré de Pappy Dawkins et un pasteur crépu !

La rue était coupée à la circulation. Dwight brandit son insigne sous le nez du flic qui gardait le périmètre et s'avança jusqu'au ruban jaune de la scène de crime. De l'autre côté : trois voitures de police, la voiture du coroner, et deux bamboulas morts sur des chariots.

Des bamboulas vivants de l'autre côté du ruban : des crétins en chemise de nuit, caleçons et pyjamas. Un gros lard se goinfrait d'ailes de poulet à quatre heures du matin.

Deux flics en tenue près de la maison. Buddy Fritsch en civil, qui semblait paniqué à juste titre.

Dwight siffla longuement, dans les aigus. Fritsch l'entendit et regarda dans sa direction. Dwight montra sa voiture d'agent fédéral. Fritsch écarta les flics en tenue et vint tout droit le rejoindre.

Dwight ouvrit la porte arrière. Fritsch monta. Il avait la tremblote. Il prit la flasque qu'il portait à la hanche et avala deux gorgées thérapeutiques. Dwight monta à son tour et referma la portière. Ils étaient grands tous les deux – leurs genoux se touchaient.

– Alors ?

– Alors, qu'est-ce que tu crois ? J'ai trouvé quatre témoins oculaires. Un homme blanc est entré, des coups de feu ont éclaté, l'homme blanc est ressorti. Un mètre quatre-vingt-cinq, quatre-vingt-deux kilos, pâle, avec des cheveux bruns. Ça vous rappelle quelqu'un de notre connaissance ?

L'alcool de la flasque sentait bon – un bourbon épais et doux. Fritsch en avala deux autres gorgées.

– Wayne a encore pété les plombs. Ce gars-là, quand il ne sait plus quoi faire, il part chasser le nègre.

Charabia au coin de la rue. Dwight jeta un coup d'œil. Gros-Lard incitait quelques zoulous à lancer des slogans du Black Power.

Fritsch téta sa flasque.

– Pour couronner le tout, j'ai reçu un appel de la morgue. Janice Tedrow a pris des comprimés et fait sa valise.

Dwight demanda :

– Combien ?

– Non, monsieur. Je regrette, mais il n'y a pas de pot-de-vin possible pour cette histoire-là.

– *Combien*, Buddy ? Pour toi, Woodrell, le procureur général, et tous ceux dont on a besoin pour étouffer l'affaire ?

Fritsch secoua la tête.

– Non, non. Pas question. Votre copain ne va pas s'en tirer comme une fleur, pour une fois.

Dwight tripota la chevalière de sa fac de droit.

– Donne-moi un chiffre. Sois généreux envers toi-même. Je te fournirai la somme et tu pourras arroser qui tu voudras.

Fritsch secoua la tête.

– Non et non. Désolé, Wayne, mais tu as tué deux nègres de trop. On est en 1968, mon gars. « Les temps changent[1]. »

Dwight rit. Fritsch rit. Dwight fit :

– Dis un chiffre.

– Non et *non*. Rien à faire. C'est un bourbier dont M. Hoover et toi ne pourrez pas tirer Junior.

– Tu es sûr ?

– Sûr et certain. Je suis absolument, foutrement sûr qu'il n'y a pas d'étiquette de prix sur cette affaire-là.

– Dis-le-nous une dernière fois, alors, pour que ce soit bien clair entre nous.

Fritsch planta son index dans la poitrine de Dwight.

– Pour que ce soit bien clair, c'est *non*. Pour que ce soit bien clair, tu m'as tabassé il n'y a pas si longtemps, et j'en ai soupé de tes conneries. Tu es peut-être le sbire numéro un de M. Hoover, mais moi, je suis un officier de police gradé, et un ancien combattant décoré pendant la Deuxième Guerre mondiale. Et je ne me laisserai plus marcher sur les pieds par un casse-couilles de l'Indiana qui se prend pour un caïd parce qu'il est allé à Yale.

Dwight sourit et montra la flasque. Fritsch sourit et la lui passa. Dwight avala une bonne lampée et la lui rendit. Fritsch sourit et s'étira. Sa veste bâilla. Dwight le soulagea de son arme de service et la fourra sous le siège. Fritsch déglutit. Sa pomme d'Adam fit l'ascenseur.

Dwight sortit son magnum, bascula le barillet et en fit tomber cinq cartouches. Fritsch leva les yeux au ciel – n'essaye pas de bluffer un bluffeur. Dwight fit tourner le barillet et le remit en place. Fritsch dit :

– Tu bluffes.

Dwight porta le canon à sa tempe et pressa la détente. Le chien percuta une chambre vide.

---

1. Titre d'une chanson de Bob Dylan.

– Combien ?

– Tu bluffes, et c'est moi qui ai la main. Je suis un gradé de la police, et c'est ma scène de crime.

Dwight porta le canon à sa tempe et pressa la détente. Le chien percuta une chambre vide. Buddy Fritsch chia dans son caleçon. La puanteur atteignit les narines de Dwight.

– Combien ?

– Va te faire foutre.

Dwight porta le canon à sa tempe et pressa la détente. Le chien percuta une chambre vide. Buddy Fritsch pissa dans son froc. Dwight regarda la tache s'élargir.

– Combien ?

– *Va te faire foutre va te faire foutre va te faire foutre.*

Dwight porta le canon à sa tempe et pressa la détente. Le chien percuta une chambre vide. Buddy Fritsch sanglota.

Dwight demanda :

– Combien ?

Fritsch continua de sangloter. Dwight fit descendre la vitre. Il entendit des slogans du Black Power et vit des poings levés.

Fritsch répondit :

– Deux cent mille.

Dwight dit :

– Ils sont à toi.

Cela nécessitait un appel téléphonique proactif. Cela lui rappela janvier 57. Il avait laissé deux morts sur le Merritt Parkway. M. Hoover était venu à son secours.

Dwight l'appelait depuis sa suite, à l'hôtel. Il entendit deux sonneries, puis :

– Oui ?

– C'est Dwight Holly, monsieur.

– Oui ? Et le problème de toute première urgence dont vous souhaitez me parler ?

– Wayne Tedrow a tué deux Noirs. Il me faut une grosse somme pour enterrer l'affaire, et je vous serais reconnaissant de bien vouloir m'aider.

M. Hoover toussa.

– Et le montant ?

– Deux cent mille en liquide.

– Junior a-t-il été appréhendé ?
– Non, monsieur.
– Et où pourrait-il être ?
– Sans doute dans le chalet de Wayne Senior, au lac Tahoe.
– Est-ce là qu'il a coutume de se reposer après avoir tué des hommes de race noire ?
– Oui, monsieur.
– Est-ce qu'il regarde l'émission télévisée *Soul Train* pour se changer les idées et expier sa culpabilité ?
– À mon avis, il concocte des mélanges de narcotiques pour qu'ils lui procurent apaisement et sommeil.
M. Hoover peinait à trouver son souffle.
– Il y avait bien longtemps que vous ne m'aviez pas appelé, Dwight. La dernière fois remonte à janvier 58, je crois.
– Vous ne vous trompez pas de beaucoup, monsieur. C'était en 57.
– Mettez-vous ma mémoire en doute, Dwight ?
– Non, monsieur.
– C'était en janvier 1958. La température était étonnamment douce, ce jour-là, sur le Cross Country Parkway.
(Cette *nuit*-là, les routes gelées, le Merritt Park...)
– C'est exact, monsieur. J'avais oublié. C'était il y a si longtemps.
– Je vais vous faire parvenir les fonds. Je suis d'une faiblesse coupable envers vous, tout comme vous l'êtes envers Junior.
– Merci, monsieur.
– Le Grapevine Tavern, Dwight. Il y circule des propos extravagants. L'ATF ne peut pas maintenir éternellement une surveillance stricte dans les lieux. Il faudra tôt ou tard étouffer ces bavardages scandaleux.
– Je comprends, monsieur.
– Bonsoir, Dwight.
Il s'apprêtait à dire « Bonsoir, monsieur ». Une quinte de toux et le déclic du téléphone l'en empêchèrent.

Le môme avait maigri. Ses cheveux s'étaient clairsemés. À présent, on voyait un peu de gris çà et là au milieu du brun. En une semaine, il était passé de l'affûté à l'efflanqué.
Le funérarium sentait la menthe verte. Sous ce parfum dominant, Wayne capta des relents de liquide d'embaumement. Wayne était

assis à côté du cercueil. Le couvercle était fermé. C'était de l'acajou lustré.

Dwight approcha une chaise. Wayne le regarda.

– Ses clubs de golf sont à l'intérieur.

Dwight sourit.

– Elle aurait apprécié l'attention.

– J'avais essayé d'avertir mon père.

– Je m'étais dit que c'était ça.

– Elle avait quarante-six ans, neuf mois et seize jours.

– Tu es chimiste. Ça ne m'étonne pas que tu t'attaches à ce genre de détail.

– Tu es juriste. Dis-moi de quoi il s'agit.

Dwight annonça :

– Tu es couvert. Je me suis adressé à M. Hoover. Si j'étais allé voir Carlos, il se serait dit que tu avais perdu la tête. Tout le monde le saura tôt ou tard, alors il vaudrait mieux que tu reviennes dans le circuit.

Wayne se leva et resta debout près du cercueil. Indécis, il passa ses doigts sur le grain du bois.

Dwight ajouta :

– Il nous reste le problème du Grapevine.

– Je comprends, fit Wayne.

17

Los Angeles, 19 août 1968

Scotty Bennett dit :

– J'aime ton nœud papillon et ta coupe de cheveux.

Crutch rougit. Le nœud pap écossais et sa coupe en brosse étaient ses porte-bonheur. Ils dataient du jour où il avait vu la Maison de l'Horreur. Ils prophétisaient tout ce qu'il lui arrivait de magique.

Scotty écrasait la pièce de sa présence. Ils se trouvaient dans la salle d'archives contenant les fichiers d'empreintes latentes. Crutch les examinait à la main. Il s'y attelait régulièrement depuis deux mois.

– Raconte-moi ça encore une fois. Tu as repéré une fille au Smorgasburger « Chez Woody ». Elle a bu un 7-Up et laissé ses empreintes sur un verre, et depuis, tu cherches à découvrir son identité.

Crutch rougit.

– C'est ça. Ça fait un moment que je fais un boulot pour Clyde, et dès que j'en ai l'occasion, je fais un saut jusqu'ici.

Scotty s'esclaffa – petit, tu me tues. Il fourra un billet de dix dollars dans la poche de Crutch. Il lui rectifia son nœud papillon et frotta sa coupe en brosse.

– J'ai 47 ans, toi 23. Je suis policier, toi pas. Oublie le nœud pap et laisse-toi pousser les cheveux. Tu arriveras peut-être à lever des filles.

Le billet de dix dollars pendait de sa poche de poitrine. Scotty ajouta :

– Appelle Laurel. Webster 64882. Dis-lui que je lui demande d'être gentille avec toi.

Crutch piqua un nouveau fard. Scotty lui fit un clin d'œil et partit nonchalamment vers son bureau, à la brigade de répression des vols. Les fiches d'empreintes digitales bondirent et crièrent : « Étudie-nous ! »

Remets-toi au travail.

Étale l'agrandissement photographique. Prends ta loupe. Sors la prochaine fiche et repère les points de comparaison. Il avait mémorisé l'empreinte relevée sur la voiture de location. Il en connaissait chaque arche et chaque tourbillon. Il avait observé six milliards de fiches depuis le 21 juin.

Il examinait les fiches, il les écartait, il bâillait, il s'étirait, il clignait des paupières. La fatigue oculaire lui engluait les yeux d'une substance visqueuse. Il abattit une série en vitesse – une fiche par minute –, et...

Tout à coup :

Une nouvelle fiche. Des arches et des tourbillons qu'il connaissait bien. 1, 2, 3, 4, 5, 6, 7, 8, 9, 10 points de comparaison – un total recevable par un tribunal.

Crutch étudia la carte et l'agrandissement. Il s'essuya les yeux, il plissa les paupières, il *regarda*. 11, 12, 13, 14 – correspondance parfaite.

Il retourna la fiche. Il lut les infos :

« Klein, Joan Rosen/sexe féminin, race blanche/née le 31/10/26, à New York City. 1,63 mètre. 54 kilos. Yeux marron/cheveux bruns et gris. Signes particuliers : Cicatrice d'une blessure à l'arme blanche sur le bras droit. »

Elle, cette femme. Elle avait un nom : JOAN.

Elle avait 41 ans. Elle était née le jour de Halloween. Son casier judiciaire semblait incomplet. Crutch vit des arrestations mais pas de condamnations. Des plaintes pour activités communistes. Des infractions à la loi sur les étrangers et la sédition, depuis 44. Deux arrestations pour vol à main armée – en 51 et 53 – pas de numéros de dossier correspondant à des condamnations.

Activités communistes. Braquages. Pas de portrait anthropométrique joint à la fiche.

Crutch se rua sur le labo photo...

Sa nouvelle pièce d'archivage était déjà bourrée. Des cartons de fichiers, des piles de fichiers, son grand tableau mural. Il avait deux piaules dans la même ville. Il dormait dans les deux. Il entreposait les archives sur sa mère aux Vivian Apartments, et celles sur « l'Enquête » à l'Elm Hotel. Il avait un petit réchaud pour la bouffe et un nécessaire de rasage dans les deux endroits.

Crutch partit pour l'Elm. Le tableau l'attira en premier. Il avait scotché du papier-cache jusqu'à hauteur des yeux. Il y faisait des gribouillages. Il tirait des lignes, il dessinait des flèches et il rédigeait des comptes rendus des progrès de l'enquête et des résumés.

Il sortit son crayon gras et trouva un coin libre. Il écrivit le prénom « Joan » et l'entoura. Il en fit partir des flèches avec un empennage noir et de petites pointes acérées, dirigées vers :

« La piste Farlan Brown ne mène nulle part jusqu'à maintenant (10/8/68). Brown a rendez-vous au Golden Cavern. Freddy T. doit piéger sa suite. »

« Gretchen Farr/Celia Reyes : aucune trace dans les documents jusqu'à maintenant (10/8/68). »

« *Grapevine*, *Tommy* et *Taupe* : qu'est-ce que ça veut dire ? »

« Identification du tatouage, marques sur les murs et poudre sur les morceaux de cadavre : aucun résultat jusqu'à maintenant (10/8/68). »

« Ligne pirate : la compagnie téléphonique fait des recherches. »

Crutch scruta son graphique. Crutch dessina des flèches pointées sur « Joan ». Crutch entoura le prénom de gros points d'interrogation.

Il s'affala sur le lit. Il examina le tirage rapportée du labo photo. Une simple bande de portraits anthropométriques. Une vue de face, deux profils. Joan Rosen Klein tenant une pancarte d'identification.

La pancarte portait une date : le 12/7/63. Crutch connaissait le préfixe du numéro d'écrou. Il signifiait : « Arrestation sur présomptions ». Cela recouvrait sans doute le fait qu'elle avait été appréhendée dans la rue ou bien qu'elle s'était trouvée au mauvais endroit au mauvais moment. Joan était communiste et soupçonnée d'avoir à deux reprises participé à un braquage – pas étonnant qu'elle attire les ennuis.

Elle avait 36 ans à ce moment-là. Aujourd'hui, elle n'avait pas changé. Elle souriait dans la lumière violente d'un coup de flash. Ces cheveux presque noirs parsemés de gris. Cette mâchoire large et anguleuse. Cette expression sereine sur son visage.

Crutch ferma les yeux, les rouvrit, et inspecta les photos de nouveau. Il remarqua des cheveux gris qui lui avaient échappé les fois précédentes.

Le lit était recouvert de livres de bibliothèque. Il les avait empruntés à son retour de Miami. Ils traitaient d'un seul sujet : Cuba.

Il restait en contact avec Jean-Philippe Mesplède. Le Français était son ami, à présent. Ils échangeaient des appels longue distance, entre L.A. et Miami. Le Français l'aimait bien. Le Français le prenait pour un jeunot embarqué dans une histoire qui le dépassait complètement et refusait de prendre Son Enquête au sérieux. Sur ce sujet-là, qu'il aille se faire foutre – il pouvait bien penser ce qu'il voulait. Le Français croyait que c'était une simple histoire de petite amie qui fauchait du fric. Crutch gardait pour lui les aspects extravagants de l'aventure.

Wayne Tedrow Junior voulait la mort de Donald Linscott Crutchfield, mais Jean-Philippe Mesplède n'était pas de cet avis. Le Français jugeait Wayne Junior « instable et politiquement suspect ». Wayne Junior entretenait des alliances à droite et refrénait ses tendances gauchistes. Le Frenchie n'était pas prêt à commettre un meurtre pour le compte d'un homme aussi compromis.

C'est pourquoi Crutch avait eu la vie sauve et le droit de poursuivre l'enquête sur Son Enquête et d'attirer comme un aimant tout ce qu'il lui arrivait de magique.

Leurs appels téléphoniques ne parlaient que de Cuba. Une île fabuleuse. Une Mecque du tourisme. Un paradis souillé par les Rouges. John Kennedy avait trahi l'invasion de la Baie des Cochons. LBJ amadouait Castro. Le prochain président allait sûrement poursuivre cette politique de vendu. Le Français en rage voulait ravager les Rouges et reconquérir sa caribéenne corne d'abondance. Ses sables blancs. Ses casinos « nationalisés » et transformés en auges du Tiers-Monde. Des femmes à la peau brune en bikini rose.

Crutch feuilletait les livres de la bibliothèque et en arrachait les photos. Regarde ça : Fulgencio Batista vautré sur Jane Russell. Vise un peu : la piscine sur le toit du Capri. Et aussi : des péons qui trimballent des gros lards en cyclo-pousse.

Il scotcha les photos au mur. Il arracha d'un livre un portrait de Fidel Castro fomentant la révolution. Le Français appelait Castro « Le Barbu ». Sa pilosité faciale abritait des nids de Poux Communistes.

Crutch scotcha le portrait de Castro au mur et lança son couteau de poche dans sa direction. Il atteignit Le Barbu quatre fois sur six. La photo commençait à partir en lambeaux.

Le téléphone sonna. Crutch saisit le combiné et répondit. Il dit :

– *Hola, ¿qué tal ?*

Le demandeur fit :

– Hein ?

Le couteau tomba du mur. Maintenant, Fidel était *mucho* déchiré.

Le demandeur dit :

– C'est Larry, du central téléphonique. Buzz Duber m'a dit de vous appeler. J'ai repéré la ligne pirate.

Crutch rafla son bloc-notes.

– J'écoute.

– C'est une maison sur Carmina Perdido, à Santa Barbara. Le locataire s'appelle Sam Flood. C'est tout ce que je sais.

C'était beaucoup. « Sam Flood », c'était l'alias respectable de Sam Giancana. C'est Clyde qui le lui avait appris. *Sam G. a appelé Gretchen/Celia au Standard de Bev.*

Larry dégoisa :

– Hé, Ducon, et mon pognon ?

Crutch raccrocha et inscrivit sur son graphique mural :

« Ligne pirate/Giancana. »

Les mots vibraient. Crutch dessina de petits points d'interrogation tout autour. Il ressentit le besoin de dessiner Joan. Il scotcha son portrait anthropométrique sur le graphique et, crayon en main, lâcha la bride à son inspiration sur le papier.

D'un portrait à l'autre, il saisit sa dureté ou sa douceur, mais jamais les deux ensemble dans le même dessin. Il lui donna différentes coiffures. Il détressa et retressa ses émouvantes mèches grises à chaque fois.

18

Las Vegas, 19 août 1968

La cérémonie fut brève. Le pasteur était pressé. Les nuages d'orage annonçaient une pluie imminente. L'éloge funèbre fut truffé de métaphores assimilant les cieux à un parcours de golf.

Janice Hartnett Lukens Tedrow : 1921-1968.

Carlos Marcello et Dwight Holly assistaient aux obsèques. Farlan Brown s'était déplacé. Dracula avait envoyé pour cinq mille dollars de fleurs. La moitié des caddies des Dunes et des Sands étaient là.

Wayne se tenait au dernier rang. L'air sec commençait à s'imprégner d'humidité. Au cimetière, on appliquait la ségrégation. Une route séparait la section réservée aux Blancs de celle réservée aux Noirs. Des fossoyeurs blancs travaillaient dans le secteur blanc. Des fossoyeurs noirs travaillaient dans le secteur noir. Les fossoyeurs de service pour l'enterrement de Janice, c'étaient des donneurs des tables de black-jack qui n'étaient pas de service au casino. Ils portaient des gilets rouges, des nœuds papillons et des visières. La menace de pluie les rendait nerveux.

Le sketch sur le royaume des cieux comme terrain de golf devenait pesant. Wayne regarda de l'autre côté de la route. Une foule importante était venue assister à une cérémonie qui commençait. Des limousines, un corbillard, un camion plateau rempli de roses. Des dizaines de Noirs vêtus de noir.

Wayne s'approcha. Les gens ne prêtèrent pas attention à lui. Il vit une pancarte posée sur un chevalet. Elle indiquait la date et le nom du défunt : le révérend Cedric D. Hazzard.

Le corbillard était garé non loin. Quatre hommes en sortirent un cercueil. Un pasteur s'approcha du véhicule et ouvrit la portière du côté passager. Une femme noire en sortit. Le pasteur lui fit mille grâces. Elle l'écarta avec de petits sourires et quelques gestes.

Elle portait une robe de crêpe noir, une toque, et pas de voile. Elle regarda la route et vit Wayne. Ils échangèrent un regard l'espace d'une seconde.

DOCUMENT EN ENCART : 20/8/68. *Manchette et sous-titre du* Seattle Post-Intelligencer :

NIXON BONDIT DANS LES SONDAGES
POST-CONVENTIONS

L'ex-vice-président augmente son avance sur Humphrey, candidat probable des Démocrates.

DOCUMENT EN ENCART : 20/8/68. *Manchette et sous-titre du* Milwaukee Sentinel :

ON PRÉVOIT UN PREMIER TOUR EN FAVEUR DE
HUMPHREY

« Attendez-vous à ce que les hippies créent du désordre »,
confie au Rotary un haut responsable de la police.

DOCUMENT EN ENCART : 21/8/68. *Sous-titre du* Des Moines Register :

« Hippies », « Yippies », « Schmippies » :
« Nous sommes prêts », disent les policiers en uniforme.

DOCUMENT EN ENCART : 21/8/68. *Article du* Las Vegas Sun :

UNE GRANDE GOLFEUSE, UNE GRANDE DAME

Janice Tedrow a été inhumée mardi matin au cimetière de Wisteria. Dans tous les clubs de Las Vegas, les drapeaux étaient en berne en honneur de cette femme qui remporta à 9 reprises le championnat féminin du club des Sands, 14 fois celui du Riviera, et qui à partir de 1954 gagna chaque année le Trophée de la campagne anti-polio du comté de Clark.

« Janice Tedrow jouait encore pratiquement scratch alors qu'elle souffrait d'un cancer en phase terminale », nous a dit son médecin, le Dr Steve Mandel. « C'est ça, le talent et la volonté. » Et quand, aux obsèques, le cortège funèbre fut grossi par l'arrivée des caddies locaux jusqu'à déborder du cimetière, il apparut clairement qu'ils étaient venus parce que cette femme était une vraie championne qui savait parler à tous.

Janice Lukens était originaire d'une petite ville de l'Indiana. En 1947, elle épousa le promoteur immobilier Wayne Tedrow et se fit bientôt une place dans la Ville Reine du Désert, où elle se mit au service de nombreuses œuvres de charité et où elle pratiqua le golf à un niveau d'excellence que l'on n'avait encore jamais vu dans l'État du Nevada. L'année 1968 a été tragique pour le clan Tedrow. Wayne Tedrow est mort d'une crise cardiaque en juin, et à présent c'est Janice qui nous quitte bien trop tôt, à 46 ans.

« Les voies du Seigneur sont impénétrables », nous a dit le révérend G. Davis Kaltenborn après la cérémonie. « C'est pourquoi j'ai choisi le golf comme thème central de mon hommage. La vie est un cheminement imprévisible vers une conclusion incertaine. Après la cérémonie, j'ai partagé cette idée avec le beau-fils de Mme Tedrow, et il m'a dit qu'il la comprenait fort bien. »

Reposez en paix, Janice. Le starter des Dunes m'a dit que vous avez réalisé six birdies la toute dernière fois que vous avez joué au golf sur cette terre. Je vois aussi pour vous beaucoup de parcours au-dessous du par, là-haut, dans les nuages.

DOCUMENT EN ENCART : 21/8/68. *Article du* Las Vegas Sun :

LA COMMUNAUTÉ NOIRE SOUS LE CHOC
APRÈS UN MEURTRE SUIVI D'UN SUICIDE

Sylvester « Pappy » Dawkins, 48 ans, était un drogué notoire condamné par deux fois pour cambriolage. Le révérend Cedric C. Hazzard avait 52 ans, et il était le pasteur de l'église baptiste de La Nouvelle Béthel, à Las Vegas-Nord. Pilier de la communauté noire dans la Ville Reine du Désert, il était autant respecté que « Pappy » Dawkins était méprisé.

Cependant, les deux hommes étaient en quelque sorte amis. Ils se voyaient souvent dans la petite maison mal tenue de Las Vegas-Ouest, où ils bavardaient jusque tard dans la nuit à propos de toutes sortes de choses. Aujourd'hui, tout à leur chagrin, les Noirs de

Las Vegas se demandent quel pouvait être leur sujet de conversation juste avant que celle-ci tourne au drame, le soir du 10 août.

« Nous ne savons pas vraiment ce qui a provoqué cette horrible tragédie », a déclaré à nos reporters le lieutenant Byron Fritsch de la police de Las Vegas. « Nous savons seulement que Pappy a abattu le révérend Hazzard puis qu'il a retourné son arme contre lui. »

Une horrible tragédie, en effet. Car de nombreux paroissiens du révérend Hazzard nous ont décrit d'une voix pleine d'émotion les efforts de leur regretté pasteur pour transmettre la parole de Dieu à Pappy Dawkins et l'aider à retrouver son équilibre moral. « Cedric était typiquement le genre d'homme à faire cela », a commenté Kenneth S. Wilson, diacre de l'église baptiste de La Nouvelle Béthel. « Demandez à n'importe quelle personne qui l'a connu. »

« Mon regretté mari était un homme courageux et sincère qui administrait sa paroisse avec son cœur », nous a confié Mary Beth, la veuve du révérend Hazzard. « Il œuvrait pour le bien et la justice sociale. » Mme Hazzard, 44 ans, est la déléguée principale du syndicat des personnels hôteliers de Las Vegas, et elle a mené de nombreuses campagnes de charité dans la communauté noire locale. À présent, elle est doublement en deuil. En décembre 1963, son fils Reginald, alors âgé de 19 ans, a disparu, et personne ne l'a jamais revu. Reginald, ancien brillant élève du lycée Seminole, avait remporté un concours scientifique en chimie. L'épreuve de Job a été imposée à Mme Hazzard, mais elle reste optimiste. « Oui, mon fils a disparu depuis longtemps et mon mari est décédé », dit-elle. « Je considérais les efforts de Cedric pour réformer Pappy Dawkins comme imprudents et risqués, même s'ils partaient d'un bon sentiment, mais il est mort alors qu'il faisait acte de compassion. Quant à moi, non, je ne succomberai pas au défaitisme ni au désespoir. J'ai des devoirs à accomplir, et je ne me laisserai pas décourager. »

Plus de 300 personnes ont assisté aux obsèques du révérend Hazzard. De nombreuses gerbes de fleurs, d'un total estimé à 10 000 dollars, ont été déposées au cimetière de Wisteria. Mme Hazzard et des fidèles de La Nouvelle Béthel les ont distribuées aux malades des hôpitaux voisins.

Révérend Cedric Douglass Hazzard, 1916-1968. Qu'il repose en paix.

DOCUMENT EN ENCART : 22/8/68. *Manchette et sous-titre du* Las Vegas Sun :

HUGHES CONVOITE LE STARDUST

Les lois antitrust vont-elles contrecarrer les projets du Roi du Strip ?

DOCUMENT EN ENCART : 23/8/68. *Manchette et sous-titre du* Las Vegas Sun :

LE RECLUS MILLIARDAIRE AU COMTÉ DE CLARK :
« C'EST VOUS QUE JE VEUX ACHETER ! »

Hughes cherche à poursuivre ses achats massifs d'hôtels

DOCUMENT EN ENCART : 23/8/68. *Communiqué par télex. Expéditeur : Unité de supervision, siège de Saint Louis, Bureau fédéral des Alcools, Tabacs et armes à Feu. Destinataire : Unité de terrain n° 112, tout le personnel. Sujet : Surveillance du Grapevine Tavern.*

Messieurs,

Continuez la surveillance de l'établissement 24 heures sur 24 selon toutes les directives précédemment spécifiées.

Thomas T. Wiltsie, agent en charge.

DOCUMENT EN ENCART : 24/8/68. *Mémorandum archivé. Expéditeur : Fred Turentine. Destinataire : Clyde Duber & Associés (À l'attention de : Clyde Duber, Buzz Duber, Don Crutchfield). Sujet : Surveillance électronique de la Suite 308, Hôtel-Casino Golden Cavern, Las Vegas (Réf. : Enquête Dr F. Hiltz– Gretchen Farr).*

C.D., B.D., D.C.,

Je n'ai pratiquement rien enregistré hier au Cavern. Je serai franc : il n'y avait rien d'autre à entendre que de riches mormons et des call-girls et des bavardages sur la Convention démocrate à Chicago. Farlan Brown annonçait son intention d'y assister (sur le plan politique, l'organisation Hughes assure ses arrières en faisant les yeux doux à l'équipe de Humphrey). Il n'a jamais été question de quoi que ce soit se rapportant au Dr Hiltz ou à G. Farr. J'ai capté partiellement un seul versant d'une conversation téléphonique dans laquelle Fred Otash parlait d'un rendez-vous le 30/8/68 avec Wayne Tedrow et « peut-être d'autres personnes », mais c'est tout. Globalement, un échec. D.C. sera à Chicago pour la convention, alors il pourra prendre la suite là-haut. Le système est à présent désactivé, mais toujours en place. Je le démonterai dès que j'aurai l'occasion d'entrer dans la suite une fois celle-ci libérée.

Salut à vous,

F.T.

DOCUMENT EN ENCART : 25/8/68.*Transcription mot pour mot d'une communication téléphonique du FBI. Marquée : – ENREGISTRÉE À LA DEMANDE DU DIRECTEUR – CLASSÉE : CONFIDENTIEL 1-A ; DESTINATAIRE UNIQUE : LE DIRECTEUR – Interlocuteurs : Directeur Hoover, Agent spécial Dwight Holly.*

JEH. - Bonjour, Dwight.

DH. - Bonjour, monsieur le directeur.

JEH. - Cela faisait si longtemps.

DH. - Je suis de votre avis, monsieur.

JEH. - Wayne Tedrow Junior. Donnez-moi le résultat de sa dernière mésaventure congolaise.

DH. - Tout est couvert, monsieur. L'enquête du coroner a conclu à un homicide suivi d'un suicide, et les journaux ont reproduit cette version.

JEH. – J'en suis ravi. Et le Grapevine Tavern ? Est-ce toujours une boîte de Pandore de commérages anti-FBI ?

DH. – Oui, monsieur.

JEH. – Et l'ATF ? Ils sont toujours perchés sur place ?

DH. – Pour le moment, monsieur.

JEH. – Ils ne peuvent pas rester perchés éternellement.

DH. – J'en suis conscient, monsieur.

JEH. – Parlons de l'OPÉRATION MÉÉÉCHANT FRÈRE. Les Noirs tués par Wayne Junior m'ont mis en appétit.

DH. – Je me suis procuré un exemplaire des listes d'abonnés de Fred Hiltz. Je les passe en revue pour découvrir une piste vers des infiltrateurs potentiels.

JEH. – Et vous l'avez payé à l'aide des fonds en liquide que je vous ai procurés pour sauver Junior.

DH. – Oui, monsieur. Dix mille dollars en liquide et une livre de cocaïne.

JEH. – Ses pauvres sinus... J'en frémis rien que d'y penser.

DH. – Oui, monsieur.

JEH. – Et vous êtes toujours à la recherche d'un informateur ? De préférence une informatrice ?

DH. – Oui, monsieur.

JEH. – Et l'informatrice numéro 4361 concocte ses recommandations ?

DH. – C'est ce qu'elle fait en ce moment, monsieur, oui.

JEH. – Aaah, Dwight. Votre inflexion mélancolique sur le mot « elle » trahit une puérilité rare.

DH. – Il y a des choses qu'on ne peut masquer, monsieur.

JEH. – Le fils du Klansman et la pacifiste

quaker. Dieu lui-même doit s'étonner de vos confidences sur l'oreiller.

DH. - Celles-ci sont plutôt animées, monsieur.

JEH. - M'arrive-t-il de faire l'objet de vos discussions ?

DH. - De nos controverses, monsieur.

JEH. - Cela ne vous perturbe pas qu'elle puisse consigner pour la postérité l'histoire de votre liaison équivoque ? Son *curriculum vitæ* indique qu'elle tient un journal intime. Elle pourrait très bien avoir noté quelques impressions sur un amant qui est partisan de la répression.

DH. - J'ai secrètement examiné ce document, monsieur. Ses observations, jusquà ce jour, ont été élogieuses.

JEH. - Et à juste raison, je suppose.

DH. - Merci, monsieur.

JEH. - Je faiblis, Dwight. Je le sais, et je sais que vous le savez. Je suis un boxeur qui est depuis très longtemps sur le ring, mais je reste dangereux, à cause de cela et non en dépit de cela.

DH. - Je comprends cela parfaitement, monsieur.

JEH. - Au revoir, Dwight.

DH. - Au revoir, monsieur.

DOCUMENT EN ENCART : 25/8/68. *Extrait du journal intime de Karen Sifakis.*

Los Angeles
25 août 1968

Je devrais être à Chicago. Machin-Chose va passer me voir en se rendant à Philadelphie et il m'appellera régulièrement pour me communiquer ses comptes rendus. L'élection se présente mal ; tout le monde le sait ; tout le monde sait que Nixon ou Humphrey, ce n'est pas un choix du tout et que la guerre continuera quel que soit le résultat des présidentielles en novembre. Cette entrée, et toutes celles que je serai peut-être amenée à écrire pendant la convention, seront couchées ici dans mon second journal, celui que je cache à la fac et que Dwight ne devra jamais voir. À cause des noms que je pourrais y noter. M. Hoover (et Dwight par conséquent) est ravi de ses dossiers et s'imagine que dans le Mouvement tout le monde connaît tout le monde et est de connivence avec des gens appartenant à un large éventail de l'activité politique. Bien évidemment, ce n'est pas le cas. Il peut arriver que d'une collusion aussi extrême naissent des liaisons amoureuses – généralement brèves et passionnées et condamnées par les contingences matérielles – mais pas une conspiration politique délictueuse. La paranoïa définit la droite (bien que Dwight tente de l'éviter et la critique avec humour de temps à autre), et elle définit la gauche également. Tout le monde connaît tout le monde et soupçonne tout le monde et *a besoin* de tout le monde aussi. Les ambitions politiques et les ambitions personnelles se modifient en fonction de ces réalités, ce qui définit incontestablement nos visions du monde incompatibles, nos projets communs, et notre profonde camaraderie, à Dwight et à moi.

Mon Dieu, Dwight Chalfont Holly et « camarade » dans la même phrase !

Chicago va très mal se passer. Danny T. et Sid F. ont appelé pour m'informer à l'avance de ce qu'ils trament. Ce sont des Nixonites, marxistes dans leur détermination à faire échouer Hubert Humphrey et à faire élire l'homme qui mettra en place une répression accrue et rendra possible une meilleure tentative de révolution à un moment ultérieur dont la perception reste ambiguë. Bien sûr, cela ne se fera pas sans que des vies soient brisées et d'autres sacrifiées, et seuls des pragmatistes comme moi (et, oserai-je le dire, D.H.) comprennent cette folie purement destructrice. Dwight peut me pousser à n'importe quelle action s'il parvient à me convaincre qu'elle n'entraînera ni mort ni destruction dans l'instant. Chicago apparaît comme un moment, voulu par beaucoup, d'indignation sincère et de haine épouvantable qui est mandaté politiquement et spirituellement au-delà de toute considération utilitaire, ce qui me terrifie.

La salle où se déroulera la convention est entourée d'une enceinte surmontée de barbelés, et 5 000 gardes nationaux anti-émeute sont arrivés en avion, et 5 000 autres sont mobilisés. W.H.N. (qui nourrit en secret un amour malsain pour les armes) dit que Maury W. a assisté à l'aéroport O'Hare au déchargement de caisses de lance-roquettes. Une grève des taxis est en cours ; un important syndicat de chauffeurs de bus est prêt à suivre le mouvement ; la Confrérie internationale des électriciens, à laquelle adhèrent les techniciens des télécommunications, a commencé une grève le 8 mai, et par conséquent il règne une pagaille monstre dans les communications téléphoniques à Chicago et dans les environs. W.H.N. prédit la présence de 100 000 radicaux ou assimilés (en grande partie des fauteurs de troubles imbéciles de la contre-culture et de la gauche bornée). Tout cela va mal tourner parce qu'il y a longtemps que cela aurait dû mal tourner, et il faut le faire savoir en payant le prix qu'il faut (aussi horrible soit-il) pour attirer l'attention de l'opinion publique, ce qui rend à mes yeux l'opération tout entière, et de façon complexe, d'autant plus déplorable.

C'est pourquoi je vais prier pour la paix et sentir Eleanora grandir en moi et faire l'amour avec Dwight, qui sait un grand nombre des choses que je sais, mais ne peut les affronter, car le moment de leur interprétation morale le rendrait fou.

Comme toujours, je m'émerveillerai après mes prières, et je me demanderai dans quelle mesure (infime ou considérable) notre étrange camaraderie entre idéologies contradictoires profite au monde dans lequel nous vivons. Profit réciproque. Cela paraît brutalement capitaliste, mais reste complètement égalitaire dans le cadre de ce contexte de concessions mutuelles.

Dwight a besoin d'une informatrice pour infiltrer l'ATN et le FLMM. Il m'a à moitié convaincue que ces deux groupes sont férocement décidés à ne servir que leurs propres intérêts, idéologiquement malsains, et destructeurs. Devrais-je lui présenter Joan ?

DOCUMENT EN ENCART : 25/8/68. *Manchette et sous-titre du* Los Angeles Times :

LA CONVENTION DÉMOCRATE PRÊTE À DÉBUTER

L'agitation menace dans la Ville des Vents

DOCUMENT EN ENCART : 25/8/68. *Manchette et sous-titre du* San Francisco Examiner :

LA TROUPE DÉBARQUE À CHICAGO

La tension monte alors que se mobilise la jeunesse contestataire

DOCUMENT EN ENCART : 25/8/68. *Communiqué par télex. Expéditeur : Unité de supervision, siège de Saint Louis, Bureau fédéral des Alcools, Tabacs et armes à Feu. Destinataire : Unité de terrain n° 112, tout le personnel. Sujet : Surveillance du Grapevine Tavern.*

Messieurs,

L'enquête sur le Grapevine se termine le 1/9/68. Cessez toute surveillance à compter de cette date. Le procureur général estime qu'il n'y a pas de motifs suffisants pour engager des poursuites.

Thomas T. Wiltsie, agent en charge.

19

Los Angeles, 25 août 1968

Des listes :

Les abonnés à des publications racistes, les habitués de meetings racistes, les amateurs de caricatures racistes.

À recouper avec :

Des listes de personnes appréhendées, des listes fournies par le SIPC, des listes de groupes subversifs.

À recouper avec :

La littérature raciste elle-même. Divers exemplaires à titre d'échantillons. Tous axés sur le mot d'ordre : Je-hais-l'homme-blanc. Des abonnés noirs qui les recevaient par la poste, dont les noms se trouvaient dans toutes ces saloperies de listes.

Dwight travaillait dans le local baptisé « Cove Enterprises ». Il échafaudait des piles de paperasses à l'aide des documents fournis par le Dr Fred et des copies carbone du LAPD et du SIPC de Californie. La haine, la haine, la haine. De grandes piles de paperasses – des Himalaya de haine.

Il y travaillait depuis sa virée à Vegas. Il cherchait des flics noirs ayant de l'expérience en matière d'infiltration. Il n'avait trouvé aucun nom. C'est pourquoi il s'était rabattu sur les listes d'abonnés. Il se procurait des documents et sélectionnait des documents et construisait des étagères pour y ranger ses documents. C'était une chasse aux noms de Noirs. Trouve un Noir qui a la haine. Recrute-le, contrains-le ou piège-le – et apprends-lui à haïr *différemment.*

Il se noyait dans la surabondance de noms. La littérature raciste et les photos associées lui arrachaient des éclats de rire. Les Blancs avaient des petites bites, les Noirs avaient des grosses bites, la diaspora fondée sur la longueur de la bite définissait l'histoire du peuple noir. Les docteurs juifs propageaient la drépanocytose. Audrey Hepburn avait accouché du bébé noir de Jim Brown. En réalité,

Lawrence Welk était noir. En réalité, Count Basie était blanc. John Glenn était le premier astronaute nègre de l'histoire.

Dwight cherchait un nom. De A jusqu'à Z et on recommence. Le solitaire dans le tas de charbon. U, V, W, X, Y, Z, et retour au A.

Arthur Atkinson était un nazi noir. Willis Barrett était abonné au magazine « Chasseur de Blancs ». Ricky Tom Belforth recevait tous les mois « Elles en veulent toutes une bien noire : les femmes blanches rêvent de vrais hommes ! ». Bistrip, Blake, Blair, Bledsoe... Stop ! Qu'est-ce que je vois là ?

Marshall E. Bowen/5652 South Denker, Los Angeles. Abonné à un pamphlet antisémite, 65-66.

Le nom lui semblait familier. Dwight prit les listes du SIPC et les feuilleta jusqu'à B. Voilà : Marshall *Edward* Bowen, race noire, 1,80 m, 79 kilos, né le 18/5/44. Permis de conduire n° 08466. Ancienne adresse : 8418 South Budlong Avenue. Une note du SIPC précise : une recherche d'antécédents pour entrer à l'école de police du LAPD, le 3/11/67. Adresse actuelle... Bingo ! De nouveau : 5652 South Denker.

Anomalie. Incongruité. Abonné à une publication raciste anti-Blancs, potentiellement flic à L.A.

Oui, et ce nom lui paraissait de nouveau familier.

Dwight prit la liste des groupes subversifs. Bingo n° 2 : revoici Marshall E. Bowen.

À des réunions des Musulmans Noirs. À des meetings de l'Alliance du Serpent Noir. *Ooooh, le Méééchant Frère !*

Dwight appela le LAPD. Il connaissait un type du service du personnel, qui lui communiquait en douce des informations confidentielles. Dwight finit par l'avoir au bout du fil et lui parla de Marshall Bowen. Il avait demandé à entrer au LAPD en mars 67. Sa candidature avait-elle été retenue ?

Le type répondit qu'il allait vérifier. Dwight resta en ligne pendant six minutes. Le type revint, tout excité. Bingo n° 3 : Marshall E. Bowen était entré au LAPD.

Diplômé de l'école de police en juin 67. Affecté au poste de police de Wilshire. Toujours en fonction à Wilshire. Notes excellentes aux tests de condition physique.

Marshall, toi *méééchant*.

Parce que :

Tu t'es abonné à des brochures racistes. Tu as assisté à des meetings communistes. Mon frère, c'est *méééchant*, ce genre de comportement. Tu pourrais bien te faire virer de la police à coups de pied dans ton cul noir.

Parce que :

Ils ont foiré, les types qui ont fouillé tes antécédents. Ils n'ont rien vu de ton passé de raciste. Les Cocos qui haïssent les Blancs sont sommairement exclus du LAPD.

Toi *méééchant*. Toi exploitable, pressurable, et foutable-à-la-porte. Je te tiens par la peau de ton cul noir.

Dwight appela Freddy Otash à Vegas. Freddy était un ancien du LAPD. Freddy connaissait le LAPD par cœur.

Le téléphone sonna neuf fois. Otash décrocha, brutal.

– C'est qui ?

– C'est Dwight, Freddy.

Otash fit :

– Oh, merde. Ne dis rien. Le Grapevine.

Dwight rit.

– L'ATF cesse sa surveillance le 1er septembre. Je crois qu'on va devoir y aller à ce moment-là.

– Et on retrouve Wayne le 30 ?

– C'est ça, et je pense qu'on devrait se voir avant, tous les deux.

Otash soupira.

– Wayne est prêt pour ce coup-là ?

– Je crois que oui, répondit Dwight.

– Bon sang, Wayne Junior. On ne peut pas l'inclure, on ne devrait *jamais* l'exclure.

Dwight alluma une cigarette.

– J'avais une question sur le LAPD.

– Je t'écoute.

– Le processus d'examen des antécédents. J'examine le cas d'un gamin noir qui s'appelle Marshall Bowen. Il a assisté à des meetings coco et il est entré au LAPD l'année dernière. Explique-moi comment ses sympathies communistes ont pu passer à travers les mailles.

Otash bâilla.

– Je le *connais*, le petit Bowen. Il a servi de taupe à Clyde Duber. Clyde l'a formaté, et puis il l'a introduit dans des groupuscules rouges.

Dwight fit :

– Freddy, tu es un vrai Blanc.

Otash répliqua :

– Non, je suis un enfoiré de Libanais.

Marshall Bowen, toi *mééééchant.*

Clyde montra du doigt sa frise murale. Dwight reconnut les photos. Elles résumaient le fameux braquage du fourgon blindé à L.A. Cadavres calcinés, billets de banque tachés d'encre, émeraudes. Un grand flic qui tabasse deux Noirs.

Dwight éternua. Dans le bureau de Clyde, la température était subpolaire. Le fauteuil donnait envie de se réfugier dans le sommeil.

Clyde expliqua :

– Cette affaire, c'est un hobby pour moi, et c'est comme ça que j'ai rencontré Marsh.

– J'en ai un peu entendu parler. Jack Leahy s'en est occupé pour le Bureau pendant une dizaine de secondes.

– Exact. Elle n'est toujours pas élucidée, et depuis, des billets tachés d'encre n'ont pas cessé de refaire surface dans le ghetto. De temps en temps, le LAPD cuisine des gens qui ont refilé un de ces billets, juste pour garder la main. C'est ce qui est arrivé à Marsh. Il passe innocemment un billet de vingt dollars, et bing ! Voilà Scotty Bennett.

Dwight bâilla. Son cul pesait une tonne. Ce putain de fauteuil incitait à l'hibernation.

– Ne t'arrête pas là.

Clyde projeta des ronds de fumée.

– Donc, Scotty a secoué Marsh, et quand Scotty cuisine quelqu'un, ça fait peur. Marsh a appelé un ami à lui, qui m'a téléphoné. J'ai arrangé le coup entre Scotty et Marsh, et j'en ai fait un infiltrateur. Je l'ai introduit dans une demi-douzaine de groupes rouges de seconde zone et de groupuscules noirs, et Marsh s'est révélé être une sacrée taupe. Il adore l'action, alors il fait sa demande pour entrer au LAPD, et il est admis malgré les protestations de Scotty.

Dwight bâilla.

– Parle-moi de ses opinions politiques. Il ne peut pas être de gauche, ni raciste anti-Blancs, sinon le LAPD n'aurait pas voulu de lui.

Clyde alluma une autre cigarette au mégot de la précédente.

– Quelles opinions politiques ? C'est un joueur. Il vit pour le jeu, et ce n'est qu'un jeu, et les seuls crétins qui ne le savent pas sont les givrés de droite bourrés de fric qui me paient, moi, pour infiltrer les taupes. *C'est une mine d'or.* Je pompe 75 000 dollars par an à Fred Hiltz et à Charlie Toron.

Dwight se frotta les yeux.

– Je viens de faire une transaction avec le Dr Fred.

– En ce moment, mon petit gars Don Crutchfield espionne un mormon pour lui à Chicago.

– Un mormon de gauche ?

– Un baiseur mormon de droite qui sautait une nana que Fred a sautée aussi. Bon sang, ne m'en parle pas. Ça dure depuis le début de l'été, et rien que cette histoire-là, ça m'a déjà rapporté 32 000 dollars.

Dwight prit le téléphone posé sur le bureau. D'un signe de tête, Clyde lui donna le feu vert. Dwight appela son informateur au service du personnel du LAPD. Le type avait encore sous les yeux le dossier de Marsh Bowen. Dwight lui demanda en quoi consistait son service quotidien en ce moment. Le type répondit que Bowen se trouvait à Chicago, où il rendait visite à son père malade.

Clyde lança des ronds de fumée jusqu'au plafond. Dwight reposa le téléphone.

– Il est à Chicago, et je ne peux pas m'absenter. Tu peux demander à ton gars Crutchfield de le pister pour moi ? Je veux avoir de quoi faire pression sur lui avant de l'approcher.

– Pas de problème, mais j'aimerais bien savoir de quoi il retourne.

– M. Hoover veut foutre la merde chez les nègres.

Ils dînaient devant le téléviseur. Toutes les chaînes couvraient la convention. C'était un défilé macabre. Daley, le maire de Chicago, semblait couver une fureur de dimensions cosmiques. Hubert Humphrey paraissait par avance condamné à l'échec. La caméra fit un plan de coupe sur des jeunes à cheveux longs massés devant la salle des congrès. Ils avaient l'air malveillant. Ils huaient les rangs des flics anti-émeute. Les flics ressemblaient à des gargouilles alignées sur un perchoir.

Karen regardait le reportage avec une attention soutenue. Dwight chipotait sa nourriture. Dina dessinait dans son livre de coloriage. Elle dessinait toujours des hélicoptères et des voitures de police. Cela rendait sa mère complètement folle.

Le reportage ronronnait. Les slogans scandés par les délégués résonnaient comme des moulins à café déglingués. La caméra fit un panoramique sur les délégués noirs. Une femme s'empiffrait de frites.

Wayne faisait une halte à Tahoe, avant de rejoindre Chicago. Wayne, c'était Monsieur l'Illusionniste. Dracula et Farlan Brown étaient des lutins malintentionnés. Monsieur l'Illusionniste était un vrai saltimbanque. Le spectacle doit continuer. Il allait se remettre de sa dernière bourde anti-bamboulas et remonter sur les planches. Le reportage sur la convention s'éternisait. Dina dessina un chien souriant et lui ajouta des crocs. Karen pressa le genou de Dwight et résista à l'envie de fumer.

Un délégué noir monta sur l'estrade et fit l'éloge du Dr King. La salle s'enflamma. Les lumières s'éteignirent pour une projection de diapos. Le portrait de King apparut sur l'écran. Dwight ferma les yeux. Son pouls s'accéléra. Il respira à fond plusieurs fois de suite et tenta de se reconnecter. Karen se pencha vers lui.

– Tu es anxieux, ces derniers temps.

– J'ai un sommeil merdique.

– Quand tu es anxieux, je suis anxieuse.

Dwight rouvrit les yeux.

– Il ne faut pas, tu m'entends ?

Dwight enfonça le bouton de la télécommande. Le téléviseur s'éteignit. Dina ne s'en rendit pas compte. Karen fit remonter sa main le long de la jambe de Dwight.

– Je devrais être à Chicago.

– Bon sang, mon chou...

– J'ai envie de faire sauter des statues de fascistes.

– Il ne faut pas t'en priver pour moi.

– Je t'ai peut-être trouvé une informatrice. Une femme que je connais, qui s'appelle Joan.

20

Chicago, 25 août 1968

Chaleur étouffante sur le Loop[1]. Des sautes de vent brûlant faisaient grimper le thermomètre. Les flics portaient des casques et des chemisettes. Ils étaient équipés de matraques rondes en bois et de matraques plates en cuir. Les hippies portaient des fringues qui ridiculisaient le drapeau. Ils étaient armés de cailloux et de bouteilles de Coca.

Échauffourée potentielle. Les deux camps n'attendaient que ça. La chaleur de la nuit leur disait : ALLEZ-Y ! – vous savez bien que vous en mourez d'envie.

Crutch observait la scène. Il tenait bon son sac de provisions et restait en retrait. Ses cheveux en brosse et ses vêtements quelconques lui servaient de camouflage. Les chevelus auraient tendance à l'ignorer, les flics à le trouver *simpatico*.

Bordel de merde. Après Miami, *ça*.

Confrontation. Les flics avancèrent de dix centimètres. Les hippies de quinze. L'espace se réduisit jusqu'à engendrer la claustrophobie.

Crutch observait. La dexédrine et le café avaient sur lui un effet psychédélique. Il n'avait pas dormi depuis trente-six heures. Il avait tenu le poste d'écoute à l'Ambasador East. Farlan Brown recevait dans la suite voisine. Alcool, call-girls, et ferveur politique. Brown sautait les filles et graissait les délégués. Brown leur promettait des vols charters sur Hughes Air. Brown les pressurait afin d'obtenir des détails sur l'itinéraire prévu pour la campagne de Humphrey – pour que Wayne Tedrow et compagnie puissent saboter les efforts d'Hubert.

---

1. Centre historique de Chicago.

Les flics avancèrent de dix centimètres. Les hippies de quinze. L'espace se réduisit. La haine devint plus intense.

Crutch observait. La confrontation le rendait nerveux. Clyde le surchargeait de travail. Il devait assurer les écoutes chez Brown et effectuer un boulot supplémentaire : pister en ville ce flic de L.A. C'était Buzz qui s'en occupait en ce moment.

Les flics avancèrent. Les hippies avancèrent. Un gros tas hurla : « Bande de porcs ! » Les flics chargèrent. Les hippies hésitèrent. Un type frisé balança un caillou. Qui rebondit sur le casque d'un flic maigre. Les flics enfoncèrent le premier rang, la matraque en avant. Les hippies n'avaient pas d'échappatoire ni de recul pour lancer leurs projectiles. Le rouleau compresseur : les flics piétinèrent les opposants, les bourrant de coups de pied, frappant des têtes que leurs matraques envoyaient rebondir sur le pavé.

Une voiture s'arrêta tout près de la bagarre. Quelque chose de rouge s'embrasa. Deux bronzés jetèrent en direction des flics une bombe incendiaire à la merde de chien. Le tir était trop court. Le sac s'éventra et les excréments en feu brûlèrent légèrement des mômes qui venaient de se faire piétiner le cul. Les bronzés, bras tendu, brandirent leur poing serré et décampèrent.

Crutch regagna en courant son hôtel et son poste d'écoute. De sa fenêtre donnant au sud il voyait les voitures qui brûlaient et le reflet des flammes sur le lac. La console raccordée aux micros espions et à la ligne téléphonique était calée contre le mur nord. À travers les haut-parleurs, il entendait des bruits de baise et de ventouse. Il mit ses écouteurs. Les bruits de baise et de ventouse se firent plus présents. Cette partie du boulot pour le Dr Fred était complètement nulle.

Elle faisait grimper la note de Clyde Duber. Elle ne lui apprenait rien sur Gretchen/Celia et Joan Rosen Klein. Clyde gonflait sa facture. Clyde lui avait dit de ne pas questionner Farlan Brown personnellement. Tout ce cirque n'avait qu'un lointain rapport avec les deux femmes.

Il était une heure du matin. Crutch grignota deux petits gâteaux pour atténuer la secousse des amphétamines. Il posa la série de portraits de Joan sur la console. Plus il regardait Joan, plus il découvrait en elle de choses nouvelles.

Son enquête à lui était au point mort. Sam Giancana ou quelqu'un de son entourage avait appelé Gretchen/Celia. C'était une piste majeure et une impasse. On ne pose pas de question à un Parrain comme Sam G.

En se rendant à l'aéroport, il s'était introduit par effraction dans l'agence immobilière d'Arnie Moffett. Au LAPD comme dans les services du shérif, il avait consulté les fichiers de personnes disparues à la recherche d'une note sur des Latino-Américaines tatouées. Sans résultat. Il avait communiqué le nom de Joan Rosen Klein et tous les renseignements qu'il possédait sur elle à ses contacts chez les flics aux quatre coins du pays. Quatorze services de police, quatorze flics. Qui travaillaient à la répression des vols, aux renseignements généraux, à la répression du banditisme. Personne ne savait rien sur Joan la Rouge.

Elle avait peut-être un dossier chez les fédéraux. Cette approche-là était délicate. Il faudrait qu'il demande à Clyde d'en parler à ses contacts chez les Fédés. Pour l'instant, Joan était toute à lui. Cette piste-là, il la considérait comme son jardin secret.

Les bruits de baise et de ventouse s'arrêtèrent. Remplacés par des payez-moi– payez-moi. Crutch feuilleta un livre de la bibliothèque. Il n'y était question que de Cuba. Les raids des rebelles, les champs de canne à sucre incendiés, la débâcle de la Baie des Cochons. Crutch continuait de lire des livres. Il continuait de passer des appels longue distance au Français. Mesplède était toujours à la recherche des exilés renégats Fuentes et Arredondo. Ils avaient trahi *La Cause sacrée*. C'étaient des braqueurs. En ce moment, ils s'attaquaient peut-être aux grands magasins de Des Moines ou Duluth. Le Français était son mentor pour de bon, maintenant. Le Français travaillait avec Wayne Tedrow, mais il continuait de se méfier de lui. Le Français et Wayne émargeaient chez le Comte Dracula, à présent. Leur mission : semer la pagaille à la convention et faire foirer la campagne présidentielle de Humphrey cet automne.

Freddy Turentine avait envoyé un rapport sur l'opération de surveillance au Golden Cavern. C'était un échec – rien d'autre à écouter que des prostituées et des mormons. *Mais* Fred T. avait entendu Fred Otash parler d'un rendez-vous le 30 août avec Wayne Tedrow et « peut-être d'autres personnes ». Ça pourrait être intéressant. Il n'était pas impossible que Wayne dise quelque chose ou qu'il donne une piste sur le repaire de Dracula. Une photo/un million de dollars. L'offre du magazine *Life* tenait toujours. Le Français avait dit qu'il aurait peut-être besoin, *lui aussi*, d'informations cruciales sur Wayne. Crutch s'était engagé à les lui fournir. Ne pas oublier :

appeler Fred T. et lui dire de laisser le matériel de surveillance en place.

Le téléphone sonna dans la suite voisine. Crutch changea de casque pour écouter la ligne. Des parasites et des voix déformées brouillaient la réception. Il tripota des boutons et entendit Farlan Brown.

– ... Wayne, bonjour. Bon sang, quelle heure est-il ? Je n'ai pas ouvert les rideaux depuis la présidence de Roosevelt.

Wayne Tedrow :

– Il est 1 h 20.

Brown :

– Du matin ou de l'après-midi ?

Tedrow :

– Du matin. Je vous appelle depuis l'aéroport. J'attends cet homme dont je vous ai parlé. Il vient en avion de Sioux Falls.

Brown :

– Un mercenaire français et Sioux Falls, Dakota du Sud, dans une même phrase. C'est nouveau pour moi.

Tedrow :

– Il essaie de retrouver la trace d'amis qu'il a perdus de vue depuis longtemps.

Brown :

– Il ne les trouvera pas à Chicago. Tout ce que nous avons, ici, c'est la lutte des classes.

Tedrow :

– C'est une vraie pagaille, ici, à l'aéroport. Il n'y a que des mômes défoncés et des journalistes. On dirait une immense salle d'attente.

Brown :

– Hubert est foutu. Dick va rafler la mise, cette fois-ci.

Buzz entra dans la suite. Crutch lui adressa un signe de la main.

Tedrow :

– Nous allons avoir besoin de dormir un peu. Nous viendrons vous voir dans cinq ou six heures.

Brown dit quelque chose. Les parasites brouillèrent la ligne. Crutch se débarrassa de ses écouteurs.

Buzz dit :

– Bowen est complètement nul. Il ne boit pas, il ne court pas les filles. C'est peut-être le plus coincé de tous les bamboulas du globe. Il va dans des conneries de musées et dans des fromageries.

Crutch engloutit un petit gâteau.

– Je vais prendre la suite, maintenant.

– La suite de quoi ? Il est 1 h 30 du matin, Bowen est à la maison avec son papa, et la ville tout entière pique sa crise.

– Je ne tiens pas en place.

– Tu ne tiens jamais en place.

Crutch engloutit le petit gâteau n° 2.

– Je reviens dans cinq à six heures.

Buzz consulta son calepin.

– Ce type est vraiment coincé. 23 h 16 : il passe sans s'arrêter devant deux grill-rooms et un bar topless qui s'appelle *Honey Bunny*. Et où va-t-il ? Au « Monde des livres de M. Sid, ouvert toute la nuit ».

Crutch s'esclaffa. Buzz laissa tomber sa tête sur sa poitrine et commença à ronfler. Quelque chose explosa dehors. Crutch regarda par la fenêtre et vit une voiture de flics en flammes.

Chaude ambiance dans Chicago en pleine nuit. Des légions de chevelus erraient dans les rues. Le vent venant du lac faisait tourbillonner leurs drapeaux rouges. Les flics se déplaçaient en conséquence pour les encadrer. Tout cela semblait synchronisé. Des flics à cheval surgissaient des rues latérales. Leurs montures chiaient sur les trottoirs. Les gens jetaient des choses par les fenêtres. Il pleuvait des fruits et des babioles. Les projectiles manquaient toujours les flics *et* les hippies. Cela ressemblait à une déclaration d'intention générale. On ne pouvait pas savoir qui étaient les cibles.

Crutch traversa tout ça au volant de sa voiture de location. La circulation se traînait encore plus lentement qu'un escargot. Des accrochages à foison. Le père de Marshall Bowen habitait à l'angle de la 59e Rue et de Stony Island Avenue. Un quartier noir habité par les classes moyennes – des maisons sur deux niveaux à ras du trottoir.

Crutch nota l'heure : 2 h 41 du matin.

Il se gara devant la maison. Une lumière brillait à l'étage. Il posa ses portraits de Joan sur le tableau de bord et les regarda en plissant les paupières.

Il attendit. Il commençait à se sentir un peu à cran. Son cerveau lui disait *fonce !* alors que son corps lui disait *dors !* Marshall Bowen ressortit de la maison à 3 h 09.

Il se dirigea à pied vers le carrefour et prit l'avenue. Crutch lui laissa une avance de dix secondes. Il fit effectuer un demi-tour à sa voiture et atteignit l'intersection. Bowen était trois devantures plus loin, sur la gauche.

Crutch laissa tourner le moteur au ralenti et le suivit des yeux. Les passants marchaient vite. Bowen jetait un coup d'œil dans chaque bar et poursuivait son chemin. Quelques flics traînaient dehors, fumant une cigarette. Des chevelus qui tournaient l'angle opposé les aperçurent. Crutch avait la scène tout entière dans son champ de vision.

Bowen flânait en regardant les vitrines. Un chevelu brandit une bouteille de Coca. Un autre chevelu y enfonça un chiffon qu'il enflamma. Tous les chevelus s'excitaient autour de la flamme. L'un d'eux lança la bouteille droit vers les flics.

Elle se brisa avant de les atteindre. L'explosion avait foiré. Les chevelus hurlèrent : « À bas les flics ! » et prirent la fuite en riant. Marshall Brown se retourna – hé, qu'est-ce qui se passe ?

Les flics le chargèrent. Il leva les mains – *non, pitié !* Les flics tombèrent sur lui et le rouèrent de coups dans une mêlée confuse.

21

Chicago, 26 août 1968

Travaux pratiques de chimie.

Wayne se trouvait dans la salle de bains de Farlan Brown. Les miroirs muraux lui renvoyaient son image. Il avait une sale tête. Tu es trop vieux, trop maigre, trop ravagé.

Il prit un verre à dents. Il mélangea une mignonnette de scotch provenant de l'avion avec des morceaux d'opium et un comprimé de Valium écrasé. Il remua le tout avec le manche d'une brosse à dents et l'avala d'un trait.

L'effet se fit sentir au milieu du torse et remonta peu à peu vers sa tête. Il prit appui sur le rebord du lavabo et scruta les miroirs. Le changement qu'il souhaitait constater dans son apparence se produisit.

Il passa dans le salon. Tous les elfes de Drac étaient présents. Revue des effectifs : Brown et Mesplède. Six hommes de main de Sam Giancana et huit flics qui n'étaient pas en service. Sur le plancher, en plein milieu de la pièce : une grosse malle au contenu nocif.

Assis : les malfrats et les flics, mélangés. Brown et Mesplède étaient debout derrière le bar. Ils sirotaient leurs Bloody Mary du petit déjeuner, accompagnés de branches de céleri. Mesplède avait fait passer des cigarettes françaises. La suite était envahie de tourbillons de fumée.

Brown hocha la tête – à vous la parole, Wayne.

– Des amphétamines, des hallucinogènes et du haschich. Vous distribuez ça aux mômes, en veillant bien à ce qu'il n'y ait pas de journalistes dans les parages au moment où vous le faites. Il y a aussi plein de pièces à conviction à placer aux bons endroits pour les incriminer. Dans cette malle, vous avez de quoi constater au moins cinquante délits de catégorie A. Chaque môme que vous allez piéger va vous en livrer deux douzaines de plus, et vous allez tous faire payer aux démocrates le fait qu'ils aient choisi votre ville pour faire leur cirque.

Quelques flics applaudirent. Quelques malfrats sifflèrent. Un flic passa un dossier à Mesplède et prononça les mots : « C'est là qu'ils sont. » Un malfrat obèse fit craquer ses jointures.

Brown se tapa sur les cuisses. Mesplède agita sa branche de céleri.

Travaux pratiques de chimie – Wayne se préparait un cocktail pour table de nuit. Du Nembutal et du Jack Daniel's – une dose garantie sans danger, parole de professionnel.

La chaleur du mélange atteignit son estomac où il resta bien tranquillement. Wayne s'étendit pour attendre le lever de rideau. C'était sa seizième prise soigneusement dosée depuis Vegas-Ouest.

Il s'arrêterait bientôt. Les composés qu'il avait préparés au lac Tahoe lui permettraient de tenir jusqu'à la fin de la semaine suivante. Il espaçait ses cures de sommeil, à présent. Les doses confectionnées à Tahoe lui assuraient une bonne vingtaine d'heures de sommeil. Il restait en contact avec Carlos et le groupe de Howard Hughes par téléphone, sur une ligne brouillée. Je récupère dans les bois. J'ai un disque coincé.

Ils acceptaient son explication. Ils attribuaient ses absences à la maladie. Dwight avait étouffé les suites possibles des deux meurtres. La rumeur finirait bien par filtrer au bout d'un certain temps. Deux bronzés morts de plus – personne n'y attacherait d'importance.

Le rideau commença à se lever. Il vit la femme noire habillée de noir alors que la lumière faiblissait.

22

Las Vegas, 26 août 1968

Freddy O. décrivait la *Gestalt* du Grapevine.

C'était un rade pour bouseux avec une ambiance rustique dans un décor riche en détails typiquement extrême droite. Affiches publicitaires lumineuses pour la bière Hamm. Des sapins floqués en polyester. Des photos de femmes à poil au-dessus des urinoirs. Des magazines d'armes empilés dans tous les coins. Des serviettes en papier ornées de caricatures racistes – Bamboula, ne reste pas là.

Dwight et Freddy flottaient sur des matelas pneumatiques dans la piscine du Golden Cavern. L'eau était aussi froide que dans un fjord. Ils avaient le grand bain pour eux seuls. Freddy expliquait la *Gestalt* des ragots.

Ils émanaient de six raclures : Brundage, Kling, DeJohn, Currie, Pierce, Luce. C'étaient des petits braqueurs et des dealers très portés sur le grabuge d'extrême droite. C'étaient des alcoolos finis et des drogués. Ils restaient entre eux. C'étaient eux qui fermaient le Grapevine chaque soir. Ils y restaient tard dans la nuit pour bavasser. Ils avaient les clés de l'établissement. Les propriétaires leur faisaient confiance, au point de leur laisser le soin de déposer dans le tiroir-caisse le montant de leurs consommations et de fermer la porte à clé quand ils partaient. Ils n'étaient *pas* ciblés par la surveillance de l'ATF. Ce qui était parfait. Leur assassinat collectif ne ferait pas l'objet d'une enquête de l'ATF.

Un serveur apporta un Cuba Libre à Freddy et un thé glacé à Dwight. Ils bavardaient tout en flottant dans la piscine. Freddy prétendait que c'était un boulot à faire à trois. Dwight disait : non, à quatre. Wayne connaît un mercenaire franco-corse. Ce type me paraît idéal. Embauchons-le.

Freddy acquiesça. Une blonde bien roulée passa furtivement près d'eux et fit diversion. Dwight s'enduisit d'une nouvelle couche d'huile solaire. Ils parlèrent du rendez-vous du 30. Wayne et le mercenaire seront là. On finalisera le plan.

Dwight déclara :

– Il faut éviter tout risque de bavure. On élimine ces six guignols et personne d'autre. Il est tard, ils sont seuls, ils parlent de leur agitation politique débile, et tout explose tout à coup.

Freddy enchaîna :

– Je suis d'accord. Les flics de Saint Louis arrivent, ils examinent la scène de crime, ils font des tests, et ils concluent : « Pas la peine de se creuser la tête. Tout est clair. »

Dwight dit :

– Il faudra qu'on tire des coups de feu audibles. Ce qu'il nous faut, c'est une fusillade nourrie que les voisins entendront et dont ils se souviendront. Nous ne pouvons pas utiliser de silencieux, parce que le tube laisse des fragments sur les balles.

– Je suis d'accord, dit Freddy. Ils ne sortent jamais sans leurs flingues, mais on n'aura pas le temps de les désarmer et de les tuer avec leurs propres pistolets. Il faudra qu'on apporte des armes dont la police pourra facilement retrouver la source, et cette source sera à Saint Louis.

– Bonne idée, fit Dwight, et ce sera ton boulot. C'est toi le gars du coin, dans cette affaire. Alors, tu vas cambrioler quelques armureries ou des boutiques de prêteurs sur gages, et voler des armes dont les enquêteurs pourront identifier la source. Et uniquement des revolvers, Freddy. Je ne veux pas d'automatiques qui s'enrayent au mauvais moment.

Freddy but une gorgée de son Cuba Libre.

– Je te suis. On les descend, on laisse sur place les flingues avec lesquels ils sont censés s'être entretués, on rafle ceux qu'ils portent sur eux, et on bouge les cadavres pour qu'ils se trouvent aux bons endroits par rapport aux flaques de sang. Cette partie-là de l'opération est claire comme de l'eau de roche.

Dwight but une gorgée de son thé glacé.

– On entre et on ressort en moins de quatre minutes. Tu disais qu'ils font toujours brailler le juke-box, c'est ça ?

– Exact. La pire musique de péquenauds de l'Oklahoma, et fort.

– Parfait. Ça couvre partiellement les coups de feu, et les voisins ont l'habitude d'entendre du raffut. En repartant, on monte le son, ce qui augmente les chances qu'un type du coin appelle la police pour se plaindre du bruit, et que des crétins de flic qui font une ronde en voiture se déplacent et découvrent les cadavres.

Freddy dérivait et se retrouva sous le plongeoir.

– Il nous manque encore un détail clé.

– De la cocaïne, proposa Dwight. Ils ont sniffé de la came pure, et ils ont disjoncté juste après. On en laisse quelques lignes sur le comptoir. On demande à Wayne de nous en préparer un peu en solution injectable. On se procure des aiguilles ultrafines pour l'insuline, et on les shoote à la cocaïne post mortem. On peut les piquer entre les orteils, et les marques seront trop discrètes pour qu'on les remarque à l'autopsie.

Freddy résuma :

– Le lieu est restreint et bien délimité. L'affaire est facile à étiqueter « meurtres multiples entre individus appartenant à la racaille blanche », et le dossier est classé en douze heures maximum.

Dwight hocha la tête.

– On rendra le scénario convaincant. Et ne t'inquiète pas au sujet de Wayne, on peut compter sur lui.

Freddy s'esclaffa.

– Il nous inquiète, mais c'est un vrai tueur.

Dwight s'esclaffa.

– On a simplement de la chance que ces salopards soient blancs.

Un serveur apporta un téléphone dont le voyant lumineux clignotait. Freddy sortit de la piscine et se battit avec le fil et le combiné. Dwight ferma les yeux et occulta le soleil.

Freddy annonça :

– C'est pour toi. Ton gars Bowen est en détention à Chicago.

23

Chicago, 26 août 1968

Le Français glissa à Crutch un biscuit au haschich. Leur chauffeur était un flic *en service*. Le tour du Chicago des émeutes promettait des réjouissances sans précédent.

L'idée était de Mesplède. Il avait croisé Crutch dans le hall de l'hôtel. Crutch était partant. Bowen était en taule. Buzz tenait le poste d'écoute. Observer l'Histoire ? Bien sûr.

Mesplède lui dit de rester à l'écart de Wayne Tedrow – « Tu devrais être mort, mon ami. » Crutch acquiesça. Mesplède lui répéta : Il se peut que je fasse appel à toi, un de ces jours, pour obtenir des infos compromettantes sur Wayne. Crutch *ré*-acquiesça. L'Histoire ne cessait pas de retrouver sa trace : d'abord, Miami, et maintenant, *Ça*.

Les garçons aux drapeaux rouges. Les filles sans soutien-gorge. Les flics avec leurs mégots de cigares. Les jeunes beautés qui lançaient des bouquets aux soldats de la garde nationale.

Le flic au volant avalait des rasades d'Old Crow. Sa voiture était climatisée. Ses occupants jouissaient du spectacle de la rue sans subir la chaleur de la nuit.

Les bagarres de rue. Les lancers de pierres et les coups de matraque. Les chevelus tout sanguinolents. Le môme avec un œil en moins. Celui qui retenait dans sa main ses dents brisées.

Mesplède dit :

– Je veux bien concéder que la guerre est impopulaire. Je veux bien concéder qu'elle est interminable, mais je continuerai à affirmer qu'elle est absolument nécessaire.

Crutch regarda par la fenêtre. Un hippie lui fit un doigt. Une hippie lui montra ses nibards.

Mesplède demanda :

– Donald, tu crois qu'il faille libérer Cuba ?

– Oui, Patron, je le crois.

– Crois-tu que la perfidie de la Baie des Cochons mérite une riposte soutenue ?

– Oui, Patron, je le crois.

– Crois-tu qu'il faille renverser Fidel Castro, et que les membres de la cinquième colonne qui ont soutenu son régime doivent subir les peines les plus sévères ?

– Vous savez bien, Patron, que c'est mon opinion.

Le flic au volant avait apporté un poste de radio. Mesplède passa le bras par-dessus le siège et enfonça le bouton Marche/Arrêt. Le flic tripota le sélecteur et trouva une station de musique country. Un ténor péquenaud chantait : « J'aime les drapeaux et l'alcool de grain. Les pacifistes et la marijuana, très peu pour moi. »

Mesplède fit la grimace et tourna le sélecteur. Du jazz discordant – aaah, *oui*. Crutch fit la grimace. On aurait dit une symphonie pour boîtes de vitesses aux pignons usés. Le biscuit au haschich lui martelait le crâne. Au dehors, les couleurs changeaient. Des spirales bariolées et des images dédoublées apparaissaient.

Le flic au volant emprunta une rue latérale. L'agitation de la rue principale disparut. Des petites maisons basses, construites sur un seul niveau. Toutes sombres et endormies.

Mesplède éteignit la radio. Le flic au volant se gara le long du trottoir et coupa le moteur. Crutch voyait le moindre objet en double ou en triple. Mesplède descendit de voiture et fit signe à Crutch de le suivre. Crutch sortit à son tour et testa le trottoir. Les doubles et les triples reprirent leur aspect unique. Le trottoir raffermit ses membres ramollis.

Il suivit Mesplède. Ils s'approchèrent de la porte d'une petite baraque moisie. Mesplède força la serrure. Crutch admira sa prouesse – deux petites secousses à l'aide d'un crochet numéro 4.

Ils entrèrent dans la maison. Obscurité totale. Le bruit de la climatisation masquait celui de leurs pas. Dans sa tête, Crutch pensa aussitôt : des FEMMES.

Il suivit Mesplède. Le bourdonnement de la clim augmenta. Ils s'arrêtèrent sur le seuil d'une chambre. Mesplède actionna un interrupteur. La lumière révéla deux latinos endormis dans des lits jumeaux.

Ils remuèrent un peu. L'un des deux types grogna. Mesplède dit :

– Des communistes, des traîtres à la cause cubaine. S'il te plaît, tue-les pour moi.

Le grincement des boîtes de vitesses usées enfla dans sa tête. Les couleurs bavèrent et reprirent leur place. Crutch sentit un objet froid dans sa main. Crutch vit les latinos entourés de spirales en double et en triple.

Le second latino grogna. Les deux latinos ouvrirent les yeux et regardèrent l'encadrement de la porte. Les deux latinos fouillèrent dans leurs tables de nuit.

Crutch leva son pistolet et visa. Il fit feu les yeux fermés. Le chargeur de l'automatique se vida tout seul. Il arrosa les lits. Il entendit le halètement sourd du silencieux. Les yeux toujours fermés, il capta l'odeur du sang. Il rouvrit les yeux et vit deux hommes qui n'avaient plus de visage et qui essayaient de hurler.

24

Chicago, 27 août 1968

La taule était pleine à craquer. Les radicaux et les hippies occupaient toute la place disponible dans le bloc cellulaire. D'habitude, la prison ne comptait que des détenus noirs. L'émeute avait chamboulé les pourcentages par races.

Un gardien emmena Dwight à l'autre bout de la passerelle. Il suscita une foule de poings levés et de « Mort aux flics ! » La salle d'interrogatoire se trouvait dans un couloir perpendiculaire, deuxième porte après l'intersection. Marshall Bowen l'attendait.

Pas mal. En bonne condition physique. L'air réfléchi. Un bon pseudo-fauteur de troubles.

Le gardien les laissa seuls. Dwight lança un paquet de cigarettes sur la table. Bowen secoua la tête et fit glisser sa chaise en arrière.

Dwight fit pivoter la chaise libre d'un demi-tour et s'y installa à califourchon. La manœuvre eut l'effet contraire à celui qu'il espérait. Bowen rapprocha sa chaise de la table.

– Vous n'êtes pas avocat. Vous êtes policier.

Dwight alluma une cigarette.

– Je suis les deux.

– FBI ?

– Exact. Je m'appelle Dwight Holly, à propos.

Bowen s'inclina en une parodie d'humilité.

– Vous travaillez à l'agence de Chicago ?

– Non. Je suis agent de terrain, au plan national.

– Et vous vous inquiétez du fait qu'un policier de Los Angeles ait été sévèrement tabassé sans raison valable ?

Dwight sourit.

– Je ne constate aucune blessure visible. « Sévèrement » est une exagération, et vous le savez. Vous savez aussi que vous ne pouvez pas attaquer en justice la police de Chicago et obtenir gain de cause.

Et si vous décidez de le faire, c'est votre réputation au sein du LAPD que vous allez *sévèrement* compromettre.

Bowen sourit.

– Le responsable du bloc cellulaire a vu mon insigne. Si les émeutes n'avaient pas envenimé la situation, je serais déjà ressorti.

Dwight jeta un sac de marijuana sur la table.

– Et ça, il l'a vu, le responsable du bloc ?

Bowen serra les poings. Bowen eut un petit sourire narquois qui signifiait : *J'ai compris*. Sa réaction fut tout sauf superficielle.

– C'est une menace. Cela veut dire que vous avez une offre à me proposer.

Dwight éteignit sa cigarette.

– Clyde Duber vous passe le bonjour.

– Donc, c'est une mission d'infiltration ?

Dwight secoua la tête.

– Répondez à quelques questions.

– D'accord.

– Dites-moi quelle est votre réaction aux émeutes.

– Un sentiment de malaise. Personnellement, sur le plan politique, je me sens plus qu'offensé.

– Et les injustices dont ont souffert les populations noires dans ce pays ? Pouvez-vous me dire ce que vous en pensez ?

– Je ne pense pas beaucoup aux populations noires. Vous, si ?

– J'y pense beaucoup plus que je ne devrais.

Bowen rit.

– Et pourquoi ça ?

Dwight secoua la tête.

– À cause du militantisme noir. Vous avez bien une opinion sur ce sujet ?

Bowen haussa les épaules.

– Il est compréhensible, il est légalement sinon historiquement justifié, il est louable quoique de façon ambiguë, et il procure des débouchés à des idéologues douteux et des spécialistes des entreprises criminelles.

Dwight s'inclina.

– Pourquoi êtes-vous entré dans la police ?

– Pour les émotions fortes.

– Et vous trouvez ça excitant, la police de proximité dans le district de Wilshire Boulevard ?

– Je m'y ennuie un peu.

– Qui haïssez-vous le plus ? Les flics blancs comme moi qui vous mènent la vie dure, ou les bons à rien de nègres qui constituent la majeure partie de votre communauté, et auxquels vous vous êtes toujours senti infiniment supérieur ?

– Ça se vaut.

Dwight empoigna deux lattes du dossier de sa chaise et les brisa net. Bowen ne cilla pas.

– Je veux vous extraire de la police. Je veux échafauder un scénario qui provoquera votre expulsion du LAPD et vous faire rejoindre les rangs de l'Alliance des Tribus Noires et/ou ceux du Front de Libération des Mau-Mau, afin d'y créer des dissensions d'ordre politique et criminel. Votre obligation sera de remplir cette mission, sous mes ordres, aussi longtemps que je le souhaiterai. À la fin de cette mission, vous aurez le choix : intégrer le FBI à un salaire de quatre mille dollars, ou retourner au LAPD avec le grade de sergent, traitement en conséquence à effet rétroactif, et recommandation maximale pour une promotion au grade de lieutenant. Une femme quaker d'une grande sagesse m'a dit un jour : « Prends bien garde au but que tu poursuis, car il te poursuit aussi. » Si vous recherchez les sensations fortes, ce boulot vous en fournira autant que vous pourrez en encaisser.

Bowen dit :

– J'accepte.

Puis il cligna des yeux, se tortilla sur sa chaise, et se recroquevilla.

25

Chicago, 28 août 1968

Capharnaüm à O'Hare. Des foules de voyageurs à l'arrivée, des foules de voyageurs au départ, circulation intense vers la ville, circulation intense vers l'aéroport. Les terminaux avaient des allures de camps de réfugiés. Les files d'attente à l'enregistrement et les files d'attente à la récupération des bagages semblaient devoir durer la journée entière. Les crises de nerfs proliféraient. Les épithètes volaient. De petites bousculades dégénéraient en pugilats.

Les vendeurs de journaux ne se plaignaient pas. Tout le monde lisait le *Chicago Tribune*. Regardez l'émeute du Lincoln Park. Voyez un peu celle qui se prépare à Grant Park. Les photos de presse avaient figé des bouches qui s'apprêtaient à hurler.

Wayne lisait le *Trib*. Des reporters et des prêtres de gauche se cognaient à lui. Ils étaient camarades de file d'attente aux bagages. Ils venaient de passer deux heures ensemble. Parlons des violences – nous sommes ici pour neuf heures de plus.

Le *Trib*, page 6 : « Des radicaux arrêtés en possession de plans de bombes. On parle d'inculpations pour sédition. »

Wayne roula le journal en boule et le jeta. Une religieuse goudou arborant une colombe de la paix sur son badge le foudroya du regard. Il était éreinté. La réunion du Golden Cavern avait lieu dans deux jours. L'opération du Grapevine semblait imminente.

Des taxis déchargeaient des voyageurs en partance et raflaient la viande qui rentrait au bercail. Wayne regarda autour de lui. Ce môme, là-bas, lui rappelait quelqu'un – le nœud pap ridicule et la coupe en brosse.

Wayne le reconnut. Le jeune qui l'avait filé à Miami, l'air décavé, à présent. Wayne avait demandé à Mesplède de l'éliminer.

Il ne vit pas Wayne. La religieuse goudou devint agressive. Elle fit signe à deux bonnes sœurs noires de passer devant lui.

Wayne laissa faire.

26

Las Vegas, 29 août 1968

Les doigts dégoulinant de sueur. Les fils qui n'arrêtent pas de glisser et de manquer les trous. C'est dire à quel point ses mains le trahissaient. C'est dire à quel point son cerveau était cuit.

Fred Turentine dit :

– Tu as la tremblote, petit.

Crutch tenta de se reconcentrer. Pose de micros : suite 307 au Golden Cavern Hotel. Le rendez-vous Otash/Tedrow était pour demain. C'était leur dernière mission de surveillance.

Il enfonça les fils dans le pied de lampe et les pinça. L'outil lui échappa des mains. La lampe bascula et faillit tomber. Fred T. fit :

– Doucement, petit !

Il avait tué deux hommes. Il ne s'en était pas encore vraiment remis. Le Français était retourné à Miami, à présent. Il n'arrêtait pas de l'appeler. Le téléphone sonnait continuellement. Les latinos morts étaient des communistes et des traîtres à la cause cubaine. Ils avaient assassiné des gens et lui les avait tués et cet aspect-là des choses ne le gênait pas. Ce qui le rongeait, c'était de repasser la scène dans sa tête. Il était défoncé, au moment des faits. La rediffusion était en Vista Vision et en Cinérama. Son univers était dédoublé. Les images repassaient deux fois plus nettes et deux fois moins vite.

Fred repéra un fil qui pendait et le refixa. Crutch fourrageait dans la boîte à outils.

Il ne dormait plus. Il n'arrivait plus à penser à Son Enquête. Il regardait sans cesse les photos de Joan.

27

Los Angeles, 29 août 1968

Le ventilateur du plafond faisait onduler les draps. L'air frais leur donnait la chair de poule. Dwight sentit une contraction. Il comprit pourquoi – Eleanora venait de donner un coup de pied.

Karen dit :

– Je devrais être à Chicago. Je ne devrais pas me trouver ici dans un lit pliant, dans un local loué par le FBI.

Elle était plus ample, à présent, ses mamelons plus gros. Les os de ses hanches avaient disparu.

– Ce n'était pas beau à voir. Je suis content que tu n'y sois pas allée.

– Machin-Chose était à Lincoln Park. D'après lui, ce fut un « massacre ».

Dwight prit ses cigarettes. Karen parut tentée. Dwight les reposa.

– Ne me rends pas jaloux, ou je vais le faire inculper de sédition.

Karen s'esclaffa.

– Les événements t'ont-ils semblé inévitables ?

– Si tu veux dire : préordonnés et acceptés par les deux parties, alors oui.

– Tu es très croyant, tu sais. Tu comprends ta responsabilité personnelle envers Dieu, mais tu es peu rigoureux et même franchement négligent en ce qui concerne ta pratique séculière.

Dwight sourit.

– Je m'en remets à toi pour ce genre de perception. Et je t'ai citée en parlant avec un homme à Chicago, il y a deux jours.

– De quelle façon m'as-tu décrite ?

– Comme une femme d'une grande sagesse.

– Et pas comme un monstre de duplicité et de compromission dans sa vie affective ?

– Nous ne sommes pas allés si loin.

Karen posa un baiser sur son épaule.
– As-tu trouvé ton infiltrateur ?
– Oui.
– Alors, il y a quelque chose qui ne va pas.
– Pourquoi dis-tu ça ?
– Tu es tendu, mais tu t'efforces de ne pas le paraître. Tu fais toujours des petits trucs avec tes mains quand tu essaies de me convaincre que tout va bien.
Dwight plia les doigts. Sa chevalière de la fac de droit se baladait sur sa phalange. Il sautait des repas et tenait grâce au café.
– C'est vrai, tu as raison.
– Il s'agit d'un forfait que tu as commis, ou d'un autre que tu projettes ?
Dwight braqua sur Karen le regard qui voulait dire : secret total sur le sujet. Elle roula sur le dos et posa les mains sur la proéminence qui était Eleanora.
– J'ai mon infiltrateur. Il est brillant, mais c'est tout ce que je peux te dire pour le moment.
– Très bien. Et maintenant, tu as besoin d'une informatrice.
– Oui. Et tu connais cette femme qui s'appelle Joan.
Karen s'étira.
– Il va falloir que je me renseigne. Je ne la connais pas personnellement. J'ai besoin que quelqu'un la trouve pour moi.
Il sentit une pulsation sous ses doigts. Douce – comme si Eleanora bougeait plus qu'elle ne donnait un coup de pied.
Karen tendit la main vers les cigarettes de Dwight. Celui-ci rafla le paquet et le jeta sur le plancher. Karen rit, ce qui fit remuer son ventre. C'est *alors* que Eleanora donna un coup de pied.
Dwight demanda :
– Tu m'aimes ?
Karen répondit :
– Je vais y réfléchir.

28

Las Vegas, 29 août 1968

C'était elle. Il savait que ce serait elle. Il s'était procuré la photo uniquement pour la revoir.

C'était une photo du SIPC du Nevada. Mary Beth Hazzard posait pour le portrait destiné à son permis de conduire. Elle était née le 4 juin 1924. Elle avait dix ans, un mois et quatorze jours de plus que lui.

Wayne était assis dans sa voiture, devant les bureaux du SIPC. Il avait soudoyé un employé pour obtenir une photocopie du dossier de cette femme. Permis délivré le 4 juin 40. Pas d'infraction au code de la route. « Doit porter des verres correcteurs pour conduire. »

Il avait lu l'article dans le journal. Il l'avait vue aux obsèques. La Veuve Hazzard. Le fils disparu. J'ai tué votre mari...

Elle dirigeait le syndicat des personnels hôteliers. Leur syndicat était en conflit avec le Groupe des propriétaires d'hôtels. Au cœur du problème : la ségrégation. Dracula possédait une vingtaine d'hôtels visés par le syndicat. Des piquets de grève étaient en place devant une douzaine d'établissements. La police de Las Vegas surveillait cela de près.

Wayne regardait la photo. Il ne pouvait en détacher les yeux. Il aimait la forme de son visage et la vague de ses cheveux.

29

Las Vegas, 30 août 1968

Les branchements fonctionnaient. Le câblage entre la 307 et la 308 tenait bon. La veille, Crutch avait percé un petit judas dans le mur. Accès au son et à l'image, confirmé.

La console faisait face au mur mitoyen. Crutch s'installa, les écouteurs sur les oreilles. Fred T. était reparti à L.A. Il faisait cette mission en solo.

Le Français l'avait appelé la veille au soir. Leur conversation l'avait rasséréné. Fuentes et Arredondo étaient des voyous et des communistes dans l'âme. La police de Chicago allait écourter son enquête. Le Français le félicita pour son courage et lui décrivit un projet qu'il élaborait.

Des missions de sabotage. Des sauts jusqu'à Cuba avec des lance-flammes et de l'explosif C4. Des raids contre les camps des milices de Castro. Des missions pour larguer des prospectus de propagande. Un trafic d'héroïne pour financer l'opération.

Le Français lui expliqua les méfaits de Fuentes et Arredondo. C'étaient des poux communistes nichés dans la barbe de cette *Pute* de Castro. Crutch commençait à s'emballer pour ce massacre de cocos. Il alla chez une couturière et se fit broder des petits chiffres « 2 » sur son nœud pap écossais.

La porte du 308 s'ouvrit. Déclic/bruit sourd – c'est ça. Crutch colla son œil au judas. À l'heure pile : Fred Otash et Wayne Tedrow.

Ils s'assirent. Ils bavardèrent. Ils s'étaient installés loin de la lampe équipée de micros. Leurs voix lui parvenaient faiblement.

Déclic/bruit sourd – la porte de nouveau. Cette fois : un homme, grand, en costume gris. Crutch entendit des voix déformées et lut sur les lèvres. Fred O. et Wayne appelaient l'homme « Dwight ».

Le fil du casque était tendu entre la console et le judas. Crutch approcha une chaise et prit ses marques. Ne pas oublier : remettre du mastic sur le trou du judas demain.

La sonnette retentit. Fred O. alla ouvrir. *Sacré Frenchie* – c'est Jean-Philippe Mesplède.

Confluence. Le mot de Clyde Duber. C'est qui tu connais et qui tu suces et de quelle façon ils sont tous liés les uns aux autres.

Wayne présenta Fred O. au Français. Ils crachotèrent quelques propos parsemés de parasites. Fred O. présenta « Dwight » au Français et lâcha son nom de famille : « Holly ».

Confluence. Dwight Holly connaissait Clyde. Dwight Holly avait demandé à Clyde de faire suivre Marsh Bowen à Chicago.

Crutch était dans le bain. Ses écouteurs tenaient bien en place, le judas se trouvait à la hauteur de son œil. Les occupants de la 308 approchèrent des fauteuils de la lampe et de son micro. Fred O. fit un saut jusqu'au bar et en revint avec des whisky-sodas et des chips. Dwight refusa le verre qu'on lui tendait. Les autres levèrent le coude. Crutch eut une intuition : tout ça n'avait aucun rapport avec Son Enquête.

Note bien l'heure : 15 h 38. Démarre l'enregistrement sur le vif.

Les types prirent leurs aises. Des bouts de phrases se chevauchèrent. Dwight et le Français allumèrent des cigarettes. Fred O. paraissait empâté et de bonne humeur. Il avait retrouvé sa corpulence habituelle. Wayne semblait exténué et trop maigre.

Fred O. dit : « Passons aux choses sérieuses » d'une voix parfaitement audible dans les écouteurs de Crutch.

Dwight Holly déclara :

– Il y aura six hommes. Ils restent toujours après l'heure de la fermeture. C'est toujours eux et eux seulement, et je ne pense pas qu'ils changeront leurs habitudes le soir où on ira.

– Quand ? demanda Wayne.

Fred O. répondit :

– De mon côté, tout est prêt. J'ai les flingues qu'on laissera comme pièces à conviction, Dwight a la came. Je pense qu'on peut entrer et ressortir en cinq minutes.

– Quatre, fit Dwight Holly. Ce sera facile de les descendre. Ils seront surpris, et ils seront bourrés. Tout le problème, c'est de maquiller la scène de crime pour les services de l'identité. La police de Saint Louis a un labo merdique, mais je tiens quand même à ce que les trajectoires et les flaques de sang provenant des blessures soient crédibles.

Crutch commença à transpirer. Ses écouteurs s'humidifièrent et produisirent des craquements et des sifflements. « Six hommes », « les flingues qu'on laissera comme pièces à conviction », « les flaques de sang provenant des blessures » –

Mesplède dit :

– *Grapevine*, c'est un américanisme, n'est-ce pas ? Cela signifie : une source d'information. Donc, il s'agit d'une expression idiomatique. Et par conséquent cela devient le nom d'un lieu de rendez-vous pour truands.

Fred O. s'esclaffa. Dwight aussi. Wayne fit la grimace. Crutch saisit avec un temps de retard.

Le 20 juin. CETTE FAMEUSE NUIT. Des fragments de conversation – grapevine/Tommy/taupe – Joan et Gretchen/Celia.

Les écouteurs *s'emplissaient* de sueur. Crutch les arracha de ses oreilles, les essuya et les remit. Il entendit des allers-retours de voix déformées, de bruit de fond, de bips, de pops, de sifflements provenant de la ligne. Sa transpiration avait court-circuité la liaison. *Merde.*

Encore des bips et des sifflements. Des bruits de mastication – Fred O. et le Français se goinfraient de chips. Crutch ôta ses écouteurs, les secoua pour les sécher, les remit. Il se plaqua contre le judas. Il plissa les paupières. Il tenta de lire sur les lèvres, d'interpréter les gestes, et de les synchroniser avec le bruit de fond. Il capta des sons suraigus, des crépitements, il capta des mots çà et là dans le brouhaha.

Il entendit « Memphis ». Il vit Wayne tressaillir. Il entendit « bouc émissaire », « King », « Ray ». Dwight Holly et Wayne échangèrent des regards embarrassés. Il entendit des bruits de mâchoire. Il plissa davantage les paupières. Il respira plus fort. Il couvrit de buée la lentille du judas. Il perdit une minute entière brouillée par les bip-bip-bips.

Il entendit « Témoin ».

Il entendit « Grapevine » de nouveau.

IL COMMENÇAIT À COMPRENDRE.

Fred O. s'était lancé dans un monologue. Sa voix de baryton franchissait la barrière du bruit de fond. Crutch entendit « Sirhan ». Crutch entendit « Bobby K. ». Fred O. mima une fusillade – pan ! pan ! t'es mort. Wayne et Dwight H. échangèrent un regard *très* embarrassé.

IL COMPRIT ENCORE PLUS DE CHOSES. Sa vessie faillit éclater. Il se retint, se contracta, évita la catastrophe.

Le judas était embué. La ligne d'écoute était brouillée. Des saloperies de bruits de mâchoire broyant des chips pourrissaient encore plus la transmission. Crutch ôta ses écouteurs, les secoua et les remit. Crutch cracha sur l'œilleton du judas et l'essuya avec sa chemise.

Il vit plus clair. Il entendit mieux. Il vit remuer les lèvres du Français. Il entendit un charabia incohérent et puis « Dallas ». Il entendit une salade de mots français, et puis « Cuba », « Vengeance ».

Le son disparut complètement. Crutch secoua la tête. Les écouteurs se turent puis la ligne retransmit de nouveau ce que captait le micro. Il entendit des *chhh*, des *crac*, des *pop*, des *bizz*, des *pop*, des *buzz*, des *bips*. Il entendit « *Cette grande pute de John Kennedy* ». Il vit Jean-Philippe Mesplède prendre la pose du tireur d'élite.

Et il pissa dans son froc.

Et il chia dans son froc.

Et il vomit et s'étrangla.

Il arracha son casque. Il se rua sur la console, tira sur le fil du micro, et arracha le mastic du mur. Il perça un petit orifice, débarrassé du fil électrique, qui donnait directement dans la suite 308. Le mastic retomba entièrement de son côté. Il plissa les paupières puis colla son oreille contre le trou – Dieu, s'il te plaît, s'il te plaît, s'il te plaît.

La réunion était terminée. Les hommes se tenaient près de la porte. Dwight Holly dit :

– Une dernière chose.

Les autres hochèrent la tête.

Dwight Holly déclara :

– On ne tue pas de femmes. S'il y a des femmes là-bas, on se retire.

Fred O. acquiesça à contrecœur. Mesplède leva les yeux au ciel. Wayne Tedrow serra le poignet de Dwight Holly.

30

Saint Louis, 3 septembre 1968

Les armes à laisser sur place – c'est prêt. Les aiguilles pour insuline – c'est prêt. La cocaïne en solution – c'est prêt. Un dernier coup d'œil aux photos anthropométriques pour mémoriser les visages.

Brundage, Currie, Pierce. Kling, DeJohn, Luce.

Ils étaient tous dans le bar. Ils étaient tous armés. Ils étaient tous bourrés. Ils étaient arrivés entre 22 h 41 et 0 h 49. Dwight tenait le rôle de l'homme dans la place et les observait. Il avait engagé la conversation avec Pierce pour préparer le terrain. Je suis responsable des ventes chez Schenley. Je m'occupe des livraisons. Parfois, elles se font tard dans la soirée.

Il était 3 h 10 à présent. Ils étaient toujours là. Otash avait pris la veille une empreinte à la cire de la serrure de la porte de derrière. L'entrée ne poserait pas de problème. Le livreur de chez Schenley et ses copains qui apportaient des cartons de gnôle. Hé, Tommy Pierce – ça faisait un bail.

Ils se garèrent derrière le Grapevine. Ils portaient des jeans et des coupe-vent façon tenue de camouflage – l'équipement standard du chasseur de l'Oklahoma. Ils portaient quatre cartons d'alcool marqués « Schenley ».

Dwight avait un .45 à canon compensé, Wayne un .38 à canon court. Otash avait un Colt Python, Mesplède un .32 à canon long.

Leur véhicule était une camionnette volée. Fauchée par Mesplède. Ils avaient mis des gants pour faire le trajet. Dwight se sentait calme. Otash et Mesplède paraissaient calmes. Wayne avait l'air *trop* calme – Dwight se dit qu'il devait mijoter quelque chose.

De la musique à l'intérieur – genre bal rural avec glapissements. Un violon country couinait dans les aigus.

Dwight tapota sa montre. Ils sortirent de la camionnette. Mesplède se pencha à l'arrière du véhicule et distribua les cartons. Otash s'approcha du bar, déverrouilla la porte de derrière et la laissa entrouverte. L'éclairage de la remise était allumé. Dwight vit des conserves sur une étagère. Les accords haut perchés du crin-crin leur agressaient les tympans.

Dwight tapota sa montre – *maintenant.*

Ils sortirent leurs pistolets pour les tenir sous les cartons. Ils avancèrent d'un pas lourd et bruyant en poussant des grognements virils et ils entrèrent avec nonchalance.

La réserve communiquait avec la taverne proprement dite. Le martèlement de leurs godillots et leur façon macho de bougonner avaient annoncé leur arrivée. Les six salopards étaient assis sur des canapés de cuir défoncés. Ils se faisaient face. Une table basse en planches était posée entre les deux sièges. Elle était couverte de bouteilles, de verres, de restes de bouffe.

Dwight lança :

– Hé, salut Tommy !

Les têtes se tournèrent vers lui. Dwight les compta et en trouva sept, pas six.

Un homme en plus. Une quarantaine d'années, des cheveux bouclés. Un intrus/désolé, mon vieux/c'est trop tard.

Les regards s'échangèrent vite. Tommy Pierce rassura les autres – pas de problème. Dwight s'approcha, soufflant, ahanant. Otash, Mesplède et Wayne étaient massés derrière lui. C'était une approche groupée, du côté gauche, pour assurer des impacts frontaux. *Ces sept crétins restaient assis là sans bouger.* Dwight lâcha la phrase qui devait servir de signal :

– Ouais, je sais qu'il est tard.

À la dernière syllabe...

Ils laissèrent tomber les cartons. Ils visèrent et firent feu. Ils vidèrent leurs armes sur leurs cibles attribuées à l'avance, les touchant au cou et au visage. *Ces crétins ne bougèrent pas de leurs sièges.* Les tirs les épinglèrent sans bavure. Ils tombèrent en avant, sursautèrent, rebondirent, et restèrent sur leurs canapés.

Le bruit fut un vacarme de détonations superposées et d'échos. La cordite empestait l'atmosphère et la fumée sortie des canons était épaisse. La musique devint inaudible. Le sang jaillit de leurs dos et se répandit sur les canapés en un flot continu.

Gargouillis, rots, toux issues de blessures à la gorge, frémissements et derniers soupirs. Sept hommes morts dans un même soubresaut circulaire.

Dwight tapota sa montre – *vite*.

Ils enfilèrent des gants en caoutchouc.

Ils ôtèrent aux cadavres les armes qu'ils cachaient à leur ceinture et les rangèrent dans des sacs en papier. Dwight examina le septième homme. Il n'était pas armé. Dwight fouilla son portefeuille. Quatorze dollars et un permis de conduire délivré à New York : Thomas Frank Narduno, presque 46 ans.

Il remit le portefeuille en place. Wayne sortit la cocaïne en solution et les seringues. Du sang s'écoulait sur le plancher. Ils gardaient tous les yeux baissés pour éviter soigneusement les flaques.

Dwight renversa la table. L'alcool et les restes de nourriture se mélangèrent aux flaques.

Otash arrangea les corps : trois sur le plancher, quatre sur les canapés

Mesplède disposa les armes pour la mise en scène : trois dans leurs mains, trois près des cadavres.

Les flaques de sang s'étalaient. Ils regardaient toujours où ils posaient les pieds pour rester largement à l'écart.

Dwight leur ôta leurs chaussures et leurs chaussettes.

Wayne leur fit des injections entre les orteils puis épongea les gouttes de sang avec un coton.

Otash leur remit leurs chaussettes. Mesplède relaça leurs chaussures.

Le crin-crin hurlait et grinçait. Les murs avaient absorbé le bruit des détonations – Dwight le savait.

Ils se reculèrent *loiiin* des flaques de sang. Dwight cadra la scène. Les ressorts de canapé qui dépassaient. Kling et son doigt en moins. De la gnôle, de la cocaïne, une engueulade au sein du groupe. Les dentiers que Pierce avait recrachés en mourant. Les lunettes brisées de DeJohn.

Dwight tapota sa montre – *on s'en va*. Wayne le regarda. Dwight ne détecta rien dans son expression.

Otash sourit jusqu'aux oreilles. Wayne versa de la cocaïne sur le comptoir.

Mesplède rafla quelques chips que les jets de sang avaient épargnées.

31

Las Vegas, 6 septembre 1968

Il faut faire comme s'il était *transparent*. Cela phagocyte le choc et dévie la titillation. Cela détourne la folie. C'était sa sixième rencontre face à face avec Dracula. Wayne venait de découvrir l'astuce.

– C'est un plaisir de vous voir, monsieur.

Drac déclara :

– Humphrey est très loin derrière dans les sondages. Les hippies et les yippies ont causé sa perte.

Farlan Brown toussa.

– Wayne et moi étions sur place, monsieur. Nous leur avons donné un sacré coup de pouce.

L'astuce fonctionnait avec Drac lui-même. Les détails du château Drac restaient. Les boutons de portes enveloppés par des préservatifs, les boîtes de Kleenex empilées, la poitrine de Jane Russell en photo sur les murs.

Drac dit :

– Parlons du mois de novembre. Chaque étape de la campagne de Humphrey doit être un Chicago en miniature. Puis-je avoir votre garantie, monsieur Tedrow ?

– J'essaierai, monsieur.

Brown toussa.

– Wayne est trop modeste, monsieur. Quand il répond : « J'essaierai », il veut dire : « Je réussirai. »

Drac dit :

– Ne toussez plus, monsieur Brown. Vous créez un environnement insalubre. Si vous toussez de nouveau, je vous licencierai et je rachèterai votre contrat à raison de cinq cents pour un dollar.

Brown se leva et quitta la pièce, en agitant un mouchoir. Wayne regarda à travers Drac. De nouveaux détails : des assiettes couvertes de restes de nourriture. Des cafards éparpillés sur des croûtes de pizza.

– Vous avez maigri, monsieur Tedrow. Avez-vous été malade ?

– J'ai subi une importante opération de chirurgie dentaire, monsieur. Cela fait trois semaines que je n'absorbe plus de nourriture solide.

– Cette opération a-t-elle été exécutée dans les meilleures conditions d'hygiène ?

– Oui, monsieur.

– Quel âge avez-vous ?

– J'ai 34 ans, monsieur.

– Et moi, 61, ou 62, ou 63. J'ai subi des blessures à la tête lors de mes nombreux accidents d'avion, et j'ai perdu une partie de mes souvenirs.

Wayne sourit.

– Vous êtes né en 1907, monsieur. Vous avez 61 ans.

Drac toussa.

– Vous vous êtes renseigné sur mon compte dans l'*Almanach du Fermier* ?

– Dans l'*Encyclopedia Britannica*, monsieur.

– L'article précisait-il combien de femmes j'ai sautées ?

– Il passait ce détail sous silence, monsieur.

– J'ai baisé un nombre incalculable de femmes. Ava Gardner m'a transmis à la fois la syphilis tertiaire et la peste bubonique. Entre mes blessures à la tête et ces autres maladies, je souffre de douleurs permanentes. C'est pourquoi je suis heureux de bénéficier de vos talents de chimiste.

Wayne simula un sourire radieux.

– Je suis ravi que vous soyez satisfait, monsieur.

– Reprenez du poids, cependant. Cela me chagrine de voir un homme jeune à ce point émacié.

– Je reprends des nourritures solides à partir de demain.

– Bien.

Wayne se pencha et *scruta* Drac. Son regard voilé et les cicatrices de chancres le choquèrent, cette fois.

– Monsieur Hughes, puis-je vous demander une faveur ?

– Oui. J'en accorde rarement, mais je vous permets d'exprimer votre requête.

– Monsieur, j'aimerais réintégrer les membres du syndicat des personnels hôteliers dans tous vos établissements de Las Vegas. Je souhaiterais également que vous fassiez savoir, sans ménagement, au Conseil des propriétaires d'hôtels qu'il ferait bien de renoncer à la ségrégation qu'il applique depuis longtemps, de façon implicite, lorsqu'il recrute des employés.

De nouveaux détails : des tremblements et des gerbes de salive sèche.

– Avec quel degré de fermeté formulez-vous cette demande ?

– C'est une demande polie, monsieur.

– Est-ce un ultimatum ?

– Non, mais c'est une garantie que vous pourrez à l'avenir continuer à compter sur mes services en tant qu'associé en affaires et en tant que chimiste.

Drac frissonna. Sa mâchoire tomba. Il avait de vrais crocs.

– Très bien. J'accède à votre demande.

Au moins, ils étaient malfaisants. *Au moins, ils étaient blancs.*

C'était son mantra post-Grapevine. Il y avait recours en même temps qu'à des composés opiacés. Cela lui avait permis de tenir bon pendant le vol de retour et l'entrevue avec Hughes.

Il commençait à s'en sortir. Il dormait mieux. Dwight l'avait appelé la veille au soir. La police de Saint Louis avait qualifié le carnage du Grapevine comme ils l'avaient souhaité.

Une explosion de violence spontanée. En cause : des niveaux toxiques d'alcool et de stupéfiants. Une enquête rapide du coroner avait classé l'affaire.

Il se sentait mieux. Son appétit revenait. Les palpitations et les spasmes qu'il ressentait dans son corps tout entier commençaient à s'atténuer.

Wayne flânait sur le Strip en voiture. C'était le crépuscule, et la chaleur était inhumaine. Devant le Dunes et le Sands, il vit des piquets de grève abrutis par la température. Devant le Frontier, il en vit d'autres qui agitaient des pancartes. La plupart étaient noirs, quelques-uns étaient blancs, et tous prenaient du bon temps, tout simplement.

Il gara sa voiture et s'approcha des grévistes. Il capta des fragments de joyeux charabia.

Le Conseil des hôteliers avait cédé. C'était soudain, on ne savait pas pourquoi, il paraîtrait que ça vient de Howard Hughes.

Wayne resta là un moment. Les grévistes l'ignoraient. Un groupe de gros bras du LVPD traînassait au bord du trottoir. Ils étaient casqués et faisaient tourner leurs matraques. Ils bouillaient de rage. Buddy Fritsch chassait des mégots à coups de pied et enrageait plus que les autres.

Les grévistes poussèrent des cris de joie et déchirèrent leurs pancartes. Wayne vit Mary Beth Hazzard brandir le poing.

Buddy Fritsch aperçut Wayne et vint vers lui en titubant. Il empestait la vodka bue dans l'après-midi et les pastilles pour purifier l'haleine.

– Hé, le tueur ! T'as envie de flinguer quelques bamboulas pendant que t'es là ?

Wayne lui fit un clin d'œil. Buddy le lui rendit. Les grévistes regardèrent dans leur direction. Ils commencèrent à se pousser du coude. Wayne sourit à Buddy et le laissa venir.

– À des moments pareils, je regrette que tu n'appartiennes plus à ce bon vieux LVPD. On aurait bien besoin d'un tueur de nègres comme...

Wayne le frappa à l'estomac. Buddy, le souffle coupé, se plia en deux et devint verdâtre. Les autres flics se figèrent. Les grévistes se figèrent. Wayne agrippa la cravate de Buddy, l'attira vers lui, et le frappa violemment d'un coup de coude. Wayne lui arracha son insigne et le balança au loin.

Buddy vacilla mais resta debout. Son visage était en sang. Wayne lâcha sa cravate. Buddy tomba sur le trottoir la tête la première. Un groupe de grévistes applaudit.

Les flics restèrent figés. Wayne regarda les grévistes. Mary Beth Hazzard avait les yeux braqués sur lui. Wayne lui envoya un baiser.

32

Los Angeles, 8 septembre 1968

Crutch Senior habitait derrière Santa Anita. Il régnait sur un camp de bicoques en carton. Des poivrots et des clodos qui traînaient sur les hippodromes. Un bidonville nouveau style. On joue aux courses toute la journée, on picole toute la nuit. Le Style de Vie Suprême de la Californie.

Crutch venait avec deux cadeaux : un billet de cent dollars en guise d'adieu et un sandwich choucroute-corned beef. Hé, Papa – je suis un homme mort. Je connais plein de trucs ultrasecrets.

Fred Turentine l'avait appelé la veille. Freddy Otash avait découvert les vestiges d'une pose de micros dans la suite 307 et lui en attribuait la paternité. Freddy O. avait cuisiné Fred T., qui avait cafté Crutch pour cette surveillance. Fred T. finit par convaincre Freddy O. qu'il n'avait, *lui*, rien à voir avec cette surveillance, que c'était un coup de ce crétin de Crutchfield. Fred T. avait montré à Crutch son doigt fracturé. « Petit, je ne sais pas ce que tu as entendu, mais tu ferais mieux de disparaître. »

Crutch avait lu les journaux de Saint Louis. Sept morts au Grapevine Tavern/« Une altercation entre truands dégénère. » Crutch s'était renseigné. Le frère de James Earl Ray avait des parts dans l'établissement. Des tueurs. Son copain français sur le monticule. Des propos captés par le micro : Sirhan et King, Memphis et Dallas.

Le campement se trouvait derrière le parking. Les vieux débris vivaient dans des emballages d'enceintes stéréo passés à la gomme laque pour résister à la pluie. Une grande bâche goudronnée recouvrait une vingtaine de Manoirs Magnavox. Leur cour commune était remplie de bouteilles vides.

Crutch frappa au caisson de Crutch Senior. Celui-ci en sortit à quatre pattes, tenant d'une main le programme des courses hippiques de la journée et de l'autre une pinte de gnôle. Crutch lui laissa de l'espace. Crutch Senior se releva, sortit sa queue et pissa en abondance. Il visa carrément les chaussures de Crutch.

– Bonjour, Papa.

Crutch Senior plissa les paupières.

– C'est Donald, hein ?

– Exact.

– Le môme que j'ai eu avec Maggie Woodard.

– C'est moi.

– Je me souviens de Maggie. Elle était de Fourre-Moi-Le-Fion, Wisconsin.

– Ouais, c'est bien elle.

– Elle baisait bien.

– Voyons, Papa, c'est pas gentil de dire ça.

Crutch Senior referma sa braguette. Il avait 54 ans. Il portait un costume Beatle trempé de sueur et une perruque de Beatle. Il était à moitié mort à cause de ses plaies cancéreuses.

– Tu es dans la merde et tu as besoin de fric. Je regrette, mais je suis à sec.

Crutch lui mit sous le nez le billet de cent et le sandwich. Crutch Senior rafla le billet et ignora le sandwich. Il vida le fond de sa bouteille et la jeta sur la pile. Agitant le programme des courses, il s'en servit pour gifler Crutch.

– T'as jamais retrouvé Maggie. Tu m'avais promis de le faire, et t'as pas réussi. La première fois que je l'ai sautée, c'était le jour de Pearl Harbor, et tu l'as jamais retrouvée.

Un coup de bluff.

La veille, il avait mis en place. Un plan qui prédisait le coup frappé à sa porte et la sentence de mort. Ouais, il avait reconstitué toute l'histoire. Mais il s'était entièrement fié à son instinct. Crachotements de micros, gargouillis, parasites, et quelques mots mélangés à tout ça. Il savait. Les autres savaient qu'il savait. Fred O. avait dû les informer. Wayne allait être furieux contre le Français qui lui avait laissé la vie sauve. À partir de là, tout allait exploser.

L'affaire était trop énorme et paraissait trop grotesque. Clyde refuserait de le croire. Scotty Bennett refuserait de le croire. Il pourrait aller à l'émission de télé de Joe Pyne, et révéler à l'antenne ses infos confidentielles dans la séquence « De quoi vous plaignez-vous ? » Mais Joe Pyne le tournerait en ridicule. Une poignée de Juifs de gauche et de hippies paranos seraient *peut-être* tentés de le croire. Mais, comme il soutenait la Cause de la libération cubaine, les schmoutz lui tomberaient dessus aussi sec. Et les hippies se moqueraient de sa coupe en brosse et de son nœud pap à la Scotty Bennett. Et pas une seule hippie ne voudrait coucher avec lui.

Un coup de bluff.

Il avait mis en place la veille ses dispositifs de sécurité. Il avait échafaudé son plan sur sa seule lueur d'espoir. *Ils ne savaient pas que son installation de surveillance était défectueuse. Ils savaient qu'ils avaient parlé d'assassinats. Ils ne se souviendraient pas avec exactitude de ce qu'ils avaient dit. Ils ne savaient pas dans quelle mesure son témoignage serait crédible.*

Crutch attendait aux Vivian Apartments. Sa piaule était presque vide. Il avait emporté le dossier de sa mère et ses effets personnels à l'Elm Hotel la veille. Le dossier sur Son Enquête s'y trouvait aussi. Buzz connaissait l'adresse. Il trouverait les dossiers et déciderait ou non de suivre toutes les pistes pertinentes.

Il attendait. Il feuilletait des vieux *Playboy* et des vieux *Car Crafts*. Il s'était rendu chez I. Magnin hier. Il avait acheté un superbe pull en cachemire pour Dana Lund. Il avait demandé un emballage cadeau et glissé une carte de la Saint Valentin dans la boîte. Il ne l'avait pas signée. Il avait écrit à Dana qu'il l'aimait depuis toujours. Il devrait prendre la fuite, à présent. Il avait tué deux hommes et il savait des choses qu'il ne devrait pas savoir.

Le magasin avait livré le cadeau. Il s'était garé de l'autre côté de la rue. Il avait regardé Dana ouvrir la boîte et lire la carte. Le pull la ravissait. Le petit mot semblait l'effrayer. Elle regarda autour d'elle et claqua la porte précipitamment.

Joan Rosen Klein flottait quelque part dans l'éther. Il ne pouvait pas lui offrir de cadeau d'adieu. Cela lui brisait le cœur.

Crutch tournait les pages du *Playboy* de novembre 67.

Kaya Christian lui sourit depuis la triple page centrale. C'était sa petite amie, au nom tellement approprié – il l'avait rencontrée à l'église luthérienne de la Trinité un million d'années plus tôt.

La vue côté sud l'attirait. Crutch s'approcha de la fenêtre pour en profiter. Il vit la maison de Sandy Danner et celle de Barb Cathcart, et Gail Miller sur la terrasse de Lon Ecklund.

Tous ces buissons qui lui servaient de planques pour mater. De nouveaux buissons qui masquaient des fenêtres derrière lesquelles il avait collé son nez.

Il se pencha par la fenêtre. Il capta l'odeur du smog dans l'atmosphère. Il se pencha trop loin. Il commençait à tomber. Il entendit du bruit derrière lui. Une force brutale s'abattit sur lui et le souleva en arrière.

Il se retrouva sur le plancher. Un pied le clouait au sol. Sa vue était brouillée, il était à moitié présent, à moitié absent. Il perçut une odeur d'huile sur du métal et comprit qu'ils avaient graissé la serrure de la porte.

Sa demi-présence s'affirma. Sa vue retrouva sa précision. Il fut soudain présent à cent pour cent. Il vit Wayne Tedrow armé d'un pistolet à silencieux et le Français qui tenait un oreiller. Il serra sa médaille de Saint Christophe et récita le *Gloria Patria*.

Ils étaient tous les deux bien plantés sur leurs jambes. Le Français exhalait une odeur douceâtre de nicotine. Wayne dit :

– Espèce de petit salopard sournois.

Le Français lui lâcha son oreiller sur la tête. Crutch l'envoya valser et prit une goulée d'air pour débiter son boniment :

– J'ai quatre copies sur bandes magnétiques, plus des dépositions. Quatre coffres dans quatre banques différentes. Je m'y rends en personne, tous les six mois. Sur place, ils vérifient mon identité grâce à ma photo et mes empreintes. Si je ne viens pas, vous savez ce qui se passe.

Wayne regarda Mesplède. Mesplède regarda Wayne. Wayne ramassa l'oreiller et le lui enfonça sur la tête avec son pied. Il ne voyait plus rien. Il n'entendait plus rien. Pas de voix, pas de coup de feu, pas de douleur ni de nuages blancs. Respiration hachée et battements de cœur déréglés, Dieu vénéré est-ce que je suis mort ?

Puis de la lumière et de l'air et la maquette d'avion suspendue à son plafond. Puis ses poumons qui se remplissent. Puis le pistolet de Wayne sans son silencieux.

Un triplan Fokker rouge. Historiquement impeccable. Il l'avait construit en reniflant la colle cellulosique le jour où Kennedy s'était fait descendre.

Crutch dit :

– Je veux travailler avec vous. Je prendrai tout ce que vous voudrez bien me donner.

33

Los Angeles, 10 septembre 1968

– Tu parlais dans ton sommeil.

– Qu'est-ce que je disais ?

– Je crois avoir entendu « au moins » et « des brutes ».

Dwight se massa la nuque. Les muscles étaient toujours noués au même endroit. Le contrecoup du raid lui avait inspiré un cauchemar : Memphis et gerbes de sang en rediffusion.

Karen se redressa sur son séant et se pencha sur lui. Elle était toute gonflée de sommeil et sensuelle. Elle croisa les jambes et s'assit en tailleur. Dwight rampa pour lui embrasser les genoux. Il entendit Dina, dans la pièce voisine, parler à sa grenouille en peluche.

– Dis-moi encore une fois, et de façon convaincante, que ma simple présence ici ne risque pas de perturber cette petite fille pour le restant de ses jours.

Karen lui prit les mains.

– Seulement si en grandissant elle entre au FBI.

– Il y a là des sentiments maternels de gauche qui m'échappent.

– Elle est plus attachée à toi qu'elle ne l'est à Machin-Chose. Contente-toi de cette explication.

– Je ne comprends rien à ce foutu univers dans lequel tu vis.

Karen lui embrassa les doigts.

– Tu ne le comprends que trop bien. Tes compromis reconnaissent l'existence de mon univers et lui accordent avec désinvolture un certain respect.

Karen tendit la main vers ses cigarettes. Karen s'empara du paquet et le jeta sur la commode.

– Ne me tente pas.

– D'accord.

– Et explique-toi. Précise la connexion entre « au moins » et « des brutes ».

Ces muscles noués de nouveau – Dwight les malaxa et les frotta.

– C'est un ami qui a dit ces mots-là. Je te cite la phrase entière : « Au moins, c'étaient des brutes. »

– De qui parlait-il ?

– Karen, je t'en prie.

– M. Hoover ? Les flics de Chicago ?

Dwight rit. Cela lui provoqua des élancements dans la nuque. Karen lui chatouilla les jambes et rit avec lui et fit passer sa douleur.

– D'accord, je vais te le dire. Il faisait référence à une bande de voyous d'extrême droite aux mœurs dissolues.

Karen sourit.

– Il me plaît, ton ami. Comment s'appelle-t-il ?

– Pas de commentaire.

– Il est flic ?

– Il l'a été.

– Est-il aussi grand et aussi beau que toi ?

Dwight sourit.

– Certainement pas.

Dina dit bonne nuit à sa grenouille. Cela s'entendit nettement à travers le mur. Dwight comprit qu'elle voulait être entendue. Karen inclina la tête et posa la main sur son cœur.

– Je crois que j'ai une piste pour retrouver Joan.

– Donnant donnant, alors. Fais sauter un monument de plus et tâche de ne pas te faire prendre.

Karen s'enroula autour de lui. Dwight lui ôta sa barrette et libéra ses cheveux. Il demanda :

– Tu m'aimes ?

Elle répondit :

– Je vais y réfléchir.

34

Las Vegas, 11 septembre 1968

Les syndicalistes s'étaient rassemblés au restaurant Sills' Tip-Top. Wayne observait leur mode opératoire. Elle allait les rejoindre tôt ou tard. Il eut besoin de quatre passages en voiture, au ralenti.

Le Tip-Top était bondé – c'était l'heure du déjeuner et tous les boxes étaient occupés. L'établissement se trouvait dans les quartiers merdiques de Vegas-Nord. La frontière entre les races était moins nette, par ici. Mais le restaurant était quasiment séparé en deux. Les Blancs déjeunaient d'un côté, les Noirs de l'autre.

Wayne entra. Mary Beth Hazzard était installée dans la partie noire. Elle était assise avec quatre amis syndicalistes. Ils étaient tous noirs. Wayne les reconnut. Il les avait vus quand il avait fait son numéro devant le piquet de grève.

Deux personnes le repérèrent. Un homme poussa Mary Beth du coude. Elle remarqua sa présence et chuchota quelque chose à tous les autres occupants du box. Ceux-ci se levèrent et sortirent. Ils croisèrent Wayne en route. Ils baissèrent les yeux.

Wayne s'approcha de Mary Beth et lui tendit la main. Celle qu'elle lui donna à serrer était ferme et sèche. « Madame Hazzard », dit-il. « Monsieur Tedrow », fit-elle. Ses yeux se posèrent sur le siège qui lui faisait face. Wayne comprit le message et s'assit.

Ils se regardèrent. Il y eut un moment de calme. Cela fit décroître le brouhaha du restaurant. Les gens commençaient à les regarder. La salle était *vraiment* calme, à présent. Les gens se contentaient de tourner la tête dans leur direction.

Mary Beth toucha sa tasse de café.

– J'ai lu la nouvelle dans le journal, au sujet de votre père. Je vous présente mes condoléances.

Les syndicalistes avaient laissé leurs tasses de café en partant. Wayne déblaya un endroit où poser les mains.

– Merci. Mon père traitait les syndicalistes d'une façon épouvantable, par conséquent vos condoléances sont un délicat témoignage de vos bonnes manières.

– Je ne cherchais pas à vous arracher un compliment, monsieur Tedrow.

– Je le sais. J'espère seulement que vous accepterez celui que je viens de vous faire, au lieu d'y voir une marque de condescendance.

Mary Beth sourit. Wayne sentit cligner un million de paupières.

– Et mes condoléances pour votre mari.

– Condoléances acceptées. Mais dans le même esprit de franchise, j'ajouterai que le dévouement de Cedric confinait à l'imprudence, et qu'il n'avait rien à faire seul chez Pappy Dawkins à 2 heures du matin.

Wayne jeta un coup d'œil circulaire à la recherche d'une serveuse. Deux d'entre elles remarquèrent son regard et tournèrent la tête. Un petit garçon noir passa le torse par-dessus la paroi de son box et les fixa des yeux. Deux petites filles blanches pointèrent le doigt vers eux.

– Vous êtes très nerveux, monsieur Tedrow. Si vous aviez l'intention de commander un café, vous feriez mieux d'y renoncer.

Wayne sourit.

– Et de plus, ils refuseront de me servir.

– Ils vous serviront si vous faites suffisamment de scandale.

– Ou si je me donne suffisamment en spectacle.

Mary Beth sourit.

– Celui que vous avez offert au piquet de grève fut mémorable. Il soulève la question de savoir ce que vous tentiez de dire par là, mais je n'insisterai pas sur ce point.

Wayne ne tenait pas en place. Mary Beth poussa sa tasse de café vers lui. Wayne s'y chauffa les mains.

– Je tiens à vous remercier d'avoir mis fin à cette grève, monsieur Tedrow. La rumeur court que c'est vous qui avez convaincu M. Hughes.

Wayne confirma.

– C'est exact.

– Et votre motif ?

– Vous voulez dire, mon motif, étant donné mon passé ?

Mary Beth toucha la tasse de café.

– Je ne juge pas votre passé aussi sévèrement que le feraient la plupart des Noirs de la région.

Wayne referma les doigts autour de la tasse de café. Ses mains touchaient presque celles de Mary Beth, qui les laissa à la même place. Ce fut Wayne qui ôta les siennes.

– Et pourquoi donc ?

– Vous avez tué ces hommes alors que vous étiez à la recherche de Wendell Durfee. Donc, en ce qui me concerne, je passe l'éponge sur cette affaire.

Les gens les regardaient. Un gros mastard noir et un grand échalas blanc les contemplaient carrément bouche bée.

– Pourquoi, madame Hazzard ?

– Parce que Leroy Williams et les frères Swasey fournissaient la drogue qui a tué ma sœur. Parce que Wendell Durfee m'a violée le 19 avril 1951, ce qui m'incite à pardonner votre caractère emporté et à vous trouver fort sympathique.

Wayne regarda ses mains. Elles tressaillirent et firent tourner la tasse. Un peu de café tomba sur les mains de Mary Beth. Elle ne sembla pas s'en apercevoir. Elle laissa ses mains à la même place.

– J'ai lu quelque chose au sujet de votre fils. Sur le fait qu'il a disparu, je veux dire.

– C'était un garçon brillant. Il était très fort en chimie.

– Je suis chimiste aussi.

– Oui, on me l'a dit.

– Vous vous êtes renseignée sur mon compte ?

– Oui, effectivement.

– Pourquoi ?

Mary Beth retira ses mains.

– Vous me harcelez. Ne me demandez pas de dire des choses que je ne suis pas prête à dire.

Wayne jeta un regard circulaire à la salle. Ce satané restaurant tout entier regardait dans leur direction.

– Vous avez parlé de votre fils au passé. Vous le croyez mort ?

Mary Beth secoua la tête.

– À certains moments, oui ; à d'autres, non. Parfois il est plus facile de le croire mort, parfois ça ne l'est pas.

– Il vous manque ?

– Oui, il me manque terriblement.

Wayne dit :

– Je vous le retrouverai.

DEUXIÈME PARTIE

Fouteurs de merde

12 septembre 1968 – 20 janvier 1969

DOCUMENT EN ENCART : 12/9/68. *Mémorandum interne du FBI. Marqué : « SECRET NIVEAU 1 ; DESTINATAIRE UNIQUE : LE DIRECTEUR ; DÉTRUIRE APRÈS LECTURE. » Destinataire : Le Directeur. Expéditeur : A.S. Dwight C. Holly.*

Monsieur,

L'OPÉRATION MÉÉÉCHANT FRÈRE a désormais atteint le stade du lancement imminent : les fonds destinés aux locaux commerciaux servant de paravent et aux frais de fonctionnement préliminaires ont été versés ; les rapports de police sur nos groupes cibles et leurs membres ont été évalués ; notre infiltrateur est choisi et prêt à être placé dans un contexte opérationnel à la fois plausible et propre à lui faciliter son rôle d'agent provocateur. L'informatrice confidentielle n° 4361 du Bureau m'a fourni le nom d'une taupe potentielle (de sexe féminin), et j'ai demandé aux Archives Centrales de me procurer le dossier que le Bureau possède sur elle, afin de l'étudier soigneusement avant toute tentative pour faciliter une rencontre. L'Alliance des Tribus Noires (ATN) et le Front de Libération des Mau-Mau (FLMM) occupent le même espace politique et criminel, que je vais résumer ici, en même temps que les parcours politique et criminel de leurs « Leaders » respectifs. Ainsi que j'ai eu précédemment l'occasion de le signaler, ces deux groupes penchent vers la criminalité, sont dirigés par des professionnels du crime, et déterminés à atteindre leurs objectifs grâce à des méthodes criminelles. Sur le plan politique, ils sont rivaux, et par conséquent, notre objectif doit rester le même : créer des dissensions intergroupes qui entraîneront des faits passibles de poursuites judiciaires et serviront à discréditer l'ensemble de l'appareil du nationalisme noir.

1.- Les deux groupes opèrent de façon quasi identique. Ils se servent de locaux commerciaux qui font office de centres de recrutement, de clubs et de lieux de réunion pour les Noirs du quartier et pour des extrémistes de passage, si bien que la photo-surveillance pourra se révéler utile à un certain moment. Les deux groupes distribuent des fascicules anti-Blancs, anti-LAPD, et des libelles qui discréditent les groupes rivaux de militants noirs, la plupart du temps des pamphlets vulgaires dans le style des journaux illustrés. Les deux organisations recrutent à la sortie des établissements secondaires locaux. Les deux organisations extorquent de la nourriture à des commerçants locaux pour monter leurs actions « À manger pour nos mômes » et de l'alcool pour leurs « Réunions politiques » hebdomadaires dont l'entrée est payante, en réalité des beuveries qui se terminent souvent en rixes. Les deux organisations ont des recrues de sexe féminin, c'est-à-dire des « groupies » qui se prostituent et reversent une partie de leurs gains à la « Cause ». La rumeur attribue aux deux organisations la possession de « planques » où des extrémistes de passage et des membres fuyant les poursuites judiciaires ont la permission de se cacher. Contrairement aux Panthères Noires et aux Esclaves Unis, il n'existe pas de cas répertoriés où l'ATN et le FLMM aient commis des violences contre des officiers de police. Je donnerai comme consigne à notre taupe et à notre informatrice de me notifier sans délai au cas où elles entendraient dire que des provocations de ce type sont en projet. La rumeur prête aux deux organisations l'intention de s'aventurer dans le commerce des narcotiques, bien que je doute fortement qu'elles possèdent le savoir-faire nécessaire pour le pratiquer avec succès. Jusqu'à ce jour, leurs ambitions dans le domaine du crime *organisé* sont restées dérisoires, bien qu'individuellement leurs « Leaders » et leurs recrues possèdent souvent des casiers judiciaires chargés en crimes majeurs. Des membres de l'ATN sont soupçonnés d'avoir cambriolé une série de librairies pornographiques dans le secteur de Wilshire du LAPD ; des membres du FLMM sont soupçonnés d'avoir participé, avec la complicité des employés, à une série de vols simulés dans des restaurants drive-in « Jack-in-the-Box » ouverts toute la nuit. Les profits de ces actions criminelles sont censés avoir été versés sur les comptes de l'ATN et du FLMM. On prétend qu'un membre de l'ATN fait fonctionner un alambic pour produire de l'alcool de maïs à 95 degrés ; un membre du FLMM a la réputation de vendre aux portes des stades des billets contrefaits pour les matches des Los Angeles Dodgers et des Los Angeles Rams. Là encore, ces pratiques criminelles procurent de l'argent pour couvrir les frais de fonctionnement de l'ATN et du FLMM et mettent en évidence le penchant inhérent de leurs membres pour les activités criminelles. La dénonciation publique de cette activité criminelle endémique est essentielle à notre objectif de dénigrement de ces groupes et alimentera au tribunal des commentaires piquants sur les accusés lorsque notre opération sera terminée et que commenceront des actions judiciaires auxquelles sera donné un écho retentissant.

2.- Concernant les « Leaders », quelques détails clés :

A - EZZARD DONNELL JONES, sexe masculin, race noire, né le 24/8/37. Deux condamnations pour possession de narcotiques (1957, 1961). A obtenu par correspondance un diplôme de théologie et sollicite des dons dans les églises des quartiers sud de Los Angeles. JONES est le « Haut Commissaire Suprême » de l'ATN ;

B – CORNELIUS « BENNY » BOLES, sexe masculin, race noire, né le 11/1/40. Une condamnation pour vol à main armée (1964). Travaille comme serveur dans un restaurant drive-in de Beverly Hills. Prétendument homosexuel, et l'un des suspects dans le meurtre non élucidé d'un prostitué mâle de Los Angeles-Ouest en 1958. BOLES est « Haut Commissaire Adjoint » de l'ATN ;

C – LEANDER JAMES JACKSON, sexe masculin, race noire, né le 5/4/38. Pas d'antécédents criminels connus. La rumeur le dit natif de Haïti et pratiquant du vaudou haïtien. Sa réputation est celle d'un spécialiste de l'escroquerie (il vendrait de faux abonnements à des magazines, des terrains qui n'existent pas, des contrats de construction avec des entreprises fantômes), d'un faussaire (chèques de l'aide sociale, mandats postaux, billets pour des matches de basket-ball) et d'un trafiquant d'armes (rumeurs non confirmées de liens avec des groupes gauchistes violents des Caraïbes). JACKSON est l'« Armurier » de l'ATN ;

D – JOSEPH TIDWELL McCARVER, sexe masculin, race noire, né le 16/7/37. Soupçonné de cambrioler des habitations et des pharmacies ; la rumeur lui attribue plus de 100 cambriolages depuis 1955. Joueur invétéré, avec 26 arrestations (sans aucune inculpation) pour escroquerie et paris sur les chevaux. Organise des parties de dés chaque semaine depuis une église séparatiste noire, les gains étant versés au FLMM. McCARVER est le « Souverain Panafricain » du FLMM ;

E – JOMO KENYATTA CLARKSON, sexe masculin, race noire, né le 4/3/29. Pas de casier judiciaire, mais la rumeur dit de lui qu'il pratique le vol à main armée avec talent et en choisissant soigneusement ses cibles. Dessinateur humoristique, il est l'auteur de libelles anti-ATN et de pamphlets racistes anti-Blancs vendus par le FLMM sous forme de brochures illustrées. Il travaille comme répartiteur à la compagnie de taxis Black Cat à Los Angeles-Sud. Censé avoir commis plusieurs « viols à motivation politique » pour « exprimer sa solidarité » avec le « frère » Eldridge Cleaver, du parti des Panthères Noires. CLARKSON est le « Ministre de la Propagande » du FLMM ;

F - CLAUDE CANTRELL TORRANCE, sexe masculin, race noire, né le 29/11/46. De nombreuses arrestations pour divers délits : conduite en état d'ivresse, ivresse sur la voie publique, larcins, non paiement de pension alimentaire, grivèlerie, vagabondage, usurpation d'identité (se faisant passer pour un officier de police), et diverses infractions en rapport avec le jeu. Principal protagoniste de l'action « À manger pour nos mômes ». TORRANCE est à la fois le « Ministre des Finances » et le « Ministre de l'extorsion » du FLMM.

3.- Les repaires connus de l'ATN et du FLMM incluent le bureau du répartiteur de la compagnie des TAXIS BLACK CAT, financée à l'origine par un prêt (comprenant apparemment des arriérés) de la caisse de retraite des camionneurs, ce qui la désigne comme entreprise rattachée au crime organisé ; LE SALON DE COIFFURE DE SAM LE SULTAN, LE BAC À SABLE DE SAM LE SULTAN (un night-club financé par un prêt des camionneurs) ; LE PARADIS DU FLIPPER DE SAM LE SULTAN (une salle de jeux/librairie pornographique) ; LE ROYAUME DES ADULTES DE CALVIN (une librairie pornographique) ; et les bars et boîtes de nuit suivants : LE NID DE NAT, L'AUTRE MONDE DE MISTER MITCH, LA PÊCHE AUX MOULES (un bar lesbien appartenant à RAE CHANTAY McCARVER, sœur de JOSEPH TIDWELL McCARVER, financé par la caisse des camionneurs) ; LE RENARD SNOB, LE SALON DU SCORPION, TOMMY TUCKER'S PLAYROOM et le CAROLINA PINES COFFEE SHOP sur Imperial Highway. Il faut accorder une importance toute particulière à la rumeur selon laquelle les membres clés de l'ATN et du FLMM ont des liens avec la Banque populaire de Los Angeles-Sud, prétendument fondée grâce à un prêt (non remboursé) de la caisse des camionneurs, et suspectée depuis longtemps de servir de paravent à une officine de blanchiment d'argent pour criminels noirs. Le président de longue date de ladite banque, LIONEL DARIUS THORNTON, sexe masculin, race noire, né le 8/12/19, est un activiste notoire de la communauté noire de Los Angeles, soupçonné depuis longtemps d'avoir des liens avec le crime organisé.

4.- Ainsi que je l'ai précisé dans mon précédent télex confidentiel, notre infiltrateur sera un OFFICIER DE POLICE DU LAPD, MARSHALL E. BOWEN, un talentueux usurpateur d'identité qui a déjà effectué des missions d'infiltration au sein de groupuscules subversifs pour le compte de CLYDE DUBER & ASSOCIÉS. Je concocte actuellement un scénario qui permettra, en sauvant les apparences, la prétendue expulsion du LAPD de l'OFFICIER BOWEN, sans doute inspiré par la relation d'hostilité existant entre l'OFFICIER BOWEN et le SERGENT ROBERT S. BENNETT, un inspecteur de la brigade de répression des vols extrêmement redouté et méprisé à Los Angeles-Sud. Je me suis renseigné sur le compte du SERGENT BENNETT, et je considère qu'il constituera l'antagoniste parfait pour ce scénario. J'ai prévu une réunion avec le DIRECTEUR GÉNÉRAL DE LA POLICE TOM REDDIN et l'A.S.C. de LOS ANGELES JACK LEAHY afin que nous puissions discuter de l'expulsion-immersion de l'OFFICIER BOWEN. À part nous, ce seront les seuls membres des autorités qui seront au courant de cette information.

L'OPÉRATION MÉÉÉCHANT FRÈRE a désormais atteint le stade du lancement imminent. J'attends vos commentaires.

Respectueusement,

A.S. Dwight C. Holly

35

Los Angeles, 13 septembre 1968

Dwight lisait des dossiers. Une radio crachouillait des nouvelles. Nixon et Humphrey arrachaient des voix ici et là et faisaient le yo-yo dans les sondages. Jimmy Ray et Sirhan Sirhan fulminaient en prison. Fait divers local : deux bronzés portant des masques de ski avaient dérobé de l'argent liquide et des bijoux dans une maison de Brentwood.

Le local était bourré de dossiers. Il était saturé de dossiers. Submergé par les dossiers. Dwight avait besoin de quatre meubles de rangement supplémentaires. Il pataugeait dans les dossiers jusqu'aux couilles.

Il lisait des copies carbone de rapports de l'ATF et de la police de Saint Louis. Confirmé de nouveau : « Le Massacre du Grapevine Tavern », affaire classée. Un détail qui ne cadrait pas avec le reste : la victime surprise.

Thomas Frank Narduno, 46 ans, venu de New York. L'intrus de l'affaire. Des micros cachés trouvés sur son cadavre.

Dwight avait examiné le dossier de Narduno. Il était succinct. Narduno évoluait dans des sphères de gauche. Il avait été soupçonné de vol à deux reprises : en Ohio et dans l'État de New York. Pas d'arrestations, pas d'inculpations. Il avait le profil d'un déjanté marginal ou d'un rouge récidiviste. Sa connexion avec le Grapevine n'avait plus d'importance à présent.

Soulagement.

Il était soulagé. M. Hoover était soulagé. Malgré les apparences M. Hoover restait à cran. Il ressassait sans cesse la convalescence de Dwight. À Silver Hill, en 57. La vieille tante avait *trois* temps de retard, à présent, par rapport à son état normal. Il situait l'épisode à « Happy Hills, en 58 ». Cela n'avait pas d'importance. La vieille tante avait un dossier sur l'affaire – classé, indexé, et prêt à servir pour un chantage.

Lui aussi, il attendait un dossier : celui de Joan Rosen Klein, informatrice potentielle. Les Archives centrales allaient le lui faire parvenir par télex. Il savait que les pages étaient largement caviardées : d'épaisses ratures à l'encre noire oblitéraient des noms, des dates, des lieux. Karen avait laissé entendre que Joan pourrait se révéler difficile. Un homme averti en vaut deux : étudie son dossier avant de la rencontrer.

Dwight bâilla. Son sommeil était en ruine, ses nerfs à vif, ses cauchemars revenaient sous forme de séquences pendant la journée. Il avait fait une descente dans le séquestre du Bureau et raflé des sédatifs. Ils amélioraient son ordinaire – le régime un-verre-par-soirée, une-pilule-par-soirée. Cela l'aidait grandement.

Le Directeur général de la police était en retard. Dwight bavardait avec Jack Leahy. Jack lui fit une imitation de M. Hoover. La vieille tante qui achetait des antiquités avec Lance, son amant de cœur. Jack tapait en plein dans le mille. Il savait reproduire son élocution précieuse et ses mouvements de poignet. Ce genre de numéro était risqué. Jack était difficilement étiquetable. Il était moitié G-man, moitié comique vachard.

Dwight rit.

– De l'humour de guérilla. Très marrant dans un cabaret, plutôt risqué à l'agence de L.A.

Jack essuya ses lunettes.

– Vingt ans de carrière au service du gouvernement. Je ne crains pas les cafteurs.

– Je vous ai vu imiter Hoover en Oscar Wilde quand vous étiez un bleu.

– Alors, je suppose que j'ai de la chance.

Dwight sourit.

– Ou alors vous avez une idée en tête. Ou bien vous êtes carrément kamikaze.

Le bureau était déprimant, façon flic : des murs gris et des drapeaux partout. Reddin annonça sa propre arrivée grâce à des effluves d'Aqua Velva. C'était un grand gaillard. Il leur donna des claques dans le dos et se laissa choir dans son fauteuil.

– Jack, cela faisait trop longtemps qu'on ne s'était pas vus. Monsieur Holly, voilà des années que j'entends parler de vous.

Jack alluma une cigarette.

– Dwight Holly, « le bras armé de la loi ». Un homme abrupt dont la maîtresse a des opinions politiques douteuses.

Reddin s'esclaffa et agita la main, genre arrêtez-de-me-faire-rire. Jack fit un clin d'œil. Dwight se dit que *El Jefe* en aurait pour cinq minutes à s'en remettre.

– Nous voulons immerger l'un de vos officiers noirs, monsieur le directeur général. Un jeune agent en uniforme du secteur de Wilshire qui se nomme Marshall Bowen. Mon intention est de l'introduire au sein de l'Alliance des Tribus Noires et/ou du Front de Libération des Mau-Mau. Ceci dans le cadre d'un Cointelpro de longue durée dont l'objectif est de discréditer le mouvement militant noir. C'est moi qui dirigerai l'opération de façon autonome. Je vous présente mes excuses par avance, mais M. Hoover tient à ce que les rapports et les mémorandums ne vous soient pas communiqués.

Reddin s'empourpra.

– J'aime savoir ce que font mes hommes.

Dwight alluma une cigarette.

– M. Hoover insiste, monsieur le directeur.

Jack commenta :

– Le secteur dans lequel il opérera, c'est celui qui est placé sous ma responsabilité. Personnellement, je considère un peu ça comme un affront.

– Encore une fois, M. Hoover insiste.

Jack prit une pose efféminée.

– Si M. Hoover insiste, M. Hoover insiste.

Reddin eut un petit sourire narquois.

– J'ai lu des rapports des Renseignements sur l'ATN et le FLMM. Ce sont des bouffons.

Dwight sourit.

– On va noircir leur réputation avec une brosse aussi large que possible. Les Panthères et les E.U. seront éclaboussés aussi.

Reddin alluma une cigarette.

– Ils sont tous noirs, pour commencer.

Dwight rit. Jack tripotait son cendrier. Reddin fit :

– Très bien. Vous prévoyez un scénario d'expulsion rendu largement public, et qui, espérons-le, va *ghettoïser* votre recrue.

Dwight hocha la tête.

– Exactement, et je pense que ce scénario reposera sur une querelle ancienne qui oppose l'officier Bowen au sergent Robert S. Bennett.

Reddin leva les yeux au ciel.

– Oh, bon sang, Scotty !

Jack commenta :

– Ce salopard de psychopathe.

Reddin se tapa sur les cuisses.

– Jack n'aime pas Scotty. Scotty a joué les caïds, dans ce braquage de fourgon blindé qu'on a eu il y a quelques années, et Jack n'a pas apprécié. Cela lui a hérissé le poil.

Dwight écrasa sa cigarette.

– Oubliez ça, Jack. Vous avez suivi l'affaire pour le Bureau pendant une semaine seulement.

Reddin commenta :

– Avec Scotty, une semaine peut paraître une éternité.

Jack se frotta les yeux.

– Pourquoi Bennett et cet officier Bowen ? Quel genre de querelle ancienne ?

Dwight fit basculer sa chaise en arrière.

– Quelques billets tachés d'encre provenant du braquage circulaient dans le ghetto. Marsh Bowen en a innocemment transmis un, et Bennett l'a cuisiné. Bowen est entré au LAPD malgré les objections de Bennett.

Reddin fit :

– Bon sang, Scotty et cette affaire...

Jack dit :

– D'accord, je concède la viabilité du contexte. La distribution est grandiose, et les possibilités du scénario sont alléchantes.

Dwight sourit.

– Et maintenant, la surprise du chef : je ne veux pas que Bennett soit informé. Le scénario doit se dérouler *à son insu* jusqu'à la conclusion.

Le téléphone sonna. Reddin prit l'appel *sotto voce*.

Jack demanda :

– Vous me transmettrez des doubles. N'est-ce pas, Dwight ? En souvenir du bon vieux temps.

Dwight répondit :

– Non.

Filature – dans tous les coins de Nègreville.

Dwight conduisait une voiture de location. Scotty Bennett conduisait une voiture de police banalisée. C'était une escapade au Congo genre je-passe-le-patelin-au-peigne-fin. Scotty jouait les caïds. Il était auréolé du panache de l'oppresseur blanc.

Ce salopard était gigantesque. Le nœud papillon et la coupe en brosse apportaient une touche de modernisme à sa dégaine d'homme des cavernes. Dwight le pistait à une distance de quatre longueurs de voiture. Scotty faisait la tournée des magasins d'alcool pour extorquer de la gnôle gratis. Scotty faisait coucou aux prostituées et jetait des rouleaux de bonbons aux petits mômes noirs. Scotty passa devant le quartier général des Panthères Noires et grimpa sur le trottoir. Une clique de bamboulas entra en courant dans le bâtiment.

Scotty se pointa dans une partie de dés qui se déroulait dans un coin de parking. Il échangea des vannes avec les frères. Scotty engrangea les derniers ragots du ghetto. Scotty distribua des piécettes à des poivrots. Scotty graissa la patte à ses mouchards avec des billets de dix dollars, et il frappa d'un coup de crosse un nègre un peu tordu qui importunait une vieille dame. Scotty fit cadeau d'une caisse de gin à l'Église du Rédempteur Tout-Puissant. Scotty fouilla un indic, trouva sa seringue, et cingla son cul noir avec sa matraque lestée.

Nègreville était torride. Il y régnait la chaleur de la mi-septembre. Les bronzés arboraient leur plumage d'été. Beaucoup de débardeurs, de chapeaux ronds à bords plats et de casquettes mauves de vendeurs de journaux. Des feignasses amorphes qui biberonnaient de la bibine.

Scotty passa devant la Banque populaire de Los Angeles-Sud. Scotty vit le président : Lionel Darius Thornton. Scotty passa devant les sièges de l'ATN et du FLMM. Les terreurs qui montaient la garde s'étiolaient.

Ce salopard suscitait la peur et la haine à tour de bras. C'était un parfait fouteur de merde.

La tournée s'acheva vers 16 heures. Scotty prit le Harbor Freeway, la 101, et la sortie Western Avenue. Il se gara en double file devant un rade topless nommé le « Club de la Patte de Lapin ». Dwight se gara dans les règles et le suivit à pied.

Une rousse bien roulée tournoyait sur scène. Des retraités et des hippies la reluquaient. Scotty inclina la tête et lui fit un signe de la main. La rousse disparut vers les coulisses. Une blonde bien roulée la remplaça.

Scotty se rendit dans les coulisses. Dwight se dirigea vers le fond de la salle et traîna près d'un rideau. Il entendit un bref échange de paroles et le bruit reconnaissable entre tous d'une fellation. Il regagna sa voiture de location et attendit. Scotty ressortit du Club de la Patte de Lapin neuf minutes plus tard. Il remonta dans sa voiture banalisée et fit un demi-tour pour repartir vers l'est.

Dwight le suivit. Scotty prit Hollywood Boulevard jusqu'à Sunset puis Alvarado Sud. Étape suivante : Vince & Paul Steakhouse, en suivant la 7e Rue jusqu'à l'angle de Sunset et Union.

Scotty gara sa voiture et entra. Dwight lui laissa une marge de huit minutes. Le bar était bondé : d'un mur à l'autre, des flics en civil en train de picoler.

Dwight fit durer un 7-Up en tâchant de ne pas ressembler à un flic. Scotty serrait des mains, tenait le crachoir, et pelotait une brune bien roulée.

Scotty picolait. Scotty se goinfrait d'amuse-gueules gratuits, crevettes grillées et rumakis. Scotty embarqua la brune en douceur dans la réserve du bar. Dwight s'attarda près de la porte. Il entendit un bref échange de paroles et le bruit reconnaissable entre tous d'une fellation.

Assez.

Dwight regagna sa voiture de location et attendit. Scotty ressortit de chez Vince & Paul quatre-vingt-trois minutes plus tard. Dwight le suivit jusque chez lui, à Pasadena. Sa famille l'attendait sur la véranda. Mme Scotty était une blonde bien roulée frisant la cinquantaine. Scotty avait quatre enfants adolescents, deux garçons et deux filles. Les mômes étaient très grands et ressemblaient comme deux gouttes d'eau à Scotty.

– Vous fréquentez le bar Vince & Paul ?

– Les flics noirs n'y sont pas les bienvenus.

– Qu'est-il arrivé au qualificatif « de couleur » ?

– Il est passé de mode l'an dernier. « Noir » est plus déterminé. Il possède cette qualité que les gens de ma race vénèrent, et qui consiste à appeler un chat un chat.

Dwight repoussa son assiette. Le grill-room d'Ollie Hammond était d'une classe bien supérieure à celui de Vince & Paul. Leur box se trouvait à l'écart. Marsh Bowen chipotait sa salade.

– C'est le bar préféré de Scotty Bennett. C'est pour ça que vous m'avez posé la question ?

Dwight mit dans sa bouche un comprimé mentholé contre les brûlures d'estomac et alluma une cigarette. La nourriture avait refroidi dans son assiette.

– Je devine ce que pensent les gens, monsieur Holly. Je sais que vous avez cogité sur le cas Scotty.

– Ne quémandez pas les compliments. Si je ne vous prenais pas pour quelqu'un d'intelligent et de perspicace, vous ne seriez pas ici.

– Mais vous vous demandez jusqu'à quel point je sais faire preuve de souplesse.

– C'est exact.

– Je prendrai donc ça pour un compliment avant de passer à la suite.

Dwight tira sur la chevalière de sa fac de droit.

– Dans cette histoire de billets de banque maculés, quel degré de brutalité a-t-il employé ?

Marsh tripota sa fourchette.

– Il me posait des questions avec une politesse excessive, et il me frappait avec un annuaire quand mes réponses lui déplaisaient.

– Est-ce qu'il déteste les gens de couleur ?

– On dit : « les Noirs », monsieur Holly.

– Ne me reprenez pas, agent Bowen.

Bowen ne tique ni ne bronche. Mais sur ses bras la chair de poule s'étend et une veine bat à sa tempe.

– *Est-ce qu'il déteste les gens de couleur ?*

– Davantage que vous, mais de façon moins volubile. Et je suis sûr qu'il en a tué quelques-uns de plus que vous.

Dwight tressaillit.

– Il semble savourer le temps qu'il passe dans les quartiers sud.

– Oh, oui, sans aucun doute. Dès qu'il franchit Washington Boulevard, il devient « M. Scotty ».

– Cette haine raciale qu'il exprime avec un tel souci des convenances, est-il bien connu pour ça ?

– Oh, oui.

Dwight fit craquer ses phalanges.

– Scotty est l'appât dans le scénario de votre expulsion. Dites-moi de quelle façon, à votre avis, nous devrions nous y prendre.

Marsh se livra à une pantomime. Il ferma un œil comme pour

coller l'autre au viseur d'une caméra. Il cadra la scène. Il parla dans un mégaphone.

– Vince & Paul Steakhouse. Grande affluence dans le bar. L'officier Marshall E. Bowen drague la serveuse, qui est aussi la torride maîtresse du Sergent Robert S. Bennett, en présence de celui-ci.

Dwight lui tendit sa main. Marsh laissa celle-ci en suspens. Le moment s'éternisa et se figea. Ils virent tous les deux à quel point la scène était absurde. Ils s'esclaffèrent au même moment.

36

Las Vegas, 14 septembre 1968

Home *suite* home...

Ses copains tueurs vivaient dans des suites d'hôtels. Freddy O. avait le Cavern. Le Français avait un nouveau pied-à-terre au Fontainebleau. Wayne Tedrow était logé au Stardust. Dwight Holly dormait dans des suites aux quatre coins du pays.

Crutch attendait Wayne T. La suite de Wayne comprenait quatre pièces et un labo de chimie. Ses copains tueurs avaient des diplômes universitaires. *Lui*, il s'était fait virer du lycée. En prenant en photo la touffe de Gail Miller, il avait flingué ses chances d'accéder à l'enseignement supérieur.

Crutch attendait dans le foyer de l'hôtel. Papier floqué et miroirs dorés. Des vapeurs de substance caustique s'échappaient de la pièce voisine. Le journal de Vegas traînait sur la table. Wayne faisait les gros titres, par procuration.

La police de Vegas faisait endosser un meurtre à titre posthume à un bamboula nommé Pappy Dawkins. Le meurtre en question : celui de Wayne Senior. « Crise cardiaque » – foutaises. C'était une concession pour apaiser la famille.

Ses copains tueurs faisaient la une des journaux. Ses copains tueurs *manipulaient* la une des journaux. La rumeur des initiés : c'était *Wayne* qui avait supprimé son vieux.

Crutch s'adossa au mur. Le flocage le fit éternuer. Wayne et le Français lui avaient laissé la vie sauve. Ouais, il les avait eus au baratin. Ouais, il avait mis en place ses dispositifs de sécurité. Mais, il avait été *obligé* de cafter.

Il avait cafté *partiellement*. Il avait lâché que le Dr Fred Hiltz l'avait engagé. Vas-y, petit – ne te gêne pas pour fourrer Farlan Brown et le Comte Dracula. C'est une recherche de petite amie qui s'est envolée en lui dérobant de l'argent. Cette partie-là, ils l'avaient gobée. Ils l'avaient cru. Il ne dit rien sur le fait que Gretchen Farr prenait aussi le nom de Celia Reyes ni sur Joan Rosen Klein. Il ne révéla pas le détail des passeports étrangers ni les appels de Sam G. à Gretchen/Celia et ne dit mot sur la femme morte dans la Maison de l'Horreur.

Wayne ouvrit la porte et passa devant lui. Pas de signe de tête, va te faire foutre, tu es un cloporte que je ne vois même pas. Crutch poursuivit son ombre. Une pestilence annonçait le labo de chimie. Il n'y avait que des verres gradués et des cristallisoirs sur les étagères.

Crutch hésita sur le pas de la porte. Wayne pressait un verre gradué contre son front. C'était un geste qui voulait dire : merde-j'ai-une-migraine.

– Tu voulais travailler pour nous ? D'accord, on te prend. Si tu fais ce que Mesplède et moi te demanderons, *il est possible* que tu survives. Si tu nous mens, si tu nous voles, si tu nous trahis ou si tu nous caches des informations, on te tue et on se sort à l'esbroufe du mauvais pas où tu nous auras mis.

Crutch déglutit. Sa pomme d'Adam fit l'ascenseur. Il étira son nœud pap. Pour que les petits « 2 » se voient mieux.

– J'ai tué deux hommes. Je suis dévoué à la Cause cubaine.

Wayne le gratifia d'un Certain Regard.

– La Cause de la libération cubaine, c'est une arnaque de l'extrême droite. Mesplède est un fauteur de troubles illuminé, pas moi, et je te conseillerais de ne pas en devenir un. Si tu as réellement tué deux hommes, c'était à cause de ton désir de môme de faire de la lèche à Mesplède, ou bien parce que tu avais peur que ce soit *lui* qui te tue si tu désobéissais. Alors, ne me fais pas marcher avec tes salades de petit con. Ne me donne pas, *à moi*, une raison de te tuer.

Crutch dit : « O.K. » Il afficha un petit sourire narquois à la Scotty B. Il fit de son mieux pour baisser le registre de sa voix de plusieurs octaves

Wayne déclara :

– Tu travailles avec Mesplède. Ton boulot, c'est de foutre la merde dans les réunions de campagne de Hubert Humphrey, pour 300 dollars par semaine. Le programme de sa tournée va bientôt nous parvenir, alors tu vas parler à Clyde Duber, pour qu'il te procure une liste de groupuscules de gauche et de crétins politiquement motivés prêts à te donner un coup de main. Il n'est pas question que tu poursuives tes recherches personnelles sur le temps de travail pour lequel c'est *moi* qui te paie. C'est compris ?

Des émanations de poudres indéterminées flottaient dans l'atmosphère. L'air du labo semblait toxique. Crutch s'essuya le nez. Wayne se moqua de lui.

– J'ai parlé à Farlan Brown ce matin. Il est disposé à te pardonner pour les gamineries auxquelles tu te serais livré pendant que tu travaillais pour Fred Hiltz. Il m'a dit que Gretchen Farr l'avait soulagé de 25 000 dollars, et que tu pourras en garder la moitié si tu la retrouves et lui fais restituer la somme. Il m'a dit qu'à un moment il avait soudoyé un de tes copains alcoolos, par un paiement anonyme, pour qu'il laisse tomber ses recherches, parce qu'il redoutait une contre-publicité potentielle. Mais maintenant que tu travailles pour moi, tu ferais aussi bien de t'y tenir, à tout hasard.

Crutch sourit. Wayne lui refit le coup du Certain Regard. Crutch *dé*-sourit très vite.

Wayne avala trois aspirines.

– Brown m'a demandé de te communiquer certaines informations. Il m'a dit qu'il avait eu des doutes sur Gretchen, un jour, et qu'il avait fouillé sa penderie. Il y a trouvé un uniforme d'hôtesse de l'air, sans aucune mention de compagnie aérienne, et portant un badge au nom de « Janet ». C'est tout ce qu'il m'a dit, et à présent écoute-moi bien : tu peux faire ce que tu veux de ces renseignements, mais à tes moments perdus. Ne néglige pas les tâches que je te confie, et fais savoir au Dr Fred et à Clyde Duber que tu abandonnes cette « affaire » idiote dès maintenant.

Crutch se retint d'éternuer. Wayne lui dit :

– Sors d'ici. Le simple bon sens n'arrête pas de me dire que je devrais te tuer.

« Suivre la piste de l'hôtesse de l'air fournie par F.B. »

« Le numéro pirate de Giancana... ??? »

« Jusqu'à ce jour : pas de dossier de police viable sur G.F. Impossible d'interroger Scotty B. sur les arrestations de JRK (en 51 et 53) pour vol à main armée (pas de références indiquant des inculpations) sans éveiller les soupçons de Clyde. De la même façon, impossible de demander le dossier du FBI sur JRK. Concernant GF/CR : vérifier les registres de naissance du pays entier, ou supposer qu'elle est née à l'étranger ? »

« GF/CR & victime : consulter les renseignements des polices locales, brigade des mœurs et personnes disparues, pendant la tournée de la campagne électorale. »

Crutch complétait son graphique mural. La tête lui tournait – il avait effectué l'aller-retour L.A.-Vegas en quatre heures. Il avait encore des picotements dans le nez. Wayne l'avait congédié d'un : « Au revoir, Trouduc. »

Il avait besoin de davantage de papier pour son graphique. Il avait besoin de davantage de cartons pour ranger ses dossiers. Il pourrait peut-être avoir besoin d'une *troisième* piaule pour ses dossiers. Wayne l'avait prévenu : ne nous cache aucune information. Son Enquête présentait un risque maximum, à présent.

Crutch scruta son graphique. Les mots dansèrent devant ses yeux. Les lignes obliques et les regroupements d'indices trouvèrent une cohésion. Il examina les portraits anthropométriques de Joan. Il approcha un lampadaire et donna de l'éclat à ses mèches grises.

Tempête sous un crâne.

Il sortit son carnet de croquis. Il dessina un portrait aussi ressemblant que possible de Gretchen Farr-Celia Reyes. Il y ajouta un uniforme d'hôtesse de l'air avec un badge au nom de « Janet ».

Les Pages Jaunes – là, près du téléphone.

Compagnies aériennes. Établis une liste. Il y a du porte-à-porte en perspective.

Quelque chose ne tournait pas rond. Il se trouvait à Beverly Hills, il était 2 heures du matin, et il y avait du drame dans l'air.

Un embouteillage à Fric City. Les voitures de police de Beverly Hills démarrant sirènes hurlantes, gyrophares allumés. Deux voitures de flics, deux ambulances, deux camionnettes de reporters télé.

Crutch suivit les voitures de flics. Ils foncèrent à travers le quartier des affaires pour atteindre les hauteurs. L'atmosphère de drame s'épaissit : encore plus de voitures de flics, des hélicos, des agents tenant des chiens en laisse. Crutch vira vers l'ouest sur Elevado. La circulation était bloquée. Il vit une nuée d'uniformes devant la Maison de la Haine.

Il abandonna sa voiture et continua à pied. Il évita les voitures bloquées dans le bouchon et coupa à travers les pelouses. Il dévala au sprint l'allée du voisin et escalada la clôture. La nuée d'uniformes était encore plus imposante à l'intérieur. Il vit les statues et l'abri anti-aérien et le Dr Fred. Il est étendu sur un chariot d'ambulance trempé de sang. Il ne reste de son visage que des os calcinés et des chevrotines.

Les agents en tenue le repèrent. Il reconnaît plusieurs types. Quelqu'un lui crie : « Crutchfield, on vous attend au commissariat ! »

Clyde s'y trouvait déjà. De même que Phil Irwin. De même que l'avocat juif de Phil et Clyde, Chick Weiss.

Le hall du Bureau des inspecteurs était bondé. À Beverly Hills, la police avait une affaire de meurtre sur les bras une fois par décennie. C'était la grande rafle. Les flics ramassaient toutes les relations connues du Dr Fred.

Clyde expliqua :

– Simple opération de routine. Ils ont vu mon nom, celui de Phil et celui de Crutch dans le carnet de rendez-vous du Dr Fred.

Chick déclara :

– C'est forcément une de ses ex-épouses. Il a été marié sept fois. C'est moi qui me suis occupé de tous ses divorces. Sur cette planète, il n'y avait pas pire que lui pour payer les pensions alimentaires.

Phil commenta :

– Qui se sert de l'épée périra par l'épée. Je crois que c'est des militants noirs. Il a écrit tellement de pamphlets antinègres que les nègres ont fini par avoir sa peau de sale raciste.

Crutch se rappela soudain Gretchen/Celia. Il se rappela Joan. Il se rappela la malle bourrée de billets de banque.

Clyde donna son avis :

– Pas d'accord pour les militants, mais ça ressemble à un coup exécuté par des bronzés. J'ai parlé au chef de la sûreté. Il pense que c'est l'équipe de nègres qui a dévalisé ces gens de Brentwood.

Chick intervint :

– En matière d'art nègre, je suis un connaisseur. J'adore les statues des Caraïbes. Ça ne veut pas dire que je vole des statues nègres.

Phil répéta :

– Qui se sert de l'épée périra par l'épée.

Clyde leva les yeux au ciel. Chick ajouta :

– Comme je suis votre avocat, laissez-moi vous donner un conseil : ne révélez rien du tout. Le Dr Fred était mouillé dans d'innombrables embrouilles. Évitez à tout prix de vous retrouver inculpés de complicité.

L'interphone bourdonna :

– Donald Crutchfield. Dans le bureau du capitaine, s'il vous plaît.

Crutch se dirigea vers la porte. Elle était entrebâillée. Il s'arrêta net en pénétrant dans la pièce. Dwight Holly était devant lui.

– Salut, Trouduc.

Crutch ferma la porte. *Confluence*, le mot de Clyde Duber, *c'est qui tu connais et qui tu suces et de quelle façon ils sont tous liés les uns aux autres.*

– Les gens n'arrêtent pas de m'appeler par ce nom-là. J'essaie sans cesse de leur prouver que je vaux mieux que ça.

– C'est le nœud papillon porté sur un polo. Ça empêche les gens de voir plus loin et de découvrir le vrai jeune homme dynamique qui se cache derrière.

Crutch s'appuya contre la porte. Il ressentit une douleur lancinante dans la poitrine. La bile lui remontait dans la gorge. Il avait l'impression d'être verdâtre. Dwight Holly lui lança une pastille contre les brûlures d'estomac. Il l'attrapa au vol et la fourra dans sa bouche. Dwight Holly lui fit un clin d'œil.

– Wayne m'a expliqué l'impasse que tu as créée. Je lui ai dit : « Tuons-le quand même », mais des esprits plus magnanimes ont eu le dernier mot. Si tu veux rechercher cette femme qui a escroqué Farlan Brown, très bien. Tu obéis aux ordres, tu continues à vivre. Tu désobéis, *c'est la guerre*[1].

Crutch ferma les yeux et revit le Dr Fred privé de visage. Une décharge de chevrotine triple zéro. Une charge capable d'arrêter le gros gibier. Il eut un goût de sang dans la bouche. Il s'était mordu si fort que ses gencives étaient à vif.

Dwight Holly expliqua :

– M. Hoover veut que cette affaire de meurtre soit expédiée rapidement. Des bamboulas ont commis un vol qui a mal tourné. Le Dr Fred était un informateur du FBI, il écoulait ses pamphlets racistes, il se droguait, et il courait la gueuse de façon compulsive. C'était un style de vie à haut risque, et personne ne versera une larme sur lui. Est-ce que tu commences à voir ton rôle dans tout ça ?

Crutch rouvrit les yeux.

---

1. En français dans le texte.

– Il avait un abri anti-aérien. Il y avait une grande malle remplie de...

– L'abri a été pillé et l'argent a disparu. *Des bamboulas ont commis un vol qui a mal tourné.* Ils vont claquer tout le fric à acheter de la drogue, des Cadillac et des visons pour leurs putes, ils vont continuer à commettre des vols jusqu'au jour où des flics blancs vont les descendre. Maintenant, est-ce que tu commences à voir ton...

– ... ne pas dire un mot à la police de Beverly Hills au sujet de l'enquête sur Gretchen Farr. Ne pas parler de Dracula ni de Farlan Brown. Mentir. Dissimuler. Tergiverser. Ne pas parler de vous, de Wayne, de Freddy O., de Mesplède, ni d'aucun autre crétin d'assassin que vous pourriez compter parmi vos amis. Ne pas mettre dans l'embarras votre vieille tapette de patron M. Hoover.

Dwight Holly sourit jusqu'aux oreilles.

– J'avais bien cru déceler un cerveau, là-dedans.

Crutch avala un peu de sang. Dwight Holly lui lança une autre pastille à la menthe. Elle n'alla pas assez loin et tomba sur le plancher.

– Je peux te poser une question sur ta coupe de cheveux et ton nœud papillon ?

– Bien sûr.

– Est-ce que tu as un béguin contre nature pour le sergent Robert S. Bennett ?

Crutch dit :

– Allez vous faire foutre.

Dwight Holly hurla de rire.

37

Las Vegas, 15 septembre 1968

Dossiers, graphiques, listes. Sa suite était un labo de chimie et une papeterie.

Les débiteurs défaillants des prêts consentis par la caisse des camionneurs. Les mauvais payeurs et les macchabées. Les dossiers de transactions et les tableaux de crédit. Les prévisions de débit et les études analytiques des coûts.

Wayne consultait les dossiers et recopiait des chiffres. Il travaillait avec un bloc-notes et trois stylos différents. Il avait mal au dos à force de travailler courbé et mal aux doigts à force d'écrire. Ses yeux le brûlaient d'avoir scruté des documents et des colonnes de chiffres.

Cooptons la chaîne « Steve's Kingburger » à Akron, Ohio. Achetons un centre commercial à Leawood, Kansas. Cooptons la chaîne « Pizza Pit » et utilisons-la pour blanchir l'argent provenant de l'écrémage des casinos. Annexons trois boîtes de nuit fréquentées par les voyous à Los Angeles-Sud : « Le Salon du Scorpion », « Le Bac à sable de Sam le Sultan », et un repaire de lesbiennes nommé « La Pêche aux Moules ». Emparons-nous de la Banque populaire de Los Angeles-Sud, pour son potentiel de blanchiment. Approprions-nous les Taxis Black Cat. C'est une affaire qui ne tourne qu'avec de l'argent frais, située près de la Banque populaire, non loin de la frontière et de nos casinos étrangers.

Wayne reposa son stylo. Il était épuisé. Il avait arrêté de prendre la drogue qui lui avait permis de tenir le coup à Vegas-Ouest et au Grapevine. Il avait laissé derrière lui les crises de sanglots consécutives à la mort de Janice. Il était de nouveau en forme. Il devenait impassible, parce que...

Il travaillait.

Il servait d'intermédiaire et il complotait. Il travaillait pour Carlos Marcello. Il travaillait pour et contre Howard Hughes. La fringale d'achats d'hôtels de Drac se heurtait à un décret du département de la justice. Richard le Roublard lèverait ce barrage-là, s'il remportait l'élection. Ses acolytes en roublardise apporteraient leur aide.

Il déléguait les tâches. Jean-Philippe Mesplède était prêt à partir en reconnaissance dans les pays susceptibles d'accueillir leurs nouveaux casinos. Mesplède était un grand mélange de beaucoup de choses. Il était infatigable et compétent et enclin aux gaffes sentimentales. Il avait laissé la vie sauve à ce crétin de môme. Les dispositifs de sécurité du môme n'étaient valables que de façon marginale. Et les marges étaient ténues. Il prévoyait l'espérance de vie de Trouduc à six mois environ.

Ce môme était un fouteur de merde. Tout comme il l'était lui-même. Tout comme l'était Dwight Holly.

Dwight l'avait appelé la veille. Les nouvelles qu'il avait à lui apprendre : le meurtre de Fred Hiltz. M. Hoover voulait enterrer l'affaire. Cela tombait bien : Drac et Farlan Brown risquaient de faire parler d'eux par ricochet. Il avait raconté à Dwight l'épisode Don Crutchfield. Dwight avait demandé : « Tu voudrais que je le tue ? » Wayne avait répondu : « Pas tout de suite. »

Il bâilla et prit *Le Dossier*. Il comptait quatre pages. Dwight avait tiré des ficelles pour le lui procurer.

Police de Las Vegas – Shérif du comté de Clark : Personnes disparues, Affaire n° 38992. James Hazzard/sexe masculin/race noire. Né le 17/10/44.

Un dossier presque vide et peu encourageant. La règle dans ce genre d'affaire : les mômes de race noire qui disparaissaient n'intéressaient personne.

Reginald Hazzard avait fait de brillantes études secondaires. Il suivait des cours de fac, travaillait dans un garage comme laveur de voitures et se tenait à carreau. Les flics interrogèrent quelques voisins, n'apprirent rien, affaire classée.

La chemise était intacte. Le papier sentait le neuf. C'était un document que personne n'avait consulté et qui n'avait brisé le cœur de personne.

Wayne avait appelé Mary Beth une vingtaine de fois. Elle ne répondait jamais. Il appelait tous les jours et laissait le téléphone sonner vingt fois.

Il reposa le dossier. Il hésita. Il composa son numéro une fois de plus. Il entendit quatre sonneries et son « Allô ? » presque abrupt.

– C'est Wayne Tedrow, madame Hazzard.

Elle en rit presque.

– Eh bien, je suis heureuse de vous entendre, mais je ne peux pas dire que je sois surprise.

– Pouvons-nous boire un café ensemble ?

– D'accord, mais c'est moi qui l'apporte.

– Où ?

– La première aire de repos sur l'I-15. Il vaut mieux qu'on ne me voie pas en votre compagnie.

La frontière entre « alors » et « maintenant » devint floue. Cette aire de repos et cette autre près de Dallas. Des coulées de sable et des boules de broussaille en 1963. Le désert aujourd'hui. Wendell Durfee et son costume de maquereau. Les toilettes en ciment, identiques, se fondaient sans raccord visible.

Wayne entra sur le parking. Mary Beth était assise dans une Valiant de 62. C'était la mi-journée et il y avait foule. Elle s'était garée à l'écart des autres voitures. Wayne sauta dans la Valiant. Mary Beth sourit et frappa le volant du plat de la main. Le klaxon retentit. Wayne se cogna les genoux contre le tableau de bord.

– Nous ne sommes pas des fugitifs, vous savez.

Wayne répliqua :

– Vous pourriez me donner envie de le devenir.

Elle lui tendit un gobelet en carton posé sur une serviette en papier. Un peu de café suintait du fond du gobelet.

– J'ai oublié de demander de la crème et du sucre.

– J'aime le café quelle que soit la manière dont il est servi.

– Vous êtes toujours aussi conciliant ?

– Non, j'ai tendance à me montrer un peu péremptoire.

Mary Beth sourit.

– Je sais. J'ai vu Buddy Fritsch dans Fremont Street hier. Il portait un plâtre sur le nez.

Wayne tenait son gobelet à deux mains. Le café était trop chaud. Il l'avalait par petites gorgées. C'était purement pour paraître occupé.

– Mes amis vous prennent pour un cinglé.

– Que leur dites-vous ?

– Que, souvent, les hommes qui attendent quelque chose de vous vous donnent ou vous montrent des choses, ce qui revient au même que simplement vous les dire. Je leur dis : « M. Tedrow a quelque chose à me dire, et il n'a pas les mots qu'il faut, mais il sait très bien les remplacer par un geste. »

Wayne posa son gobelet sur le tableau de bord. Il vacilla avant de s'immobiliser. Wayne noua ses mains autour d'un de ses genoux et se tourna vers Mary Beth.

– Parlez-moi de votre fils.

– Il me faisait regretter de ne pas en avoir deux ou trois de plus comme lui, ce qui, de la part d'une personne aussi occupée que moi, en dit long sur son compte.

– Cela décrit votre sentiment pour lui. J'attendais plutôt votre opinion sur le jeune homme qu'il était.

Mary Beth but un peu de café.

– Il lisait beaucoup et il tâtait de la chimie en autodidacte. Il se livrait à des orgies de lectures ou d'expériences avec son matériel de chimiste amateur. Il essayait de comprendre l'univers avec son esprit, ce que je respectais.

Une voiture se gara près d'eux. Le couple blanc qui l'occupait les regarda bouche bée.

– Et l'enquête de police ? demanda Wayne.

– Plus ou moins ce à quoi on pouvait s'attendre. Elle a été ouverte et close en une demi-journée environ, alors Cedric et moi avons engagé un détective privé. Il s'appelait Morty Sidwell, et je pense qu'il a fait un travail convenable. Il a consulté les registres de décès et les archives des commissariats de police et des hôpitaux dans tout le pays, et il a acquis la conviction que Reginald était encore en vie. Au bout d'un moment, l'argent a fini par nous manquer, et nous avons dû renoncer à toutes les recherches.

Les deux Blancs les lorgnaient toujours. Wayne ne cessait de regarder dans leur direction. Mary Beth lui dit :

– N'insistez pas. Je ne pense pas que je supporterais un nouveau geste de votre part.

Wayne recula son siège. Cela lui libéra les jambes. Mary Beth posa son gobelet sur le tableau de bord.

– Le président Kennedy a été tué quelques semaines avant la disparition de Reginald. Il en a été très affecté.

Le couple de Blancs repartit. Papa effectua un double débrayage pour envoyer une gerbe de gravillons dans leur direction.

– Vous rappelez-vous où vous vous trouviez ce fameux week-end ?

Wayne la regarda.

– J'étais à Dallas.

– Pourquoi ?

– J'essayais de retrouver Wendell Durfee.

– Et puis ?

– Et je l'ai retrouvé, et je l'ai laissé partir.

D'autres voitures entrèrent dans le parking. L'endroit devenait oppressant. Wayne s'agita et se mit à transpirer. Mary Beth posa la main sur son genou.

DOCUMENT EN ENCART : 16/9/68. *Rapport succinct sur les ÉLÉMENTS SUBVERSIFS. Marqué : « CHRONOLOGIE/FAITS CONNUS/OBSERVATIONS/RELATIONS CONNUES/AFFILIATIONS § ORGANISATIONS. » Sujet : KLEIN, JOAN ROSEN/Nombreux noms d'emprunt inconnus/Sexe féminin/Race blanche/née le 31/10/26 à New York. Compilé le 14/3/67.*

1.- Résumé : Le SUJET JOAN ROSEN KLEIN doit être considéré comme un personnage séditieusement anti-américain possédant depuis plus de 20 ans des liens multiples avec des organisations radicales dangereuses couvrant un large éventail des idéologies de gauche. Elle a été « Administratrice de Communautés », « Organisatrice de Manifestations » pour de nombreuses causes subversives, enseignante dans de discutables « Écoles de la Liberté » qui adhèrent à la doctrine prônée par la ligne du parti communiste, et de façon plus significative une alliée solide de groupes d'extrême gauche qui préconisent le renversement par la violence des États-Unis, à savoir : LE PARTI DES TRAVAILLEURS SOCIALISTES, L'UNION DES ÉTUDIANTS POUR UNE SOCIÉTÉ DÉMOCRATIQUE et LE MOUVEMENT POUR L'ACTION RÉVOLUTIONNAIRE. Ces organisations ont annoncé leur solidarité avec des organisations nationalistes noires violentes, le PARTI DES PANTHÈRES NOIRES et les E.U., ce qui justifie leur classement au niveau 4 du risque pour la sécurité intérieure. LE SUJET JOAN ROSEN KLEIN a également été soupçonné (sans preuve) de participation à des vols à main armée à Los Angeles en 1951 et 1953/pas d'informations complémentaires disponibles, et de deux vols à main armée en Ohio et dans l'État de New York en 1954/pas d'informations complémentaires disponibles.

Le grand-père du SUJET JOAN ROSEN KLEIN, ISIDORE HERSCHEL KLEIN (1874-1931), était un riche marchand d'émeraudes et un polémiste de gauche qui a fait don de grosses sommes d'argent à des groupes anarchistes, à des groupes radicaux pro-travaillistes et à des causes rattachées au Front communiste. Son fils JOSEPH LEON KLEIN (1902-1940) était un partisan confirmé du radicalisme, tout comme l'était son épouse HELEN HERSCHFIELD ROSEN KLEIN (1904-1940). Leur décès en 1940 laissa le SUJET JOAN ROSEN KLEIN orpheline. Elle réapparut pendant les années de guerre et fut emprisonnée pour infraction à la loi sur la sédition, trouble à l'ordre public au cours de manifestations organisées par les communistes, et fut l'objet d'une photo-surveillance lors de réunions tenues dans tous le pays par le PARTI COMMUNISTE DES ÉTATS-UNIS, le PARTI SOCIALO-TRAVAILLISTE, l'UNION DES ÉTUDIANTS POUR LA PAIX, la LIGUE POUR LA DÉMOCRATIE INDUSTRIELLE, la LIGUE POUR L'UNITÉ DES SYNDICATS, et à divers rassemblements de soutien au sympathisant communiste exilé Paul Robeson. La rumeur attribue au SUJET JOAN ROSEN KLEIN la rédaction des pamphlets les plus violemment anti-américains distribués par les organisations citées ci-dessus.

2.- Le SUJET JOAN ROSEN KLEIN se considère comme étant une universitaire itinérante et a récemment (1962) enseigné dans une « École de la liberté » financée par des fonds radicaux et rattachée à l'université de Californie du Sud, où elle a censément dispensé ses connaissances en chimie et en physique à des étudiants noirs. Elle entretient des relations très secrètes et des correspondances par boîtes postales avec de nombreux professeurs d'université de gauche qui s'emploient à faciliter ses rencontres avec d'autres éléments subversifs aux opinions comparables appartenant à la frange clandestine communiste/socialiste/radicale. Le SUJET JOAN ROSEN KLEIN voyage abondamment à l'étranger (très probablement à l'aide de faux passeports), a prétendument séjourné un certain temps à Cuba sous le régime communiste (en violation des décrets interdisant cette destination), est semble-t-il liée au « Mouvement du 14 juin », soutenu par les communistes, en République Dominicaine, et a écrit des diatribes anti-américaines, anti-dominicaines, condamnant les mauvais traitements prétendument infligés aux paysans haïtiens par « les intérêts fascistes soutenus par les États-Unis de connivence avec les despotes dominicains dans la guerre génocide contre Haïti ». Ces diatribes ont été censément co-écrites par une femme de nationalité dominicaine connue seulement par son prénom, « Celia ».

3.- Il est notoire que le SUJET JOAN ROSEN KLEIN voyage beaucoup à l'intérieur des frontières des États-Unis et se déplace fréquemment en avion (aux frais de compagnons de voyage fortunés) vers des foyers d'insurrection pour s'entretenir avec des leaders radicaux et les conseiller sur la meilleure façon d'atteindre leurs objectifs. Sa seconde spécialité est le recrutement d'étudiants naïfs qui suivent ses cours à l'« École de la liberté », et la rumeur court qu'elle a aidé de nombreux jeunes gens à « abandonner leurs études » et à prendre une « identité clandestine ». Les archives recensant les réunions de groupes subversifs et les archives de photo-surveillance attestent la présence du SUJET JOAN ROSEN KLEIN à des meetings de protestation contre le serment d'allégeance, à Los Angeles, le 30/8/50 ; à des manifestations pour la libération des époux Rosenberg, à New York, en juin 52 ; à des meetings du Parti progressiste indépendant, à Boston, en novembre 51. Le SUJET JOAN ROSEN KLEIN a été également vue à des manifestations soutenues par les communistes en faveur de la pétition de Stockholm pour la paix dans 14 villes des États-Unis en 1950.

4.- Plus récemment, le SUJET JOAN ROSEN KLEIN a servi de médiatrice pour élaborer des « Pactes de paix » entre des factions belliqueuses de gauche et des groupes (principalement blancs) alliés à des mouvements de militants noirs. Elle est censée avoir rédigé une brochure de 200 pages donnant des conseils à l'ALLIANCE DES JEUNES SOCIALISTES sur la meilleure façon de mener leur « Guerre des travailleurs en révolte pour renverser l'État d'Indiana ». Le SUJET JOAN ROSEN KLEIN a travaillé (en 1966) comme « Disc Jockey » pour la station de radio gauchiste « Radio Dixie Libre » et fut récemment repérée (photo-surveillance) en compagnie de membres du groupe radical violent « Weather Underground ». Quatre livraisons de leur lettre d'information, « Weather Report », portent sa signature. La rumeur attribue également au SUJET JOAN ROSEN KLEIN la gestion et l'entretien de « planques » - c'est-à-dire de cachettes pour des radicaux violents en fuite.

5.- Relations connues :

6.- Le SUJET JOAN ROSEN KLEIN (dont on ignore où elle se trouve actuellement) doit être considérée comme présentant un risque de niveau 4 pour la sécurité intérieure.

Il serait bon qu'elle fasse l'objet d'une alerte dans toutes les villes, afin de mettre en place trois procédures à son encontre : interception fréquente de son courrier, photo-surveillance, et peut-être des périodes de détention de 48 heures à intervalles réguliers. (Des mises à jour régulières suivront en fonction de l'arrivée de nouvelles informations.) Envoi n° 1499684/Archives centrales/Washington, D.C.

A.S. Holly : Veuillez retourner le présent document par courrier interne.

38

Los Angeles, 19 septembre 1968

Ce sont ses cheveux.

Les mèches grises. Pas de concessions à ses 42 ans. Les bras nus pour mettre en évidence la cicatrice du coup de couteau. Elle faisait son âge, elle portait des vêtements de femme mûre, elle dédaignait l'esthétique adolescente. La cicatrice signifiait assez clairement : Je vous emmerde.

Ils allumèrent des cigarettes. Leur box était vaste et enveloppant. Le grill-room d'Ollie Hammond tournait au ralenti avant l'heure du déjeuner.

Joan Klein dit :

– Vous n'avez pas parlé du salaire.

Dwight but une tasse de café.

– Mille dollars par mois, en liquide. Vous en dépensez cent par semaine pour vous rapprocher de nos cibles. Vous achetez de la nourriture pour les arnaques « À manger pour nos mômes », et les frères peuvent consacrer davantage de moyens à la drogue et aux armes.

– Et mes obligations, autres que celles-là ?

– Fournir des rapports détaillés, être discrète, ne pas communiquer d'information qui n'aurait pu venir de personne d'autre. *Protéger votre statut d'informatrice.* Me prévenir dès que possible de tout crime potentiellement violent ou de toute discussion concernant des actions à mener contre des officiers de police.

Joan sourit.

– Au-delà du baratin habituel du style « Mort aux flics » ?

Dwight sourit.

– S'il s'agit de flics spécifiques, faites-le moi savoir. Les généralités débiles genre salauds-d'enfoirés-de-flicards-à-faces-de-craie, je peux m'en passer.

Ce sont ses lunettes.

La monture noire, le fait qu'elles ne restent pas en place, qu'elles descendent par saccades sur l'arête de son nez.

Dwight fit :

– Vous connaissez Karen Sifakis.

– Je connais *par ouï-dire* une femme surnommée « Karen la poseuse de bombes ». Elle connaît des gens qui connaissent des gens qui me connaissent. Ce n'est pas à *vous* que je vais expliquer les intermédiaires, les boîtes aux lettres et les paravents pour boîtes mortes.

Brûlure d'estomac – Dwight avala deux menthes. Un serveur obstiné rôdait près d'eux. Un regard noir de Dwight le fit décamper.

– J'ai lu votre dossier.

– Je m'en doutais.

– Il est squelettique et bourré d'incohérences. Je ne saurais dire si vous êtes une pacifiste née de parents communistes ou une braqueuse manquée.

Joan fit des ronds de fumée.

– Supposez que je sois les deux, et il y aura moins de surprises.

Dwight écrasa son mégot.

– Pas de comparutions au tribunal, pas de traces écrites. Quatre arrestations en tant que suspecte, pas de numéros de référence indiquant la mise à disposition...

– ... quatre vols à main armée dans des villes en grève. Des rafles au hasard pour coincer des sans-papiers, des gens dont les noms figurent sur les listes de suspects communistes, des flics en virée pour s'amuser un peu.

Dwight remplit les tasses de café.

– Avez-vous donné des noms de certains de vos camarades ?

– Non.

– Combien de temps êtes-vous restée en détention ?

– C'était variable.

– Avez-vous été menacée physiquement ?

– Un flic de Dayton, Ohio, m'a frappée avec un annuaire.

– Votre réaction ?

– Un commentaire peu judicieux concernant sa mère.

Dwight rit.

– Et puis ?

– Ils m'ont flanquée en cellule avec des lesbiennes agressives.

L'une des filles était mignonne. J'aimais bien ses baisers, mais elle allait trop vite en besogne.

Elle s'exprimait avec précision. On repérait des échos de New York dans ses voyelles. Elle modifiait sans cesse ses inflexions – un talent d'usurpatrice d'identité.

Dwight commenta :

– Personnellement, je n'ai jamais eu à repousser les avances d'une gouine amoureuse dans une cellule.

Joan expliqua :

– Je l'ai frappée avec une fourchette. Les dents lui ont traversé la joue et se sont plantées dans son palais.

Dwight réprima un sourire. Joan but une gorgée de café. Elle avait les traits tirés d'une femme qui n'a pas dormi de la nuit.

– De quelle façon communiquerons-nous ?

– D'un téléphone public, pour l'instant. Tous les mardis à 10 heures du matin. J'appellerai la cabine qui se trouve à l'angle de Silver Lake et d'Effie.

– J'ai un téléph...

– Pas de fausse naïveté, mademoiselle Rosen. Je ne veux pas savoir où vous habitez, et je vous trouverai quand j'aurai besoin de vous.

– Me garantissez-vous que je ne serai plus sujette à des détentions arbitraires et à une photo-surveillance ?

Dwight secoua la tête.

– Non. Si je demande cette faveur, les autres agents de L.A. sauront que vous travaillez pour moi. J'ai déjà bricolé votre dossier pour lui ajouter une entrée bidon. La semaine dernière, vous faisiez monter la tension chez des crétins de militants à l'université Davis.

Elle ne sourit pas. Il voulait la voir sourire. Cela ôtait de la dureté à son visage.

– Puis-je vous dire ce que je refuse de faire ?

– Je vous écoute.

– Je ne dénoncerai pas des jeunes qui se joignent au mouvement pour rigoler et qui le quittent dès que ça tourne mal.

– Vous supposez que ça va mal tourner ?

– Oui. Pas vous ?

Dwight répondit :

– Pas de la façon que vous pourriez souhaiter. Je n'imagine pas de révolution armée en Amérique, je ne décèle pas chez les caïds du macadam de l'ATN et du FLMM les signes avant-coureurs de quoi que ce soit, si ce n'est de quelques pugilats et autres règlements de comptes entre souteneurs.

Joan sourit. Sa dureté *s'accentua.*

– En ce cas, pourquoi déployez-vous tant d'énergie à les éradiquer ?

– Parce qu'ils sont motivés par des projets criminels, parce que je méprise le désordre, parce que M. Hoover m'a demandé de le faire.

– Parce que leurs singeries discréditeront le mouvement pour le pouvoir noir dans son ensemble. Parce que les organisations les plus connues constituent une menace bien plus réelle, mais qu'elles se sont fait bien voir de la presse. Parce que le militantisme noir a atteint un certain niveau d'acceptabilité dans l'opinion, et que vous tentez de le ramener dans le caniveau.

Dwight la regarda. Elle sourit pour lui. Ses dents étaient tachées de rouge à lèvres.

– Je ne vous ai pas demandé pourquoi vous faisiez cela.

– Pour l'argent ? Parce qu'en fin de compte la répression ne marche jamais ? Parce que je trouverai des gens et que je façonnerai leurs opinions de diverses façons que vous ne parviendrez jamais à évaluer, et que M. Hoover me paiera pour créer une révolution à un niveau indécelable qui ne se retrouvera jamais dans un dossier qu'il pourrait savourer à 3 heures du matin, quand le lait chaud, les biscuits et le Séconal ne font plus aucun effet.

Dwight sourit.

– Vous êtes très bien informée.

Joan sourit.

– L'une des anciennes gouvernantes de M. Hoover a un fils qui appartient aux Panthères. C'est un caricaturiste de talent. Il a dessiné quatre cases représentant M. Hoover à l'heure du coucher. Il examine des clichés de photo-surveillance représentant de jeunes Noirs bien huilés qui prennent un bain de soleil, et Tante Jemima doit frapper à la porte avant d'apporter ses friandises.

Dwight se tapa sur les cuisses. Ses coudes heurtèrent la table et firent tomber un verre. Un serveur surgit pour éponger la flaque.

Joan commenta :

– Ce n'était pas si drôle que ça.

– Permettez-moi de penser le contraire.

– Vous êtes très imprudent.

– M. Hoover et moi partageons une longue histoire. L'humour m'est d'une grande aide, parfois.

– Racontez-moi.

Dwight secoua la tête.

– Parlez-moi de cette cicatrice sur votre bras, et dites-moi pourquoi vous en êtes si fière.

Joan secoua la tête.

– Je travaille à une nouvelle version. Quelque chose de subtil et d'inspiration raciste. Quelque chose qui plaira à l'ATN et au FLMM.

– Vous pourriez me dire la vérité.

– Mon style, ce sont plutôt les fictions à vocation utilitaire.

Dwight sentit son estomac grogner. Il fit passer les deux menthes avec un peu de café.

– Qui a caviardé votre dossier ? Le paragraphe des « relations connues » a été noirci à l'encre, donc vous avez dû travailler comme informatrice fédérale.

Joan alluma une cigarette.

– J'ai travaillé comme informatrice, oui. Mais jamais au niveau fédéral, donc il devait y avoir là quelques noms qu'un de vos collègues désirait supprimer.

– Je ne suis pas sûr d'acheter votre explication.

– Peu m'importe ce que vous achetez, monsieur Holly. Nous sommes tous les deux ici pour acheter et pour vendre, et je suis sûre que nous créerons la révolution et la répression d'une façon chaotique, mais néanmoins complémentaire.

C'était son odeur. Elle transpirait. Les effluves de son savon de toilette avaient disparu. Ses aisselles étaient humides.

– J'ai quelques questions spécifiques, mademoiselle Klein.

– Très bien.

– Comment vous y prendrez-vous pour approcher l'ATN et le FLMM ?

– Je gère une planque. J'ai déjà pris mes dispositions pour que l'ATN y entrepose des armes.

– Et vous ne voulez pas m'indiquer l'adresse ?

– Non.

Dwight annonça :

– Voici votre premier test : vous empruntez les armes, vous tirez des munitions dans un caisson acoustique, et vous récupérez les balles usagées pour me les rapporter. Vous remettez les armes en place, et je garde les projectiles pour faire des comparaisons.

Joan répondit :

– Non.

Dwight répliqua :

– Alors, le marché est annulé. Et je lance contre vous un ordre de mise en détention dans les 50 États.

Elle serra le bord de la table. Ses doigts frémissaient. La table tout entière vibra.

– Je ne vous révélerai pas l'endroit où se trouve la maison, mais je vous apporterai les balles.

– Comment saurai-je que ce sont bien les bonnes ?

Joan sourit.

– Parce que vous me faites confiance ?

Dwight posa sur la table un bloc de cocaïne enveloppé dans du plastique. Un peu de poudre sortait d'un orifice.

– Faites plaisir à quelques communistes, autant que vous venez de me faire plaisir à moi-même.

Karen dit :

– Je ne l'ai jamais rencontrée, mais j'ai entendu parler de sa cicatrice.

Ils étaient au lit. Karen ne pouvait plus s'arrondir davantage. Dwight posa une main sur son ventre. Eleanora donna deux coups de pied.

– Raconte-moi.

– C'était pendant cette émeute au concert de Paul Robeson à Poughkeepsie. En 48, je crois. Joan s'est colletée avec des légionnaires.

Dwight mit en marche le ventilateur posé sur le bureau. L'air de la chambre se mit à tourbillonner et resta chaud.

Karen dit :

– J'ai vu un flash d'informations sur le Dr Hiltz. Tu te souviens, tu m'as dit que tu le connaissais.

Dwight hocha la tête.

– Le Bureau a court-circuité l'enquête.

– Pourquoi ?

– C'était un informateur rétribué.

– Comme moi ?

– Moins efficace, plus instable et capricieux, politiquement moins astucieux.

Karen sourit.

– C’est l’une des choses les plus gentilles que tu m’aies jamais dites.

– Tu dois m’aimer, alors.

– Ma foi, je vais y réfléchir.

Ils tombèrent à la rencontre l’un de l’autre et trouvèrent. Dwight se laissa emporter par le souvenir de cette odeur, ce sourire dur, ces cheveux gris.

39

Minneapolis, 22 septembre 1968

H.H.H. en 68 ! H.H.H. en 68 ! H.H.H. en 68 !

Les Villes Jumelles, c'était un territoire tout acquis à Hubert. Des types genre Vikings s'entassaient dans le parking du Bazar Berglund. Quatre cents péquenauds. Une affluence respectable pour un milieu de journée.

Cinquante hippies foutaient la merde. Ils avaient été recrutés par Clyde Duber. Ils brandissaient à bout de bras les pancartes de l'horreur. Regardez ça : des niacoués qui brûlent, des mômes napalmés, et des jets U.S. qui laissent derrière eux des traînées de sang.

Des acclamations et des huées : H.H.H. ! d'un côté, la haine hippie de l'autre. Des colombes de la paix et des gamins bridés aux cheveux parsemés de flammes.

Crutch et le Frenchie regardaient le spectacle. Ils observaient les contestataires gauchistes trouvés grâce à la liste de Clyde. Ils les payaient en marie-jeanne et en billets de dix. La veille au soir, ils avaient organisé pour eux une soirée affiches. Le Frenchie avait servi de la pizza, de la bière et de l'herbe. Crutch avait joué les directeurs artistiques. Il avait découpé des magazines et trouvé des photos fascistes bien saignantes.

Les discours se succédaient. Soudain, le rugissement s'amplifia : H.H.H. ! H.H.H. ! H.H.H. !

Les types de la sécurité labourèrent un passage jusqu'à l'estrade. Humphrey et quelques gros lards de politicards avançaient entre eux d'une démarche vacillante. Crutch s'esclaffa. Le Frenchie sourit jusqu'aux oreilles. T'imagines ! On a mis du THC dans ton café du matin.

Humphrey monta les marches au pas de charge et buta contre le rebord de l'estrade. Un gus de la sécurité le rattrapa au vol. Le vice-président retrouva l'équilibre. Il avait le regard du type qui plane complètement. Sa braguette était ouverte. On voyait son caleçon. Des ricanements circulaient. Hubert s'adressa à la foule. Son élocution était pâteuse. Il dit quelque chose qui ressemblait à : « Mes chers Abyssiniens. »

Ils avaient une suite à deux chambres à Saint Paul. Tous frais payés par Howard Hughes. Le service des chambres fonctionnait vingt-quatre heures sur vingt-quatre. Ils mangeaient du filet de bœuf, des champignons farcis et des biscuits au THC. Ils s'étaient pintés et ils parlaient de CUBA.

Mesplède était un disque rayé. Ouais, mais un disque rayé qui *tournait*.

LBJ, Nixon, Hubert – des pleureuses, des lopettes, tous autant qu'ils étaient. *De l'héroïne*. On en vend, on achète des armes, on dépose Fidel. Cela a marché au Vietnam. Les trahisons avaient eu raison du Tiger Kadre. Ils allaient constituer une ékipe plus resserrée, à présent. Le Frenchie était le bras droit de Wayne Tedrow pour la partie casinos. C'est lui qui allait chercher le bon pays de droite pour les implanter. Leurs sites seraient tout près de Cuba.

On vend de l'héroïne. On se crée une clientèle dans l'île. On gagne de l'argent pour acheter des armes et on fait des raids avec une vedette rapide. On ravage la côte et on tue des Rouges.

Crutch dit :

– Je veux en être.

Le Frenchie répondit :

– Mon ami, je te le garantis.

Crutch montra du doigt son nœud papillon. Le Frenchie ajouta :

– Ton chiffre va augmenter, une fois qu'on aura choisi le site.

Crutch but une grande lampée de Pernod. Sa vision périphérique se brouilla. Le Frenchie lui montra son couteau à scalper. Il avait scalpé 31 salopards de Castristes.

Il dormait dans un Travel Lodge. Il avait décoré sa chambre pour un séjour de deux nuits. Il avait laissé sa photo de Joan Klein dans son portefeuille, et scotché une grande carte de Cuba aux murs. Il lançait des fléchettes sur les bases de la milice.

Crutch visait les cibles et les manquait, il les visait et les touchait. Les murs voisins étaient criblés d'impacts, constellés de trous. Il avait mémorisé la plupart des noms de villages et ceux de toutes les routes menant à La Havane. Ne pas oublier : acheter un couteau à scalper, le même que celui du Frenchie.

Crutch contempla le portrait de Joan. Son trip Pernod-biscuit au THC lui faisait voir des choses nouvelles. Il avait parlé à Clyde. L'opinion de Clyde : le meurtre du Dr Fred n'avait aucun lien avec l'entourloupe de Gretchen Farr. Les fédéraux s'étaient approprié l'enquête. Elle était menée par Jack Leahy. L'opinion de Jack : c'est un coup des braqueurs nègres. Ils ont dévalisé la maison de Brentwood, ils ont visé celle du Dr Fred ensuite.

Crutch avait des accès de panique. Dwight lui avait demandé : « Est-ce qu'il y a quelque chose que tu me caches ? » Crutch avait menti et répondu : « Non. » *Personne ne sait rien sur la Maison de l'Horreur. Personne ne sait que Gretchen Farr se fait appeler Celia Reyes. Personne ne connaît l'existence de Joan Rosen Klein.* Il avait fait part d'*une* piste à Buzz Duber : la révélation de Farlan Brown concernant l'uniforme d'hôtesse de l'air. Buzz enquêtait là-dessus à L.A. en ce moment même. Il allait voir les compagnies aériennes avec le croquis de Crutch.

Pernod et THC. Les murs de la chambre dérivaient du jaune pêche au magenta. Toujours rien sur le tatouage de la morte. Toujours rien sur les motifs ornant les murs. Il avait forcé la porte d'Arnie Moffett, encore une fois, sur le chemin de l'aéroport. Il avait refouillé les dossiers des locations. Toujours rien de plus sur Gretchen/Celia et Joan. Il avait *saaalement* bousculé Arnie. Ce salopard avait probablement détruit leur dossier après son tabassage.

Sa mission Faire-foirer-la-campagne-d'Hubert avait déjà trois villes au compteur.

Il avait consulté dans trois commissariats locaux les fichiers de la répression du vol et du banditisme. Rien – aucune mention de Joan Rosen Klein.

Crutch bombarda de fléchettes la Baie des Cochons et La Havane. Dans son trip bizarre il se sentait dilaté de partout et franchement sentimental. Les couleurs du mur dérivèrent de nouveau – du magenta au lever de soleil tropical.

Encore un centre commercial, aujourd'hui. Les nouvelles de la veille au soir : « Épuisé, Humphrey accumule les gaffes sur le plan politique. » Le meeting d'aujourd'hui était celui de la veille re-psychédélizé. Le Frenchie avait dit qu'il avait appris des choses à Chicago.

La foule avoisinait les 300 personnes. Une majorité de gros lards et de blondes du Minnesota. Ils étaient bruyants. Ils débitaient du bla-bla libéral. Sur les pancartes, H.H.H. cabotinait. Il tentait de paraître viril. Sans succès. Il ressemblait à un prof de gym pédophile.

Crutch et le Français se tenaient près de l'estrade de l'orateur. Une acclamation enfla : *Il arrive ! Il arrive ! Il arrive !* Crutch vit Humphrey et quelques larbins s'approcher de la scène, par la gauche. Quatre flics les suivaient à quatre pas. Mesplède agita trois doigts. Trois camionneurs embauchés pour l'occasion lui firent signe en retour.

Ils ouvrirent discrètement des boîtes métalliques. Ils s'accroupirent discrètement. Ils versèrent de la cire liquide sur le sol le long de l'estrade. Le produit était incolore. Il serpenta et se répandit.

Quatre pas, trois, deux, un...

Humphrey et ses larbins dérapèrent, glissèrent, et montèrent en slalomant les marches menant à l'estrade. Hubert dansa le Frug et le Watusi en cherchant simplement à rester debout. La foule hurla de rire. Deux flics tombèrent sur le cul. La foule s'esclaffa une deuxième fois. Un gros type serra Hubert dans ses bras. Le regard d'Hubert signifiait : « Qu'est-ce que c'est que cette saloperie ? » Le gros lard parla dans le micro. De nouveaux éclats de rire noyèrent son baratin. Crutch envoya un signal à un type près de l'estrade. Le type s'effondra et simula des convulsions. Cet enfoiré était en caoutchouc. Il lançait ses bras et ses jambes à angles droits. De la mousse blanche d'Alka Seltzer sortait de sa bouche.

Les fans d'Hubert appelèrent à l'aide. Épilepsie Eddie continuait son numéro. Une grosse nana lui fourra dans la bouche un esquimau glacé. Des crétins hurlèrent : « Trouvez un docteur ! » et « À l'aide ! » La foule se dispersa. Hubert fulminait et tentait d'exprimer la compassion. Le gros lard tripotait le micro de l'estrade. L'effet Larsen fit *scriiiii*.

Crutch fit signe à trois groupes au milieu de la foule. Trois pugilats éclatèrent. La foule se *re*-dispersa. Deux religieuses maigrasses frappèrent les belligérants avec leurs pancartes « La paix tout de suite ! »

Hubert tapa du pied. Les flics battirent des bras en perdant l'équilibre sur la cire liquide. Leur graisse tressautait. Ils ressemblaient aux gros porcs blancs des caricatures nègres. Hubert fit le coup du « V » de la victoire.

Le Frenchie lança un signal à une blonde en bottes montantes et jean moulant. Crutch lui passa une pancarte pro-Nixon et la propulsa sur l'estrade. Le Français adressa un signe à trois groupes d'hommes. Ils se mirent à siffler et à scander : « À poil ! – À poil ! »

Hubert restait planté sur place. Le gros lard s'envoya des digitalines à sec. Des flics fraîchement arrivés chargèrent les bagarreurs. Les religieuses pacifistes furent piétinées. Les flics foncèrent sur l'estrade. La cire liquide les envoya valser. La blonde agita sa pancarte pro-Nixon. La foule délira. « À POIL ! » vira à l'épidémie. La blonde ôta son T-shirt et son soutif et dansa le Swim, le Fish et le Mashed Potatoes les seins à l'air. Crutch alluma une stéréo sous l'estrade. Rendez-vous compte : Archie Bell & the Drells avec *Tighten Up*.

Une flopée de flics chargea l'estrade. Mesplède s'en alla. Crutch rafla le soutif abandonné et piqua un sprint.

Retour à L.A.

Crutch tuait le temps à l'aéroport. Le Frenchie était parti à Miami sur un vol précédent. À la porte d'embarquement, il y avait une rangée de téléphones publics. Crutch appela Clyde Duber & Associés en PCV.

La secrétaire lui passa Buzz. Buzz lui annonça :

– On a une piste.

– De quoi tu...

– ... ce portrait que tu as dessiné. J'ai une identification. PSA Airways, la quatrième compagnie que j'ai vue. Le directeur du personnel m'a dit : « Bingo ! C'est Janet Joyce Sherbourne, et c'était une vraie saleté, cette fille. »

Crutch sortit son calepin.

– Doucement, doucement. Raconte-moi son histoire.

– C'est une sacrée histoire, et qui a des liens avec la République dominicaine. Tu te souviens ? La messagerie de Gretchen Farr avait reçu des appels du consulat dominicain.

Ce détail-*là*, Buzz le connaissait. Mais il ne savait pas que Gretchen se faisait appeler Celia et qu'elle avait un permis de conduire domini...

– Hé, tu es toujours là ?

– Oui. Vas-y, je t'écoute...

– Voilà, la dénommée Sherbourne était hôtesse bilingue. Elle a travaillé uniquement sur la ligne Los Angeles – Saint-Domingue, et jusqu'à cette petite guéguerre avortée de 65, quand LBJ a envoyé les Marines. Bon, il y a une escale à Mexico, et la Sherbourne se fait prendre en possession d'un flingue et d'une demi-douzaine de faux passeports. Et là, elle arrive à s'échapper de sa cellule, et personne ne sait *comment*, et *après*, elle disparaît complètement. *Maintenant*, ça devient intéressant, c'est la partie de l'histoire qui est tellement Gretchie qu'on atteint la perfection : on découvre que la fiche d'embauche de cette fille était bidonnée de A à Z, que l'adresse qu'elle a donnée était celle d'une sorte de planque pour communistes, et que son dossier personnel a disparu des bureaux de la compagnie.

Crutch lâcha le combiné. Buzz parla dans le vide. Tout allait de travers. Crutch vit Joan embrasser Gretchen/Celia au ralenti.

La bibliothèque du centre-ville était proche de la piaule où il conservait ses dossiers. Les livres étaient trop gros pour qu'il puisse les voler. La République dominicaine : cartes, photos, histoire.

Ne pas oublier : la République dominicaine n'était pas loin de Cuba. Ne pas oublier : la Mafia aimerait bien installer ses casinos en R.D.

Crutch trimballa les bouquins jusqu'à une table. Des poivrots se disputaient l'espace vital pour y roupiller. Il examina les pages reproduisant les cartes. Il détailla la disposition des lieux. L'île de Saint-Domingue. La République dominicaine et Haïti qui s'en partagent le territoire. La mer des Caraïbes, la proximité de Cuba et de Porto Rico. Près des îles Turks et Caïques. *La connexion dominicaine : il la retrouvait partout dans sa putain d'Enquête.*

La République dominicaine bordait Haïti à l'est. La rivière Massacre marquait la frontière entre les deux pays. Des îlots parsemaient les côtes des deux pays. Des noms de villes à faire peur, tous frenchies ou espingos.

Crutch parcourut les résumés des chapitres. La question des races lui sauta tout de suite aux yeux. Les Dominicains étaient des métis à la peau claire. Les Dominicains à la peau sombre étaient des *déclassés*. C'était comme aux États-Unis : *blanc, c'est excellent !*

Rafael Trujillo avait eu une longue carrière politique. Il avait gouverné le pays de 37 à 61. Il réprimait la contestation. Il opprimait les Haïtiens et massacrait les pauvres types en masse. Il était pro-U.S. et anti-Rouges. Il sautait plein de femmes et torturait et éliminait ses rivaux en politique. Un groupe communiste nommé le Mouvement du 14 juin tenta de le renverser en 59. La révolution fit *pschitt*... Trujillo devint schizo et commença à dérailler. Il pillait le pays de façon trop visible. JFK et la CIA pensèrent qu'il risquait de virer Rouge. La CIA eut sa peau en 61. Avec l'aide, semblait-il, du Frenchie. Un despote moins voyant du nom de Juan Bosch prit la suite. « Élections libres » et tout le baratin habituel des réformes à la mode latino. Juan Bosch donnait l'impression de pencher à gauche. LBJ envoya des Marines et étouffa dans l'œuf toutes ces foutaises. Le despote actuel était un nabot nommé Joaquín Balaguer. La République dominicaine n'était que coups d'État, révoltes, complots, intrigues et assassinats.

Crutch tomba sur un chapitre consacré à Haïti. *Houuuu ! – méééchant juju nègre*. Des bamboulas francophones. Le dictateur « Papa Doc » Duvalier – si Trujillo était Rodan, Duvalier, c'était Godzilla. Encore plus de coups d'État, révoltes, complots, intrigues et assassinats. Et du vaudou – oh, ouais !

Cérémonies vaudou, rites vaudou, malédictions vaudou, prêtres vaudou. Alcool et herbes vaudou qui font planer. Les bamboulas américains *mangeaient* du poulet frit. Les bamboulas haïtiens baisaient des poulets et buvaient leur sang chaud.

Houuuu !

Crutch tournait les pages. Cette histoire de vaudou, c'était poilant. Il tomba sur une série de photos. Des moricauds qui tournicotent et qui gambadent avec des coiffes en plumes de poulet.

Hou, et maintenant, ça...

Cette photo. Ce Noir à la peau claire. Ce tatouage bizarre sur son bras droit.

Des motifs géométriques. Hachurés. Comme le tatouage de la morte dans la Maison de l'Horreur...

40

Las Vegas, 26 septembre 1968

Les Parrains portaient des pantalons de golf et des chaussettes noires montantes. Ils gardaient leurs chaussures de golf cloutées à l'intérieur.

Carlos donnait le ton. C'était *sa* suite pseudo-romaine. Il faisait les cent pas et perçait les tapis. Sam G. avait des pointes arrondies. Il ne causait que des dégâts mineurs. Santo T. portait des pointes acérées. Ses chaussures ravageaient les revêtements.

Wayne se tenait devant un chevalet recouvert. Les Parrains étaient installés, un verre à la main – leur Kahlua de 10 heures du matin. Carlos fit tournoyer un fer 5. Wayne saisit l'allusion à Wayne Senior.

Sam annonça :

– Nous avons réservé le départ du parcours pour 10 h 40.

– Carlos, pose ce club, dit Santo. Ne réveille pas chez Wayne des souvenirs qui risquent d'être douloureux.

– Ce n'est pas du tout mon intention, répondit Carlos. Je m'assouplis simplement les péronés.

Sam lui conseilla :

– Bois deux verres de plus. Tu laisseras ton swing sur le practice et je vois une liasse de mille dollars qui laissera un trou dans ma poche.

– Fissa, fissa, Wayne, dit Santo. Vous avez cette tendance à rester planté là comme si vous aviez en permanence un nuage noir au-dessus de la tête.

– C'est le cas, fit Sam. Même si j'admire son côté abrupt, je dois reconnaître que Wayne attire les emmerdements.

Carlos fit tourner son club.

– Allez, Wayne. Nous sommes venus vous écouter.

Wayne s'éclaircit la gorge.

– La tournure des événements nous est favorable. Nixon est en tête dans les sondages, notre équipe de fouteurs de merde fait du bon travail, M. Hughes est ravi de ses achats d'hôtels et il attend que le département de la justice de M. Nixon assouplisse quelques dispositions antitrust pour en acheter d'autres. Jean-Philippe Mesplède est prêt à partir inspecter les sites d'implantation des futurs casinos, donc nous sommes parés de ce côté-là.

– Mon amie Celia, fit Sam, continue de me vanter les mérites de la République dominicaine. Elle est impitoyable sur le sujet.

Carlos commenta :

– Sam est impitoyable sur le sujet de cette greluche insulaire.

Santo ajouta :

– Sam se laisse impitoyablement mener en bateau par les bonnes femmes. C'est une maladie des esprits faibles qui manquent de volonté.

Sam s'empoigna l'entrejambe.

– Ta maladie, c'est là qu'elle se trouve, et elle mesure vingt-cinq centimètres.

Wayne découvrit le chevalet. Sous forme de colonnes croisées, le graphique présentait les entreprises à racheter et les bénéfices potentiels à en tirer.

– Trois chaînes de supermarchés, toutes dans le Midwest, appartenant toutes à des proches de délégués des camionneurs ou d'hommes de main de vos organisations. Nous les rachetons à 5 % de leur valeur et nous vendons les terrains à des promoteurs qui implantent des centres commerciaux. Je pense que nous pouvons réaliser un bénéfice de quinze millions.

Sam applaudit. Santo applaudit. Carlos fit tournoyer son club de golf.

Wayne enchaîna :

– La Banque populaire de Los Angeles-Sud. Ils ont pris beaucoup de retard sur le remboursement de leur emprunt, mais je pense que nous devrions les laisser continuer de fonctionner, pendant que nous prélèverons un pourcentage sérieusement revu à la hausse sur leurs profits. Premièrement, c'est un paravent pour le blanchiment d'argent. Deuxièmement, ils peuvent blanchir *notre* argent. Troisièmement, Lionel Thornton, le président, est mouillé tous azimuts avec la Mafia, donc je pense que nous pouvons le contrôler. Quatrièmement, elle se trouve juste à côté de la base de départ des vols Hughes

Airways vers les futurs casinos, et nous pourrons rapatrier facilement les fonds en liquide, sans aucun obstacle.

Carlos déclara :

– Ça me plaît.

Santo dit :

– Ça me plaît, mais ce qui me plaît moins, c'est le côté bamboula.

Sam nuança :

– Ça me plaît, avec une restriction : on interdit à Wayne l'entrée de la banque, pour qu'il ne flingue pas la clientèle.

Wayne rougit. Santo et Sam rirent. Carlos fit tourner son club de golf.

Wayne tapota son chevalet.

– Deux autres établissements de Los Angeles-Sud, dont les locaux abritent un cercle de jeu clandestin que nous pouvons taxer *au minimum* à 50 % en reprenant possession des deux entreprises. Le premier est un night-club nommé « Le Bac à Sable de Sam le Sultan », le second un bar lesbien qui s'appelle « La Pêche aux Moules ».

Sam s'esclaffa. Santo éclata de rire et marmonna « nègre-quelque-chose » en même temps. Carlos lui enfonça son club de golf dans les côtes. Santo se calma.

Wayne prit une règle et tapota les colonnes du tableau. Un débile en toge apporta des Kahlua fraîchement mixés. Les Parrains s'imbibèrent. Carlos tapota le débile en toge du bout de son club. Le débile en toge s'éclipsa.

L'odeur de l'alcool donna la nausée à Wayne. La transpiration auréola sa chemise.

– Les Taxis Black Cat, à Los Angeles-Sud également. Tiger Kab nous a été bien utile à Miami et à Vegas, et Pete B. a vendu la partie située à Vegas l'été dernier. Nous nous en servirons pour la trésorerie, on trafiquera les livres comptables et grâce à eux on blanchira l'écrémage de seconde zone. Je crois pouvoir persuader Milt de venir à L.A. pour diriger la compagnie. De plus, j'ai un ami chez les fédéraux qui dirige un Cointelpro dans la région, et nous demanderons à Milt de récolter des tuyaux et de les lui passer, ce qui incitera M. Hoover à rester de notre côté.

– Votre ami, je le connais, fit Sam.

Santo frissonna.

– Dwight Holly, « le bras armé de la loi ».

Carlos prit une gorgée de Kahlua.

– Un homme qui a son propre palmarès de chasseur de nègres.

– Oui, fit Sam, ce qui ne revient pas à dire qu'il boxe dans la même catégorie que Wayne.

Santo prit une gorgée de Kahlua.

– *Personne* ne boxe dans la même catégorie que Wayne.

Carlos dit :

– Dwight est un Blanc.

Sam prit une gorgée de Kahlua.

– Milt Chargin aussi, tout juif qu'il soit.

Carlos prit une gorgée de Kahlua.

– Milt est un comique amateur. Il va faire ami-ami avec les moricauds et se donner du bon temps.

Sam glissa :

– Milt m'en a raconté une bien bonne. Comment on appelle un nègre tout nu assis dans un arbre ?

Santo prit une gorgée de Kahlua.

– Alors, dis-nous la chute, Tête-de-nœud.

Sam ajouta :

– Un nègre qui a de la branche.

Santo s'esclaffa.

Carlos fit tourner son club de golf.

– Qu'est-ce qu'il y a, Wayne ? Vous ne riez pas ?

Morty Sidwell avait un bureau à l'angle de la 2e Rue et de Fremont. Il s'occupait de libérations sous caution, de divorces, de recherches de personnes disparues. La police de Las Vegas le considérait comme réglo.

Wayne se rendit chez lui en voiture. À présent, il enquêtait sur Reginald Hazzard à ses moments perdus. Un de ses copains flics avait fait une recherche sur les décès enregistrés dans les cinquante États. Résultat négatif. Idem pour les rapports d'arrestations. Idem pour les « Monsieur X » de race noire, fin 63.

Reginald était studieux. Wayne tenait ce détail de Mary Beth. Il avait compulsé les fiches des livres empruntés à toutes les bibliothèques de Vegas. *Bingo !* – le môme avait sorti 29 bouquins à l'automne 63.

Des cours supérieurs de chimie. Des livres sur les théories politiques de gauche. Des bouquins étranges sur les herbes vaudou d'Haïti.

Le bureau de Sid se trouvait au-dessus d'un bar topless. Wayne se gara dans la cour et prit l'escalier extérieur. Le bruit du club était brutal. Le bourdonnement des amplis secouait les murs. Le martèlement des basses ébranlait le plancher.

Morty était étendu sur son canapé. Le bureau était une fournaise. Morty avait posé un gant de toilette sur son front. Il vit Wayne et fit *oy vey*. Les murs affichaient des portraits de Morty et ses amis. Tiens, voilà Morty et Dino, Morty avec Lawrence Welk, Morty avec feu JFK.

Wayne s'installa à califourchon sur une chaise. Les ondes sonores faisaient vibrer les lattes du dossier. C'était une chanson contestataire sur un rythme de danse sexy.

Morty rectifia la position de son gant de toilette.

– Les bouchons de cire, ça ne sert à rien, alors j'ai essayé l'isolation phonique. Le propriétaire et moi, on est arrivés à un compromis. Une fois par semaine, il fait monter une de ses filles. Elle me donne un bain et elle me taille une pipe. C'est bon pour ma santé.

Wayne commença :

– Je m'appelle...

– Je sais qui vous êtes. Votre père m'a embauché en 58 pour chasser de la ville un joueur de bongo *schvartze*. Une star qui n'a eu qu'un seul tube dans sa carrière : *Bongo au Congo*, et puis plus rien. Il *shtuppait* votre belle-mère Janice au Golden Gorge Motel.

Wayne rit. Morty ajouta :

– Mes condoléances, cela dit. J'ai appris qu'ils étaient décédés tous les deux cet été.

Wayne ferma les yeux et avala deux aspirines. Les lattes du dossier de chaise vibraient. Les lames de parquet tressautaient.

Morty enchaîna :

– En temps normal, je dirais : « Et sinon, comment ça va ? », mais avec vous, je sais que rien ne va jamais comme il faudrait. Ce qui me pousse à vous demander : « Qu'est-ce que vous voulez ? »

Wayne rouvrit les yeux.

– Reginald Hazzard. C'était il y a presque cinq ans. Ce garçon a disparu. Les parents vous ont engagé pour le retrouver.

Morty bâilla.

– Ouais, je me souviens. Des gens de couleur. Très gentils. Cedric et Mary Beth. Cedric s'est fait descendre par un salopard de *shvoogie* nommé Pappy Dawkins. C'est vraiment la joie, vos sujets de conversation, je dois le reconnaître.

– Et l'enquête, qu'a-t-elle donné ?

– Elle n'a abouti nulle part et mes clients se sont bientôt retrouvés à court d'argent. J'ai fait des recherches sur les registres de décès, et je leur ai dit que, pour autant que je puisse le savoir, leur môme était encore en vie. Et puis c'est tout. Point final.

Tic, tic, tic... Chez l'ancien flic qu'il était, le détecteur de bobards fonctionnait encore. Wayne dit :

– Il n'y a pas que ça.

Morty répondit :

– Que dalle.

– Il n'y a pas que ça, vous savez qu'il n'y a pas que ça, je le sais, et je ne m'en vais pas avant que vous m'ayez tout dit.

Morty remonta le gant de toilette sur ses yeux et brandit trois doigts. Wayne laissa tomber trois billets de cent sur sa poitrine. Le bourdonnement de l'ampli s'accéléra. La photo de JFK se mit à vibrer.

Morty répondit :

– Le petit Hazzard a quitté Las Vegas en stop. Je dirais, vers Noël 63, ou dans les premiers jours de 64. Il se fait coincer pour vagabondage dans je ne sais quel bled de bouseux à la frontière de la Californie, et ne me demandez pas le nom, parce qu'il y a un milliard de petits trous paumés de ce genre et je ne m'en souviens vraiment pas. Et puis, Reggie a un flingue sur lui. Et puis, les flics le coffrent pour vagabondage et défaut de port d'arme et lui flanquent une branlée. Et puis, une femme, blanche, se pointe et le fait sortir en payant sa caution, et Reggie et cette femme disparaissent, et on ne les a jamais revus. La caution a été payée en liquide, la pièce d'identité de la femme était fausse, l'affaire est restée en suspens, et Cedric et Mary Beth n'ont plus eu les moyens de me payer. J'ai raconté tout ça à Cedric, et il m'a dit : « Pas un mot à Mary Beth, car tout ceci la tuerait. »

Wayne dit :

– Des détails.

Morty brandit deux doigts. Wayne laissa tomber deux billets de plus sur sa poitrine.

Morty mordilla une peau morte.

– Et puis, c'est un petit poste de police merdique de la cambrousse. Ils ne gardent pas d'archives. Le personnel change tout le temps, les flics se font des à-côtés en dirigeant des équipe d'immigrés clandestins pour ramasser les fruits. Tout ce qui les intéresse dans la vie, c'est de picoler de la gnôle de bouilleur de cru, et de tabasser des métis et des Noirs, et les paperasses qu'ils ont pu avoir, ils les ont perdues, égarées, ou elles ont été volées. Avoir affaire à ces flics, cela a été pour moi une expérience sinistre, et c'est tout ce qu'on peut en retenir.

Wayne se leva.

– Ils vous ont donné un signalement de cette femme ?

– Ça, je vous en fais cadeau. Elle avait, paraît-il, le teint pâle, une bonne trentaine d'années, elle portait des lunettes, elle avait des cheveux longs et noirs avec des mèches grises, et l'un des flics m'a parlé d'une vilaine cicatrice sur l'un de ses bras.

41

Los Angeles, 1er octobre 1968

Pantalonnade chez Vince & Paul.

Marshall Bowen faisait le spectacle. Il *tenait* son public. Dans le bar pour flics blancs, l'OPÉRATION MÉÉÉCHANT FRÈRE avait commencé.

Marsh entamait sa septième soirée. Il irradiait l'orgueil d'être noir avec un aplomb convaincant. Les flics blancs savaient qu'ils avaient affaire à un *autre* flic. C'était ce qui lui avait permis d'entrer dans le bar. Cela n'excusait pas son comportement de tombeur militant du Black Power.

Marsh en débardeur de culturiste. Marsh et sa coupe afro de dimensions modestes. Marsh qui faisait du gringue à toutes les filles blanches – mais sans gestes déplacés jusqu'à maintenant.

Dwight l'observait.

C'était son septième soir, à lui aussi. Il restait perché près du bar et jouait le touriste de Des Moines. Aucun flic ne l'avait reconnu. Qui c'est, ce grand hurluberlu ? Il a l'air de se plaire, ici. Il porte des sandales et un pantalon trop court.

La haine s'accumulait. Dwight en suivait la progression. *C'est qui, ce Mandingue en pattes d'eph' ?* Scotty Bennett venait tous les soirs. Scotty picolait, Scotty lorgnait Marsh, Scotty se comportait en jaloux puéril. À la moindre occasion, Scotty suivait au radar sa copine barmaid et Marsh Bowen.

Dwight grignotait un feuilleté au fromage. Marsh baratinait deux hôtesses fans de flics. Il piquait des hors-d'œuvre dans leurs assiettes et des gorgées de leurs consommations sans demander la permission. Les filles *adoooooraient* ça.

Dwight observait. La *Gestalt* Marsh Bowen s'intensifiait. Marsh était un poseur et un cabotin. Marsh était peut-être capable de duplicité. Il serait bon de le faire filer préventivement. Un mouchard possible pour le pister : ce gamin pas trop crétin, le petit Crutchfield.

Dwight bâilla. Son estomac gronda en écho. La nourriture foutait en l'air sa dynamique mentale. Nègreville était en ébullition. Jack Leahy lui communiquait des ragots. Tout ce militantisme cassait les couilles du LAPD. Leur service fini, certains flics se permettaient des micmacs klanesques. Échauffement au poste. Des membres des Panthères Noires embarqués arbitrairement et tabassés. Des arrestations truquées de bout en bout – pour possession de drogue, pour ivresse sur la voie publique. Des mandats d'arrêt falsifiés, des...

Une femme entra dans le bar. Dwight remarqua des mèches grises, des lunettes, et se raidit. Cela arrivait tout le temps. Des faux airs, des visions fugitives – et ce n'est jamais *Elle*.

Marsh s'avança vers la copine de Scotty. En se touchant le menton – *le signal/c'est maintenant*. Scotty ne les quittait pas des yeux. Son regard faisait des allers-retours : sa copine/l'esclave noir.

Dwight se leva pour s'approcher. Marsh fit une descente en piqué sur la barmaid. Voilà, il lui fait des bises dans le cou. Tiens, il lui lèche l'oreille. Là, il tire sur la boucle d'oreille de la fille avec ses dents trop blanches.

Scotty arriva derrière lui en courant et lui agrippa les cheveux. Scotty le frappa au creux des reins. Marsh se plia en deux et fit volte-face, l'avant-bras levé pour décocher une manchette. Il toucha Scotty qui fonçait sur lui. Le choc le projeta contre le comptoir. Scotty porta les mains à sa gorge et aspira à fond. Il lança un coup de pied. Il manqua Marsh. Il abattit un bras sur le comptoir et saisit un couteau à viande. Marsh avança droit sur lui. Marsh lui écrasa le nez du plat de la main et fit jaillir le sang. Dwight entendit des os se briser. Scotty lâcha le couteau, s'essuya les yeux, et fonça sur Marsh toutes dents dehors. Une douzaine de flics blancs tombèrent sur Marsh avant lui.

DOCUMENT EN ENCART : 16/10/68. *Extrait du journal de Marshall E. Bowen.*

Los Angeles
16 octobre 1968

Je sais à présent quel goût a le sang de Scotty Bennett. C'était une revanche plus que tardive pour la correction que Scotty m'a infligée en avril 66, un an avant que j'intègre le LAPD. J'avais provoqué ce tabassage en faisant circuler plusieurs billets maculés provenant du braquage du fourgon blindé, et c'est encore moi qui ai provoqué cette agression contre Scotty et les brutalités que j'ai subies aux mains de ses collègues du LAPD sous la houlette de l'Agent Spécial Dwight C. Holly. En chacune de ces deux occasions, j'ai assumé le double rôle de victime et de provocateur. Deux événements, à deux ans et demi de distance. À l'origine de l'un et de l'autre, le braquage et les meurtres, maintenant vieux de quatre ans et huit mois. Deux confrontations attisées par un seul mobile : je veux élucider anonymement l'affaire du braquage sanglant et garder pour moi le reliquat de l'argent et des émeraudes.

Je n'ai jamais parlé de mon intention à qui que ce soit, et j'ai délibérément ajourné l'obligation de tenir un journal. J'attendais le moment fortuit où cette quête pourrait paraître véritablement réalisable. Ce moment est arrivé. J'aurais pu décrire mes immersions, pour le compte de Clyde Duber, dans des organisations de gauche où j'ai appris les techniques nécessaires pour jouer la comédie et déguiser ma pensée et acquis le sang-froid qui m'a mené jusqu'ici, mais je suis content de ne pas m'être permis ce niveau d'autosatisfaction. J'ai toujours savouré le fait d'être un Noir sous-estimé, et aujourd'hui je suis un Noir localement célèbre, objet d'éloges quelque peu excessifs et d'une attention un peu trop soutenue. Voici l'aventure que je désire décrire et disséquer alors même que je la vis ; la présente confluence d'événements est certainement l'unique histoire que j'aie à raconter.

J'ai été frappé avec brutalité par quelque chose comme douze à seize collègues policiers du LAPD et j'ai passé quatre jours au Central Receiving Hospital. Mon nez cassé, mes lacérations faciales et mes oreilles décollées de façon asymétrique ont amélioré mon physique jusqu'alors avantageux mais quelconque, et ajouté un cachet certain à mon tout récent statut de militant noir. C'est M. Holly que je dois remercier pour cette métamorphose. M. Holly a pressenti que j'avais du cran et que j'étais impatient d'entrer dans ce jeu-là, et je le récompenserai en travaillant avec acharnement et en livrant une prestation impeccable tandis que je poursuivrai mes propres objectifs dans le contexte de cette opération.

Les journaux locaux, la radio et la télévision ont rendu compte de l'épouvantable rixe qui a opposé un policier noir à un policier blanc dans « un bar convivial fréquenté par le personnel du LAPD ». M. Holly s'est chargé incognito d'assurer toute la publicité nécessaire à l'incident. Le LAPD a lancé une enquête interne, et – bien sûr – tous les témoins oculaires ont menti, déclarant que j'avais sexuellement harcelé la barmaid et agressé le sergent Robert S. Bennett préventivement. Scotty a eu le nez cassé et une semaine d'arrêt de travail ; quant à moi, j'ai été convoqué devant une commission de discipline inter-départements, c.-à-d. : un tribunal fantoche. M. Holly a engagé pour me défendre un phraseur noir flamboyant qui rappelait le personnage d'Algonquin J. Calhoun dans la série « Amos & Andy ». Mon avocat a débité davantage d'impropriétés à teneur raciale que le pire de ces prédicateurs noirs diplômés par correspondance qui martèlent leur pupitre pour obtenir une parcelle de pouvoir et des profits substantiels. Il m'a porté aux nues en me qualifiant de « Jésus noir » ; Scotty Bennett fut traité de « Judas Iscariote blanc ». J'ai été, bien sûr, sommairement expulsé du Los Angeles Police Department. M. Holly m'a confié par la suite que c'était un pasteur défroqué qui jouissait d'une sinécure comme avocat de l'assistance judiciaire dans le comté de Visalia. Superbe collusion en noir et blanc : des juges et des procureurs blancs engagent cet homme pour s'assurer que seront bel et bien condamnés ceux de ses clients noirs qu'ils veulent voir disparaître de la circulation.

Je suis dès lors devenu l'oracle du préjugé racial, mémorisant les discours d'une clarté aveuglante que M. Holly écrivait pour moi, des critiques cinglantes du racisme institutionnel et de la mentalité des partisans de l'autorité – remplies d'indignation, de rigueur sociale et de fureur vertueuse, toutes rédigées par un avocat-flic blanc dont les racines se trouvent au Ku Klux Klan. M. Holly me faisait répéter ses discours, longtemps avant que je les prononce. J'en restais stupéfié et presque béat d'admiration. M. Holly est un homme grand et séduisant et un orateur percutant. J'éprouvais le sentiment étrange qu'il croyait vraiment, au moment où il les lisait, aux paroles qu'il avait écrites.

M. Holly est un homme qu'il est très difficile de décrypter. Il comprend les préjugés raciaux et utilise couramment des termes comme « moricaud ».

J'ai été invité à une soirée destinée à collecter des fonds pour le sénateur Hubert H. Humphrey, dans une immense maison de Beverly Hills. M. Holly m'avait dit de m'y rendre, et je me suis donc exécuté. J'ai été en quelque sorte le pôle d'attraction ; jusqu'à ce que des stars de cinéma arrivent et m'éclipsent. Natalie Wood s'est émue de mes blessures au visage et m'a glissé son numéro de téléphone ; Harry Belafonte m'a serré la main ; de nombreux libéraux se sont lamentés sur les décès récents du sénateur Kennedy et du Dr King. Les gens attendaient de moi que j'exprime une certaine indignation face à la situation politique. Je n'avais rien de tel à leur offrir, car à présent j'ai besoin des discours écrits par M. Holly pour paraître sincèrement indigné. Je serai bientôt un converti au militantisme noir merveilleusement apostasié grâce à un fils de Klansman qui alimentera ma colère de ses perceptions radicales, me laissant perplexe quant à leurs origines et une fois de plus stupéfait devant l'homme lui-même.

M. Holly m'a donné 8 000 dollars en liquide prélevés sur les fonds du FBI, en me demandant de m'aventurer plus au sud du « Congo ». Je devrais commencer à fréquenter les « Bars à Bronzés » où mes « frères de race » se retrouvent, pour voir quel genre de « négraction » je suscite.

M. Holly me qualifie de « Fouteur de merde », et je crois qu'il se méfie plutôt de moi. J'aimerais laisser s'exprimer mon « penchant » sans attendre, mais ce n'est pas possible. M. Holly pourrait me faire surveiller. Il faut que je laisse mes plaisirs personnels entre parenthèses jusqu'à ce que je me sente plus à l'aise dans mon rôle.

Je mène une vie entièrement nouvelle, à présent. Ma mère est morte ; mon père est âgé et vit à Chicago. Je n'ai pas de vrais amis et ma relation avec M. Holly est mutuellement usuraire. J'ai maintenant en la personne de Scotty Bennett un ennemi intrépide et implacable. Je suis sûr d'en savoir plus sur le compte de Scotty qu'il n'en sait sur le mien. J'ai lu les rapports officiels expurgés sur les dix-huit voleurs armés que Scotty a tués dans l'exercice de ses fonctions. Ils étaient tous de race noire. Ils ont tous été sommairement exécutés, selon le mandat tacite du LAPD d'après lequel tous les voleurs armés doivent mourir. Le policier qui est en moi tolère cette sanction ; il existe une masse de statistiques empiriques indiquant que la plupart des voleurs armés tuent des innocents et doivent en être empêchés préventivement. Ce qui rend Scotty tellement unique, c'est le fait qu'il trie ses cibles sur le volet, ne choisissant que des voleurs armés « de race noire ». D'autres flics de la répression des vols, aussi prompts que lui à dégainer, ont un tableau de chasse « à chances égales » présentant un mélange à peu près équilibré de Blancs et de Mexicains. Pas notre Scotty. Oh, non.

Le 5 août dernier, deux officiers de police du secteur de l'Université ont échangé des coups de feu avec quatre Panthères Noires. Les policiers ont survécu, mais pas les Panthères. Deux jours plus tard, le directeur général de la police, Tom Reddin, envoyait Scotty au quartier général des Panthères avec de la pizza, de la bière, et une livre de marijuana confisquée. Scotty s'est montré, aux dires de tous, courtois. Les Panthères l'ont accueilli avec appréhension et ont paru embarrassés par ses cadeaux. Scotty leur a conseillé de ne plus jamais tirer sur des policiers de Los Angeles. Sinon, les représailles seraient immédiates et brutales. Pour chaque flic de L.A. qui servirait de cible, qu'il soit blessé ou tué, le LAPD tuerait six Panthères Noires.

Ensuite, Scotty est ressorti. Il n'a répondu à aucune question et il n'est pas resté pour manger une tranche de pizza ou boire une bière bien fraîche.

Mon admiration et ma haine pour Scotty Bennett sont de proportions à peu près égales. Le 24 février 1964, il était présent sur les lieux du braquage. Il ne se doute pas le moins du monde que j'étais là aussi.

J'avais 19 ans. Deux ans plus tôt, j'avais quitté le lycée Dorsey, mon diplôme en poche, et je vivais avec mes parents à l'angle de la 84e Rue et de Budlong Avenue. Le ciel est la première chose que j'ai remarquée. Il y avait des prismes de couleurs étranges et un gaz nauséabond flottait dans l'air. Je suis monté sur le toit de ma maison et j'ai vu arriver des flots de voitures de police. Le bruit des sirènes était assourdissant. J'ai vu un fourgon blindé accidenté et un camion de lait et sur le sol des formes noires d'où sortaient des émanations. J'ai vu un homme très grand en costume de tweed et nœud papillon arriver en voiture et examiner les lieux.

Mon père m'a obligé à abandonner mon perchoir. Trois douzaines de policiers ont déployé un cordon pour isoler la rue. Les rumeurs n'ont pas tardé à circuler dans le quartier : les braqueurs morts étaient des Blancs ; les braqueurs morts étaient des Noirs ; les cadavres étaient calcinés au point d'être méconnaissables et de rendre impossible la détermination de leur race. L'absence du véhicule dans lequel les braqueurs étaient arrivés signifiait que l'un d'eux, au moins, avait pris la fuite.

Deux hommes avaient pris la fuite. Je le sais pertinemment. Il est possible que Scotty Bennett le sache aussi. Je n'ai pas de preuve que Scotty soit au courant. Je le sens, c'est tout.

Le LAPD faisait une démonstration de force. Scotty embarquait sans ménagement des groupes de « suspects » locaux ramassés au hasard pour les interroger au poste de la 77e Rue. Les gens du quartier étaient indignés. *Moi aussi*, j'étais indigné. Je suis parti fouiner dans les ruelles derrière chez moi, comme un môme qui va à l'aventure, savourant d'être aussi près de l'Histoire. Et c'est alors que j'ai vu le deuxième homme.

Il était caché derrière une rangée de poubelles. Il était jeune, une vingtaine d'années tout au plus, et il était noir. Une réaction chimique avait parcheminé son visage, mais il avait peut-être eu la vie sauve grâce à une couche de gaze protectrice supplémentaire portée sous sa cagoule, son protège-dents, son gilet pare-balles. Je l'ai emmené chez un voisin, un vieux médecin ; il était en état de choc et refusait de dire quoi que ce soit sur le braquage et la tuerie. Le médecin a soigné les brûlures de l'homme, lui a fait une piqûre de morphine, et l'a laissé se reposer. Scotty a poursuivi son enquête façon rouleau compresseur. Les « suspects » appréhendés et relâchés rentraient chez eux en sang et couverts d'ecchymoses. Le vieux médecin a décidé de ne pas livrer le blessé. Il avait sauvé la vie de cet homme et ne pouvait à présent tolérer qu'il subisse des violences physiques qui auraient très bien pu entraîner sa mort.

L'homme a quitté la maison du médecin après deux jours de soins et n'a jamais révélé son identité. Il a laissé au médecin 20 000 dollars en billets maculés. Le médecin a déposé la somme à la Banque populaire de Los Angeles-Sud en demandant au directeur, Lionel Thornton, de la redistribuer au compte-gouttes à la communauté, sous forme de dons, si cela pouvait être fait en toute sécurité sans que les récipiendaires ne risquent d'en pâtir. Thornton, je ne sais comment, a trouvé un moyen d'éliminer partiellement les taches d'encre ; les billets ont refait surface, de façon sporadique, dans la partie sud de Los Angeles. Ces coupures-là, Scotty Bennett les recherchait inlassablement. Il appréhendait et interrogeait à sa manière incomparable et incomparablement tenace les innocents entre les mains desquels ces billets étaient passés. L'affaire n'était toujours pas élucidée. L'identité raciale du chef de bande et des braqueurs morts n'a jamais été déterminée. L'affaire était devenue pour Scotty une véritable obsession, et pour moi aussi.

Le vieux médecin est mort en 65. Les billets maculés continuaient de circuler dans les quartiers sud de L.A. J'ai manœuvré pour obtenir un emploi subalterne à la Banque populaire ; je n'y ai rien appris de substantiel, et j'ai démissionné. Scotty Bennett me fascinait. J'avais envie de tester mon courage en m'opposant à lui et de voir s'il laisserait échapper des renseignements dans le contexte brutal d'une salle d'interrogatoire. À la banque, j'avais chapardé une liasse de billets de 20 dollars maculés, et j'ai commencé à les faire circuler dans le commerce. Scotty n'a pas tardé à me tomber dessus.

La salle d'interrogatoire mesurait trois mètres cinquante sur trois mètres cinquante. Les murs étaient recouverts de panneaux d'isolation phonique, pour que les hurlements ne dépassent pas le niveau d'un mugissement sourd. J'ai protesté de mon innocence. Scotty se montrait cordial lorsqu'il ne me frappait pas. Il employait un annuaire téléphonique et un tuyau de caoutchouc ; ses coups m'ébranlèrent les dents et me ravagèrent les reins. Stoïquement, j'affirmai mon innocence. Scotty ne révéla sur l'affaire aucune information qu'il aurait pu obtenir de l'intérieur. Je refusai de hurler. Au bout de deux heures, j'eus droit à mon coup de téléphone réglementaire et j'appelai un ami. Celui-ci appela son ami Clyde Duber ; Clyde passa quelques appels de son côté et me sortit de là.

Clyde me trouva sympathique. Clyde avait sa propre fixation sur « L'Affaire ». C'est un passe-temps, pour lui, rien de plus. C'est une quête dévorante pour Scotty et pour moi.

Je suis entré dans l'univers de Clyde, celui où des gamins jouent au détective privé, et j'ai commencé à infiltrer des groupes de gauche pour ses clients de droite – des gens riches et richement paranoïaques. Je suis devenu très compétent pour jouer la comédie, noyer le poisson, déguiser ma pensée, espionner et cafter. J'ai appris à improviser, à extrapoler, et à travailler à partir des scénarios succincts de Clyde. Jusqu'à maintenant, je n'avais jamais eu un rôle aussi exigeant que celui que Dwight Holly a préparé pour moi, et je n'avais jamais eu de scénariste aussi brillant.

J'ai intégré la police de Los Angeles en 1967. Scotty a tenté de faire rejeter ma nomination et n'y est pas parvenu. « L'Affaire » n'est toujours pas élucidée. Je reste déterminé. Je suis persuadé que la solution se trouve dans la partie sud de L.A. Je choisis de croire une légende persistante du ghetto : çà et là, des Noirs dans le besoin reçoivent par courrier, de façon anonyme, une émeraude de grande valeur.

Je pense que Scotty en sait davantage sur les événements du 24 février 64 que tous ses collègues du LAPD réunis. Je crois qu'il veut l'argent et les magnifiques pierres vertes pour lui seul. Je perçois l'OPÉRATION MÉÉÉCHANT FRÈRE comme rien d'autre qu'une bénédiction, malgré les intentions draconiennes de M. Hoover. À Los Angeles-Sud, je bénéficie à présent d'une couverture parfaite. Les gens confieront à un militant noir reconverti à la radicalité des choses qu'ils ne diraient jamais à un flic. Il faut que je sois à la fois intrépide et très prudent, et qu'en présence de M. Holly, je navigue avec la plus grande circonspection.

42

Los Angeles, 18 octobre 1968

Filature :

La baraque de Marsh Bowen, à l'angle de Denker Avenue et de la 54e Rue, un coin de Nègreville avec des rideaux de dentelle aux fenêtres.

C'était sa nuit no 6. Dwight Holly l'avait embauché, par l'intermédiaire de Clyde Duber. Clyde n'était pas sûr de connaître les motifs de Big Dwight. Peut-être soupçonnait-il Bowen d'être un sympathisant communiste ou de représenter un risque pour la sécurité.

La bagnole de Bowen était garée devant la porte. Il roulait dans une Dodge de 62. Une voiture de tapette. Bowen était un crétin. Il allait à des soirées débiles et jouait au Grand Chef Zoulou. Bowen avait déconné avec Scotty Bennett et s'était fait virer du LAPD. Ça lui avait donné du prestige aux yeux des ratés aux idées libérales et des Juifs du show-business.

Crutch bâilla. Il s'était mis en planque à minuit. Il était 2 h 06 maintenant. Il bascula son dossier vers l'arrière et admira la frise qui décorait son tableau de bord. Une idée qu'il avait piquée à Scotty.

Scotty avait scotché partout des photos du braquage. Crutch avait concocté sa propre version. Voilà Joan, voilà une plage somptueuse de la République dominicaine, voilà des moricauds malfaisants qui pratiquent le vaudou.

La surveillance de Bowen le bassinait et l'empêchait de se concentrer sur autre chose. Elle le détournait du travail sur Son Enquête et de ses coups fourrés avec Mesplède. Bowen était plutôt doué pour repérer les filoches. On aurait dit qu'il sentait qu'une voiture le suivait.

Crutch écoutait la radio en sourdine. Les chansons l'énervaient : rien que des puérilités pacifistes ou du bourre-mou de bronzés. Éclair de génie : bricoler la bagnole de Bowen pour l'équiper d'un émetteur radio et d'un repère lumineux pour la nuit.

Il sortit sa caisse à outils, s'accroupit, et fonça vers la Dodge. Armé d'une vrille, il perça un trou dans le feu arrière gauche. Du côté droit, il fixa dans le passage de roue, avec du ruban adhésif, un émetteur radio alimenté par une pile de 9 volts et régla le sélecteur sur la fréquence 3. Regagnant sa voiture aussitôt, il sortit le récepteur. Clic – voilà le canal 3 et les bruits ambiants.

Crutch reprit ses marques et redéfinit les zones de son cerveau. Il braqua le faisceau de sa lampe-crayon sur la photo de Joan. Il avait trouvé le truc, à présent. Il savait s'y prendre pour faire briller ces fameuses mèches grises.

Bowen sortit et monta dans sa voiture. Un oiseau de nuit – 2 h 42 du matin.

Il démarra. Crutch le suivit de loin. Ce trou dans le feu arrière le renseignait sur la distance et la direction.

Ils roulèrent. Crutch traînait derrière, à six longueurs. Il y avait de l'ambiance à Nègreville. Bowen roulait doucement. Il passait devant des grill-rooms ouverts toute la nuit et des bars qui commençaient à fermer. Le LAPD était sorti EN FORCE. Les parties de dés sur les trottoirs se volatilisaient dès que Le Boss s'approchait. Bowen longea les devantures de deux sièges d'organisations militantes noires – l'ATN et le FLMM. *Tu fais du lèche-vitrine à cette heure-ci ? Qu'est-ce qui te prend ?*

Les bruits de la rue surgissaient du canal 3. Dans la jungle, il y a du bruit tard dans la nuit. Bowen fit demi-tour et décarra vers l'ouest par Slauson puis vers le nord par Cranshaw.

À présent, c'est plus blanc. Maintenant, c'est plus civilisé. Le canal 3 se fait plus discret. Il prend vers l'ouest sur Pico, vers le nord par Queen Anne Place, juste à côté du parc.

Bowen sauta le trottoir et prit l'allée centrale. Merde... Pas moyen de le pister de près.

Crutch coupa ses phares et se gara le long du trottoir du côté est. Le parc n'était qu'herbe humide, buissons et arbres. Il suivit du regard l'orifice lumineux percé dans le feu arrière et il vit Bowen rouler en zigzag.

La lumière s'éteignit. Le bruit du moteur cessa. Les grillons chantèrent sur le canal 3.

Silence. La portière s'ouvre et se referme. On ne voit rien. Il n'y a plus que la bande-son, maintenant.

Encore le silence. Puis deux voix d'hommes. Puis des fermetures à glissière qui coulissent, des boucles de ceinturon qui cliquètent, et tous ces gémissements qui font peur.

DOCUMENT EN ENCART : 19/10/68. *Transcription mot pour mot d'une communication téléphonique du FBI. – MARQUÉE : ENREGISTRÉE À LA DEMANDE DU DIRECTEUR – CLASSÉE : CONFIDENTIEL 1-A ; DESTINATAIRE UNIQUE : LE DIRECTEUR – Interlocuteurs : Directeur Hoover, Agent spécial Dwight C. Holly.*

JEH. - Bonjour, Dwight.

DH. - Bonjour, monsieur le directeur.

JEH. - Êtes-vous d'humeur à bavarder un peu de la campagne ? Dans les États décisifs, la marge paraît réduite, mais il semblerait que notre Dick soit en position favorable.

DH. - Je pense qu'il va gagner, monsieur.

JEH. - Il a cherché à entrer au Bureau en 59. Quand j'ai vu la photo de sa fiche de candidature, j'ai pensé : « Ce jeune avocat ne s'est pas rasé de près ce matin. »

DH. - Et de ce fait, monsieur, vous avez modifié le cours de l'Histoire américaine.

JEH. - Je modifie le cours de l'Histoire américaine tous les jours, Dwight.

DH. - Certainement, monsieur.

JEH. - Mettez-moi au courant des dernières turpitudes de notre sanguinaire bonbon français J.P. Mesplède et du protégé arriviste de Clyde Duber, Crutchfield.

DH. - Ils sont efficaces dans leur rôle de trublions, monsieur. Ils vont bientôt partir à Miami, et je suis sûr que Mesplède ne résistera pas à l'attrait de cette île misérable située à 140 kilomètres des côtes.

JEH. - Vous considérez la Cause cubaine comme irrémédiablement moribonde et existentiellement futile, n'est-ce pas, Dwight ?

DH. - Oui, monsieur, c'est exact.

JEH. - Je ne suis absolument pas de cet avis. Castro est au pouvoir depuis 1926, et c'est un tyran bien plus redoutable que ses prédécesseurs Tchang Kaï-chek et le cardinal Mindszenty.

DH. - Euh... oui, monsieur.

JEH. – Vous semblez dubitatif, Dwight. Vous n'avez pas pour habitude de chercher vos mots lors de nos piquantes joutes verbales.

DH. – Je vais bien, monsieur.

JEH. – Vous ne vivez que de café et de cigarettes. Deux ingrédients qui ont entamé votre mémoire des faits historiques établis.

DH. – Oui, monsieur.

JEH. – Une autre cure à Silver Hill vous conviendrait-elle ? Vous vous rappelez peut-être la première. Je vous ai retiré de l'affaire Dillinger en 34. Vous étiez ivre et vous aviez tué ces touristes noirs de l'Indiana.

DH. – Euh... oui, monsieur.

JEH. – Deux fois « Euh » dans la même conversation ? Je crois que vous avez réellement besoin d'une cure de repos.

DH. – Je vais très bien, monsieur.

JEH. – Poursuivons, alors. Veuillez me mettre au courant en ce qui concerne le meurtre du Dr Fred Hiltz.

DH. – Rien à craindre de ce côté, monsieur. C'est Jack Leahy qui supervise l'enquête pour la police de Beverly Hills. Le Bureau ne risque aucune retombée embarrassante.

JEH. – Je pense que les voleurs et meurtriers sont des militants noirs violents. Il pourrait s'agir de comparses d'un cartel criminel nommé « Archie Bell & the Drells ».

DH. – Je ne le crois pas, monsieur. Archie Bell & the Drells est le nom d'un ensemble musical, et Jack Leahy pense...

JEH. – Jack Leahy est un agent sournois dont l'humour séditieux me rappelle ce comique disparu esclave de l'héroïne, Lenny Bruce. Je note tous les ragots des cocktails mondains, vous savez. Quand je suis entré à l'hôpital pour mon opération de la vésicule biliaire, Jack Leahy a raconté à un agent de Chicago que j'allais subir une hystérectomie. C'était en 1908, et je m'en souviens très bien.

DH. – Moi aussi, monsieur.

JEH. – Je sais que vous ne l'avez pas oublié. Vous étiez en poste à l'agence de Cleveland, à cette époque.

DH. – Oui, monsieur.

JEH. – Et l'OPÉRATION MÉÉÉCHANT FRÈRE ? Facilitée à son insu par le redoutable sergent Robert S. Bennett ?

DH. – Mon infiltrateur et mon informatrice sont en place, monsieur. Je suis sûr qu'ils seront bientôt contactés. Je ne pensais pas que mon infiltrateur était entièrement digne de confiance, alors j'ai demandé à Don Crutchfield de le surveiller. Bowen n'ayant rien fait de répréhensible, je vais suspendre la surveillance après ce soir.

JEH. – Ah, le jeune Crutchfield. De toutes les découvertes de Clyde Duber, le voyeur le plus persévérant.

DH. – Il l'est sans aucun doute, monsieur.

JEH. – Et Wayne Junior ? C'est aussi avec persévérance qu'il entretient ses pulsions homicides et ses relations interraciales malchanceuses ? Comment s'en sort-il ?

DH. – Je le vois demain, monsieur. Il me semble qu'il a digéré sa mésaventure la plus récente et qu'il est passé à autre chose.

JEH. – Nous devons tous passer à autre chose. La persévérance et la ténacité finissent toujours par avoir raison de tous nos maux.

DH. – Oui, monsieur.

JEH. – Au revoir, Dwight.

DH. – Au revoir, monsieur.

43

Las Vegas, 20 octobre 1968

Elle a vu clair en toi de toute façon. Elle t'a forcé à regarder en arrière.

Il lui raconta son entrevue avec Morty Sidwell. Il insista sur la prison chez les péquenauds, la libération sous caution, la femme à la cicatrice. L'inculpation de Reginald pour possession d'arme à feu. Les livres empruntés par Reginald. La troïka de son fils : la chimie, les textes de gauche, les herbes vaudou haïtiennes.

Ils stationnaient sur l'aire de repos. Ils s'étaient installés dans la voiture de Wayne qui offrait davantage d'espace pour leurs jambes. Mary Beth avait apporté du café et des sandwiches. Il tombait des cordes. La pluie les masquait – personne ne leur lançait des regards mesquins.

Mary Beth demanda :

– Qu'allez-vous faire, maintenant ?

– Continuer mes recherches. Constituer un dossier. Apprendre tout ce que je pourrai sur cette autre vie que menait votre fils.

– Vous avez failli dire « vie secrète ».

– Oui, c'est vrai.

– Parce que vous en avez une aussi ?

Wayne prit une gorgée de café. Le gobelet lui cuisait les mains. Mary Beth le servait brûlant comme l'Enfer.

– Je vous ai observée pendant mon compte rendu. Tout ce que je vous ai dit était nouveau pour vous.

– Nous n'avons jamais discuté de votre métier. Vous avez parlé à Howard Hughes et mis fin à la discrimination à l'embauche, mais je ne sais pas ce que vous faites le reste du temps.

Une rafale de vent s'abattit sur eux. La voiture tangua. Mary Beth agrippa la poignée du tableau de bord.

Wayne répondit :

– Je facilite les choses pour M. Hughes et d'autres hommes d'affaires aux intérêts semblables. Je passe une bonne partie de mon temps avec des officiers de police et des politiciens.

Mary Beth soupira.

– « Vie secrète » est un euphémisme. C'est un monde secret que j'entrevois.

– Je ne peux guère vous en dire plus.

– Vous avez affaire à des gens dont je n'approuverais pas les activités. Restons-en là.

Wayne tripota la manette du dégivrage. Elle ne bougeait que par saccades. La voiture devenait trop froide ou trop chaude. Mary Beth coupa le chauffage et immobilisa la main de Wayne.

– Cet été...

– Oui ?

– Trois personnes que nous aimions sont décédées. L'homme qui a tué mon mari a été accusé post mortem d'avoir assassiné votre père.

Wayne voulut retirer sa main. Mary Beth ne le laissa pas faire.

– Nous n'abordons jamais ce sujet. Vous ne me parlez que de Reginald. Vous ne m'avez pas laissée faire mon deuil, et je ne vous vois guère faire le vôtre non plus.

Wayne toussa. Mary Beth mêla ses doigts aux siens. Les jambes de Wayne tremblèrent.

– Je ne veux pas que nous vivions avec tous ces morts. Nous avons déjà trop connu cela. Je vais bientôt passer quelque temps dans les quartiers sud de Los Angeles, et je lancerai quelques ballons d'essai au sujet de votre fils. Il a 19 ans, il est armé, il se fait arrêter à la frontière du Nevada et de la Californie. Mon instinct me dit qu'il pourrait se trouver à L.A.

Des grêlons tambourinèrent sur le toit de la voiture. Mary Beth dit :

– Pourquoi avez-vous aussi peur de moi ?

Dwight annonça :

– Hoover perd ses boulons. La vieille tante décline à vitesse grand V. D'ici un an, il va se mettre en ménage avec Liberace.

Wayne sourit :

– Tu pourrais prendre ta retraite et t'installer comme avocat d'affaires.

Dwight sourit :

– Tu pourrais prendre ta retraite et enseigner la chimie élémentaire chez les mormons.

Le salon des Dunes était faussement apaisant. L'aspect « faux oasis » était cohérent. Fausses coulées de sable, faux chameaux se désaltérant à une fontaine d'eau chlorée.

Wayne demanda :

– Le meurtre du Dr Fred. Où en est-on de ce côté-là ?

Dwight alluma sa cigarette à une torche décorative.

– Les mêmes bronzés ont dévalisé une maison de Newport Beach. Pas de victime, mais les mêmes traces de gant et des fibres textiles identiques sur les lieux. Je crois que chez le Dr Fred, ils sont tombés sur sa littérature anti-nègres, et la situation a dégénéré à partir de là.

Wayne but une gorgée d'eau gazeuse.

– J'aurais besoin d'aide pour le versant Los Angeles de mon boulot. La Banque populaire et les Taxis Black Cat n'ont pas remboursé leurs prêts de la caisse des camionneurs, alors nous allons les absorber. Je crois que Black Cat serait pour toi une bonne source d'informations. Je me disais que tu pourrais suggérer à M. Hoover de l'utiliser, pour tuer dans l'œuf toute agitation potentielle là-bas.

Dwight se leva. Il maigrissait. Son étui de pistolet pendait d'un côté.

Wayne dit :

– Pas de réflexions racistes en ma présence, Dwight. Je t'en serais reconnaissant.

– Bien sûr, petit. Je n'ai pas l'intention de te choquer.

Son chez-lui, c'était le Stardust. Il avait sa suite/labo de chimie au premier. Il allait bientôt avoir besoin d'aménager un endroit où ranger un dossier sur les personnes disparues. Il dînait à la cafétéria du rez-de-chaussée presque tous les soirs. Cela lui rappelait Janice et l'époque où, simple flic, il assurait les gardes de nuit.

Wayne mastiquait un cheeseburger. À la cafétéria, l'intégration raciale était effective, à présent. Il avait forcé Dracula à céder sur ce point. Drac déléguait à la M. Hoover. Mettons ça sur le compte de la drogue ou d'une folie de longue date qui empirait. Farlan Brown confirmait le pronostic. LBJ entravait les projets de Drac à Vegas. Richard le Roublard se montrerait plus conciliant. Farlan faisait circuler les bruits de couloir : le Comte venait de suborner plusieurs aides de premier plan de Hubert Humphrey. Cela assurait ses arrières, au cas où l'élection ne tournerait pas comme prévu.

Le burger était trop cuit. Deux boxes après le sien, des clients noirs étaient traités comme des chiens par les serveuses.

Mesplède et Crutchfield manipulaient les foules à Miami. Les avocats de Sam G. négociaient le rachat de la chaîne de supermarchés qui n'avait pas remboursé son prêt. Il avait appelé le patron des Taxis Black Cat ce matin. Des pourparlers de rachat étaient prévus pour la semaine prochaine.

Une famille noire entra. Deux serveuses blanches s'éclipsèrent. La réceptionniste fit semblant de ne pas remarquer leur présence.

Wayne remonta dans sa suite. La porte était entrouverte. Il dégaina le pistolet qu'il portait à la cheville et poussa doucement la porte.

Il y avait de la lumière dans le salon. Mary Beth était sur le canapé. Elle portait une robe beige ravissante.

– Le savoir-faire du ghetto et les accointances syndicales. J'ai soudoyé la femme de chambre.

Wayne rangea son arme. Mary Beth ajouta :

– Votre laboratoire diffuse des relents plus toxiques que ne l'a jamais fait celui de Reginald.

Wayne referma la porte et approcha une chaise. Leurs genoux se touchaient presque. Il recula sa chaise. Mary Beth se rapprocha de lui.

– Pourquoi portez-vous une arme ?

– J'aimerais bien ne pas avoir à le faire.

Mary Beth ouvrit son sac à main.

– J'ai reçu quelque chose de très étrange au courrier de ce matin. Un envoi anonyme. Extrêmement bizarre. C'était enveloppé dans un article de journal au sujet de mon mari et de Pappy Dawkins.

Les deux noms se vrillèrent dans son cerveau l'espace d'une seconde. Wayne s'accrocha au regard de Mary Beth. Elle sortit un tortillon de papier et le déroula. Une pierre verte était nichée au milieu. Elle ressemblait à une émeraude.

Elle brillait et scintillait. Wayne la regarda fixement. Il se pencha pour l'examiner de plus près. Mary Beth leva son visage vers lui.

– Nous ne pouvons pas nous tenir la main dans la rue ni faire quoi que ce soit en public. Je ne veux rien savoir des horreurs que vous commettez.

Ils étaient tout près l'un de l'autre. Il perdit ses yeux en s'approchant encore plus. Elle lui toucha les paupières et les ferma pour lui. Leurs nez se heurtèrent quand elle l'attira pour l'embrasser.

44

Los Angeles, 22 octobre 1968

NÉGRIFICATION :

La gravure de mode de l'OPÉRATION MÉÉÉCHANT FRÈRE, Marsh Bowen, avait besoin de conseils vestimentaires. Ses couleurs juraient. Il ressemblait à une sucette sépia. Les méchants nègres ne s'habillaient que de noir. Cela les rendait invisibles après la tombée de la nuit et faisait ressortir la blancheur de leurs dents.

Dwight glissa à Marsh trois billets de cent dollars.

– Pour acheter de nouvelles fringues. Je veux vous voir arborer le style Eldridge Cleaver. *Tu vas surgir de l'ombre, mon frère, comme cet enfoiré de Dracula, pour annoncer tes sinistres desseins.*

Marsh empocha l'argent. Les deux hommes flânaient devant l'Observatoire. Une rangée de télescopes faisait face au sud. L.A. était envahi par le smog et la lumière était violente. Griffith Park se desséchait sous le soleil.

– Vous avez un vrai talent d'imitateur, monsieur Holly.

– Les gens de votre race rendent la chose facile.

– J'accepte ça comme un compliment person...

– Voici le compliment que vous étiez si impatient de recevoir : jusqu'à maintenant, vous vous êtes brillamment acquitté de la tâche qui vous était confiée, principalement parce que votre altercation avec Scotty Bennett était sacrément plus convaincante que ce que j'avais pu espérer, et par conséquent elle a fait de vous le héros noir du moment dans le ghetto de L.A., ce qui nous donne un très court laps de temps pendant lequel vous allez devoir vous faire recruter par l'ATN et/ou le FLMM. Vous ne pouvez pas prendre une carte du parti, agent Bowen. Vos actes doivent les attirer vers vous, sinon vous allez susciter une suspicion d'un niveau excessif. *Vous êtes un comédien*, agent Bowen. Vous possédez ce besoin instinctif de se faire bien voir qui est propre aux acteurs, donc il vous faut une mise en scène stricte pour élaborer votre prestation. Je doute fort que vous soyez fondamentalement d'une moralité exemplaire, alors permettez-moi de ne pas compter sur ce genre de principe pour vous guider. Vous devez sembler intrépide et faire preuve d'une grande prudence. Vous devez dénoncer vos nouveaux amis et bienfaiteurs de façon judicieuse et vous assurer qu'il existe d'autres mouchards potentiels que l'on pourra soupçonner pour les renseignements que vous aurez divulgués. Utilisez votre discernement concernant toute information qui pourrait vous parvenir au sujet d'un crime majeur en préparation. Pas d'homicides, pas de vols à main armée, pas de sévices sexuels sur des femmes ou des enfants. Et ne fournissez pas à vos anciens collègues du LAPD un contexte dans lequel ils pourraient botter votre cul noir, parce qu'ils ne s'en priveront pas.

Marsh fit pivoter un télescope et regarda vers le sud. Pendant les confrontations, il gardait toujours un visage impénétrable en attendant que cela se termine. Et il improvisait toujours une activité quelconque pour cacher sa peur.

Dwight secoua le télescope. L'oculaire heurta l'arcade de Marsh. Il se ressaisit et reprit instantanément son masque impassible.

– Voici la liste de vos cibles. Vous allez approcher Ezzard Donnell Jones, Benny Boles, Leander Jackson, J.T. McCarver, Jomo Kenyatta Clarkson et Claude Torrance. Appelez-moi tous les quatre jours au numéro-relais tant que je ne vous aurais pas trouvé un intermédiaire, un *coupe-circuit*, comme on dit. Commencez à fréquenter le siège des Taxis Black Cat et Le Bac à Sable de Sam le Sultan, commencez à vous rendre aux parties de dés du vendredi soir au salon de coiffure qui se trouve à l'angle de Florence et de la 58e Rue.

Marsh sourit. Avec une pointe d'affectation. Je-suis-au-dessus-de-tout-ça.

– Y a-t-il autre chose ?

– Oui, il y a autre chose.

– Et c'est quoi ?

– Ceci : vous êtes sans aucun doute le plus chanceux de tous les nègres de la planète.

– Parce que vous êtes mon supérieur hiérarchique ?

– Parce que vous êtes trop notoirement connu pour que Scotty Bennett puisse vous tuer.

Joan lui remit les munitions usagées. Six douilles vides, et pour chacune, la balle récupérée dans le matériau du caisson acoustique. Elle était venue au volant d'une Karman Ghia de 61. Les plaques minéralogiques semblaient bidon. La garniture du toit était en lambeaux – manque d'entretien ou parties de cul sur la banquette arrière.

La bretelle menant à Elysian Park. Près de l'école de police de Los Angeles. Vue sur la rue et une menace implicite.

Dwight demanda :

– Comment puis-je savoir que ce sont les bonnes munitions ?

– Parce que vous avez confiance en moi ?

Il faisait frais, à présent. Joan portait des manches longues. Sa cicatrice était cachée. Le stimulus manquait à Dwight.

– Vous avez réglé la question plus vite que je ne le pensais.

Joan alluma une cigarette.

– Je me suis dit que vous apprécieriez.

– Effectivement.

– Je couche avec la petite amie d'Ezzard Jones. Elle a des doutes sur l'ATN. Je vous tiendrai au courant.

Une matraque télescopique était coincée entre les sièges avant. La banquette arrière était couverte de tracts gauchistes. Il captait l'odeur du shampoing de Joan et des relents de marijuana refroidie.

Joan ajouta :

– J'ai confié la cocaïne à Leander Jackson. C'est un Haïtien adorable avec une fixation incongrue sur le vaudou. Il en a déjà vendu quelques grammes. J'ai apporté ma contribution au programme de petits déjeuners gratuits du FLMM. Claude Torrance m'a exprimé sa reconnaissance. Il m'a invitée à plusieurs soirées destinées à récolter des fonds.

Dwight sourit.

– Elles vont dégénérer en rixes.

– Je sais.

– Vous serez tripotée de façon humiliante.

– J'y compte bien.

– Pourquoi ?

– Je blesserai d'un coup de couteau l'homme qui m'aura agressée, devant des témoins de sexe féminin. C'est une soirée du FLMM. Leander m'est redevable, à présent. Il sera furieux d'apprendre que j'ai frayé avec le FLMM, mais il ne me laissera pas partir, parce que je serai la seule parasite femme capable de lui procurer de la drogue.

Dwight prit ses cigarettes. Le paquet était vide. Joan alluma l'une des siennes et la lui passa. Dwight sentit l'odeur de sa crème pour les mains.

Elle portait des bottines noires. Sa robe se boutonnait de haut en bas jusqu'à l'ourlet. Il faisait chaud dans la voiture. Sa transpiration s'accumulait au ras du col.

Dwight demanda :

– Pour qui d'autre avez-vous servi d'informatrice ?

Joan répondit :

– Je ne vous le dirai pas.

– Pourquoi votre dossier a-t-il été aussi copieusement caviardé ?

– Je ne vous le dirai pas.

– Avez-vous été prise dans des rafles de routine, ou étiez-vous, à une époque, soupçonnée de vols à main armée ?

– Je ne vous le dirai pas.

– Donnez-moi les noms de quelques-unes de vos relations. Je ne ferai rien contre elles. J'essaie seulement de me faire une idée de votre parcours.

– En aucun cas.

Dwight avala deux aspirines. Joan repoussa son siège et posa les jambes sur le rebord de la fenêtre. Un bracelet de cheville remonta vers son mollet, au-delà du haut de la bottine. Un petit drapeau rouge sur une chaîne en or.

Dwight sourit. Joan sourit. Ils faisaient des ronds de fumée approximatifs et enfumaient la voiture. Deux voitures du LAPD passèrent près d'eux pleins gaz. Les banquettes arrière étaient occupées par des Noirs menottés.

Joan dit :

– Il y a un prof de gym au Lycée des Arts Manuels. Il s'appelle Berkowitz. C'est un pédophile. Je pense que vous devriez le réprimander.

– Cela a-t-il un rapport avec notre opération ?

– Oui.

– J'aimerais une réponse en forme d'explication.

– Les gens me disent des choses qui nécessitent une réaction de ma part. C'est en partie pour cette raison que je travaille pour vous. J'espère que vous serez conciliant.

Dwight dit :

– Je vais m'en charger.

Joan dit :

– J'aimerais en voir des preuves.

Dwight hocha la tête. Joan releva les jambes et heurta le klaxon par inadvertance. Le bruit les fit sursauter. Ils rirent tous les deux.

Ils se retrouvèrent dans un café de Hillhurst Avenue. C'était près de l'appartement de Karen et du local loué par le Bureau. L'établissement avait aménagé un renfoncement à l'usage des enfants. L'endroit plaisait à Dwight. Il lui donnait presque l'impression d'être marié.

Dina se prélassait dans l'alcôve. Les mômes apportaient leurs peluches. Karen se plaignait de son destin de plus vieille mère de famille du monde. Dwight mastiquait du chewing-gum. Il avait renoncé à fumer en présence de Karen. Cela la tentait. Il ne voulait pas mettre en péril la santé d'Eleanora.

Karen se tenait le ventre. Elle avait une silhouette incongrue – une femme mince avec une énorme protubérance.

Dwight émietta deux aspirines et les fit tomber dans son café. Une nouvelle tactique contre les migraines de stress. C'était Jack Leahy qui lui avait expliqué ça. Constriction vasculaire, bla-bla-bla...

Karen dit :

– Nixon va gagner. Il ne va pas instituer de répression immédiate ni faire grand-chose en quoi que ce soit, ce qui va rendre furieux mes camarades qui sabotent la campagne de Humphrey.

– Tout cela est un peu trop alambiqué pour moi.

Karen mordilla un petit pain au sucre.

– C'est parfaitement compréhensible pour toi, ce qui veut dire que tu as d'autres préoccupations, sinon tu ne ferais pas de commentaires d'une hypocrisie aussi transparente.

Dwight s'esclaffa.

– Mon infiltrateur devient effronté. Je vais devoir lui rabaisser le caquet d'un cran ou deux.

Karen se signa. Foi hybride. La Grecque orthodoxe devenue quaker. Un serveur apporta une nouvelle cafetière. Dwight émietta de nouvelles aspirines.

– Pourquoi le dossier de Joan est-il si copieusement caviardé ?

– Je n'en sais rien. Tu lui as demandé ?

– Elle refuse de me le dire.

– Alors, n'y pense plus.

– Le paragraphe entier concernant ses relations connues a été passé à l'encre noire.

– Alors, c'est que l'un de ses manipulants, par le passé, lui a fait une faveur.

– Elle m'a dit que c'était la première fois qu'elle servait d'informatrice fédérale, et il y a des choses qu'elle refuse de me dire, des choses...

Karen renversa la tasse de Dwight. Ses mains furent éclaboussées, sa boîte d'aspirine alla valser.

– Tu en es mordu, de cette femme. Je te connais, cela fait des mois que je vois clair en toi, mon instinct me dit que tu as commis des atrocités, récemment, même selon tes critères de fasciste caractériel...

Dwight entendit Dina pleurer. La petite avait entendu sa mère hurler. Dina lança un coup de pied dans un monceau de jouets et fuit les autres enfants. Karen courut à sa poursuite.

45

Miami, 23 octobre 1968

Hubert Humphrey baragouinait en espagnol. Les politicards bilingues le poussaient à faire des efforts. Il s'adressait à une foule mi-blanche, mi-latino, et tous les auditeurs étaient décontenancés. La chaleur les desséchait sur place. Le parking était écrasé de soleil et Hubert-le-somnifère les anesthésiait en plein midi. Ils rêvaient tous d'une bière bien fraîche et d'une tranche de rigolade.

Mesplède se tenait au milieu de la foule, Crutch à l'arrière. Ils firent signe au chauffeur d'un camion bâché.

Le camion se rangea à la lisière du parking. Crutch fit signe au chauffeur. Trois, deux, un – la force d'invasion déboule.

Deux douzaines d'acteurs au chômage. Recrutés par Clyde Duber. Des frimants jouant les guérilleros, tous déguisés en Fidel.

La barbe, les bottes, le treillis vert, les gros cigares...

– *Fidel aime Hubert ! Fidel aime Hubert ! Fidel aime Hubert !*

Hubert restait planté là, le pouce dans le cul. Huit types en T-shirt « Nixon » bondissent du camion pour distribuer des bières gratuites. Les faux Fidel circulent pour donner des cigares gratuits. La foule délire. Crutch et Mesplède hurlent de rire.

CUBA, CUBA, CUBA – le Frenchie n'arrêtait pas de grandiloquer en trois langues sur le sujet. Crutch n'arrêtait pas de penser à la République dominicaine. Ils traversaient Little Havana dans une voiture de location. Ils partageaient un joint. Le Frenchie répétait tout le temps « Cessna » et « expédition sur la côte ». Crutch voyait sans cesse cette photo dans le bouquin de la bibliothèque.

Le danseur vaudou. Son tatouage. Le motif pareil à celui de la morte dans la Maison de l'Horreur.

Mesplède lui repassa le joint. Crutch tira la dernière bouffée et avala le mégot. Ils atteignirent Flagler Street. Les magasins tenus par des exilés exhibaient des drapeaux cubains. Des mannequins en paille à l'effigie de Castro étaient pendus aux réverbères. Des gamins grimpaient aux poteaux pour planter des canifs dans les mannequins.

Crutch la fermait. Il avait parlé de la République dominicaine comme le Frenchie parlait de Cuba. « Ferme-la ! » lui avait dit Dwight Holly. Il avait obéi, jusqu'à maintenant. Marsh Bowen était pédé. *Là-dessus aussi*, il la fermait. La veille au soir, il était passé chez les flics du comté de Miami. Il avait cherché dans les archives des infos sur Gretchen/Celia et Joan Rosen Klein. Le Frenchie lui avait demandé où il allait. Il l'avait fermée.

Il apprenait. Ses copains tueurs respecteraient cela.

Ils se rendirent à un aérodrome miteux dans les environs de Miami. Le personnel était uniquement cubain. Les types étaient tous fourbus moulus d'avoir travaillé dans les champs de canne à sucre. Mesplède signa des papiers et loua un avion de tourisme à deux places. Ils décollèrent et se grillèrent un joint à 3 000 pieds.

Crutch commença à paniquer. L'altitude court-circuitait son euphorie et lui donnait les dimensions d'un trip à l'acide. Il n'arrêtait pas de voir des gens qui n'étaient pas là. Sa mère dansait le twist avec Dana Lund. Bev « Bouche-Chaude » Shoftel suçait Sal Mineo.

Ils survolèrent Little Havana en rase-mottes. Mesplède abaissa un levier et largua 5 000 tracts pro-Nixon. Des mômes les attrapaient et les agitaient pour dire au revoir à l'avion. Mesplède volait en zigzag, cap au sud. Ils survolèrent une série de ponts et d'îlots. Mesplède servit de la dexédrine, qu'ils firent passer avec du schnaps au goût relevé par du hash. Visez un peu ces petits cubes bruns flottant dans un liquide blanc !

Crutch s'imbiba. Le cocktail lui remit les idées en place. Ils volaient à présent au-dessus de la mer des Caraïbes. Ils rencontrèrent deux radeaux de réfugiés et les arrosèrent de tracts pro-Nixon. Grâce au cocktail, Crutch n'avait pas le mal de l'air. Mesplède montra du doigt l'arrière des sièges. Crutch vit une mitraillette munie d'un chargeur circulaire de cent cartouches. Il en fit sortir une. La balle avait été entaillée en croix façon dum-dum, et les fentes bourrées de mort-aux-rats.

Crutch en eut des palpitations. Le cocktail l'avait suffisamment anesthésié pour l'empêcher d'avoir vraiment peur. Une grosse tache brune se dessinait devant eux. Le Frenchie se tourna vers lui, souriant jusqu'aux oreilles. Crutch cligna des paupières. Maintenant la tache est une île plate comme une crêpe.

Mesplède poussa le manche et les amena à ras des vagues. Leurs roues frôlaient la mer. Crutch vit la plage et des latinos en chemises brunes entourés de sacs de sable. Les types étaient penchés sur une mitrailleuse de calibre 50. L'engin, à canon ventilé, alimentation par bandes, pivotait sur 360 degrés.

Le Frenchie s'écarta de sa ligne pour faire diversion, puis il piqua droit sur eux. Les Cubains tirèrent au-dessous de l'avion, au-dessus, et largement à côté. Mesplède revint en vol ultra-bas. Les Cubains firent pivoter et repivoter leur mitrailleuse, lâchant des rafales en panique. Le bruit, c'était la rencontre d'un cliquetis de machine à écrire et d'une bombe atomique.

Crutch cala la mitraillette sur le bord de sa fenêtre. Le Frenchie rasa le sol – on leur voit le blanc de l'œil. Crutch dénombra huit types. Ils baissèrent vivement la tête et tentèrent de braquer leur mitrailleuse en plein sur la cible.

Crutch fit feu. Il vit deux têtes exploser. Il vit les côtes d'un type jaillir de sa cage thoracique et inonder un sac de sable d'un flot de sang. Le Frenchie passa au-dessus de petits arbres. Les frondaisons giflèrent l'avion et leur obstruèrent la vue. Crutch visa derrière lui. Pas de rafale, des coups séparés, très précis. Il toucha quatre hommes debout côte à côte. Il vit les lunettes de l'un d'eux se briser alors que sa tête tombait.

Mesplède tira sur le manche. Crutch vit Cuba à l'envers et s'efforça de ne pas vomir. Ils retraversèrent l'océan. Il vit ses huit nouveaux trophées et la tête de ce type qui roulait vers les vagues.

Gueule de bois.

Trou noir.

Il ne se rappelait rien du vol de retour ni du trajet en voiture jusqu'à l'hôtel. Il se réveilla dans son lit. Mesplède dormait encore. Il descendit au restaurant et s'installa sur la terrasse. Il commanda des crêpes et un Bloody Mary et son estomac voulut bien tout garder. Il rétablit les circuits dans sa tête et savoura l'énormité de ce qu'il venait d'accomplir. Il avait tué deux communistes cubains à Chicago. Il venait d'en tuer huit autres. Deux plus huit, cela faisait dix. Il se rapprochait du score de Scotty Bennett.

Un arbre penché au-dessus de la table lui procurait de l'ombre. Des amoureux y avaient gravé leurs initiales et la date de leur lune de miel. Crutch sortit son canif et inscrivit « Macchabs : 10 ».

Il remonta à l'étage. La porte de sa chambre était grande ouverte, Mesplède assis sur son lit. Le Frenchie avait forcé sa valise. Le compte rendu de Son Enquête était bien visible. Mesplède en était à la page 43.

Le Frenchie avait sorti son arme. Crutch déglutit et, cerveau en panne, fut incapable d'inventer un mensonge. Mesplède dit :

– Tu nous as caché des informations à deux reprises. Ta fixation sur la République dominicaine n'avait aucune raison d'être, et elle a éveillé mes soupçons. Alors, maintenant, tu vas tout me dire.

Ce qu'il fit.

Il commença par le Dr Fred qui s'était fait plumer par une de ses maîtresses. Il s'étendit sur Farlan Brown, Gretchen/Celia et Joan. Il ajouta la Maison de l'Horreur. Et puis tout ce boulot de flic qu'il avait fait en vain. Il ajouta aussi les racines dominicaines de Celia et Haïti. Et le tatouage de la morte et celui du danseur vaudou dans le livre de la bibliothèque.

Mesplède sortit l'atlas de poche de Crutch. Il était ouvert à la page des Caraïbes. Il dit :

« Nos projets convergent. »

Il traça une ligne droite entre la République dominicaine et Cuba.

46

Los Angeles, 25 octobre 1968

Le siège des Taxis Black Cat se distinguait par des murs tendus de velours noir et un hommage à l'histoire des Noirs. La fresque couvrait la période séparant le Jésus noir du LBJ noir. Les icônes collées aux murs commençaient à s'en détacher. La clim fonctionnait vingt-quatre heures sur vingt-quatre et dégradait la décoration. Le patron pesait 195 kilos. Dans le bureau régnait un froid polaire, selon ses ordres.

Cordell « Junior » Jefferson : entrepreneur, mauvais payeur qui n'avait pas remboursé le prêt consenti par la Caisse des camionneurs.

Wayne dit :

– Les Parrains veulent faire valoir leurs créances, monsieur Jefferson. Mais il y a une bonne nouvelle pour vous dans ce contexte.

Jefferson se tortilla dans son fauteuil. Le siège était trois fois plus large que la normale. La température de la pièce était de 10 degrés. Jefferson transpirait.

– Vous êtes en train de me dire que je dois accepter *ça*, parce que j'ai deux mois de retard dans mes remboursements ?

Wayne frissonna.

– Vous avez trois ans de retard, monsieur. Trois ans, mais je ne vous apporte pas que des mauvaises nouvelles.

Jefferson s'empiffrait de crème glacée, qu'il prenait à la cuiller dans un pot d'un litre. Des types genre Panthères Noires traversèrent le local et jetèrent à Wayne des regards malveillants. Un grand Blanc costaud les suivait. Tout chez lui annonçait le *flic*. Il portait un costume gris et un nœud papillon écossais.

Jefferson agita sa cuiller.

– Et c'est quoi, ces putains de bonnes nouvelles dont vous parlez, pendant que vous me coupez l'herbe sous le pied ?

Wayne ouvrit sa mallette et jeta dix mille dollars dans le giron de Jefferson. Celui-ci pelota la liasse, la renifla, et enfouit son visage dans les billets.

Il fit claquer l'élastique qui les tenait ensemble. Il les comprima pour en faire un cylindre, le plus gros rouleau de billets du monde.

Wayne expliqua :

– Vous conservez le titre de propriété de l'affaire. Nous amenons un Blanc qui s'appelle Milt Chargin pour qu'il vous aide à faire tourner la baraque. Vous donnez un coup de main à quelques flics de mes amis en leur passant des informations. Et vous nous blanchissez de l'argent liquide, en gardant pour vous 7 % des sommes.

– Supposez que je dise « non » ?

– Monsieur Jefferson, vous êtes plus intelligent que ça.

Jefferson reprit de la glace et s'éventa avec la liasse. Wayne examina les icônes murales. Il reconnut le FDR noir et personne d'autre. Un homme avec une coupe afro triple épaisseur entra dans le bureau. Il eut un sourire méprisant en regardant Wayne et se dirigea vers le standard téléphonique. Wayne sortit une photo de Reginald Hazzard et la brandit sous le nez de Gros-Lard. Gros-Lard fit « non » de la tête.

Le type à l'afro lança à Gros-Lard un pot de crème glacée tout neuf. Gros-Lard dit :

– Les Taxis Big Boy font de l'ombre à *mon* entreprise. Si *mon* entreprise est *votre* entreprise, alors j'aurais besoin de *votre* aide.

Wayne sourit.

Mary Beth dormait. Les couvertures étaient remontées sur son dos. L'une de ses jambes dépassait.

Wayne la regardait. Elle s'endormait toujours avant lui. Elle l'embrassait, puis elle se terrait dans son coin et lui donnait quelque chose à voir.

Il approcha une chaise du lit et lui toucha le genou. Il attendit. Il aimait la voir tourner la tête sur l'oreiller.

Le téléphone du labo sonna. Wayne se leva de sa chaise et courut répondre. Il prit l'appel au bout de deux sonneries.

– Oui ?

– C'est Dwight, Wayne.

– Oui, et il est minuit.

– J'ai une question de chimie pour toi.

– D'accord.

– Est-ce qu'on peut nettoyer un document caviardé pour révéler le texte tapé à la machine qui se trouve dessous ?

Wayne s'appuya à une étagère. Elle était bourrée de composants d'héroïne.

– Peut-être. Je vais essayer, si tu me procures de l'explosif C4.

47

Los Angeles, 26 octobre 1968

Nègreville – le carrefour de Central et de la 85ᵉ Rue. L'avenue de la fierté afro. Un night-club, un salon de coiffure, une mosquée. Des badauds à 2 h 14 du matin.

Parmi eux : Jomo Kenyatta Clarkson.

Sexe masculin, race noire, 39 ans. Un inconditionnel du FLMM. Répartiteur à la compagnie de taxis Black Cat. « Ministre de la propagande ». Auteur de pamphlets racistes. Soupçonné de viol et de vol à main armée.

Jomo jaspine avec trois autres Noirs. Ils lampent de l'alcool de pêche et ils fument des Kool. Ils viennent de se faire friser au salon de Sœur Simba.

Dwight était posté trois étages plus haut, juste de l'autre côté de Central Avenue. L'immeuble était vide. Il avait grimpé l'escalier de secours et s'était accroupi derrière un panneau publicitaire. Il tenait une paire de jumelles et une épreuve polaroïd.

La photo, c'était la preuve que demandait Joan. Il avait coincé le prof de gym pédophile et lui avait joué un solo de matraque. Aux yeux de Joan, mesure de rétorsion ou de dissuasion ? Il s'en moquait – c'était la zone Joan. Les femmes qui se promenaient seules commençaient à ressembler à Joan. Pour lui, elle était toujours Joan. Jamais l'informatrice confidentielle nº 1189.

Dwight regarda vers le sud. Voilà Marsh Bowen qui s'acquitte de sa mission : se promener tard dans la nuit. Dwight regarda vers le nord. Voilà l'unité 4-A-29, qui patrouille à petite vitesse.

Deux flics blancs. Qui idolâtrent Scotty Bennett. Cent dollars chacun.

À point nommé :

Les flics reniflent l'avenue de la fierté afro. Jomo et les Jaspineurs camouflent leur fiole. Les flics poursuivent leur patrouille. La fiole refait surface. Jomo et ses Janissaires se re-Jungléisent.

Les flics repèrent le Noir solitaire. Merde, c'est Marsh Bowen. *Ça, c'est une bonne prise !*

Les flics font demi-tour et se garent le long du trottoir. Frémissement fulgurant sur l'avenue de la fierté afro. Rassemblement ! Rassemblement ! Exprimons publiquement notre indignation et notre haine de l'Oppresseur Blanc !

Le Salon de Sœur Simba se vide illico. Idem le Salon du Scorpion. Jomo et les Justiciers deviennent tout électriques. Leurs coupes de cheveux façon tampon à récurer jettent des étincelles.

Les flics sortent de leur voiture. Marsh poursuit son chemin. Un flic siffle, un flic hurle : « Reviens ici tout de suite ! » Les spectateurs commencent à lancer des cris de cochons.

Dwight jouissait d'une vue imprenable. Mais la bande-son était mauvaise. Les couinements porcins la rendaient incompréhensible.

Marsh revint sur ses pas. Dwight vit les flics lui faire écarter bras et jambes pour une palpation au corps. Il crut entendre « nègre » et « Scotty Bennett t'envoie son bon souvenir ». Il entendit des grognements, des ronchonnements et des bêlements superposés. Les flics vident les poches de Marsh. Les flics ironisent sur sa coupe afro. Les spectateurs commencent à scander : « Vas-y, mon Frère ! » Un flic repoussa Marsh et lui planta son index dans la poitrine. Un autre lui hurla à l'oreille. Les spectateurs montèrent d'un cran leurs cris de cochon. Le flic braillard cracha des postillons en montant le son. Dwight entendit « nègre », « traître », « enfoiré de bamboula » et « pédé ».

Marsh perdit son calme. Il coinça d'une clé de bras la tête du flic braillard et lui fit percuter un réverbère. Les spectateurs applaudirent et redoublèrent leurs « Vas-y, mon Frère ! » Les cris de cochon passèrent en hi-fi. Le flic braillard fit pivoter Marsh sur lui-même et le projeta contre la voiture de police. L'autre flic empoigna sa matraque et commença à le frapper à la tête et sur les rotules. Marsh eut droit à une dérouillée digne d'un *MÉÉÉCHANT FRÈRE*. Jomo et les Jargonneurs de la Jungle ne perdirent pas une miette du spectacle.

48

Los Angeles, 28 octobre 1968

Deux douzaines de taxis. Alignés, pare-chocs contre pare-chocs. Tous ornés du logo Big Boy : un nègre coiffé d'un fez, comme le dictateur Sukarno.

Le bureau du répartiteur se trouvait ailleurs. Le parking couvrait la moitié d'un pâté de maisons. Un veilleur de nuit en faisait le tour régulièrement. En guise de dîner, il allait toujours picoler au Bac à Sable de Sam le Sultan. Le Frenchie avait glissé deux capsules de phénobarbital dans son dernier scotch. En ce moment, le type roupillait dans une benne à ordures derrière chez Sam le Sultan.

Wayne et le Frenchie donnaient les ordres. Crutch les exécutait et se tapait tout le boulot merdique.

Wayne pétrissait le C4 et le posait dans les passages de roues. Le Frenchie installait les détonateurs. Crutch câblait le circuit d'un taxi à l'autre.

La mise en place dura des heures. Ils travaillèrent de minuit à quatre heures du matin. Crutch chopa des crampes à force de rester accroupi et de marcher comme un canard. Ils transpiraient tous comme des bœufs et portaient des serviettes-éponges autour du cou pour endiguer le flot. Le C4 ressemblait à de la pâte à modeler et sentait le pétrole brûlé. Les mèches lui irritaient les mains.

Terminé – 4 h 11 du matin.

Ils regagnèrent la rue et s'épongèrent. Wayne avait l'air sombre, comme toujours. Le Frenchie souriait. Crutch se sentait prêt à défaillir, comme s'il allait roucouler avec sa cavalière après le bal de fin d'année.

Wayne enfonça le piston de mise à feu. Ces putains de taxis explosèrent et décollèrent du bitume. Le vacarme était immense. Une douzaine de nuances de rose et de rouge entrèrent en éruption. Des débris de verre traversèrent le ciel.

DOCUMENT EN ENCART : 29/10/68. *Manchette et sous-titre du* Los Angeles Herald Express :

LA COURSE EST SERRÉE ENTRE NIXON ET HUMPHREY

L'ancien vice-président est en tête dans les États clés

DOCUMENT EN ENCART : 30/10/68. *Manchette et sous-titre du* San Francisco Chronicle :

NIXON-HUMPHREY : ÇA PEUT SE JOUER À UN CHEVEU

Des mauvais plaisants sèment la zizanie dans les réunions de Humphrey ;
Ses aides mettent en cause la campagne de Nixon.

DOCUMENT EN ENCART : 1/11/68. *Article du* Los Angeles Times :

L'ASSASSINAT DU MARCHAND DE HAINE
TOUJOURS PAS ÉLUCIDÉ

La victime elle-même appelait sa demeure de Beverly Hills, aux dimensions d'un véritable palais, « La maison que la haine a édifiée ». Pour beaucoup de gens, il n'est donc pas surprenant que le Dr Fred T. Hiltz, 53 ans, ancien dentiste, ancien golfeur professionnel et prétendument informateur du FBI, ait connu une fin atroce dans l'enceinte même de cette résidence.

Le 14 septembre dernier, le Dr Hiltz fut abattu d'un coup de fusil dans l'abri anti-aérien construit dans son jardin, et les meurtriers ne sont toujours pas identifiés. Il y a des suspects : un gang de voleurs qui a pris des familles aisées en otages à Brentwood et Newport Beach, mais plusieurs journalistes locaux et de nombreux passionnés d'affaires criminelles émettent des doutes sur cette hypothèse. Le Dr Hiltz était bien connu comme auteur et éditeur de pamphlets racistes au contenu dévastateur qui s'attaquaient aussi bien aux Blancs qu'aux minorités ethniques. La rumeur disait de lui qu'il possédait dans son jardin une cachette bourrée d'argent liquide ; il avait été marié de nombreuses fois, et on lui prêtait des douzaines de liaisons avec des femmes à la séduction provocante. Le capitaine Mike Gustodas, de la police de Beverly Hills, a déclaré à notre reporter : « Le Dr Hiltz avait des relations instables, il exerçait un sale métier, et il nous a laissé du pain sur la planche, ça c'est sûr. »

Et pourtant, c'est l'agence de Los Angeles du FBI qui fait le gros du travail en ce qui concerne l'enquête sur le meurtre du Dr Hiltz – et c'est ce fait qui intrigue tant certains journalistes et partisans de la théorie du complot. Le capitaine Gustodas n'avait pas de réponse à cette question ; il s'est contenté de déclarer que le FBI avait dessaisi la BHPD de l'affaire pour des raisons de « sécurité nationale ».

John Leahy, agent spécial en charge du FBI à Los Angeles, a confirmé à nos reporters : « Oui, il s'agit d'une affaire politiquement sensible, et elle représente un problème de sécurité nationale, bien qu'il soit mineur. Je n'ai pas le droit d'en divulguer les détails pour le moment, mais il y aura une mise au point complète quand l'agence aura procédé à une arrestation – si arrestation il y a. »

Une rumeur particulièrement persistante attribue le meurtre du Dr Hiltz à des membres d'un groupe de militants noirs, qui en aurait fait un acte politique. L'A.S.C. Jack Leahy ne veut pas entendre parler de cette théorie. « Je pense qu'elle est ridicule », nous a-t-il dit. « Aucun groupe de militants noirs n'a revendiqué ce meurtre, et de plus il me semble que le danger représenté par le militantisme noir a été grandement exagéré par la presse. »

En attendant, l'enquête sur la mort du Dr Hiltz se poursuit.

DOCUMENT EN ENCART : 2/11/68. *Manchette du* Dallas Morning News :

NIXON-HUMPHREY : UNE VICTOIRE SUR LE FIL ?

DOCUMENT EN ENCART : 3/11/68. *Manchette du* Hartford Courant :

NIXON-HUMPHREY DANS LA DERNIÈRE LIGNE DROITE

DOCUMENT EN ENCART : 4/11/68. *Extrait du journal intime de Karen Sifakis.*

Los Angeles
4 novembre 1968

Nixon va gagner. Humphrey est plombé par la décision de LBJ de ne plus bombarder le Nord-Vietnam, et ce que veulent les Américains, c'est un dialogue crédible, assaisonné de niaiseries réactionnaires, sur la fin du conflit : cela leur permettrait d'accepter avec bonne conscience le fait qu'on se retire de la guerre (et, en fait, qu'on la perd). Et Nixon leur dit exactement ce qu'ils veulent entendre. Chicago a été un désastre, non pas parce que cela a assuré la victoire de Nixon, mais parce que cela a donné l'image d'une gauche rancunière, mesquine, hargneuse, semeuse de discorde, et clownesque. *Le péché d'apitoiement sur soi-même.* Il faut que je note mes tendances à m'apitoyer sur mon propre sort, et je devrais commencer à les considérer comme des conduites condamnables et du même coup tracer une frontière morale bien définie pour m'interdire d'y succomber.

Dina, en petite fille intelligente qu'elle est, a commencé à me poser les inévitables questions sur Dwight et M.C. et ma relation avec les deux hommes. Évidemment, je ne peux pas lui dire que M.C. et moi sommes politiquement compatibles, mais pas compagnons ; que nous n'avons jamais connu une relation véritablement passionnée, mais sommes amis au sens où nous partageons certains idéaux et la même conception du rôle de parents. M.C. connaît l'existence de Dwight, mais ne parle jamais de lui ; Dina, aussi presciente que pragmatique, ne parle jamais de Dwight à M.C., parce qu'elle sait que cela le blesserait et risquerait d'avoir un effet néfaste sur ma relation avec Dwight. Plus tard, Dina sera comme moi : elle cloisonnera son existence. Peut-être héritera-t-elle – en fait, j'en suis sûre – de mon penchant pour les hommes équivoques et impressionnants. Dina aime Dwight plus qu'elle n'aime son père, parce qu'il est intraitable avec le monde qui l'entoure, mais d'une grande douceur avec elle, parce qu'il porte une arme, parce que je suis expansive avec Dwight alors que je ne le suis pas avec son père, et cela lui donne le sentiment d'être aimée comme elle doit l'être et donc d'être en sécurité. Et – quelle intelligence chez cette petite ! – elle comprend quelque chose dont je viens seulement de me rendre compte : que Dwight et moi sommes de vrais compagnons.

C'est notre passion amoureuse et le tendre échange de nos rôles antithétiques et de nos idéaux inconciliables. C'est aussi que nous désirons tous les deux quelque chose (en plus de nous désirer l'un l'autre), quelque chose de très pur et de très profond, et que je peux exprimer parce que j'ai les mots pour le faire, alors qu'il ne les possède pas.

Je n'arrête pas de penser à des troïkas. Dwight, mon mari pratiquement absent et moi en formons une. Et moi, je me tiens pour responsable de l'étincelle qui peut jaillir à tout moment entre Dwight et Joan Klein. Je ne suis pas jalouse, mais Dwight est puissamment attiré vers elle. Je me suis bien gardée de lui dire la vérité sur ma relation avec Joan, parce que je ne savais pas quelle proportion des diverses histoires, réelles ou supposées, qui courent sur le compte de Joan je devais révéler à un homme qui, tout bien considéré, est un officier de police et un nervi de droite. Dwight m'a dit dès le départ : les informateurs et les opérateurs cachent des informations pour assurer leur propre sécurité et celle des gens qui gravitent dans la même orbite. Cette idée me sert de guide pour mes mensonges par omission. Joan *a été* informatrice du FBI à un certain moment, mais je ne connais pas le nom de son officier manipulant, et je ne sais pas non plus s'il a caviardé son dossier. Cela fait de nombreuses années que je connais Joan intimement. Sur le plan politique, je ne lui fais pas davantage confiance qu'à Dwight.

Je suis un peu inquiète au sujet de Dwight. Il maigrit, dort de plus en plus mal et marmonne dans son sommeil. Je continue à lui demander, sur le ton de la plaisanterie, s'il me permet de faire sauter le Mont Rushmore, et il continue à me répondre « oui », en plaisantant *à moitié*. Il me laisse beaucoup trop de latitude. Est-ce à cause de son sentiment de culpabilité ? Je n'arrête pas de penser que doit peser sur lui la responsabilité d'un forfait incommensurablement abominable dont je ne dois jamais rien savoir, de peur qu'il détruise mon amour pour lui ou qu'il me fasse aimer Dwight d'autant plus. Je me demande quel âge auront Dina, et Ella qui est en moi, quand elles découvriront cette vérité qui concerne les hommes et les femmes.

Dwight et moi avons nos échanges. Je n'imagine pas quelle forme prendront les échanges de Dwight avec Joan. Le monde que nous partageons est humainement inquantifiable et idéologiquement confus. Lequel de ces deux-là est capable d'y mettre en œuvre le bien ou le mal le plus reconnaissable ?

DOCUMENT EN ENCART : 5/11/68. *Extrait du journal de Marshall E. Bowen.*

Los Angeles-Sud
5 novembre 1968

Cela a été mon deuxième tabassage aux mains de mes anciens – et futurs, une fois que cette opération sera terminée – collègues du LAPD. Je m'en étais mieux sorti la première fois, car le scénario écrit par M. Holly m'avait préparé. M. Holly n'a pas assisté à cette seconde rencontre, et mes plaies auront cicatrisé lorsque sera venu le moment de nous voir de nouveau face à face. Je ne sais pas encore si je vais ou non lui raconter l'incident, critiquer ma propre prestation improvisée et lui demander de ne pas sanctionner les officiers de police en question. Je ne sais pas encore si je vais ou non lui dire que cet incident a eu pour conséquence de me faire rencontrer de merveilleux nouveaux amis.

Mon sauveur improbable a été Jomo Kenyatta Clarkson, ministre de la Propagande du ridiculement nommé Front de Libération des Mau-Mau, ainsi que ses amis Shondell et Bobby. Jomo est volubile et manifestement psychopathe et bat sans cesse le record du monde de vitesse pour l'usage du mot « enfoiré » dans une seule phrase. Ses bras portent les cicatrices de l'automutilation qu'il s'est infligée au coupe-coupe en hommage au massacre par le véritable Jomo Kenyatta de colons britanniques au Kenya, vers l'année 1947. Jomo et ses amis m'ont emmené au Morningside Hospital, où un sympathique médecin blanc, qui avait soigné Jomo la dernière fois qu'il a été blessé par une décharge de chevrotines, a traité mes contusions et m'a injecté de la mépéridine. La piqûre a calmé la douleur, m'a rendu euphorique, et m'a permis de ne pas ressasser les mots « Scotty Bennett t'envoie son bon souvenir » en une boucle pratiquement continue. J'ai eu alors envie de rentrer chez moi et de me reposer. Jomo n'a rien voulu savoir. Il a décrété qu'on allait faire la tournée des bars.

Nous nous sommes rendus dans une série de pubs ouverts la nuit. J'y ai rencontré de nombreux hommes de ma race, portant des vêtements noirs pareils à ceux que M. Holly m'a enjoint d'acheter ; sur eux, je les ai trouvés seyants, mais je me suis dit que ce n'était pas vraiment mon style. Sur la scène du club La Pêche aux Moules, j'ai assisté à un spectacle lesbien, puis j'ai été plus ou moins exhibé par Jomo au Bac à Sable de Sam le Sultan, à L'Autre Monde de Mister Mitch et au Nid de Nat. Je me suis mis en condition, et j'ai fait mon numéro ; M. Holly aurait été fier de moi. J'ai à chaque fois décrit la raclée que j'avais subie aux mains de ces « porcs du LAPD », et je n'ai jamais eu besoin de mentionner mon statut d'ex-flic, parce que je suis, localement, une célébrité, et que mon ancienne profession préexiste implicitement dans le *spiritus mundi* du ghetto. Je répétais sans cesse des formules ridicules telles que « faut dire les choses comme elles sont » et « c'est bien vu, ça, mon frère », sans une seule fois éclater de rire. Le reste de la nuit ainsi que la journée et la nuit suivantes sont très vagues dans mon esprit. Jomo m'a emmené sur son lieu de travail, la compagnie de taxis Black Cat, où j'ai vu le propriétaire engloutir en entier un pot de crème glacée de trois litres. À un certain moment, j'ai commencé à m'endormir. Jomo m'a fait avaler de force plusieurs cuillerées de cocaïne, ce qui m'a délié la langue. J'avais la sensation de vivre une expérience extracorporelle engendrée par l'alcool, les drogues, un état de choc prolongé, et de nombreuses semaines d'un stress à peine maîtrisé, d'excitation et de stupéfaction, le tout passant par le filtre de ce que M. Holly a décrit comme « l'instinct et le flair d'un acteur-né ». J'ai critiqué spécifiquement le racisme institutionnel du LAPD, et plus généralement l'Amérique raciste des Blancs, et j'étais conscient de berner Jomo et ses amis alors même que je le faisais, et simultanément j'y croyais et je n'y croyais pas, et encore une autre partie de moi-même se trouvait ailleurs à un embranchement différent, réglant la mise en scène et tournant en ridicule la scène tout entière. Je ne me rappelle pas avec exactitude tout ce que j'ai dit, mais ce que je sais, c'est que je m'exprimais à la limite de mes capacités mentales et de mon talent d'orateur. Rétrospectivement, cela me donne l'impression d'un mélange de démagogie, d'analyse sociale et de ferveur apostolique. Et le plus incroyable, à mes yeux – et M. Holly ne trouverait pas cela incroyable du tout –, c'est que je ne sais toujours pas si j'en crois un traître mot.

Après les Taxis Black Cat, j'ai eu droit à une visite de la « turne » de Jomo dans la 89e Rue-Est. Beaucoup de gens, tous noirs, s'y trouvaient déjà. J'ai entendu six douzaines d'anecdotes sur le thème « je-hais-les-porcs-de-ce-putain-de-LAPD », j'en ai pour ma part raconté autant, et j'ai fait la connaissance de deux hommes dont les frères braqueurs ont été tués par « le Roi des Porcs » Scotty Bennett. Jomo a tenté de me mettre entre les bras une créature de rêve, à la peau caramel et aux cheveux teints coiffés à la mode afro, mais j'ai décliné son offre, en marmonnant quelque chose à propos de ma « pouffe officielle ». Jomo m'a ensuite installé dans une pièce décorée d'affiches révolutionnaires où s'empilaient les œuvres de polémistes imbéciles. J'ai cédé au sommeil et j'ai dormi très longtemps.

Mes rêves ont été ceux que je fais d'habitude, et qui sont faciles à expliquer étant donné l'espoir insensé que contient la fixation de toute ma vie. Il y avait les vagues vertes et sans forme définie représentant les émeraudes et les étranges visions doubles et triples de corps étendus, mon besoin inconscient et persistant de découvrir ce qu'il s'est vraiment passé au carrefour de la 84e Rue et de Budlong Avenue. À un moment, j'ai cru voir une femme blanche aux cheveux bruns striés de gris qui me regardait, mais ce n'était qu'une image fugitive.

Deux douzaines de personnes étaient assises dans le salon de Jomo quand je suis sorti de la chambre en titubant je ne sais combien d'heures plus tard. Tout le monde se leva pour m'ovationner. J'ai reçu cela comme une récompense exceptionnelle pour ma prestation.

Je me suis installé dans une piaule minable tout près du quartier de Watts.

J'ai commencé à traîner au siège des taxis Black Cat.

Mon recrutement par le FLMM et/ou l'ATN est imminent. C'est l'itinéraire qui me ramène au 24 février 1964. An nom de tout ce qui, en moi, fait que je me sens privé de mes droits, je sais que cela est vrai.

49

Las Vegas, 5 novembre 1968

Richard le Roublard a gagné. De justesse, mais la marge n'était pas insignifiante. Un peu plus large, quand même, qu'un poil de chatte.

Carlos donna une fête. Dans sa suite pseudo-romaine. Des mafiosi et des mormons, les commentaires sur l'élection à la télévision. Des call-girls racontaient des anecdotes sur le thème j'ai-sucé-JFK. Farlan Brown prétendait que Nixon, pour sa part, n'aimait pas les turlutes. Son vice, c'était plutôt de faire l'esclave dans les rapports sado-maso. C'était le genre à se biturer, puis à bombarder un trou à rats du Tiers-Monde. Quand les bombes avaient fait cramer des petits mômes, les larmes lui montaient aux yeux. Alors, il faisait venir une pétasse hystérique armée d'un fouet pour qu'elle le remette dans le droit chemin.

Les invités encore lucides agitaient des petits drapeaux. Les invités torchés portaient des chapeaux en forme d'éléphants. Les hôtels de Hughes tiraient des feux d'artifice : Viva Nixon ! en rouge, blanc et bleu.

Wayne circulait. Farlan Brown lui montra le petit mot de remerciement de Dracula. Drac faisait l'éloge de Wayne, de son travail acharné, et de ses compétences en chimie. Il mentionnait les navettes aériennes pour desservir les sites des futurs casinos à l'étranger : commençons le plus vite possible !

Encore des feux d'artifice. Au fronton du Landmark, les néons faisaient défiler un portrait de Nixon. Farlan commenta :

– Même comme ça, cet enfoiré a une barbe de trois jours.

Sam G. dit :

– Les sites des futurs casinos. Il faut qu'on envoie Mesplède sur place bientôt.

Santo T. fit remarquer :

– Le Nicaragua a nettement tendance à virer coco.

Carlos dit :

– Dick va mettre au pouvoir un fantoche pro-U.S. Il sait qu'on a besoin d'un homme fort pour administrer le coup de grâce aux Rouges.

Sam intervint :

– Le meilleur choix, c'est la République dominicaine. Son gouvernement est stable depuis la guerre de 65. Le nouveau *Jefe* est un nabot pédé. Tout ce qu'il veut, c'est du *gelt* U.S. et une jolie paire de chaussures à talonnettes.

Santo dit :

– Sam a une poule dominicaine qui le mène par le bout du *schvantz*. Elle arrive à lui faire croire que les Dominicains sont des Blancs.

Carlos dit :

– Celia aime le bois d'ébène. Elle va en Haïti chercher des queues noires.

Sam s'empoigna l'entrejambe.

– Les Italiens sont mieux montés que les bamboulas.

Carlos demanda :

– D'où tu tiens ça ?

Santo s'esclaffa.

– C'est le pape Jean XXIII qui le lui a dit. Ils étaient ensemble en virée dans un bordel avec des bonnes sœurs noires.

Carlos tendit à Wayne un carton à beignets.

– Merci pour tout, *paisan*. Hughes, Nixon, et tout le reste.

Le trajet de retour dura une éternité. Les hôtels étaient pris de folie pro-Nixon et exhibaient des banderoles débiles. Il en résultait des embouteillages. Richard le Roublard était copain-copain avec les mormons et avec la Mafia. Avec son élection, les affaires allaient reprendre. Les Parrains venaient de s'acheter quatre années d'opulence.

Le Stardust était sous le choc Nixon. Des législateurs racontaient des anecdotes sur le thème je-connais-bien-Dick. Wayne prit l'escalier pour monter. Depuis le couloir, il entendit le téléphone sonner dans la suite. Les appels à 3 heures du matin – oh, merde.

Il courut et décrocha à temps. Il entendit Mary Beth dans la salle de bains.

– Wayne Tedrow. Qui est à l'appareil ?

– C'est un appel longue distance, monsieur. Vous voulez bien rester en ligne pour le président élu Richard Nixon ?

Wayne avala sa salive. Il y eut deux déclics sur la ligne. Wayne entendit un brouhaha en bruit de fond, puis la voix du Boss.

– Merci pour tout le travail que vous avez accompli. Soyez assuré de ma coopération.

Clic. Quoi ? Est-ce que j'ai bien entendu ?

Wayne entra dans la chambre. Mary Beth regardait la télévision. Le Boss fit le V de la victoire. Un de ses boutons de chemise sauta.

Elle coupa le son.

– Qui appelait si tard ?

– Tu ne me croirais pas.

Elle sourit et désigna la boîte à beignets. Wayne la vida sur le lit. Il en sortit 50 000 dollars. Mary Beth poussa un cri et se couvrit la bouche.

– C'est mon budget pour retrouver ton fils.

Cette superbe émeraude était posée là, sur l'oreiller de Mary Beth. Elle la jeta dans le tas de billets.

50

Los Angeles, Las Vegas, Washington, 6 novembre 1968

Les nerfs à vif, le cerveau qui turbine et tourne en boucle, le sommeil qui vient et qui s'arrête. Des kaléidoscopes de Memphis mêlés à tout ça.

Un seul verre d'alcool et une seule pilule chaque soir, par moments, ça ne suffisait plus. Le Lorraine Motel changeait d'aspect. Les caricatures racistes se métamorphosaient. En gargouilles noires coiffées d'une cagoule du Klan.

Karen s'inquiétait. Elle le voyait se déglinguer et ne pouvait pas enrayer le processus. Machin-Chose n'arrêtait pas de faire des apparitions et morcelait le temps qu'ils pouvaient passer ensemble. Sa grossesse progressait, elle recevait plus souvent la visite du médecin, et elle emmena sa famille dans l'Est pour Noël. Elle vivait très mal sa fascination pour Joan.

Wayne travaillait sur le caviardage du dossier de Joan. Ce môme était un génie – il n'y avait que *lui*, peut-être, qui pourrait parvenir à percer le voile d'encre noire. Il avait montré à Joan la photo du pédophile roué de coups. Joan lui renvoya l'ascenseur à la Karen Sifakis. Elle lui livra une bande de Cleveland qui envoyait des lettres piégées, et qui figurait en tête sur la liste des inculpés multirécidivistes. Il lui dit : « Merci, mademoiselle Klein. » Elle répondit : « Je vous en prie, monsieur Holly. »

Ce caftage enchanta M. Hoover pendant six secondes. Son pouvoir de concentration s'était rétréci aux dimensions d'une bande dessinée. Sa monomanie avait pris l'ampleur d'un roman russe. Il haïssait les militants noirs comme il haïssait les Russes en 1919. Il parlait des calamités du militantisme noir – réelles, mais aussi largement imaginées par lui. Il se mettait dans des états qui dégénéraient en quintes de toux et en crises de nerfs. Au paradis, Saint Martin Luther King devait se tordre de rire. Le Nègre suprême était ressuscité par tous les nègres réels et imaginaires, et la vieille tante restait impuissante.

Mais M. Hoover restait dangereux. Car il avait encore des dossiers compromettants sur le monde entier – y compris sur Dwight Holly, « le bras armé de la loi ».

M. Hoover était satisfait de l'OPÉRATION MÉÉÉCHANT FRÈRE. Dwight lui avait appris que Marsh Bowen était courtisé par l'ATN et le FLMM, sans lui dire qu'il avait soudoyé deux flics pour qu'ils bottent le cul noir de Bowen. Et Bowen ne lui avait pas parlé, *à lui*, de sa dérouillée, et il avait évité les face-à-face tant que ses contusions restaient visibles. La *vanité* était la clé du Frère Marshall E. Bowen. Le *mépris* définissait le Frère Bowen en second lieu. C'était la diva qui avait un besoin abject du public et un dédain à son égard en égale proportion. C'était un acteur brillant et brillamment complexe. Il était capable de séduire, de trahir et de piéger avec l'insolence et le savoir-faire des vieux routiers du spectacle.

Le tabassage semblait avoir laissé une fissure dans son ego et instillé en lui une plus grande circonspection. La branlée du Frère Bowen lui avait donné une démarche mélancolique qui cadrait bien avec les quartiers sud. Indispensable à présent : un intermédiaire, un *coupe-circuit* pour piloter le Frère Bowen au quotidien. Il avait levé la surveillance confiée à Don Crutchfield – le frère Bowen se tenait à carreau. La question du moment concernant l'avenir : le Frère Bowen allait-il croiser la route de la Camarade Joan Klein ?

Il l'appelait « Mlle Klein ». Quand il pensait à elle, c'était « Joan », le même prénom que Jeanne d'Arc. Elle possédait une qualité éponyme. Les manques de son dossier et sa répugnance à parler de son passé exacerbaient la curiosité de Dwight. Elle avait beaucoup voyagé. Elle facilitait l'agitation gauchiste dans le monde entier. Organisatrice, facilitatrice, suspectée de vol à main armée. Pamphlétaire, informatrice, universitaire renégate.

Dis-moi ce que je veux savoir.

Je ne sais pas pourquoi j'en ai besoin.

Il avait donné à Joan un téléphone à brouillage intégré. Cela lui permettait de l'appeler en toute sécurité. Ce qu'elle faisait presque tous les soirs. Ils observaient le protocole informateur-opérateur quand ils parlaient de leurs vies personnelles. Il ne lui confiait pas toute l'étendue de sa relation avec Karen Sifakis. Joan ne mentionnait jamais Karen. Ils ne parlaient pas de son travail. Ils gardaient ce sujet-là pour leurs conversations à partir de cabines publiques.

Joan lui dit qu'elle avait de l'argent pour lui. Il dit : « Quel argent ? » Elle lui expliqua que Leander Jackson en avait gagné grâce à la cocaïne de l'agent Holly. La camarade Klein estimait qu'elle devait lui en reverser un pourcentage. Il lui dit de le garder. Elle le remercia. Tout cela était fait avec un tel souci des foutues convenances.

Ils se livraient à des joutes verbales et parlaient de politique. Il préparait de façon détournée des questions sur sa vie et ses relations passées. Joan le rabrouait parfois avec brusquerie et un humour féroce. Le flic qui était en lui ne la lâchait pas d'un pouce. Le reste de lui-même la suivait d'une démarche hésitante à un pas de distance. Joan avait géré des planques. Celles-ci avaient dû être luxueuses et parfaitement camouflées. Elle avait évité la prison. Il aurait dû exister davantage de dossiers de police sur son compte. Il avait cherché des documents sur ses ancêtres de gauche et n'avait rien trouvé.

Karen partageait ses maigres informations sur Joan avec un ressentiment qui introduisait entre eux deux une distance certaine. Il était certain que Joan en savait plus sur lui qu'il n'en savait sur elle. Cette disparité le rendait malade.

Il faisait des incursions dans Nègreville. Wayne avait amené Milt Chargin pour qu'il aide Gros-Lard à gérer les Taxis Black Cat. Le duo du *shtickster*[1] blanc et du béhémoth noir fonctionna bien comme équipe dirigeante. Le LAPD enterra la destruction à l'explosif des taxis Big Boy – le propriétaire était un receleur de voitures volées que la police voulait neutraliser. Le meurtre du Dr Fred glissa vers les dernières pages des quotidiens. Jack Leahy arrosa quelques journalistes avec l'argent du bureau et leur dit : « Vous laissez tomber cette histoire, d'accord ? » L'article du *L.A. Times* fut le dernier papier important sur l'affaire. Wayne avait fixé une date pour une réunion avec le président de la Banque populaire de Los Angeles-Sud. Cela risquait de mal se passer. Les Parrains voulaient récupérer leur banque. Les Fédés voulaient des informations.

Certaines nuits, il rôdait dans Nègreville. Cela le stimulait et entraînait une certaine fatigue grâce à laquelle, parfois, il dormait un peu, avant l'aube. En pleine nuit, la vie du ghetto était carrément séduisante. Les flics des Mœurs portaient des gants en caoutchouc pour malmener les putes transsexuelles. Les magasins de disques

1. (Yiddish) : comique.

passaient de la musique zoulou et vendaient des figurines en forme de cochons vêtus de l'uniforme du LAPD. Les flics avaient acheté tout le stock pour les planter sur les antennes de leurs voitures. Il écoutait les radios révolutionnaires. Des stations pirates diffusaient leurs émissions depuis des bars et des mosquées. Il dit à Joan que sa chanson préférée était *Blue Genocide* par Muhammad Mao et les Tueurs de Porcs. Joan commenta : « Camarade Dwight, *tu apprends*. »

Parfois, il voyait flâner Scotty Bennett. Scotty adorait la *soul food*[1]. La Cuisine de Sœur Sylvia le nourrissait gratuitement. Scotty laissait toujours des pourboires princiers.

Il faut qu'il y ait une guerre entre l'ATN et le FLMM. Il faut que Marsh Bowen la facilite. Les narcotiques doivent y jouer un rôle proéminent. Il faudra éviter de justesse la catastrophe, ou Karen ne le lui pardonnera jamais. Il faudra que ça devienne féroce. C'est ce qui devra lui donner les résultats qu'il est chargé d'obtenir et qui prolongera la mission de Joan. Il faut que cela les emmène tous les deux à la même destination – si bien qu'elle lui dira où elle est allée et ce qu'elle sait.

---

1. Cuisine élaborée par les Afro-Américains du sud des États-Unis.

51

Los Angeles, 24 décembre 1968

Joyeux Noël.

Il a reçu de sa mère le billet de cinq dollars et la carte de vœux habituels. Celle-ci : postée de Racine, Wisconsin. Il a apporté à son père le billet de cent dollars et le sandwich choucroute-corned beef habituels. Papa lui a fait son numéro « va-te-faire-foutre » et lui a pissé sur les godasses.

Ne pas oublier : travaille sur le dossier de ta mère. Interroge la police de Racine. Ne pas oublier : le dossier de Ton Enquête est mis à jour. Ton Enquête est au point mort. Ne pas oublier : bouge-toi le cul pour aller voir la très bandante République dominicaine et aussi Haïti vampée par le vaudou.

La veille de Noël, au parking des chauffeurs : le réveillon offert par Clyde Duber. Des plats achetés chez le traiteur et de la bière en fût. Des cocktails près des pompes à essence, et des amphètes gratuites provenant de la pharmacie.

Crutch circulait. Il était Benzédriné et déprimé par la solitude des jours de congé. Wayne avait envoyé le Frenchie à Panama. Rien à foutre de ce pays. Tous les chemins menaient à la R.D. Tous les rapports des éclaireurs pointeraient vers elle.

Phil Irwin sautait une fille noire dans le monte-charge. Scotty Bennett avait amené des go-go girls pour qu'elles leur taillent des pipes. La voiture de Buzz Duber était la Turlute Zone du Père Noël. Fred Otash distribuait des jetons de casino à utiliser dans son bouge de Vegas. Bobby Gallard jouait aux dés avec Clyde et Chick Weiss. En guise de tapis, ils se servaient du drapeau Viêt-Cong compissé de Scotty.

Crutch re-circula et re-chopa le cafard. Il s'ennuyait à mourir. Dwight Holly lui avait retiré la surveillance de Marsh Bowen. Il n'avait dit à personne que Bowen était pédé et il gardait cette information comme atout. Il continuait sa surveillance malgré tout – elle pourrait peut-être le mener quelque part. Clyde lui confiait des histoires de divorces à temps complet. Buzz avait renoncé à ses recherches sur « l'Enquête ». Il n'avait jamais su tous les détails du dossier et il n'avait jamais eu le cran nécessaire pour faire ce boulot. Buzz ne cherchait qu'à se marrer et à baiser. Donald Linscott Crutchfield avait tué dix communistes. Arland « Buzz » Duber se faisait sucer par des putes sous la menace.

Scotty passa tout près. Bobby Gallard lui faisait de la lèche. Hé, Patron – ce crétin de Bowen, il est devenu célèbre après ce coup foireux qu'il vous a fait.

Scotty sourit et cligna de l'œil.

Scotty montra les chiffres « 18 » brodés sur sa cravate.

Scotty dessina un « 19 » dans le vide.

Un Noël de voyeur.

Crutch passa en voiture devant les maisons de Julie, de Peggy et de Kay. Ces filles-là avaient son âge. Elles échangeaient toujours leurs cadeaux après le dîner. Papa accrochait les mêmes guirlandes lumineuses devant la maison chaque année. Crutch connaissait le rituel.

La vue à travers la fenêtre de Julie était meilleure que l'an passé. Les parents de Julie venaient d'offrir à son crétin de petit copain une paire de chaussettes ornées de rennes. Le crétin fit cette grimace qui voulait dire *oh, merde*. Julie le poussa du coude – allons, sois gentil.

La famille s'enfila des laits de poule. Papa s'empourpra, frisant l'apoplexie. Le crétin remua sur place et sortit une alliance. Maman et Papa se mirent à pleurnicher. Ils tombèrent tous dans les bras les uns des autres. Kenny, le frère de Julie, était mort au carrefour de la 1re Rue et d'Arden Boulevard. Collision entre deux voitures, fin 62. Kenny était un sniffeur de colle et un exhibitionniste. Il avait sorti sa queue devant la petite amie de Buzz, Jane Hayes. Buzz et Crutch lui avaient botté le cul, en 61.

Le Julie Show se terminait en eau de boudin. Tu vas être tellement heureuse, bou-hou-hou. Crutch passa devant chez Peggy, puis devant chez Kay. Les rideaux étaient tirés. Prochaine étape : le croisement de la 2e Rue et de Plymouth Boulevard.

Fenêtres éclairées. Pas de crèche sur la pelouse – Dana Lund était une femme de goût. Crutch coupa ses phares et attendit. Il projeta le faisceau de sa lampe-crayon sur le tableau de bord et fit profiter Joan des illuminations de Noël. Son cerveau se mit à carburer : le visage de Joan et l'histoire de Dana.

Son mari, Bob, était mort en Corée. Chrissie avait quatre ans. Dana avait repris son métier d'infirmière et vendu de l'immobilier à temps partiel. Elle était née en 1915. Elle aurait 54 ans en mars. Elle sortait de temps en temps avec des types bourrés de fric. Elle avait commencé à teindre ses cheveux gris vers le milieu de l'année 64. Crutch avait noté ce détail sur le moment.

Chrissie traversa le salon. Dana la suivait. Crutch retint ses larmes. Elle portait le pull en cachemire qu'il avait acheté pour elle le jour où il avait cru mourir.

Son alternative : l'église luthérienne de la Trinité ou bien la nouvelle piaule de Marsh Bowen. Les messes de minuit chassaient son cafard, parfois. Non, hors de question : le pasteur connaissait sa réputation de voyeur et le détestait. La Benzédrine aidant, il était encore gonflé à bloc. Cela voulait dire : destination Nègreville par défaut.

Sur le plan racial, Marsh Bowen régressait. Son appartement de Denker Avenue, c'était pour moricaud haut de gamme. Sa turne dans la 86e Rue-Est : une caverne pour crépu. Des étais en parpaings, des barreaux aux fenêtres, une peinture psychédélique façon Jungleville.

Crutch nota l'heure : 0 h 51.

Il se gara et attendit. La radio lui fournit un peu de distraction. Il eut droit à des chants de Noël et à Frère Bobby X, qui prêchait en direct depuis La Pêche aux Moules. Frère Bobby faisait de l'ironie sur le dos des Juifs et souhaitait à tous les Noirs une nouvelle année propice à la Chasse aux Porcs. Marsh Bowen sortit de chez lui à 1 h 14 du matin. Des fringues toutes neuves : sur mesures et entièrement *nooooires*.

Bowen passa près de sa voiture et descendit à pied jusqu'à Imperial Highway. Beaucoup de lumières, là-bas : des stations d'essence ouvertes toute la nuit et des cafétérias.

Laisse-le prendre du champ, tu es trop près, il va te voir.

Crutch attendit deux minutes et partit plein sud. En arrivant au croisement, il regarda à droite et à gauche. Pas de piétons. Il passa au ralenti devant le Goody-Goody et le Carolina Pines Coffee Shop, deux établissements aux devantures immenses. Voilà Bowen. Il est au Pines, il boit un café tout seul.

La salle était à moitié déserte. Crutch gara sa voiture et entra d'un pas nonchalant. Alerte rose : Bowen reluquait tous les hommes seuls.

Entre, approche-toi de lui, assieds-toi à un endroit d'où tu pourras l'entendre.

Crutch prit une table, deux rangées derrière Bowen. Elle lui permettait de voir Bowen de dos. Une serveuse lui apporta du café. *Aaaaaah*, parfait – réinjectons du carburant dans les tuyères.

Bowen se tortillait sur sa chaise et consultait sa montre. Alerte rose : un gros Mexicain lui fait de l'œil. Bowen frémit et baisse la tête.

Crutch surveillait la porte. Elle s'ouvrit. Il cligna des yeux. Ce n'est pas possible. Il se frotta les paupières – oui, non, *oui*.

Joan Klein entra et s'assit avec Bowen. Elle retira son manteau. Elle sourit. Elle ôta son béret et fit bouffer ses cheveux.

Elle prit une serviette pour nettoyer ses lunettes. Sans elles, Joan paraissait plus âgée. Elle portait une robe noire tricotée. Sa cicatrice était cachée. Crutch avait chaud, il avait froid, en alternance, encore et encore.

Joan et Bowen parlaient. *Sotto voce*. Crutch avait beau tendre et re-tendre l'oreille, il n'entendait rien. Un couple de Blancs leur lança le regard désapprobateur réservé aux couples multiraciaux. Joan toucha le bras de Bowen – une, deux, trois fois. Bowen se rétracta à chaque contact. Crutch captait des ondes sonores. La voix de Joan, un peu voilée, lui parvenait. Elle le transperçait de part en part.

Il gardait la tête baissée. Leurs regards ne se croisèrent pas. Joan parle davantage, Joan drague, Bowen est homo-réticent. Joan avait embrassé Gretchen/Celia dans la location, cette fameuse nuit.

Crutch se penche un peu plus en avant. Ses oreilles bourdonnent. Il ne parvenait pas à lire sur les lèvres de Joan. Bowen toussa et dit : « Un rêve bizarre, vous étiez dedans. » Joan parla un peu plus fort. Elle dit : « ... une planque. »

Ce fut tout. Pas un mot de plus. Le reste *sotto voce* de nouveau. Et...

Crutch se *dé*-connecta, se *re*-concentra et se *re*-connecta.

Planque, location, la fausse hôtesse Gretchen/Celia. Fausse adresse : « *une sorte de planque pour communistes* ».

Crutch posa un dollar sur la table et sortit *leeeentement.*

Planque, location, maison de la mort. Confluence, proximité...

Ses outils lui permirent d'entrer ; La Maison de l'Horreur : troisième visite.

Pas de hippies ni de poivrots en résidence. Rien de changé depuis la dernière fois. Davantage d'humidité, une puanteur nouvelle due à l'hiver, la décomposition qui s'accélère. Les lattes de parquet émettaient des craquements plus sonores, l'air froid était plus piquant.

Sa dernière inspection. Il allait devoir causer des dégâts visibles. Il ne pourrait donc pas revenir. Il était très peu probable qu'elle ait mis les pieds ici, mais il devait essayer de le savoir.

Un jeu de crochets, un pied de biche, une pince-monseigneur, une lampe-torche, une lampe-crayon. Un stéthoscope bricolé de cambrioleur, trois heures d'obscurité avant l'aube.

Il parcourut la maison de haut en bas. Il ouvrit tous les tiroirs, examina toutes les étagères. Il éventra tous les sièges. Il regarda derrière tous les tableaux encadrés et souleva tous les tapis.

Il faisait froid dans la maison. Il était trempé par une sueur glacée. Il lâchait ses outils, s'essuyait les mains, et poursuivait son travail.

Il monta sur des escabeaux pour examiner tous les murs et toutes les poutres de plafonds. Dans le grenier, il massacra des rats à coups de pelle et passa chaque centimètre carré de plancher au peigne fin. Au rez-de-chaussée, il arracha les lattes du parquet et fouilla à travers les toiles d'araignées, les nids d'insectes et la poussière.

Il pleuvait. L'aube se levait lentement. Cela lui donnait un sursis. Il était couvert d'une croûte de crasse. Sa transpiration la transformait en une boue extrafine.

Il tapota tous les panneaux muraux. L'oreille collée au stéthoscope, il cherchait ceux qui pourraient sonner le creux.

C'était le matin de Noël, il entendit sonner les cloches d'une église, il faillit pleurer.

Dehors, les nuages défilaient. Quelques rayons de soleil entrèrent dans la maison. Il repéra une marche branlante en haut de l'escalier. Les clous ne tenaient plus. Les deux morceaux étaient disjoints.

Un espace de deux centimètres était visible. Il souleva le morceau de bois avec sa planche et découvrit une cachette. Longue de soixante centimètres et haute de quinze. À l'intérieur :

Un .38 à canon court rongé par la corrosion. Des munitions rouillées pour pistolet. Quatre brochures castristes piquées d'humidité. Neuf tracts prenant la défense des immigrés clandestins. Une affiche : « U.S. hors du Vietnam ». Un petit carnet – pages agrafées, encre délayée, texte pâli d'un bout à l'autre. Une date lisible : le 6/12/62.

Crutch approcha sa lampe-crayon des pages et plissa les paupières. Il n'arrivait pas à discerner les mots. Il vit des chiffres et son instinct lui souffla : taux de change de monnaies étrangères. Il saisit le format d'ensemble du document : c'étaient les minutes d'une quelconque réunion de cellule communiste.

Page après page, le texte se dissolvait en taches d'encre. La dernière page comportait, dans le bas, trois signatures clairement visibles.

Terry Bergeron, Thomas F. Narduno, Joan R. Klein.

ELLE.

Crutch toucha les lettres de son nom. Il transpirait et il semait de la boue partout. La page se décomposa entre ses doigts.

Un autre détail le faisait tiquer. « Thomas F. Narduno » lui agaçait la mémoire.

Cela lui prit un peu de temps, pendant lequel il resta debout sans bouger. Cela lui revint subitement.

Les journaux de Saint Louis. L'article sur le massacre du Grapevine. La victime incongrue, le militant de gauche : Thomas F. Narduno.

Crutch nettoya la cachette. Il rangea tout dans sa caisse à outils. Il entendit les cloches de nouveau. Il sortit de la maison et reprit son souffle sous la pluie.

52

Los Angeles, 26 décembre 1968

Wayne dit :

– Vous avez plusieurs options dans le cadre de l'ultimatum, monsieur. Nous vous laissons une autonomie considérable.

Dwight leva les yeux au ciel.

– Vous êtes une figure de la communauté noire locale et un collecteur de fonds du parti démocrate, je vous le concède. Mais *à part ça* ? Vous êtes un blanchisseur d'argent sale acoquiné avec le crime organisé, et vous avez des dettes envers les Parrains, et tout ce qu'on vous demande, c'est de continuer, sur une plus grande échelle.

Les murs du bureau étaient lambrissés de chêne, les fauteuils tendus de cuir vert. Le portrait à l'huile de MLK dominait la pièce. Wayne se força à en détacher son regard.

Dwight ajouta :

– Les frères, dans le quartier, vous appellent « Lionel le Blanchisseur ». Vous êtes comme ce type sur les boîtes de détergent. Ils vous appellent « M. Propre ».

Lionel Thornton affichait un sourire satisfait. Il mesurait un mètre soixante. Sa table de travail faisait deux mètres vingt de long. Wayne et Dwight étaient assis dans de petits fauteuils bas. Thornton avait un trône. Wayne et Dwight étaient des Blancs de haute taille. Thornton était un Noir très petit. Il portait le plus chic des costumes sombres à fines raies blanches.

Wayne expliqua :

– Vous blanchissez des fonds destinés à financer des constructions à l'étranger et l'écrémage des casinos. Vous restez à votre poste de président de la banque. Vous apportez votre aide à M. Hoover et l'agent Holly en leur fournissant les informations dont ils ont besoin, ce qui vous autorise à garder personnellement 3 % de chaque dollar que vous blanchissez.

Thornton souriait. Dwight fredonna le jingle de M. Propre. Wayne détacha son regard du Dr King.

Dwight sortit ses cigarettes. Thornton secoua la tête. Dwight allumait son briquet – Wayne l'arrêta.

– J'irai jusqu'à 3,5 %, une augmentation de salaire de 5 % pour vos employés et de 15 % pour vous. Il y a 20 000 dollars dans cette mallette. C'est un bonus pour vous remercier de votre coopération.

Thornton alluma une cigarette et souffla la fumée dans la direction de Dwight. Dwight se leva. Wayne lui fit du pied. Dwight se rassit et croisa les mains.

Une huile aux tons dorés représentant le Dr King – plus beau qu'il ne l'était en réalité.

Thornton dit :

– Laissez-moi la mallette aussi.

Wayne s'inclina. Dwight sourit. Un coup de feu retentit à l'extérieur. Dwight sursauta et porta la main à l'étui de son arme. Ce putain de portrait à l'huile. Des panneaux de chêne dans un taudis noir.

Thornton dit :

– M. Hoover a une opération en cours. La présence de M. Holly aujourd'hui en est la preuve. Mon hypothèse, c'est que vous allez faire des misères à quelques militants noirs qui se bercent d'illusions. Je vous souhaite bonne chance et je ne m'en mêlerai pas, mais je ne peux pas vous servir d'indicateur, ni vous proposer de surveillance au sein de la compagnie, ni tenir une double comptabilité pour vous.

Wayne acquiesça d'un signe de tête. Le cœur de Dwight cognait dans sa poitrine – Wayne voyait sa chemise se soulever. Thornton se leva et chancela, perché sur les talonnettes de ses chaussures.

– Une dernière faveur. Cela concerne M. Holly, je pense. J'ai remarqué la matraque qu'il porte à la ceinture.

Des détonations se chevauchèrent – plus proches, cette fois.

– Ma femme est harcelée par son ex-mari. J'aimerais qu'il renonce à ses manœuvres.

Un interphone grésilla. Wayne et Dwight se levèrent. Thornton désigna le portrait.

– Ce sont des salopards de Blancs comme vous qui l'ont tué, mais un jour ses paroles finiront par être entendues.

– Je l'espère, monsieur, dit Wayne.

Il réagença son labo. Il se débarrassa de tous les ingrédients nécessaires à la fabrication de l'héroïne et il afficha un collage. Des photos de Reginald Hazzard le fixaient depuis chacun des quatre murs.

Des cloisons délimitèrent un espace de rangement pour ses dossiers. À l'époque où il était flic au LVPD, il avait travaillé au service des renseignements. Il savait constituer un dossier sur une affaire et engranger des informations. Mary Beth lui avait offert un pull en cachemire à Noël. Il lui dit qu'il avait *vraiment* besoin d'un téléscripteur.

Mary Beth constata : « Tu as toutes ces photos de mon fils, et pas de photo de moi. » Il lui expliqua qu'il voulait trouver son fils, mais *elle*, il l'avait déjà trouvée. Elle lui conseilla de persévérer. Il lui dit qu'elle lui semblait différente à chaque fois qu'il la voyait, et que par conséquent des photos d'elle gâcheraient l'effet de surprise. Elle lui conseilla de persévérer. Il lui dit qu'ils ne se voyaient jamais ailleurs que dans sa suite à l'hôtel. Il prenait plaisir à imaginer quelle image elle donnait d'elle-même en société.

L'espace réservé aux dossiers avait du potentiel. Le labo était petit et bien équipé. Il possédait un spectroscope, un fluoroscope, et les produits chimiques adéquats pour travailler sur les pages de Dwight.

Wayne débrancha le téléphone et se mit au travail. Il avait parlé à Carlos et à Farlan Brown un peu plus tôt. Les nouvelles qu'il avait à leur apprendre : Lionel Thornton avait plié. Les nouvelles de Farlan : le président élu envoyait des habilitations aux membres de l'équipe chargée de trouver les sites des futurs casinos. Dans le même courrier : des invitations pour la cérémonie d'investiture. C'était bizarre, mais : Mesplède tenait à prendre Trouduc Crutchfield dans l'équipe. Wayne s'était laissé convaincre. Trouduc travaillait pour pas cher et on risquait d'avoir à l'éliminer s'il posait trop de problèmes. Autant l'avoir à portée de main en cas de besoin.

Les travaux pratiques de chimie que poursuivait Dwight étaient aléatoires et contraignants. Les pages du dossier étaient tapées à la machine sur du papier contenant des résines brutes acides, que brûlait l'application d'un agent corrosif. Il travaillait sur ce problème, à ses moments perdus, depuis deux mois. Il avait détruit les deux tiers du dossier de Joan Rosen Klein sans parvenir à percer une seule ligne du passage caviardé. Une idée lui était venue ce matin : bombarder les impacts laissés par les touches de la machine à l'aide du spectroscope *et* du fluoroscope, le rayonnement de l'un contrastant avec celui de l'autre. En déposant un peu d'acide hydroxyque à pH élevé sur les contours de lettres mis en évidence, il verrait bien ce qui allait se préciser ou se dissoudre.

Il prépara ses rampes lumineuses, les documents, ses solutions acides et ses cotons-tiges. Il mit des lunettes grossissantes teintées. Il déposa une page caviardée sur un papier buvard. Il alluma ses appareils. Plissant les paupières, il *crut* voir, presque à l'échelle microscopique, le contour de quatre lettres majuscules : S, J, R et K. Il comprit qu'il venait d'extrapoler. Il connaissait le style du FBI. Son cerveau lui avait *suggéré*, sans plus, qu'il avait sous les yeux la formule SUJET JOAN ROSEN KLEIN.

MAIS :

Cette ligne passée à l'encre, il pouvait la sacrifier. Il pouvait chercher les autres lettres capitales qui devaient logiquement suivre celles-là. De cette façon, il pourrait affiner son éclairage et son application de révélateur.

Augmentons l'éclairage, à présent. Essayons des angles différents. Un peu plus d'acide hydroxyque/encore un peu/un peu moins/un peu plus/un peu moins...

Il perça la couche d'encre et parvint à discerner un possible JOAN ROSEN KL – le liquide imprégnant le papier buvard qui servait de support.

L'acide forma une tache d'où montèrent des bulles.

Une ligne noircie à l'encre se délaya et disparut.

Les marques laissées par les touches de la machine devinrent tout juste perceptibles : EIN.

Wayne tremblait. Il ôta la page test et mit en place celle intitulée : « Relations connues ». Il compta quatorze lignes caviardées à l'encre noire et abaissa les rampes lumineuses. Il déposa des gouttes d'acide. Il brûla les lignes d'encre noire, il les délaya, il les étala et rendit les frappes de touches carrément illisibles. Il plissa les paupières. Il régla son éclairage et roussit le papier. Il refit la mise au point et obtint des taches. Il refit la mise au point et repassa de l'acide et obtint un chiffre visible : 7412. Nouvelles applications, nouvelles taches, un U, un L, un T. Il refit le point et dilua l'encre encore une fois. Il découvrit, délavée, martelée par les touches, l'inscription : Thomas Frank Narduno.

53

Los Angeles, 27 décembre 1968

Les gants lestés brisaient les os tout en épargnant vos mains. Ils assuraient un maximum de dégâts chez l'adversaire et un minimum de blessures à celui qui les portait.

Dwight corrigeait un Noir poids coq nommé Durward Johnson. Lionel Thornton assistait aux débats. Johnson ressemblait à Billy Eckstine, sans la moustache. Le combat se déroulait derrière la maison de Johnson. Baldwin Hills était un quartier noir haut de gamme. La ruelle était pavée. Des guirlandes lumineuses de Noël ornaient le sommet du grillage.

Dwight retenait ses coups, attaquait sans forcer, et brisait des os malgré tout. Thornton avait stipulé qu'il souhaitait des blessures au visage. Johnson s'accrocha aux mailles du grillage pour rester sur ses jambes. Thornton restait à bonne distance pour éviter les éclaboussures.

Directs et crochets du droit. Les joues et la mâchoire – ne lui bousillez pas les yeux ni le cerveau.

Le nez de Johnson se brisa avec un craquement sonore. Ses dents dévalèrent la pente de sa langue fendue. Les gants de Dwight cédèrent aux coutures et laissèrent échapper leur garniture de billes d'acier. La moumoute de Johnson s'envola de son crâne.

Il resta debout. Il cracha son bridge cassé, qui atterrit sur les chaussures de Thornton. Thornton eut un sourire satisfait. Johnson dit :

– Hé, négro, j'ai baisé ta femme.

Dwight balança une droite puissante. Johnson agrippa le grillage des deux mains. Dwight trébucha et partit en avant en même temps que son coup de poing. Il atteignit sa cible à pleine puissance. Il projeta au sol Durward Johnson et tout un pan de grillage. Dwight tomba avec eux.

Le décor bascula. Les lumières de Noël clignotaient à présent *au-dessus* de lui. Il se remit sur ses pieds puis aida Johnson à se relever. Thornton avait disparu. Johnson se réfugia en titubant dans le jardin d'un voisin et s'affala dans une chaise longue au bord de la piscine.

Dwight ôta ses gants et regagna sa voiture. Une carte de visite était glissée sous l'essuie-glace.

Sergent Robert S. Bennett/Brigade de répression des vols/LAPD. Au-dessous : « Chez Vince & Paul, dans une heure. »

Le pédophile ne lui avait pas posé de problème. Ce type harcelait des mômes et Joan voulait qu'il reçoive une punition. Il montra le polaroïd à Joan. Le pervers était réduit en bouillie. Elle lui toucha le bras, alors. Il se pencha vers elle et laissa leurs mains se frôler. Ils gardèrent la pose le temps de se dire quelque chose.

La dérouillée de Durward Johnson était une corvée merdique. Thornton était un nain maladroit. Cela avait été un vrai massacre. Il avait mal aux mains. Cela lui avait donné le genre de soif qui vous pousse à vous cacher quelque part et à boire jusqu'à ce que vous vous sentiez mieux.

Dwight plia les mains. Il s'était foulé deux doigts. Les dernières phalanges saignaient. Des billes d'acier étaient coincées sous ses ongles.

Il avait appelé Joan avant l'opération Johnson. Ils avaient parlé de l'investiture de Nixon. Elle lui avait appris que quelques francs-tireurs rouges prenaient l'avion pour Washington. Ils possédaient des armes utilisées pour une attaque de banque en Floride et donc identifiables comme telles. Ils projetaient de braquer trois banques, le visage couvert d'un masque à l'effigie de Nixon, la veille de la cérémonie. Joan lui fournit leurs noms et leurs adresses.

Il appela l'agence de Miami. L'équipe qui avait enquêté sur l'attaque de la banque cueillit ces salopards à l'aéroport. Ils partaient à Austin, Texas. Ils prévoyaient d'y braquer trois banques, déguisés en LBJ.

Il appela Karen ensuite. Il lui offrit de faire sauter un monument pour fêter l'arrestation. Karen était en route pour l'hôpital. Eleanora voulait sortir *tout de suite*. Dwight entendit Machin-Chose en fond sonore.

Le bar était presque désert chez Vince & Paul. Les serveuses étaient habillées de rouge et blanc façon Père Noël. Dwight extirpa trois billes d'acier de dessous ses ongles et fit des taches de sang sur la nappe. Il commanda juste-un-verre-et-pas-plus.

La serveuse lui apporta un double scotch. La première gorgée le réchauffa. La deuxième déclencha une alarme. Il sentit ses jambes lui revenir. Scotty Bennett se glissa dans le box.

– Vous auriez dû me prévenir.

Dwight remua le contenu de son verre.

– Et qui, en fait, vous a informé ?

– Ces deux flics que vous avez payés pour rosser Bowen.

– Je vous présente mes excuses sans attendre, en ce cas. C'est l'opération de M. Hoover. Il voulait vous court-circuiter.

Scotty prit une gorgée de son bourbon avec glaçons.

– Vous infiltrez Bowen. Les Panthères et les E.U. sont déjà trop bien infiltrés, alors vous envoyez Bowen pour qu'il tente quelque chose avec l'ATN et le FLMM.

Dwight répondit :

– Officieusement, oui. Officiellement, notre meilleur atout pour la réussite du projet, c'est l'altercation entre Bowen et vous.

Scotty broya un glaçon entre ses dents.

– Reprenons tout cela sur des bases saines. Je veux voir tous les rapports de Bowen et toute la paperasse archivée par le Bureau.

Dwight répondit :

– Non.

Scotty vida son verre. Sa copine serveuse lui en apporta un autre.

– L'ATN et le FLMM sont des guignols. Ils ne valent pas la peine qu'on essaie de les infiltrer. Ils ne seraient pas capables de trouver leur cul sur le siège des toilettes.

Dwight secoua la tête.

– Je ne suis pas de cet avis.

– Pourquoi ?

– Ce sont des professionnels du crime qui ont des griefs valables. Une fraction non négligeable de notre société tolère leurs actions. Il existe une règle générale applicable à des organisations de ce genre : c'est le plus convaincant de tous leurs psychopathes qui en prend la direction et qui définit le programme de leurs actions, et on trouve ce genre d'exalté à l'ATN comme au FLMM.

Scotty sourit.

– Vous parlez comme un avocat.

– Je suis avocat.

– Et vous vous y connaissez en psychopathes, parce que cela fait vingt ans que vous faites les basses besognes que réclame M. Hoover. (Dwight leva son verre – *touché*.) C'est l'argument des « griefs valables » que je n'arrive pas à avaler.

– Voyons, sergent, nous sommes tous les deux des flics blancs. Ce n'est pas nous qui avons créé le monde, mais nous savons l'un et l'autre comment il fonctionne, et nous savons qu'on ne peut pas laisser des Noirs en colère demander des comptes et tout foutre en l'air parce que leur race a été maltraitée, et qu'une poignée de mômes blancs qui se droguent les trouvent géniaux.

Scotty fit craquer ses phalanges.

– Si Bowen franchit la ligne, de son propre chef ou dans un contexte où vous l'avez placé, je n'hésiterai pas à l'abattre. Je veux dire : quel que soit l'acte criminel qu'il aura commis. Ce qui signifie que je prendrai mes responsabilités de façon unilatérale, sans redouter qui que ce soit : ni vous, ni M. Hoover, ni le directeur général Reddin, ni aucune autre personne engagée dans cette opération.

Dwight fit craquer ses phalanges. Les poignets de sa chemise apparurent. Ils étaient imbibés de sang.

– Garderez-vous le silence sur cette opération ?

– Oui.

– Vous abstiendrez-vous de tendre un piège à Bowen et de le provoquer préventivement ?

– Oui.

– Est-ce que vous me communiquerez les informations que vous pourriez récolter sur l'ATN ou le FLMM ?

– Non.

– Est-ce que vous vous abstiendrez d'intervenir contre l'ATN et le FLMM pendant cette opération ?

– Non.

– Supposez que je passe par-dessus vous et que j'en parle au directeur général Reddin ?

Scotty sourit.

– Vous ne le ferez pas. Nous savons tous les deux où cela nous mènerait.

Dwight sourit.

– Revenons en arrière pour que chacun accorde à l'autre une concession.

Scotty dit :

– Je commence. Est-ce que vous m'informerez de tout projet d'attaque à main armée devant être exécutée par l'ATN ou le FLMM ?

– Oui. Mes paramètres opératoires sont très stricts sur ce point. Bowen m'informera de tout braquage à venir, et je vous communiquerai les renseignements.

– Et si Bowen n'est pas au courant et que j'apprends de mon côté qu'un braquage va avoir lieu ?

Dwight leva son verre.

– Alors, renforcez votre réputation et flinguez ces salopards, avec mes meilleurs vœux de réussite.

Scotty leva son verre.

– En quoi consiste ma concession ?

– Faites part de votre haine pour Bowen à tous les flics, les indics, à tous les gens qui vous écoutent. Plus vous le haïrez, plus il sera crédible aux yeux des frères.

Scotty haussa les épaules.

– Ce n'est pas une bien grande concession. Je le fais déjà, de toute façon.

Le juke-box se mit en marche. La musique jaillit, tonitruante. Dwight arracha le cordon de la prise. La musique descendit en piqué et succomba. Dwight eut droit à toute une gamme de regards haineux.

Scotty s'étira. Son matériel devint visible : un flingue à la ceinture, un autre sous l'aisselle, un couteau, un coup-de-poing américain.

– C'est la saison : demandez au Père Noël une autre concession.

– Essayez de ne pas tuer Bowen. Cela va à l'encontre de votre nature, mais c'est ce qu'il faut faire.

Scotty répondit :

– Marché conclu.

Sa copine la barmaid s'approcha. Scotty la renvoya d'un signe.

– Vous savez, j'ai pas mal d'indics dans les quartiers sud.

– Oui, je sais.

– J'ai récolté un tuyau intéressant, aujourd'hui.

– Je vous écoute.

– Marsh Bowen est pédé.

L'hôpital envoya un télégramme à l'adresse du local. Eleanora Sifakis, 3,3 kilos, en bonne santé. « La mère vous appellera bientôt. »

Dwight se versa juste-un-dernier-verre et se plongea les mains dans la glace. La tête lui tournait – Karen/Joan, Karen/Joan, Karen/Joan.

Il sirotait son verre d'alcool. Il se soignait les mains. Il ressassait la venue au monde d'Eleanora et le fait que Marsh Bowen était homosexuel. Le téléphone sonna à 23 h 14.

Il décrocha. Wayne dit :

– J'ai effacé l'encre de la plupart des pages, mais tout ce que j'ai trouvé, c'est un nom de « relation connue ». Thomas Frank Narduno. Ça ne m'était pas complètement inconnu, mais je n'arrive pas à me rappeler qui c'est. Ça te dit quelque chose ?

Et comment !

La victime gauchiste du Grapevine. Soupçonné de braquage dans l'État de New York et dans l'Ohio. Des micros cachés découverts sur son cadavre.

Wayne lui expliqua quelque chose à propos d'un fluoroscope et d'acide hydroxyque. Dwight raccrocha et se versa juste-un-dernier-verre.

L'alcool le brûla et le fit frémir. Dwight composa un numéro sur le téléphone à brouillage intégré.

Pas de sonneries avec le brouillage. Juste un discret sifflement, puis :

– Bonsoir, monsieur Holly.

– Est-ce que je peux coucher avec vous ce soir ?

Joan répondit :

– Oui.

54

Eaux territoriales cubaines, 27 décembre 1968

Des ailerons et des vagues tourbillonnantes. Mesplède lançait des appâts par-dessus bord. Les requins rôdaient autour du bateau et sautaient hors de l'eau pour les attraper au vol. Ils brillaient au clair de lune.

Le hors-bord était parti de Boca Chico Key. Destination : Varadero Beach, Cuba.

Mesplède l'avait appelé à L.A. Wayne avait donné son aval pour qu'il participe le mois prochain aux voyages en République dominicaine et au Nicaragua. Le Frenchie avait rendu un rapport négatif sur le Panama. Le Panama était rayé de la liste. Le Nicaragua allait être éliminé aussi. La R.D. serait choisie. Cuba était tout près. Son Enquête tout entière se trouvait là-bas.

Crutch avalait de la Dramamine. Le mal de mer le rendait verdâtre. Il voulait des remontants : alcool, pilules, haschisch. Le Frenchie avait dit *niet*.

– Ce sera une expédition intime, Donald. Je veux voir comment tu te comportes.

Ils étaient à quarante milles de Cuba. Ils portaient des treillis élimés et s'étaient enduit le visage de noir de fumée. Ils avaient des poignards et des magnums équipés de silencieux enveloppés dans du plastique.

Les requins de l'escorte bondissaient pour happer la nourriture. Mesplède leur parlait comme à des bébés. Les appâts, c'étaient des boyaux de chats. Mesplède avait un copain dont le pitbull tueur de chats s'appelait Batista – une idée à lui. Batista était un ancien combattant de la brigade cynophile qui avait fait la Baie des Cochons. Il était furieux de ne pas pouvoir tuer de chats dans un Cuba libéré.

Le hors-bord fonçait et broyait les vagues. Crutch luttait contre les flash-back : la Maison de l'Horreur, Joan Klein et Thomas Frank Narduno.

Un requin frôla le bateau. Mesplède le *caressa*. L'appât puait dix fois plus que de la merde de chat. Ils atteignirent la limite des dix milles. Le stock d'appâts était épuisé. Mesplède coupa le moteur et laissa les vagues les pousser vers la côte.

La houle les portait. Le bateau était secoué, malmené, et dans la coque, les hommes avaient de l'eau jusqu'aux genoux. Crutch bouffait de la Dramamine et aspirait de longues goulées d'air.

Ils aperçurent le rivage. Ils jetèrent l'ancre près d'un banc de sable, à cinquante mètres de la plage. Ils avaient des jumelles à infrarouges. Ils virent cinq miliciens qui jouaient aux cartes autour d'une table pliante.

Des exilés pratiquaient le contre-espionnage. Un membre du Concile pour la libération cubaine avait renseigné le Frenchie. Les joueurs de cartes : tous bourreaux à la prison de *La Cabana*. Ils castraient les insurgés de droite. Le mardi soir, ils sortaient de leur caserne pour aller jouer aux cartes.

Le bateau était amarré. Les mouettes faisaient assez de bruit pour couvrir le raclement de la coque contre le rocher. Crutch mit des lunettes de plongée. Mesplède portait un masque. Leurs armes étaient protégées par une triple épaisseur de plastique.

Ils se laissèrent glisser dans l'eau. Elle était glacée. Ils nagèrent en diagonale. Un rideau d'arbres qui longeait la plage masquait la lune. Les joueurs de cartes fumaient. Les bouts des cigarette luisaient – des points de repère pour ajuster un tir.

Ils atteignirent la plage et *roulèrent sur eux-mêmes*. Du sable noir et du sable blanc se collèrent à leurs vêtements. Ils se débarrassèrent de leur équipement de plongée. Ils respirèrent mieux. Crutch avala du sable et refoula des crampes d'estomac.

Trois mètres jusqu'à la table. Deux silhouettes qui *roulent sur elles-mêmes* pour franchir les coulées de sable. Cinq cibles, douze balles, à courte distance.

Mesplède donna le signal. Ils prirent la position du tireur couché, visèrent à deux mains et firent feu. Les canons crachèrent des flammes brèves, les silencieux lâchèrent des rots graves, ils entendirent les impacts de balles dans les corps. Des bouts de table volèrent. Ils virent tomber des cigarettes. Ils entendirent des projectiles briser des crânes et virent deux hommes tomber en avant.

Les trois autres se levèrent – des masses corporelles imposantes comme cibles. Trois hommes qui baragouinent et soulèvent le rabat de leur étui.

Mesplède tira. Crutch tira. Ils les fauchèrent aux jambes pour qu'ils tombent en avant et les visèrent aux tripes. Crutch enfouit sa tête dans le sable et en avala un peu.

Écho des silencieux. Bruit du ressac. Les cris des mouettes et pas de fusillade en retour.

Crutch releva la tête. Mesplède était debout près de la table. Il avait sorti sa lampe-torche. Crutch le rejoignit d'une démarche vacillante.

Cinq morts. Trois cigarettes encore incandescentes.

Le Frenchie dit :

– Scalpe-les.

Crutch secoua la tête. Le Frenchie lui agrippa les cheveux et le tira violemment vers la table. Crutch se cogna les genoux et tomba dans le sable. Il se retrouva nez à nez avec un homme sans visage. La lisière de ses cheveux était roussie par de la poudre. Un lambeau de peau pendait.

Le Frenchie observait Crutch. Celui-ci sortit son poignard. Il marmonna une espèce de prière débile de gamin et plongea la lame sous le lambeau de peau. Elle manqua sa cible et s'enfonça dans une orbite.

55

Las Vegas, 27 décembre 1968

Mary Beth garda le pull qu'il lui avait offert à Noël pour aller au lit. Il était beaucoup trop grand. Elle cacha son menton à l'intérieur du col roulé et fit le clown pour l'amuser. Elle tira les poignets par-dessus ses mains.

– Rien ne garantit que tu retrouveras mon fils, mais tu es bien décidé à y consacrer tout ce temps et tout cet argent, quoi qu'il arrive.

Les rideaux de la chambre étaient ouverts. Les panneaux à l'effigie de Nixon avaient disparu. Les hôtels célébraient Noël, à présent. Les ampoules vertes lui rappelaient cette émeraude. C'était comme un rêve qu'on ravivait.

– Rien ne garantit que je le retrouverai, mais mon instinct persiste à me dire qu'il se trouve à L.A. Je suis en train de constituer un réseau d'informateurs, là-bas, alors, il est toujours possible qu'on apprenne quelque chose.

– As-tu déjà fait ce genre de chose auparavant ?

Wayne s'éloigna d'elle en roulant sur le lit. Il sentit sur l'oreiller l'odeur de son shampoing. Il en capta une bouffée.

Elle dit :

– Tu as fini par retrouver Wendell Durfee, n'est-ce pas ?

Wayne la regarda.

– Oui, je l'ai retrouvé.

– Et tu l'as tué ?

– Oui.

Elle tira l'oreiller à elle pour qu'ils puissent se voir de plus près. Elle faisait souvent cela. Elle disait qu'ils avaient tous les deux des paillettes vertes dans les yeux.

– Mon chéri, je l'avais déjà deviné.

56

Los Angeles, 27 décembre 1968

Le Bureau louait à l'année une suite au Statler du centre-ville. Le bébé de Karen était né à quatre pâtés de maisons de là. Joan portait une robe rouge. Dwight avait mis son costume gris le plus typiquement agent fédéral.

Les lumières de Noël clignotaient sur Wilshire Boulevard. L'occupant précédent avait laissé une bouteille de Ten-High. Joan avait vu les mains à vif de Dwight et les avait inondées de bourbon à l'aide d'un gant de toilette. L'alcool le brûlait. Dwight ravalait ses larmes. Il pensa à Thomas F. Narduno et se demanda ce que Joan savait de lui et de tout le reste. Il pensa à Karen et à Eleanora.

Joan dit :

– Ménagez vos mains. Vous avez 52 ans.

– Comment savez-vous cela ?

– Je ne vous le dirai pas.

– Qu'est-ce que vous attendez de tout cela ?

– Dites-moi ce que vous entendez par « tout cela ».

– Ce boulot. L'opér...

Joan lui toucha les lèvres.

– Je suis ici parce que je veux y être. Je vous aurais demandé de venir si vous n'aviez pas demandé le premier.

Ses mains le brûlaient. Quelques larmes s'échappèrent. Joan se dressa sur la pointe des pieds et les chassa par ses baisers. Les lumières du dehors les teintaient de couleurs étranges.

Ils tombèrent sur le lit. Joan prit la tête de Dwight entre ses mains et l'embrassa. Son haleine avait un goût de cigarette et de vin sec. Elle essuya les larmes de Dwight avec ses pouces.

Il la tint entre ses bras. Il ne pouvait pas se servir de ses mains. Il avait envie de lui agripper les cheveux. Il savait que ses mains le feraient atrocement souffrir s'il essayait. Il ne supportait pas d'avoir les larmes aux yeux. S'il touchait les cheveux de Joan il se ferait mal et il voudrait que cela ne finisse jamais.

Elle repoussa la tête de Dwight. Elle l'embrassa. Elle se pencha sur lui, lui immobilisa les poignets et laissa ses cheveux tomber sur lui. Il enfouit son nez dans la masse brune et mordilla les mèches grises et lui écarta les jambes de force avec ses genoux. Les lumières jouèrent sur ses dessous de bras épilés et sur la cicatrice de son bras. Elle comprit que c'était cela qu'il voulait. Elle lui lâcha les poignets et le laissa rouler vers elle sur le flanc. Elle leva les bras et le laissa la couvrir de baisers à cet endroit-là. Il s'entendit haleter et vit qu'ils étaient nus tous les deux et il comprit qu'il avait perdu toute notion du temps. Elle lui dit des choses. Ce n'étaient pas exactement des mots. Il se peut qu'elle ait prononcé son nom. Elle le tenait tout en douceur. Elle lui prit délicatement les mains et les laissa la frôler ici, ici, et là. Il embrassa tous les endroits que ses mains avaient touchés. De même qu'elle lui avait tenu les mains, elle lui tint la tête à chaque instant lorsqu'il les revisita. Elle écarta les jambes pour qu'il puisse la toucher et la goûter et être maintenu là. Elle haleta en même temps que lui et les yeux de Dwight étaient brûlants à cause de toutes les larmes qu'il avait versées et ses mains ne le faisaient plus souffrir du tout.

DOCUMENT EN ENCART : 12/1/69. *Extrait du journal de Marshall E. Bowen.*

12 janvier 1969

On me courtise. Les choses ne vont pas aussi vite que le souhaiterait M. Holly. L'ATN et le FLMM m'ont trouvé tous les deux, tout comme les Panthères et les E.U. Eldridge Cleaver m'a invité à déjeuner. Il est venu accompagné d'un agent littéraire équivoque, qui voulait me faire écrire un livre de souvenirs intitulé : « Mon frère le Porc : un ex-flic décrit de l'intérieur les violences génocidaires du LAPD. » J'ai décliné son offre. M. Cleaver m'a regardé d'un air soupçonneux. Dans le ghetto, la rumeur dit que M. Cleaver est lui-même un informateur très bien placé et qu'il livre des rapports à des intermédiaires de diverses commissions criminelles fédérales qui n'ont plus confiance dans les capacités de M. Hoover à évaluer les informations de façon rationnelle. Le Frère Cleaver a l'allure d'un informateur/arriviste, et je pense qu'il a pu avoir de moi la même impression.

J'ai fait une croix sur les Panthères et les E.U. Ma relation avec Jomo Clarkson me fait pencher vers le FLMM. À en croire la rumeur, Jomo pratique le braquage de magasins de spiritueux ; si le hasard me fait découvrir quoi que ce soit de plus spécifique que ces on-dit, j'en informerai M. Holly.

Les clubs des quartiers sud sont les principaux centres de recrutement des deux organisations. Si vous passez du temps au Bac à Sable de Sam le Sultan, à La Pêche aux Moules, au Nid de Nast, à L'Autre Monde de Mister Mitch, au Renard Snob, au Tommy Tucker's Playroom et au Carolina Pines sur Imperial Highway, vous serez approché par les frères de l'ATN ou du FLMM, qui vous tiendront des discours inconsidérés, vous caresseront un peu dans le sens du poil, et vous conseilleront vivement de participer à des réunions et à d'autres activités programmées. Ces hommes adorent parler et décrire leurs actions criminelles. J'ai rencontré des souteneurs, des revendeurs au marché noir de billets pour des rencontres sportives, des cambrioleurs de librairies pornographiques. Un membre de l'ATN m'a donné une bouteille d'alcool à 95° distillé dans sa cave avec son alambic et m'a emmené voir un match des Lakers grâce à des billets contrefaits. Le pilier de l'ATN, Ezzard Jones – qui s'enorgueillit d'un diplôme de théologie bidon –, sollicite des fonds sans beaucoup de succès dans des églises des quartiers sud, et se plaint que sa petite amie couche avec cette femme blanche omniprésente, Joan. Benny Boles m'a dragué à un barbecue de l'ATN et a déclenché chez moi tous les signaux d'alerte. Il a été condamné pour vol à main armée (en 1964) et la rumeur lui attribue le meurtre d'un prostitué mâle qui était son amant en 1958. Leander Jackson est charmant avec ses inflexions haïtiennes, irritant avec sa manie de parler du vaudou, et on a du mal à l'imaginer en trafiquant d'armes, en ancien membre des Tontons Macoutes, la police secrète haïtienne, et en agent de transmission des groupes gauchistes des Caraïbes. J.T. McCarver organise des parties de dés pour le FLMM, a pour réputation de cambrioler des pharmacies, et vend des barbituriques aux élèves du lycée Jordan tandis que Claude Cantrell Torrance, le ministre des Finances et ministre de l'Extorsion du FLMM, fournit ceux du lycée des Arts Manuels. (Note : le FLMM soutient l'équipe de football des Arts Manuels ; les membres de l'ATN sont fans de Jordan, et les deux groupes distribuent des tracts anti-Blancs et anti-flics à l'extérieur et dans l'enceinte même des deux établissements.)

Les deux groupes organisent des campagnes de distribution de petits déjeuners nutritifs aux enfants défavorisés du ghetto. Des libéraux blancs trouvent cette idée charmante et leur donnent de l'argent que le FLMM et l'ATN dépensent en fournitures pour l'impression des tracts, et en achats d'armes et de drogues. Ces petits déjeuners se passent en toute simplicité et font souvent l'objet d'articles et de photos dans les médias tout acquis à la cause. La nourriture servie est extorquée à des commerçants locaux, et on donne aux enfants des céréales bourrées de sucre et des barres chocolatées. Les petits déjeuners du dimanche sont souvent suivis de « Rencontres avec les médias » où l'on boit des Bloody Mary, on mange de la cuisine du Sud, et on fume des joints. Ce sont des moments hilarants à cause du mélange des races et du grand mélange des messages. Ouais, on veut tuer tous ces porcs de flics et détruire les structures du pouvoir blanc, mais *vous*, on vous trouve cool.

Et ces abrutis d'enfoirés de Blancs sont persuadés qu'ils *sont* cool. Et ces abrutis d'enfoirés de Blancs trouvent exaltant de côtoyer des militants noirs si passionnants.

Donc, l'ATN et le FLMM sont des organisations rivales, et je passe d'un groupe à l'autre en gardant les yeux grands ouverts. Dans les deux groupes, il y a des brutes abominables, mais je ne vois pas couver ni s'affirmer lentement de brutalité collective. Les deux groupes ont des armes à feu stockées dans des planques (on raconte que Joan Klein cache des armes pour l'ATN), mais à la base les membres des deux groupes sont amoureux des armes pour leur affirmation implicite de virilité et les portent rarement sur eux par crainte d'être appréhendés dans la rue par le LAPD. Il est beaucoup question de faire commerce d'héroïne pour financer la révolution, mais pour ces gens-là, la « Révolution » est un projet chimérique né de la polémique raciale et qui reste du niveau d'une bande dessinée. Et je doute qu'ils soient capables de rassembler les sommes nécessaires pour acheter de l'héroïne en quantité.

Alors, ce sont des ventes de brochures racistes, des fêtes, des tournées de bars, des meetings et de grands discours en abondance. Les deux groupes fourguent des éditions pirates du « Petit livre rouge » de Mao et des « Damnés de la terre » de Franz Fanon. J'ai lu ces deux livres. Ils sont tous les deux empreints de sagesse. Étant donné ma vie à Los Angeles, les histoires horribles que mes parents m'ont racontées sur la vie dans le Sud, ma propre expérience du LAPD et mes deux tabassages prometteurs aux mains de mes ex-collègues, je compatis autant que me le permettent mon âme et mon psychisme compartimenté. Mais la *Révolution* ? *Accomplir quoi que ce soit de plus notable qu'un progrès social obliquement éphémère* ? Ces gens-là sont totalement perdus dans le jeu puéril, égoïste, qui s'appelle profiter-de-la-conjoncture, les choses finiront par mal tourner, et mes efforts pour réprimer et pour interdire se concrétiseront peut-être par ma propre version de progrès social obliquement éphémère.

Je ne peux accorder au « progrès social » que quelques gouttes d'encre. Je suis ici pour l'aventure et pour élucider l'affaire du braquage du fourgon blindé et en tirer tous les bénéfices financiers possibles.

On me courtise. J'écoute, j'apprends. Je pense qu'avant longtemps je vais être recruté spécifiquement pour participer à des entreprises criminelles – le recruteur ayant mal interprété mon statut d'ex-flic.

De temps en temps, je vois Scotty Bennett qui patrouille dans le quartier. On échange toujours des clins d'œil et des signes de la main, parce que nous sommes l'un comme l'autre déroutés par l'idée qu'il faille se montrer stoïque et garder son sang-froid alors que l'on nourrit une haine et une émotion intenses. Scotty m'a procuré la clé du ghetto, et je lui en suis reconnaissant.

À présent, je pense avoir pris du recul par rapport à mes deux tabassages. J'ai le sentiment que grâce à eux, je me rapproche de l'argent, des émeraudes et des secrets du 24/2/64.

M. Holly et moi continuons à communiquer à partir de cabines publiques tous les trois ou quatre jours. Il est à la recherche d'un intermédiaire qui pourrait me transmettre ses instructions de façon plus régulière pendant qu'il continue à diriger l'opération. Depuis Noël, j'ai cédé à mon « penchant » dans Queen's Park à plusieurs reprises, et je dois garder en tête qu'il me faut être plus prudent et plus discret. J'ai pris un café avec Joan le 24 décembre. Elle semblait me faire des avances – désolé, je ne suis pas intéressé – et chercher à me manipuler à un certain niveau. La nuit où j'ai dormi chez Jomo, j'ai dû soit la voir soit rêver d'elle, ce qui est étrange en soi. Globalement, mes relations avec les femmes ont toujours été difficiles, et je trouve Joan déconcertante et un peu effrayante. Il se peut que je couche mes impressions par écrit et que je les communique à M. Holly.

M. Holly continue à m'intriguer. Je me surprends à penser à lui beaucoup plus souvent que je ne le devrais.

DOCUMENT EN ENCART : 16/1/69. *Extrait du journal intime de Karen Sirfakis.*

16 janvier 1969

Eleanora hurle toute la nuit et m'empêche de fermer l'œil et je comprends que la joie de trouver en Dina une enfant à part entière et un être moral en plein développement m'avait aveuglée sur le quotidien débilitant d'une maternité de fraîche date, cette fois-ci à l'âge de 44 ans. Je ne dors plus, M.-C. réside à L.A. à temps plein pour m'aider, sa présence permanente entrave ma vie intérieure et je ne trouve aucune compensation dans le fait qu'il soit venu me donner un coup de main et s'occuper du bébé. Je n'ai pas vu

Dwight depuis la naissance d'Ella ; la présence de M.-C. a efficacement mis fin à cela. Dwight manque à Dina, et elle me pose des questions sur lui quand M.-C. ne peut pas l'entendre ; je lui assure qu'il reviendra bientôt, pour lui faire le récit merveilleusement expurgé de ses aventures au FBI.

Hier soir, elle a posé des questions sur J. Edgar Hoover. Son père lui avait raconté (de façon trop frappante) les actions peu reluisantes d'Hoover pendant le « Péril rouge » des années 1919-1920. Dina m'a demandé (encore une fois, quand M.-C. ne pouvait pas l'entendre) pourquoi son père détestait tant Hoover, alors que Dwight le tenait en si haute estime. Je ne lui ai pas dit que Dwight et Hoover ont une histoire commune complexe sur le plan moral, que son père est un idéologue résolument révolté et que Dwight nage dans la confusion la plus totale au milieu de toutes ses conceptions conflictuelles de l'autorité et qu'il estime préférable de raconter aux enfants des histoires rassurantes. Dina n'a pas tout à fait compris. Je ne lui en veux pas. Je me demande sans cesse jusqu'où Dwight est allé pour apaiser M. Hoover et s'acquitter de la dette qu'il a envers lui.

J'ai donné le jour à Eleanora au sein d'un couple chaste et hypocrite et dans un monde agité, où Richard Nixon s'apprête à entrer à la Maison Blanche. Dwight ne va pas tarder à lui acheter des peluches bizarres, comme ces alligators qu'il a offerts à Dina, et elle grandira en s'imaginant que les prédateurs (tels que Dwight !) sont doux et câlins. À un moment ou un autre, elle s'adressera à moi pour en avoir la confirmation. Si je suis un tant soit peu sincère, je lui avouerai mon amour immense pour cet homme, ce qui expliquera de façon modeste que les nounours offerts par son père ne possèdent guère de charge émotive.

Dwight me manque. Je vais bientôt botter les fesses de Machin-Chose pour qu'il quitte la ville, afin de pouvoir passer du temps avec Dwight et lui présenter Ella. Il fait une fixation sur Joan Klein – je le sens. Comme toujours, je prie pour que mes manœuvres et les connexions que je rends possibles fassent plus de bien que de mal.

57

Washington, D.C., 20 janvier 1969

« Nous avons enduré une longue nuit de l'esprit américain. Mais au moment où nos yeux perçoivent les premiers rayons de l'aube, ne maudissons pas les vestiges des ténèbres. Recevons la lumière. »

Ils avaient droit à des loges pour écouter le grand discours. On leur avait donné des laissez-passer pour accéder au parcours du défilé. Ils avaient des entrées pour six bals différents organisés pour la soirée de l'investiture.

Le nouveau président se gorgeait d'applaudissements. Le Frenchie commenta :

– C'est un personnage falot. À nous de contourner son manque d'enthousiasme à défendre la cause cubaine.

Crutch toucha la barrette qu'il portait au revers de sa veste – un chiffre « 15 » en or massif. Il avait prélevé les scalps des Cubains sans restituer son déjeuner. C'était le Frenchie qui lui avait offert ce bijou. Il honorait son statut de tueur en combat rapproché. Il avait encore des cauchemars à cause de cette orbite.

« Notre destin nous offre, non pas la coupe du désespoir, mais le calice de tous les possibles. Saisissons-le, non pas avec crainte, mais avec joie. »

Voilà LBJ – épuisé et haineux. Voilà Earl Warren, voilà Pat, la femme de Dick, voilà l'ancien vice-président Humphrey. Hé, le Chauve... Le Frenchie et moi, on a fait foirer ta campagne !

Nixon conclut son discours sous les acclamations, le public se levant pour l'ovationner. Le Français mima des ronflements. Le sénateur Charles H. Percy le foudroya du regard.

Tout le monde resta debout pour faire durer l'instant. Crutch mémorisa les détails. Les filles de LBJ. Quelques Kennedy égarés. Hé, bande de cons... C'est le Frenchie qui a flingué votre oncle Jack !

Crutch, debout comme tout le monde, applaudissait. Des gens passaient près de lui. Il pensait à sa mère et à Dana Lund. Il toucha la barrette épinglée à son revers. Il pensa à Joan. Il pensa à Son Enquête et à son départ prochain pour la République dominicaine. Le Nixster passa devant eux. Il s'était rasé de près, ce matin. Pendant la Seconde Guerre mondiale, Nixey avait attendu tranquillement la fin des hostilités sur un atoll où il n'y avait pas un seul Japonais. *Lui*, Crutch, il avait tué des communistes en combat rapproché. Jack le K. avait tué des Japs sur sa vedette lance-torpilles PT 109. C'était de la triche. Les bateaux, ça ne comptait pas. Jack n'avait jamais tué personne en combat rapproché.

La foule s'éclaircit. Crutch re-mémorisa. Mesplède avait dit :

– Savoure bien le rôle extrêmement mineur que tu joues dans tout cela, Donald. Mais n'oublie pas que notre destin se trouve au sud par rapport à ici.

– Redis-le-moi, Frenchie. J'adore quand tu répètes.

– Que je répète quoi ?

– Dis-moi comment on va gagner l'argent nécessaire pour acheter des armes et tuer des castristes.

– On va vendre de l'héroïne.

Ils firent la tournée des bals. Washington n'était que limousines et monuments illuminés. L'air sentait la poudre. Surtout à cause des feux d'artifice. Le reste, c'étaient des nègres qui tiraient des coups de feu dans Jungleville.

Des yippies portant des masques de Nixon s'immisçaient dans le flot des voitures et en ressortaient. Crutch vit une agression près du Lincoln Monument. Mesplède et lui partageaient une limousine avec quelques pontes du parti républicain et Ronald Reagan. Crutch dit à Reagan qu'il avait adoré son film *Commando dans la mer du Japon*. Le gouverneur Reagan trouva Crutch sympathique et l'appela « mon jeune ami ».

La tournée des bals devait laisser à Crutch un souvenir flou. Il vit un million de visages célèbres. Mickey Mansle, Floyd Patterson, plusieurs présentatrices d'émissions de télé. J. Edgar Hoover qui ressemblait à une momie.

On leur refila un tuyau : il y avait une soirée au Hay-Adams. Ils hélèrent un taxi clandestin et y passèrent deux heures pour faire six cents mètres. Le chauffeur était un bronzé de la Jamaïque avec des tresses et un bonnet de laine au crochet. Il leur dit qu'il était l'amant de Pat Nixon. Qu'il avait de l'herbe qu'il « faisait pousser à la maison ». Ils fumèrent un joint et écoutèrent son long monologue. Le bronzé leur chanta les louanges des Dominicaines et les mit en garde contre le vaudou. Le vaudou, c'est pour de vrai. Il faut apporter les bons grigris. Vous mettez les poils de chatte d'une vierge dans un médaillon et vous vous l'accrochez à la bite. Et vous jurez fidélité au Baron Samedi.

Ils arrivèrent au Hay-Adams. La note se montait à deux cents dollars. L'hôtel lui parut familier. Crutch comprit la combine : le bronzé les avait fait tourner en rond.

Le hall de l'hôtel était somptueux. Mesplède salua le général Curtis Le May. En guise de réponse, Le May agita son cigare. Crutch *re*-mémorisa. Des portes grandes ouvertes, de la musique tonitruante, Lucy Baines Johnson et un acteur pédé comme un phoque qui dansaient le twist du chien en rut.

La soirée avait lieu dans la suite 1014. Les portes étaient ouvertes, le vacarme effrayant, les invités, des mafieux ou des politicards. Crutch regarda à gauche et vit Bill Scranton et Carlos Marcello. Crutch regarda à droite et vit Sam Giancana, collé à une grande brune.

Elle se tourna vers eux. C'était oh-putain-bordel-de-Dieu Gretchen Farr/Celia Reyes.

TROISIÈME PARTIE

Zone Zombie

24 janvier 1969 – 4 décembre 1970

58

Los Angeles, 24 janvier 1969

Les Taxis Black Cat étaient en plein boum. La compagnie était rénovée et biraciale, à présent. Personnel noir, codirecteur blanc Milt Chargin. À la poubelle, le velours qui couvrait les murs. Regardez un peu le papier orange à rayures noires.

C'était l'idée de Sam G. : ressuscitons Tiger Kab. Miami et Vegas, l'époque anticastriste. Wayne, à toi de jouer : tigrifie ces taxis et arrange-toi pour que ça plaise aux bamboulas.

Junior Jefferson se goinfrait de crème glacée.

– Les tigres, j'ai rien contre, mais les panthères ont plus de *soul*[1].

Milt Chargin commenta :

– Je détecte ici un commentaire politique.

– S'agit pas de politique. C'est juste que je vois deux Blancs de plus que d'habitude, ce qui n'arrange pas le mal de tête que me file ce foutu papier peint à rayures.

Le bureau était bondé. Les codirecteurs étaient assis dans des fauteuils au cuir râpé. Wayne était perché sur le climatiseur de la fenêtre. Deux hommes étaient debout près du standard. Wayne les identifia d'après les photos du dossier : Marshall Bowen et Jomo Kenyatta Clarkson.

Milt annonça :

– Les peintres viennent aujourd'hui pour les voitures. Vous allez adorer la nouvelle décoration. Ils vont attacher des queues de tigres aux pare-chocs arrière.

Jomo déclara :

---

1. Littéralement : âme. Dans le contexte : forme d'orgueil ethnique partagé par les Noirs d'Amérique, qui s'exprime dans des domaines tels que la langue, les coutumes, la religion et la musique.

– Tout ça, c'est des conneries de faces-de-craie. Vous vous appropriez l'identité raciale de l'entreprise. Les tigres sont des bestiaux aux allures de chochottes qui plaisent aux jeunes cons. Les panthères sont plus redoutables, mais elles possèdent une distinction qui met mal à l'aise les enfoirés de Blancs.

Wayne bâilla. Il crevait de sommeil. Deux appels l'avaient secoué la nuit précédente. Sam lui avait dit : « Vous allez superviser Tiger Kab. » Dwight lui avait dit : « J'ai un boulot pour toi. »

– L'identité raciale est une chose, monsieur Jackson. Le confort en est une autre. J'ai demandé qu'on installe la climatisation dans la flotte tout entière.

Jomo tripotait ses cicatrices laissées par une lame de coupe-coupe. Une automutilation à signification politique. Marsh Bowen portait un ensemble uniformément noir. Il ne parvenait pas à paraître sinistre. Il ressemblait à un mannequin de haute couture cherchant à s'encanailler.

Junior dit :

– Ça me plaît, cette idée. Les gros ont tendance à transpirer.

Milt alluma une cigarette.

– Il faut maigrir, *schmuck*. L'obésité revient vous hanter quand vous prenez de l'âge.

– Moi, je risque pas de « prendre de l'âge ». Une guerre raciale se profile à l'horizon, et tout ce que je souhaite, c'est que mon poids m'empêchera pas de courir.

Milt soupira.

– Si une guerre raciale se profile à l'horizon, comment se fait-il que vous preniez du bon temps en ma compagnie ?

– Parce que vous êtes un vieil enfoiré de Juif du genre comique, et que vous me faites rigoler.

Jomo lança à Wayne un regard furieux. Junior lui fit passer une caricature pleine page. C'était une feuille ronéotée, aux contours flous à cause des bavures d'encre. Des porcs en uniforme de flics sodomisaient les leaders des Panthères Noires sous le regard de Nixon qui se masturbait.

Junior avala à grand bruit une cuillérée de glace.

– C'est peut-être les frères des E.U. qui impriment ça pour discréditer les Panthères.

Milt dit :

– Le monde n'a pas besoin d'un surplus de haine. Le monde a besoin de plus d'amour. La baise et les gâteries interraciales revitaliseraient notre grande nation et nous épargneraient bien des malheurs.

Junior s'esclaffa, Wayne rit, Marsh Bowen sourit, Jomo lança *de nouveau* un regard furieux. Un appel arriva au standard. Jomo l'ignora. Des pneus crissèrent à l'extérieur. Suivirent la détonation d'un fusil et une explosion de verre brisé. Wayne évalua la distance : un demi-pâté de maisons.

– Un changement de propriétaire, ça veut dire de nouvelles règles. Ça ne signifie pas que je suis ici pour mettre le holà à toutes vos activités marginales. Les délits mineurs, pas de problème. La politique, très bien. Le trafic de pilules et d'herbes, ça ne me dérange pas. Mais pas d'héroïne, pas de violences, pas de vols à main armée. Les Parrains n'en veulent pas et je ne les tolérerai pas. Mon ancien métier était de faire respecter la loi, alors il va falloir vous habituer à la façon dont la compagnie sera dirigée désormais.

Junior haussa les épaules. Milt avala sa salive. Marsh afficha une expression neutre. Jomo sortit un couteau et grava FLMM sur le mur.

La lame continua sa route jusqu'à la plinthe. Du plâtre s'émietta. Le papier peint tigré se décolla du mur.

Wayne sourit à Jomo.

– Je suis content que vous ayez abordé le sujet. À partir de maintenant, 2 % des bénéfices de Tiger Kab iront à l'action du FLMM « À manger pour nos mômes ».

Milt et Junior sortirent. Marsh s'écarta. Le couteau était planté dans le mur. Le manche vibrait encore de la violence du coup. Jomo se curait les dents avec une épingle de cravate incrustée de diamants.

Wayne s'approcha et arracha le couteau du mur. Il en essuya la lame sur la jambe de son pantalon et le posa sur le standard.

Jomo se curait les dents. L'épingle de cravate dérapa et le fit saigner. Jomo pivota lentement sur place et s'éloigna.

Wayne passa un petit mot à Marsh. Il y était écrit : « C'est moi, votre coupe-circuit. Rendez-vous au France's Drive-In dans une heure. »

Dwight avait expliqué la situation : Bowen était infiltré par le FBI pour tendre un piège. Sa mission : faire tomber l'ATN et le FLMM. Dwight lui exposa l'entreprise et en décrivit le déroulement jusqu'à maintenant. Le plan spécifique de Dwight : *l'Héroïne.*

Wayne était consterné. Il avait confectionné de l'héroïne et distribué de l'héroïne. Il l'avait vue ravager le ghetto de Vegas et les soldats U.S. à Saigon. Dwight utilisait l'expression « guerre *non létale* de la drogue ». C'était du triple langage fédéral. Le FBI accordait passivement son aval à un commerce local de narcotiques. Qu'il interdisait et qu'il réprimait pour le bénéfice des médias.

Dwight avait dit : « Bien sûr, tu détestes les narcotiques. Mais cette opération va régler toutes tes dettes. » Dwight avait dit : « Tu es un vrai salopard d'ex-flic. Je parie que les frères vont prendre leur pied quand ils apprendront ton pedigree. Dis à Bowen de faire circuler les infos sur tes exploits de Las Vegas. Je veux créer une réaction ambivalente.

» Et, à propos, Bowen est pédé. »

Wayne tournait dans les quartiers sud. Il y avait du smog dans les rues. Les affiches le magnétisaient. Les modèles noirs faisaient l'article. Soyez noirs et fumez des cigarettes. Soyez noirs et conduisez des voitures voyantes. Soyez noirs et buvez de l'alcool de première qualité. Il roulait lentement. Les piétons le lorgnaient. Il tentait de déchiffrer leurs expressions entrevues pendant une fraction de seconde.

Il avait sa place, ici. Il avait un travail à faire, ici. Reginald pouvait très bien être passé dans ces rues. Il constituait un dossier. Il avait adressé une nouvelle demande aux services du shérif du comté de Clark et découvert de nouveaux documents. Ils lui enverraient bientôt des copies carbone.

Il avait un travail à faire à L.A. et un autre à faire à Vegas. Les Parrains retenaient des suites à l'année dans les hôtels du Comte Dracula. Nixon était président, désormais. Il avait très vite annulé les ordonnances antitrust de LBJ. Les Parrains avaient vendu à Drac le Landmark Hotel et 800 hectares de terrain de premier ordre. La nouvelle obsession de Drac, c'était les déchets atomiques. Les essais souterrains lui flanquaient une trouille bleue. Il avait fait appeler Wayne pour qu'il lui explique la fission nucléaire. Drac pensait que les rayonnements atomiques stimulaient les pulsions sexuelles des Noirs.

Le travail consistait à déléguer. Il avait envoyé Mesplède et Trouduc au sud. Mesplède avait éliminé le Panama en tant que site possible pour l'implantation des casinos. Prochaine étape : le Nicaragua. Le travail était irritant. Mary Beth le harcelait sans cesse pour obtenir des détails. Il la faisait lanterner et la harcelait à son tour pour qu'elle lui parle de son travail *à elle*. Elle lui détaillait les salaires dérisoires, les pressions exercées par le personnel de direction, et les assurances maladie véreuses. Il l'écoutait pendant de brefs laps de temps, puis tout se mélangeait dans sa tête. C'était son univers à lui contre son univers à elle. De quoi le faire réfléchir en surrégime.

Il avait rencontré Lionel Thornton de nouveau. Ils avaient discuté des transferts de fonds et de l'apurement des comptes. L'entretien avait été tendu. Thornton l'avait fait asseoir en face du portrait du Dr King. Il en avait résulté une sorte de choc des mondes.

Thornton était hargneux et traitait ses employés comme des chiens. Wayne lui dit d'embaucher une équipe d'entretien dont tous les membres seraient syndiqués et de virer l'équipe de briseurs de grèves. Thornton fulmina. Wayne lui dit de compenser la dette de la coopérative de ses employés. Thornton tapa sur son bureau. Wayne lui dit que dans le local du service courrier, les tuyauteries étaient défectueuses et répandaient de l'amiante. Ce qui représentait un danger pour la santé des employés. Vous êtes prié d'y remédier sans attendre. Thornton donna des coups de pied dans son bureau et érafla ses chaussures. Wayne fit un salut au portrait.

– Que savez-vous de moi ?

– Je sais que vous avez tué trois drogués noirs dans des circonstances ambiguës lorsque vous travailliez au LVPD.

– Et à part ça ?

– À part ça, je sais que vous étiez aux trousses d'un certain Wendell Durfee, qui avait violé et tué votre femme.

– Jusqu'ici, tout ce que vous dites est vrai. Savez-vous ce qui est arrivé à Wendell Durfee ?

– Il a été tué ici même il y a un an. C'est un assassinat que la division centrale n'a jamais élucidé. Je ne serais pas étonné si vous me disiez que c'est vous qui avez fait le coup.

Le restaurant drive-in était un établissement mixte situé à la frontière raciale de la ville. Les serveuses étaient noires *et* blanches – des jolies filles qui se déplaçaient sur des patins à roulettes.

Ils étaient assis dans la voiture de location de Wayne. Les plateaux repas clipsés sur les vitres de leurs portières les encombraient et les obligeaient à s'asseoir en biais.

– Oui, c'est moi qui l'ai tué.

– Je m'en doutais. Vous désirez que j'utilise cette information ?

Wayne remua son café

– Faites-la circuler de façon judicieuse. Vous faisiez partie du LAPD à ce moment-là. Dites que vous étiez présent sur les lieux du crime. Dites que celui-ci a été d'une brutalité qui défie toute description. Les enquêteurs ont compris que j'en étais l'auteur, mais mon père avait trop d'influence pour que je sois inquiété.

Marsh remua son café.

– Que savez-vous de moi ?

– Dwight Holly m'a briefé et m'a transmis par télex le dossier source. Je suis au courant pour Scotty Bennett, votre travail avec Clyde Duber et le déroulement de l'opération jusqu'à présent.

– Et votre opinion sur celle-ci ?

– Je désapprouve l'aspect concernant le trafic d'héroïne, mais elle est viable dans le contexte général.

– *Spectaculairement* viable ? Comme votre bagage racial exhibé au nez des frères ?

Wayne sourit.

– Dites-moi deux ou trois choses. Des rumeurs, des impressions, comment vous voyez le déroulement des opérations jusqu'à maintenant.

Marsh essaya de croiser les jambes. Son plateau l'en empêcha. Il faillit perdre son calme.

– Les deux groupes me font des avances. Je doute fort qu'ils soient capables de se procurer des narcotiques, donc cette stratégie risque de se révéler problématique. Il y a eu dans les quartiers sud une série de braquages dans les magasins de spiritueux, la rumeur désignant comme suspects des militants noirs, mais sans rien de plus substantiel. Vous êtes au courant de l'existence de ces caricatures racistes : ce sont toujours les Panthères contre les E.U. ou bien le contraire, bien que parmi mes frères certains qui penchent pour la théorie de la conspiration les attribuent au FBI. M. Holly m'a assuré que ce n'était pas le cas.

Une serveuse passa près d'eux sur ses patins et fit un signe de la main à Marsh. Elle ressemblait à Mary Beth, en plus jeune.

Wayne dit :

– Il y a une sortie, ce soir. Appelons ça une soirée pour faire connaissance, organisée pour les employés de Tiger Kab. Je veux que vous soyez présent. Vous devez persuader Jomo et au moins un membre de l'ATN de venir. Il y a plusieurs night-clubs que je désire acheter. Ça ne me déplairait pas de provoquer un peu d'agitation d'ordre politique devant témoins.

La serveuse passa de nouveau. Marsh lui décocha un sourire faussement salace. Wayne sortit la photo de Reginald Hazzard qu'il montrait partout. Marsh l'examina et cligna des yeux.

– Vous l'avez déjà vu ?

– Non. Qui est-ce ?

– Un jeune homme que j'essaie de retrouver. Il a dix-sept ans, sur cette photo, mais il doit en avoir vingt-quatre aujourd'hui.

Marsh eut un petit sourire narquois. Une gaffe de comédien, alerte rouge – qui n'échappa pas à Wayne.

– Dites-moi à quoi vous pensiez. Soyez franc, ou bien cet arrangement que je vous propose tombe à l'eau.

– Je me demandais si vous aviez l'intention de le tuer.

Wayne regarda la serveuse. Elle avait les yeux de Mary Beth.

– Je ne pratique plus ce genre de chose, à présent.

– Je suis heureux de l'apprendre.

– Avez-vous jamais entendu dire que des Noirs dont il a été récemment question dans l'actualité ont reçu des envois anonymes contenant une émeraude ?

Marsh cligna des yeux et répondit « non ».

Les peintres avaient affublé de rayures blanches une limousine Lincoln 63. La bagnole du grand saut de JFK maquillée en pirogue de la jungle. Los Angeles-Sud remplaçant le Styx.

Les deux banquettes arrière se faisaient face. Les genoux des passagers se touchaient. Wayne, Marsh, Junior, Milt. Jomo et l'armurier de l'ATN, Leander James Jackson.

Vitres fumées. Stéréo à l'arrière. Archie Bell & the Drells sortant de six haut-parleurs. Du rhum à 75 degrés et des Kool bout filtre corsées au haschisch.

La pirogue prit le large depuis le parking de Tiger Kab. Le frère de Junior, un maigrichon nommé Roscoe X, tenait le volant. Wayne ne but pas une goutte d'alcool. Les autres ne se privèrent pas. Milt faisait son numéro de comique : Nixon maquereaute ses deux laiderons de filles pour financer sa campagne, J. Ed-Gay Hoover rêve de bites noires. Junior s'empiffrait d'eskimos et trempait des bananes dans de la glace au chocolat. Jomo et Leander affûtaient l'un et l'autre un regard type « Je te hais ». Marsh surveillait Wayne du coin de l'œil.

Sur leur passage, ils virent plusieurs interpellations du LAPD. Jomo baissait à chaque fois sa vitre pour émettre des cris de cochon. Ils arrivèrent au Renard Snob. Une comique du style Moms Mabley débitait un monologue ridicule et insultait le public. Elle épingla Milt et Wayne : c'étaient des salopards de faces-de-craie qui aimaient le bois d'ébène et qui venaient brouter la chatte des nanas noires à cheval sur le torchon. Mais il y a un vampire qui est passé avant eux. Il a sucé les cramouilles de tout le quartier jusqu'à la dernière goutte et il roupille dans son cercueil à l'heure où je vous parle.

Wayne surveillait Marsh du coin de l'œil. Marsh émettait des rires style ghetto de façon convaincante. Des visages vus dans des dossiers apparaissaient en chair et en os. Voilà Benny Boles. Il est pédé. Il drague. Il reluque Roscoe X. Voilà Joseph Tidwell McCarver. C'est le « Souverain Panafricain » du FLMM. Il est accompagné de trois putes. Il échange avec Jomo des salutations avec le poing serré.

Un orchestre de camés remplaça la comique. Le pianiste s'endormit et se cogna la tête sur le clavier. L'équipe leva le camp. La pirogue les emmena à La Pêche aux Moules. Sur la scène, le spectacle présentait des femmes encagoulées armées de godemichés. Des lumières stroboscopiques s'attardaient sur les orifices concernés. La bande-son était assurée par les Beatles – *All You Need Is Love*.

Milt et Jomo appréciaient. Leander et Junior détournaient les yeux. Wayne décida d'acheter l'établissement. Il était bondé. Il avait un potentiel intéressant pour le blanchiment d'argent.

Prochaine étape : Le Salon du Scorpion. Un buffet à base de cuisine du Sud et des parties de dés à mises modestes. En guise de croupier, une fille aux seins nus avec une coupe afro de soixante centimètres de diamètre. D'autres coupes afro faisaient le yoyo dans les boxes du fond. Les gâteries coûtaient dix dollars.

Jomo et Leander entretenaient leurs Regards Furieux. Marsh et Wayne les observaient. Ils échangeaient de discrets signes de tête. Ils échangeaient des ondes télépathiques – Marsh, à vous de jouer.

Achetons cette boîte. C'est une grotte remplie de fric. Monsieur Propre redonnera tout leur prestige à ces masses de billets verts.

L'équipe se fit trimballer jusqu'au Bac à Sable de Sam le Sultan. Wayne ressentit l'effet immédiat de la fumée de hasch. Achetons le club – décision facile : il est bondé à 1 heure du matin. La décoration louchait vers l'Extrême-Orient. Les serveuses portaient des turbans et des saris transparents. Les murs étaient incrustés de grosses pierres de couleur. Les vertes rappelèrent à Wayne les fameuses émeraudes. C'était comme un rêve qui se reproduisait.

Il scruta la salle à la recherche de visages repérés dans les fichiers. Il en pêcha un tout près : Ezzard Donnell Jones, le grand chef de l'ATN. Il était avec une Blanche. Wayne la voyait de dos. Elle avait des cheveux bruns, parsemés de mèches grises. Des ronds de fumée parfaits s'élevaient au-dessus de sa tête.

L'équipe prit trois tables pour s'installer. Wayne regarda Marsh refermer ses deux mains et broyer en vitesse des comprimés de Benzédrine. Puis il rafla la poudre obtenue, passa d'une table à l'autre, et en bon copain entoura d'un bras les épaules des occupants. Il fit tomber de la poudre dans le verre de Leander, du lait corsé d'une rasade de scotch. Il secoua légèrement le tout et se glissa à la table suivante. Jomo avait commandé un bourbon et un verre de bière pour le faire passer. Marsh fit diversion et assaisonna les deux consommations.

Wayne inclina la tête. Marsh opina en retour. Wayne toucha sa montre. Marsh lui montra brièvement ses dix doigts.

Il était 2 heures du matin. L'équipe bâillait. Milt suggéra de manger un morceau. Junior dit : « Je te reçois cinq sur cinq. » La *Gestalt* circula : le Carolina Pines sur Imperial Highway.

Le consensus casse-croûte se concrétisa. Ils regagnèrent la pirogue. Milt et Junior s'affalèrent les premiers sur les banquettes. Wayne et Marsh traînèrent un peu. Jomo et Leander se retrouvèrent serrés l'un contre l'autre. Ils se hérissèrent au contact.

La pirogue démarra. Les secousses rapprochaient Jomo et Leander. Ils se tortillaient comme des vers pour se séparer. Ils jouaient des épaules pour gagner quelques centimètres d'espace vital. Wayne et Marsh étaient assis face à eux. Milt et Junior somnolaient. Jomo semblait boudeur et un peu vaseux. Leander commençait à s'agiter sous l'effet de la Benzédrine.

Sa bouche se contractait. Ses mains parlaient. Il tirait à petits coups secs sur son pantalon, il avançait les lèvres, il souriait jusqu'aux oreilles. Il bouscula Jomo. Jomo s'écarta. Leurs pieds se heurtèrent. Leurs chaussures se frottèrent. Enfoiré, tu empiètes sur mon territoire.

Jomo commença à ouvrir de grands yeux. Tiens, qu'est-ce qui m'arrive ? Il se gratta, il s'étira, son pied cogna celui de Leander. Wayne poussa Marsh du coude – *c'est le moment.*

Marsh dit :

– Hé, Leander, je ne suis pas sûr de croire à tous ces trucs que tu nous a racontés ce soir, sur les Tontons Macoutes et le vaudou. Redis-moi ça pour voir.

Jomo intervint :

– Ces conneries, ça ne prend pas, avec moi. Toutes les formes de baratin mystique condamnent l'homme noir à rester enchaîné. Haïti est un pays de tapettes qui n'ont rien dans le sac. Le vaudou a été inventé par les Blancs de France pour que l'homme noir garde les fers aux pieds et continue de baiser des cadavres de poulets.

Leander alluma une Kool King-Size. Il tira dessus et la consuma entièrement en une seule aspiration. Il rejeta la fumée par les narines. Il enfuma tout l'arrière de la voiture.

– C'est le vaudou qui me donne le pouvoir de faire ça. Le souffle du dragon. Papa Doc sait le faire, comme la moitié de mes amis des Tontons Macoutes. Tu trouves ça fort, le rhum à 75 degrés ? Essaie un peu de boire du Klerin. Essaie les herbes mélangées à du poison de poisson-lune. Tu veux te venger d'un Blanc ? Tu demandes à un *bokur* de le zombifier. C'est un *bokur* qui a jeté un sort sur ce salopard de Dominicain, Trujillo. L'attentat commandité par la CIA ? Mon cul ! Tu massacres des Haïtiens, les zombies viennent te faire la peau. C'est la pure vérité, mon petit gars.

Jomo alluma une Kool King-Size. Il aspira une bouffée, toussa, et fit tomber la cigarette dans son giron. Elle brûla son pantalon. Il lâcha un *bordel de merde !* et donna des grandes claques pour éteindre la flamme.

Leander s'esclaffa.

Leander dit :

– C'est au FLMM qu'on baise des cadavres de poulets. À l'ATN, on baise de superbes sœurs noires.

Jomo sortit son couteau. Leander sortit son couteau. Ils se reculèrent l'un et l'autre pour avoir la place de porter leurs coups. Leurs bras se heurtèrent. Ils se dégagèrent. Ils se poignardèrent simultanément, à la hauteur de la poitrine, de toutes leurs forces.

Les vêtements se déchirèrent. Les lames traversèrent les manteaux, les vestes de costumes, et ne coupèrent plus rien. La lame de

Jomo se brisa net. Celle de Leander partit en biais. Elle entama le bras de Jomo et se planta dans le dossier de la banquette.

Toutes griffes dehors, les deux hommes cherchèrent à se lacérer le visage et s'arracher les yeux. Leander montra les dents pour mordre Jomo au cou. Wayne laissa faire deux secondes de plus. Marsh l'imita comme par télépathie. Milt et Junior dormaient toujours. Roscoe X fit une embardée et la voiture quitta la route.

59

Los Angeles, 26 janvier 1969

Étalage de photos :

Wayne Tedrow qui embrasse une femme noire. Un cliché improvisé par le FBI. Pris devant la suite d'hôtel de Wayne par un agent de Vegas.

Photo n° 2 : Eleanora Sirfakis, âgée de quatre semaines. Une future poseuse de bombes dans ses langes. Elle ressemble à Karen – pas au mari à petite bite de celle-ci.

M. Hoover *adorait* la photo de Wayne. Ce fêlé de Wayne : l'ascendant de cette femme sur son intermédiaire. Une bagarre au couteau au sein du même groupe dès le premier jour de sa mission.

Dwight repoussa sa chaise d'une ruade. Le local sentait le renfermé. À L.A. le temps était doux et pluvieux. L'air était lourd. Il fumait davantage. Son bureau était encombré. Le dossier de Thomas Frank Narduno s'y étalait partout.

Le contenu en était plutôt innocent. Quelques interpellations motivées par des soupçons, des penchants gauchistes, pas de liste de relations connues. Narduno – mort au Grapevine. Narduno – le seul nom *lisible* sur la liste des relations connues de Joan.

Thomas Frank Narduno : soupçonné de vol en Ohio et dans l'État de New York. Pas d'inculpations, pas de documents existants à son sujet en Ohio ni dans l'État de New York. Joan Klein : soupçonnée de vol en Ohio et dans l'État de New York. Pas d'inculpations, pas de documents existants à son sujet en Ohio ni dans l'État de New York. Pas de dates notées dans le dossier de Narduno. Les dates notées dans le dossier de Joan en Ohio : toutes les deux en 1954. Également notées : deux interpellations à la suite de vols à L.A., en 51 et 53. Pas de numéros de référence ni de documents existants.

Dwight plaça le dossier de Joan à côté de celui de Narduno et les relut tous les deux. Rien ne fit *Tilt !* Il avait envoyé des télex à tous les services de police des villes moyennes et grandes de l'Ohio et de l'État de New York. Il n'avait rien obtenu sur Joan Rosen Klein et Thomas Frank Narduno. Joan lui avait dit qu'un flic l'avait frappée à Dayton, Ohio. Il avait interrogé la police de Dayton sur leurs affaires de braquage non élucidées aux alentours de l'année 54. Il s'agissait de deux vols visant la paie des ouvriers d'une entreprise, pour un total de soixante mille dollars. Des hommes masqués, pas de femmes, affaire classée. Il s'était fait communiquer le dossier par télex. Il n'y était question ni de Narduno, ni de Joan, ni de suspects de gauche. L'explication de Joan, qui parlait de rafles effectuées au hasard pour coincer des suspects communistes ? – elle était sans doute valable.

Dwight alluma une cigarette et entrouvrit la fenêtre. Le vent et la pluie menacèrent ses documents. Il cala le portrait d'Eleanora contre sa lampe de bureau.

Merde... Joan Rosen Klein et Dwight Chalfont Holly.

Cela faisait un mois, maintenant. Le Statler, l'Ambassador, le Hollywood Roosevelt. Des endroits neutres. Le local était réservé à Karen.

Ils parlent et ils font l'amour. Ils discutent de l'opération et ils évitent la question : *Qu'est-ce que tu veux ?* C'est le protocole des informateurs et le pacte implicite des amants.

Joan avait ses entrées à l'ATN. Marsh faisait ami-ami avec l'ATN *et* avec le FLMM. Ils étaient tous les deux irrités par ces caricatures qui inondaient le Congo. Joan soupçonnait une manœuvre du FBI, dans le cadre de l'opération *MÉÉÉCHANT FRÈRE*. Elle se trompait. La plupart des dessins diffamaient les Panthères et les E.U. Certains autres diffamaient l'ATN et le FLMM. Dwight voyait cela comme l'expression artistique d'un amateur visant le grand public. Cela ne sentait pas la provocation voulue.

La haine.

Le meurtre du Dr Fred – toujours pas élucidé et gardé sous le boisseau par Jack Leahy. La haine et la *drogue* – la jungle restait sobre en ce qui concernait l'héroïne. Marsh Bowen en attribuait *sobrement* le crédit à la prise de conscience collective suscitée par le Black Power.

Le vent renversa Eleanora. Dwight ferma la fenêtre et remit sa photo debout. Karen lui manquait. Elle consacrait tout son temps au bébé. Machin-Chose était revenu à L.A. pour l'aider. Karen ne connaissait pas toute l'histoire au sujet de Joan. Il se pourrait qu'elle la devine. Il n'éprouvait aucune culpabilité. Il se sentait submergé. Encore un compartiment qui prenait l'eau.

Il saisit la corbeille et en ressortit la photo de Wayne. Il avait fait quelques recherches la semaine dernière au service des permis de conduire et identifié l'inconnue. Mary Beth Hazzard. La bavure de Wayne à Vegas-Ouest. La veuve du pasteur tué.

Il reprit son dossier. Il compara la photo de son permis à celle du baiser. Ce fut un moment saisissant et hors du temps. Qui le ramena aussitôt à Joan.

– À quoi tu penses ?

– À un de mes amis et à la femme avec qui il est.

– Parle-moi de lui.

– Il est dans le Milieu à contrecœur. Il est brillant, compétent et très doué, et il a tendance à provoquer des catastrophes.

– Où se trouve-t-il en ce moment ?

– Je n'en sais rien.

– Ça te gênerait de m'en dire plus ?

– Oui.

– D'habitude, c'est toi qui me poses toutes les questions.

– Je sais, c'est vrai.

Un salon commercial avait rempli le Statler. Des portes claquaient au bout du couloir. Des échos de festivités bruyantes leur parvenaient constamment.

Il pleuvait dru. Ils laissaient les fenêtres ouvertes pour avoir un peu d'air. Le chauffage de la chambre se mettait en route à intervalles bizarres. Ils tiraient les draps et les ôtaient.

– Leander Jackson et Jomo Clarkson ont eu une altercation.

– Je sais. Je suis allée chercher Leander à l'hôpital.

– Il t'a appelée ?

– Oui.

– Tu es strictement ATN, à présent.

– Pas complètement.

– Raconte-moi ça.

– Je ne te dirai rien.

– *Pour le moment ?*

– Oui, pour le moment. J'ai besoin d'un peu de temps pour régler un problème. Je te tiendrai au courant quand ce sera fait.

Dwight bâilla. Son quota pilule-alcool faisait son effet de bonne heure. Joan dit :

– Tu devrais essayer de dormir.

Il éteignit la lumière. Il donna une ruade pour faire sortir ses pieds de sous les draps et trouver un peu de fraîcheur. Joan fit voler ses cheveux et passa une jambe par-dessus lui. Sa tête se nicha douillettement au creux de l'épaule de Dwight. Tendant le bras, il couvrit sa cicatrice de la main.

Quatre heures, sans rêve. Un record, ces temps-ci.

Joan était partie. Elle ne laissait jamais de petits mots pour dire au revoir – seulement l'empreinte de sa bouche au rouge à lèvres. Celle-ci : sur leur oreiller de rechange.

Il décrocha le téléphone de sa table de nuit. Il avait besoin d'un café apporté par le service des chambres et d'une ligne pour Washington.

Il entendit les déclics d'un récepteur. Il enfonça le bouton pour couper la communication et il en capta trois de plus, faiblement.

Dwight sourit. Piratage de ligne et surveillance téléphonique : elle savait faire ça aussi. Une rubrique de plus sur son C.V.

Il s'approcha de la fenêtre et regarda le bas de l'hôtel. Il y avait beaucoup de passage devant l'entrée. Il vit une ombre disparaître. Il vit des ronds de fumée s'élever au-dessus de la marquise.

60

Managua, 28 janvier 1969

Une fourmilière de latinos au bord d'un lac. Des statues de *führers* éminents. Des paysans, des espingos urbains et des flics armés de Sten. Tous vêtus de fringues râpées.

Pas de vols Hughes Air pour venir ici. Ils avaient pris un avion *La Nica Air* jusqu'à l'aéroport de Xolotan. Il faisait un temps poisseux d'hiver. Des gamins prirent le taxi d'assaut pour fourguer des cartes de base-ball. Des perroquets viraient sur l'aile façon bombardier pour chier sur les monuments.

La circulation se traînait. Les tuyaux d'échappement crachaient des nuages épais. Parmi les voitures, des tas de ferraille de plus de dix ans qui rotaient gras. La plupart des noms de rues contenaient des dates : Calle 27 de Mayo ou Calle 15 de Septiembre. Le Frenchie expliqua que tout ça avait un rapport avec une révolution réprimée.

Détente, escapade, divertissement : le Nicaragua était une mauvaise affaire et une étape stérile. Prochaine destination : la République dominicaine.

Une lueur d'espoir à l'horizon : le Frenchie avait un tuyau sur un ancien colonel des Marines. Ce type était à Managua, en ce moment. Il vivait toute l'année en République dominicaine. Il était installé à Saint-Domingue depuis la guerre de 65. Le réseau de mercenaires du Français avait organisé une rencontre pour aujourd'hui même.

Ce bonhomme s'appelait Ivar Smith. Il était d'accord pour rédiger le rapport en faveur de la République dominicaine destiné à Wayne et aux ritals. Smith avait appelé le Frenchie hier. Il lui avait dit qu'il connaissait quatre Cubains anticastristes. De *vrais* malfaisants. Ils seraient *ravis* d'aller assassiner des communistes depuis la République dominicaine.

Le taxi fit une embardée pour contourner un *peòn* et sa charrette tirée par un bœuf. Le Frenchie se curait le nez et lançait des piécettes aux mendiants. Crutch tripotait la barrette fixée à son revers et se reprojetait quelques films récents engrangés dans sa tête.

Washington, le soir de l'investiture, l'hôtel Hay-Adams. Voilà Sam G. et Gretchen/Celia. Mesplède connaît Sam. Mesplède ne la connaît pas, *elle*. Des présentations qui durent deux secondes, *auf wiedersehen*.

Il avait confié au Français, par la suite : *c'est cette fille qui pique du fric*. Le Français avait haussé les épaules et dit un seul mot : « Cuba. »

Un perroquet fit une descente en piqué et se posa sur le rebord de la fenêtre. Crutch lui donna des Fritos de son paquet. Il réenfonça le bouton *lecture* et rembobina jusqu'au 24 décembre.

La Maison de l'Horreur, la cachette, le carnet et son compte rendu de réunion de cellule. La date : le 6/12/62. Les noms : Bergeron, Narduno, *Joan*.

À l'époque, la maison appartenait à la Chambre de commerce de Hollywood. Trois communistes y étaient entrés. Il avait fait un tour à la Chambre de commerce et baratiné un employé. Info inexploitable : pas de location pendant l'automne et l'hiver 62. La maison était restée vide.

Le perroquet avait bouffé tous les Fritos et il renaudait pour en avoir d'autres. Crutch essaya de le caresser. Ce salopard lui mordit la main et s'envola.

Il avait suivi à pied Sam et Gretchen/Celia jusqu'à l'hôtel Willard où chacun louait une suite. Le lendemain, il avait cambriolé celle de Gretchen/Celia et trouvé son carnet d'adresses. Muni de son nécessaire à empreintes, il en avait traité la couverture sur place, et relevé une empreinte latente de Joan Rosen Klein.

Les pages du carnet étaient codées : des lettres bizarres, des nombres et des symboles. Il avait photographié chaque page au Minox et remit le carnet où il l'avait trouvé. Puis il avait pris un risque *énoooorme* en racontant au Frenchie ce qu'il venait de faire. Le Frenchie avait appelé un copain de la CIA en Virginie. Un manuel pour décrypter les codes devait arriver à Managua cette semaine. Il avait vérifié les listes des vols partant de Washington. Sam était retourné à Vegas. Celia Reyes : direction Saint-Domingue.

– Donald, ta main saigne.

– Un perroquet m'a mordu.

– Il était rouge ?

– Oui.
– Alors, tu aurais dû le tuer.

Le Lido Palace Hotel était tout près du lac. Des types de la United Fruit monopolisaient le bar et parlaient de golf et d'oppression. Le juke-box passait sans arrêt la *Chiquita Banana Song*. Le Nicaragua était sous la coupe de United Fruit, qui mettait en place des fantoches aux ordres de la famille Somoza. La rébellion était une calamité perpétuelle comparable à la merde de perroquet. United Fruit possédait une réseau d'indics et sa propre police. Sa mission : repousser la révolte rouge.

Crutch et Mesplède s'installèrent et descendirent tranquillement au bar. Les serveuses portaient des crinolines et des bananes sur la tête en guise de coiffure. Le Frenchie dit que le pays était en état d'alerte rouge. Les communistes bombardaient les vergers d'insecticide. Le fantoche Somoza promettait des représailles prochaines.

Crutch et Mesplède prirent un box à l'extérieur, près d'un bassin rempli de carpes koï. Des chats postés sur le rebord en bavaient à l'idée de bouffer du poisson. Ils donnaient des coups de patte et claquaient des mâchoires sans jamais attraper leur proie. Les carpes koï avaient des sonars et des radars.

Ivar Smith était un grand type en tenue de golf. Le genre de grande gueule de droite qui carburait dès le matin aux Singapore Sling [1]. C'était le Bonimenteur en Chef chargé de faire l'article pour la République dominicaine, et d'accueillir chaleureusement sur ses terres les nouveaux venus. Il dirigeait une société de surveillance qui donnait des coups de main aux escouades de sbires du Grand patron, Balaguer. Le président Balaguer les convoitait, ces casinos U.S., et il rêvait d'avoir sur son territoire un tourisme lucratif. Ouais, je vais vous l'écrire, ce rapport. La R.D. est un fruit mûr. *Yanqui, si, commie, no.* Venez vous installer chez nous.

Payez-moi. Je suis votre intermédiaire. Je vais graisser la patte à Balaguer. Le contingent de la CIA ? Tous des poivrots qui courent la gueuse. Balaguer était un *fascisto* subtil. Il violait en privé des gamins pubescents et savait se tenir en public. C'était son côté

1. Cocktail composé de gin, liqueur de cerises, sirop de grenadine, liqueur d'oranges, jus de citron, jus d'ananas, bénédictine, angostura bitter.

anti-Trujillo. La R.D. promettait d'être une aubaine sur le plan du tourisme. Les hommes de Smith et les sbires de La Banda renvoyaient tous les jours en Haïti les bamboulas encombrants. Balaguer s'était fixé deux objectifs : faire échouer une procédure judiciaire à venir et blanchir eugéniquement le pays pour qu'il devienne trois tons plus pâle. Les casinos attireraient les nantis. Les hommes de Smith et La Banda joueraient les balayeurs de rues et les éboueurs.

Ouais, Haïti était tout près. La rivière Massacre au nom approprié en formait la frontière naturelle. Smith se lança dans un monologue sur Haïti et le vaudou. Papa Doc Duvallier avait violé Haïti comme Trujillo avait violé la R.D. Ils appelaient Trujillo « Le Bouc ». Il avait mené des guerres éclairs contre les colonies haïtiennes établies en R.D. C'était une question de race. Les Dominicains au teint pâle ont des racines espagnoles. Ils détestent les Haïtiens noirs comme de l'ébène, avec leur affect de Français et leur religion qui leur fait sodomiser des poulets. Les Haïtiens ont des alliés de gauche. Il y a un groupe communiste nommé le Mouvement du 14 juin. Smith et La Banda le répriment pour le plaisir, pour rigoler.

Houuuu – six Singapore Sling sans ralentir la cadence !

Il y a une petite ville sur la côte nord de l'île. C'est un Tonton Macoute corrompu qui la dirige. C'est une bonne base pour lancer des opérations vers Cuba. Remplie jusqu'au trognon de petites criques isolées.

Smith enchaîne sur ces Cubains *vraiment* malfaisants. Ils se trouvaient à Managua en ce moment. C'étaient tous de vrais tueurs. Avec un C.V. long comme le bras en matière d'héroïne. Ils écoulent de la drogue par l'intermédiaire d'un groupe d'actionnaires de United Fruit à Miami. Il y a quelques anciens de la CIA dans ce groupe. L'un des membres les plus importants : le copain de Dick Nixon, Bebe Rebozo.

Des vraies terreurs. Ils ciblent les pharmacies appartenant à des sympathisants communistes. Ils ont fait des braquages au Guatemala et au Honduras. La rumeur dit qu'ils vont en dévaliser une ici ce soir.

Smith commençait à s'éteindre du côté bagout. Son visage prit un teint rouge brique de poivrot. Mesplède prit le relais.

Je veux rencontrer ces Cubains. Je peux les faire embaucher comme chefs de chantier. J'ai fait mes preuves dans le trafic d'héroïne. Je veux monter des expéditions anticastristes.

Smith sortit du bar en titubant. Il arracha une banane de la coiffure d'une serveuse et la mordit à pleines dents, sans l'éplucher.

L'annuaire téléphonique était *en español*. Crutch en arracha la page où figurait la liste des *farmacias*. Managua était grande comme un mouchoir de poche. Six pharmacies, *no mas*. La ville était un quadrillage. Les *calles* croisaient à angle droit les *avenidas*. Il n'avait jamais vu de braquage de pharmacie. Le Frenchie roupillait. Allons voir ces fameux Cubains à l'œuvre.

Le réceptionniste lui donna un plan de la ville. Le centre-ville de Managua était petit et on pouvait le parcourir à pied très vite. Il était archiplein de *peónes*. Des *mamacitas* faisaient cuire des tourtes à la viande sur des barbecues bricolés à partir de poubelles et de bouts de grillage. La viande, c'était du pigeon. Des mômes les flinguaient avec leurs carabines à air comprimé et les balançaient dans des sacs en papier.

Quelques beaux arbres, un petit vent provenant du lac, des immeubles aux couleurs criardes. Des flics bottés portant des matraques entourées de barbelés.

Le quadrillage facilitait les déplacements. Crutch trouva vite les pharmacies. Elles paraissaient anodines : murs brillants, travées étroites, des espingos en blouse blanche derrière les comptoirs. De grandes affiches publicitaires cartonnées pour la Listerine et le Pepsodent. Rien qui dise : pillez-moi.

Crutch descendit tranquillement la Calle Central jusqu'à l'Avenida Bolívar. Des mini-espingos agitaient des pigeons morts. Crutch leur jeta des pièces américaines de dix cents et regarda les bagarres qui s'ensuivirent.

Numero 5 : un bouclard avec une grosse croix rouge et un distributeur à Coca maousse. Rien d'anormal. Bientôt 6 heures, la fermeture – *trabajo finito*.

Crutch tourna dans une ruelle. Un aimant pour l'œil : Gonzalvo Farmacia. Une petite boutique tranquille avec une grande affiche criarde.

Des mômes malades qui mendient. Nixon avec des crocs. Des slogans communistes en rouge vif. *Mucho* points d'exclamation.

Quatre *cholos* de l'autre côté de la rue, dans une Mercedes 55. Ouais, ils ont l'air *vraiment* malfaisants. Leur caisse semblait *satanique*. Échappements chromés sortant du capot, cache-roues, des scalps attachés à l'antenne de radio.

Des *vraiiis* scalps. Des cheveux bien noirs de Latino-Américains, le cuir chevelu traité, des coutures réunissant les deux rabats de peau.

Crutch regagna la rue principale. Il fit une reconnaissance et trouva un passage derrière l'alignement des immeubles. Le quatrième était celui de la pharmacie. Il y aurait peut-être une fenêtre latérale mal fermée.

Il s'accroupit et avança en crabe. Il parvint à l'arrière de la pharmacie et colla l'œil aux carreaux. Les fenêtres de derrière étaient garnies de barreaux. Il vit les médicaments rangés sur les étagères et trois pharmaciens au travail. Il n'y avait pas de barreaux aux fenêtres latérales. L'une d'elles était entrouverte pour laisser entrer l'air. Elle était masquée par un grand panneau publicitaire posé sur un chevalet.

Un espace où s'accroupir, un espace où se cacher.

Crutch ouvrit la fenêtre de quelques centimètres de plus et sauta à l'intérieur. Ses genoux heurtèrent le panneau. Il agrippa le chevalet pour le maintenir droit.

Il risqua un coup d'œil de l'autre côté du panneau. C'était une publicité pour une crème hydratante. Une jolie chiquita s'en enduisait les bras en faisant oh la la ! Un type à tête de patron poussait deux clients vers la sortie. Derrière le comptoir, les trois pharmaciens pointaient les tickets de caisse.

Vue imprenable. Voilà l'horloge, il est 17 h 58, les quatre bandidos entrent dans la boutique.

Le patron n'a pas l'air content. Les types se déploient. Le premier regarde le Brylcream, les autres se dirigent vers le fond. Le patron se retourne et met de l'ordre dans l'étagère à confiseries. Le Type au Brylcream sort un pistolet équipé d'un silencieux et fonce droit sur lui. Le patron se retourne et fait « Oh ». Le Type au Brylcream lui enfonce le canon dans la bouche et lui fait exploser le haut de la tête. Bruit sourd du silencieux, gerbe de matière cervicale et d'éclats d'os. Pas de fracas de corps qui tombe – le patron de la pharmacie glisse tout simplement le long de l'étagère et meurt.

Les pharmaciens continuent à travailler. Un type s'approche avec un dentifrice Ipana, un autre avec un tube de Clearasil, le troisième avec un vaporisateur Vicks. Les pharmaciens comprennent ce qui se passe. L'un d'eux se met à pleurer. Son voisin serre entre ses doigts sa médaille de Saint Quelque Chose. Le dernier tente de s'enfuir.

Le Type à l'Ipana sort son arme et leur tire dessus. Deux balles pour chacun. Ils s'effondrent en tas. Leurs cris et leurs gargouillis se mélangent. Le Type au Clearasil saute par-dessus le comptoir et fonce vers l'armoire aux stupéfiants.

Du sang coulait d'une étagère à produits pour l'asthme. Le Type au Vapo Vicks y trempa le doigt. Il trouva un espace libre sur le mur blanc. Il écrivit « *MATAR TODOS PUTOS ROJA* ».

Crutch rentra à pied au Lido Palace, se traînant péniblement sur ses jambes en flanelle. Les braqueurs ne s'étaient pas attardés. Il était sorti de sa cachette ébranlé et en larmes. Il avait volé un Coca et de l'anti-acide et avalé les deux pour empêcher la bile de lui remonter à la gorge. Il atteignit le bar en flageolant, but trois scotches et monta en zigzag jusqu'à sa chambre.

Quelqu'un avait laissé sur le lit un paquet emballé de papier kraft. Le cachet de la poste indiquait Langley, en Virginie. Il défit le colis. Le Frenchie avait tenu parole – voilà le manuel pour décrypter les codes.

Il sortit les photos qu'il avait prises du carnet d'adresses de Gretchen/Celia. Il les disposa sur le bureau. Il parcourut le manuel et consulta la table des matières. Il y repéra un « Index des symboles » et s'y rendit. Des tonnes de symboles, décrits alphabétiquement. Les différences géographiques et politiques entre parenthèses.

Crutch examina ses photos Minox. Les symboles de Gretchen/Celia : des silhouettes stylisées entourées de X et des arrière-plans artistiquement hachurés. Il parcourut le recueil de codes. Pas de nombres ni de lettres correspondant aux nombres et aux lettres de Gretchen/Celia. Il retourna à l'« Index des symboles » et commença à la lettre « A ».

Il parvint à la liste des termes commençant par « E ». Il tomba sur « Envoûtements du vaudou haïtien ». Il vit des nombres liés à des dessins liés à des lettres. Certains nombres et certaines lettres correspondaient à ce qu'avait dessiné Gretchen/Celia. Il vit des variantes de ses silhouettes stylisées et de ses X. Il lut le texte : « Représentation par le prêtre vaudou du chaos spirituel où se trouve la victime pendant que celle-ci est envoûtée. »

La Maison de l'Horreur, l'été dernier. Les marques là-bas, les symboles ici, l'origine clairement expliquée.

Soyons clairs : les pages de Gretchen/Celia, c'était un envoûtement couché sur le papier et un livre des morts vaudou.

DOCUMENT EN ENCART : 29/1/69-8/2/69. *Extrait du journal de Marshall E. Bowen.*

Ce fut une bagarre au couteau d'importance mineure aux implications politiques majeures pour deux groupes politiques extrêmement mineurs. Mais c'est moi qui l'ai rendue possible, et elle a eu lieu le premier jour où Wayne Tedrow me servait d'intermédiaire.

Jomo n'a souffert que de lacérations sans gravité et Leander de contusions à la poitrine quand la lame de Jomo s'est brisée. Wayne a conduit Jomo à l'hôpital Daniel Freeman ; on l'a recousu et laissé repartir au bout de quelques heures. J'ai emmené Leander à l'hôpital Morningside. Il a déconcerté les médecins en avalant dans la salle des urgences des comprimés à base d'herbes haïtiennes. Ces placebos l'ont quelque peu calmé. Jomo est au FLMM, Leander à l'ATN. Quel bord dois-je choisir ? C'est un dilemme qui ne regarde que moi, évidemment. Comme toujours, je bute contre cette alternative exaspérante : la construction viable d'une identité noire ou la construction hasardeuse de la révolution, telle qu'elle sera mise en place par la racaille criminelle qui cherche à tirer profit d'un mécontentement social légitime et d'une tendance culturelle.

À présent, mon sentiment est le suivant : M. Holly savait que je réussirais dans le rôle d'infiltrateur qu'il me confiait, parce que je suis trop malin pour adhérer à la rhétorique de la révolution et trop averti pour me contenter de la naïveté de la riposte réactionnaire. M. Holly comprend que c'est de l'ambivalence que dépend la qualité du jeu du comédien, et que les acteurs sont, en fin de compte, égocentriques et ne se préoccupent que du contexte dans lequel ils se donnent en spectacle. Il est prêt à me laisser m'aventurer sur une voie idéologique étroite et risquer, concrètement, une conversion au militantisme noir, parce qu'il sait à quel point je suis, égoïstement, motivé. Quel esprit brillant que celui de M. Holly ! Un incomparable dénicheur de talents doté d'un superbe coup d'œil pour constituer des duos de comédiens. Choisir Wayne Tedrow pour qu'il me serve d'intermédiaire, c'était tirer profit de mes points forts et des points forts de Wayne, et cela a payé aussitôt. Un ex-flic au passé lourdement chargé sur le plan du racisme qui supervise Tiger Kab ; les frères le considèrent comme un franc-tireur et le trouvent plutôt sympathique. Et personne ne se doute que c'est un auxiliaire du FBI.

Ces deux hommes font pression sur moi : Wayne veut que je m'aligne unilatéralement soit sur l'ATN, soit sur le FLMM ; M. Holly veut que d'une façon ou d'une autre je facilite la mise en action du versant « trafic de drogue » de l'OPÉRATION MÉÉÉCHANT FRÈRE, un aspect de ma mission que Wayne désapprouve avec une ferveur presque calviniste. L'héroïne est rare, par ici ; je mets cette relative rareté au crédit d'une certaine forme de prise de conscience noire, sinon à celui du militantisme noir lui-même. Par conséquent, je ne peux pas, dans l'immédiat, dénoncer des membres de l'ATN ou du FLMM qui s'en seraient procuré ou en auraient vendu. Il y a eu une recrudescence de braquages dans les magasins de spiritueux des quartiers sud, et une abondance de rumeurs désignant des militants noirs comme suspects ; cependant, mes questions discrètes sur ce sujet n'ont pas encore livré de noms. J'espère que la rixe entre Jomo et Leander va couver au sein des instances dirigeantes de l'ATN et du FLMM et produire un mécontentement exploitable. En attendant, j'occupe le devant de la scène.

Je me suis incrusté dans les soirées d'un échantillon divers de poseurs politiques. Ils s'efforcent de recréer une version moisie des cabarets politiques de New York dans les années 30. El Morocco, le Stork Club et le « 21 » à l'époque ; le Bac à Sable de Sam le Sultan, le Salon du Scorpion et la Pêche aux Moules aujourd'hui. La couleur de peau s'est assombrie, les modes ont changé, le bar culturel s'est revitalisé et vulgarisé. Ces gens-là adorent voir et être vus. Ezzard Donnell Jones, Joan Klein, Benny Boles, Joe McCarver et Claude Torrance font la tournée des night-clubs presque tous les soirs. J'ai toujours droit à un « Bien joué ! » ou un « Salut, mon frère ! » parce que je suis une célébrité, un martyr, et un article recherché, le tout en un seul homme. Ils sentent que je souhaite devenir l'un des leurs, et comme je n'ai pas encore fait allégeance ni à l'un ni à l'autre des partis, je pense qu'ils voient là le signe de ma timidité ou d'une réticence compréhensible. *Il faut qu'on laisse le Frère choisir. Putaiiin, quand on pense qu'il était encore un enfoiré de flic il y a quelques mois.*

Depuis quelques semaines, une vague de caricatures racistes déferle sur les quartiers sud de façon inquiétante. Les cibles principales en sont les Panthères et les E.U., sans oublier les salves de graffitis dirigées contre l'ATN et le FLMM. Mon ami Jomo, lui-même caricaturiste et rédacteur de tracts racistes, tourne en ridicule le manque de talent de l'auteur et m'a persuadé qu'ils n'étaient pas de sa main – « Pas mon style, ça, mon frère. C'est un coup de M. Hoover, c'est sûr. » M. Holly affirme le contraire – de façon convaincante, parce qu'il est coutumier des confirmations et des démentis sans détour, qu'il me considère comme un collègue flic qui se trouve du même côté que lui, et qu'il n'essaierait pas de décréter hypocritement que le Bureau est au-dessus de telles tactiques. Dwight Chalfont Holly, réaliste social, un homme qui appelle un chat un chat et parfois un Noir un nègre, un moricaud, un bamboula, ou un crépu. Le maître du message ambigu. Il critique les violences inqualifiables du LAPD dans les quartiers sud. C'est un homme qui reconnaît tristement que la répression ne donne jamais de résultats, qui exprime un respect plutôt délirant pour Martin Luther King, et prend plaisir à me confier le rôle du type impassible dans un dialogue impromptu du style *Amos & Andy*. Je déteste l'expression usée jusqu'à la corde « un sacré client », mais elle définit M. Holly parfaitement. Le même cliché s'applique aussi à son aide de camp torturé, son quasi-petit frère, Wayne Tedrow – peut-être de façon encore plus appropriée. Comme il est étrange que des deux, le véritable tueur soit Wayne ; étrange qu'il semble beaucoup moins en proie à des sentiments racistes et paraisse capable d'entretenir avec des Noirs des relations sur un pied d'égalité. J'aime bien Wayne ; j'ai apprécié les diverses rencontres intermédiaire/agent infiltré que nous avons eues. J'ai fait circuler les informations sur la façon dont il avait tué les trois drogués noirs et le violeur psychotique Wendell Durfee. Évidemment, les frères ont *adoré*. Wayne est déjà devenu le sujet d'une légende ambiguë dans le ghetto. Ooooh, ce Wayne... Lui, *méééchant*.

Et il y a autre chose.

Je suis arrivé en avance à l'un de nos rendez-vous. Je suis tombé sur Wayne à l'improviste. Je l'ai vu regarder la photo d'une femme noire. Wayne était de toute évidence embarrassé. Il a reposé la photo et m'a lancé un regard qui voulait dire : « Ne me posez pas de question. » Je n'ai pas posé de question à Wayne. J'ai demandé à M. Holly, qui m'a répondu : « Wayne est très attaché à vous autres, les enfoirés de bronzés. » Et il a changé de sujet.

J'ai fait quelques recherches dans les journaux de Las Vegas et j'ai identifié l'inconnue : il s'agit d'une déléguée syndicale qui s'appelle Mary Beth Hazzard. Elle a dix ans de plus que lui, et elle est la mère d'un jeune homme disparu depuis longtemps, Reginald. Reginald Hazzard est le garçon de la photo que Wayne m'a montrée le jour où j'ai fait sa connaissance ; Wayne montre cette photo à pratiquement toutes les personnes qu'il rencontre dans les quartiers sud, et il semble bien décidé à retrouver ce jeune homme, quoi qu'il advienne. Ma recherche dans les journaux m'a également appris ceci : un drogué de Las Vegas-Ouest a tué le mari de Mme Hazzard, un pasteur, l'an dernier, puis il s'est donné la mort. Bizarrement, le drogué a été inculpé post mortem du meurtre du père de Wayne en juin 68. Plus étrange encore : à Vegas, la rumeur dit que c'est Wayne et sa belle-mère et maîtresse aujourd'hui disparue qui ont tué eux-mêmes Wayne Senior.

Wayne et M. Holly me fascinent sur plusieurs plans. Ce ne sont pas des flics francs-tireurs à la Scotty Bennett – ce sont des francs-tireurs autoritaires. Et Wayne est miraculeusement entré dans ma vie juste au moment où tous mes subtils sondages sur le braquage du fourgon blindé avaient abouti à une impasse et où je me retrouvais une fois de plus au point de départ. À cet instant, je fais la connaissance de Wayne. Il me demande nonchalamment si j'ai entendu des histoires de Noirs qui reçoivent par la poste des émeraudes d'un expéditeur anonyme. Il me montre la photo du jeune Noir qu'il recherche. Ce jeune homme ressemble vaguement à l'homme au visage brûlé que j'ai rencontré le 24/2/64. J'ai le sentiment d'entrer dans un état de rêve éveillé dû au pur hasard. Qu'est-ce que tout cela signifie ?

DOCUMENT EN ENCART : 11/2/69. *Transcription mot pour mot d'une communication téléphonique du FBI. – MARQUÉE : ENREGISTRÉE À LA DEMANDE DU DIRECTEUR – CLASSÉE : CONFIDENTIEL 1-A ; DESTINATAIRE UNIQUE : LE DIRECTEUR – Interlocuteurs : Directeur Hoover, Agent spécial Dwight C. Holly.*

JEH. – Bonjour, Dwight.
DH. – Bonjour, monsieur le directeur.
JEH. – Wayne Tedrow et la négresse morose Mary

Beth Hazzard. Je serais impardonnable de ne pas exprimer mon horreur et ma délectation.

DH. – Oui, monsieur.

JEH. – La culpabilité prend de nombreuses formes. Mme Hazzard n'est pas une négresse séduisante du genre de Lena Horne. Elle est sans aucun doute portée à prononcer des phrases comme : « Le pouvoir au peuple ! » et à écouter la musique d'Archie Bell & the Drells.

DH. – Oui, monsieur.

JEH. – Je vous trouve décidément obtus, ce matin, Dwight. Vous avez traversé une phase comparable lorsque j'ai fait expulser Emma Goldman en 1919.

DH. – Oui, monsieur.

JEH. – Sirhan Sirhan est au tribunal et les poursuites officielles contre James Earl Ray devraient débuter en avril. Diriez-vous que le Bureau est couvert sur ces deux fronts, Dwight ?

DH. – Oui, monsieur.

JEH. – Et le meurtre du Dr Fred Hiltz ?

DH. – Là encore, monsieur, nous sommes couverts. Jack Leahy a enterré l'affaire.

JEH. – Jack Leahy est l'Alger Hiss[1] de mon HUAC[2] et le Costello de mon Abbott[3]. C'est un traître et un comique pas drôle de cabaret qui a ridiculisé mon penchant pour les antiquités.

DH. – Oui, monsieur. Personne n'a jamais réussi complètement à cerner Jack.

JEH. – Il fut votre partenaire en 1923. Vous travailliez à l'agence du Milwaukee à cette époque.

DH. – Oui, monsieur. Je m'en souviens.

---

1. Fonctionnaire du département d'État américain, accusé d'être un espion soviétique, condamné pour parjure.

2. House Un-American Activities Committee : commission d'investigation de la Chambre des représentants.

3. Abbott & Costello : duo comique célèbre (radio, cinéma, télévision) dont la carrière dura de 1938 à 1957.

JEH. – Je suis consterné par ces caricatures racistes qui circulent dans Los Angeles-Sud. Je veux que vous en déterminiez l'origine immédiatement et que vous me fassiez parvenir des copies de tous les spécimens existants de ces horreurs.

DH. – Je vais m'en occuper, monsieur.

JEH. – Wayne Tedrow comme intermédiaire de Marshall Bowen. Défendez-vous toujours ce choix ?

DH. – Avec véhémence, monsieur.

JEH. – Et pour quelle raison, je vous prie ? Parce que la veuve basanée du pasteur a insufflé au jeune Wayne un supplément d'âme ?

DH. – Oui, monsieur. En partie.

JEH. – Et nos beautés congolaises, l'ATN et le FLMM ? Vont-elles coopérer à notre programme, et vendre tôt ou tard de l'héroïne ?

DH. – Je crois qu'elles le feront, monsieur.

JEH. – Et le nouveau-né ? La fille de l'informatrice 4361 ?

DH. – En bonne santé et pleine de vie, monsieur.

JEH. – Et votre nouvelle amoureuse-informatrice ?

DH. – Elle est dans mes pensées, monsieur.

JEH. – Comme vous êtes dans les miennes, Dwight.

DH. – Merci, monsieur.

JEH. – Au revoir, Dwight.

DH. – Au revoir, monsieur.

DOCUMENT EN ENCART : 12/2/69. *Communiqué remis par sac postal – Destinataire : Wayne Tedrow. – Expéditeur : Colonel Ivar S. Smith, USMC (en retraite). Président de ISS Security Limited, Saint-Domingue, République Dominicaine – Marqué : « À NE REMETTRE QU'EN MAINS PROPRES/DÉTRUIRE APRÈS LECTURE. »*

Cher Monsieur Tedrow,

Cette lettre fait suite à la visite récente de votre collègue Jean-Philippe Mesplède en R.D. pour repérer des sites propres à l'implantation de casinos et discuter de la possibilité de construire lesdits hôtels-casinos dans ce pays. J'ai le plaisir de vous annoncer que le président Joaquín Balaguer est très désireux d'accueillir vos établissements, et qu'il a promis de consacrer des ressources considérables à ce projet dans l'espoir de vous inciter à venir. Une brève histoire de la R.D. vous donnera une idée de ce que sont ce pays et son voisin Haïti avec qui il partage la même île, et vous convaincra, par-dessus tout, qu'il s'agit d'une destination sans aucun risque pour les touristes américains, pour les directeurs de vos hôtels-casinos, et pour leur personnel.

La R.D. occupe les deux tiers de l'île d'Hispaniola, dans la partie *est* de celle-ci, et Saint-Domingue, découverte par Christophe Colomb en 1492, est considérée comme la ville la plus ancienne du Nouveau Monde. D'innombrables coups d'État impliquant l'Espagne, la France et la Hollande ont abouti à la sécession actuelle d'avec l'Espagne ; de nombreuses batailles entre les indigènes noirs et les Français ont eu pour résultat l'indépendance d'Haïti. Les relations sont restées tendues entre la R.D. et Haïti ; c'est toujours le cas aujourd'hui. Haïti, cependant, vivote dans un état de pauvreté extrême, tandis que la R.D. se développe et devient le modèle même d'une république saine et sûre, pro-U.S. et anticommuniste. La frontière haïtienne est constamment surveillée par les patrouilles des forces dominicaines, secondées par les agents de l'unité personnelle de renseignements du président Balaguer, La Banda, en collaboration avec ma société de surveillance. Des réseaux d'informateurs ont été recrutés par les agences nommées ci-dessus ; la population haïtienne de la R.D. et l'immigration haïtienne illégale en R.D. encadrées et réprimées. Les Haïtiens appartiennent à une race primitive ; ils ne peuvent se passer de leur pratique du vaudou et ils sont rendus dociles par leur dépendance à la consommation de leur alcool fort, le Klerin, et d'herbes qui altèrent leur état de conscience. Le président d'Haïti, François « Papa Doc » Duvalier, est venu au pouvoir en tant qu'adepte du vaudou, et il maintient son peuple dans un état de soumission en permettant au vaudou de s'épanouir. Sa police privée, les *Tontons Macoutes*, recrute ses membres dans des sociétés vaudou et impose le vaudou comme principal levier du président Duvalier pour maintenir le statu quo sociétal et conserver le pouvoir. Sous l'empire du président dominicain Trujillo (1937-1961), l'armée dominicaine a perpétré plusieurs massacres d'immigrés haïtiens incontrôlés ; le 14 juin 59, un groupe castriste nommé le Mouvement du 6 juin a monté un débarquement raté sur les côtes de la R.D. La brève guerre civile de 65 fut, en fait, une farce, matée sévèrement lorsque le président Johnson envoya un contingent de fusiliers marins rétablir l'ordre dans une nation qui souhaitait mettre en place des élections libres. Un gauchiste nommé Juan Bosch fut élu frauduleusement et se maintint brièvement au pouvoir. Une élection véritablement libre fut tenue en 1966. Bosch fut déposé et le président pro-U.S. Balaguer honorablement élu. Officiellement, la dernière unité de fusiliers marins U.S. se retira de la R.D. le 19/8/68.

Le président Balaguer n'est pas un personnage haut en couleur comme Rafael Trujillo, mais le président Balaguer sait réduire la contestation à un niveau sonore acceptable et il comprend qu'il est important de préserver au sein de la nation l'ordre et l'harmonie qui donneront aux touristes américains et européens envie de la visiter. Il est en excellents termes avec les militaires, au cas où il serait nécessaire de mater ou d'éliminer des Haïtiens ou des insurgés de gauche. Et le président Balaguer est disposé à investir par avance dans votre opération en s'engageant à vous fournir gratuitement des terrains où vous pourrez construire vos hôtels-casinos à Saint-Domingue proprement dit et à l'extérieur de la ville (voir rapport annexe sur les études structurelles et les analyses de la composition des sols). Il accordera en exclusivité à la compagnie Hughes Air le droit d'assurer les vols jusqu'à des pistes d'atterrissage réservées aux VIP de l'aéroport de Saint-Domingue, il fera construire gratuitement des pistes supplémentaires en prévision de l'augmentation du nombre de vols, et vous fournira des manœuvres haïtiens et dominicains pour les chantiers de construction des casinos. Une entreprise de bâtiment dans laquelle il possède des parts vous fournira les matériaux de construction à prix réduit et ma société de surveillance ainsi que La Banda sont prêtes à garantir la sécurité des chantiers vingt-quatre heures sur vingt-quatre. Je me permets de vous recommander quatre Cubains – WILTON MORALES, FELIPE GOMEZ-SLOAN, CHIC CANESTEL et CRUZ SALDIVAR – comme chefs de chantier. Ce sont des mercenaires cubains, qui parlent couramment l'anglais et l'espagnol, et qui ont déjà eu à plusieurs reprises l'occasion de travailler avec les membres de mon agence et les agents de La Banda. De nouveau, je me permets d'insister : le risque d'une éventuelle révolte ou de débordements de groupes de trublions gauchistes ne constituera en aucun cas une menace pour la construction des casinos, et la présence d'éléments incontrôlés – immigrants haïtiens ou paysans dominicains – sera maîtrisée avant qu'elle n'atteigne le point où elle risquerait d'incommoder les touristes de passage. Au moment où j'écris cette lettre, le président Balaguer prépare un train supplémentaire de mesures incitatives afin de vous souhaiter à sa façon

Bienvenidos ! – à vous et à votre groupe d'investisseurs.

En résumé, je ne peux qu'affirmer que vos amis et vous seriez bien avisés de répondre « *Si !* » à notre proposition. Vous serez les bienvenus dans un pays au climat politique stable, à l'économie robuste, et dont les dirigeants s'empresseront de vous apporter leur aide.

Sincèrement,
Ivar S. Smith, USMC (en retraite)

61

Las Vegas, 16 février 1969

Les services du shérif du comté de Clark ont envoyé d'autres archives. Wayne a épluché tout le contenu du dossier et punaisé des documents au mur.

Des notes d'interrogatoires – des doubles de pièces du LVPD. Des doubles de rapports de mise à disposition – des copies carbone baveuses.

L'alcôve réservée aux dossiers était bourrée – déplaçons le matériel de chimie pour faire de la place sur les étagères. Stop ! Voilà quelque chose...

Wayne punaisa le document. Une contravention pour stationnement interdit, du 29/11/63. Sa voiture bloquait l'accès à une borne d'incendie. 2082 Monroe Street, Vegas-Nord. Reginald Hazzard s'était fait aligner une semaine avant de disparaître.

Un territoire tri-racial. C'était la base aérienne de Nellis qui voulait ça. L'artère commerciale n'était qu'arcades remplies de machines à sous et marchands de bouffe à un dollar. Chaque établissement ciblait une race et une seule. Les Blancs allaient au Shamrock, les Noirs à la Mosquée de Monty, les Mexicains à l'Al's Alamo.

Les rues résidentielles étaient multiraciales et croisaient les avenues en diagonale. Wayne se gara sur Monroe et continua à pied. Il avait lu le rapport d'Ivar Smith et l'avait résumé pour les Parrains. Les informations sur les analyses du sol et les études structurelles étaient idéales. Balaguer voulait qu'ils implantent leurs casinos chez lui. Il était prêt à les *payer* pour qu'ils viennent construire leurs casinos. Les Parrains décidèrent : on fonce. Wayne appela Smith à Saint-Domingue. Smith lui apprit que Balaguer, personnellement, voulait 50 000 dollars par mois. Wayne lui répondit : d'accord. Les Parrains dirent : d'accord. Wayne proposa qu'on demande à Dick Nixon qu'il s'engage à ne pas se mêler de leurs affaires. Farlan Brown dit : il nous faut un agent de liaison qui se charge de la communication téléphonique. Le candidat proposé par Wayne : Dwight Holly.

Le Président était un fan des flics et un recalé du FBI. Il adorait bavarder avec ces durs de durs d'agents fédéraux. Dwight « Le bras armé de la loi » ? – il n'y avait pas de meilleur choix.

Les maisons étaient toutes microscopiques, construites en parpaings effrités. Les fenêtres étaient couvertes de feuilles d'alu pour les protéger de la chaleur. Wayne commença au numéro 2082 et frappa aux portes. Il était 16 h 10. Il eut affaire à des résidents de trois races différentes qui n'étaient pas de service à la base aérienne. Il souriait, il disait bonjour, il montrait la photo de Reginald. Il obtint quatre non-réponses et quatorze « non » sans équivoque.

Il poursuivit sa route. Une voiture de police de Vegas-Nord passa près de lui. Un flic le reconnut et fit « Pan ! »

Il eut droit à trois non-réponses de plus et à neuf autres « non ». Il longea une maison dont le garage adjacent était ouvert. Il vit un homme noir qui faisait bouillir sur une plaque chauffante le contenu d'un récipient. Il capta des fragrances de plantes tropicales et une odeur d'ammoniac.

L'homme lui fit signe. Wayne s'approcha de lui. Les émanations du récipient le firent reculer. L'homme rit et ne s'arrêta plus de rire.

Ils se serrèrent la main. L'homme glissait quelques mots entre deux rires. Il avait un accent des Antilles françaises. Wayne examina le garage. C'était *son* labo, mal entretenu – du matériel bon marché et des flacons aux étiquettes collées par du ruban adhésif.

Urera Baccifera. Diodon Holacantheus. Crapaud Blanc. Theraphosida E, Anolis Colestinus, Zanthroxyllum Matinicense.

Des poudres de plantes épineuses ; des irritants topiques ; tarentules, lézards et crapauds réduits en poudre.

L'homme sourit. Wayne dit :

– Empoisonnement à la tétrodoxine.

L'homme hocha la tête.

– Vous êtes chimiste ?

– Oui.

– Avez-vous d'autres choses à me dire ?

Wayne examina les étiquettes. *Tremblador, Desmembres*, tétraodontidés, ortie brûlante. *Diffenbachia Seguine* – une plante au feuillage très toxique.

– J'espère que vous destinez ces composés à un usage bénéfique.

– Oh, oui. Si l'on peut considérer comme tel l'élimination dans mon jardin d'une invasion de spermophiles enragés.

Wayne sourit.

– En ce cas, je vous conseillerais d'ajouter un peu plus d'ammoniac et de faire cuire la poudre pour obtenir une émulsion pâteuse.

L'homme saisit un crayon et griffonna en français sur un bloc-notes. Wayne identifia les odeurs : des résidus d'herbes mélangés à des alcalis.

Il sortit sa photo de Reginald. L'homme mit ses lunettes et abaissa une lampe à col de cygne.

– Oui, j'ai rencontré ce jeune homme.

– Quand ?

– Je m'en souviens très bien. C'était juste après l'assassinat du président.

– Et dans quelles circonstances ?

L'homme déposa un peu d'onguent sur une coupure qu'il avait au doigt. La peau se plissa et se ressouda en un instant. Wayne sentit une odeur d'hydroxyde caustique et quelque chose d'autre de totalement nouveau pour lui. L'effet le stupéfia.

– C'était un jeune homme agréable et un chimiste amateur éclairé. Il avait entendu parler de moi. Il était curieux d'apprendre les qualités anesthésiantes des herbes haïtiennes, particulièrement leur potentiel comme antalgiques et comme ignifugeants.

62

Los Angeles, 18 février 1969

Emma Goldman, Moscou, Archie Bell & the Drells. Les veines obstruées mènent tout droit au cabanon.

La vieille tante perdait ses boulons. Combien de temps pouvait-elle encore tenir ? Combien de missions merdiques pouvait-elle encore confier aux agents du Bureau ?

Les questions de race encouragent les réactions racistes. Le Dr King avait un rêve. M. Hoover avait les ardeurs d'un personnage de bande dessinée.

Des caricatures racistes et des poèmes racistes. « Ce petit cochon-ci au marché s'en est allé. Ce petit cochon-là préfère rester chez soi. Le troisième cochon, Papa Panthère l'a bouffé, après que sa grosse queue il se fut fait sucer. »

Dwight faisait en voiture la tournée des imprimeries. Il avait dressé une liste à l'aide de l'annuaire. C'était un professionnel qui avait imprimé ces tracts. Du travail de qualité.

Il pleuvait. Il avait vu 16 imprimeries. Il exhibait ces saloperies racistes et cassait l'ambiance d'un seul coup. Son insigne faisait flipper les employés aux nerfs fragiles. Quelques crétins brandissaient sous son nez le signe de la paix.

M. Hoover adorait le signe de la paix. Pour lui, c'était « la trace de pas du poulet américain ».

Dwight se dirigeait vers le nord-est. Cela faisait cinq heures qu'il travaillait. Il avait fini d'écumer les quartiers sud et le Miracle Mile [1]. Prochaine étape : Hollywood.

Il rendit visite à une imprimerie de Fountain Avenue, puis à une

---

1. Portion du Wilshire Boulevard d'environ 1 500 mètres, surnommée « les Champs-Élysées américains ».

autre sur Cahuenga Boulevard. Entre deux arrêts, il écoutait la radio de la police. On ne chômait pas sur la fréquence du LAPD. Une manif « Arrêtez la guerre ! » au centre-ville. Une manif de cueilleurs de fruits dans le quartier de Boyle Heights. Un gros chahut qui se préparait au sud.

Il obtint pour toutes réponses « Non » et « Non, monsieur ». Il partit vers l'est. Il vit une imprimerie dans Vine Street et une autre dans Wilton Place. Un boutonneux rit comme un âne en voyant les dessins racistes. Une fille hippie fit « Om ! »

Il entra dans une imprimerie de Vermont Avenue. Il sentit une odeur de marie-jeanne et d'encens. Derrière le comptoir, deux mômes titubaient et faisaient les imbéciles en souriant jusqu'aux oreilles. Ils virent Dwight et comprirent quel métier il exerçait. Un joint passa de la fille au garçon. Le garçon bouffa le mégot.

Dwight exhiba ses caricatures racistes. Le garçon dit :

– Et alors ? Ce n'est pas illégal.

La fille gloussa.

Ils examinèrent les dessins. Dwight les étala pour qu'ils en profitent mieux. La fille s'attarda sur un mâle fortement membré. Le garçon dit :

– On est en démocratie.

– C'est vous qui avez imprimé ces documents ?

– Ouais, bien sûr. On est en démocratie.

La fille gloussa :

– Ouais, enfin, plus ou moins.

– Qui vous a apporté ça ? À quoi ressemblaient ces clients-là. Qui est venu chercher la commande ? Ou bien où l'avez-vous envoyée ? Comment a-t-elle été réglée ?

La fille dit :

– C'est de la censure.

Le garçon répéta :

– On est en démocratie.

Dwight alla jusqu'à la porte, ferma le verrou, et revint. La fille se mordit les lèvres. Dwight s'assouplit les doigts.

La garçon se ratatina.

– C'était une commande réglée en liquide, à livrer à une adresse à Eagle Rock. La cliente, une femme qui n'avait pas l'air commode, vous voyez, le genre de garce à qui on n'a pas envie de se frotter.

Dwight sourit :

– La quarantaine, cheveux bruns avec des mèches grises, lunettes. La cicatrice d'un coup de couteau sur un bras.

Les mômes en restèrent bouche bée. Dwight ajouta :

– Dites-moi son nom.

La fille dit :

– Joan.

Le quartier était vallonné, les loyers modérés. Le décor : de grandes avenues dégagées et quelques bouts d'autoroute qui serpentent dans le paysage. Les Blancs cohabitaient avec les latinos. Des autocollants « Wallace président » sur les pare-chocs et des caisses surbaissées de cholos.

L'adresse était celle d'une résidence de maisons individuelles construites sur un seul niveau. Peinture mouchetée en façade, un peu de stuc blanc pour le contraste. Huit logements, chacun avec sa boîte à lettres. À 15 heures, un silence idéal pour faire la sieste.

Dwight enfonça le bouton de la sonnette. Un son strident à réveiller les morts. Il colla l'oreille contre la fente du côté des gonds et n'entendit que l'air immobile d'une pièce vide. Il attendit trente secondes puis il inséra son sésame de poche entre le chambranle et la serrure. La porte céda facilement.

Trop facilement. Ça ne ressemblait pas à Joan.

Il entra et ferma la porte derrière lui avec la chaîne de sûreté. Il alluma le plafonnier et découvrit les lieux d'un seul coup d'œil. Un salon-chambre à coucher, une salle de bains-kitchenette. Un lit pliant, ouvert.

Une étape pour un nomade – pas une planque. Une résidence temporaire – une halte pour un fuyard.

Dwight en fit le tour. Il savait déjà ce qu'il allait trouver. Des boîtes de conserve dans la cuisine. Des affaires de toilette bon marché dans la poubelle. Des fringues qu'il n'avait jamais vues sur elle. Il garda la penderie pour la fin.

Des jeans délavés, des bottes, des robes d'été dont la coupe mettait en valeur ses bras nus.

Il toucha tout. Il avait perquisitionné une douzaine de fois chez Karen. Il n'avait jamais touché à ses sous-vêtements.

Dwight s'assit sur le lit. Deux oreillers étaient calés contre le dosseret. La pluie se remit à tomber. Le toit fuyait à un mètre de lui. Il souleva les oreillers. Bien sûr : il y avait un magnum et un agenda en dessous.

La poignée du pistolet était garnie de bandes antidérapantes en caoutchouc. Elles ne gardaient pas la trace des empreintes et assuraient une visée plus précise. L'agenda en cuir noir ne pesait pratiquement rien. Donc, peu de pages.

Il l'ouvrit. Un polaroïd en tomba. C'était une photo de lui, dans son sommeil. Le décor : leur chambre au Statler. Il était recroquevillé vers le côté du lit que venait de quitter Joan.

Il reposa la photo. Sa main tremblait. Il agrippa le cadre du lit pour en calmer les soubresauts. Il arracha la seule page de l'agenda qui n'était pas vierge. Elle était couverte par l'écriture de Joan Rosen Klein, toute en capitales anguleuses.

NOUS SOMMES DÉTERMINÉS À OBTENIR LES MÊMES RÉSULTATS ET MOTIVÉS PAR UN UTILITARISME QUASIMENT IDENTIQUE. L'OBJECTIF QUE NOUS PARTAGEONS EST DE PROVOQUER UN CHAOS GÉRABLE. DWIGHT EST DÉCIDÉ À PROLONGER LES VUES À COURT TERME DU FBI. JE VEUX CRÉER L'ILLUSION QUE L'OPÉRATION A ATTEINT SON TERME DE FAÇON LOGIQUE ET SATISFAISANTE. DWIGHT CROIT QUE CETTE CONCLUSION VA FAIRE DÉRAILLER LE MILITANTISME NOIR. JE CROIS POUR MA PART QUE LE MOUVEMENT DU MILITANTISME NOIR NE SERA QUE MOMENTANÉMENT DISCRÉDITÉ. DWIGHT AURA FAIT SON TRAVAIL ET MENÉ SA MISSION JUSQU'AU BOUT PUISQU'EN APPARENCE ELLE AURA ÉTÉ ACCOMPLIE. CETTE FIN QUI N'EN AURA PAS ÉTÉ UNE SERA RÉFUTÉE PAR UN NIVEAU CONSTANT ET EN CONSTANTE AUGMENTATION D'INCRÉDULITÉ, D'HORREUR MORALE ET DE CENSURE OFFICIEUSE QUI ABOUTIRA, À TERME, À UN NIVEAU DE LIBÉRATION QU'IL EST ENCORE IMPOSSIBLE D'IMAGINER. LE FBI VEUT QUE L'ATN ET LE FLMM VENDENT DE L'HÉROÏNE, PENSANT QUE CELA DONNERA DU NATIONALISME NOIR L'IMAGE D'UN MOUVEMENT INTRINSÈQUEMENT CRIMINEL ET RÉVÉLERA QUE LES NOIRS DANS LEUR ENSEMBLE SONT INTRINSÈQUEMENT DES ÊTRES DÉPRAVÉS. À COURT TERME, L'OBJECTIF DU FBI EST DE METTRE LA POPULATION NOIRE SOUS SÉDATION ; SON BUT À LONG TERME EST DE PERPÉTUER LA SERVITUDE RACIALE. JE VEUX QUE L'ATN ET LE FLMM VENDENT DE L'HÉROÏNE. JE SUIS PRÊTE À PRENDRE LE RISQUE DE VOIR S'ÉTENDRE À COURT TERME UNE MISÈRE SORDIDE DANS LE FERVENT ESPOIR QUE LA DÉPRAVATION PERMANENTE ENGENDRÉE PAR L'HÉROÏNE MÈNERA À UNE RICHE EXPRESSION DE L'IDENTITÉ RACIALE ET, EN FIN DE COMPTE, À LA

RÉVÉLATION POLITIQUE ET À LA RÉVOLTE. EN CE SENS, JE VOIS DE L'HONNEUR, DE L'ESPOIR ET DE LA BEAUTÉ LÀ OÙ DWIGHT N'EN VOIT PAS. NOS BUTS SONT À LA FOIS INCONCILIABLES ET TOTALEMENT SYNCHRONES. NOUS NOUS REJOIGNONS ET NOUS OPPOSONS EN PROPORTIONS ÉGALES. NOUS SOMMES UNION FERVENTE ET MÉSALLIANCE. JE VIENS DE COMMENCER UN VOYAGE D'UNE IMPORTANCE CONSIDÉRABLE AVEC UN PROVOCATEUR RACISTE QUI M'A DONNÉ QUELQUE CHOSE DE PRÉCIEUX ET D'INSONDABLE. À TOUS LES INSTANTS JE PLACERAI MES OBJECTIFS AU-DESSUS DES SIENS ET JE RECONNAIS QUE JE NE PEUX PAS PRÉVOIR CHAQUE DÉTAIL SPÉCIFIQUE DE NOTRE CHEMINEMENT.

Une rafale de vent cingla le tamis de la fenêtre. La page s'envola d'entre ses doigts.

Le mot *camarade* lui traversa la tête comme un hurlement.

63

Saint-Domingue, 26 février 1969

Drac leur offrit le voyage en avion. *El Jefe* leur envoya une limousine à châssis long. Les pistes d'atterrissage étaient bitumées de frais. Les *peónes* continuèrent de travailler pendant l'atterrissage.

Aeropuerto de las Americas – carrément de seconde zone. *Bienvenidos* : des portraits en pied de Joaquín Balaguer découpés dans du carton à côté du poste de douane.

Crutch et le Frenchie débarquèrent. La chaleur leur donna un grand coup sur la tête. Deux flics de la *Policia Nacional* transportèrent leurs bagages jusqu'à la limousine. Quatre Harley s'approchèrent en pétaradant. La limousine de 56 affichait son âge. Les motos étaient encore plus anciennes. Les motards portaient des culottes de cheval et des bottes de soldats allemands. La R.D., prise 1 : on est un peu minable, mais on fait ce qu'on peut. Vous n'avez pas intérêt à nous emmerder. On vous fera la peau ou on vous fera de la lèche, selon l'humeur du moment.

L'escorte démarra. La banquette arrière avait été réfrigérée à l'avance. Des fanions claquaient au bout d'antennes-fouets géantes. Des croix, des rubans, « *Dios Patria Libertad* ». Des cocktails en cannettes pointaient leur nez hors de la glacière. Crutch et le Frenchie décapsulèrent des daïquiris et se grisèrent modérément. Balaguer offrait un banquet en leur honneur. Le Palais présidentiel, prochain arrêt.

Crutch regarda à travers sa fenêtre. Une vraie saloperie, cette île. La plage, ce n'était pas une plage. Des rochers nus qui plongeaient tout droit dans l'eau à la limite des vagues. Le Malecón était une Croisette au rabais. Les promontoires était couverts de rochers et d'herbe brunâtre. Le boulevard était moitié bitume, moitié gravier. Le Frenchie déclara :

– On a besoin de nous, ici. Nous irons au-delà de notre programme personnel pour revitaliser l'économie.

Des taudis. Une foule de bronzés et de métisses bronzées-espingos. Des baraques avec des toits en fer-blanc : souvent antiques, parfois flambant neuves, genre boîte à biscuits. Des façades peintes pour vous agresser l'œil : rose vif, citron vert, jaune canari.

Ils descendirent de la limousine devant l'hôtel *El Embajador*. C'était un Fontainebleau de pacotille sur un Miami en solde. Un terrain de polo juste à côté. Des latinos au teint clair montés sur des chevaux blancs frappaient des balles blanches. Des femmes au teint clair assistaient aux opérations depuis des voiturettes de golf. Elles portaient des robes d'été et s'enduisaient d'huile solaire.

Les esclaves de l'hôtel firent de la lèche à Crutch et au Français et les menèrent presto jusqu'à leurs chambres. Celles-ci étaient parfaitement pourvues en paniers de victuailles et bars garnis. Crutch jouit de la vue : baraques pastel, rivières boueuses, délabrement. Des statues et des câbles à haute tension qui mollissaient entre deux pylônes.

Pince-moi – j'y suis.

Il se changea pour passer un costume en tissu gaufré. Son objectif : le style grand magicien blanc sorti d'une université prestigieuse. Il redescendit. Mesplède était très élégant en costume noir. Ivar Smith les retrouva dans le hall. Il bâfrait une glace en cornet assaisonnée d'une rasade d'alcool. Cela sentait la crème de menthe.

Ils remontèrent dans la limousine et démarrèrent. Crutch et Mesplède changèrent de cocktail en cannette pour passer au martini américain. Les rues étaient étroites et la chaussée ravagée au point que la terre battue réapparaissait par endroits. Les piétons étaient aux deux tiers espingos au teint clair et mulâtres. Les vrais bronzés avaient un côté vaudou. Crutch se repassa dans sa tête son film de Managua. Le livre des codes, les symboles vaudou en croisillons. Vingt jours et quelques de déchiffrage. Pas de similitudes avec les nombres et les lettres de Gretchen/Celia.

Des bidonvilles aux toits en fer-blanc et des traîne-lattes écrasés de chaleur. Des *calles* et des *avenidas* portant des noms de rois de la canne à sucre. Des rues désignées par des dates, comme à Managua.

Mucho terrains vagues. Tous potentiellement utilisables pour y construire des casinos. Deux sur l'*Avenida Maximo Gomez*, deux dans la *Calle 27 de Febrero*. L'escorte était une agression musclée.

Les échappements des motos n'avaient pas de silencieux. Le fracas des moteurs était assourdissant.

Smith dit :

– Je suis en train de constituer les équipes de travail. Les ouvriers dormiront dans des tentes sur les chantiers et ils feront des postes de douze heures. Les Cubains viendront vous voir à l'hôtel ce soir. Ils veulent se rendre en voiture sur la côte nord et repérer des points d'embarquement pour votre autre projet.

Ils descendirent l'*Avenida San Carlos*. La chaussée était entièrement bitumée. Le *Palacio Nacional* apparut. Il était surmonté d'un dôme et construit en marbre rose. C'était une mini-Maison Blanche, de la couleur d'une glace à la pêche.

Quelques gamins loqueteux traînaient sur le trottoir d'en face. Ils brandissaient des panneaux surmontés de drapeaux rouges. C'étaient pour la plupart des métisses de bronzés et d'espingos, à la Harry Belafonte.

Les grilles du palais s'ouvrirent. La limousine freina et ralentit. Smith descendit sa vitre et tendit l'index à l'extérieur. Cela déclencha une débâcle.

Il y a une camionnette garée près des mômes. Au signal, quatre malabars en descendent. Tous au teint clair. Ils ont des matraques en corde à piano.

Ils chargent. Les mômes détalent. Les costauds les rattrapent et les piétinent et leur cinglent les jambes jusqu'au sang. Les mômes marchent sur les genoux et se réfugient dans une ruelle. L'opération a pris trente secondes maximum.

Smith donna un grand coup de langue sur sa glace.

– Ces braves gars, c'est La Banda, la garde personnelle du *Jefe*, qui travaillent avec mes hommes. Les salopards de rouges, c'est les types du 14 juin. Ils n'ont pas encore compris que ça coûte cher de contester.

El Jefe était un nain. Il mesurait 1,55 mètre au maximum. Il leur dit *mi casa es su casa* sans aucune sincérité.

Balaguer connaissait leurs noms à l'avance. Il les appela Señor Mesplède et Señor Crutchfield. Il les pria de transmettre ses salutations au Señor Tedrow et à son groupe d'investisseurs. Il ne dit pas « les Parrains » ni « la Mafia » ni « l'Organisation ». Smith appelait Balaguer *Jefe*. Il avait *la trouille* de Balaguer. *Jefe* flaira son haleine et eut un petit sourire narquois. Smith avala des Clorets en douce.

Une visite du palais les attendait. Smith refila une sacoche à un larbin du *Jefe*. Crutch en connaissait le contenu : cinquante mille dollars. La visite n'était que statues et tableaux patriotards. Le *führer* récent Trujillo n'y figurait pas. Le Frenchie était dans le coup, pour l'assassinat de Trujillo. Le Nain n'en savait rien. Ce détail plut à Crutch.

Le déjeuner consistait en une salade de fruits de mer et de la paella. Trois femmes au teint clair et le patron de la CIA locale se pointèrent. Les chiquitas étaient des courtisanes. On les avait fait venir pour ajouter un élément féminin à la tablée uniquement masculine. Crutch s'assit à une distance permettant de les reluquer. Il se retrouva flanqué du Nain et du type de la CIA.

Il garda le silence et jeta des coups d'œil dans les décolletés. Mesplède amusait les femmes avec ses tatouages représentant des pitbulls. Le type de la CIA s'appelait Terry Brundage. Il picolait et parlait aussi vite que ce baratineur d'Ivar Smith. C'était un vrai boute-en-train. Il plaisantait sur le dos de Mesplède. Votre copain veut acheter une vedette PT 109. Il a servi avec JFK ? Il est déjà allé à Dallas ? Vous n'êtes pas des trafiquants de drogue ou des brigands anticastristes, au moins ?

Crutch ne l'ouvrait pas. L'expression « secret de Polichinelle » lui vint brusquement à l'esprit. L'une des femmes repéra son petit manège de voyeur. Elle agita sa serviette de table dans sa direction – Vous, ça suffit !

Le Nain pérorait en anglais. Il annonçait ses laïus par de petites toux qui ressemblaient à *ACHTUNG !* Il exposa son Plan d'expansion rurale. Il raconta une blague sur Papa Doc Duvalier et un poulet. Il vanta les mérites de son Plan de développement urbain. Construisons des clapiers préfabriqués pour loger les pauvres et abaisser le taux de criminalité. Construisons des barres d'immeubles pour les cacher.

Le dessert était un sorbet arc-en-ciel. Le Nain s'adressa directement à Crutch.

– Quelle signification est censée avoir la barrette épinglée à votre revers ?

– J'ai tué quinze communistes cubains, monsieur.

Le Nain fit pivoter sa main – *comme ci, comme ça*. Crutch se figea, la cuiller en l'air. Le sorbet dégoulina sur son costume.

– Il y a un terme qui désigne les jeunes gens comme vous, monsieur Crutchfield. C'est « Pariguayo ». Littéralement, il signifie : celui qui fait tapisserie. Cela vient de l'époque où les fusiliers marins U.S. ont empêché le communisme de se répandre dans notre pays. Il décrit la réticence des jeunes soldats à inviter nos jeunes filles à danser.

L'ŒIL.

Il entend : « Scalpe-les. » Il en est incapable. Il est projeté dans le sable. Le visage du mort est brûlé par la poudre. Un lambeau de peau s'en détache. Son couteau dérape et sa plante dans l'orbite. Sa prise est mal assurée. La lame détache le globe oculaire. C'est *lui* qui ferme les yeux. Il ne veut pas voir ça. Il enfonce son couteau à deux mains et brise l'arcade sourcilière. Il pose un pied sur le cou du mort pour immobiliser son plan de travail. La lame de son couteau est dentelée. Il détache la peau du crâne en maniant son couteau comme une scie. La pression exercée par son pied force le sang à jaillir d'une blessure au cou. Il inonde ses chaussures. Il se transforme en station de pompage, à présent. Le décollement du scalp lui prend dix minutes. La pression de son pied réinjecte le sang dans les narines, les orbites et les oreilles.

Puis des crépitements et de la fumée et...

Non, ce n'est pas comme ça. Je détache toujours le scalp et je l'agite. Et le Frenchie m'applaudit toujours.

Crutch se réveilla. Trempé comme dans un bain de vapeur. Le climatiseur crachait de la fumée. Crutch rafla le siphon d'eau de seltz et arrosa les flammes. Des étincelles crépitèrent et crachotèrent. La fumée se dissipa et laissa des résidus noirâtres.

La pièce était une étuve. Il ouvrit les fenêtres pour faire entrer l'air. Il arracha les draps du lit et les trempa dans l'eau froide au fond de la baignoire. Il bricola une corde à linge d'un mur à l'autre avec une ficelle trouvée dans sa valise. Il suspendit les draps et mit en marche le ventilateur posé sur le bureau. Cela lui procura une petit vent frais.

L'Œil, le Rêve. Qui revenaient pour la sixième ou septième fois.

Il sortit son livre de codes et ses brouillons. Il sortit le carnet d'adresses de Gretchen/Celia. Il commença à compter les lettres, les nombres et les espaces entre ce qu'il pensait être des mots. Un mois de travail. Un code de substitution. Les lettres « K » et « S » identifiées. Du charabia. Pas le moindre repérage de mots entiers.

Crutch se pencha sur ses notes et traça des lignes théoriques. Les feuilles s'agitèrent. Le ventilo redistribuait les saloperies en suspension dans l'air.

Le téléphone sonna. Crutch décrocha. Mesplède dit :

– Les Cubains sont là.

Des complices, à présent – les tueurs de la pharmacie.

Le type au Brylcream s'appelait Wilton Morales. Le gars à l'Ipana, c'était Chic Canestel. Le type au Clearasil : Cruz Saldivar. Le vaporisateur de Vicks : Felipe Gómez-Sloan.

Ils échangèrent tous des poignées de main et des claques dans le dos. Les quatre types se ressemblaient et se fondaient en un seul espingo. Quatre hommes de taille moyenne. Tous d'une quarantaine d'années, tous en excellente condition physique. Tous présentant des protubérances çà et là à cause des armes qu'ils cachaient sous leurs vêtements.

Il était 20 heures. Le programme : une reconnaissance de nuit. Mesplède parla de café. Canestel proposa des amphétamines.

Saldivar sortit six ampoules. Morales expliqua qu'ils avaient braqué une pharmacie Rexall à Miami. Regardez : de la méthédrine liquide Mollencroft, un remède contre la narcolepsie.

Ils avalèrent leur dose dans le parking. La drogue avait un goût acide. Une lampée de Pepsi la fit passer. Gómez-Sloan avait une Impala 62. Équipée de pneus de Jeep et d'une boîte-pont. Ils s'entassèrent dans la voiture et partirent vers le nord.

Ils atteignirent l'Autopista Duarte. Elle était à deux voies, sans séparation centrale. La ville fit très vite place à des broussailles et des champs de canne à sucre. Des bronzés coupaient des cannes à la lumière de lampes à arc. Des types au teint pâle, montés sur des chevaux, leur donnaient des ordres. Les lampes à arc illuminaient des pans entiers de la campagne.

Des panneaux annoncèrent la Plaine du Massacre. La rivière du même nom séparait Haïti de la R.D. au nord-ouest. « Massacre » ne signifiait pas seulement *carnage* en français. Mesplède appréciait l'ironie. Trujillo avait massacré beaucoup d'Haïtiens jusqu'en 1960.

La méthédrine fit son effet. Crutch jouit de la tête au bout des doigts de pied. Les autres types réagirent aussi. Ils se mirent à parler à toute vitesse, frôlant la surchauffe. Tout en français et en espagnol. Crutch suspendit son écoute et fit défiler dans sa tête des visages de femmes. En boucle : Dana Lund, Gretchen/Celia, Joan.

Il n'y avait aucun autre véhicule sur la route. Il faisait noir comme dans la jungle. Gómez-Sloan roulait pleins phares. Le terrain changeait. Ils grimpaient des côtes, à présent. Des chaînes de montagnes les encerclaient – la Cordillera Central et la Cordillera Oriental. Ils montaient sans cesse des pentes raides. La Chevrolet avait un réservoir géant rempli de super. Ils traversèrent des villes : Bonao, Abajo, Jarabacoa. Ils virent des chiffonniers qui passaient au peigne fin des décharges d'ordures. Ils étaient tous noirs. Mesplède les traita d'*arrivistes* haïtiens. Ils avaient des amulettes vaudou autour du cou. L'un d'eux portait une coiffure en aile d'oiseau. Un autre avait le visage peint en rouge avec du sang. Le Frenchie passa à l'anglais et raconta sa version de l'assassinat de Trujillo.

C'était au début de l'année 61. Le Bouc buvait à l'abreuvoir communiste et tétait la mamelle rouge de la Russie. JFK avait dit : « Assez ! » Idem le chef dominicain des armées et la gentry de la R.D. Terry Brundage avait recruté l'équipe. Deux voitures pour provoquer la collision, une pour prendre la fuite, quatre tireurs. La mise en œuvre : une prise en étau se terminant en accident de la route à l'extérieur de Saint-Domingue. Le Bouc et ses gardes du corps sortirent de la voiture en canardant. Les tireurs en position rapprochée tuèrent les gardes du corps. Mesplède ajusta le Bouc depuis son poste en hauteur.

La Chevrolet grimpait toujours. L'air se fit rare. À Moa, ils tournèrent à gauche. Le *Rio Yaque del Norte* se trouvait à l'ouest. Des clandestins haïtiens traversèrent la route en courant, pantalons trempés et chaussures de tennis gorgées d'eau. L'un des types était menotté. Un flic à cheval le poursuivait. D'autres flics à cheval surgirent des taillis. Le bronzé courut en zigzag et se jeta tout droit dans une meute de chiens traînant leurs laisses. Les chiens bondirent sur lui pour l'attaquer au visage. La Chevrolet atteignit le sommet d'une montée. Crutch entendit des aboiements, des hurlements, puis plus rien.

Ils repartirent vers le nord. L'aube se levait. Ils atteignirent le littoral près de Puerto Plata. Toujours la même chose : pas la moindre plage, rien que des rochers jusqu'au ras des vagues. Mesplède dit qu'il leur fallait une crique bien abritée. C'est là qu'on laissera notre bateau. Il faut qu'elle soit proche de Haïti et donc accessible depuis

Cuba. Le canal du Vent sépare Cuba de Haïti. Le détroit de Mona sépare Porto Rico de la R.D. On achète de l'héroïne à Porto Rico et on la vend en Haïti. On organise des expéditions vers les côtes cubaines depuis le nord de la R.D. On est au sud des patrouilles des garde-côtes U.S. Les flottes des marines nationales haïtienne et dominicaine sont basées dans la mer des Caraïbes. On peut écumer l'Atlantique depuis la côte nord de la R.D.

Ils sortirent de la voiture, montèrent sur les rochers, et pissèrent dans l'océan. Ils carburaient à 6 000 tours minute. Le bavardage trilingue virait aux piaillements de perroquets. Crutch ne l'ouvrait pas.

Morales dit :

– Le petit Crutchfield ne parle jamais.

Mesplède répliqua :

– Non, mais il est compétent et tenace.

Canestel referma sa braguette.

– C'est un *pariguayo*.

Crutch s'esclaffa. Les autres rirent. Ils restèrent sur les rochers à parler de tout et de rien. Les Cubains racontèrent des histoires de la Baie des Cochons. Crutch enjoliva ses anecdotes de pistage d'épouses infidèles. Mesplède improvisa sur la Mystique « Tiger ».

L'origine : Tiger Kab à Miami. Des taxis peints de façon voyante et des opérations anticastristes. Le trafic de drogue entre Saigon et Vegas. Les Kadres Tiger, l'ékipe Tiger, *arriba !* Des raids sur Cuba depuis les cayes de Floride à bord du vaisseau Tiger Klaw.

Tiger Kab était à L.A., maintenant. Il blanchissait l'argent destiné à construire les casinos. Les tigres étaient des créatures féroces et superbes. Nous devons honorer leur dignité impeccable et notre symbiose avec elles.

Saldivar rugit comme un tigre et donna un coup de patte à Gómez-Sloan. Morales et Canester imitèrent un tigre qui crache.

Mesplède dit :

– La nouvelle ékipe Tiger, c'est nous. Notre vedette sera la nouvelle Tiger Klaw. Nous peindrons des rayures de tigre sur la coque et nous attacherons des scalps de castristes à l'antenne de radio. L'immatriculation sera PT 109, pour diffamer de façon ironique l'homme que j'ai tué à Dallas.

64

Las Vegas, 3 mars 1969

Wayne préparait des herbes. Des glandes de rainettes et des solutions alcalines. *Ocimmum Basilicum.* Des poisons à base de tétrodoxine – toutes les variétés haïtiennes. De la poudre de lézard et d'un ver polychète.

Il jonglait entre les récipients et faisait bouillir les poudres pour obtenir de la pâte. L'Haïtien lui avait donné des sachets d'herbe. Il avait capturé quelques lézards dans le désert pour les disséquer. Il avait récupéré leurs vésicules biliaires et leurs glandes salivaires.

Il reproduisait la démarche de Reginald Hazzard. Le jeune homme avait interrogé l'Haïtien, fin 63. Il ne possédait que des connaissances superficielles sur les herbes haïtiennes. Il voulait connaître leur potentiel en tant qu'antalgiques et ignifugeants. L'homme avait donné à Wayne les mêmes conseils qu'à Reginald. Wayne avait suivi les instructions de l'Haïtien, pour un résultat nul.

Il avait confectionné la pâte. Celle-ci *accentuait* la douleur et *déclenchait* des combustions ultrarapides. Elle rongeait aussitôt les tissus sur lesquels on l'appliquait. Pourquoi ? Les conseils du vieil homme étaient sans doute mauvais, ou ses connaissances spécieuses. Par ses manipulations chimiques, Reginald avait pu aboutir au même résultat, ou bien parvenir à un succès complet. L'Haïtien était peut-être un illuminé. C'était un mystique. Il croyait à la zombification. Il prétendait que le vaudou décuplait l'efficacité de la chimie.

Wayne versa la pâte dans un bocal et reprit sa lecture. Il avait emprunté à la bibliothèque les livres lus par Reginald à l'automne 63.

Chimie haïtienne : de l'alcool (le Klerin), des herbes, des toxines de poisson-lune. Théories de gauche : Marx, Franz Fanon, Herbert Marcuse. Les bases scientifiques semblaient peu fiables. Il n'existait pas de résultats vérifiés. Ceux que les livres décrivaient ressemblaient à une sorte de délire religieux. Les penseurs de gauche développaient leurs théories à longueur de pages mais laissaient à désirer sur le chapitre des précédents. Leur argument, c'était la Révolution. Toutes les théories se résumaient à une révolution nécessairement inéluctable. Reginald avait 19 ans et il cherchait des réponses. Il avait découvert la politique et la chimie.

Une fixation sur Haïti. Étrange coïncidence. L'équipe d'éclaireurs se trouvait en R.D. en ce moment.

Wayne se plongea dans ses dossiers et consulta des notes disparates. Sa chronologie était incomplète et se terminait brutalement.

« Une femme de race blanche paie la caution de RH pour le faire libérer. On ne l'a plus jamais revue par la suite. »

Il regarda fixement la frise temporelle. Il griffonna des points d'interrogation dans la marge. Il écrivit : *« Marsh Bowen a-t-il cligné des yeux en voyant la photo de RH ? Très improbable. »*

Il se leva et se lava les mains dans l'évier du labo. Des particules de crapaud lui brûlaient la peau.

– Tu me fais marcher.

– Non, je te jure. C'est Farlan Brown qui a organisé ça.

– Seigneur...

– Non, Richard Milhous Nixon.

Dwight dînait au Bromo-Seltzer et à l'aspirine. Le salon des Dunes était un tombeau. Jody and the Misfits jouaient des vieilleries usées jusqu'à la corde. Les clients regagnaient leurs boxes.

Wayne dit :

– C'est un arrangement de pure forme. Tu rassures le président, je rassure les Parrains. La R.D. est un endroit idéal, donc tout va bien.

– M. Hoover voudra entendre mon compte rendu. Je ne forcerai pas la note, et je lui dirai ce qu'il a envie d'entendre.

– C'est-à-dire ?

Dwight alluma une cigarette.

– Que Nixon est aussi embarrassé que lui par le militantisme noir. Qu'il est conscient de la menace contre la sécurité intérieure que représentent Archie Bell & the Drells.

Un ivrogne fit une embardée près de leur table. Wayne rapprocha sa chaise de la table.

– Cette bagarre au couteau. En as-tu eu des échos de la part de ton informatrice ?

Dwight haussa les épaules.

– Elle dit qu'à présent les frères de l'ATN haïssent encore plus les frères du FLMM. Elle n'a pas parlé de notre copain Marsh au beau milieu.

– Je connais Clarkson, mais j'ai à peine croisé Jackson. Il est haïtien, c'est ça ?

– Oui. Il n'a pas de casier, mais on dit qu'il a été Tonton Macoute en Haïti. Il a émigré, changé de nom, et il est devenu un trou du cul de militant noir. Pourquoi me demandes-tu ça ? Il n'est pas aussi dangereux que la plupart de ces salopards.

Wayne haussa les épaules.

– Une coïncidence. Simple curiosité. C'est le genre de question que je me pose à mes moments perdus.

Dwight fit craquer ses phalanges.

– Moments perdus, tu parles ! À propos de moments perdus, il y a quelqu'un qui en a un peu trop, c'est Marsh. Je veux que tu tires sur sa laisse. Dis-lui qu'il doit intégrer l'ATN ou le FLMM et nous fournir des mouchards sur les groupes collatéraux pour que la vieille tante continue de mouiller sa culotte.

Wayne sourit.

– Je lui dirai.

– Et dis-lui de se procurer de l'héroïne, pendant qu'il y sera.

Wayne serra son verre d'eau. Les bords faillirent céder. Dwight ajouta :

– Ne monte pas sur tes grands chevaux, petit. Ce n'est pas comme si tu n'en avais pas toi-même fabriqué, transporté, et vendu à des Noirs.

Il avait besoin d'air. Il partit arpenter le Strip sous une pluie battante.

Dwight le connaissait par cœur. Dwight savait comment le faire fonctionner et comment éteindre sa mèche quand il allait exploser.

Il faisait froid. La pluie était chargée de cristaux de glace. Les enseignes au néon des hôtels tombaient en panne et perdaient des lettres.

Les Parrains le contraignaient au surmenage. Son temps, il le consacrait surtout à mettre le grappin sur les boîtes qui devaient de l'argent aux Camionneurs. Depuis le nouvel an, il avait racheté 34 entreprises en faillite. À L.A., le dispositif pour blanchir l'argent était fin prêt à fonctionner. La blanchisserie principale, c'était la Banque populaire de Los Angeles-Sud. Tiger Kab et les night-clubs de seconde zone lavaient les espèces résiduelles. Mesplède et Trouduc étaient en R.D. Ils s'y étaient rendus dans un avion de Hughes Air.

Drac partait en vrille à la même vitesse que le Gay Edgar. Wayne le rencontrait dans des chambres d'hôpitaux privés et apaisait sa peur de La Bombe. Drac voulait brider la natalité des Noirs. Sa solution : mélanger les déchets des retombées atomiques à la soupe aux choux des restaurants fréquentés par les Noirs. Drac recevait deux transfusions sanguines par jour. Depuis le nouvel an, Drac avait acheté huit mines d'or, deux mines d'argent et un terrain de golf. Ses avocats n'arrêtaient pas de déposer des demandes d'ordonnances contre l'État du Nevada : Drac voulait faire interdire toute forme d'essais de la bombe A. Selon Farlan Brown, les honoraires des dits avocats lui coûtaient 50 000 dollars par mois. Farlan lui avait posé une question au sujet de Trouduc – il est toujours à la recherche de cette nana qui pique du fric aux bonshommes ? Wayne avait répondu que oui, probablement. Quand il ne sait pas quoi faire d'autre, Trouduc suit des femmes.

La pluie se transforma en grêle. Wayne entra au Top O' The Strip. Art et Dottie Todd chantaient *Chanson d'amour* pour la 12 000e fois. Le bar tournait sur lui-même et donnait aux buveurs une vue sur 360 degrés. Des rideaux de glace tombaient du ciel.

Sonny Liston salopait des photos publicitaires de Mohamed Ali. Le tarif du moment, c'était dix dollars la photo. Des Blancs minables les achetaient pour les accrocher au mur de leur piaule. Sonny écrivait « Déserteur » et dessinait des cornes de diable sur la tête d'Ali. Drac en avait une demi-douzaine. Farlan Brown avait envoyé au président une œuvre de Liston faite spécialement pour lui : Ali qui suçait la queue de LBJ.

Wayne lui fit signe. Sonny planta ses minables et vint le rejoindre. Un serveur apporta un Coca à Wayne et un scotch avec des glaçons à Sonny. Ils parlèrent du bon vieux temps.

Sonny était un ancien de Tiger Kab. Wayne lui apprit que la compagnie venait de renaître dans les quartiers sud de L.A. Sonny déclara qu'il irait là-bas donner un coup de main aux frères. Wayne dit qu'il lui en serait reconnaissant. Sonny dit qu'il avait entendu une rumeur – toi et cette femme noire.

Wayne reconnut les faits. Sonny amena Wendell Durfee sur le tapis. Wayne ajouta qu'il était à la recherche du fils de cette femme. Sonny s'esclaffa et rit sans s'arrêter pendant deux minutes pleines. Cela galvanisa la salle tout entière. Les gens regardaient dans leur direction. Wayne leur lançait des regards furieux. Sonny reprit son souffle et vida son verre.

Wayne demanda :

– Tu as fini ?

Sonny répliqua :

– Toi et tes nègres que tu cherches partout.

Sur le graphique, des rectangles. Des flèches qui en partent, d'autres qui y aboutissent.

Un rectangle marqué : « Livres de bibliothèque ». Il est relié à deux autres notés « Textes politiques » et « Herbes haïtiennes ». Dans un cadre : « Contravention pour stationnement interdit ». La connexion : le rectangle marqué « Herboriste haïtien ». Un rectangle marqué « Prison ». La connexion : un autre marqué « Femme blanche/Caution ».

Le graphique l'aidait à réfléchir. Sa position sur le mur lui permettait de réfléchir assis ou debout. Cela remplaçait et réduisait son travail sur les pièces du dossier.

Wayne passa en revue le contenu de ses cartons d'archives. Le compte rendu du LVPD lui dit : « Lis-moi. » Il s'assit et le feuilleta de nouveau. Il résumait la solitude de Reginald. Le lycée, la fac, le petit boulot de laveur de voitures. Personne ne connaissait vraiment ce garçon. Des copains minables et pas d'amis.

– Avant que tu me le demandes pour la douzième fois : non, nous n'avons jamais parlé d'herbes haïtiennes ni de textes politiques de gauche.

Wayne fit tourner sa chaise à pivot. Mary Beth posa les mains sur ses épaules et s'assit à califourchon sur lui.

– Je ne t'aurais pas donné de clé si j'avais su que tu t'en servirais pour venir me tourmenter.

– Tu attires bien assez les tourments tout seul. Non, je suis seulement venue prendre de tes nouvelles, comme d'habitude.

Wayne extirpa de la ceinture de Beth les pans de son chemisier.

– On pourrait s'allonger un moment.

Elle lui toucha les lèvres.

– On pourrait, et on devrait, étant donné que je lis sur ton visage cette expression du policier qui s'apprête à poser quelques questions de simple routine.

– Elles ne sont pas de simple routine.

– Je le sais, mon chéri. Je te taquine, c'est tout. C'est juste ma façon à moi de refréner mes tendances à la brusquerie.

– Ce qui veut dire ?

– Ce qui veut dire que je suis ici en ce moment, et que Reginald n'y est pas.

Il l'embrassa. Du bout de l'index, elle suivit les contours de la mâchoire de Wayne. Il regardait ses yeux. Comme toujours, ces paillettes vertes...

– L'émeraude. Rappelle-toi, tu as dit que tu...

Elle lui couvrit la bouche. Cela signifiait toujours *Tais-toi.*

– Oui, je me suis renseignée. Je n'ai rien appris de bien précis, ce qui ne me surprend pas. Ce qui est *sûr*, en revanche, c'est qu'il existe un mythe constant, et constamment des plus vagues, selon lequel des Noirs en grande difficulté reçoivent des émeraudes par la poste, envoyées de façon anonyme.

Wayne se leva. Mary Beth s'accrocha à son cou et tint bon, lui encerclant la taille de ses jambes. Elle rit. Il l'emmena dans la chambre et la laissa tomber sur le lit.

Elle rebondit un peu. Elle se débarrassa de ses chaussures d'une ruade et ôta ses chaussettes.

– Je ne voudrais pas gâcher l'ambiance, mais je viens de me rappeler quelque chose.

Wayne retira sa chemise.

– À propos de Reginald ?

– Oui.

– Dis-le-moi. Sans gâcher l'ambiance, mais...

– ... j'ai trouvé quelques-uns de ses anciens vêtements d'école, et cela m'a rafraîchi la mémoire. C'était au printemps 62. Reginald a fait une sortie éducative avec son lycée. Ils sont allés à Los Angeles, à l'occasion d'une fête de la science organisée par l'université de Californie. Il m'a raconté qu'il avait assisté à quelques cours dans une « École de la liberté ». Cet établissement avait installé un petit bureau provisoire sur le campus.

Dans le cerveau de Wayne, quelque chose fit *clic*. Il ne parvint pas à l'identifier. Mary Beth lui lança une chaussure.

– *Je suis là, moi. Mon fils n'y est pas.*

65

Washington, D.C., 17 mars 1969

Nixon dit :

– Regardez ce tapis. Ce sont les détails qui me tuent. Ce satané oiseau qui tient entre ses serres toutes ces flèches et ces feuilles.

Dwight regarda le tapis. Bebe Rebozo fit de même. Le Bureau ovale, on prend un verre à 18 heures. Nixon attaquait son troisième cocktail.

Bebe dit :

– M. Hoover avait son émission de radio, dans les années 30. J'étais tout jeune, à La Havane, à ce moment-là. Il y avait une station, à Miami, qui la diffusait avec son émetteur de 200 000 watts.

Nixon ôta la cerise de son verre.

– L'agent Holly se contrefout des tapis et de la folle jeunesse de M. Hoover. Ce qu'il veut, c'est donner le coup de grâce à toutes ces foutaises du militantisme noir qui grouille un peu partout.

Dwight approuva.

– C'est exact, monsieur le président.

– Et il aimerait que je lui donne ma parole que je ne manigance aucun soulèvement en République dominicaine.

Dwight hocha la tête. Bebe fit : « Oh la la ! » Le Président et le Premier Ami donnaient l'impression d'être frères. Ils étaient basanés. Ils portaient des pulls mauves en alpaga avec le sceau présidentiel. La rencontre du Rotary et du Rat Pack.

Bebe alluma une cigarette.

– La R.D. et moi, c'est une longue histoire. J'y possédais quelques champs de canne à sucre dans les années 40. Il y a un groupe d'exilés à qui je jette quelques piécettes. C'est de là-bas qu'ils lancent leurs opérations, à présent.

Nixon toussa. Bebe éteignit sa cigarette et chassa la fumée de la main. Il neigeait. Les fenêtres donnaient sur un portique et une pelouse immense.

Bebe poursuivit :

– Mes bonshommes vendaient de l'héroïne. Le retour sur investissement est rapide. Quand on veut combattre le communisme, il faut bien mettre les mains dans le cambouis.

Nixon remua son cocktail.

– Disons les choses comme elles sont. C'est l'héroïne qui a financé tous les coups d'État du Tiers-Monde depuis l'époque où Dieu était en culottes courtes. N'est-ce pas, monsieur Holly ?

– C'est exact, monsieur le président.

– Farlan Brown m'a dit que vous aviez fait vos études à Yale. Comment se fait-il que de nous deux, ce soit vous qui portiez l'insigne, et moi qui hérite de tous les maux de tête et de ce pull ridicule ?

Dwight sourit.

– Ce sont les vicissitudes du destin, monsieur.

– Vicissitudes, mon cul. Cet enfoiré d'Irlandais de Jack Kennedy m'a volé la présidentielle de 60. *Ça*, c'est une vicissitude. Ce que j'ai, aujourd'hui, c'est le plaisir de rire le dernier.

Bebe mangea sa cerise.

– Dwight me plaît bien, monsieur le président. Vous devriez le nommer ministre de la Justice.

Nixon gloussa.

– Hoover a trop de dossiers compromettants sur mon compte. Il n'accepterait jamais qu'un porte-flingue comme Dwight mène la barque.

Bebe demanda :

– Vous êtes un porte-flingue, Dwight ?

– Oui, monsieur. C'est vrai.

Nixon se tritura une peau morte.

– À quel endroit Hoover stocke-t-il ses dossiers secrets ? J'ai eu un aide qui prétendait qu'il louait une chambre forte au Willard.

– Dans le sous-sol de sa maison, monsieur le président. Protégé des infiltrations et à l'épreuve des incendies.

Bebe ronchonna :

– Il n'a rien sur le président que le président lui-même n'a pas fait savoir publiquement.

Nixon leva les yeux au plafond. Bebe bafouilla. Dwight examina son dessous-de-verre. Il représentait le même aigle en colère que le tapis.

Bebe reprit :

– La République dominicaine est une fosse d'aisance. Vos investisseurs vont devoir en toiletter l'aspect extérieur s'ils veulent attirer les touristes. Je viens de rendre visite à mon groupe d'exilés et j'en ai profité pour faire un rapide tour d'horizon. Balaguer est résolument pro-U.S., mais les types de la CIA sont tous des alcooliques qui courent la gueuse. Il y a un colonel de marine en retraite, un dénommé Smith, qui amortit les chocs pour Balaguer dans la plupart des sales boulots.

Nixon dit :

– Il faut être capable de rendre des comptes. Vous mettez un homme de paille au premier plan. Quand la merde arrive dans le ventilo, vous êtes hors de portée. *Moi ?* J'étais à un match des Red Sox, ou bien je grimpais bobonne.

Dwight rit. Bebe tripotait une émeraude qu'il portait juste au-dessus de son alliance.

– Mon groupe s'est enrichi de deux nouveaux furieux : ce mercenaire français et son pote, un petit jeune. Ils n'arriveront peut-être pas à virer Fidel, mais ils essaieront jusqu'à leur dernier souffle.

Nixon bâilla.

– Castro est là pour longtemps. L'électorat américain en a par-dessus la tête de Cuba. Je laisserai les exilés faire leurs singeries tant que ça ne me retombera pas sur le nez au moment des élections.

Bebe prit l'air blessé. Chéri, comment as-tu pu ? Dwight détourna les yeux.

Nixon dit :

– Dwight, parlons clair.

– Je suis tout ouïe, monsieur.

– Décrivez-moi l'état mental d'Hoover. Considérez que je suis du sérail et que je possède des informations antérieures, que rien ne sortira de cette pièce, et soyez assuré que votre franchise vous servira à longue échéance, et dites les choses comme elles sont.

Dwight tira sur ses manchettes.

– Il est dans un état physique et mental excessivement déficient. Il est obsédé par le crime noir, par les pratiques des Noirs en matière d'accouplement, par l'activité politique des Noirs et par leur hygiène. Son jugement est douteux à tous les niveaux. Il est très nettement diminué. Son prestige s'effondre dans la sphère des forces de l'ordre. Il a tendance à commettre des gaffes embarrassantes. Il fait constamment des remarques immodérées et hautement impolitiques. Il vitupère à l'extrême. Ce qui lui permet de tenir, c'est une volonté à l'état brut, sa haine, et des injections quotidiennes d'amphétamines dans le fondement. En dépit de cette accumulation d'infirmités, il conserve une lucidité ténue, et doit être considéré comme un ennemi mortel et donc comme un ami de premier plan et absolument essentiel.

Bebe siffla.

– C'est ce qui s'appelle dire les choses comme elles sont, mon vieux.

Nixon siffla.

– Amen, mon frère.

Dwight sentit son pouls s'accélérer. Nixon lui adressa un clin d'œil, façon « t'es un chef ». Effet raté.

– Tenez-moi au courant sur le sujet, vous voulez bien, Dwight ?

– Oui, monsieur. Comptez sur moi.

Bebe exhiba son émeraude.

– Joli, non ? J'ai trouvé ça en R.D.

Echo Park était inondé. Les barques de location étaient amarrées et recouvertes par des bâches. La pluie ne cessait pas. Les canards étaient partis se cacher. Il avait acheté du pop-corn pour rien.

Il était mort de fatigue. Il avait pris un vol de nuit entre Washington et L.A., coincé entre des prêtres bouddhistes. Ils avaient vu son automatique et lui avaient purifié son aura à coups de « om ». Ses pilules et ses verres d'alcool l'avaient de nouveau souillé. Il avait dormi une heure.

Il avait appelé M. Hoover pour lui rendre compte de son entrevue avec Nixon. Il avait qualifié celle-ci d'entretien de pure forme. La vieille tante était folle de rage. Dwight lui avait tenu des propos lénifiants. Hoover s'était lancé dans une diatribe de quatorze minutes contre Nixon. Il voulait du nouveau sur les tracts racistes. Dwight avait dit que toutes ses pistes avaient abouti à des impasses.

Deux nuits, trois heures de sommeil. Des cauchemars à la chaîne concernant MLK. Le Dr King faisait un sermon. Dwight le regardait depuis un banc du fond de l'église.

Karen s'approchait. Elle avait emmailloté Eleanora. Ils se réfugièrent sous l'auvent du hangar à bateaux. Le bébé, emmitouflé dans trois épaisseurs de vêtements, était bien au chaud et ne craignait rien.

Dwight dit :

– Elle me ressemble.

Karen sourit.

– Il y a eu un protocole, et tu étais loin du réceptacle.

Eleanora avait les cheveux de Karen et son ossature. Le fracas de l'orage ne l'empêchait pas de dormir.

Dwight dit :

– Ça fait un bail.

– Oui, c'est vrai. J'ai eu Eleanora et toi, tu avais ton opération.

– Machin-Chose repart bientôt, n'est-ce pas ?

– Oui.

– On trouvera le temps de se voir, à ce moment-là. Je t'ai fait faire une clé du local.

Karen s'éloigna de lui.

– C'est un geste qui veut dire : « Je n'ai rien à cacher. »

– Tu as raison, mais c'est vrai.

– Tu esquives la question.

– Dis son nom, alors. Accuse-moi de quelque chose. Donne-moi la possibilité de confirmer ou de démentir.

Karen alluma une cigarette. Sa main tremblait. Dwight porta Eleanora pendant qu'elle fumait.

– À l'American Legion, M. Hoover a traité Bayard Rustin de « Créature nocturne à queue préhensile ».

– Je sais, fit Dwight.

– Après cela, ses remarques n'ont fait qu'empirer.

– Je sais. Jack Leahy m'a montré une copie du discours.

Eleanora donna un coup de pied. Dwight la berça pour qu'elle se rendorme. L'auvent fuyait. La pluie gouttait près de leurs pieds.

Karen dit :

– Il y a une planque près de la fac de Riverside. J'y suis entrée. Il y a un placard qui contient quatre fusils à pompe et une boîtes de grenades. Un homme portant un masque de Mao Tsê-Tung et un fusil a dévalisé quatre marchés à San Bernardino.

Dwight observait Eleanora. Elle donnait des ruades dans son sommeil.

– Les attaques à main armée, ça m'intéresse toujours. Qu'est-ce que je peux faire pour...

– L'agence de Philadelphie est en train d'examiner le dossier de mon mari. Les fédéraux n'arrêtent pas de harceler le doyen. L'un d'eux s'est montré franchement impertinent et même scabreux. Il a dit : « Vous, les universitaires, vous êtes tout le temps en vadrouille. J'ai entendu dire que sa femme flirtait avec le porte-flingue numéro un de M. Hoover. »

Dwight lança un coup de pied dans le mur. L'impact dérangea Eleanora dans son sommeil. Karen jeta sa cigarette et reprit le bébé emmitouflé. Ella gazouilla et ferma les yeux.

– Cet agent, c'est M. Hoover qui lui a parlé de nous, Dwight. Et cela, en violation de l'accord que nous avions depuis le début.

– Je sais.

– M. Hoover a traité Coretta Scott King de « go-go girl au cerveau dérangé » sur une chaîne de la télévision nationale.

– Je sais.

– Est-ce que tu pourrais, s'il te plaît, dire quelque chose de plus que « je sais » ?

– M. Hoover perd la tête. Il est vieux et malade. Personne n'a le courage de le virer, parce qu'il a des dossiers compromettants sur le monde entier.

– Y compris sur toi ?

– Oui.

Karen berça Eleanora. Les nuages devinrent deux fois plus noirs et lâchèrent un déluge.

– Il y a des moments, Dwight, où je ne peux plus y échapper.

– À *quoi* ?

– Aux choses dont tu ne parles jamais. À toutes les limites que tu as dû franchir pour cet homme. À toutes les atrocités que tu as commises.

Dwight tendit la main vers Eleanora. Karen la lui retira. Dwight partit sous la pluie.

Ses trois pilules et trois verres l'avaient trahi. Ses circuits crépitaient et l'empêchaient de s'endormir. L'adrénaline annihilait la sédation. Il s'habilla et se rendit en voiture à Eagle Rock.

Il était minuit. Silence complet dans la cour. La pluie amenait des éclairs rouges et des coups de tonnerre. Dwight crocheta la serrure et entra.

Il alluma les lumières. L'appartement avait toujours le même aspect. Il s'approcha du lit et souleva les oreillers. Il trouva le même pistolet, le même agenda. En ouvrant celui-ci, il découvrit de nouvelles pages.

MES OBJECTIFS À COURT TERME SE SONT CONFONDUS AVEC CEUX DE DWIGHT. J'EN SUIS VENUE À PARTAGER SES VUES SUR L'ATN ET LE FLMM. CE SONT DES CRIMINELS MOTIVÉS PAR LEUR ANIMOSITÉ PERSONNELLE AUX DÉPENS DE TOUTE CONSCIENCE POLITIQUE. DWIGHT NE LEUR RECONNAÎT AUCUNE CONSCIENCE ; JE LES CRÉDITE D'UNE CONSCIENCE QUI COMMENCE À SE FAIRE JOUR, ÉMOUSSÉE PAR LA PATHOLOGIE ÉGOÏSTE DES MÂLES EN COLÈRE QUI SE RETROUVENT EN GROUPE. CES HOMMES DOIVENT VENDRE DE L'HÉROÏNE ET FACILITER LA PROPAGATION D'UNE MISÈRE QUANTIFIABLE. CELA DOIT ÊTRE LE CHAOS CIRCONSCRIT QUE DWIGHT ET MOI DÉSIRONS TOUS LES DEUX. LA PRISE DE CONSCIENCE DOIT ÊTRE PROVOQUÉE PAR LA MISE EN ŒUVRE D'UNE TERREUR MORALE. DWIGHT ET M. HOOVER CROIENT QUE LE STIMULUS DE L'HÉROÏNE SE RÉVÉLERA IRRÉSISTIBLE POUR LES MILITANTS NOIRS, LEURS PARTISANS, ET LES NOMBREUX NOIRS SENSIBLES À LEUR RHÉTORIQUE. LEUR CAPITULATION EN MASSE CONFIRMERA LES CARICATURES RACISTES LES PLUS VILES, DISCRÉDITERA LE RADICALISME NOIR, ET ANNIHILERA L'ATTRAIT QU'IL COMMENCE À ACQUÉRIR DANS L'OPINION PUBLIQUE. JE CROIS QUE L'ÉMERGENCE DE LA CONSCIENCE POLITIQUE SERVIRA À AFFRONTER ET À TRANSCENDER CET OBSTACLE, À RÉINVENTER LES EX-CRIMINELS POUR LEUR FAIRE ENDOSSER LE RÔLE DE HÉROS QU'À PRÉSENT ILS RECHERCHENT DE FAÇON SI ÉGOÏSTE ET SI STUPIDE. CE CHAOS CIRCONSCRIT NE SE CONCLURA PAS PAR UNE DISSOLUTION POLITIQUE. LE CHAOS EST TROP IMPRÉGNÉ DANS LE CONTEXTE TERRIFIANT DE L'INCURIE ET DE L'INJUSTICE DES BLANCS POUR ÊTRE AUTRE CHOSE QUE LIBÉRATEUR. J'AI VU ET COMMIS DES ACTES TERRIFIANTS AU COURS DE MON LONG COMBAT RÉVOLUTIONNAIRE ; L'USAGE QUE J'AI FAIT DE L'HÉROÏNE EN ALGÉRIE EN 56 S'EST RÉVÉLÉ AMBIGU. J'ESPÈRE FERMEMENT QUE TOUT CONFLIT QUI SE DÉCLARERA AU COURS DE CETTE OPÉRATION SE CONCLURA EN MA FAVEUR, ET NON EN CELLE DE DWIGHT, ET QU'AUCUN ÊTRE HUMAIN N'Y TROUVERA LA MORT.

Dwight relut les pages. Il les parcourut, sauta des paragraphes, joua à la marelle avec le texte. Les caractères se brouillèrent. L'alcool et les pilules agissaient à retardement. Il vit des taches d'encre et des pattes de mouche. Le plancher bascula. Il s'allongea et ferma les yeux.

Le lit tanguait. Le plancher plongeait. Il ne savait plus s'il était conscient ou endormi ou quelque part entre les deux. Il dérivait. C'était angoissant et paisible. Il ne sentait plus sa tête et ses membres. Il plongea dans le noir complet pendant un moment. En rouvrant les yeux, il vit Joan.

Elle était assise sur le lit. Une de ses jambes était pliée. Son genou frôlait la hanche de Dwight. Elle portait des bottes noires et des bas de nylon noirs avec des échelles partout. Ses cheveux étaient noués derrière sa tête.

– Comment as-tu trouvé cette adresse ?

– Les caricatures que tu as fait imprimer. Tu as laissé une piste facile à suivre.

– Les caricatures ont été un fiasco. Ça ne se reproduira plus.

– Qui les a dessinées ?

– Un de mes anciens élèves d'une École de la liberté.

Dwight se redressa sur son séant. Un étourdissement le fit retomber brutalement en arrière. Joan lui pressa le genou. Dwight suivit du doigt l'une des échelles de ses bas et trouva un peu de chair nue à toucher.

Elle dit :

– L'héroïne.

– Ils n'arrivent pas à s'en procurer. Ils ne seront pas capables d'en vendre plus de dix secondes sans se faire embarquer.

– Je pourrais les aider.

– Je vais y réfléchir.

Joan entremêla ses doigts et ceux de Dwight. Il déchira son bas et saisit sa cuisse à pleine main.

– Tu as combien de points de chute comme celui-ci ?

– Je ne te le dirai pas.

– Tu as laissé cet agenda pour que je le trouve. Tu as piqué l'idée à Karen Sifakis ?

– Karen est une amie avec qui je corresponds grâce à des gens qui nous servent de boîte à lettres. Je ne la connais pas personnellement.

– Tu as fait exprès de laisser cet agenda pour que je le trouve ?

Joan hocha la tête. Dwight dit :

– Personne ne meurt.

Joan prit le visage de Dwight entre ses mains.

L'étourdissement se dissipa. Il sentit son corps de nouveau. Les mains de Joan le stabilisèrent.

Joan demanda :

– Qu'est-ce que tu veux ?

Dwight répondit :

– Je veux tomber. Et je veux que tu me rattrapes dans ma chute.

66

Saint-Domingue, 20 mars 1969

Il avait mal aux yeux. Il voyait sans cesse des prismes formés de mots. Ses doigts étaient entaillés par les feuilles de papier.

Un mois de décodage. Quelques progrès, peut-être. À force de reconstituer des mots en partant de nombres, de lettres et d'espaces.

L'ékipe Tiger fonçait sur l'*Autopista Duarte*. Ivar Smith leur avait vendu un half-track de l'armée dominicaine. Saldivar et Canestel avaient décoré la carrosserie de rayures de tigre. Morales y avait peint une grosse patte de tigre. Ils se rendaient à Piedra Blanca et Jarabacoa. Les équipes d'esclaves préparaient le terrain sur leurs sites de construction. Le Nain leur avait vendu ces deux lots en pleine campagne et deux autres à Saint-Domingue. La Banda recrutait les équipes de manœuvres à la prison *La Victoria*. Les détenus avaient droit à des réductions de peine si les dates de livraison des travaux étaient respectées.

L'entreprise de bâtiment de Balaguer était prête. La Banda expulsait les indigents des sites hors de la capitale. La construction des casinos était *lancée*. On avait passé commande de la vedette lance-torpilles PT. Ils avaient un rendez-vous prévu avec un Tonton Macoute pour discuter du trafic de drogue.

Crutch s'humectait les yeux au sérum physiologique. Les chenilles des half-tracks broyaient le revêtement. Le Frenchie conduisait. Les Cubains étaient perchés sur les passages de roues. Crutch était assis dans le poste de la mitrailleuse. Ils traversaient des champs de canne à sucre et des marécages. Crutch canardait des souches pour passer le temps.

Des Haïtiens clandestins traversèrent la route. Morales fit feu à leurs pieds. Crutch bâillait et s'étirait. Le décodage lui coûtait un gros déficit de sommeil.

Le vaudou. Le probable livre des morts. Des lettres, des nombres, des symboles et des mathématiques. C'est une piste pour le meurtre de la Maison de l'Horreur. C'est le carnet de Gretchen/Celia. Merde... il n'arrive *toujours pas* à se représenter Joan et Gretchen/Celia en tueuses.

Cela lui fait tourner la tête. Il pense que Gretchen/Celia est ici. Il a passé au crible toutes les sources de documents d'archives accessibles et il n'arrive pas à la trouver. Mesplède lui a dit de ne pas poser de questions à Sam G. « Ton "Enquête" est une futilité. Nous sommes ici pour acheter et revendre de l'héroïne et renverser Fidel Castro. »

Le terrain était escarpé. Les chenilles broyaient des écorces d'arbres tombées à terre. Crutch s'entraînait au tir au coup par coup. Il visait les arbres et coupait des branches avec des munitions de calibre 30.

Wayne Tedrow allait bientôt arriver. Les Parrains lui avaient demandé de finaliser l'accord avec le Nain. Des géologues avaient prélevé des échantillons du sol sur les quatre sites. Leur verdict : il pouvait soutenir des constructions massives. Mesplède avait trouvé un endroit qui servirait d'embarcadère, à la frontière entre Haïti et la R.D., près de Cap-Haïtien. Leur *Tonton* était un caïd dans la région.

Leur Tiger Kart entra dans Piedra Blanca. Les *peónes* locaux virent la bête et détalèrent. Le site était en effervescence. Des bulldozers ratissaient des cabanes. Les flics de la *Policia Nacional* parquaient les expulsés. Ils parlaient en espagnol. Morales traduisait pour Crutch. Vous êtes expropriés. *Jefe* a besoin de votre maison. Vous avez droit à quarante dollars et un bon pour recevoir de la nourriture.

Certains expulsés pleuraient et lançaient des regards haineux. Les sbires de La Banda gardaient les bulldozers. Ils restaient debout, jambes écartées, une main sur la crosse de leur carabine, l'autre sur le canon.

Le chef de chantier se dirigea tranquillement vers eux. Il dit à Gómez-Sloan que le terrain était sain. La Banda allait amener des prisonniers pour qu'ils le débarrassent des broussailles. Son équipe allait monter une baraque de chantier en préfabriqué. Les prisonniers dormiraient enchaînés. Leur travail serait supervisé par des flics armés de fouets.

Prochaine étape : Jarabacoa.

Sur la route, Crutch fut pris de nausées. Le Tiger Kart écrasait tout sur son passage. Il était 14 heures. Chaleur infernale. L'huile solaire lui dégoulinait dans le cou. Il avait la tête ailleurs – à Saint-Domingue. Son coup de foudre pour Joan et Gretchen/Celia ne faiblissait pas. Il voyait en elles des communistes. Pas des tueuses. Les symboles concordants pouvaient peut-être ne pas signifier qu'il y avait eu meurtre avec préméditation.

Globalement, Saint-Domingue était une ville merdique. Le quartier Gazcue, c'était un Hancock Park pour espingos. C'était une zone pour les latinos au teint clair. Il avait commencé à y jouer les voyeurs la semaine précédente. Il cherchait Joan et Gretchen/Celia. Il se contentait de femmes croisées au hasard. Il les suivait depuis des jardins publics jusqu'à des restaurants. Il les suivait jusque chez elles. Il collait l'œil aux fenêtres des chambres et des salles de bains.

Le Tiger Kart entra dans Jarabacoa. La ville était tout en baraques à toit de fer-blanc et plumages de la jungle. Le chantier se trouvait deux carrefours plus loin. Crutch entendit des bulldozers broyer des maisons. Trois gamins sortirent des broussailles. Ils portaient des masques et des T-shirts à l'effigie de l'Oncle Ho. Ils brandissaient des bouteilles d'où sortaient des flammes. Vu ? – *des cocktails Molotov.*

Ils balancèrent leurs bombes. Elles percutèrent le Tiger Kart et produisirent des explosions minables. Crutch fit pivoter sa mitrailleuse et tira dans leur direction. Il faucha quelques cannes à sucre et rata les petits branleurs.

Les mômes prirent la fuite. Les broussailles les engloutirent. Le Tiger Kart roula jusqu'au site. Des manœuvres enchaînés transportaient des débris. Les bulldozers pulvérisaient des fondations. Une équipe de quatre détenus trimbalait des bouts de toits en tôle et s'y coupait les doigts. Un flic à cheval fouettait un type qui n'avançait pas assez vite.

Le chef de chantier fit un signe de la main. L'ékipe répondit en poussant des rugissements de tigre. Crutch entendit trois coups de feu sur l'*Autopista.*

Le Tiger Kart passa la marche arrière et roula vers le nord. Ils virent les mômes aux Molotov, morts, dans un fossé. On leur avait tiré une balle dans la tête à bout portant. Leurs T-shirts de l'Oncle Ho étaient lacérés. On leur avait coupé les mains et les pieds.

Un type de La Banda sortit des broussailles et les salua.

Ivar Smith avait prévu une Jeep pour eux. Le Tiger Kart était trop volumineux pour franchir la rivière qui marquait la frontière. La Plaine du Massacre était tout près. Morales huma l'air. Il dit qu'il sentait l'odeur du Bouc et de l'enveloppe des âmes d'Haïtiens massacrés. Crutch vit sur des troncs d'arbres des motifs dessinés avec du sang. Il en capta les mauvaises ondes vaudou.

Le réservoir de la Jeep était plein. Une capote en toile les protégeait du soleil. Des chemins de terre les menèrent jusqu'à la rivière. Des Tontons Macoutes étaient postés près du pont. Ils portaient des costumes amples, des lunettes de soleil panoramiques, et des canotiers. Ils firent signe à la Jeep de passer. Ils respiraient le *savoir-faire* français et le flegme des Noirs à la coule.

La rivière était boueuse, large de 70 mètres. Des bronzés sortaient de l'eau en tenant des écrevisses. Ils traversèrent le pont et prirent des chemins de terre jusqu'à la Cordillera Central. Le parcours fut une succession d'embardées et de plongées dans les broussailles tombées en travers de la route. Morales vomit dans un sac en papier. Le Frenchie attaquait l'obstacle en seconde, puis montait jusqu'à 60 à l'heure.

Des logements minables défilaient de chaque côté. Des cahutes à toit en fer-blanc, ornées de verroterie géante enchâssée dans du plâtre. Des cabanes en bois avec des photos de prêtres vaudou sur les portes. Des branches d'arbres pendaient au-dessus de la route. Des poulets lynchés s'y balançaient au bout d'une ficelle. Quelques-uns perdaient du sang encore frais.

Ils atteignirent le sommet et redescendirent. Des routes planes les menèrent jusqu'au littoral Nord. Un moricaud à la tête surmontée d'un oiseau mort leur jeta un mauvais sort depuis le bord de la route. Gómez-Sloan tira dans sa direction et le manqua.

Le terrain était une forêt tropicale. L'air sentait l'eau salée et la boue. Le moindre bout d'arbre portait des marques tracées avec du sang. Méfiez-vous de la Zone Zombie.

Ils atteignirent la rive. L'air salé y était plus chaud. Le Frenchie consulta une carte et slaloma sur le sable parsemé de rochers. Crutch vit une crique. Un bamboula hallucinant sortit de nulle part et se planta devant la Jeep.

Il mesurait plus de deux mètres. Il pesait moins de soixante-cinq kilos. Il avait une moustache à la Fu-Manchu. Il portait un canotier mauve et un costume en madras. Deux .45, deux émeraudes aux doigts, et autour du cou un pendentif en cristal rempli de sang.

Le Frenchie freina. Le bamboula sourit et jeta des pétales de rose sur la Jeep. Ils sentaient bon. Ils redescendirent en voletant et parfumèrent l'Ékipe.

– Je suis Luc Duhamel. Bienvenue en mon royaume, les petits gars.

Son palais était une baraque en pierre avec accès à la mer et une clôture en barbelés. Un hors-bord était amarré devant. Une voiturette de golf attachée à un mât, au sommet duquel flottaient trois drapeaux de sectes vaudou. Le jardin était jonché de cadavres de rongeurs. Des oiseaux de proie plongeaient pour se régaler.

À l'intérieur, Luc les fit asseoir. Les murs étaient couverts de paillettes. Ils eurent tous droit à un fauteuil en faux vison. Luc servit du Klerin dans des verres à pied incrustés de faux diamants. Tout le monde prit une gorgée en hésitant et l'avala intégralement.

Luc ôta sa veste. Sur ses bras maigres les traces de seringues dessinaient des pointillés. Crutch ouvrit des yeux comme des soucoupes. Mesplède et les Cubains restèrent impassibles.

Mesplède dit :

– En français ?

Luc secoua la tête.

– En anglais, mon petit gars. C'est trop facile de parler sa langue maternelle.

Saldivar dit :

– Héroïne.

Gómez-Sloan dit :

– La blanche.

Morales dit :

– La bête qui vient de l'Orient.

Canestel se caressa une barbe imaginaire – le code qui voulait dire : il faut tuer Castro.

Luc dit :

– Oui, le colonel Smith m'a informé. Il m'a dit : Ces hommes vont devenir tes *bons frères*.

Le Frenchie sirota du Klerin.

– Nous achetons une vedette PT. Elle peut atteindre les 40 nœuds.

Saldivar but une gorgée de Klerin.

– Le colonel Smith nous a dit que vous aviez une source d'approvisionnement en héroïne à Porto Rico.

Morales *s'étrangla* avec son Klerin.

– C'est un protectorat U.S., mais Tiger Klaw sera très rapide.

Gómez-Sloan dit :

– Nous avons bien compris que le président Duvalier attend des compensations.

Canestel *renifla* son Klerin.

– C'est une manœuvre qui implique trois îles. Nous ferons des bénéfices et des communistes cubains mourront.

Luc regarda Crutch et désigna son verre. Crutch le vida d'un trait et vit des étoiles.

– Et toi, mon petit gars, tu n'as rien à dire ?

– Non, monsieur. Sauf que je suis content d'être ici.

L'ékipe dîna à Gazcue. Ivar Smith et Terry Brundage se joignirent à eux. Les Dominicains dînaient tard. Il était presque minuit. Crutch était éreinté par le voyage de retour. Il était sous amphètes. Il repassait sans cesse dans sa tête l'image des trois gamins morts. Trois balles dans la tête, plus de mains, plus de pieds.

C'était un restaurant en plein air adjacent au Malecón. L'air marin avait rongé le papier peint dont il ne restait que des bandelettes. Les autres parlaient de la mort et bouffaient avec entrain. Crutch chipotait son calamar et lorgnait les femmes.

Ils dînaient dans un restaurant huppé. Clientèle au teint clair. Il avait sous les yeux un bel échantillon du type colon espagnol. Dans la journée, sa caméra intérieure tournait sans cesse. Tard le soir, les stimulants le regonflaient de façon étrange et lui faisaient visualiser certaines femmes au ralenti. Son cerveau passait en mode arrêt sur image pour engranger des instantanés, et enregistrait des panoramiques pour les gestes sensuels. Les femmes mangeaient, parlaient, riaient et touchaient leurs amis ou leurs compagnons. Crutch savait quand il fallait regarder et de quelle façon suivre le mouvement.

Un type de La Banda s'arrêta près de leur table. Ivar Smith empocha une enveloppe. Le type dit : « De la part de Bebe Rebozo. » Smith caressa sa barbe imaginaire. Crutch les élimina de ses préoccupations. Morales poussa du coude Gómez-Sloan. Ils dirent *Pariguayo* en même temps.

Crutch sourit et tripota sa nourriture. Le mouvement se reprécisa à la périphérie. Une femme éteignit sa cigarette, puis rejeta la tête en arrière pour exhaler. Ses cheveux voletèrent. Un ventilo fixé au plafond fit tournoyer sa fumée. Elle portait des escarpins à brides et une robe vert pâle. Elle leva les bras pour nouer ses cheveux sur le dessus de sa tête. Aisselles ombrées par les poils qui repoussent, un peu de transpiration qui perle. Elle avait une peau pâle tachée d'éphélides brunes. Elle avait une montre d'homme au poignet.

Crutch se rendit aux toilettes. La femme dit *adios* à ses amis et quitta le restaurant par la grande porte. Crutch s'éclipsa par la cuisine, descendit une ruelle, et rejoignit la rue dix mètres derrière elle.

Elle prit la *Calle Pasteur* jusqu'à l'*Avenida Independencia.* Puis elle suivit *Maximo Gomez* pour atteindre les falaises du Malecón. Une brise de mer souleva sa robe. Elle la rabaissa comme si elle trouvait ça amusant. Crutch se laissa distancer pour rester vingt mètres en arrière et il recadra sa vision. Elle marchait *vite.* Son cerveau recyclait les images pour les repasser *lentement.*

Elle revint sur ses pas par une rue qui n'avait pas de nom. La brise de mer s'évapora. Le quartier devint résidentiel. Elle fuma une autre cigarette. Les lumières des fenêtres éclairaient au passage les volutes qui s'élevaient dans l'atmosphère.

Crutch rétrograda de cinq mètres supplémentaires. Le secteur était chic – maisons anciennes, façades coquille d'œuf, pas de couleurs criardes. Elle prit à gauche dans l'*Avenida Bolivar.* Elle déverrouilla la porte d'une maison élégante construite sur deux niveaux.

Crutch se planta sur le trottoir d'en face et se focalisa sur les fenêtres éclairées. Une blonde rangeait des livres sur une étagère. Son inconnue s'approcha d'elle par-derrière. La blonde se retourna. Elles sourirent au même moment et tombèrent dans les bras l'une de l'autre pour s'embrasser.

Le moment devint fluide et s'éternisa. Crutch ne perdait rien du spectacle. Les corps des deux femmes se joignirent et emplirent l'encadrement de la fenêtre. Leurs mains se posèrent ici et là pour parfaire leur étreinte. Le baiser durait toujours. Leur rythme *s'accéléra.* Crutch le visualisa *au ralenti.*

La lumière s'éteignit. Son inconnue avait basculé l'interrupteur. Il tendit l'oreille pour capter leurs voix et il n'entendit rien.

Il se fit porter pâle. Le Frenchie dit *ça va* et ajouta que ce n'était pas le moment. Tiger Klaw est en cale sèche à St. Ann's Bay, en Floride. Tu vas rater son arrivée.

Il s'entoura de provisions et de fournitures : amphètes, café, bloc-notes, stylos. Il apporta trois ventilateurs auxiliaires. Il s'attaqua au code.

Il commença avec les lettres « S » et « K ». Il les avait glanées en étudiant le manuel de substitution de codes de la CIA. Des préfixes de trois nombres annonçaient chaque « S » et chaque « K ». Chaque nombre nécessitait une opération de multiplication ou de division. Les sommes désignaient des lettres de l'alphabet. C'était arbitraire. L'étape de l'addition survenait à des points de tabulation différents. La tâche du déchiffreur : former des lettres et des mots à partir d'un charabia numérique.

Des nombres, des lettres, des symboles. Attaquons les symboles en premier.

C'étaient des arabesques, des silhouettes stylisées, et des marques en forme de X. Ils ponctuaient le carnet d'adresses de Celia à intervalles irréguliers. Le manuel des codes de la CIA les mentionnait comme provenant du vaudou. Il s'agissait de la « représentation par le prêtre vaudou du chaos spirituel où se trouve la victime pendant que celle-ci est envoûtée ».

Les symboles – continue. Ne passe pas aux lettres et aux nombres avant d'avoir compris.

Il avala des amphétamines, il but du café, il mit en marche trois ventilos en plus de la clim. Il ruisselait de sueur dans un igloo.

Trois symboles se répétaient : arabesque, silhouette stylisée, marque en X. Ils avaient forcément le même sens *à répétition*. Il scruta le carnet pendant neuf heures de rang. Son cerveau finit par conclure ceci :

Leur répétition trahissait leur insignifiance. Ils indiquaient la lassitude de Gretchen/Celia. Elle épiçait son compte rendu par des fioritures pour se distraire et pour mystifier les lecteurs potentiels. Les symboles n'étaient pas porteurs de sens, mais négligeables.

Sa deuxième conclusion : c'étaient des abréviations. Sa troisième conclusion : le texte déchiffré serait cohérent, mais abrégé. La cursive de Gretchen/Celia était fiévreuse. Elle était anxieuse, elle écrivait à la hâte, le travail de codage absorbait son énergie. Sa quatrième conclusion : les symboles se substituaient aux mots « et », « le/la/les » et « à ».

Il biffa les symboles et ajouta ces mots sur sa feuille de brouillon. Cela semblait cohérent. La disposition paraissait correcte.

Il ressentait une douleur dans la poitrine. Son cœur envoyait ses giclées de sang contre l'intérieur de sa cage thoracique. Il entendait des voix dans sa tête. Il voyait l'*ŒIL* et les *MAINS* et les *PIEDS COUPÉS* sans faire appel à sa mémoire. Il perdait du poids et sentait son pantalon flotter de plus en plus autour de sa taille et de ses jambes.

Deux jours de travail. Des additions, des soustractions et des multiplications lui faisaient surchauffer le cerveau. Il s'endormait malgré les amphétamines. Il voyait des nombres quand il se réveillait. La main avec laquelle il écrivait était prise de tremblements. Il n'était pas sûr de ce qu'il avait découvert. Il décida d'appeler voyelles les sommes qui se répétaient. Grâce à elles, il crut avoir identifié les consonnes « L » et « M ». Il trouvait sans cesse la somme « 14 ». Une inspiration soudaine :

« Le Mouvement du 14 juin », également abrégé en 14/6. Des communistes soutenus par Castro envahissent la R.D.

Et :

« Le » précédait chaque « 14/6 ». Son décryptage se validait jusqu'à maintenant.

Cela lui donna le « O » et le « V ». Et puis le « J », le « U » et le « N ». Gagné : la voyelle « E » était déjà à la bonne place.

Il avala d'autres amphétamines, il but encore du café, il commençait à pisser pratiquement marron. Sa peau collait à ses os comme celle d'un junkie. Il obtint six nouvelles combinaisons nombres-lettres qui semblaient prometteuses. Il dormit cinq heures. Il se réveilla vaseux et il *pria*. Il se força à manger une pomme. Il la fit passer avec une poignée d'amphètes. Il se re-re-re-re-revitalisa et commença à reconstituer des mots grâce au décodage et à l'instinct.

Ce travail lui prit onze heures. Il confirma Managua. Oui, c'est une malédiction écrite et un Livre des Morts. Non, c'est beaucoup plus.

Des abréviations, des mots omis, un texte fragmenté. Parfaitement cohérent malgré tout. L'histoire du 14 juin 59 en détail.

13 juin 59. Le mouvement est soutenu par Castro, et basé à Cuba désormais sous la férule du Barbu. Deux voiliers équipés pour l'occasion traversent le Passage du Vent jusqu'à la côte Nord de la R.D. Il y a deux cents rebelles à bord. Ils sont armés de fusils semi-automatiques M1 Garand, de bazookas et de mitraillettes. Tous des hommes, à part deux femmes : Joan Klein et Celia Reyes.

Ils débarquent à Estero Hondo et à Maimon. Les tireurs d'élite de l'armée dominicaine les attendent. Tous les rebelles sont capturés ou tués.

14 juin 59. Un DC3 décolle de Cuba, transportant quatre-vingts hommes armés. Ils ont des brassards de l'*Union Patriotica Dominicana*. L'avion vole en rase-mottes pour éviter d'être repéré par les radars et se pose près de Constanza. Les rebelles tuent les soldats qui gardent l'aéroport et volent leurs véhicules. Ils foncent en ville, tuent d'autres soldats, se ruent vers les ravins des montagnes proches et se cachent.

Des patrouilles de l'armée fouillent les collines et capturent ou tuent les rebelles. Qu'ils soient venus par la mer ou par les airs, les rebelles sont détenus à la base aérienne de San Isidro et dans la chambre des tortures de Trujillo, *La Cuarenta*. Les nervis de la garde personnelle de Trujillo les massacrent au coupe-coupe et les grillent sur des chaises électriques. Le Bouc ordonne des rafles massives de sympathisants supposés du mouvement du 14 juin. Les membres du gouvernement soupçonnés de leur être favorables sont assassinés. Des sympathisants communistes sont torturés, tués, ou relâchés à regret. Le Mouvement du 14 juin est véritablement né dans les prisons du Bouc. Le Barbu médite tristement sur l'invasion ratée. Une réaction anti-Fidel s'empare de toute la droite dominicaine. Le Bouc est assassiné en 61. Le Barbu monte une seconde invasion le 29 novembre 63. Ce groupe est baptisé officiellement l'*Agrupacion Politica Catorce de Junio*. Les rebelles sont au nombre de 125 cette fois. Ils débarquent en six endroits de la côte Nord, tuent des soldats et s'enfuient vers les collines. Le président par intérim Juan Bosch ordonne une « battue ». Les soldats ratissent les collines et liquident les rebelles. Quelques-uns en réchappent. Ils infiltrent la gauche dominicaine et fomentent anonymement des actions révolutionnaires.

Crutch lisait les pages de Gretchen/Celia. Il sautait sans cesse au-delà du texte décodé. Il était envoûté par le vaudou et amphétaminé. Sa tête envoyait son sang cogner contre sa cage thoracique.

Le récit proprement dit se termina. Suivait une « Déclaration de solidarité » envers les Haïtiens massacrés. Le Bouc et le Nain y étaient accusés de génocide.

Des listes : les Haïtiens morts sur ordre de Trujillo, ceux morts sur ordre de Balaguer, les sympathisants du 14 juin arrêtés et tués par La Banda. Une autre liste : les traîtres au mouvement du 14 juin

« excommuniés » et tués par les membres eux-mêmes. Sont précisés : les noms, la date et le lieu du décès.

Il y a un nom isolé au bas de la liste : Maria Rodriguez Fontonette.

Son diminutif/son surnom/son pseudo politique : « La Tatouée ».

La date de sa *disparition* est juin 68. On a *perdu sa trace* à Los Angeles.

Le tatouage, la couleur de peau, le lieu, la date.

C'est cette nuit-là.

C'est la Maison de l'Horreur.

C'est la nuit où il a vu Joan et Gretchen/Celia s'embrasser.

DOCUMENT EN ENCART : 29/3/69. *Extrait du journal intime de Karen Sifakis.*

29 mars 1969

Eleanora régente mes journées. C'est une impératrice toute-puissante qui règne sur mon cœur avec autorité, ainsi qu'une épuisante source d'énergie sans fin et de besoins constants. Elle focalise toute mon attention et dévie le cours de mes pensées et de mes actions quand elles n'ont aucun rapport direct avec elle. Mon mari est retourné à Philadelphie, à présent ; sa présence ici pendant quatre semaines s'est résumée à une servitude bilatérale, en même temps qu'elle m'a secondée dans les tâches prosaïques qu'impose un nourrisson et qu'elle m'a tenue éloignée de Dwight. Maintenant, je suis seule avec Eleanora – et, en fait, assiégée par elle – et Dwight fait un retour en force comme s'il avait décidé de m'assiéger, lui aussi.

Notre dispute à Echo Park fut horrible ; je n'ai aucun droit de mettre en doute ce qu'il fait avec Joan, car notre propre union est déloyale et en elle-même gravement condamnable. Une différence entre Dwight et moi : vivre dans l'adultère est beaucoup moins éprouvant que d'engendrer le chaos politique. Une autre différence : je n'ai aucune envie de traîner un sentiment de culpabilité à cause de mes mauvaises actions, alors que Dwight nourrit le désir secret d'être puni pour les siennes. Ceci constitue une approche succincte de l'amour que je lui porte.

Je vois s'intensifier les mauvais coups politiques et je me surprends à les attribuer d'instinct au FBI, à M. Hoover, et par extension, à Dwight. Deux membres des Panthères Noires ont été tués à l'UCLA en janvier. Ces décès sont présentés comme une querelle de longue date entre les Panthères et les E.U. qui s'est envenimée à propos de la création sur le campus d'un Centre d'études Afro-Américaines. Je sais que le Bureau a des agents doubles au sein des deux organisations et qu'il s'est donné pour but de provoquer une discorde intergroupes. Un porte-parole des Panthères a qualifié ces décès d'"assassinats politiques perpétrés par les E.U. sur les ordres du Pouvoir agissant des Porcs". J'en suis venue à détester le mot « porc » autant que je déteste le mot « nègre », et j'en arrive à maudire Dwight de considérer que le mouvement nationaliste noir porte en lui une criminalité inhérente.

Des inculpations vont être incessamment prononcées contre des membres des Panthères de New York pour un supposé complot destiné à dynamiter les voies ferrées de Penn Central à l'heure de pointe. Sont-ils fous ? Ne savent-ils pas que des passagers *noirs* seraient tués dans un attentat pareil ? Je fais sauter des monuments et je n'ai jamais porté atteinte à l'intégrité physique d'un être humain. Et *moi*, est-ce que je suis folle de faire ce genre de chose avec la bénédiction de Dwight ? Quel prix exorbitant vais-je payer pour avoir contribué à apaiser la culpabilité de cet homme, et d'où vient exactement cette culpabilité ?

Ce psychotique de M. Hoover semble déterminé à quitter la scène sur un dernier coup d'éclat particulièrement odieux, et il a trouvé un sous-fifre implacable en la personne de Dwight, qui peut à présent compter sur Joan Klein pour l'aider, le soutenir et peut-être le réconforter. Je crains que Dwight ne laisse passivement l'ATN et le FLMM vendre des narcotiques ou ne les y contraigne activement, et il a trouvé en Joan une complice enthousiaste. Joan comprend le concept des narcotiques en tant qu'outil révolutionnaire, et elle l'a déjà utilisé comme tel. Je redoute que Joan et Dwight visent le même résultat pour des motifs politiques antithétiques. Ils veulent amener l'ATN et le FLMM à se discréditer aux yeux de l'opinion publique, et ils sous-estiment allègrement le coût humain de l'opération.

J'ai confié à Joan des détails intimes au sujet de Dwight. Elle sait que Dwight visite mon appartement en mon absence et que je lui laisse parcourir une version beaucoup moins sincère et beaucoup moins équivoque de ce journal. Je crains qu'en confiant à Joan mon amour tourmenté pour Dwight je ne l'aie poussée à aller vers lui afin d'atteindre ses propres objectifs politiques.

Joan s'est rendue dans des régions du globe agitées par des révolutions terriblement dangereuses, où elle a accompli des actions – et, oui, de mauvaises actions – dont je suis personnellement incapable, ce que je regrette et dont je me félicite tout à la fois. Je ne mets en doute ni sa sincérité ni son engagement, et je l'ai vue faire preuve d'une bonté sans mélange – notre enseignement commun à l'École de la liberté en 62 en est un exemple – mais je redoute absolument sa fureur et sa volonté. Dwight et elle possèdent une convergence de vues et une faim émotionnelle déconcertantes. Je prie pour que cela ne supplante pas leur pragmatisme instinctif, provoquant ainsi des dégâts irréparables.

DOCUMENT EN ENCART : 2/4/69. *Extrait du journal de Marshall E. Bowen.*

Los Angeles, 2 avril 1969

Je suis dans de sales draps. L'incident d'hier soir pourrait revenir aux oreilles de Scotty Bennett. Les conséquences risquent de compromettre l'équilibre qui existe entre ma vie personnelle et l'opération, et donc ma recherche de l'argent et des émeraudes provenant du fourgon blindé. M. Holly me harcèle pour que je fasse mon boulot de mouchard, et Wayne me presse pour que je me décide entre l'ATN et le FLMM exclusivement. Quand on me presse, j'hésite et j'évalue mes choix. Il est rare que, hésitant entre deux solutions, je reste indécis au point de ne rien faire du tout. C'est ce qui m'est arrivé hier soir.

Wayne est devenu un habitué des quartiers sud. Voilà un certain temps qu'il rachète des bars et des night-clubs et qu'il mène la danse chez Tiger Kab. Aussi surprenant que cela puisse paraître, Wayne a introduit au sein de Tiger Kab l'ex-champion du monde poids lourds, le « crétin » autoproclamé Sonny Liston. Sonny est un bouffon alcoolique qui s'empiffre d'amphétamines et court la gueuse. Les frères ont peur de lui et ils ont peur de reconnaître qu'ils aiment sa compagnie. Sonny est franchement de droite. Il hait les musulmans et les militants et il adore Richard Nixon et la guerre du Vietnam. Ses deux défaites contre Mohamed Ali, combinées à sa consommation de substances chimiques, ont sérieusement entamé ses capacités cérébrales. Il est drôle, malgré tout, contrairement à Milt Chargin, le ko-kapitaine de Tiger Kab, qui est prêt à toutes les extrémités, même les plus dégradantes, pour faire rire les Noirs et pour paraître cool. Tiger Kab est désormais *très au kourant*. L'ékipe est picaresque et carbure à divers combustibles. On profite du *Zeitgeist* du nationalisme noir. Les Panthères ont droit aux manchettes des journaux tandis que l'ATN et le FLMM occupent le devant de la scène avec la ferveur d'aspirants à la célébrité qui cherchent à attirer l'attention des médias. S'il vous plaît, prenez note de notre existence : nous sommes noirs, nous sommes violents, nous essayons de nous lancer dans le trafic de drogue, et nous sommes *cool*.

J'hésite, et je me rends régulièrement au quartier général de chaque groupe ; j'endure une surveillance constante de la part du

LAPD et trois ou quatre vérifications d'identité par semaine. Mon statut d'ancien flic met en rage les agents en tenue des quartiers sud. Ils ont pris l'habitude de m'appeler « Boy » et de me garder pendant vingt minutes pendant qu'ils vérifient par radio que je ne figure sur aucun mandat d'amener. Comme ils ne peuvent jamais rien me reprocher, ils me relâchent en me bourrant la poitrine de coups de poings et en m'abreuvant d'insultes. Je bous intérieurement et je ne dis rien.

Je ne peux pas assouvir mon Penchant. Je redoute de le faire, je suis fallacieusement célèbre, à présent, le moindre rendez-vous galant pourrait se terminer par une arrestation ou un coup de téléphone au LAPD. Il faut que je jugule mes besoins intimes tandis que j'évalue la situation, tandis que M. Holly et Wayne me harcèlent, tandis que les frères de l'ATN et du FLMM, en signe d'impatience, frappent le sol de leurs bottes noires et insistent pour que je choisisse mon camp.

J'ai habilement sondé tous les gens des quartiers sud que je connais, tous les crétins et les compagnons de beuverie que le hasard me fait rencontrer, dans l'espoir de glaner des informations sur le braquage. Et je n'ai rien appris. Je vois constamment Scotty Bennett dans les parages. À chaque fois, il soulève son chapeau rond à bords plats, du modèle en vogue chez les Noirs, et il m'adresse *un clin d'œil*.

Scotty sait beaucoup de choses sur le braquage. J'en suis conscient. C'est un brillant inspecteur principal qui depuis cinq ans collecte des informations sur cette affaire. Je le soupçonne de les garder pour lui et de ne pas les partager avec ses collègues du LAPD.

On dirait que Scotty me nargue et me harcèle tout comme M. Holly et Wayne me narguent et me harcèlent par le biais de leur volonté puissamment masculine et délibérément focalisée. Je n'arrête pas de penser à M. Holly au lit avec une femme et à quoi cela devrait ressembler jusqu'à ce que les images me deviennent pénibles et me blessent. Wayne cultive son sentiment de culpabilité avec une femme noire et me procure une galerie d'images tout aussi érotiques. Il est à la recherche du fils de cette femme, qui a disparu sans laisser de trace et qui ressemble vaguement au braqueur survivant. Je ne pense pas qu'il s'agisse là d'une vraie piste ; le visage du braqueur a subi des brûlures graves et Reginald Hazzard avait tout juste 19 ans à l'époque. Il s'agit davantage d'une confirmation de l'aspect onirique de ma vie présente, avec tous ces personnages qui la traversent et qui m'attirent.

Benny Boles me drague presque ouvertement ; il est aussi désinhibé que je suis introverti et il va certainement me sauter dessus si je choisis l'ATN. C'est un assassin visiblement psychopathe, ce qui peut expliquer qu'il ait autant confiance en sa masculinité. Je vois régulièrement Joan dans les night-clubs. Elle se montre délibérément séduisante. Elle danse avec voracité, simultanément en phase ou en opposition avec ses partenaires hommes ou femmes. Elle m'aperçoit dans la pénombre, elle me permet de croiser son regard et me signifie qu'elle m'a reconnu sans jamais perdre le rythme de la musique. C'est comme si elle me communiquait des renseignements sur moi-même qu'elle aurait glanés dans son état de transe. Je me suis surpris à aller me coucher la tête pleine de fantasmes concernant M. Holly et Joan. Dans la réalité, ils ne se connaissent pas, mais je les connais tous les deux et ils se sont rejoints dans mon psychisme.

Et Jomo.

C'est sans aucun doute un salopard, mais ma mission est de fraterniser avec la racaille et de la piéger, et je l'aime bien de toute façon. Nous passons du temps ensemble chez Tiger Kab, au FLMM, dans les night-clubs ; Jomo est de plus en plus à l'aise avec moi depuis sa bagarre au couteau avec Leander Jackson. Depuis quelque temps, il me parle d'un magot assez respectable qu'il a accumulé, et je lui extirpe très prudemment des précisions à ce sujet pour les communiquer à M. Hoover. Je m'y employais encore quelques instants avant l'incident d'hier soir.

Nous faisions une tournée des épiceries pour leur extorquer des marchandises. C'était un mélange de connivence et de menace implicite : nous voulions des boîtes de « Cocoa Puffs » pour les enfants qui viennent aux soirées « À manger pour nos mômes » du FLMM. De là, nous sommes allés à un barbecue doublé d'une distribution de brochures organisé par le FLMM dans un établissement secondaire, le collège Foshay. Jomo s'est montré très digne avec les gamins. C'était à la fois effrayant et réconfortant, étant donné la nature du personnage. Je suis sûr que la quantité de drogue qu'il avait prise n'y était pas pour rien : il avait sniffé toute la journée un mélange de cocaïne et de Seconal.

En quittant Foshay, on est repartis vers la piaule de Jomo, et on s'est arrêtés en route dans un magasin de Florence Boulevard pour acheter des cigarettes. Jomo, titubant, a heurté un présentoir à chips. Le propriétaire, un Noir, s'en est offusqué. Il a dit :

– Hé, négro, ça va pas, non ?

Sautant par-dessus le comptoir, Jomo a frappé l'homme avec son pistolet, tandis que, tétanisé, je ne faisais rien. Jomo vola ensuite deux bouteilles de scotch J&B et trois cartouches de Kool.

Je ne fis pas le moindre geste. Jomo flanqua des coups de pied au bonhomme en hurlant des injures anti-ATN. Je suis sûr que le commerçant m'a reconnu. Je suis un ancien policier, un frère célèbre, et un personnage en vue des quartiers sud.

67

Los Angeles, 3 avril 1969

Milt C. avait une marionnette nommée « Macaque Junkie ». Il s'en servait pour des numéros laborieux. Les frères se régalaient. Sonny et Jomo hurlaient de rire aux moments opportuns.

Le standard était inondé d'appels. Jordan High recevait l'équipe de Washington. Toute la ville se passionnait pour le basket-ball – les gens avaient besoin de taxis.

Macaque Junkie portait un chapeau de maquereau et un costume à carreaux. Une seringue pendait dans le vide, plantée dans l'un de ses bras. Milt faisait bouger ses lèvres de singe.

– Ces porcs du LAPD, ils arrêtent pas de m'emmerder. Moi, j'étais peinard sur ma terrasse, et les voilà qui font une putain de rafle au flan, comme ça. Y m'disent : « Qu'est-ce que tu fais avec une aiguille hypodermique ? » Et j'leur réponds : « Vous, les enfoirés de Blancs, l'aiguille, c'est à la place de la bite que vous en avez une, et moi, j'ai une chambre à air d'un mètre de long prête à éclater. »

Junior ricana. Jomo prit un appel et ricana. Sonny dit :

– Macaque Junkie est une tapette qui sort de taule et un insoumis qui a refusé d'aller au Vietnam. Mohamed Ali a baisé son cul de singe.

Wayne consulta sa montre. Marsh devrait arriver *maintenant*. Il vient de recevoir un message par un coup de fil relais. Encore un déclic qui le titille. Encore une perte de mémoire qui le tracasse.

Il y a un mois. La dispute avec Mary Beth. Reginald, l'« École de la liberté », pourquoi une amorce de déclic ?

Il était épuisé. Drac et les Parrains le surchargeaient de travail. Son boulot d'intermédiaire s'ajoutait à tout le reste. Il ne pouvait pas réfléchir à ce déclic pour le moment.

Macaque Junkie dit :

– Les Beatles se baladent dans ce putain de ghetto pour trouver de la chatte noire. Ils rencontrent deux sœurs qu'ont pas l'air en bonne santé. Elles s'appellent Carcinome et Mélanome et...

Wayne regarda par la fenêtre. Marsh passait dans la rue. Wayne se leva et le suivit jusqu'au parking de la compagnie. Seize taxis Tiger Kab brillaient au soleil.

Marsh transpirait malgré la fraîcheur de l'air. Wayne lui tendit son mouchoir.

– Raconte-moi.

– J'étais avec Jomo il y a deux soirs. Il a dérouillé le caissier d'un magasin de spiritueux et lui a piqué de la marchandise. Je suis presque sûr que le type m'a reconnu.

– Pourquoi as-tu attendu si longtemps pour m'en parler ?

– Je suis comme ça. J'ai tendance à laisser traîner les choses.

– Tu attendais quoi ?

– Scotty. Sur cette terre, tous les boutiquiers qui vendent de l'alcool le connaissent et ont une dette envers lui.

La musique soul de la Motown se mit à brailler. Dans le bureau des régulateurs, un crétin avait monté le son de la hi-fi. Wayne emmena Marsh jusqu'à la clôture de la ruelle.

– Il n'a pas appelé Scotty. Sinon, tu en aurais entendu parler, à présent.

– Oui. C'est ce que je pense.

Wayne dit :

– Donne-moi quelque chose.

Marsh s'épongea le front.

– Qu'est-ce que tu veux dire ?

– Donne-moi une piste pour Dwight. Raconte-moi quelque chose pour le convaincre que tu fais ton boulot.

Marsh soupira.

– Des braquages de magasins de spiritueux. Il y en a des tas.

Wayne singea son soupir.

– On en revient encore à ces foutus magasins ?

– Ce n'est pas ça. Ce que je veux dire, c'est que je suis peut-être sur une piste importante.

Wayne soupira plus bruyamment.

– Des attaques de marchands d'alcool avec des *suspects noirs* ? Tu n'as rien de plus original ?

Marsh s'essuya le front.

– Jomo m'a parlé d'une grosse somme qu'il a récupérée, mais il ne veut pas en révéler la source.

Wayne secoua la tête.

– Insuffisant. Je vais étouffer ton histoire d'avant-hier, mais tu vas devoir commencer à travailler plus dur.

– *Bon sang, Wayne !*

Wayne le poussa contre la clôture.

– Tu vas t'enrôler à l'ATN. Tu vas faire de la lèche à Leander Jackson et provoquer une bagarre en public avec Jomo. Moi, je me rends en République dominicaine. On organisera ça à mon retour. Tu demanderas des comptes à Jomo à propos du braquage du magasin. Tu le traiteras de planche pourrie et de salopard de nègre, et je serai là comme témoin.

– *Bon sang, laisse-moi seulement...*

Un taxi entra dans le parking et s'approcha d'eux. Wayne se recula pour lui laisser de la place.

– Tu vas le faire. Sinon, je dis à tout le monde que tu es pédé.

Le magasin de spiritueux était tout près. Le type derrière le comptoir portait un bandage autour de la tête, des sourcils jusqu'au sommet du crâne. Wayne entra et acheta un paquet de chips. Le type renifla le flic en lui.

– LAPD ?

– Ex-LAPD. J'ai pris ma retraite.

L'homme enregistra la vente.

– Pourquoi avez-vous pris votre retraite ?

– J'ai abattu des Noirs qui n'étaient pas armés, et l'affaire a mal tourné.

– Est-ce qu'ils le méritaient ?

Wayne lui donna un dollar.

– Oui.

L'homme lui rendit sa monnaie.

– Est-ce que vous avez eu des remords ?

– Oui.

L'homme sourit. Wayne désigna son bandage et lui lança un rouleau de billets.

Deux mille dollars en coupures de cinquante, entourées d'un élastique.

– Vous avez appelé Scotty ?

– Je pensais le faire.

– Ce Scotty, c'est un vrai caïd.

– Vous pouvez le dire. J'ai été dévalisé par les mêmes frères à six reprises, alors j'ai appelé Scotty, sans rien dire à personne. Je lui ai expliqué que les gars du LAPD ne faisaient pas leur boulot. Scotty m'a répondu qu'il allait s'en occuper. Et il l'a fait.

– Ça n'a pas dû être beau à voir.

– Pas beau du tout. Ils sont entrés avec des cagoules et ressortis sous un drap. Scotty tire du double zéro avec des petits trucs pointus mélangés à la chevrotine. Mes braqueurs, il n'en restait pas grand-chose.

Wayne mangea une chips.

– Vous avez une certaine loyauté envers Scotty.

– Ouais, comme je vous soupçonne d'en avoir pour ce Marshall Bowen.

Wayne lui lança le rouleau numéro 2. L'homme déploya les billets en éventail.

– Bowen doit être acoquiné avec des types bourrés de fric. « Informateur de haut niveau. » Ça paraît crédible, non ?

– Vous avez des arriérés sur le remboursement de votre hypothèque. Je suis prêt à combler la différence.

– Sur ma facture d'électricité aussi, j'ai des arriérés.

– Autre chose ?

– Ouais, une dernière chose. Je veux une de ces limousines tigrées pour les seize ans de ma fille.

L'université n'était pas très loin. Son emploi du temps était chargé. Drac avait demandé un entretien téléphonique. Oui, monsieur, les retombées des essais nucléaires vous tueront. Non, monsieur, pas avant longtemps. Oui, nous devrions interdire la Bombe A. Non, monsieur, si vous présentez cette demande, les puissances mondiales n'y accéderont pas.

Wayne se gara et arpenta le campus. Les étudiants étaient pour moitié des conformistes, pour moitié des chevelus en colère. Des tracts de droite et de gauche recouvraient tous les panneaux indicateurs. Les YAF [1] contre les SDS [2], les VIVA [3] contre les SNCC [4].

1. Young Americans for Freedom.
2. Students for a Democratic Society.
3. Voices In Vital America.
4. Student Non-Violent Coordinating Committee.

Des mômes avec des guitares, des mômes portant le pull à monogramme de l'université, quelques gamins noirs en tunique africaine.

Wayne circulait et interrogeait les gens qu'il croisait. L'« École de la liberté » ? – jamais entendu parler. Il consulta l'annuaire du campus. Non, rien dans les listes.

Il s'entêta. Il appela Farlan Brown d'une cabine et reporta l'entretien avec Drac. Il vit quelques gardiens qui fumaient une cigarette pendant leur pause et se dirigea vers eux.

Ils étaient noirs. Ils repérèrent le flic en lui. Wayne repéra en eux des employés recrutés parmi d'anciens détenus. Il distribua des billets de dix dollars et leur fit du boniment, le sourire aux lèvres.

– Il y avait quelque chose qui s'appelait l'« École de la liberté ». Ici, sur le campus. Ça remonte à cinq ou six ans.

Trois types restèrent impassibles. Un quatrième dit :

– Ça n'existe plus, mon vieux. Elle a fermé avant les émeutes de Watts.

Un cinquième précisa :

– Il y a des bâtiments en diagonale par rapport au centre de loisirs. Plus personne ne s'en sert. Cherchez une vieille porte poussiéreuse avec une affiche décolorée par le soleil.

Wayne remercia et repartit. Les allées étaient bordées d'arbres. Des émanations clandestines de haschich s'élevaient çà et là en volutes. Il trouva le centre de loisirs et les bâtiments désaffectés. Il vit la porte couverte d'une affiche.

Automne 64. *Sauvez la loi Rumford sur le logement pour tous ! Le « droit à la propriété », ça signifie le « RACISME » !!!*

La porte semblait peu solide. Wayne l'enfonça facilement d'un coup d'épaule. Il entra. Une fenêtre du fond laissait passer la lumière. La pièce était remplie de cartons d'un mur à l'autre.

Il en examina le contenu. Ils contenaient des piles de tracts et de brochures. *¡Huelga!* Pas touche à Cuba !, des grèves d'ouvriers agricoles. Soutenez le Fatah, le Front de Libération de la Palestine, la Cause du 6 juin. N'oubliez pas Leo Frank, Emmett Till et les Scottsboro Boys. Des diatribes sur les droits civiques, des topos sur le Black Power. Malcolm X, Franz Fanon, Libérez les Rosenberg. Libérez l'Algérie ! Libérez la Palestine ! À bas le Bouc malfaisant Trujillo, l'insecte de l'Oncle Sam. United Fruit : *Savez-vous combien au juste a coûté cette banane dans votre assiette ?*

Il tomba sur une photo de groupe. Elle était datée du 22 septembre 62. Elle semblait rassembler des enseignants de la faculté.

Sept hommes et femmes devant le bâtiment. Trois professeurs blancs, quatre noirs. Deux femmes blanches un peu à l'écart. L'une est grande et rousse. L'autre est plus petite. Elle a une bonne trentaine d'années. Elle a des cheveux bruns striés de gris et des lunettes à monture noire.

Clic. Blip. Peut-être, probablement, pas tout à fait.

Le *clic* se précisait et se dérobait à un cheveu de l'*Eurêka !* Le *blip* prit une forme étrange. Le Bac à Sable de Sam le Sultan, deux mois plus tôt. Des ronds de fumée, et, vus de dos, des cheveux striés de gris exactement comme ceux-là.

Wayne plissa les paupières pour examiner la photo. La femme portait des manches longues. Pas de cicatrice visible. Reginald a fréquenté cette école. Reginald s'est fait arrêter dans ce bled de bouseux. *Possible, pas tout à fait probable* – la femme qui a payé sa caution.

Drac Air lui a offert le voyage. L'avion atterrit sur la piste privée de Hughes. Des flics armés de fouets supervisaient le bâtiment abritant le salon des personnalités de marque.

Joaquín Balaguer avait envoyé une limousine escortée par quatre motards. Les véhicules dataient du milieu du règne de Trujillo. Ils produisaient tous les cinq un vacarme de marteau-piqueur.

Ils entrèrent dans Saint-Domingue. Les vitres étaient fumées. Elles filtraient les couleurs vives qu'on percevait de l'intérieur en monochrome. La limousine faisait des bonds en avant dans le flot de la circulation. Les images étaient imbibées de sépia. C'était une bobine d'actualités sur une nation pauvre. Des mômes faisaient avancer des pousse-pousse, des mendiants mendiaient, des sbires pourchassaient des jeunes qui agitaient des pancartes contestataires. C'était un diaporama à défilement rapide. Vous clignez des yeux et vous voyez l'oppression. Vous re-clignez des yeux et elle a disparu.

Wayne avait le regard trouble. Diaporama : il voyait sans cesse le visage de cette femme. Les lunettes, les mèches de cheveux – la diapo se coinçait et reprojetait son image. Il avait lu dans l'avion le tract sur le Mouvement du 6 juin. Il dénigrait les despotes dominicains et déplorait le massacre d'Haïtiens innocents. Il prophétisait de futurs despotes plus habiles que le Bouc. Il prédisait la collusion entre les États-Unis et la Dominique pour favoriser la venue de touristes américains.

Reginald rencontre l'Haïtien. Ils discutent d'herbes vaudou. *Clic* – sa mémoire le titille et lui fait défaut. La femme, l'École de la liberté, des rouages mentaux qui ne parviennent pas à établir un lien.

Wayne abaissa sa vitre. La bobine d'actualités monochrome devint étincelante, à lui brûler les yeux. Les couleurs l'agressèrent. L'air marin le brûla. Des flics poursuivirent des contestataires dans une impasse et les plaquèrent contre le mur. Wayne vit une seule matraque brandie et entendit un seul cri.

La limousine le déposa à l'hôtel *El Embajador*. Un lèche-bottes l'installa dans une suite somptueuse. Il avait une vue panoramique sur la ville. Le Rio Ozama se trouvait à l'ouest. Des gamins noirs plongeaient et se battaient pour rafler les appâts rejetés par les bateaux de pêche. La tonalité de leur couleur de peau variait d'un quartier à l'autre. Il apercevait çà et là des drapeaux rouges fixés à des bâtons.

Il descendit jusqu'à la suite de Mesplède, frappa, et n'obtint pas de réponse. Il se rendit à celle de Trouduc et vit la porte entrouverte.

Il y entra en douceur. C'était une piaule de gamin. Trouduc aimait *Playboy* et *Armes à feu & munitions*. Trouduc était un fou de photo. Il avait un Polaroïd. Il avait des photos de femmes en pagaille.

Des bouteilles marron sur la table de nuit. Avec des étiquettes blanches. Qu'est-ce que... ?

Précipitant à l'oxyde de soufre, *Ammoniaque*, *Anhydride acétique*.

– Salut, Wayne. Ça boume ?

Trouduc portait un Colt Python et un bermuda. Trouduc léchait un cornet de glace. Trouduc avait de l'acné.

Wayne sourit et s'approcha de lui. Trouduc lui tendit la main. Wayne lui tordit les doigts, l'envoya au tapis et lui lança un coup de pied dans les couilles. Trouduc lâcha son cornet de glace et devint bleu.

– Pas d'héroïne. Tu n'en fabriques pas, tu n'en achètes pas, tu n'en vends pas. Je tuerai tous ceux qui le feront.

Trouduc vomit de la glace au caramel et des bouts de gaufrette. Une ombre surgit sur le mur.

– *Ça va*, Wayne. *C'est fini, l'héroïne.*

Balaguer négociait. Les dédommagements et les plans d'urgence favorisaient le *Führer*. Le marché dans son ensemble favorisait les

Parrains. Balaguer marchandait et cédait. Wayne adopta la même démarche. Ils discutaient dans un salon du *Palacio Nacional* en reprenant à zéro toutes les données du problème. Mesplède et Trouduc étaient partis picoler. Smith et Brundage étaient partis jouer au golf. Les Cubains étaient partis aux putes.

Coûts de construction, coût de la main-d'œuvre, ristournes sur le transport aérien. Billets à prix réduit sur les vols U.S.A.-R.D. Primes d'encouragement. Passe-droits pour que la douane laisse les touristes tranquilles. Détails des opérations de blanchiment de l'argent à l'échelle du pays. Tournées d'inspection par Dwight Holly, le représentant du président Nixon.

Le dernier point irritait Balaguer. Wayne l'amadoua. Monsieur le président, ces tournées d'inspection s'attacheront principalement aux *apparences*.

Cela plut au *Führer*. Wayne utilisa ce leurre pour l'avoir à l'usure. Le tourisme ne prospère que dans les contrées où le calme règne. Une pauvreté trop apparente sera un repoussoir pour les visiteurs. Le président Nixon en est pleinement conscient, monsieur le président. Considérez-le comme un touriste type, mais politiquement plus éclairé. Les touristes auront du mal à comprendre vos efforts pour assurer le maintien de l'ordre. Les escouades anti-émeutes et les dissidents qui errent dans les rues, pour eux, c'est de l'hébreu. Ils sont incapables d'extrapoler. Ils seront choqués par ce qu'ils verront.

Balaguer se hérissa pendant tout ce discours. Wayne lui consentit trois points supplémentaires sur les bénéfices pour faire passer la pilule. La discussion avait duré six heures. Balaguer se leva pour dire *adios*.

Wayne dit :

– Pas de fouets, monsieur le président. Je crains de devoir insister sur ce point.

Les *apparences*.

Il constata très vite le changement : distributions de nourriture et moins d'exactions de la part de La Banda. Le diaporama en devenait plus marginal. Son obturateur fonctionnait plus vite. Il voyait ou ne voyait pas, mais à un rythme plus rapide. La vue en monochrome l'y aidait : la voiture de Mesplède avait des vitres fumées.

Les sites de Saint-Domingue étaient déjà creusés et prêts à recevoir les fondations. Ils étaient gardés par la police. Ils se trouvaient dans des endroits plutôt convenables. Les navettes venant de l'aéroport pourraient traverser des quartiers chics. On proposerait aux touristes des forfaits « tout compris » – pour les inciter à rester dans leur hôtel-casino et y dépenser leur argent.

La ségrégation était en vigueur à Saint-Domingue. Des gens à peau claire, des gens à peau foncée, et un mélange stratifié. Wayne se rappela Little Rock en 57. Le 82e régiment aéroporté et la déségrégation forcée.

Mesplède conduisait et fumait cigarette sur cigarette. Trouduc était assis à l'arrière et tripotait son épingle de trouduc accrochée à son revers. La musique diffusée par la radio décourageait la conversation. Du jazz des Caraïbes, répétitif, avec des cuivres.

L'*Autopista* les emmenait vers le nord. La chaussée était mauvaise. Les champs de canne à sucre et les clairières désaturaient le monochrome existant. Des Noirs traversaient la route en courant. Mesplède donnait des coups de volant pour les éviter.

Le chantier de Piedra Blanca était certifié constructible et gardé. La vue du haut du bâtiment engloberait quelques cahutes et un large panorama de verdure. Le site gardait les traces d'une évacuation expéditive. Wayne vit des taches de sang sur un morceau de poutre abandonné.

Ils restèrent quelques minutes sur place et partirent à Jarabacoa. *L'héroïne, c'est fini* – personne ne parlait.

Le trajet prit trois heures. Wayne baissa sa fenêtre et désenfuma la voiture et lui redonna un peu de vie. Les couleurs vives lui firent mal aux yeux. Il sentit la pourriture de la jungle et des relents de poudre d'armes à feu.

Jarabacoa était identique. Les gardes étaient serviles et leur offrirent des *cervezas*. Wayne repéra un fouet planqué derrière un buisson.

Un Noir passa en courant devant un champ de canne à sucre. Son visage était couvert de plaies ouvertes qui suintaient.

Wayne dit :

– Jean-Philippe, tu rentres. Crutchfield, tu m'emmènes en Haïti.

Mesplède jeta sa cigarette.

– On n'a que cette seule voiture, Wayne.

– Il y a un arrêt de car à un kilomètre d'ici. On te dépose.

La clim rendit l'âme. Ils grimpèrent la Cordillera Central dans un sauna à roulettes. Par les fenêtres ouvertes entraient de l'air brûlant et des insectes volants gros comme Godzilla. Ils franchirent la frontière au sud de Dajabón. Un pont suspendu branlant enjambait la Plaine du Massacre. Des gardes-frontières *fascisto* leur firent signe *Au revoir* et *Bonjour*. Sur la rive, du côté haïtien, des alligators prenaient le soleil, entourés de fémurs et de tibias.

Les couleurs de peau s'assombrissaient. Les couleurs vives se maintenaient, alors que l'indice de pauvreté grimpait vers les sommets. Des cabanes aux toits en tôle rouillée et des cases en terre. Des arbres marqués avec du sang et des coqs lynchés dont les entrailles pendaient.

Trouduc était au volant. Sa main tremblait sur le levier de vitesses. Wayne ferma les yeux et bascula son siège carrément à l'horizontale. La garniture était couverte de transpiration. L'humidité s'amassait en petites flaques autour des canalisations.

– Terminé, les conneries. La prochaine fois, je te tue.

Trouduc dit :

– D'accord.

– Tes documents en lieu sûr, ça ne vaut rien. Personne ne te croirait. T'es un branleur. Tu bouffes des cornets de glace et tu prends ton pied en matant des femmes. Mesplède t'a à la bonne, pas moi.

Trouduc dit :

– D'accord.

Sa voix avait dérapé dans l'aigu avant de se coincer.

– Ce que je vais te dire, je ne le répéterai pas. On ne sort pas de l'illégalité intact ni même vivant. Tuer des communistes et travailler pour des types comme moi ne t'apportera rien d'autre que ton prochain cauchemar.

Trouduc dit :

– Bien sûr...

Ce même murmure étranglé.

Wayne rouvrit les yeux. La chaussée était en terre, à présent. De vieilles guimbardes, des charrettes à bœufs et un village : des cabanes à toit de chaume et des cubes pastel sur lesquels flottaient des drapeaux de sectes vaudou.

Des murs en pierre incrustés de verroterie. Des fresques peintes sur des panneaux, eux-mêmes posés sur des chevalets. Une taverne baptisée Port Afrique.

Wayne dit :

– Arrête la voiture.

Trouduc se gara. Wayne sortit. Les Noirs qui grouillaient autour d'eux furent magnétisés.

– Retourne à Saint-Domingue. Je rentrerai par mes propres moyens.

Trouduc haussa les épaules et démarra en faisant crisser les pneus. Wayne entra dans la taverne. Il reconnut des odeurs : ammoniaque, semi-toxiques et alcool pur. La salle était rectangulaire. Il y avait un comptoir, derrière lequel on voyait des bocaux sur des étagères, et rien d'autre. Des slogans en français couvraient les murs latéraux : « Par le pouvoir de la sainte étoile, marche et trouve » ; « Dormir sans le savoir ni dormir ».

Le barman regarda Wayne. Trois autres hommes se tournèrent vers lui. Ils tenaient des verres à pied ornés de paillettes. Des émanations s'en élevaient. Acidité élevée, composants alcalins en faible proportion. Du Klerin, probablement. Et comme adjuvant, sans doute une glande de reptile semi-venimeux.

Wayne s'approcha du bar et s'inclina pour montrer son respect. Les trois hommes s'éloignèrent. Les bocaux de l'étagère étaient transparents et les étiquettes rédigées en français. Du talc coloré, de l'écorce d'arbre, de la poudre de serpent médicalement active.

Le barman s'inclina. Wayne désigna un verre vide. Le regard du barman lui dit : Vous êtes sûr ?

– *S'il vous plaît, monsieur, je suis chimiste et je voudrais essayer votre potion la plus puissante.*

Le barman s'inclina.

– *C'est vous qui décidez, monsieur. Mais vous comprendrez qu'il y a des risques.*

Wayne dit *oui*. Le barman ouvrit des bocaux et y plongea une cuiller. Des plantes fongibles, de l'écorce, du foie de tétraodontidé. *Bufo marinus* : la glande porotoïde d'un crapaud de mer géant. Du Klerin ajouté au siphon. Un liquide inconnu qui fit mousser le tout.

Le pétillement s'accentua. Cela avait l'odeur d'un liant volatile de composants. Le barman lui servit le verre avec des gestes de bénédiction. Wayne s'inclina et posa des billets de banque américains sur le comptoir.

Les trois hommes s'approchèrent. Le premier lui porta un toast, le second le bénit, le troisième lui glissa la carte d'une secte. La mousse du breuvage brûlait l'air tout autour d'eux. Wayne avala la potion d'un seul trait.

Elle lui brûla la gorge et le fit frissonner de la tête aux pieds. Le barman dit :

– *De rien, monsieur. Bonne chance.*

Il trouva un coin d'ombre à la sortie du village. Il resta debout, immobile, et fit abstraction de tout bruit extérieur. Il entendit l'air produire le bruit de sa propre respiration et il sut qu'il croyait à la réalité du moment. Il sentit le sol tournoyer sous ses pieds.

Son pouls battait fort et reliait ses membres aux arbres qui l'entouraient. Sa vision périphérique s'élargit et lui permit de voir depuis l'arrière de son crâne. Ses yeux larmoyèrent. Il vit nager le Dr King et le révérend Hazzard. Le Dr King avait la même couleur de peau que Mary Beth. Le pasteur avait les yeux de Marsh Bowen. Des oiseaux étaient nichés en lui. Leurs pépiements résonnaient comme les déclics de son esprit qu'il percevait dans le monde réel. Le soleil devint la lune, qui tomba dans sa poche. Il voyait sans cesse la femme aux cheveux bruns striés de gris.

68

Los Angeles, 10 avril 1969

Scotty déclara :

– Marsh a déconné. Il a été témoin d'un vol avec violence et il ne nous l'a pas signalé.

Dwight alluma une cigarette.

– Je sais.

– Marsh a reconnu les faits ?

– Il en a informé son coupe-circuit.

– Vous voulez dire, Wayne Tedrow ?

– C'est ça.

Scotty s'esclaffa.

– Très inspiré, comme casting. Les bronzés ont peur de lui, donc ils l'adorent. Personne ne le soupçonne d'être un auxiliaire du FBI, parce qu'il travaille pour les Parrains.

Piper's Coffee Shop, dans Western Avenue. La clientèle d'une heure du matin : des flics et les suceurs de sang des Ambulances Schaeffer.

Dwight demanda :

– Qui vous a mis au courant, pour Wayne ?

– L'un de mes nombreux informateurs des quartiers sud.

– Le propriétaire du magasin ?

– Motus et bouche cousue.

Dwight se frotta les yeux.

– Parlons de Jomo.

– Faites-moi une concession d'abord.

– D'accord. Je laisse Jomo tranquille si vous laissez Marsh en paix.

– Ce qui veut dire ?

– Ce qui veut dire que vous pouvez serrer Jomo sans vous soucier de mon opération. Ce qui veut dire que c'est mon plus beau psychopathe parmi les militants noirs, mais je peux continuer à vivre sans le traîner en justice. Ce qui veut dire que vous savez quelque chose dont vous refusez de parler, parce que vous ne m'avez pas appelé à minuit pour une arrestation de braqueur nègre.

Scotty versa une dose de crème dans son café.

– Exact sur tous les plans. Jomo a un gros paquet de fric, et je crois savoir où il se l'est procuré.

– Et si vous avez besoin de Marsh comme témoin, vous le ferez venir.

– C'est ça.

Dwight écrasa son mégot et alluma aussitôt une autre cigarette.

– Est-ce que vous me promettez de ne pas révéler que Marsh travaille pour le Bureau ?

Scotty lui tapa une cigarette. Dwight la lui alluma.

– Oui. Est-ce que vous me promettez de ne pas serrer Jomo pour un délit fédéral, quel qu'il soit, le temps que je consolide mon dossier sur lui ?

– Oui.

Scotty tira une bouffée et éteignit sa cigarette. Deux flics passèrent près d'eux et saluèrent. Scotty leur adressa un clin d'œil.

– Je vous remercie d'être venu. Je me rends compte que je ne vous ai pas laissé beaucoup de temps pour me rejoindre.

Dwight s'étira.

– Ça ne fait rien. Je n'arrivais pas à dormir, de toute façon.

– Il y a toujours l'alcool.

– Ça ne me fait plus rien.

– Il y a toujours les femmes.

Dwight dit :

– Je suis un peu à court, en ce moment.

69

Détroit de Mona, 10 avril 1969

– *C'est fini, l'héroïne.*
– T'es un branleur.
– *C'est parti pour l'héroïne ! Allons-y !*

Tiger Klaw repoussait les vagues. Destination : Port Higuero, Porto Rico. Saldivar était de service aux turbines. Le Frenchie était de service sur le pont. Gómez-Sloan et Canestel étaient de service au lance-torpilles. Morales lisait le mode d'emploi.

Crutch était de service à la mitrailleuse avant, Luc Duhamel à celle de l'arrière. Ils étaient partis de la crique privée de Luc. Ils avaient longé la côte nord jusqu'au détroit sans rencontrer personne. C'était une croisière trompe-la-mort.

C'était la clique des commanditaires qui avait acheté le bateau. La majeure partie de la somme sortait de la poche de Bebe Rebozo. Luc connaissait un caïd de la drogue à Point Higuero. *Tiger Klaw* sortait la nuit. Leur venimeuse vedette avait déjà effectué quatre expéditions punitives.

De la crique de Luc au Passage du Vent puis aux Récifs Rouges de Cuba. Deux appontements de la milice cubaine détruits et trente Fidelistos tués. « Tu bouffes des cornets de glace et tu prends ton pied en épiant des femmes. » Ouais, mais j'ai tué dix-neuf salopards de communistes.

Tiger Klaw : coque en bois et construction garantie Seconde Guerre mondiale. Rayures tigrées, pattes de tigre, baptisé « 109 ». *En hommage à cette grande pute de Jack.*

Crutch bouffait de la Dramamine. *Tiger Klaw* dansait le watusi sur les vagues d'une mer agitée. Le crépuscule doucha le soleil et comme une nappe de fréon frigorifia la flotte. La terre ferme apparut à tribord. Salivar repéra des sémaphores. Le Frenchie dirigea *Tiger Klaw* vers une anse. Ils étaient cernés par les bancs de sable. Une lanterne éclaira la proue. Crutch vit quatre espingos armés de mitraillettes.

Les espingos lancèrent des grappins sur la proue pour amarrer serré *Tiger Klaw*. Emboîtage impeccable : les supports des mitrailleuses s'encastraient dans les failles de la falaise. L'ékipe sauta à terre. Le sable s'insinua dans leurs chaussettes. Les espingos portoricains ressemblaient aux Cubains. Ils avaient tous ce même physique de machos amochés. Des noms circulèrent. Crutch ne dit pas un mot. Les espingos s'inclinèrent devant Luc. À cause de son pedigree. Un prêtre vaudou de deux mètres, ancien flic Tonton Macoute. Luc était un salopard hors norme.

L'ékipe suivit les espingos. La jungle s'étendait presque jusqu'à la plage. Des nuées d'insectes nocturnes grouillaient dans l'air. La lanterne en tuait la plupart en vol. Crutch vit une cabane de pêcheur. Deux espingos en gardaient la porte. L'intérieur mesurait 2,5 mètres au carré. Des briques de poudre étaient posées sur la table.

Saldivar apportait l'argent dans un sac à dos. Luc avait pris une lame de rasoir, une seringue hypodermique, et de la saccharose comme diluant. Les espingos se signèrent et prièrent pour que son test soit probant.

Gómez-Sloan fendit les briques. Saldivar versa une cuiller de poudre dans une solution violette. Celle-ci devint jaune. Le Frenchie fit *voilà !* Les espingos firent *arriba !* Luc nettoya sa seringue, se fit un garrot, et se planta l'aiguille dans le bras.

Tous les regards sont braqués sur Luc. Il est à Cap Moricaud-Navéral. Il est prêt pour le décollage.

Luc enfonça le piston. La solution passa dans la veine. Luc prit du gîte, s'apaisa, entra en lévitation et les quitta pour le septième ciel.

L'eau était froide. Les vagues claquaient contre la coque et aspergeaient le pont avant. Crutch était de quart. Il ne pouvait pas éviter d'être trempé. Il revoyait des images dans sa tête. Les Dominicaines qui s'embrassent. Cela le renvoie à Joan et Gretchen/Celia et leur baiser de l'été dernier.

Le livre des morts vaudou. La Tatouée disparaît cet été-là. Elle a trahi le Mouvement du 14 juin. Joan et Gretchen/Celia veulent *sa mort*. Un assassinat à l'arme blanche – ou autre chose, peut-être.

« Tu prends ton pied en matant des femmes. »

Les Cubains ne lui faisaient pas peur. Luc ne lui faisait pas peur. Le Frenchie, Scotty et Dwight Holly – *niet*. Mais *Wayne* le terrifiait. Il ne faisait peur à aucun des autres types. Le Frenchie défiait Wayne. Le Frenchie disait qu'ils pourraient s'arranger pour que le trafic d'héroïne reste clandestin. Wayne avait tué Martin Luther King et d'autres nègres moins connus. Wayne avait une maîtresse noire. Wayne faisait peur parce qu'il manigançait des saloperies et vous les resservait sans que vous lui ayez rien demandé.

Il déposa Wayne dans un trou à rats de Haïti. Wayne revint trois jours plus tard, décavé et défoncé. Il avait donné son accord à un transfert de fonds : du fric pour le Nain, de la part des Parrains. L'équipe des détenus et celle des esclaves travaillaient à plein temps, à présent. Les Cubains et La Banda maniaient le fouet. L'ékipe Tiger travaillait tout le temps. Elle supervisait les sites. Elle entretenait la vedette *Tiger Klaw*. Ses membres dirigeaient la construction d'un appontement digne de ce nom pour la vedette. Les esclaves vaudou de Luc creusaient spécialement une enclave dans la crique. Le Frenchie la baptisa « Tiger Krique ». Luc avait des *moricaud*-nexions à Port-au-Prince. Des bamboulas Tontons Macoutes se chargeraient d'approvisionner les dealers en héroïne. Le bamboula en chef Papa Doc ramasserait un gros pourcentage.

Wayne avait dit : fini, l'héroïne. L'ékipe n'était pas d'accord. Wayne lui faisait *peur*. Il haïssait Wayne. Il avait une photo de Wayne serrant la main du Nain. Luc lui avait appris un envoûtement vaudou. Il s'en servit pour jeter un sort à Wayne. Il planta des aiguilles dans un poulet mort. Il fit couler son propre sang et planta l'aiguille dans une photo de Wayne.

Une vague doucha Crutch. Cela brouilla son image mentale. Il tira en l'air une rafale de balles traçantes.

Les types de la CIA étaient des fondus de golf. Terry Brundage jouait scratch. Ses sbires étaient bien classés. Leur bureau, c'était l'ancien local des caddies sur le terrain de golf privé du Nain. La Banda utilisait comme chambre de torture un bunker souterrain situé au-dessous du trou n° 9.

Crutch entra dans le bureau. Le sol était recouvert d'herbe synthétique. À la place des trous : des verres à cocktail. Terry et ses sbires portaient des T-shirts et des shorts en bourrette de soie.

Terry dit :

– *Hola, pariguyao !*

Crutch rit. Un sbire rata son putt. Un autre en réussit un *looooong*. Le local était en désordre. Trois tables, une radio ondes courtes, un télex. Un classeur métallique dont les tiroirs débordaient.

La fontaine d'eau réfrigérée possédait un distributeur de gobelets et débitait des daiquiris pré-mixés. Crutch prit un gobelet et se servit une petite dose.

Terry fit tournoyer son putter.

– C'est Mesplède qui t'envoie ?

– Non, c'est une idée à moi. Je me suis dit que je pourrais consulter votre fichier de dissidents. Il me semble qu'il y a plusieurs communistes qui rôdent autour des sites.

Les sbires préparaient leurs sacs de golf. Ils glissèrent des fusils de chasse au milieu des clubs.

Terry remplit son thermos de cocktail au rhum.

– Il y a des magazines de femmes à poil dans les chiottes. Si c'est des photos de nanas que tu cherches, tu seras plus à l'aise là-dedans.

La pièce des archives était un vrai chaos. Quatre classeurs métalliques, seize tiroirs, aucun système de rangement. Des dossiers éparpillés. Des photos orphelines. Pas de références d'indexation ni d'enregistrement. Aucun classement par ordre alphabétique.

Crutch fit des recherches tiroir par tiroir. Il s'enferma à clé dans la pièce. Il avait quatre heures devant lui. Un parcours de golf en picolant, il fallait bien ça. Il vida les tiroirs et parcourut les documents. Il les passa en revue dans l'espoir de trouver *n'importe quoi* concernant Joan Klein/Cela Reyes/le 14 juin. Il trouva des listes de noms, des listes de membres, des listes de suspects, des listes de personnes interrogées et des listes de personnes présumées mortes. Il vit des tonnes d'acronymes communistes et de listes en espagnol. Il vit une liste d'ennemis de Rafael « Le Bouc » Trujillo longue de *quatorze mille* noms. Il vit une liste de planques à Saint-Domingue et les mémorisa plus ou moins. Il vit des *fragments* d'une chronologie des événements du 14/6/59. Le compte rendu était incomplet. Il manquait la moitié des pages.

Il connaissait déjà les faits essentiels. Ce qu'il apprit de nouveau était horrible. Le Bouc avait assassiné en masse, au coupe-coupe, des sympathisants du 14 juin. Il avait rasé des villages frontaliers.

Il avait jeté des mômes en pâture aux alligators dans la Plaine du Massacre. Une liste suivait l'historique : les membres du 14 juin capturés. Pas de Joan, pas de Gretchen/Celia, pas de Maria Rodriguez Fontonette.

Le compte rendu s'acheva. Suivaient des pages sans aucun lien. Crutch vida trois autres tiroirs et trouva ceci :

Une série erratique de paragraphes sur une page non numérotée. Le nom Maria Rodriguez Fontonette. Son surnom : « La Tatouée. »

Elle appartenait au 14 juin. Elle a trahi. Elle a cafté l'invasion. La Banda était au courant. Les contre-mesures furent rapidement préparées et mises en œuvre. Un traître Tonton Macoute aida les rebelles à s'échapper et à gagner une destination inconnue. Son nom : Laurent-Jean Jacqueau.

Crutch relut la page. Il lut les suivantes et au-delà et parcourut de nouveau toutes celles qu'il avait déjà lues. Rien ne vint modifier ni élucider le compte rendu incomplet. Trois heures et demie de travail pour *ça*.

Il vida quatre tiroirs de plus. Il trouva des noms, des noms, encore des noms. Il vida deux tiroirs de plus. Il vit une chemise. « Reyes, Celia », inscrit à la machine sur la première page. La chemise était vide.

Il avala du cocktail au rhum directement au robinet de la fontaine réfrigérée. Il vida encore un tiroir. Il vit un million de photos d'espingos avec des têtes de communistes. Il vit un cliché daté 14/6/59. Il entendit des cris provenant de quelque part sous le terrain de golf. La lumière baissa d'intensité pendant deux secondes et retrouva son intensité normale.

Il retourna l'épreuve. C'était un cliché pris d'avion. Une plage avec des rochers. Des soldats braquent des armes sur des rebelles dépenaillés.

Il cligna des yeux et plissa les paupières. Il regarda la photo très attentivement. Il vit une femme avec une trentaine d'hommes. C'était Joan Rosen Klein. Elle levait le poing droit.

De la fumée s'échappa d'un conduit d'aération. Une puanteur féroce suivit aussitôt. L'invasion, c'était il y a dix ans. Les cheveux de Joan étaient uniformément bruns.

Encore plus de fumée et de pestilences. Un autre cri – du pur créole français. Encore des émanations – une pure puanteur de chair grillée.

70

Los Angeles, 13 avril 1969

Macaque Junkie se payait la tête de Sonny Liston. Cela mettait Sonny en rogne. Sonny lâchait la purée sur des drag-queens et ne bandait pas pour Ali. Sa virilité avait perdu tout son jus.

Jomo prenait des appels. Junior se bâfrait de biscuits trempés dans le cognac. Le numéro de Milt traînait en longueur. Wayne et Marsh regardaient Sonny bouillir intérieurement.

Il pleuvait. Le toit fuyait. Le papier peint à rayures se décollait. Un Dr Guérit-Tout devait 350 dollars à Tiger Kab. Il remboursait sa dette en Desoxyn et en Dilaudid. Sonny et Jomo étaient défoncés au cocktail méthamphétamine/méthadone.

Macaque Junkie minaudait, aujourd'hui. Macaque Junkie lissait sa coupe afro et faisait sa bouche en cul de poule.

– Ali, il est tellement *mignon*. Ce jeune homme sait faire des rimes et lancer des reparties comme la jolie fille que je suis n'en a jamais entendues. « Sonny va avoir une surprise, il tombera à la troisième reprise » ; « C'est pas des conneries, j'vais l'envoyer au tapis » ; « Il tiendra jamais la distance, avec les putes il perd sa semence » ; « Il a rien à espérer, tellement il est camé ».

Sonny sirotait du supercarburant – un mélange de méthamphétamine liquide et d'eau-de-vie à 75 degrés.

– C'est pas drôle. Fais-nous le sketch où Lady Bird Johnson me suce la bite.

Macaque Junkie fit sa mijaurée.

– Cette sœur simiesque est *teeeellement* fatiguée de ta réticence à reconnaître la valeur de ce beau jeune homme, lui qui a amené les gens de couleur à l'Ère du Verseau, pendant que toi, pour le pouvoir blanc et la Mafia, tu faisais le ouistiti du joueur d'orgue de Barbarie.

Sonny serra les poings. Sa cigarette s'effrita. Marsh regarda Jomo. Wayne regarda Marsh. Junior partit aux toilettes en se dandinant.

Milt scotcha une cigarette en plastique aux lèvres de Macaque Junkie.

– « Sonny c'est un vrai toquard, y r'partira sur un brancard » ; « Même s'il tient la distance, à la fin j'lui flanque une danse ».

Jomo dit :

– Ça suffit. Tes conneries commencent à me fatiguer.

Wayne hocha la tête. Marsh saisit l'allusion – *c'est bientôt le moment.*

Macaque Junkie remet ça :

– Et j'en ai tellement *assez* de tous les poseurs dans votre genre, qui confondent Karl Marx avec Groucho Marx, et Mao Tsê-Tung avec ma foufoune, espèces de...

– Ta gueule, Pépé ! fit Jomo. C'est la dernière fois que je te le dis.

Wayne fit signe à Marsh – *maintenant.*

Marsh dit :

– Du calme, mon frère. Laisse le singe faire son numéro.

Jomo fit craquer ses phalanges. Toutes les huit – lentement et bien fort.

Wayne fit signe à Marsh – *continue.*

– Qu'est-ce qui te donne le droit de bousculer les vieux ? C'est de toi que je parle, négro. Je te parle de ce pauvre marchand d'alcool que tu as salement tabassé, et qui ne t'avait même pas...

Jomo se leva. Marsh s'approcha de lui. L'un et l'autre saisirent une chaise. Celle de Jomo décrivit un arc de cercle trop large et manqua sa cible. Marsh se baissa. La chaise percuta le standard.

Les pieds se brisèrent. La console se fendit. Les connecteurs tombèrent par terre. Marsh visa serré. Il atteignit Jomo dans le dos, il l'atteignit aux jambes, il lui érafla le crâne et lui arracha la moitié d'une oreille. Jomo trébucha et s'écroula sur la console. Marsh lui décocha un uppercut. En visant son entrejambe, il lui enfonça un pied de chaise dans les testicules.

Jomo hurla. Marsh sortit en courant et cria sous la pluie. Cela ressemblait à un seul mot répété sans cesse. Wayne ouvrit une fenêtre pour l'entendre.

C'était *ATN ! ATN ! ATN !* Marsh donnait des grands coups dans le vide avec sa chaise et ne cessait de crier. Les gens sortirent en masse des magasins. Plusieurs badauds l'acclamèrent.

Wayne sortit prendre l'air. C'était une promenade avec un but. Qui avait trait à ce *clic* récurrent.

Il s'était disputé avec Mary Beth. Elle lui avait parlé de l'« École de la liberté ». En allant sur place, il avait vu la photo des enseignants. La femme aux cheveux striés de gris. Le *clic* qu'il ne parvenait pas à identifier. Le demi-*clic* qui le ramenait à cette tournée des bars.

Il y avait trois mois de cela. La première fiesta en l'honneur de Tiger Kab. Une femme, vue de dos, avec des cheveux semblables.

Son voyage mental en Haïti. Les herbes et la silhouette toujours changeante de cette même femme.

Wayne parcourait les quartiers sud. Sa dispute au téléphone avec Mary Beth tournait dans sa tête. Elle l'avait pressé de questions sur son voyage. Il avait menti – la R.D. et Haïti, ce n'est pas si mal. Mes investisseurs vont dynamiser l'économie. Balaguer n'est pas Trujillo. S'il te plaît, est-ce que tu acceptes de croire que la situation va s'améliorer ? Mary Beth avait ironisé. Je sais à quoi m'en tenir, mon petit.

Wayne s'engagea dans Central Avenue. Les clubs faisaient recette. Il avait vu cette femme au Bac à Sable de Sam le Sultan. Elle s'y trouvait peut-être aussi ce soir. Il y avait peu de chances, mais cela valait la peine d'essayer.

Il avait passé trois jours à Haïti. Son trip à la dope n'avait pas cessé une seconde. Il avait revu sa vie entière comme dans un kaléidoscope. Des visages surgissaient des arbres et de l'eau des ruisseaux. Les herbes qu'il avait avalées dévastaient son système. Il était réduit à l'état de zombie. Il était obligé de s'asseoir et d'écouter. Il n'avait plus la volonté d'élaborer une pensée ou de s'enfuir. Il s'endormit après un trip d'un million d'années. Le monde réel lui revint, modifié.

Wayne coupa par Slauson. Il vit des consommateurs acheter de la drogue devant un stand de gombo. L'ékipe Tiger voulait vendre de l'héroïne. Il avait opposé son veto. Ils ne passeraient pas outre. Ils redoutaient son influence auprès des Parrains. L'ékipe ferait probablement des expéditions punitives à Cuba. Cuba : l'idée fixe de la droite givrée.

Quelques poseurs de l'ATN passèrent près de lui. Ils portaient des chapkas et des costumes noirs près du corps. Marsh assumait son nouveau statut. Il était Mister ATN, à présent.

Une foule se massait devant l'entrée de Sam le Sultan. Wayne se gara en double file et s'approcha du début de la file d'attente. Les videurs l'appelaient « patron ». Le club appartenait aux Parrains, maintenant. Les Noirs qui attendaient derrière la barrière lui jetèrent des regards mauvais.

Il ouvrit la porte et regarda à l'intérieur. Tous les clients étaient noirs. Pas de femme blanche aux cheveux striés de gris.

Il se rendit à La Pêche aux Moules et joua au grand bwana blanc. Il eut droit à encore plus de regards mauvais et à quelques cris de cochon. Elle n'y était pas. Il passa au Renard Snob, au Nid de Nat et au Klover Klub. Les cris de cochon s'amplifiaient à chaque fois.

Cherchez la femme. La femme n'est pas là.

Wayne reprit sa voiture pour aller chez Mister Mitch. La boîte ne lui appartenait pas. Il graissa la patte à deux videurs pour avoir droit à une entrée V.I.P. Un homme noir l'accueillit d'un cri de cochon retentissant.

L'intérieur était aussi sombre que celui d'une grotte. L'hôtesse conduisait les clients à leur table à l'aide d'une lampe électrique. Elle emmena Wayne jusqu'à la sienne. Il vit Sonny installé avec Junior Jefferson. Deux boxes plus loin : Ezzard Donnell Jones et la femme aux mèches grises.

Wayne s'invita à la table de Sonny et Junior. Ils étaient blindés au supercarburant de Mister Mitch. La bouteille émettait des radiations.

Sonny dit :

– Jomo en a pour un bout de temps à trimballer ses couilles dans une brouette.

Junior bouffait des litchis.

– Marsh a intérêt à se faire rare pendant quelques jours.

Sonny but une gorgée de son cocktail.

– T'es trop gros et Wayne trop maigre. À chaque fois que tu prends un biscuit, il faut que tu lui en donnes un aussi.

La femme fumait. La femme fit voler ses cheveux. La femme se balançait au rythme d'une musique enregistrée.

Wayne la montra du doigt.

– Qui est-ce ?

Sonny répondit :

– Elle traîne avec l'ATN et elle danse comme une déesse. J'aime pas ses lunettes, remarque.

Junior ajouta :

– Je crois qu'elle s'appelle Joan.

Wayne observa Joan. Sonny et Junior ne s'occupaient plus de lui. Il se ménagea un espace dans sa tête. Le club devint silencieux pour lui. Wayne synchronisa la musique et les mouvements de Joan. Il crut avoir dans la bouche la saveur des herbes vaudou et le goût du Klerin. Des hallucinations sensorielles – un flash-back, certainement.

Joan nettoya ses lunettes avec un pan de sa chemise. Ses yeux devenaient plus doux sans elles. Un couteau pointait hors de sa botte.

Elle laissait un peu tomber ses épaules. Ses mouvements étaient fluides. Elle exhalait des ronds de fumée très esthétiques.

La tonalité de la musique changea. Joan arrêta de se balancer. Elle posa de l'argent sur la table, se leva, et s'en alla.

Wayne se leva aussi. L'obscurité ambiante le couvrit. Il suivit Joan jusqu'au fond du parking. Elle monta dans une Chevrolet 59. Les plaques étaient rendues illisibles par des traînées de boue. Elle savait déjouer les filatures comme une pro.

Elle sortit du parking et prit Manchester vers l'ouest. Wayne démarra sa voiture de location et traîna quarante mètres derrière elle. Joan roulait lentement dans la voie du milieu. Elle utilisait son clignotant et conduisait en citoyenne modèle. Elle tourna dans le Harbor Freeway en direction du nord. Wayne se rapprocha puis se laissa distancer.

Il se faisait tard. La circulation était clairsemée. Wayne changeait de file pour paraître inoffensif. Ils traversèrent le centre-ville et Chinatown. Le Pasadena Freeway les emmena au nord. Joan coupa par le Golden State côté ouest. Wayne la rattrapa et se laissa glisser. Joan traversa Atwater à fond et contourna les rampes de sortie de Glendale. Elle tourna à droite et prit une sortie pour Eagle Rock. Wayne leva le pied et surveilla ses feux arrière. Elle s'arrêta devant un groupe de maisons individuelles en haut d'une côte.

Wayne ne bougea pas. Joan gara la Chevrolet le long du trottoir et déverrouilla la Dodge qui se trouvait devant. Les phares s'allumèrent. Elle fit demi-tour et se dirigea droit sur lui. Il vit son visage à travers le pare-brise. La plaque de devant était maculée de boue.

Son clignotant se mit en marche. Elle tourna vers l'est dans Colorado Boulevard. Wayne traînait loin derrière, réduisait la distance puis lui laissait du champ. Ils traversèrent Pasadena. Joan prit vers le nord dans Lake Avenue. Pasadena devint Altadena. Ils se dirigeaient vers les collines de San Gabriel. Wayne laissa deux voitures s'intercaler entre eux. Il passa la tête par la fenêtre pour ne pas perdre des yeux les feux arrière de Joan.

Elle tourna à gauche dans une rue latérale. Wayne accéléra, tourna à son tour, et ralentit. Joan se gara et s'approcha d'une petite maison à toit en bardeaux. Quelqu'un ouvrit la porte et la fit entrer. La maison d'Eagle Rock avait tout d'une *planque*. Même impression pour celle-ci.

Wayne se gara et s'en approcha en courant. Il y avait de la lumière à l'intérieur. Il s'accroupit et avança en canard jusqu'à l'allée latérale. Il aperçut des ombres dans la pièce. Les stores vénitiens étaient à moitié relevés. Il se releva et jeta un coup d'œil.

Un petit salon. Des fusils et des armes de poing empilés sur les meubles. Des couvertures jetées par-dessus.

Des carabines, des M14, des Rugers équipés de lunettes de visée. Des automatiques et des revolvers dans une caisse.

Jomo Clarkson entra. Il avait des points de suture et des bandages sur le crâne. Joan le suivait. Ils parlaient sans que Wayne puisse les entendre. Jomo semblait agité. Joan avait l'air calme. La fenêtre fermée étouffait la bande-son.

Joan ôta sa veste. Wayne vit la cicatrice sur son bras droit.

CLIC :

Ce dossier que Dwight lui avait envoyé. Pas de photo jointe. Il avait dissous l'encre du caviardage pour découvrir en dessous les caractères frappés par la machine. Il avait trouvé un nom de « Relation connue » et l'avait communiqué à Dwight. Il avait détruit le document. Il ne se rappelait pas le nom de cette relation connue. Le *CLIC* lui paraissait fiable mais *INCOMPLET*.

Joan et Jomo parlaient. Wayne se plaqua contre la fenêtre. Il capta un bourdonnement, pas de mots reconnaissables, il ne savait pas lire sur les lèvres.

Il vit une station-service au bout du pâté de maisons. Il se rua vers la cabine téléphonique.

Dwight sirotait du café.

– L'appel en pleine nuit pour un rendez-vous urgent. Je commence à en prendre l'habitude.

Canter's Deli sur Fairfax. La clientèle de 3 heures du matin : des flics et des hippies ultra-crasseux.

Wayne demanda :

– Qui est Joan ?

Dwight leva les mains – pas la moindre idée – hypocrite, pas convaincant.

– C'est elle, Joan Rosen Klein ? J'ai traité le caviardage de son dossier l'an dernier, mais je n'ai jamais vu sa photo.

Dwight refit ses simagrées – pas la moindre idée. Wayne frappa la table du plat de la main. Leur café gicla et tacha la table.

– Parle-moi d'elle.

Dwight secoua la tête. Wayne frappa la table. La corbeille à pain décolla.

– Elle a une cicatrice de coup de couteau au bras droit.

Dwight eut le culot de sourire. Wayne serra les poings. Dwight lui toucha les mains – petit, ne fais pas ça.

– Je viens de la voir avec Jomo Jackson. 1864 Avondale Road à Altadena. C'est une planque. Bourrée de flingues.

Dwight tripotait la chevalière de sa fac de droit. Elle glissa de son doigt et tomba dans son giron.

– Continue.

– Jomo s'est vanté d'avoir un gros paquet de fric. C'est un braqueur et un rédacteur de tracts racistes anti-Blancs. Fred Hiltz, tu te souviens ? Le roi du tract raciste se fait descendre, et la police de Beverly Hills met ça sur le compte de « suspects noirs non identifiés ».

Dwight se leva et sortit en courant. Wayne récupéra sa chevalière sur le carrelage.

71

Beverly Hills, 14 avril 1969

La police de Beverly Hills lui laissa consulter le dossier. Le sbire préféré d'Hoover à 4 heures du matin ? Le chef de veille avait obtempéré.

Dwight était installé dans la salle d'inspection. Le dossier était succinct. M. Hoover avait annexé l'affaire. Jack Leahy avait bâclé l'enquête, selon ses instructions.

Un dossier, neuf pages, dont quatre de pistes possibles. De nombreux Noirs de sexe masculin dans la liste. Pour la plupart caftés par des indics ou par des ex en rogne. Un recensement général de braqueurs noirs. Pas de Jomo Kenyatta Clarkson, pas de branleurs du militantisme noir et assimilés.

Dwight lut le rapport sur la scène de crime et le protocole d'autopsie. Les témoins oculaires ont déclaré avoir vu deux Noirs masqués. Cause du décès : multiples blessures provoquées par des tirs de chevrotine. Également sur la liste : quatre balles de calibre .38 logées dans le crâne.

Attends un peu...

Le protocole incluait des photos des projectiles. Selon le technicien du labo les quatre balles étaient sorties de la même arme. Des balles déformables, semi-blindées, six tenons, six rayures.

Justement...

Joan avait tiré des munitions de la planque dans un caisson acoustique. À sa propre demande. Les projectiles usagés – ici même dans sa serviette.

Dwight l'ouvrit. Les balles étaient en vrac dans une pochette en plastique. Il trouva une balle de calibre .38 portant les traces laissées par le canon de l'arme. Il rafla les photos et dévala le couloir jusqu'au labo de la Criminelle.

La porte était ouverte. Personne à l'intérieur. C'était comme ça dans les commissariats de deuxième zone. Dwight inspecta les lieux. Près du mur du fond : un macroscope comparateur.

Il s'en approcha et plaça la balle dans la platine. Il disposa les photos sur la paillasse. Il régla la mise au point et observa. Il augmenta le grossissement. Il découvrit les traces de six tenons et six rayures et un écrasement pratiquement identique. Il examina les photos. La même arme avait tiré les deux projectiles, sans le moindre doute.

Il entendit des sirènes à l'extérieur. Il entendit un appel radio dans la pièce voisine : *Code 3, extrême urgence, appel à toutes les voitures, Altadena...*

Tohu-bohu :

Les services du shérif de L.A., la police de Beverly Hills, vingt voitures de police et des unités de flics en civil. Des agents en tenue qui embarquent des armes enveloppées dans des couvertures.

Dwight avança sa voiture jusqu'aux barrières. La rue était éclairée par des lampes à arc d'un blanc rose. Des badauds en pyjamas se pressaient tout autour. Des flots de flics entraient et sortaient de la maison ciblée. Une planque, sans déconner.

Le garde en faction près de la barrière s'approcha de Dwight. C'était un homme du shérif, un grand con avec une acné post-adolescence. Dwight sortit de sa voiture et lui montra son insigne.

– Bon, je vous écoute.

– Euh... Pardon, chef ?

– Dites-moi ce qui se passe ici.

Le grand con se mit au garde-à-vous.

– Eh bien, on a reçu un tuyau sur une cache d'armes, et sur l'assassinat, l'an dernier, de ce type qui publiait des brochures racistes. C'est une affaire du BHPD, alors on a appelé...

– Jomo Clarkson. *Où est-il ?*

Le grand con recula d'un pas.

– C'est-à-dire, le LAPD nous l'a raflé sous le nez. Un inspecteur de la répression des vols s'est pointé avec un mandat d'amener. Il a embarqué le type au poste de la 77e Rue.

Dwight fut pris de vertige.

– A-t-il arrêté quelqu'un d'autre ? Une femme blanche ? Est-ce que le LAPD a appréhendé une femme en même temps que ce Noir ?

– Non, chef. L'inspecteur s'est contenté d'emmener l'homme de couleur le plus vite possible. On a les armes, bien sûr, mais je n'ai pas entendu parler d'une femme.

Dwight monta dans sa voiture et fit fumer ses pneus en passant la marche arrière. Il percuta le bord du trottoir pendant son demi-tour, et il enfila des rues latérales pour rejoindre le Pasadena Freeway. Plaçant son gyrophare amovible sur le toit, il monta jusqu'à 180. Le trajet jusqu'au centre-ville lui prit six minutes. Le Harbor Freeway l'emmena jusqu'au Congo. Le poste de police était tout près de la sortie.

Il se gara sur le parking du poste et il épingla son insigne à sa veste. Il passa devant l'accueil sans s'arrêter. L'officier de permanence somnolait. Il entendit des bronzés avinés hurler au fond de la cellule.

La salle de garde était au premier. Dwight grimpa les marches trois par trois. Le local était garni de bureaux d'un mur à l'autre de part et d'autre du passage central. Les flics qui assuraient le service du matin lisaient des télex et tapaient sur leur clavier avec un seul doigt en cherchant la bonne touche. Ils avaient l'air de s'ennuyer à mourir. Un type le salua d'un signe de la main. Dwight prit un couloir perpendiculaire. Les salles d'interrogatoire se succédaient tout au long du mur de droite.

Voilà Scotty.

Il mange une pomme. Il porte un costume marron et un nœud papillon écossais. Il regarde à travers un miroir sans tain.

Dwight s'approcha de lui. Scotty lui fit un clin d'œil. Voilà Jomo, menotté à une chaise.

Scotty attaqua :

– Ne me dites rien. M. Hoover veut qu'on étouffe l'affaire Hiltz.

– Pourquoi vous le dire ? Ça ne m'avancerait à rien.

Scotty s'esclaffa.

– Vous voulez assister à l'interrogatoire ?

– Oui. Vous voulez bien m'accorder une concession d'abord ?

– Oui.

Dwight sortit ses cigarettes. Scotty en prit deux et les alluma toutes les deux.

– Que s'est-il passé ? Dites-moi pourquoi nous sommes ici.

Scotty lança sa pomme dans la poubelle.

– Votre protégé, Marsh, m'a appelé, et il a cafté Jomo pour plusieurs braquages de magasins de spiritueux. J'ai mis la main sur lui avant que le BHPD puisse le serrer pour l'assassinat de Fred Hiltz, qu'il a dû commettre, à mon avis. Il y a un truc bizarre, en revanche. J'ai parlé à Marsh au téléphone, et ce que j'ai entendu ne lui ressemblait pas. Et même, bon sang, on aurait dit qu'une femme lui chuchotait à l'oreille ce qu'il devait me dire.

Dwight toucha sa chevalière. Elle n'était plus là. Scotty écrasa sa cigarette sur le mur. Jomo cracha en direction du miroir. Son glaviot atterrit sur une table boulonnée au plancher. Jomo se tortilla sur sa chaise elle aussi fixée au sol.

Scotty ouvrit la porte. Dwight entra à sa suite. Ils approchèrent des chaises et se plantèrent devant Jomo. Le guignol était menotté serré sur sa chaise boulonnée au plancher.

– Je veux parler à un avocat. Trouvez-moi un de ces Juifs frisés qui travaillent pour les Panthères.

Scotty répliqua :

– M. Holly est avocat. Il va vous informer de vos droits.

Dwight dit :

– Vous avez le droit d'avouer et d'éviter ainsi les sévices corporels. Vous avez le droit de dire au sergent Bennett exactement ce qu'il a envie de savoir. En ce qui me concerne, il va falloir aussi que j'obtienne des réponses rapides à mes questions. Si vous coopérez, vous aurez droit à un paquet de cigarettes et une barre chocolatée. Si vous faites de la résistance, on vous roue de coups et on vous balance dans la cellule des pédés.

– Tout ça, c'est des conneries ! Je connais le droit ! La loi *Miranda-Escobedo* est passée en 1962.

– La loi *Miranda-Escobedo* ne s'applique pas ici. Nous sommes un tribunal d'exception, et l'exception, c'est vous.

Jomo cracha sur la table. Scotty sortit un tuyau de caoutchouc de sous sa ceinture. Il mesurait vingt-cinq centimètres de long et il était entouré de chatterton pour assurer la prise en main.

– Au cours des sept derniers mois, quatorze magasins de spiritueux ont été attaqués dans les quartiers sud de Los Angeles. Vous correspondez au signalement du suspect. Un informateur confidentiel de la police m'a appelé hier. Il vous a dénoncé pour ces délits, et je l'ai trouvé crédible. Je vous conseillerais d'avouer. Si vous avez besoin de conseils, vous pouvez vous adresser à votre avocat.

Dwight dit :

– Avouez.

Jomo déclara :

– C'est Marsh Bowen qui m'a dénoncé. D'abord, il me démolit, et après, il me cafte. Vous avez vu les points de suture sur ma tête ? C'est ce salopard d'ancien flic qui m'a fait ça. Vous croyez que je ne vais pas régler mes comptes avec lui quand je sortirai d'ici ?

Scotty plia son tuyau de caoutchouc.

– Fiston, j'adorerais voir ça. Marsh m'a bousculé, moi aussi, et j'aimerais bien qu'il récolte ce qu'il mérite.

Jomo se tortilla. La chaîne de ses menottes cliqueta. Les bracelets étaient serrés au maximum. Ses poignets saignaient.

– C'est Marsh qui m'a cafté, n'est-ce pas ?

Scotty répondit :

– C'est exact.

– Alors, laissez-moi sortir d'ici. Passez l'éponge sur mes braquages à la petite semaine et je vais lui faire payer l'addition pour nous deux.

Dwight dit :

– Avouez d'abord. On vous obtiendra une perm' d'une journée pour mettre de l'ordre dans vos affaires. J'ai un copain juif qui est avocat. Il vous sortira de là. Vous ferez au maximum un an en semi-liberté, dans un camp de réhabilitation par le travail.

Jomo cracha sur la table.

– Nique ta mère, espèce de cafard fasciste à la solde du pouvoir des porcs. Ta mère, elle a sucé ma grosse bite noire.

Scotty fit un clin d'œil à Dwight. Scotty fit le tour de la table pour se poster derrière Jomo. Scotty caressa la coupe afro de Jomo avec son bout de tuyau.

– Avoue, fiston. C'est dans ton intérêt.

– Allez vous faire foutre, dit Jomo.

Scotty lui balança un coup de tuyau. En plein dans les reins. Jomo hurla.

Dwight répéta :

– Avoue.

Jomo cracha sur la table. Scotty lui balança un coup de tuyau. En plein dans les reins. Jomo hurla plus fort.

Dwight répéta :

– Avoue.

Jomo eut un haut-le-cœur. Il cherchait l'oxygène. Scotty posa une feuille de papier sur la table. Dwight la parcourut du regard. C'était la liste des quatorze magasins dévalisés.

Scotty dit :

– Regarde la liste et hoche la tête. On considérera ça comme des aveux.

Jomo cracha sur la table. Jomo dit :

– Allez vous faire foutre.

Scotty lui balança un coup de tuyau. En plein dans les reins. Jomo hurla.

Dwight dit :

– Il a regardé la liste. En tant qu'avocat du suspect, je déclare que ce sont des aveux.

Scotty s'inclina.

– C'est aussi mon avis. Je les rédigerai plus tard, et M. Clarkson pourra les signer quand il sera capable de tenir un stylo.

De la bouche de Jomo coulait de la bile. Elle était mélangée à du sang. Sa tête tombait. Ses menottes lui entaillaient les chairs profondément. Ses yeux faisaient des choses bizarres.

Scotty annonça :

– J'ai une excellente idée.

– Dites-moi ça, fit Dwight.

Scotty pelota son bout de tuyau.

– On pourrait demander au BHPD l'autorisation de reprendre une de leurs anciennes affaires. On pourrait vous obtenir celle de cette planque et de ces armes.

Dwight pensa à Joan.

– Oubliez la planque. Les gens qui travaillent pour moi pourraient se retrouver mouillés. Concentrons-nous sur l'affaire Hiltz.

« L'affaire Hiltz » titilla Jomo. *Vous dites ? C'est quoi, ça ? Je la connais pas, votre affaire Hiltz.*

Scotty expliqua :

– Le 14 septembre dernier, deux hommes de race noire se sont rendus coupables d'une série de cambriolages dans les quartiers résidentiels, série au cours de laquelle ils ont tué un pamphlétaire qui avait fait fortune grâce à ses brochures racistes, le Dr Fred Hiltz. Je crois que l'homme de race noire n° 1, c'est toi. Je pense que tu devrais avouer cette série de forfaits et révéler l'identité de l'homme de race noire n° 2. Monsieur Holly, que conseilleriez-vous à votre client ?

Dwight répondit :

– Avoue.

Jomo cracha du sang sur la table. Jomo dit :

– Allez vous faire foutre.

Scotty lui balança un coup de tuyau. En plein dans les reins. Jomo hurla.

Dwight dit :

– Avoue.

Scotty dit :

– Avoue.

Jomo cracha du sang sur la table. Jomo *haleta* :

– Allez vous faire foutre.

Scotty lui balança un coup de tuyau. Jomo hurla.

Dwight dit :

– Avoue.

Scotty dit :

– Avoue.

Jomo cracha du sang sur la table. Jomo *sanglota* :

– Allez vous faire foutre.

Scotty lui balança un coup de tuyau. Jomo hurla.

Dwight dit :

– Avoue.

Scotty dit :

– Avoue.

Jomo cracha du sang sur la table. Des lambeaux de tissu y étaient mêlés. Jomo releva la tête et aspira à fond.

– D'accord, c'est moi qui ai fait ces cambriolages. Moi et un nègre nommé Leotis Waddrell. Leotis m'a arnaqué. Il est allé à Vegas et il a claqué notre magot à acheter de la coke et à jouer à la roulette. Je l'ai flingué. Il est quelque part dans le désert. Vous me laissez m'en tirer avec une inculpation pour homicide involontaire, et je vous dis où se trouve son putain de cadavre.

Scotty constata :

– Il a avoué.

Dwight dit :

– Je vais vérifier ça.

Scotty reprit :

– J'ai encore quelques questions.

Dwight secoua la tête.

– Appelez-lui une ambulance. Il a tenté de s'échapper et vous l'avez coincé. Vous pourrez post-dater les aveux.

Scotty secoua la tête. Scotty chatouilla le menton de Jomo avec son tuyau de caoutchouc.

– Le 24 février 64. Le braquage du fourgon blindé au carrefour de la 84e Rue et de Budlong Avenue. Je suis sûr que tu en as entendu parler. Les convoyeurs morts, les braqueurs morts, un énorme butin en argent liquide et en émeraudes. Le chef du commando a tué ses hommes et a brûlé les cadavres pour rendre toute identification impossible. Il a pris la fuite, mais je suis presque convaincu qu'un deuxième homme a pu s'échapper, aussi. Pendant que je t'ai là, je peux te demander si tu sais quelque chose sur cette histoire ?

Dwight cligna des yeux. Ça n'avait aucun rapport, ça n'avait aucun sens, ça ne se rattachait pas...

Jomo cligna des yeux. Du sang coula sur son menton.

– Enfin, pourquoi vous me demandez un truc pareil ? C'est de l'histoire ancienne, tout ça.

Scotty lui balança un coup de tuyau. En plein dans les reins. Jomo hurla.

Dwight se leva. Jomo laissa sa tête tomber sur la table. Scotty lui agrippa les cheveux pour la relever d'un coup sec. Le plateau de la table était taché de sang.

– Des rumeurs, des commérages, tout ce que tu as pu entendre. Je t'ai posé une question poliment, et j'attends une réponse polie.

Jomo retira sa tête. Son afro resta dans la main de Scotty. C'était une perruque fixée par de la colle. Scotty s'esclaffa et la jeta sur le plancher.

– Une dernière fois. Les événements du 24 février 64. Dis-moi ce que tu sais sur...

– Merde, je sais rien du tout ! Les rumeurs, c'est des rumeurs ! C'est peut-être un coup de l'ATN avant qu'ils deviennent l'ATN ; peut-être que c'est des Blancs ! Merde, j'en sais rien, moi !

Scotty caressa le cuir chevelu de Jomo avec son tuyau. Dwight dit :

– Ça suffit.

Scotty coinça son tuyau dans sa ceinture. Scotty dit :

– Comme vous voudrez.

– Appelez une ambulance. Faites-le emmener à Morningside.

Scotty fit un clin d'œil.

– Bien sûr, Dwight. Je vais appeler une ambulance, et on va se souhaiter bonne nuit, maintenant.

Dwight se dirigea vers la porte. Sa chevalière avait disparu. Ses pieds étaient ankylosés. Il avait dans les narines une odeur de bile et de sang.

Scotty dit :

– J'ai encore une dette à régler avec Marsh Bowen.

Dwight franchit la porte et descendit l'escalier. Il ne sentait plus ses pieds. Il tremblait quand il parvint au parking. Joan était appuyée contre sa voiture.

L'aube au QG des flics fascistes. Des voitures de police garées tout autour d'elle. La Déesse Rouge portait un caban et des bottes éraflées.

– J'en sais autant que toi. Tu es convaincu, à présent ?

Dwight répondit :

– Oui.

Il faisait froid. Joan frissonna et fourra les mains dans ses poches.

– Le bruit va se répandre que Marsh a dénoncé Jomo. Nous avons certifié Marsh et retiré Jomo de la circulation du même coup. C'est pourquoi j'ai laissé le FLMM stocker des armes dans une planque de l'ATN. Le FLMM et l'ATN vont prendre la suite des opérations, maintenant.

– Tu savais que Marsh était mon infiltrateur.

Joan hocha la tête.

– *Grâce à une bagarre avec Scotty Bennett ?* C'était tellement gonflé, comme scénario, que ça ne pouvait venir que de toi.

Dwight frissonna.

– « Personne ne meurt. » Tu te souviens ?

– Il y a des armes qui ne feront de mal à personne.

– Cela risque de ne pas être aussi simple.

– Ce qui ne devrait pas entraver nos actions.

Deux flics passèrent près d'eux. Dwight s'avança vers Joan. Il lui prit les mains, avec son univers de flic en toile de fond.

– Pourquoi ceci ? Et pourquoi maintenant ?

– Nous avons tous les deux du sang sur les mains.

– Qu'est-ce que tu veux dire ?

Joan répondit :

– Il y a des choses que je sais sur ton compte.

DOCUMENT EN ENCART : 21/4/69. *Extrait du journal intime de Karen Sifakis.*

Los Angeles
21 avril 1969

Le monde extérieur empiète sur la paisible vie de famille que j'essaie de créer pour mes enfants. Le journal atterrit devant ma porte tous les matins, et je ne peux pas m'empêcher de le regarder. Puis Dwight frappe à ma porte et me raconte tout ce que les journaux ont omis de dire.

À Brooklyn, deux membres des Panthères Noires ont été inculpés d'agression n'ayant pas entraîné la mort contre deux officiers de police ; des poursuites en justice contre les Panthères sont engagées dans une douzaine de villes. Dwight pense que les Panthères s'autodétruisent. Leur organisation grouille d'informateurs du FBI et d'indics de la police municipale qui créent des dissensions internes, qui à leur tour provoquent des violences à l'intérieur du groupe ; celles-ci, relayées par les médias, ont un retentissement exagéré qui entraîne une censure démesurée de la part de l'opinion publique, d'où de nouvelles violences pour attirer l'attention des médias. Les Panthères, et de temps à autre les E.U., ont droit aux manchettes des journaux, pendant que Dwight continue de s'acharner sur les groupes obscurs que sont l'ATN et le FLMM, parce qu'il considère que leurs singeries promettent de devenir un événement médiatique à part entière qu'il pourra orchestrer à sa guise. En ce sens, il est l'archétype de l'« Homme investi d'une Mission », et il semble que la « Mission » commence à le miner.

Les journaux m'apprennent que « l'agitateur et militant noir » Jomo Kenyatta Clarkson, qui « avait avoué être l'auteur d'une audacieuse série d'attaques contre des magasins de spiritueux », s'est suicidé alors qu'il était en détention à la prison du comté de Los Angeles. L'incident a déclenché une nouvelle flambée de haine entre l'ATN et le FLMM. J'ai entendu la rumeur qui court les rues à ce sujet. Elle est considérée comme parole d'Évangile : c'est l'ex-flic Marshall Bowen, à présent fervent partisan de l'ATN, qui a cafté Clarkson pour les braquages. J'ai fini, tardivement, par comprendre : l'infiltrateur de Dwight, ce doit être Bowen.

Dwight n'a jamais prononcé le nom de cet homme. Il protège l'identité de ses intermédiaires, de ses infiltrateurs et de ses indics. C'est ce qu'il a fait avec moi, bien que M. Hoover, qui est en plein déclin sur le plan intellectuel, ait fait des remarques déplacées sur la relation qui m'unit à Dwight. M. Hoover est un homosexuel platonique enclin aux toquades pour les hommes rudes et pleins d'assurance. Mon entente intime avec Dwight, imprégnée d'idéologies inconciliables, doit fortement déconcerter, voire épouvanter ce vieil homme.

Pour Dwight, l'affaire Clarkson est lourde à porter. La machination – quoi qu'il ait pu se passer entre Clarkson et Bowen – n'a pu être montée qu'à l'instigation de Dwight, peut-être avec la participation de Joan. J'ai vu Dwight à deux reprises, récemment. Nous avons fait l'amour, mais il semblait avoir davantage besoin de consolation que de sexe. Il remettait sans cesse sur le tapis la question de l'héroïne, et le fait que les activistes de gauche la conçoivent comme un outil politique. Je sens la présence de Joan derrière ce concept.

Le sommeil de Dwight est encore plus agité, à présent. Je le sens qui s'agite d'un bout à l'autre de ses cauchemars. Quand il se réveille, il me fixe d'un air presque soupçonneux, comme s'il se demandait ce que je sais à son sujet et ce que j'ai raconté à d'autres personnes. Chacun de nous a effectué des perquisitions clandestines dans le domicile de l'autre. Il a lu l'autre version, beaucoup moins sincère, de mon journal intime. J'ai vu son nécessaire à rédiger les chèques, et j'y ai fait allusion de façon elliptique. Dans notre relation, mes incursions chez lui sont implicites, et Dwight les accepte. Je me suis souvent demandé de quelle nature exacte était la dette de Dwight envers M. Hoover. La semaine dernière, j'ai fait quelques recherches à ce sujet, et j'ai trouvé ce qui pourrait être une réponse.

Je me rappelais la première date inscrite sur le registre des envois de chèques tenu par Dwight : printemps 57. Je connaissais le nom des récipiendaires : M. et Mme George Diskant, de Nyack, État de New York. Alors, j'ai consulté les archives sur microfilm des journaux, et j'ai découvert l'histoire.

C'était en janvier 57. Un homme qui roulait vers le nord sur le Merritt Parkway franchit le terre-plein central. Il était ivre. La collision coûta la vie aux deux filles adolescentes de M. et

Mme Diskant. L'automobiliste fautif ne fut jamais poursuivi en justice, et son nom ne fut jamais révélé.

J'en suis réduite à supposer que M. Hoover a tiré quelques ficelles. Je serais également naïve de croire que ce qui lie Dwight, d'une façon effrayante, à cet homme fut créé par un seul incident et rien d'autre.

Joan m'a dit qu'elle savait des choses sur Dwight. Sans aller plus loin. Je me demande si elle en sait plus que moi sur son compte, bien qu'elle le connaisse depuis beaucoup moins longtemps. Il se peut que j'accorde à Joan des pouvoirs de prescience qu'elle ne possède pas réellement. Cependant, je jure que je sens sur Dwight l'odeur de Joan.

DOCUMENT EN ENCART : 1/5/69. *Extrait du journal de Marshall E. Bowen.*

Los Angeles
1er mai 1969

C'est le 1er mai. Je suis sur le toit de mon immeuble, et j'observe les embouteillages sur les autoroutes de San Diego et de Harbor et une manifestation contre la guerre, au centre-ville. L'ATN et le FLMM distribuent des tracts sur le parcours. Je n'ai pas voulu y participer. Je m'attends à ce qu'il y ait des accrochages avant que cela ne se termine, et je ne veux pas en être tenu pour responsable.

J'ai très peur. C'est un sentiment qui ne cesse de s'amplifier et qui me rend extrêmement nerveux. Cela a commencé le mois dernier, quand Wayne m'a ordonné de provoquer Jomo – « Si tu ne le fais pas, je dis à tout le monde que tu es pédé. » Oh, oui, la menace a été efficace. J'ai provoqué Jomo et Jomo est mort, et je suis le lien direct entre la cause et l'effet.

Si Wayne le sait, qui d'autre le sait, et comment l'ont-ils appris ? M. Holly le sait-il ? Et Scotty Bennett, ou le LAPD dans son ensemble ? Le FBI le sait-il ? Et certains membres de l'ATN ou du FLMM ?

De quelle façon me suis-je trahi ? Est-ce l'absence de femme dans ma vie qui a conduit Wayne à une hypothèse éclairée ? *Je ne suis absolument pas efféminé et j'ai toujours soigneusement veillé à me débarrasser de l'affect que possèdent généralement les hommes qui suivent le Penchant. Est-ce que je me dandine ? Est-ce que je prends la pose, inconsciemment, les mains sur les hanches ? Est-ce que je minaude ? Est-ce que mes maniérismes de brute noire rappellent ceux des homosexuels virils par le biais d'un comportement codifié ? L'un de mes partenaires furtifs et anonymes surgi de mon prudent passé s'est-il fait connaître, lorsque je suis devenu une célébrité locale, pour me cafter et s'assurer les faveurs de la police ? Les gens sont-ils tout simplement sensibles à certaines auras de l'univers onirique et sexuellement chargé dans lequel je vis ?*

Tout cela me terrifie. La conclusion de l'affaire Jomo est encore plus périlleuse.

Scotty Bennett a arrêté Jomo pour cette série de vols dans les magasins de spiritueux dont je le soupçonnais d'être l'auteur. M. Holly, qui m'a paru étonnamment perturbé par ce qu'il venait de voir, m'a dit que Scotty avait roué Jomo de coups, le laissant à moitié mort, au poste de la 77e Rue, et l'avait fait emmener à l'hôpital Morningside, gravement touché aux reins. Jomo s'est pendu dans sa cellule quelques jours plus tard. Cette dernière partie de l'histoire a été reprise par les journaux, et on en a parlé brièvement à la télévision. M. Holly m'a rapporté l'information qui n'a jamais été rendue publique : Jomo a avoué une série de cambriolages fructueux dans les quartiers résidentiels, et aussi le meurtre du Dr Hiltz commis l'an dernier.

Ces vols ont rapporté un butin estimé à 750 000 dollars, et ils ont été commis avec un complice qui n'avait aucun rapport avec l'ATN ou le FLMM. Ce type a dépensé la totalité du magot à Las Vegas, en jouant, en achetant de la cocaïne et en fréquentant des prostituées. Quand Jomo l'a appris, il a tué son acolyte et s'est débarrassé du corps dans le désert. M. Holly a interrogé Jomo la veille de son suicide, à la prison du comté de L.A. Jomo a confié à M. Holly que la moitié du butin des vols était réservée à un fonds du FLMM pour « acheter de l'héroïne ». Des imbéciles violents et calamiteux : Jomo commet des cambriolages audacieux et lucratifs, et se permet, *en plus*, de braquer des boutiques qui vendent de l'alcool. Jomo fait confiance à son acolyte drogué amateur de putes. L'argent destiné à l'achat de drogue par le FLMM se trouve dilapidé. Je flanque une raclée à Jomo, Jomo se fait arrêter indirectement et se suicide. Je devrais être reconnaissant à Scotty d'avoir coincé Jomo – parce que Jomo aurait cherché tôt au tard à me régler mon compte. Jomo est *mort* ? Tant mieux. Malheureusement, la suite s'annonce d'une façon bien différente.

La rumeur se répand : c'est moi qui ai cafté Jomo à Scotty.

Ce n'est pas vrai.

Tous les gens qui comptent le croient malgré tout.

Mes nouveaux frères de l'ATN sont contents. Bien joué, Frère Marsh : ce nègre de Jomo était pourri jusqu'à la moelle et anti-ATN à fond. Vis-à-vis d'eux, je suis couvert, mais vulnérable partout ailleurs.

J'ai dit à Wayne que je n'avais pas donné Jomo. Il m'a répondu qu'il me croyait, mais je n'en suis pas sûr. J'ai dit à M. Holly que je ne l'avais pas dénoncé. M. Holly m'a répondu qu'il *ne me croyait pas*, mais son incrédulité n'était pas entièrement convaincante. Scotty sait que ce n'est pas moi le mouchard, mais il est passé chez Tiger Kab hier et il m'a *serré dans ses bras* devant tous les autres.

Scotty veut que les gens pensent cela de moi. Je ne suis plus assez lucide pour savoir ce que Wayne et M. Holly désirent que les gens croient.

On m'a mis sur la touche. Je ne sais pas qui l'a voulu. Je ne pense pas que Scotty m'ait simplement mis le cafardage sur le dos pour se venger de la raclée qu'il a subie – orchestrée par M. Holly. Quelqu'un m'a mis sur la touche. Je ne sais pas qui, mais il y a forcément une raison politique à cela. Personne ne sait que je suis une taupe, à part Wayne, M. Holly, et une poignée de gens du FBI et du LAPD.

Cela pourrait être le fait de n'importe quel imbécile de militant noir ou d'idéologue. Cela pourrait être un imbécile appartenant à une faction ou à un groupe marginal de l'ATN ou du FLMM, motivé par ce que lui dicte son instinct d'imbécile.

Je commence à porter un gilet pare-balles. La rumeur dit que le FLMM offre une « prime » à qui aura ma peau. Quelques crétins du FLMM m'ont vu dans Central Avenue et ont lancé sur moi des cannettes de bière pleines.

J'ai peur. Je porte ce gilet et je passe des heures debout devant le miroir de ma chambre, à perfectionner mes maniérismes. *Ai-je inconsciemment trahi le Penchant ? Je ne suis absolument pas efféminé. Une personne douée d'un discernement particulier a-t-elle, simplement, au sein de mon état la plupart du temps onirique, identifié le Penchant ?*

J'ai cessé de poser des questions sur le braquage du fourgon blindé. Mon désir de m'approprier l'argent et les émeraudes a cédé la place à mon instinct de survie. Je me tiens tranquille, à présent, mais Wayne et M. Holly exigent des résultats. M. Holly parle de transformer l'ATN en filière pour la vente d'héroïne. Il veut que je fasse part de cette idée à mes frères de l'ATN, qui sont trop indécrottablement débiles pour acheter de l'héroïne à un vide-grenier organisé en Thaïlande par des fermiers qui cultivent le pavot – ce que M. Holly ne parvient pas tout à fait à saisir.

J'ai peur. Je me tiens tranquille. J'attends. Je porte ce gilet. J'observe les hétérosexuels purs et durs, je travaille devant mon miroir à reproduire leurs gestes et leurs façons d'exprimer leur virilité.

À propos d'hétéros purs et durs, j'ai un seul et unique réconfort dans ma vie en ce moment : mon ami l'Haïtien fou Leander James Jackson. Leander m'adore, mais il n'y a pas plus hétéro que lui – pas de chance. C'est lui qui s'est battu au couteau avec Jomo – une bagarre que Wayne et moi avions provoquée – donc il *m'adore* pour mon supposé caftage, qui s'est soldé par la mort de Jomo. J'ai dit à Leander que ce n'était pas moi qui l'avais dénoncé. Leander a ri et dit : « Mon petit gars, je ne te crois pas. »

Leander adore le rhum à 75 degrés et la marijuana et il prend plaisir à raconter la vie qu'il menait dans *la belle* Haïti. Il torturait des dissidents pour les Tontons Macoutes, pratiquait le vaudou, puis il a carrément viré à gauche. Il a apporté son aide à un groupe d'envahisseurs rebelles, puis il s'est enfui de l'île juste à temps pour échapper à la corde du bourreau. J'aimerais pouvoir lui dire : « Mon petit gars, j'ai peur, c'est pour ça que je me tiens tranquille en ce moment. »

J'ai un ami, de nombreux ennemis anonymes, et deux amis-ennemis qui ne sont jamais très loin. Wayne sait que j'ai le Penchant. Je ne veux pas que M. Holly l'apprenne, ni qu'il sache que mon univers onirique est hanté par des images de lui et de cette femme prénommée Joan. Cela me tuerait s'il l'apprenait.

72

Saint-Domingue, 3 mai 1969

Une *CHAISE ÉLECTRIQUE.*

Il n'arrivait pas à chasser cette image de sa tête. Une foule de détails la lui rappelait sans cesse. Il avait trouvé le bunker souterrain du terrain de golf. La Banda y avait laissé un Noir sanglé sur l'engin de torture. Ses paumes avaient fondu sur les électrodes. Les arceaux métalliques l'avaient brûlé jusqu'à l'os.

Crutch était à l'aéroport. Il attendait le vol de Sam G. Le salon V.I.P. était somptueux, les sièges pareils à des trônes. Ils avaient un petit côté *CHAISE ÉLECTRIQUE.*

L'avion avait du retard. Drac Air avait du mal à respecter ses horaires. Le salon était décoré de portraits du Führer. Des huiles représentant le Nain envahissaient les murs.

Crutch était anxieux. Wayne devait revenir bientôt. Il apportait l'argent de l'écrémage pour financer la construction des casinos. Wayne avait édicté sa loi : pas de drogue. L'ékipe Tiger l'avait bravée quatre fois. Quatre voyages à Porto Rico. Quatre visites aux copains de Luc à Port-au-Prince. Puis revente aux junkies haïtiens.

Le vol de Sam était en retard. Sam aurait peut-être Gretchen/Celia dans son sillage. Crutch s'était porté volontaire pour faire le chauffeur. Le Frenchie avait trouvé ça louche.

Son enquête progressait. Il avait identifié la victime de la Maison de l'Horreur : Maria Rodriguez Fontonette, *alias* « La Tatouée ». Il avait vu la liste des Haïtiens massacrés. Il avait mémorisé les noms. Cela pourrait peut-être lui fournir des pistes. Il avait informé le Frenchie de ses dernières découvertes. Mesplède s'était moqué de lui.

– Ce n'est rien d'autre que ta fixation de voyeur qui te joue des tours. Tue davantage de communistes, tu fantasmeras moins sur les femmes.

Le vol Drac Air amorçait sa descente. Des petits mômes accoururent et lancèrent des couronnes de fleurs. C'était une idée du Nain. Il était allé à Tahiti, un jour.

Un chariot à bagages passa devant lui à vive allure. Il ressemblait à une *CHAISE ÉLECTRIQUE*. Les électrodes avaient *liquéfié* la peau du type. Des latinos pleins de fric jouaient au golf au-dessus de lui.

Son affaire était entièrement vaudou. Ça, c'était du *mééééchant* juju. Méfiez-vous de la Zone Zombie.

Sam déclara :

– Malgré toutes ses histoires incroyables avec les nègres, Wayne est un putain de Blanc. Grâce à lui, le circuit du blanchiment de l'argent fonctionne comme sur des roulettes. L'écrémage de nos hôtels-casinos de Vegas passe par cette banque de L.A. dont le propriétaire est un nègre. Nous avons Tiger Kab et les night-clubs nègres pour réintégrer dans le circuit tous les fonds résiduels. En plus, Wayne est en train de flouer Hughes et de racheter les débiteurs du prêt des Camionneurs, en vrai virtuose.

Pas de Gretchen/Celia – grosse déception. La vision du Sambo grillé le déprimait tout autant. Ils firent la tournée des chantiers de Saint-Domingue. Sam était impressionné. Les fondations étaient coulées. Les deux premiers niveaux se dressaient déjà. La Banda fouettait les esclaves et leur donnait à boire du Kool-Aid aux amphétamines. Le travail avançait *vite*.

Ils partirent à Jarabacoa. L'*Autopista* était encombrée de pousse-pousse et de réfugiés haïtiens. Sammy s'affola. Les bamboulas étaient estropiés au coupe-coupe et portaient des têtes de poulets sur leurs chapeaux. Luc et les Cubains les attendaient à Jarabacoa. Crutch les avait prévenus : Ne parlez pas d'héroïne au Grand Sam.

Sam déclara :

– Ce soir, je dîne avec Balaguer, et je vais devoir lui faire des remontrances au sujet de tous ces macaques malfaisants qui se promènent, bien en vue des touristes. Batista était impeccable, sur ce plan-là. Les opprimés savaient foutre la paix aux visiteurs blancs et aux métis à peau claire qui tiennent les commandes. C'est précisément le commentaire que je vais faire ce soir à El Jefe.

Des poules décapitées empalées sur des tiges de canne à sucre. Des arbres portant des marques faites avec du sang. Des flics dominicains tenant des mastiffs en laisse. Des clandestins à peau noire courant à toutes jambes.

Sam reprit :

– Il faut enrayer cette situation. Si les gens veulent se faire peur, ils peuvent toujours monter dans le train fantôme au parc d'attractions.

Un bamboula avec des têtes de poulets à son chapeau qui fait du stop. Il a des yeux de zombie. Il se branle. Il a une bite de soixante centimètres.

Sam prit à Crutch son arme de poing et tira sur lui. La balle manqua sa cible et atteignit une volaille clouée à un arbre.

Crutch ne mouftait pas. Sam conclut :

– Ce pays a besoin d'une croisade à la Billy Graham. Vous faites venir Billy Graham pour créer une ambiance mystique, puis tous les convertis rechutent aux tables de jeu. Ce genre de manipulation peut rencontrer un succès fou dans un climat de répression correctement dosé.

Jarabacoa était en plein boum. Trois niveaux étaient construits. Les esclaves travaillaient *rápidamente*. Les entrepreneurs du Nain les y poussaient. Les Cubains imposaient leur discipline. Le groupe tout entier buvait des lampées de Kool-Aid. Cela créait de la convivialité. Luc avait amené ses trois pitbulls. Ils portaient des colliers à paillettes et des chapeaux pointus vaudou attachés par des ficelles.

Crutch avala une rasade de Kool-Aid. Le coup de fouet des amphètes ne tarda pas. L'ékipe traînait à une table de pique-nique. Luc pelotait ses chiens. Sam montra du doigt la bague de Luc surmontée d'une émeraude.

– Qu'est-ce que vous leur trouvez, aux émeraudes ?

Luc fit :

– Vous dites, mon petit bonhomme ? Expliquez-moi ce que vous voulez dire, s'il vous plaît.

Sam bâilla.

– Je veux dire, il y a des gens qui aiment les pierres précieuses en général, et des gens qui n'aiment que les émeraudes, et quand ils aiment les émeraudes, ils ne le font pas à moitié.

Luc sourit.

– Je comprends ça. Le culte de l'émeraude, c'est une tradition aussi bien en Haïti qu'en R.D. Les émeraudes représentent la

« flamme verte » dans les textes vaudou. Elles jettent leur lumière sur les ombres de l'histoire.

Sam bâilla encore plus.

– Ma petite amie Celia est dominicaine. Elle peut parler pendant des heures des croyances liées aux émeraudes.

Crutch se retourna d'un bond quand il entendit « Celia ». Luc se hérissa bizarrement.

– Et quel est le nom de famille de Celia ? Elle s'appelle Celia comment ?

– Celia Reyes, répondit Sam. Elle va me rejoindre à l'hôtel tout à l'heure, ce qui veut dire que je dois filer.

Luc se *re*-hérissa. Crutch se *re*-retourna. Un pitbull fit aaaa-ouuuu !

L'ŒIL, LES MAINS ET LES PIEDS.

La peau fondue, les moignons ensanglantés, la lame de couteau. La plage cubaine et les visages des gamins morts. Les fils électriques crépitent. Les lumières s'éteignent. Le Noir hurle.

Il se réveilla dans un nouveau décor. La sueur s'amassait dans ses écouteurs. Il faisait nuit, dehors. Il regarda sa montre – 20 h 14.

Il avait ramené Sam à Saint-Domingue. Il lui avait fait une réservation à l'hôtel El Embajador. Sam hérita de la suite 810. Sam avala un Seconal et fonça vers la chambre. Crutch prit une suite à haut risque – la 809.

Il perça un trou donnant sur le salon de la 810. Il y fit passer un fil. Il perça un second trou et agrafa le fil au mur. Il y attacha un mini-micro. La poussière tombée sur la plinthe repassa dans *sa* suite. Le fil/micro était minuscule. Le nettoyage approximatif des femmes de chambre espingos pouvait expliquer l'état des lieux.

Celia allait bientôt arriver. Luc avait tiqué en entendant son nom. Les émeraudes. Du verre teinté sur le cadavre de Maria Rodriguez Fontonette.

Crutch bâilla. Il était épuisé et vaseux. Il finit son travail et gomma l'effet du Kool-Aid grâce à un Seconal pour dormir un peu. Note à Sam et Celia : si vous parlez dans la chambre, je suis baisé.

Il bricola son ampli. Dans la suite voisine, il capta des parasites et dix minutes de silence. Tiens, un déclic – la porte de la chambre qui s'ouvre.

Sam bâilla. Sam fit le numéro habituel *oh ma cabeza/je ne*

supporte pas le décalage horaire. Clic – la télé est allumée. Du charabia en espagnol, rien à foutre, il éteint le poste.

Crutch ajusta ses écouteurs. Sam bâilla – *oh ma cabeza/prendre des somnifères, ça se paie cher*.

Pop – une porte s'ouvre. Petits cris de joie, mon chéri-ma chérie, des embrassades et des baisers mouillés. Des mots d'espagnol – le chasseur s'incline et se retire. *Pop* – il a refermé la porte. Des voix déformées – Sam et Celia. *Pschitt/pop* – quelqu'un a ouvert du champagne.

Des verres tintent. Deux personnes qui s'affalent sur un canapé. Deux minutes de bécotage et de babillage – *oh, ma chérie-oh, mon chéri*. Celia qui reprend *loooonguement* son souffle.

Crutch réajusta ses écouteurs. Il entendit des parasites, un bruit de succion, puis Sam :

– « ... des émeraudes », « un grand Noir », « il appelait ça la flamme v... »

De la friture sur la ligne. Merde... c'est comme une conversation à mi-voix. Crutch tendit l'oreille et capta des mots à demi audibles. Il ne tarda pas à saisir l'implicite.

Sam se laisse mener par le bout de la bite. Il a trente ans de plus que Celia, c'est un crétin de rital, Celia fait de lui ce qu'elle veut.

Sam ajoute :

– Ta fixation idiote sur les émeraudes...

Il emploie un ton condescendant. Celia répond. Ses paroles ne sont plus compréhensibles qu'au *tiers*. Elle dit quelque chose que le micro déforme puis « le complot des émeraudes ».

Crutch ôta les écouteurs puis enfonça les fils électriques dans ses oreilles. Il reçut une décharge et le volume remonta. Celia demanda :

– Les chantiers de construction, ça avance ?

Sam se vanta et monologua. Pas de mots entiers qui soient reconnaissables. Mais le ton qu'il employait disait tout.

Celui de Celia n'a rien d'ambigu non plus. Elle le sonde, elle l'amadoue, elle le balade. Trois mots audibles en six minutes : « surface », « accès », « sécurité ».

Le son disparut. Crutch regarda le trou où passait le fil. Il fallait qu'il *voie*.

Tiger Klaw se prélassait dans la crique de Luc. Les esclaves vaudou lui avaient construit un bel appontement. Luc se prélassait sur l'avant-pont. Ses chiens somnolaient sous la passerelle. Des scalps pendaient de l'antenne avant. Ils portaient la marque de l'ékipe Tiger, en forme de patte de tigre.

Crutch monta à bord. Luc se montra chaleureux. Il se goinfrait d'héroïne et d'herbes vaudou. Crutch se percha près du poste de la mitrailleuse. Luc ouvrit grand ses narines et se nourrit l'intérieur de la tête.

Crutch dit qu'il n'arrivait pas à dormir. Il était dans les parages, bla-bla-bla. Luc dit :

– Tu es un *pariguayo*. Tu passes ton temps à regarder et à réfléchir. Ça veut dire que tu réfléchis aux questions que tu pourrais poser. Tu es un tout jeune homme dépassé par les événements dans cette région épouvantable, où tes questions recevront souvent des réponses déplaisantes. Je ne te reproche pas d'avoir fait tout ce chemin en voiture à une heure aussi tardive pour venir me parler, mon petit gars.

Un chien s'approcha. Crutch passa les doigts dans son pelage. Le chien fourra son nez contre lui.

– On pourrait dire que je suis un passionné d'histoire, et je sais que vous êtes ici depuis un bon moment.

Luc s'essuya le nez.

– Je suis ici depuis l'aube des temps. Au cours des âges, j'ai pris l'aspect des chiens, des poulets et des hommes. Je connais l'historique des deux pays qui constituent cette île, et je serais heureux de partager ce savoir avec toi. Y a-t-il des connaissances spécifiques que tu désires acquérir ?

– Je pensais à l'invasion du 14 juin. Je sais qu'il y a une histoire, derrière cet événement.

– Cette histoire, je la connais. Viens faire un tour en voiture avec moi, et je te la raconterai.

Luc possédait une Lincoln de 61. La peinture de la carrosserie était une fresque historique d'Haïti. Des démons noirs empalaient des Français, dont les femmes se faisaient violer par les chiens de Luc. La cape du Baron Samedi couvrait le capot et les ailes. Papa Doc Duvalier souriait sur le coffre.

Il faisait chaud. Luc abaissa la capote et mit la clim en marche. Des insectes bombardaient la voiture. Luc les flinguait avec un vaporisateur d'insecticide aux herbes vaudou. Le premier nuage tuait ces saloperies. Le second les désintégrait.

Ils traversèrent le cœur d'Haïti. Des villages surgissaient et disparaissaient. Des moricauds au visage peint en blanc émergeaient de la brume.

Luc alluma ses phares. La Lincoln avait des pneus renforcés. Ils chassaient les gros cailloux loin de la chaussée.

Crutch ferma les yeux. Il voyait sans cesse des démons vaporeux dans les ombres. Luc parlait à jet continu.

– Les insurgés du 14 juin savaient pratiquer le vaudou haïtien et possédaient un certain savoir-faire en chimie vaudou. Une idéologue marxiste nommée Maria Rodriguez Fontonette était censée contaminer les sources d'eau courante près des sites prévus pour l'invasion le long de la côte de la R.D., dans l'espoir que cela provoquerait une prise de conscience spirituelle de masse au sein de la paysannerie dominicaine. À l'aide d'herbes et de toxines de poisson-lune, en quantités non létales, mon petit gars. Elle voulait apporter l'extase aux paysans et provoquer un chaos spirituel dans la police et les contingents de l'armée. Hélas, elle a trahi les rebelles et les a livrés aux Tontons Macoutes et à la Policia Nacional. De cette façon, nous avons pu écraser les envahisseurs. La plupart des insurgés ont été tués, d'autres capturés, emprisonnés et exécutés. Rares sont ceux qui ont réussi à s'échapper.

Crutch rouvrit les yeux. Une goule au visage livide fit une cabriole dans les faisceaux de leurs phares. Crutch referma les yeux aussitôt.

– Il y avait parmi eux une femme nommée Celia Reyes, n'est-ce pas ? J'ai vu de quelle façon vous avez réagi quand Sam a parlé d'elle. Elle avait une amie. Une Américaine aux cheveux bruns, striés de gris.

Luc alluma une cigarette.

– Oh, elles sont parvenues à s'enfuir, mon petit gars. Elles faisaient partie de la poignée de survivants.

– Les émeraudes. Sam a dit que Celia adorait les émeraudes, et d'après vous, ces pierres-là ont une signification particulière.

Luc alluma la radio. Une complainte en français commença à voix basse et augmenta d'intensité. Luc dit :

– Les émeraudes font ce qu'elles doivent faire, mon petit gars. Elles sont un pouvoir en elles-mêmes.

Crutch ouvrit les yeux. Ils blindaient vers le sud. L'air de la côte s'évapora. Les insectes devenaient plus gros. Luc conduisait avec les genoux et les flinguait à deux mains. Les bestioles tombaient mortes sur Crutch de la tête aux pieds. Crutch fit *beurk !* et commença à les balancer par la fenêtre.

Ils entrèrent dans un village. Il était petit : deux cases en terre, six cimetières, deux tavernes. Luc annonça :

– On devrait aller voir un ami à moi. C'est un *bokur*. Il serait content de faire ta connaissance, mon petit gars.

Crutch répondit :

– Super !

Luc leva le pied et arriva au ralenti devant l'une des tavernes. Une lumière brillait à l'intérieur. Devant la porte, le drapeau d'une secte vaudou flottait au bout de son mât. C'était le même que celui de la Lincoln de Luc.

Un bronzé obèse se tenait derrière le comptoir. Il avait deux mixers qui malaxaient une pâte gluante et quatre plaques chauffantes sur lesquelles mijotait on ne savait quoi dans des casseroles. Luc s'inclina devant le bronzé. Le bronzé s'inclina devant Luc. Ils parlèrent en français. Ils firent entrer en contact leurs bagues respectives surmontées d'une émeraude. Luc annonça :

– Il est *pariguayo*.

Le bronzé versa un bouillon fumant dans un verre à pied. Crutch s'en empara et le vida à grands traits.

C'était brûlant. Cela avait un goût de feuille morte et de moisissure. Sa vue se brouilla et redevint parfaite. Il rota des relents de ses dix derniers repas et se dirigea vers une chaise en trébuchant.

La pièce devint ronde, carrée, rectangulaire. Des miroirs déformants se détachèrent des murs. Ils firent défiler des images pour lui. Il n'en distinguait pas les détails. Luc s'esclaffa. Le bronzé dit :

– Il est bien *pariguayo*, ça oui.

Crutch plissa les paupières. Ses yeux se fixèrent sur un mur noir. Il était couvert de planches anatomiques. Les organes internes étaient mis en valeur. Des aiguilles étaient plantées dedans.

Crutch re-plissa les paupières. Un crâne se transforma et devint le visage de Wayne Tedrow. Il se leva pour planter des aiguilles dans les yeux de Wayne. Ses bras et ses jambes refusèrent de bouger.

Luc rit. Le bronzé rit. Luc dit :

– Le pauvre *pariguayo*.

Il vit le visage de sa mère et celui de Dana Lund. Il vit Lana nue avec les yeux de Chrissie Lund. Il vit *LA CHAISE ÉLECTRIQUE, LES MAINS ET LES PIEDS ET L'ŒIL*. Il tenta de parler. Ses cordes vocales se figèrent. Il essaya de se lever. Ses jambes s'éloignèrent de son corps et sortirent en courant. Il voulut bouger les mains. Ses doigts fondirent. Il vit dix mille clichés de Joan.

Luc dit :

– *Pariguayo.*

Le bronzé dit :

– La poudre zombie.

Crutch essaie de hurler. Sa bouche se dissout et devient le tunnel de la 3e Rue qui passe sous Bunker Hill. Luc et le bronzé l'empoignent et l'entraînent dans une arrière-salle. Il tente de résister. Ses bras se transforment en ailes d'oiseau. Ils le larguent. Ils referment la porte à clé derrière eux. Des rats grouillaient sur le plancher. Il essaya de rouler sur lui-même pour leur échapper. Ils grimpèrent sur son dos et le clouèrent au sol. Il vit Joan. Il se mit à pleurer. Ses larmes prirent différentes couleurs. Les rats se précipitèrent sur son visage et commencèrent à le lécher. Il vit leurs puces et les plaies ouvertes de leurs corps. Leurs queues s'enroulaient sur elles-mêmes et le fouettaient de leurs anneaux acérés comme des dents de scie.

Il était incapable de bouger. *La poudre zombie.* Il vit Joan. Il entendit marmonner dans la pièce voisine. Des mots français se formaient. Il vit les filles de son cours de français au lycée. Son professeur disait : « Donald, vous êtes un garçon intelligent. Écoutez bien, apprenez à parler. »

Les rats le mordillaient. Il vit des mots français imprimés sur une page et il entendit Mlle Boudreau les traduire. Il entendit « émeraudes », « suspects », « tuons-le ». Il entendit « Laurent-Jean Jacqueau », « Amérique », « changé de nom ».

« Trujillo et Duvalier » ; « Émeraudes » ; « Perdu en Amérique » ; « Celia » ; « 1964 » ; « Le môme veut les pierres ».

Les mots s'arrêtèrent ; les marmonnements reprirent ; des photos en noir et blanc apparurent. Le bureau de Clyde Duber, la frise sur le tableau de bord de Scotty Bennett. Des photos de scène de crime – *LE BRAQUAGE DU FOURGON BLINDÉ.*

Crutch entendit des pas. Crutch entendit qu'on armait le chien d'un pistolet. Un rat marcha sur son visage. Il se força à ouvrir la bouche. Le rat regarda à l'intérieur. Crutch referma les mâchoires pour le décapiter.

Le rat se débattit. Crutch ne lâcha pas prise. Le sang et le goût de son pelage lui soulevaient le cœur. La porte s'ouvrit. Luc et le bronzé entrèrent. Luc plaquait son .38 contre sa cuisse.

Crutch resta sans bouger. Le rat se tortilla et mourut dans sa bouche. Luc et le bronzé s'approchèrent. Crutch leva le bras et s'empara de l'arme. Des rats cavalaient en tous sens autour d'eux. Luc et le bronzé se figèrent. Crutch visa et leur fit sauter leurs cervelles de nègres.

73

Saint-Domingue, 6 mai 1969

Joan.

L'avion roulait sur la piste. Une rafale de vent renversa les panneaux de bienvenue du Nain. Wayne se réveilla. Il avait toujours sa sacoche – quatre cent mille dollars enchaînés à son poignet.

Il venait de faire un rêve morcelé. Il avait vu Joan trois semaines plus tôt. Depuis, le même rêve revenait presque chaque nuit. Ambiance et musiques de club, conformes à la réalité. Des images, fantaisistes, de cicatrices laissées par un coup de couteau.

Il avait rendu à Dwight sa chevalière. Dwight refusait de parler de Joan. L'hypothèse de Wayne : Joan était son informatrice. Joan avait enseigné à l'« École de la liberté ». Reginald Hazzard avait suivi ses cours. Wayne était retourné à l'École de la liberté pour revérifier les archives. Il n'y avait rien sur Reginald. Son petit *clic* avait trouvé sa place, finalement.

L'École de la liberté figurait dans le dossier fédéral de Joan. Il avait détruit le dossier. Dwight refusait de lui en procurer une nouvelle copie. Un nouveau *clic*, une évidence : il y avait autre chose qu'il avait oublié ou qui lui avait échappé.

Wayne débarqua de l'avion. Sa limousine l'attendait. Les vitres fumées lui masquaient Tijuana-sur-Mer. Il avait lancé une consultation nationale des archives sur Joan Rosen Klein et n'avait rien découvert. Il avait fait des sondages dans les quartiers sud. Le consensus : Joan traîne avec l'ATN et c'est une sacrée bonne femme au passé chargé.

La limousine se traînait. Le « Plan de rénovation urbaine » de Balaguer provoquait des embouteillages monstres. Les cantonniers qui creusaient les fossés portaient les bleus de travail de la prison centrale. Ils se déplaçaient à tout petits pas. Leurs entraves faisaient saigner leurs chevilles.

Mary Beth était problématique, à présent. Il avait tellement à faire que son travail les séparait. Ses recherches pour localiser Reginald la mettaient en colère. Elle ne mâchait pas ses mots. Tu travailles pour les Parrains. Tu apportes des valises pleines de billets aux dictateurs. Il la cajolait et l'amadouait. Il maniait l'euphémisme et le mensonge. Elle bouillait littéralement de rage.

Dwight était problématique. Jomo Clarkson s'était suicidé en détention. Marsh était terrifié et niait avoir cafté Jomo. Cette dénonciation minait Dwight. Son indécision ne lui ressemblait pas du tout.

La limousine descendit le Malecón. Des panneaux annonçaient la distribution de nourriture gratuite organisée par le Nain. Un camion à plateau était garé. Des nécessiteux à la peau claire et d'autres à la peau foncée faisaient la queue. Deux types de La Banda leur lançaient des sacs en papier. Les sacs se déchiraient. Une mini-émeute raciale éclata. Les sacs contenaient des restes de viande et de la nourriture pour chiens dans des boîtes cabossées.

Marsh avait peur. Wayne et Dwight étaient d'accord sur son compte : il est versatile et pourrait bien nous doubler. On va demander à Trouduc de revenir ici et de piéger son appartement.

Haïti l'avait transfiguré. Son trip aux herbes vaudou avait recâblé les circuits de sa mémoire. Il voyait à travers le sol et repérait les racines des arbres. Il voyait s'ébattre des créatures magiques.

Les klaxons redoublèrent puis triplèrent d'intensité. Une poursuite à pied bloquait la circulation. Des gamins distribuant des tracts. Ils dévalaient les rues et finissaient leur course en zigzag. Les sbires de La Banda démarrèrent. Un groupe de mômes, flanqué de deux nervis. Une attaque en étau, pas d'issue, un cul-de-sac. Les gamins couraient tout droit vers une haie de flics : des types de la Policia Nacional avec leurs boucliers en plastique et leurs matraques.

Les mâchoires de l'étau se resserrèrent. Les chemises brunes absorbèrent les mômes. Leurs matraques étaient hérissées de pointes. Les coups, même légers, déchiraient les chairs.

Les gamins tentèrent de se réfugier dans des immeubles. Les concierges les virent et verrouillèrent les portes. Un môme courait à côté de la limousine. Il était torse nu. Du sang jaillissait de l'un de ses yeux.

Wayne baissa la vitre de sa portière. Le gamin essaya de plonger dans l'ouverture. Il heurta le rebord et partit en vol plané. Wayne l'attrapa et le jeta sur la banquette. Le môme résista. Wayne l'immobilisa et hurla un ordre au chauffeur. Le môme comprit son intention et cria en espagnol. Wayne entendit un numéro et « Calle Bolívar ». Le chauffeur fit un quart de tour et blinda dans une ruelle.

Wayne ouvrit sa valise et en sortit une chemise. Le gamin gardait une main plaquée contre son orbite. Le sang coulait entre ses doigts. Wayne lui bascula la tête en arrière et réduisit l'écoulement.

La limousine atteignit un tronçon dégagé. Le chauffeur mit les gaz en écrasant son klaxon. Les drapeaux fixés aux antennes leur firent franchir les encombrements et les feux rouges. La Calle Bolívar surgit devant eux. Le chauffeur rétrograda et se gara devant une petite maison vers le milieu de la rue. Le môme avait perdu connaissance. Wayne le souleva et l'emporta dans la maison.

La réception était étriquée, les meubles éraflés et dépareillés. Cela ressemblait à une antenne médicale communiste clandestine. Une infirmière et un médecin s'emparèrent du gamin. Ils semblaient le connaître. Ils l'emmenèrent tout droit dans une arrière-salle et fermèrent la porte.

Wayne s'assit dans la salle d'attente. Le bracelet d'acier de la sacoche lui entamait le poignet. Les murs le rendaient un peu claustrophobe. Il repensa à Haïti et à Mary Beth.

Le téléphone n'arrêtait pas de sonner. Une heure s'écoula lentement. Le médecin ressortit. Sa blouse était tachée de sang. Il portait des gants de caoutchouc.

– J'ai sauvé l'œil du garçon.

– J'en suis heureux.

– Vous êtes... ?

– Je m'appelle Wayne Tedrow.

– Je suppose que vous êtes descendu à l'El Embajador.

– C'est exact.

– Vous avez tous mes remerciements. C'est très courageux, ce que vous avez fait.

Il se rendit sur les chantiers de construction de Saint-Domingue. On les avait rendus présentables.

Les bâtiments comptaient deux étages de plus. Cela allait trop vite. Les ouvriers accueillirent chaleureusement Jefe Tedrow. C'étaient des figurants. Ils ressemblaient aux acteurs d'un scénario contant une histoire de braves paysans courageux. Pas de fouets ni d'armes à feu visibles. Les entraves étaient empilées au petit bonheur.

La limousine l'emmena au nord. Les chantiers situés en pleine campagne présentaient le même aspect. Sur celui de Jarabacoa, un buffet était prévu pour le déjeuner. Des maçons gras et arrogants mangeaient avec les patrons. Wayne grimpa à un arbre et scruta les environs. Quarante mètres plus loin : les salopards de La Banda et les vrais ouvriers, enchaînés.

Wayne somnola pendant le trajet jusqu'à la crique de l'ékipe Tiger. Les vitres fumées offraient une vue d'où la misère était exclue. En se réveillant, il vit Trouduc devant le camp. Le bleubite chasseur de cocos avait l'air un peu égaré.

Le chauffeur ralentit. Wayne lui tapota l'épaule et lui fit signe de s'arrêter. Trouduc leva les yeux. Wayne lui annonça :

– Tu rentres à L.A. avec moi. Dwight et moi, nous voulons que tu installes des micros chez Marsh Bowen.

Trouduc hocha la tête. À moitié enthousiaste, à moitié sonné. Wayne tapota l'épaule du chauffeur. La limousine se gara dans une clairière. Mesplède et les Cubains s'y trouvaient. Les Cubains étaient interchangeables. Il n'avait jamais vraiment su leurs noms. Une seule portée, quatre petits très méchants.

Ils virent la limousine et firent des signes. Wayne descendit de voiture et s'approcha d'eux. Ils suspendaient des choses à une cordelette tendue entre deux arbres. Wayne capta une odeur de charogne.

Mesplède vint vers lui. Wayne l'écarta. Là : cinq scalps, marqués d'une patte de tigre.

Les Cubains prenaient la pose – bien plantés sur leurs jambes, sourire narquois, cartouchières et ceinturons. Mesplède tournait autour du groupe. Il portait son couteau à scalper au bout d'une lanière.

Wayne annonça :

– Les expéditions punitives, c'est fini. Tant que vous travaillez pour moi, vous arrêtez vos conneries d'actions politiques. Une seule infraction de plus, et *muerto*.

Les Cubains rectifièrent leur position : sourire narquois, les pouces coincés dans le ceinturon, les pieds bien plantés encore plus large. Mesplède se grattait le cou avec son couteau.

Wayne décrocha les scalps de la corde à linge. Wayne passa les mercenaires en revue, un par un. Wayne leur écrasa la tronche avec les scalps.

– Viva Fidel, bande de salopards !

Le téléphone de la suite sonna à minuit. Cela le réveilla en sursaut. Il s'était endormi avec les lumières allumées. Saint-Domingue était une image floue vue à travers la fenêtre. Il pensa aussitôt au môme blessé à l'œil.

– Allô ?

– Je t'ai réveillé ?

– Oui et non.

Mary Beth dit :

– J'espère que tu ne rêvais pas.

– Oui et non.

– Je pourrais te demander comment ça se passe, là-bas, mais je ne suis pas sûre d'avoir envie de le savoir.

Wayne se frotta les yeux.

– J'ai une piste pour retrouver cette femme qui a sorti ton fils de prison en payant sa caution.

– Mon chéri, je ne parlais pas de Reginald.

Wayne regarda sa sacoche.

– Je le sais bien. Je te l'ai dit, parce que cela nous concerne, toi et moi, et n'a rien à voir avec ce que je fais pour gagner ma vie.

– Ni avec les gens avec qui tu travailles ?

Wayne soupira.

– Mon chou, pas ça, s'il te plaît. Pas au téléphone.

Mary Beth soupira.

– Ce sera pire quand je te le dirai en face.

– Alors, restons polis, bon sang, et n'en parlons pas du tout.

– Je crois que nous devrions nous souhaiter bonne nuit, à présent.

– Oui, c'est aussi mon avis.

Un déclic sur la ligne. Communication coupée. Wayne regarda par la fenêtre. Pas un seul néon dans le ciel. Le Nain avait dit à Sam G. qu'il voulait *mucho* néon. Sam avait répondu qu'il lui en fournirait quelques-uns.

La sonnette retentit. Wayne se leva et ouvrit la porte. C'était Celia Reyes. Il l'avait rencontrée à Miami au moment de la convention. Elle était la compagne de Sam, à ce moment-là. Elle dit :

– Bonsoir, monsieur Tedrow.

Elle portait une robe blanche et une veste en lin. Elle lui tendit la main. Il s'écarta d'un pas et lui tint la porte ouverte. Celia s'assit sur le canapé.

– Je voulais vous remercier pour mon ami Ramón. Le médecin m'a dit que vous n'aviez pas été avare de votre temps.

Wayne approcha une chaise.

– Je suis heureux de savoir qu'il va guérir.

– Le médecin m'a dit que vous aviez fait une entrée spectaculaire, portant Ramon dans vos bras avec une sacoche attachée à votre poignet.

La sacoche se trouvait entre eux.

– Ce n'est pas très maniable, en effet.

Celia sourit.

– Vous ne me posez pas de question sur ma présence ici.

– Je m'attendais à moitié à une approche sous une forme ou une autre.

– Et pourquoi cela ?

– Vous pourriez présumer que je la souhaitais.

– J'ai une amie. Nous pensons, elle et moi, que vous pourriez considérer notre travail avec bienveillance.

Wayne sourit.

– Oui, c'est probable.

– Seriez-vous contrarié d'apprendre que nous savions un certain nombre de choses sur votre compte, avant vos actes d'aujourd'hui ?

– Les gens ont tendance à savoir des choses sur moi. Ce qui a tendance à me faire plus de mal que de bien.

– Puis-je vous demander à quoi vous croyez ?

Wayne répondit :

– Je prends conscience de certains signes, et je les suis. Je commence à penser que j'ai peut-être un but, qui existe au-delà de ma volonté d'en comprendre la nature.

Celia désigna la sacoche.

– Elle contient... ?

– 400 000 dollars.

– Je peux les prendre ?

– Oui.

– Il y en aura d'autres ?

– Oui.

Celia souleva la sacoche et se dirigea vers la porte. Wayne la lui ouvrit. Au bout du couloir, une ombre disparut en un clin d'œil. Un rond de fumée s'évapora. Wayne sut que c'était *elle*.

– Celia m'a dit que vous vous êtes montré très courtois.

– Elle m'a pris au bon moment.

– Je ne vous presserai pas de questions à ce sujet.

– Vous pourriez. J'y répondrais franchement. J'en profiterais pour vous questionner sur deux ou trois sujets, en espérant des réponses tout aussi franches.

– Vous pouvez me demander tout ce que vous voulez. Je vous répondrai, ou pas.

– Je voulais vous poser des questions concernant vos relations avec Dwight Holly, et aussi à propos d'un jeune homme que vous avez connu à l'École de la Liberté, et que vous avez très certainement tiré d'un mauvais pas un an plus tard.

– Je ne vous dirai rien.

– Voilà une réponse directe.

– Je vous avais prévenu qu'elle le serait.

– C'est exact.

– J'espère que mon franc-parler ne signera pas la fin de notre collaboration.

– Je ne le permettrai pas. Je suis un ancien policier qui ne mâche pas ses mots, et j'ai tendance à obtenir les réponses dont j'ai besoin.

– Vous ne m'avez pas demandé ce que Celia et moi savons sur vous, ce qui est une question bien plus pressante.

– Je vais considérer que vous savez tout, et je m'en tiendrai là.

– J'ai pris plaisir à parler avec vous, monsieur Tedrow.

– Je vous remercie de votre appel, mademoiselle Klein.

Wayne se réveilla au Texas. Le scotch servi dans l'avion et les herbes haïtiennes l'avaient assommé juste après le décollage.

Trouduc lisait *Playboy*. Le petit branleur avait l'air hagard et mort de trouille.

Des hauteurs profondément ravinées apparurent sous eux. Des arbres y poussaient de guingois. Des nuages d'orage les masquèrent.

Wayne pensa : *Tout ça, c'est magique.*

Wayne pensa : *Je suis devenu un Rouge.*

DOCUMENT EN ENCART : 13/5/69. *Transcription mot pour mot d'une communication téléphonique du FBI.* – *MARQUÉE :ENREGISTRÉE À LA DEMANDE DU DIRECTEUR – CLASSÉE : CONFIDENTIEL 1-A ; DESTINATAIRE UNIQUE : LE DIRECTEUR – Interlocuteurs : Directeur Hoover, Agent spécial Dwight C. Holly.*

JEH. – Bonjour, Dwight.

DH. – Bonjour, monsieur le directeur.

JEH. – Votre télex laisse entendre que vous avez de mauvaises nouvelles. « Dites les choses comme elles sont », ainsi que le répète de façon démagogique le président Nixon, pour donner l'impression qu'il comprend les chevelus et les gens de couleur qui cherchent l'insurrection.

DH. – Oui, monsieur.

JEH. – Il y a aussi « Ça vous va ? » et « Pas de problème », les nouvelles expressions préférées des personnalités radiophoniques de race blanche qui ont repris le refrain selon lequel j'étais trop vieux pour faire ce boulot.

DH. – Oui, monsieur.

JEH. – « Bien joué, mon frère » est une expression que l'on considère « dans le vent », ces temps-ci. La semaine dernière, je me suis adressé en ces termes au vice-président Agnew. Il m'a gratifié du salut poing levé. Cela m'a fait grand plaisir. C'était comme si les Français m'avaient décerné leur Légion d'honneur.

DH. – Oui, monsieur.

JEH. – Vous essayez de noyer le poisson, Dwight.

DH. – Le directeur général de la police, Tom Reddin, m'a appelé, monsieur. Il m'a informé qu'il avait rayé Marsh Bowen des cadres. Bowen a été licencié du LAPD, donc le LAPD n'est aucunement redevable de ses actes. Ce renvoi n'a pas été rendu public, ce qui nous protège au moins...

JEH. – L'Opération Méééchant Frère ne doit pas être avortée ni en aucun cas détournée de son objectif. Il ne faut pas que Bowen apprenne son licenciement. Pourquoi cela s'est-il produit ? Dites-moi les choses comme elles sont.

DH. – Je pense que Scotty Bennett est allé trouver Reddin et lui a soufflé de bonnes raisons de le mettre à la porte. Je crois que la rancune personnelle de Bennett envers Bowen a précipité cette décision.

JEH. – Sur un point, au moins, Bennett nous a fait un cadeau : en ne dénonçant pas feu Jomo Kenyatta Clarkson et feu son acolyte comme étant les meurtriers de feu le pamphlétaire de la haine Fred Hiltz. Ce qui a épargné au Bureau qu'on vienne fouiner dans ses affaires.

DH. – Oui, monsieur.

JEH. – Jomo Kenyatta Clarkson a baisé Pat Nixon en de nombreuses occasions. J'ai été informé de ce fait par un informateur confidentiel appartenant à la communauté hollywoodienne. Ils étaient tous les deux sous l'influence d'un médicament baptisé Quaalude, communément appelé « lude ».

DH. – Oui, monsieur. Je pens...

JEH. – Il y aura des descentes du Bureau dans les sièges des Panthères Noires à Denver, Chicago et Salt Lake City pendant la première semaine de juin. J'en suis heureux, mais il manquera à cette action le prestige rayonnant de notre opération, qui est une démonstration exhaustive de la criminalité des gens de couleur et de leur torpeur morale héréditaire. Je veux que l'ATN et/ou le FLMM vendent de l'héroïne. Nos concitoyens se sont laissé engourdir jusqu'à l'hypnose et charmer jusqu'à la catalepsie par les Panthères. Ce qu'il leur faut, ce sont des macaques malfaisants dans lesquels ils puissent planter leurs dents. Je vous assure que je dis les choses comme elles sont.

DH. – Oui, monsieur.

JEH. – Le nègre honoraire Wayne Tedrow. Déballez-moi tout, mon frère.

DH. – Toujours égal à lui-même, monsieur. Il revient de la République dominicaine.

JEH. – Dick Nixon est en rogne contre Wayne, au second degré. Wayne a sacqué un courageux petit groupe de brigands anticastristes que finançait Bebe Rebozo. Bebe est farouchement anticommuniste. Je le respecte pour cela.

DH. – Je dois parler au président demain soir, monsieur. Je le conseillerai dans l'affaire Wayne de la façon qui vous plaira.

JEH. – Faites ce que vous voudrez. Dites les choses comme elles sont, parce que ce n'est pas un problème pour moi.

DH. – Oui, monsieur.

JEH. – Notre petit Nixey Boy n'a jamais appris les rudiments de l'art de se raser de près. Pour ma part, j'utilise des lames Wilkinson Swords. Mon dossier personnel sur Nixon causerait sa perte. Les dossiers que je conserve dans ma cave provoqueraient instantanément un cataclysme.

DH. – Oui, monsieur.

JEH. – Il faut que l'ATN et/ou le FLMM vendent de l'héroïne. Nous devons créer un chaos convenablement maîtrisé.

DH. – Oui, monsieur.

JEH. – Je rêve assez souvent de Martin Lucifer King. Invariablement, il porte un costume de diable rouge et brandit une fourche.

DH. – Oui, monsieur.

JEH. – Rêvez-vous de lui ?

DH. – Fréquemment, monsieur.

JEH. – Et de quelle façon est-il vêtu ?

DH. – Il porte toujours un halo et des ailes.

JEH. – (Commentaire abrupt et étouffé/la transcription de la conversation téléphonique se termine ici.)

DOCUMENT EN ENCART : 14/5/69. *TRANSCRIPTION MOT POUR MOT DE NIVEAU 1 – CONTACT SÉCURISÉ/ Transcription d'une communication téléphonique d'ACCÈS PRIORITAIRE – Dossier classé n° 48297. Interlocuteurs : Président Richard M. Nixon et Agent spécial Dwight C. Holly, FBI.*

RMN. – Dwight, bonsoir.
DH. – Bonsoir, monsieur le président.
RMN. – Vous n'enregistrez pas ceci, n'est-ce pas, Dwight ?
DH. – Non, monsieur. Et vous ?
RMN. – Si, bien sûr. J'ai un appareil qui enregistre automatiquement tous mes appels, mais un de mes esclaves passe après moi et fourre les bandes magnétiques dans un coffre. Elles n'en ressortiront jamais, ou bien, si elles ressortent un jour, nous serons déjà six pieds sous terre.
DH. – Aucun problème pour moi, monsieur.
RMN. – Ça me va. Avez-vous voté pour moi, Dwight ?
DH. – Je ne suis pas inscrit sur les listes électorales, monsieur.
RMN. – Vous êtes un mauvais citoyen. Comme votre ami Wayne Tedrow, qui a mis des bâtons dans les roues à mon ami Bebe. Bebe, c'est le Premier Ami, Dwight. J'apprécie ces conversations que nous avons, vous et moi, et je n'oublie pas que Wayne a facilité nos arrangements avec les Italiens, mais Bebe, c'est Bebe, et Wayne lui a joué un sale tour.
DH. – Puis-je faire quelques commentaires abrupts, monsieur le président ?
RMN. – Dites les choses comme elles sont.
DH. – Wayne Tedrow est quelqu'un de très compétent, sujet de temps à autre à des réactions extravagantes. L'ineptie à laquelle il a mis fin aurait pu se révéler néfaste pour l'installation des casinos en R.D. Le groupe des exilés favoris de M. Rebozo est composé d'équivoques idéologues d'extrême droite dont l'obsession majeure est de

déposer Fidel Castro, et ainsi que vous me l'avez dit un jour, monsieur, ce salopard est là pour longtemps. Je décrirais les camarades exilés de M. Rebozo, au mieux, comme irréfléchis et fantasques ; au pire, comme gratuitement psychopathes. Wayne a choisi la solution la plus prudente, monsieur.

RMN. – Vous avez absolument raison, Dwight. De plus, la R.D. est un pays de merde, les Parrains risquent de prendre un bouillon avec leurs hôtels, et Joaquín Balaguer est solidement anti-Rouges et beaucoup plus accommodant que Rafael Trujillo. Cet enfoiré était un cauchemar. Vous ne croiriez jamais ce que contient le dossier que la CIA possède sur lui. Les saloperies qu'il a commises avec son prétendu ennemi acharné Papa Doc Duvalier sont abominables. Ils ont pillé des terres, fait de la contrebande d'émeraudes, saisi des banques hypothéquées et se sont partagé les bénéfices. Et pendant qu'ils faisaient tout cela, le Bouc massacrait des réfugiés haïtiens et Papa Doc sautait la moitié de ses maîtresses.

DH. – Drôle de couple, monsieur.

RMN. – À propos de couple, parlons un peu de Qui-vous-savez. J'ai écouté la radio, aujourd'hui. Un présentateur l'a appelé « Gay Edgar ».

DH. – Les médias ne sont pas tendres avec lui ces derniers temps, monsieur.

RMN. – Vous croyez qu'il se fait enfiler ?

DH. – Il doit trouver, je pense, que le placard est un peu trop exigu pour ça, monsieur.

RMN. – Pourtant, un bon braquemart le rendrait un peu moins cul serré.

DH. – Oui, monsieur.

RMN. – Il perd la boule. N'est-ce pas, Dwight ?

DH. – Oui, monsieur. Mais, une fois de plus, il est extrêmement dangereux, et il faut le manier avec délicatesse.

RMN. – Et il possède ces foutus dossiers.
DH. – Effectivement, monsieur.
RMN. – Des dossiers terriblement révélateurs et impolitiques.
DH. – Pas autant que cette conversation, monsieur.
RMN. – Dwight, vous êtes impayable. J'adore boire un verre et bavarder avec des types pleins d'esprit comme vous.
DH. – Monsieur, j'apprécie beaucoup nos conversations.
RMN. – Cet enculé d'Irlandais de Jack Kennedy m'a volé l'élection de 1960.
DH. – Oui, monsieur.
RMN. – Cet enculé est mort, et c'est moi qui suis président des États-Unis.
DH. – Oui, monsieur.
RMN. – Continuez de tenir à l'œil Qui-vous-savez pour moi. Vous voulez bien, Dwight ?
DH. – Oui, monsieur. Comptez sur moi.
RMN. – Bonsoir, Dwight.
DH. – Bonsoir, monsieur le président.

74

Los Angeles, 16 mai 1969

Dwight dit :

– Tu as peur de quelque chose. Tes mains tremblent.

Trouduc passa un fil dans le trou qu'il venait de percer. Sa pince tressautait. L'appartement de Marsh Bowen se prêtait bien à la mise en place de micros et d'écoutes. Les téléphones étaient anciens et volumineux. Les moulures du mur étaient friables.

– Foutez-moi la paix. Je n'arrive pas à me concentrer.

Dwight sourit.

– C'est une surveillance périodique. Wayne passera régulièrement écouter les enregistrements et comptabiliser les appels.

L'installation nécessitait du perçage. Trouduc était méticuleux. Il avait posé une bâche sur le plancher et travaillait proprement. Marsh assistait à une réunion de l'ATN. Ils avaient trois heures devant eux.

– Combien de communistes as-tu tué, jusqu'à maintenant ?

– Plus que vous.

– Tu continues à mater les femmes ?

– J'ai maté votre mère, quand elle faisait des passes chez les clodos.

Dwight s'esclaffa et partit explorer le salon. Marsh appliquait la méthode Stanislavski. Le décor était assorti à son personnage. Des affiches du Black Power, des photos de superbes filles noires posant avec des armes à feu.

– J'ai parlé de toi au président Nixon.

Trouduc mastiquait un trou pour masquer le perçage. Sa main trembla mais tint bon. Il avait une ceinture porte-outils et des lunettes grossissantes. Le petit raté en pro de la surveillance.

– Foutez-moi la paix. On prend du retard.

– Bowen et toi, vous êtes un peu frères. Vous êtes des vrais trouillards, mais vous ne lâchez pas prise.

– Bowen, c'est votre père nègre. Allez, laissez-moi travailler.

– Combien de communistes as-tu tué ?

– Bon sang, Dwight...

Dwight consulta sa montre. Il était minuit. Les soirées zouloues traînaient jusqu'au petit matin. Des joints et des discours, des phraseurs et des démagogues.

Trouduc termina le travail. Piégés avec des micros : deux lampes, trois panneaux muraux, deux téléphones. Trouduc était couvert de sueur et de poussière collée à la peau. Dwight lui lança une serviette.

– Comment ça se passe, en R.D. ? Tu te payes des jetons, là-bas ?

Trouduc finit de s'éponger.

– Arrêtez de vous foutre de moi.

Dwight fit le tour de la turne. Dernière inspection, pour voir si rien ne traîne. Tout chez Marsh respirait La Méthode. Livres communistes, des côtelettes au frigo, rien de typiquement flic ou homo.

Le boulot était impeccable. Pas de traînées de plâtre, pas de fils qui pendent ni de supports branlants.

Trouduc était à bout de nerfs. Il respirait par à-coups. Ses jambes flageolaient. Sa ceinture porte-outils tressautait sur ses hanches.

Dwight lui dit :

– Ne fais pas le con. Wayne a envie de tuer un crétin de droite.

– Il n'a quand même pas traité JFK d'enculé...

Dwight mit ses mains sur son cœur – *C'est la vérité, je le jure.*

Ils étaient chez Norm, dans Vermont Avenue. La clientèle d'une heure du matin : des mômes abrutis par l'héroïne qui s'envoyaient un steak pas cher.

Karen avait amené Eleanora. La petite somnolait dans son siège d'auto. Dwight ne la quittait pas des yeux.

– Elle me ressemble.

– Non, elle ne te ressemble pas. Il y a eu un protocole, et tu étais loin du réceptacle.

Dwight gloussa et but une gorgée de café. Karen alluma une cigarette. Dwight cala un menu verticalement sur la table pour protéger Ella de la fumée.

– Tu aimes Richard Nixon. Je n'arrive pas à croire ce que cela révèle sur ton compte.

Dwight sourit.

– Tu m'aimes. Qu'est-ce que cela révèle sur ton compte ?

Karen fit tourner le cendrier.

– J'ai des amis incarcérés à la prison du comté de San Mateo. On leur refuse l'application de l'ordonnance d'habeas corpus.

– Je vais régler le problème.

– Comment va M. Hoover ?

– Il est un peu tendu.

– Marshall Bowen est-il ton infiltrateur ?

– Je choisis de me taire.

– Joan est-elle une aussi bonne indic que moi ?

– L'avenir le dira.

Elle remua. Dwight balança son siège. Karen jeta un coup d'œil par-dessus son menu. Ella sourit et se rendormit.

– Tu es trop maigre, Dwight.

– J'ai déjà entendu ça.

Karen sourit.

– Tu fais des mauvais rêves ?

– Tu connais la réponse à cette question.

– Je vais préciser ma pensée, en ce cas. Des mauvais rêves provoqués par une mauvaise conscience ?

Ella donna un coup de pied. Sa jambe sortit du siège de voiture. Dwight la remit à sa place.

– Je l'adore, tu sais.

– Oui, je le sais.

Ils entremêlèrent leurs doigts. Dwight demanda :

– Tu m'aimes ?

Karen répondit :

– Je vais y réfléchir.

Il traînait chez Norm. La clientèle y était pittoresque, le local où il dormait sentait le moisi, et il n'arrivait pas à trouver le sommeil, de toute façon.

Des flics et des pacifistes. Des cinéphiles noctambules. Des traîne-lattes qui venaient de fouiller les bacs de bouquins pornos dans la librairie voisine.

La serveuse apportait sans cesse du café. Dwight fumait au même rythme qu'elle. Ils étaient synchrones. Le temps se métastasait.

Wayne entra et s'assit. Il était trop maigre. Il avait de nouveaux cheveux gris.

Dwight dit :

– Tu es la dernière personne que j'avais envie de voir.

– Tu sais pourquoi je suis ici.

– Nous avons déjà parlé de tout ça. Je reconnais qu'elle travaille pour moi, mais je n'irai pas plus loin.

Wayne congédia la serveuse d'un signe.

– J'ai vu une grande rousse avec un bébé sortir d'ici il y a une heure. J'ai noté le numéro de sa voiture et j'ai obtenu son nom, et je suppose qu'elle était ici avec toi.

Dwight alluma une cigarette.

– Pourquoi as-tu supposé une chose pareille ?

– Parce que je ne crois pas aux coïncidences.

Dwight tripotait la chevalière de sa fac de droit. Elle roula sur la table. Wayne la fit rouler dans l'autre sens pour la lui rendre.

– J'ai vu la photo de groupe des profs d'une fac de gauche, une « École de la liberté ». Karen Sifakis et la femme dont nous parlons y figuraient côte à côte.

Karen m'a dit qu'elle n'avait jamais rencontré Joan en personne. Elle prétend qu'elles correspondaient grâce à des gens qui leur servaient de boîtes à lettres. Joan m'a affirmé la même chose.

Dwight haussa les épaules. Wayne insista :

– Parle-moi d'elle.

Dwight répondit :

– Il n'en est pas question.

Une horde d'ivrognes entra dans la salle. Au comptoir, deux flics se hérissèrent.

– Dis son nom, Wayne. Je veux t'entendre le prononcer.

Wayne fit :

– Joan.

Dwight mit ses mains sur son cœur.

75

République dominicaine, Haïti, Eaux caribéennes, Los Angeles, 16 mai 1969 – 8 mars 1970

Rotations :

De la République dominicaine à Los Angeles et retour. La construction des casinos, le trafic d'héroïne, les expéditions punitives vers les côtes cubaines. Son enquête casée dans les temps morts.

Crutch avait flingué Luc Duhamel et le *bokur* et n'avait pas pipé mot. Il avait mis le feu à la case et à la Lincoln de Luc et il avait regagné à pied, de nuit, la République dominicaine. Luc avait tout bonnement disparu. Des goules appartenant aux Tontons Macoutes avaient interrogé l'ékipe Tiger, posant les questions habituelles. Crutch avait tenu bon. Une rumeur se mit à circuler : Luc était mort au cours d'une guerre entre sectes vaudou. Des représailles s'ensuivirent : envoûtements, massacres au coupe-coupe et zombifications. Crutch se fit oublier et attendit que ça se tasse. Ses nerfs lui taraudaient la tronche et le faisaient divaguer à en devenir dingue. Il avait des cauchemars en Vaudou VistaVision.

Il avait trouvé de bonnes maisons pour recueillir les chiens de Luc. Le Frenchie avait découvert des Tontons Macoutes pour faire tourner la partie haïtienne du trafic. La crique de Luc garda le nom de Tiger Krique. Le *Tiger Klaw* y était amarré. Les expéditions vers Cuba et Porto Rico partaient de l'ancien domaine de Luc.

Il travaillait à temps plein. Son enquête, c'était pendant ses moments de détente. Voilà l'épiphanie de la case vaudou. Il est zombifié. Son cerveau est en ébullition et son corps pétrifié n'obéit qu'au *bokur*. Les émeraudes/1964/Celia. Laurent-Jean Jacqueau/ Amérique/ changé de nom. Son esprit se liquéfie et reprend forme pour se fixer sur le *BRAQUAGE DU FOURGON BLINDÉ*.

Il suivit la piste révélée par l'épiphanie et il la valida. Il entra par effraction dans les bureaux de La Banda et découvrit des documents. Ils étaient sibyllins et rédigés en espagnol. Il prit des photos au Minox, développa la pellicule, et les traduisit comme il put. Une cargaison d'émeraudes avait quitté Saint-Domingue le 10 février 64. Destination : Los Angeles. L'expéditeur et le destinataire – non spécifiés. Le mode de transport n'était pas précisé. Aucun nom auquel se raccrocher. La piste promise par les documents s'arrêtait là.

Il essaya de retrouver la trace du Tonton renégat Laurent-Jean Jacqueau. En prenant comme date de sa disparition le 14 juin 59, il extrapola. Il consulta les archives de l'émigration. Il ne trouva rien. Il examina les listes des immigrés entrés aux États-Unis et ne trouva rien. Il commença avec le vrai nom de Jacqueau. Cela ne donna rien. Il essaya ses initiales. Rien non plus. À partir de là, il élargit le champ de ses recherches. Il passa en revue les listes de tous les Noirs caribéens entrés dans le pays et ne trouva rien.

Il ne récolta rien d'autre que des ragots et des bribes d'histoire orale. Le Bouc et Papa Doc étaient des obsédés des émeraudes. Il apprit ça et rien d'autre. Idem pour les émeraudes et Laurent-Jean Jacqueau. Idem pour les émeraudes, Celia Reyes et Joan Rosen Klein. Il éplucha les archives de trois organisations : la CIA locale, La Banda, et le groupe d'Ivar Smith. Il ne trouva aucune liste de personnes ciblées. Il ne trouva aucune piste sur les Flammes Vertes.

Rotations.

Il avait fait seize raids sur Cuba et huit expéditions drogue, toutes ultrasecrètes. Toutes exécutées en bravant l'interdiction de Wayne Tedrow. Wayne payait Ivar Smith pour surveiller l'ékipe Tiger et lui envoyer des rapports. Ivar en avait informé le Frenchie. Le Frenchie et Ivar avaient déjugé Wayne. Ivar trahissait Wayne en échange d'un pourcentage sur le trafic d'héroïne. Ivar et Mesplède avaient élaboré un système d'alerte. Ivar annonçait à l'avance les visites de Wayne. C'était le moment d'interrompre les expéditions héroïne et les opérations cubaines. L'ékipe Tiger était un groupe d'anticastristes et de trafiquants de drogue uniquement lorsque Wayne était loin. *Tiger Klaw* partait d'un endroit isolé. Les expéditions portoricaines étaient clandestines. C'étaient les Tontons Macoutes qui transportaient la marchandise à Port-au-Prince.

Son tableau de chasse aux communistes se montait à vingt-quatre morts, à présent. Les raids sur les côtes cubaines comprenaient des tirs de torpilles, maintenant. *Tiger Klaw* s'approchait discrètement et bombardait copieusement la côte. Ils coulaient des navires amarrés, avec des Rouges cramés à bord. Les raids pour rapporter des scalps le minaient davantage. Le nombre de cadavres qu'ils laissaient sur place était moins élevé, et celui des cauchemars subséquents l'était bien plus. Toutes les expéditions lui ébranlaient les nerfs. Il carburait aux herbes vaudou. Le Frenchie et les Cubains ne s'en étaient jamais doutés.

La poudre zombie avait failli le tuer. La révélation concernant le braquage était issue de cet état second. Il croyait très fort à ce que ce moment lui avait apporté, et il essayait sans cesse de le reproduire. La plupart des herbes vaudou stimulaient le cerveau et restaient bénignes. C'était une conclusion à laquelle il était parvenu par la logique. Il se rendait discrètement en Haïti et il y achetait des herbes qui le stimulaient *et* d'autres qui le calmaient. Et ça marchait. Elles lui fournissaient le cran nécessaire pour les raids, elles lui permettaient de tenir le coup jusqu'à Cuba et pendant le voyage de retour aussi. Jamais elles n'avaient ravivé les révélations concernant son enquête. Par contre, elles l'aidaient à endiguer ses cauchemars.

LA CHAISE ÉLECTRIQUE, LES MAINS ET LES PIEDS, L'ŒIL.

Les mauvais rêves l'empêchaient de dormir. Il se préparait une dose d'herbes vaudou et partait mater. Cela l'épuisait. Presque chaque nuit, ses rêves contenaient implicitement des images de femmes.

Il s'intéressait au vaudou. Il n'y croyait pas. Il avait jeté un sort à Wayne un million de fois, malgré tout. Il aimait bien le rituel. Wayne était trop important pour qu'on puisse quoi que ce soit contre lui. Le vaudou avait un pouvoir qui dépassait sa propre volonté. Il comprenait bien cet aspect-là.

Sa vie, c'était le travail. La construction des casinos avançait à toute vitesse. Douze étages se dressaient déjà sur les quatre chantiers. Les fortes pluies ralentissaient la cadence. Des esclaves mouraient d'épuisement ; il fallait les remplacer. Le Frenchie et les Cubains donnaient des ordres aux équipes d'ouvriers. Les sbires de La Banda leur donnaient un coup de main. Ivar Smith les prévenait des visites de Wayne. Le Frenchie faisait alors venir des équipes de figurants. Wayne apportait de l'argent liquide pour les pots-de-vin et le financement des travaux. Quand il était là, Crutch gardait ses distances, et lui jetait des sorts. Le Frenchie et les Cubains affichaient une innocence feinte qui leur sortait par tous les pores. Ils haïssaient

Wayne. Il fallait à Wayne une immense connivence et des gants de velours.

Rotations.

Crutch travaillait en R.D. et à L.A. À présent, son enquête se dédoublait : l'assassinat de Maria Rodriguez Fontonette et le braquage du fourgon blindé. Celia faisait des apparitions à Saint-Domingue. Il ne parvenait pas à la pister. Il consulta encore d'autres paperasses. Il surveilla les planques connues figurant sur les listes de La Banda. Il filait des communistes de base répertoriés par les listes de dissidents de la CIA dans l'espoir imbécile qu'ils la connaissent. C'était futile. En cours de route, des femmes croisées par hasard détournaient son attention. Des visions entrevues à travers des fenêtres le détournaient du sujet pendant des semaines d'affilée. Il lui fallait trouver Celia. Elle seule pouvait déclencher l'étincelle qui le mènerait à Joan.

Rotations.

Crutch mentit au Frenchie. Il lui raconta des salades sur le thème : « Clyde Duber a besoin de moi à L.A. » Le Frenchie lui dit : pas de problème. Il prit l'avion pour L.A. et il rôda. Il relut le dossier de Clyde sur le braquage une douzaine de fois, il en saisit le scénario, et rien de plus. Il appela la Wells Fargo. Il tenta de retrouver la trace de la cargaison d'émeraudes et il essuya un refus. Il se replongea dans le dossier de Clyde. Cela lui confirma que Scotty Bennett était obsédé par l'affaire. Ce n'était pas une révélation. Ce qui était *nouveau* : les rapports rédigés par Scotty pour sa hiérarchie étaient squelettiques.

Des omissions en pagaille. Pénurie de papier. Il *connaissait* Scotty. Ensemble, ils échangeaient des plaisanteries au parking des chauffeurs. Scotty lui avait montré des rapports sur des braquages mineurs – toujours détaillés. Ses rapports sur le 24 février 64 : en comparaison, franchement légers.

Il essaya de sonder Scotty. Il l'aborda de façon *subtiiiile*, mais Scotty ne révéla rien du tout. Il ne dit pas à Scotty qu'il avait piégé l'appartement de Marsh Bowen. Scotty écraserait Bowen le moment venu.

Une rumeur rance se répandait : Bowen avait cafté un nègre nommé Jomo pour une série de braquages dans des magasins d'alcool. Jomo s'était suicidé en prison. Scotty confia à Crutch que cette rumeur, c'était lui qui la faisait courir. Selon toute probabilité : ce pédé de Bowen était cuit.

Rotations.

L'île était une Zone Zombie. Los Angeles était une zone sûre. Crutch passa au parking des chauffeurs et apporta de la bière et de la pizza. Il fit un saut à sa piaule aux Vivian Apartments et sa turne du centre-ville où il rangeait tous ses dossiers. Il relut le dossier « Personne disparue » consacré à sa mère. Cela l'aida à réprimer quelques cauchemars.

Sa mère lui avait envoyé cinq dollars et une carte de Noël. Celle-ci portait le cachet de Kansas City. Elle était partie en 1955. Elle avait envoyé sa première carte cette année-là. La dernière en date était celle de Noël 69. On était en 70, à présent.

Elle était toujours en vie. Comme Celia et Joan. Comme Dana Lund et toutes les filles de Hancock Park qu'il épiait à travers leurs fenêtres. Son enquête était dans une impasse. Scotty possédait forcément d'autres documents. Dana Lund avait de nouveaux cheveux gris. Elle portait le pull en cachemire qu'il lui avait offert à Noël.

Les mèches grises de Dana ressemblaient à celles de Joan. Tout ça, c'était comme une saloperie de coup de couteau en plein cœur.

76

Las Vegas, Los Angeles, République dominicaine, Haïti, 16 mai 1969 – 8 mars 1970

Un état de rêve éveillé.

C'était le concept défini par Bowen. C'était sa vie, à présent. Ce n'était pas quantifiable. Cela lui rappelait ses premières années d'études de chimie. Certaines expériences donnaient des résultats incontestables. Beaucoup n'en donnaient pas. Il avait pris des risques plus grands et s'était habitué à l'incertitude. Un monde existait au-delà de sa compréhension. Cette notion le motivait et le consolait, aujourd'hui comme autrefois.

Ses hallucinations aux herbes ont clarifié son état de rêve éveillé. Elles lui ont apporté un espoir imprévisible. Elles ont encore plus émoussé sa conscience du risque.

Il prend l'avion pour la R.D. et fait un saut en Haïti. Il embauche des sbires Tontons Macoutes pour le protéger pendant qu'il se livre à des expériences chimiques. Il apporte de l'argent pour Celia et Joan. Il dit à Celia de redistribuer l'argent et de lui épargner les détails. Elle a promis de ne pas toucher aux chantiers de construction. Il leur a fait don de 1 649 000 dollars. Les résultats ne sont pas quantifiables.

Rêve éveillé.

Il a liquidé les avoirs de son père et remboursé l'entreprise de construction de Balaguer. Cela a couvert sa première contribution impromptue. C'est ensuite qu'il est devenu un escroc.

Les Parrains lui confiaient les yeux fermés de l'argent liquide compté à la va-vite, sans exiger de lui le moindre reçu. Ils savaient qu'il aimait le pouvoir et n'apportait que peu d'importance à la rémunération de son travail. Il écréma l'écrémage des hôtels-casinos de Drac. Il détourna des sommes destinées au rachat des débiteurs des prêts des Camionneurs. Il trafiqua les livres comptables de Tiger Kab et des clubs des quartiers sud. Il blanchit très vite des fonds grâce à la Banque populaire de Los Angeles-Sud. Chaque mois, il remettait une commission à Balaguer, et une somme à peu près équivalente à Celia.

Il avait demandé s'il pouvait avoir une conversation avec Joan. En rapport avec un jeune homme qu'elle avait connu à un certain moment. Celia lui avait dit : « En aucun cas », et « Je vous prierai de ne pas insister ». Il s'était abstenu de renouveler sa requête. Il avait poursuivi jusqu'à L.A. aussi bien Joan que le fantôme de Reginald Hazzard.

Dwight refusait de parler de Joan. Par l'intermédiaire d'un ami du LAPD, Wayne avait soumis une demande de consultation d'un dossier fédéral. Celui de Joan avait disparu des Archives centrales. Le Bureau n'avait pas de dossier sur la collègue de Joan, Karen Sifakis. C'était Dwight qui avait subtilisé les deux dossiers. Wayne en était sûr. Il avait fait une recherche sur les deux femmes à l'échelle nationale, dans toutes les archives de police, et n'avait rien trouvé. Ce second petit *clic* le taraudait sans cesse. Il avait travaillé sur le dossier de Joan pour transpercer le caviardage. Un *clic* lui ramenait cet épisode à la mémoire, mais celle-ci calait aussitôt et refusait d'aller plus loin.

Il ratissa les quartiers sud de L.A. Impossible de trouver Joan. Il avait reconstitué une chronologie partielle commune à Joan et Reginald. L'École de la Liberté, 1962. La remise en liberté sous caution, 1963. Il avait épluché des dossiers en République dominicaine. Joan : liée à Celia Reyes et mêlée à la révolte dominicaine. Joan : une photo dans son dossier. L'invasion du 14 juin et une Joan plus jeune qui brandit le poing.

Fin 1963 : Reginald étudie les herbes haïtiennes et la politique de la gauche dure. Joan est un professeur renégat. C'est une tutelle extravagante. La connexion haïtienne : sautons de *alors* à *maintenant*.

Joan est très proche de l'ATN. L'« armurier » de l'ATN : le trublion haïtien Leander James Jackson. Le frère Jackson s'était battu au couteau avec feu Jomo Clarkson. La bagarre avait été provoquée par Wayne et Marsh Bowen. Jackson était censément un ancien Tonton Macoute. Wayne avait tenté de le vérifier en consultant les archives des Tontons. Les Tontons ne gardaient pas de traces écrites.

Encore des consultations de dossiers, encore des impasses.

Pas de documents sur Leander James Jackson. Pas d'archives de l'immigration sur des hommes possédant ces trois mêmes initiales. Pas de dossier au FBI ni dans les services de police municipaux.

Jackson : probablement sans aucun lien avec Reginald et Joan. Il envisagea d'interroger Bowen au sujet de Jackson puis renonça à cette idée. Bowen divulguerait probablement ses informations confidentielles à quelqu'un d'autre.

Rêve éveillé.

Il circule dans les quartiers sud de L.A. Il cherche des gens qui n'y sont pas. Comme sources d'informations, il a Tiger Kab et les night-clubs. Personne ne connaissait Reginald Hazzard à l'époque et personne ne le connaît maintenant. Il consulte manuellement les archives des services du shérif et de ceux du LAPD. Il cherche un nom parmi des millions de mots.

Je trouverai Reginald Hazzard tout comme j'ai trouvé Wendell Durfee. Je lui donnerai ma clémence comme j'ai autrefois donné la mort.

Son état de rêve imposait la clarté. Il créait un lien sans hiatus entre L.A. et la R.D. Les hôtels-casinos s'érigeaient. C'était une expérience maîtrisée aux résultats quantifiables. Il versait ses contributions à la révolution à un rythme constant. Ivar Smith faisait le chien de garde et surveillait l'ékipe Tiger. Ces salopards se retenaient de faire des expéditions à Cuba et ils avaient arrêté leur trafic d'héroïne. *Ça*, c'était un résultat quantifiable. Cette expérience-*là*, correctement contrôlée, fonctionnait bien. Il rendait visite à l'ékipe Tiger. Il absorbait comme une éponge leur haine et leur peur. Les frontières ROUGES de ses petits voyages tous frais payés entre les États-Unis et les Caraïbes devenaient floues.

Les Parrains l'adoraient. Lui les haïssait et leur léchait les bottes et les arnaquait. Les Parrains savaient qu'il était avec une femme noire. Ils ne disaient rien à ce sujet parce qu'ils avaient besoin de ses compétences. Il passe du temps en leur compagnie. Il fraternise avec des militants noirs homosexuels. Il vit son état de rêve éveillé à travers un *Zeitgeist*, un drapeau d'un rouge pas très franc volant au vent.

L'appartement de Marsh Bowen était constamment sous surveillance. Wayne consultait le poste d'écoute tous les trois jours. Marsh et ses copains parlaient de la révolution, mais ils ne faisaient jamais rien pour *déclencher* la révolution. Ils ne savent pas où ni comment acheter de l'héroïne. La moitié d'entre eux *ne veulent pas* acheter de l'héroïne. Quelques-uns ont de vagues scrupules d'ordre moral. La plupart ont tout simplement peur des flics. En décembre, les flics de Chicago ont tué deux membres des Panthères Noires. Les Panthères ont échangé des coups de feu avec le LAPD le même mois.

Cela avait été un de ces moments où l'on frôle la catastrophe – on fait parler la poudre/il n'y a pas mort d'homme/on aurait pu y laisser notre peau quand même. *Bon sang ! De l'héroïne ?* Mon frère, je ne suis pas sûr que ce soit pour moi.

Cela frustrait Dwight. Cela enchantait Wayne. Il avait fumé de l'herbe avec Marsh, une fois. Ils avaient de nouveau parlé de son concept de rêve éveillé. Marsh ne savait pas qu'il était sur écoute. Marsh ne savait pas que le LAPD l'avait viré. Ils se trouvaient dans le parking de Tiger Kab. Une idée insensée avait traversé l'esprit de Wayne : *Je vais lui dire que c'est moi qui ai tué Martin Luther King, pour voir comment il le prend.*

Dwight ne faisait pas confiance à Marsh. Dwight avait raison – c'est un type qui cherche à gagner du temps et à rendre service et qui se perd dans ses calculs parce qu'il veut plaire à tout le monde. À deux reprises, Marsh avait fait sortir Ezzard Donnell Jones de détention provisoire – du poste de police de la 77e Rue et de celui de University Avenue. Marsh redoutait les représailles du FLMM ou un revirement brutal de la part de l'ATN. L'état d'esprit de Marsh se résumait à : immobilisme et circonspection.

La mentalité de Dwight n'était que machination. Il maigrissait. Il picolait pour se calmer les nerfs et pouvoir dormir un peu. Dwight disait que M. Hoover le harcelait pour qu'il obtienne des résultats. Wayne demanda :

– Comment vas-tu faire ?

Dwight mima un drogué qui se pique.

La pantomime faisait peur. Wayne en eut la chair de poule. Dwight ajouta :

– Petit, tu ne peux pas me laisser tomber, sur ce coup-là.

Rêve éveillé.

Il n'avait pas dit un mot à Mary Beth des contributions qu'il versait à Joan. Elle aurait considéré cela comme du vol. Elle aurait analysé sa mauvaise conscience. Elle aurait désapprouvé ses transes aux herbes vaudou. Elle aurait considéré sa théorie des différentes formes d'expérience comme une variation simpliste des modes du moment. Son ressentiment était une accusation. Elle ne s'en séparait pas quand elle le rejoignait au lit. Pour sa part, Wayne gardait en lui des images de Joan pour la flamme et la consolation qu'elles lui procuraient. Mary Beth considère que sa quête pour retrouver son fils est à la fois grandiose et égoïste. Elle ne peut pas comprendre l'étendue de sa dette.

77

Los Angeles, République dominicaine, 16 mai 1969 – 8 mars 1970

Elle est partie.

Elle lui a laissé dix-neuf fiches de renseignements et pas de lettre d'adieu. Elle a laissé une trace de rouge à lèvres sur l'oreiller. Les fiches contenaient des listes de mouchardages glanés auprès de l'ATN. Joan lui livrait six bandes de braqueurs armés, deux gangs de kidnappeurs, et onze gauchistes qui envoyaient des colis piégés. Dwight en attribua le mérite à Marsh Bowen. Cela laissa davantage de répit à l'homme qui jouait la montre et impressionna fort M. Hoover. La vieille tante ordonna elle-même les rafles des agents fédéraux.

Un bref retour en forme, suivi par une nouvelle dégringolade.

– Dwight, il faut que ces créatures à queue préhensile vendent de l'héroïne. Alors que mes jours sont comptés, je commence à craindre qu'elles n'y parviennent pas de mon vivant.

Il amadoua la vieille tante. La vieille tante réagit par un barrage quotidien de télex. Des poèmes racistes en vers de mirliton, des caricatures haineuses, envoyés par le FBI.

Pat Nixon violée à la chaîne par Archie Bell & the Drells. Une dégringolade qui frôle la dépression nerveuse.

Dwight laissa tout ça derrière lui. Il essaya de retrouver Joan.

Vérifications d'appels téléphoniques, vérifications de traces écrites disponibles : zéro. Sonder subtilement Karen n'avait rien donné non plus. Wayne avait déniché cette piste de l'« École de la Liberté ». Elle prouvait que Joan et Karen lui avaient menti. Wayne avait travaillé sur le dossier de Joan pour transpercer le caviardage. Il avait confié à Wayne qu'un petit *clic* s'entêtait à lui échapper. Dwight savait de quoi il s'agissait. Sous l'encre noire du masquage, Wayne avait déchiffré le nom : Thomas Frank Narduno. Cet homme connaissait Joan. Ils étaient camarades. Le gang armé de Dwight et Wayne avait tué Narduno au Grapevine Tavern. Ce qui soulevait les questions les plus cruciales de leurs vies :

Que veut-elle ? Que sait-elle ? Pourquoi lui avons-nous ouvert la porte ?

Dwight chercha des empreintes dans les appartements d'Eagle Rock et d'Altadena. Pas d'empreintes, pas d'armes, pas de petit mot sous l'oreiller.

Elle est partie.

Ses nerfs sont des engrenages aux dents usées. Il contemple les murs de son local et laisse le temps s'évaporer. Il avale davantage de pilules avec davantage d'alcool et il dort, proportionnellement, encore plus mal.

Le vide laissé par Joan, il le remplit grâce à Karen. Joan lui avait laissé en cadeau dix-neuf mouchardages. En retour, il fit bénéficier Karen de ses largesses. Il fit libérer sous caution un nombre record de ses amis. Karen était plus que jamais plongée dans son mysticisme quaker. Il fait des cauchemars où apparaît le Dr King. Karen a une mission pour le lendemain, une bombe à poser pour faire sauter un monument. Il n'arrête pas de repenser à Silver Hill. Les médecins lui ont conseillé de ne pas réfléchir. Il contemplait les murs et réfléchissait quand même.

Elle est partie.

Il a d'autant plus le temps de réfléchir et de contempler les murs et d'attendre que les murs lui répondent. L'âme même de l'OPÉRATION MÉÉÉCHANT FRÈRE était dans le coma. Les frères de l'ATN et du FLMM perdaient *vite* le feu sacré. 18 octobre 69 : les Panthères tendent une embuscade à deux flics de L.A. L'un des deux flics est blessé, une Panthère blessée, l'autre tuée.

8 décembre 69 : grande fusillade au quartier général des Panthères. Des blessés, pas de morts. Représailles du LAPD ? Probablement. Très probablement mises en œuvre par Scotty B.

Marsh Bowen ne servait à rien. Les écoutes ne servaient à rien. Leurs conversations : le b.a.-ba de la révolution pour les crépus et les gogos. La nouvelle image qu'il avait de Marsh : ce salopard avait un objectif. Ce salopard attendait son heure. Sinon, il se serait démené davantage, ou bien il se serait contenté de broder à l'infini sur le caftage de Jomo.

Scotty l'obnubilait. Scotty poursuivait un objectif, lui aussi. Scotty avait obtenu du LAPD qu'il licencie Marsh. Scotty avait fait circuler la consigne : pas de représailles contre Marsh. Il a cafté Jomo, mais ça m'est égal. Si vous vous en prenez à lui, vous aurez affaire à moi.

La salle d'interrogatoire, les coups aux reins avec le tuyau, les questions et les réponses. *Pourquoi Scotty avait-il cuisiné Jomo au sujet du braquage du fourgon blindé ?*

Suspicion.

La suspicion empêchait de dormir la nuit les flics vieillissants. Les cases de leurs cerveaux n'étaient plus étanches. Ils voyaient des choses qui n'existaient pas et n'étaient plus capables de voir ce qui se trouvait sous leur nez. Il avait des conversations téléphoniques avec le président Nixon et avec M. Hoover. Le président Nixon redoutait M. Hoover et ses dossiers. M. Hoover redoutait le laxisme du président Nixon envers les militants noirs et les communistes. M. Hoover était obsédé par la maîtresse noire de Wayne et craignait que Wayne le tueur de nègres ne soit devenu un Rouge. Nixon avait envoyé Dwight en reconnaissance en R.D. Il voulait connaître l'avis de Dwight sur le Nain. Il voulait s'assurer que son marché avec la Mafia ne ferait pas boomerang. Dwight était descendu à Saint-Domingue. La construction des casinos avançait vite. Le Nain lui avait offert un excellent déjeuner. La Banda exerçait une excellente oppression. Il avait appelé le président pour l'informer que la R.D. lui semblait O.K.

Suspicion.

Il avait appelé M. Hoover pour lui faire un compte rendu de son voyage. M. Hoover s'était montré *suspicieux.*

– Dwight, Nixon a-t-il parlé de *moi* ?

– Non, monsieur, absolument pas, avait répondu Dwight.

M. Hoover en avait été atterré et soulagé. Puis il lui avait raconté une plaisanterie de *quatorze minutes* sur le Dr King et la chienne Lassie, et encore une autre de *seize minutes* sur le président et l'extravagant pianiste Liberace.

Suspicion.

À Saint-Domingue, il avait eu un peu de temps à lui. Il avait bu un verre avec l'ékipe Tiger, et il avait senti qu'il se tramait des choses. Son intuition : ils continuaient leur trafic d'héroïne derrière le dos de Wayne. Il n'en avait pas parlé à Wayne. Pourquoi déclencher le chaos ?

La R.D. lui donnait la chair de poule. En comparaison, il se sentait très bien à L.A.

Elle est partie.

C'était l'anniversaire de Dwight la semaine dernière. Il avait eu cinquante-trois ans. Le président l'avait appelé et réquisitionné pour un voyage supplémentaire en R.D. Karen l'avait invité à dîner chez Perino. Il avait reçu au courrier une enveloppe blanche toute simple.

Elle était arrivée au local. Son nom et l'adresse étaient tapés à la machine. Pas d'adresse d'expéditeur.

Il avait ouvert l'enveloppe. À l'intérieur : un petit drapeau rouge au bout d'un bâtonnet.

DOCUMENT EN ENCART : 8/3/70. *Extrait du journal intime de Karen Sifakis.*

Los Angeles
8 mars 1970

Mes deux filles jouent dans la pièce voisine. Dina, 4 ans, regarde Eleanora, 15 mois, trouver son équilibre grâce à un gros ballon de plage et apprendre toute seule à marcher. Arrivera le moment où, jalouse des progrès rapides d'Ella, elle poussera sa sœur pour la faire tomber sur le plancher. Ella pleurera, se relèvera et recommencera à marcher. Ce sera la troisième ou quatrième fois que cela se produit. La première fois, j'ai réprimandé Dina. Elle a rejeté sur Dwight la responsabilité de son acte. Elle avait entendu Dwight me dire que de mes deux filles, Ella devenait rapidement la personnalité dominante, et que Dina aurait intérêt à « se venger d'avance pendant qu'elle en est encore capable ».

C'est Dwight que j'aurais dû réprimander pour avoir dit cela. Il y a plusieurs mois qu'il a fait cette remarque, et il est trop tard pour les réprimandes, à présent. Je relis les pages de mon journal concernant l'année écoulée, et je vois se dessiner une cohérence entre des événements disparates. Dwight n'a cessé de me laisser une latitude de plus en plus grande dans mes actions politiques et de faire libérer à une allure toujours plus soutenue mes amis emprisonnés en raison de leurs opinions. Il m'a suffi de relever les dates concernées pour constater une évidence : la remarquable générosité de Dwight commence à se manifester au moment où il m'apprend que Joan a disparu.

De toute évidence, ils sont amants. Bien sûr, je n'ai pas pu dire à Dwight que les disparitions de Joan sont soigneusement orchestrées, parce que je lui ai menti au sujet de la profondeur de notre amitié à Joan et moi. Il y a plusieurs mois, Dwight m'a posé des questions sur Joan et l'École de la Liberté de l'université de Californie du Sud. Évidemment, je lui ai menti ; évidemment, Dwight a compris que je mentais. Nous sommes bien trop attachés l'un à l'autre pour échanger des reproches ou redéfinir les règles d'une union déloyale, extravagante et soigneusement cloisonnée. Le plus étrange ? Je me surprends à donner mon aval à cette liaison entre Dwight et Joan. J'aime Dwight plus que jamais, car Joan a eu le mérite de faire naître le doute en lui. Dwight commence à s'effriter. Je prie pour que le processus se poursuive et le change en douceur, sans le pousser vers la souffrance ou la folie. Une crainte très réelle accompagne cette prière. Je me rends compte de plus en plus clairement que Joan m'a manipulée afin qu'elle puisse rencontrer Dwight. Dans quel but ? Cette prière doit inclure toutes les autres personnes qui gravitent dans leur orbite diaboliquement intraitable.

J'ai déjeuné avec Joan peu de temps avant qu'elle ne parte. Elle a fait allusion à une destination tropicale et m'a dit qu'elle avait laissé à Dwight un peu de paperasserie à régler. Elle espérait, a-t-elle ajouté, que cela ne tournerait pas mal, comme en 51, en 56 et en 61. Je n'ai pas demandé à Joan de broder sur cette déclaration succincte. J'ai mentionné Dwight et les paiements qu'il s'inflige par mauvaise conscience, et j'ai fait allusion à sa tragédie personnelle de 1957. Joan m'a dit qu'elle connaissait l'histoire, mais elle n'a pas voulu me révéler de quelle façon elle l'avait apprise. Et à cet instant, j'ai compris que Joan aimait Dwight, en dehors de tout objectif politique.

J'ai pleuré un peu. Joan m'a serrée dans ses bras et m'a donné une magnifique émeraude.

DOCUMENT EN ENCART : 8/3/70. *Extrait du journal de Marshall E. Bowen.*

Los Angeles
8 mars 1970

Le temps de la peur.

C'est le temps de la peur, pour moi, maintenant, et cela dure depuis un moment. J'ai peur depuis si longtemps que cela en est presque devenu banal. J'ai à présent une conscience aiguë des signes de panique exprimés par mon propre corps. Des mois de vague anxiété m'ont rendu plus sensible à une peur précise et justifiée. Je m'emploie minute par minute à survivre et à tirer profit de la moindre occasion.

Un informateur anonyme m'a offert un sursis vis-à-vis de M. Hoover et de M. Holly : un lot de dix-neuf dénonciations, dont le mérite m'a été gracieusement attribué. Cela a permis à M. Holly de faire patienter M. Hoover, j'en suis sûr, et du même coup valide l'OPÉRATION MÉÉÉCHANT FRÈRE, ce qui me procure d'autant plus de temps pour suivre les pistes du braquage du fourgon blindé. Le temps passant, le FLMM s'est désintéressé de moi. Les membres du FLMM me voient dans les clubs, seul ou en compagnie de mes frères de l'ATN. Ils détournent les yeux, crachent par terre ou font des gestes obscènes. Il y a des bousculades quand les deux groupes se disputent la place dans les marches pour la paix. Dans de tels contextes, j'éprouve davantage d'appréhension que de peur. Je suis à l'écoute de mon corps, guettant les signes de panique, et je me rends compte que l'on m'a octroyé du temps.

Le temps me libère et me contraint à la fois. Un ami du LAPD m'a appris qu'en secret la police m'avait licencié. De toute évidence, M. Holly et Wayne le savaient, mais ils ne me l'ont jamais dit. Cela fait de moi un agent contractuel du FBI non reconnu par la police et sans garantie d'emploi dans les forces de l'ordre une fois que ma mission sera terminée. La semaine dernière, j'ai découvert des micros dans mon appartement. J'ai réagi prudemment : je les ai laissés en place. Leur installation a dû être faite à l'instigation de Wayne et de M. Holly. Ils ne me font pas confiance. Leurs préventions sont entièrement justifiées. J'ai fait preuve de la plus grande prudence en ce qui concerne les gens à qui je parle chez moi, et ce dont je parle, avec mes invités ou au téléphone. La découverte du dispositif de surveillance m'a apporté la preuve que ma paranoïa n'était pas injustifiée, et m'a confirmé dans mon rôle d'ex-flic renégat qui a viré militant noir. J'ai assumé ce rôle dès l'instant où j'ai loué cet appartement et je n'ai cessé de l'enrichir depuis, à chaque instant. Les hommes qui ont le Penchant doivent se montrer prudents. Je me comporte comme si je n'avais pas le Penchant depuis que Wayne m'a traité de « pédé ». Au fond de moi, j'ai le sentiment d'être un ex-flic radicalisé, qui pèse ses choix dans tous les domaines. Le sens de l'instant et de l'identité que je possède en tant qu'acteur s'est révélé inestimable sur ce plan.

Wayne et moi avons fumé de la drogue ensemble en plusieurs occasions. Nous avons parlé des états métaphysiques bizarrement différents et bizarrement semblables de nos deux existences. Ce fut, à bien des égards, l'échange le plus captivant de ma vie.

On m'a accordé un sursis. Je ne crains sans doute plus rien

dans le ghetto, parce que Scotty Bennett veut qu'il ne m'arrive rien. La nouvelle version de la rumeur qui court sur mon compte, dans le ghetto, c'est que je suis peut-être un indic de la police. Il s'agit là de la vengeance à long terme de Scotty Bennett, j'en suis sûr. Ce qui me préoccupe, c'est qu'à l'horizon je n'aperçois aucune chute funeste, aucune conclusion. L'année dernière, Scotty Bennett a grandement confirmé son statut au sein du ghetto. Ce faisant, il a porté un coup sévère aux nationalistes noirs de Los Angeles, et il m'a octroyé un délai supplémentaire sur le front de l'achat d'héroïne. Il y a eu des échauffourées entre les flics et les Panthères en octobre et en décembre. Les deux incidents ont été largement répercutés par les médias. Une douzaine de Panthères ont à présent disparu, six par incident. Scotty a tenu sa promesse d'août 68. Représailles, dissuasion, vengeance, et un nouveau sursis pour moi. Résultat final ? Du côté de l'ATN, encore plus de perplexité, de craintes et d'indécision. L'idée de plus en plus précise que l'héroïne est une source d'emmerdements dont on peut se passer. J'ai l'impression que l'on réagit de la même façon du côté du FLMM. Et puis, comme des pépites d'or dans la boue, de plus en plus de militants de base pensent que vendre de l'héroïne, c'est *mal*.

Avec ce temps supplémentaire qui m'est accordé comme un cadeau, j'ai accentué mes recherches sur le braquage. J'ai dû demander un million de fois : « Hé, mec, tu te souviens de cette attaque de fourgon blindé en 64 ? » et récolter un million d'airs stupéfaits et de réponses bidon. J'ai mentionné tout aussi souvent Reginald Hazzard et décrit sa ressemblance lointaine avec le braqueur au visage brûlé, obtenant les mêmes résultats. Puis deux déclics se sont produits, indépendamment l'un de l'autre.

J'étais en train de parler par téléphone avec M. Holly d'une cabine publique à une autre, quand il a mentionné en passant l'interrogatoire musclé de Jomo Clarkson par Scotty Bennett. Scotty a posé à Jomo toute une série de questions sans aucun rapport avec son affaire, et qui avaient toutes trait au braquage. M. Holly a trouvé cela déconcertant.

Cela m'est resté en tête pendant des semaines. Aaah, Scotty, qu'est-ce que tu sais, et qu'est-ce que tu te gardes bien de nous dire ? Peu après, j'ai fait à deux reprises libérer Ezzard Jones sous caution. La première fois, il était incarcéré pour conduite en état d'ivresse. Je l'ai sorti du poste de la 77e Rue et de là je l'ai emmené boire un verre. Une semaine plus tard, Ezz se faisait embarquer pour tapage et ivresse sur la voie publique. J'ai rempli les documents nécessaires dans la salle de garde du poste de University Avenue. On m'y a laissé seul un moment, et j'en ai profité.

J'ai fouillé le classeur des Affaires non résolues, et j'ai trouvé une fiche de transmission de renseignements concernant le braquage. J'ai mémorisé le numéro de dossier concerné, j'ai appelé le service des recherches et enquêtes du LAPD et me suis fait passer pour un flic. Après consultation des archives centrales, la préposée a repris le téléphone pour me dire : « Je regrette, lieutenant, ce numéro de dossier n'existe pas. »

C'est alors que j'ai compris :

Scotty possédait son dossier personnel. Il subtilisait tous les rapports classés dans les diverses divisions du LAPD et les gardait pour lui seul.

J'en suis certain. Il ne peut pas y avoir d'autre explication.

78

Jarabacoa, 12 mars 1970

Les pluies abondantes empêchaient la poursuite des travaux. L'ossature du treizième niveau n'était toujours pas terminée. Sur les quatre sites, la construction avait pris du retard par rapport au calendrier prévu. Quelques esclaves avaient pris la fuite.

La Banda avait réagi. Elle avait passé les équipes en revue et tiré au sort les malchanceux à torturer. La haine en spectacle : des flagellations et des esclaves qui hurlent sous la pluie.

Crutch avait assisté aux plus récentes. La mousson venait de déferler. Le sol était couvert de boue. On s'y enfonçait jusqu'aux chevilles. Le chantier était encombré de bois de charpente gorgé d'eau et de matériel trempé. Tout n'était que miasmes et gadoue.

Les sbires de La Banda se servaient d'un fouet à gland. De petites sphères métalliques infligeaient un supplément de douleurs. Crutch carburait aux herbes vaudou. Elles lui permettaient de rester concentré et faisaient écran entre lui et les horreurs qui se déroulaient sous ses yeux.

Un esclave était sanglé à un bulldozer. Ses hurlements étaient renvoyés par l'écho. Les coups de fouet aussi. Chaque nouveau claquement de fouet se superposait à l'écho du précédent.

Le bourreau était doué. À la hauteur des côtes, les glands de métal entamaient la chair jusqu'à l'os. Les autres esclaves de l'équipe assistaient au massacre. Crutch fermait les yeux.

L'esclave s'effondra. Un type de La Banda aspergea ses plaies d'insecticide pour le désinfecter et augmenter sa douleur. L'esclave avala de la boue. Cela étouffa ses cris.

Un klaxon retentit. Crutch tourna la tête. Le Frenchie avait une nouvelle Cadi*black* 59. Elle était décorée des rayures peintes de rigueur. Le Frenchie l'avait baptisée « Tiger Kar ».

Les Cubains s'y étaient entassés, armés de mitraillettes. Canestel pointa l'index en direction du nord – *Tiger Krique, tout de suite !*

Crutch commençait à avoir la nausée. Tiger Kar roulait sur des routes défoncées avec une suspension trop molle. Il était coincé entre Morales et Saldivar. Sa tête explosait. Il regardait sans cesse dans le rétro. Il avait l'impression d'être sous surveillance. Il ne savait pas pourquoi. *Hell hound on my trail*[1].

Ils atteignirent Tiger Krique au crépuscule. *Tiger Klaw*, réservoirs pleins, était prêt à partir. La tempête était passée. Des sautes de vent résiduelles les poussaient vers l'est. La côte nord et le détroit de Mona : un seul et immense moutonnement. Ils arrivèrent en avance à Port Higuero. Ils fumèrent de l'herbe pour tuer le temps. Les espingos portoricains leur faisaient confiance, à présent. Le Frenchie les appelait leurs « Tiger *Kompañeros* ».

Crutch entendit du mouvement sur la rive. Les espingos surgirent des fourrés. Ils lancèrent leur mallette de drogue sur le pont. Gómez-Sloan leur lança la mallette de billets. Ce fut kourt et konvivial.

L'ékipe largua les amarres du *Klaw* et prit le large, direction : la krique. Des vagues frangées d'écume les secouaient sans cesse. Crutch lança une torpille pour s'amuser. Elle toucha un atoll constellé de guano et explosa.

Ils amarrèrent *Tiger Klaw* et le recouvrirent de filets de camouflage. Ils s'entassèrent dans Tiger Kar pour regagner Saint-Domingue. Crutch somnolait après le coup de fouet de la drogue. Des moustiques qui entraient dans sa bouche en vrombissant le réveillaient périodiquement.

C'était l'aube. L'ékipe débarqua à l'El Embajador. Le Frenchie dit à Crutch de tenir la mallette. Les Tontons Macoutes l'emporteraient à Port-au-Prince le lendemain. Crutch bâilla et prit l'ascenseur pour se rendre dans sa suite.

Il ouvrit la porte. De nouveau, cette impression d'être surveillé. Il capta une odeur de cigarette. Il vit un point incandescent luire dans le noir.

---

1. Littéralement : *Un chien de l'enfer à mes trousses*, titre d'un blues de Robert Johnson (1911-1938).

La lumière s'alluma. Voilà Dwight Holly assis sur le canapé. Il y a du matériel sur la table basse.

Un pot de peinture et un pinceau. Une seringue et une dosette de morphine toute prête.

Crutch ferma la porte et laissa tomber la mallette. Dwight sortit un couteau de poche.

– Tu trimballes quelle quantité, là-dedans ?

– Trois livres.

– Ça suffira.

Crutch eut soudain la bouche sèche. Sa vessie enfla. Les murs se mirent à tourner autour de lui.

Dwight ordonna :

– Retire ta chemise.

– Mais enfin, vous ne pouvez pas...

– *Je ne le répéterai pas.* Tu retires ta chemise, et moi je repars avec la valise. Je ne t'empêcherai pas de t'enfuir par cette porte. Mais à la seconde où tu le feras, j'appellerai Wayne et je lui cafterai ton trafic de drogue.

Crutch ôta sa chemise. Son sphincter faillit lâcher. Dwight ouvrit le pot de peinture et y trempa le pinceau. La peinture était rouge vif.

Dwight fit le tour des murs et arracha les décorations murales. Il peignit « 14 juin » au-dessus du canapé. Il re-trempa le pinceau. Il peignit « 14 juin !!! » au-dessus du bar. Il re-trempa le pinceau. Il peignit « Mort aux trafiquants de drogue yanquis » à côté de la porte.

Crutch pria et tenta de ne pas pleurer. Dwight ouvrit la dosette d'héroïne et emplit sa seringue. Crutch déplia son bras. Dwight lui fit un garrot au biceps et une veine apparut.

Crutch serrait très fort sa médaille de saint Christophe. La chaînette céda sur sa nuque. Dwight enfonça l'aiguille dans la veine et lui injecta le contenu de la seringue.

Crutch se sentit tout ramolli. Sa vessie se vida. Aucune importance. Ses yeux roulèrent dans leurs orbites.

Dwight alluma son briquet et chauffa la lame de son couteau. Crutch s'appuya des deux mains contre la porte. Dwight grava « 14/6 » sur son dos.

79

Las Vegas, 14 mars 1970

Wayne reliait des rectangles. Son graphique mural devenait de l'Op Art. Des rectangles et des flèches qui en partaient selon des angles bizarres.

Des rectangles et des flèches. De Reginald à Joan et à l'homme des herbes haïtiennes.

Des rectangles sur son graphique et des carbones dans ses cartons – en provenance du LAPD et des services du shérif du comté. Son contact au LVPD se les était procurés pour lui. Appelons ça la recherche d'une aiguille dans la célèbre botte de foin. Rapports d'incidents, fiches d'interrogatoires sur le terrain. Les flics de L.A. appréhendaient tous les jours des gamins noirs. Le nom de Reginald pouvait se trouver là-dedans.

Wayne consulta sa montre. Il disposait d'une heure, au maximum. Ses bagages étaient prêts. Pour Celia, il avait de l'argent provenant de l'écrémage. Il avait réservé une place sur un vol de nuit pour la R.D.

Des flèches et des rectangles. De « Livres de bibliothèque » vers « libération sous caution ». Un nouveau rectangle : « Leander James Jackson/ATN/Tonton Macoute. »

La porte du couloir grinça. Il entendit Mary Beth dans le salon. Ses clés tintèrent. Elle laissa tomber ses sacs sur un fauteuil. Elle laissa échapper un soupir, comme si elle était excédée.

Il contempla son graphique. Il verrouilla sa sacoche et y attacha la chaîne des menottes. Il cocha le nom « Leander James Jackson ».

– Je veux que tu arrêtes tout ça.

Wayne se retourna. Le regard de Mary Beth était braqué sur la sacoche.

– Je ne veux pas que tu retrouves mon fils. Il n'a pas envie qu'on le retrouve. S'il est vivant, cette décision est l'expression de sa volonté, et je ne vais pas lui imposer l'humiliation de retrouvailles forcées.

Wayne enfonça les mains dans ses poches. Ses yeux coulaient – derniers effets des herbes haïtiennes.

Mary Beth s'approcha de lui.

– Quoi que tu aies pu faire autrefois, je te pardonne. Quoi que tu fasses en ce moment, je te pardonne. Je te pardonne de ne pas me faire confiance, parce que tu ne veux pas être pardonné, tu cherches seulement à courir de nouveaux risques, à créer de nouveaux complots, et à t'exposer à de nouvelles punitions.

Wayne frappa le mur d'un crochet du gauche. Il entama la moulure, ses phalanges saignèrent, le verre de sa montre-bracelet se brisa.

Mary Beth demanda :

– *À qui as-tu fait du mal ? Qu'as-tu fait ?*

Il se rendit à pied jusqu'à la planque. Saint-Domingue lui paraissait différente. Sa visite était improvisée. Il n'avait pas prévenu Ivar Smith ni les Parrains. Il voulait simplement *voir*.

Il avait l'impression de voir un film en cinémascope et en stéréo. D'habitude, il se déplaçait en limousine. Cela lui reposait les yeux et atténuait l'ambiance sonore. Ce qu'il découvrait à présent était merdique. Les égouts empestaient, le vacarme lui agressait les tympans, les flics se tenaient en embuscade et cognaient à la première occasion.

Le temps était doux pour une soirée d'hiver, l'air ambiant un peu poisseux. Wayne portait une veste de sport pour masquer la chaîne des menottes. L'adresse qu'il cherchait se trouvait dans Borojol. Dans le quartier, il n'y avait que des bars à putes et des hôtels pas chers. Sur les trottoirs, des Haïtiens vendaient des cornets de glace arrosée de Klerin.

Wayne trouva l'adresse : un cube rose en retrait par rapport à la rue principale. Sa main libre le faisait souffrir à cause du coup de poing dans le mur. Il frappa à la porte avec son bracelet métallique. Celia lui ouvrit.

Elle portait une blouse tachée de sang. Derrière elle, l'espace était occupé par des lits de camp et des supports de perfusions. Quatre garçons et deux filles avaient des points de suture à la tête. Des coups de matraques entourées de barbelés – Wayne vit que les entailles recousues suintaient.

Il reconnut le médecin qu'il avait vu l'année précédente. Deux infirmières changeaient les bassins. L'un des mômes avait un moignon à la place du pied. Une gamine avait une joue entamée jusqu'à la pommette par une balle.

La fenêtre du fond donnait sur une ruelle. Dehors, Wayne vit Joan, qui fumait une cigarette. Des scalpels dépassaient du haut de ses bottes.

Celia désigna la sacoche. Wayne l'ouvrit. Sa main l'élançait. Celia sortit les liasses.

– Il y a combien ?

– 180 000 dollars.

– J'ai parlé à Sam. Il m'a dit que Balaguer avait donné son accord pour la construction de quatre casinos de plus. Ils vont devoir brûler ou inonder quatre villages haïtiens avant que les travaux puissent commencer.

Wayne ferma les yeux. Ses impressions sensorielles se rappelèrent à lui. Il sentit une odeur de chair pourrie, là, dans la pièce voisine.

Il rouvrit les yeux. Celia regarnit la sacoche et la glissa sous un lit de camp. Un gamin hurla en espagnol. Une fillette gémit en créole. Joan se retourna et le vit. Wayne se faufila entre les lits de camp et sortit pour la rejoindre.

Ses cheveux étaient noués en arrière, ses lunettes de guingois. Elle avait de petites mains, rêches.

– Vous avez apporté une contribution ?

– Oui, mais pas aussi importante que la dernière fois.

– Je ne doute pas qu'il y ait une prochaine fois.

– Oui, il y en aura une.

Joan alluma une cigarette. Ses ongles étaient couverts de sang séché.

– Jusqu'à quel point tout ceci est-il réel pour vous ?

– Dites-moi ce que vous savez sur moi. Dites-moi comment vous le savez.

– Je ne vous dirai rien.

Un coup de feu retentit quelque part. Un homme aboya comme un chien. Joan dit :

– Il vaudrait mieux que le médecin regarde votre main.

Wayne secoua la tête.

– J'ai essayé de vous retrouver, à L.A.

– Oui.

– Je n'étais pas le seul à votre recherche.

– Je trouverai l'homme dont nous avons parlé quand cela deviendra nécessaire.

L'homme-chien aboya. Deux autres hommes-chiens se joignirent à lui. Une femme-chien aboya depuis la direction opposée.

Wayne insista :

– Il y a des choses que vous pourriez me dire.

– Je ne le ferai pas.

La meute aboya en chœur et lança des bouteilles contre les murs. Du verre se brisa en stéréo.

– Vous n'avez pas répondu à ma question.

Wayne plia les doigts de sa main blessée.

– Il y a des gens que vous attendez toute votre vie. Ils vous envoient dans des endroits où vous auriez tort de ne pas aller.

Joan plongea la main dans sa poche. Wayne remarqua quelques tremblements. Elle en sortit un petit drapeau rouge au bout d'un bâton.

Wayne dit :

– Procurez-moi un silencieux fileté pour un .357 Magnum.

Les chantiers de construction de Saint-Domingue étaient en retrait par rapport à la rue et gardés par un seul homme. Les gardiens le connaissaient. Les équipes d'ouvriers dormaient dans des tentes, trente mètres plus loin. La cahute où était entreposé le matériel de démolition jouxtait les piliers des fondations. À l'intérieur, les murs étaient ignifugés et ne contenaient pas de plomb. Dynamite, C4, nitro. Tous ces produits étant hautement inflammables.

Le terrain avoisinant était imbibé par la pluie. D'un chantier à l'autre, les contremaîtres communiquaient par l'intermédiaire des cabines téléphoniques. Il pouvait prendre un fil électrique, le tremper dans l'essence, l'entourer de façon hermétique d'une feuille de plastique, en prévoyant un diamètre suffisant pour que l'air circule et alimente la combustion. Il ne restait plus qu'à le relier au téléphone de la cabine, appeler le numéro, et prier pour que l'explosion se produise.

Pour les chantiers situés en pleine campagne, ce serait plus difficile. Ils étaient à cent kilomètres l'un de l'autre. Cela pourrait nécessiter un coup de poker, genre bombe incendiaire lancée de loin.

Wayne trouva un magasin de fournitures automobiles ouvert toute la nuit. Il acheta les outils nécessaires et deux coussins de voiture recouverts d'acrylique. Il acheta dans une quincaillerie un tuyau d'arrosage de gros diamètre et retourna à son hôtel.

Il découpa l'enveloppe des coussins pour en extraire des lambeaux de tissu qu'il imbiba d'essence. Il avait mémorisé les dimensions nécessaires. Il coupa des bouts de tuyau à la longueur voulue. Il les perfora pour en faire des brûleurs. Les cabines téléphoniques étaient posées à même la terre battue. Le branchement du dispositif de mise à feu ne poserait pas de problème. L'intensité du courant utilisé par les téléphones pourrait peut-être déclencher la combustion. Si tout allait bien.

Un gamin lui apporta le silencieux. Wayne travailla toute la nuit. Il transforma sa suite en atelier. Il avait appelé la réception et loué une voiture pour le lendemain soir. Il s'administra une dose d'herbes vaudou et dormit toute la journée.

Ses rêves furent pour la plupart paisibles. Le Dr King qui faisait des sermons et qui plaisantait.

Il se leva et se força à manger. Il chargea son matériel dans la Chevrolet de location et se rendit sur le premier chantier. Sa main ne le faisait plus souffrir. Il n'entendait plus les bruits extérieurs. Il ne sentait plus ses pieds sur les pédales. Il était calme tout-au-fond-de-sa-tête.

23 h 26.

Il se gara de l'autre côté de la rue. Le gardien fumait en faisant les cent pas. Pas de lumière dans la tente des esclaves.

Wayne glissa une paire de cisailles à tôle sous sa ceinture. Le gardien s'approcha de la grille d'un air soupçonneux. Wayne baissa sa vitre et cria : *Hola*. Le gardien le reconnut et lui ouvrit.

Wayne sortit de sa voiture et le rejoignit. Le gardien fit son numéro : *Vous, El Jefe !* Wayne désigna la lune. Le gardien lui tourna le dos. Wayne lui mit le canon de son arme derrière le crâne et tira une seule fois.

Le silencieux remplit son office. La balle à tête creuse perça la boîte crânienne et s'élargit. Le gardien s'écroula sans que le sang jaillisse de son front.

Wayne retourna à la voiture et en sortit le tuyau d'arrosage. Il revint sur le chantier et creusa à mains nues une saignée dans la terre meuble. Il prit le trousseau de clés accroché au ceinturon du gardien pour ouvrir la cahute aux explosifs. Il dévissa le panneau arrière du téléphone à pièces, déroula les fils et les fixa sur le bord du tuyau.

Seize minutes.

Il déroula le tube, d'une extrémité à l'autre. Il le disposa au fond de la saignée, du téléphone jusqu'à la cahute. Il courut jusqu'à la tente des esclaves et alluma le projecteur, près de l'entrée.

Les esclaves remuèrent. Ils étaient enchaînés d'un lit de camp à l'autre. La plupart étaient noirs, d'autres avaient la peau plus claire, ils semblaient presque tous haïtiens. Ils le regardaient avec des yeux ronds. Il virent le pistolet à sa ceinture et mirent un genou à terre. Dans cette posture, les chaînes restreignaient leurs mouvements. Wayne sortit sa paire de cisailles. Ils se mirent à hurler. Wayne agrippa le plus proche et lui libéra les poignets.

L'homme resta figé, à le fixer. Wayne recula. L'homme bondit en l'air et agita les mains. Les autres hommes regardèrent Wayne et ils *comprirent.*

Ils levèrent les mains en même temps. Les chaînes les reliaient tous ensemble. Wayne passa de l'un à l'autre et les libéra. Ils se massèrent autour de lui et le soulevèrent de terre. Il mémorisa leurs visages alors qu'ils s'enfuyaient.

Le second chantier se trouvait à trois kilomètres de distance. La grille n'était pas verrouillée. Le gardien ronflait dans un sac de couchage près du téléphone public. Wayne lui tira une balle dans la tête et déballa ses outils.

La terre était meuble, la saignée horizontale, le travail avança vite. En tout, il lui fallut neuf minutes et des broutilles.

La tente des esclaves était faite d'une toile presque transparente. Elle était trempée par l'eau de pluie et absorbait la chaleur. Elle rissolait sous le feu de quatre projecteurs allumés toute la nuit.

Les esclaves étaient réveillés. Leurs lits de camp étaient trempés de sueur et s'enfonçaient dans le sol. Ils virent Wayne et restèrent étendus sans bouger. Des murmures s'élevèrent et s'amplifièrent, mais sans devenir des clameurs. Wayne s'approcha du premier lit de camp. L'esclave retira vivement ses mains. Wayne lui saisit les poignets et lui ôta ses chaînes. Les autres esclaves saisirent la manœuvre. Ils levèrent leurs poignets.

Wayne les libéra un par un. Ils se levèrent, lentement. Ils trébuchèrent et avancèrent en clopinant. Personne ne regarda Wayne. Un homme fit une bénédiction vaudou. Deux hommes déchirèrent la toile de tente et partirent en courant.

Wayne les suivit des yeux. Ils coururent jusqu'à une petite cabane dont ils défoncèrent la porte à coups de pied et à coups d'épaule. La porte s'arracha à ses gonds. Ils s'emparèrent des mitraillettes et des fusils de guerre rangés à l'intérieur.

L'*Autopista* filait tout droit vers le nord. Il avait besoin d'un point de vue. Situé en hauteur et pas trop éloigné, pour capter les détails.

Une station-service se matérialisa sur Reparado. À l'horizon, le pied de la colline au bas de la côte. Une unique cabine téléphonique. Un vaste panorama nocturne.

Les appels restaient dans la limite de la localité. Pas besoin de standardiste pour passer la communication. Cela pouvait marcher ou ne pas marcher.

Wayne mit deux piécettes dans la fente et composa le numéro du premier chantier. Il entendit seize sonneries sans rien d'autre. La dix-septième eut un écho et s'accompagna d'un halo rose. La dix-huitième illumina dans un souffle un ciel strié de rouge.

Il mit d'autres pièces et appela le second numéro. La flamme jaillit à la deuxième sonnerie. Les deux flambées rouges se rejoignirent.

Les chantiers ruraux lui causaient du souci. Les téléphones et les cahutes à explosifs étaient mal disposés. Les tentes des esclaves étaient à ras des fondations. Cela voulait dire qu'il y aurait mort d'hommes.

Le Nain était au courant, à présent. La Banda aussi. Les chantiers ruraux allaient recevoir du renfort très vite.

Wayne se gara dans un fourré à la sortie de Jarabacoa. Il avala des herbes et par la force de sa volonté il cessa de réfléchir. Les branches d'arbres soulevèrent sa voiture. Il vit dix millions d'étoiles. Il déplaçait les constellations du bout des doigts. Il entendait des bruits qui auraient pu être des fusillades et qui auraient pu être des roulements de tambour.

Des piécettes tombaient du ciel. Il ouvrit la bouche pour les goûter. Des sonneries de téléphone retentissaient et déclenchaient des jeux de lumières. Les couleurs le berçaient et le transportaient dans un endroit où il n'avait rien à redouter.

Ce fut le soleil qui le réveilla. La lumière qui traversait son pare-brise tombait sur son visage. Sa vue se brouilla. Il vit des flammes et sentit une odeur de fumée.

Il démarra sa voiture et prit des petites routes. Il croisa un camion de pompiers et deux voitures de la Policia Nacional. Les flammes s'élevaient au-dessus d'un rideau d'arbres. Il vit brûler le chantier de Jarabacoa.

Laisse-moi voir le reste...

Il stoppa la voiture. Il monta sur le capot puis sur le toit. Il vit deux gardiens du chantier, lynchés, pendus à des branches. Il vit « 14 juin » barbouillé sur un pilier des fondations, et une Sten abandonnée.

Laisse-moi voir...

Il sauta sur une branche d'arbre et grimpa pour se percher à la cime. Le panorama s'élargit. Des feuillages s'agitaient non loin. Il vit courir des mômes à la peau claire et des hommes noirs, armés.

Laisse-moi...

Il regarda vers le sud. Le panorama s'élargit encore. Il fit aussitôt un peu de maths et de géométrie. Des piécettes tombèrent du ciel. Le ciel explosa à l'endroit où le second chantier devait se trouver.

80

Los Angeles, 19 mars 1970

Les derniers traînards sortaient de chez Sam le Sultan. Sambo fermait l'établissement. Dwight était perché dans le parking de derrière.

À l'intérieur du club résonnaient les pulsations d'une musique afro. Une flicmobile roulait au ralenti sur Central Avenue. Les traînards poussèrent des cris de cochon. Les flics ne réagirent pas. Les bronzés étaient supérieurs en nombre.

Dwight consulta sa montre. Joan lui avait donné rendez-vous par téléphone depuis une cabine publique. Le parking à 2 heures. Elle était donc en retard de huit minutes.

La musique se transforma. Après le tam-tam, le be-bop. Dwight posa son arme sur sa mallette. Il avait passé la douane avec ses trois livres d'héroïne. Il avait quitté la R.D. de justesse.

Son contact à la Maison Blanche l'avait appelé. Nixon s'agitait, à la limite de la grosse colère. Des communistes avaient saboté les chantiers des casinos. La Banda mettait ça sur le dos du « 14 juin ».

Trouduc était parti juste avant lui. Dwight l'avait tailladé, dévalisé, et lui avait expliqué de quelle façon mentir. Retourne à L.A. et surveille les écoutes de Bowen. Laisse Mesplède faire son deuil de la came. Dis-lui que Clyde Duber a besoin de toi.

Dwight remonta sa vitre et shunta le be-bop. En arrivant à L.A., il avait lancé des ballons d'essai. Dites-lui qu'on y va, elle comprendra, elle saura. Il avait interrogé tous les individus de gauche de la planète Terre. Cela lui avait pris six jours.

Des phares de voiture l'épinglèrent. Une Dodge 63 entrait dans le parking. Dwight fit un appel de phares. La Dodge répondit. Dwight prit sa mallette de dope et sortit de sa voiture.

Joan se gara près de lui. Elle mit les phares en veilleuse et laissa tourner le moteur. Un réverbère de la ruelle l'éclairait à contre-jour. Elle paraissait épuisée, presque angoissée.

– On ne s'est jamais dit au revoir.

– Ça ne semblait pas nécessaire. Je savais qu'on n'en avait pas fini, tous les deux.

– Où étais-tu ?

– Je ne te le dirai pas.

– Dis-moi ce qui ne va pas.

– Non, je ne te le dirai pas.

Dwight lui toucha les cheveux. Joan s'appuya contre sa main le temps d'un battement de cœur.

– On y va ?

Dwight lui passa la mallette.

– Fais-la parvenir à l'ATN par un intermédiaire. Laisse ton nom en dehors de tout ça si tu peux. Ce qu'on veut, c'est que Bowen croie à un cadeau tombé du ciel. Mon petit, on a eu de la chance, il a fallu que ça tombe sur ta tête.

Un klaxon retentit. Dwight visa en direction du bruit. Joan tendit le bras pour abaisser la main avec laquelle il tenait son arme.

– J'ai besoin que tu le dises.

Dwight passa la tête à l'intérieur de la voiture. Joan pressa la main qu'il avait posée sur le rebord de la portière.

– Il faudrait qu'on le dise. La foi, c'est de cette façon que ça fonctionne.

Dwight dit :

– Personne ne meurt.

81

Los Angeles, 19 mars 1970

Silence radio. L'air frais du petit jour après une nuit d'insomnie – et la courante par-dessus le marché.

Le poste d'écoute était une cahute nègre dans le pâté de maisons de Marsh Bowen. Les fils reliés aux micros passaient en hauteur, au milieu des lignes téléphoniques. Des appels hors de propos s'inséraient dans sa surveillance. Il captait une mori-ca-caud-phonie.

C'était amusant et divertissant. Ça n'engageait à rien. Beaucoup de conversations de maquereaux et de boniments d'évangélistes.

Crutch bâilla. Quatre jours déjà qu'il essayait de récupérer de son décalage horaire. Big Dwight lui avait écrit son scénario. Le Frenchie avait vu son dos gravé au canif, sa chambre ravagée, et il avait cru son bobard. Clyde a besoin de moi, Patron. Va, mon fils. Tu seras vengé.

Convergence : un faux vol de drogue par des communistes et un vrai sabotage.

Le Frenchie l'avait appelé pour lui apprendre la nouvelle. Les activistes du 14 juin avaient incendié les chantiers. Le Nain préparait une Grande Rafle de Rouges.

Crutch déplaça ses écouteurs. Un appel lui parvint : la vieille bonne femme asthmatique d'à côté.

Mémé soufflait comme un phoque et râlait contre le gouverneur Ray-Gun. Crutch sursauta en se rappelant un détail. Il avait placé des micros dans la suite de Sam G. Il avait entendu Sam et Celia bavarder. Elle lui avait soutiré des informations sur les chantiers des casinos. Crutch avait quelques vestiges de ses cours de latin au lycée. *Post hoc, propter ergo hoc*. Après cela, donc à cause de cela.

Oui, mais :

Ça paraissait idiot, ça ne collait pas, ça ne ressemblait pas du tout à Celia et Joan.

Mémé pestait contre Ray-Gun – il m'a sucré mon chèque d'allocations. Crutch ne tenait plus en place. Il se débarrassa de ses écouteurs et ôta sa chemise.

Un miroir mural faisait face à la console. Crutch se leva et se tordit le cou pour regarder son dos. La blessure était recouverte d'une croûte qui commençait à s'effriter. Les lignes dessinées par la cicatrice étaient visibles. Les chiffres se lisaient nettement, il garderait peut-être son marquage.

Il continua de regarder. Il jeta un coup d'œil à la console. Ses photos de Joan étaient posées sur le rebord.

Il fit un rapide calcul mental. Un an, huit mois et vingt-sept jours. Il la pistait depuis tout ce temps.

La lumière rouge clignota. Bowen – un appel pour lui.

Crutch mit ses écouteurs. Il entendit Bowen, sa voix ensommeillée. Il entendit :

– Marsh, c'est Leander James Jackson.

Un gars heureux. Enjoué. Fort accent haïtien.

Les salutations firent des allers et retours et cédèrent la place à une discussion sur le thème « Mort aux flics ». Cette prononciation haïtienne. « Mon petit gars » – le tic verbal de feu Luc Duhamel.

Attends...

Leander James Jackson. Laurent-Jean Jacqueau. Les mêmes initiales.

Des Haïtiens. Jacqueau, le Tonton Macoute qui a tourné sa veste. Jacqueau, le converti qui avait rejoint le Mouvement du 14 juin. Jacqueau, introuvable aux États-Unis.

Parasites sur la ligne, friture de micro, réverbération et bruit blanc.

Bowen : inaudible/« Il faut qu'on se procure de l'héroïne. »

Jacqueau : friture/« Dans mon pays, on appelle ça "La bête qui vient de l'Orient". »

Friture/bruit blanc/parasites. Un appel égaré s'interpose. La Mémé aux poumons mités remettait ça. Ooooh, ce Ray-Gun.

Big Dwight. La dope volée. L'opération contre les militants noirs...

Étude de dossiers.

Lis des dossiers quand tu es déboussolé. Lis des dossiers quand tu t'ennuies. Lis des dossiers quand tu ne dors pas de la nuit et que tu es épuisé. « Lis des dossiers », c'était son mantra. C'était sa consolation et sa façon de s'occuper.

Il était 7 h 10. Crutch fonça chez Clyde Duber & Associés et ouvrit la porte lui-même. Clyde et Buzz se pointaient vers les neuf heures. Cela lui donnait le temps de se plonger dans les dossiers.

Le dada de Clyde : l'attaque du fourgon blindé. Quatre classeurs pleins.

Crutch approcha une chaise et sortit des chemises. C'étaient des *re*-sorties. Il connaissait le dossier en long, en large et en travers. Des informations anciennes lui sautaient aux yeux : des noms, des dates, des lieux. Les rapports d'autopsie, les cadavres calcinés. Un second braqueur avait-il pris la fuite ? Des photos : Scotty B., l'air mauvais. Scotty malmenant des Noirs.

Une feuille volante tomba d'une chemise. Crutch la déplia. Un plan de rues fait à la main. Le carrefour de la 84e Rue et de Budlong Avenue, le 24 février 64. Des *X* pour situer les cadavres. Des petites maisons repérées par leurs numéros et dessinées à l'échelle.

Crutch étudia le plan. Un détail flottait quelque part dans son cerveau. Un autre dossier, un autre renseignement, un numéro manquant...

Oh, oui, c'est ça. Facile à deviner : Clyde n'est pas au courant.

À ce moment-là, Marsh Bowen habitait précisément dans ce pâté de maisons. Il avait dix-neuf ans. Il venait de quitter le lycée Dorsey. Il vivait chez ses parents.

Étude de dossiers.

Lis des dossiers quand quelque chose te tracasse. Lis des dossiers quand tu es un peu parti. Lis des dossiers différents quand les autres te portent sur les nerfs.

Crutch se terra aux Vivian Apartments. Il étudia le dossier de sa mère. Il arracha les croûtes qui dessinaient « 14/6 » sur son dos et admira ses cicatrices. Les séquences coupées au montage de la Zone Zombie le mettaient en transe.

LA CHAISE ÉLECTRIQUE, LES YEUX, LES MAINS ET LES PIEDS. Les exploits de La Banda et les mains fondues du Noir.

Il prit peur. Il avala deux diables rouges et les fit descendre avec une gorgée d'Old Crow. Ils effacèrent sa peur. Il prit ses jumelles et se posta entre les antennes pour mater les alentours.

Barb Cathcart arrosait sa pelouse. Elle portait une robe sac et le vent frais lui donnait la chair de poule. La mère de Gail Miller bavardait avec le facteur. La mère Miller le détestait. Il avait épié Gail, son appareil photo à la main, et pris un cliché de sa touffe. Il s'était fait virer du lycée à cause de ça.

Le téléphone sonna. Crutch bondit pour répondre.

– Ici Crutchfield.

– Donald, je suis outré.

Du calme – *il ne sait rien, il ne peut pas savoir.*

– Qu'est-ce qui s'est passé, Frenchie ? Raconte.

– C'est Wayne qui a commis le sabotage. On l'a vu acheter des explosifs. Il a profané les sites du nord pour qu'on accuse le Mouvement du 14 juin. De toute évidence, il a embauché des communistes pour l'aider. Je crois que ce sont ces putes rouges qui t'ont volé la came.

– Frenchie, dis-moi...

– Balaguer a pris très vite une décision rationnelle. Il a décrété qu'il n'y aurait pas de représailles contre Wayne. Il a décidé de faire payer le « 14 juin » et de donner une leçon aux futurs dissidents. L'ékipe Tiger y participera, ce qui nécessite ton retour immédiat.

Ses mains transpiraient. Le téléphone lui échappa. Il tomba sur le plancher. Le combiné se fendit.

Les diables rouges agirent à fond. De toute sa haine, il jeta un sort à Wayne, lui plantant des aiguilles dans les yeux. Puis lui vint cette idée, aussi malfaisante qu'un sortilège vaudou.

Il connaissait son nom et son lieu de travail. Il rédigea sa lettre sur l'aire de repos de Barstow. En guise de pupitre, il utilisa le capot de sa voiture.

Chère Mme Hazzard,

Je travaille pour votre ami Wayne Tedrow à divers titres aussi illicites que nombreux. Il me méprise constamment et me surnomme « Trouduc ». Je soupçonne Wayne d'avoir manqué de franchise envers vous en ce qui concerne les événements survenus dans son passé récent, et je suppose que vous avez des doutes sur sa stabilité psychologique et sa moralité.

Vos doutes sont pleinement justifiés. Wayne a été impliqué dans l'assassinat du Révérend Martin Luther King en avril 1968, et il a été soupçonné du meurtre de son propre père deux mois plus tard. Son implication est très probable, également, dans la fusillade tragique qui a coûté la vie à votre mari et à un criminel de Las Vegas-Ouest à la fin du même été. Vous méritez de savoir ces choses. Je ne vous veux aucun mal ; je tiens simplement à ce que vous sachiez la vérité.

Bien à vous,

Un ami

Patate chaude.

Le syndicat se trouvait à deux pas de Fremont. Son euphorie se dissipait. Donne la lettre, jette un sort à Wayne, ne te dégonfle pas.

Les employés du syndicat commençaient à sortir. Les gens se dépêchaient de regagner leur voiture. Crutch se gara en double file et scruta les visages. Il vit la femme s'approcher d'une Oldsmobile 88.

Il sortit de sa voiture et fonça vers elle. Les gens se baissaient, l'air interloqué. Elle se retourna et le vit. Il déchiffra aussitôt son regard. *Qui est ce jeune fou ?*

Il lui remit la lettre et tourna le coin de la rue en courant. Il s'engouffra dans un bar et avala trois verres de suite. Cela lui fit retrouver son sang-froid. Il se sentit de nouveau intrépide.

Fremont était à sens unique. La fenêtre du bar donnait sur la rue. Elle allait forcément passer devant lui. Où est cette Rocket 88 ?

Il attendit vingt minutes et regagna sa voiture. Il jeta un coup d'œil au parking.

Elle était adossée à l'Oldsmobile. Elle sanglotait. Ses doigts étaient tachés de sang. Elle agrippait la poignée de la portière pour tenir debout.

DOCUMENT EN ENCART : 21/3/70. *Extrait du journal de Marshall E. Bowen.*

Los Angeles
21 mars 1970

Cela s'est passé ce matin même : l'événement le plus perturbant de toute ma vie, à la fois éclipsant et surpassant cette journée d'il y a six ans et un mois. Je l'ai mémorisé minute par minute, et j'en garderai une image mentale pour ne jamais l'oublier.

Je me suis réveillé plus tard que d'habitude ; les vestiges d'un rêve défilaient dans ma tête. Le décor était un amalgame des clubs de Central Avenue, rempli de militants noirs prenant des poses et de Blancs jouant les parasites. Benny Boles, Joan Klein et feu Jomo étaient du nombre ; je n'arrive pas à me souvenir précisément de qui que ce soit d'autre. Il y avait de la musique – du hard bop – qui s'atténua en devenant les crachotements de la fréquence radio des voitures de police. Je me suis redressé dans mon lit, me rendant compte que les flics étaient garés dans l'allée, devant la porte de mon immeuble.

J'ai enfilé une robe de chambre et suis allé ouvrir la porte. Scotty Bennett était devant moi. Il portait un costume en popeline marron clair, un nœud papillon écossais, et un canotier. Il m'a tendu une bouteille de Seagram's Crown Royal avec un ruban rouge noué autour du goulot. Il a prononcé exactement les paroles suivantes : « Ne dites pas que je ne vous ai jamais apporté que des ennuis. »

Cela n'avait rien de terrifiant ni d'intimidant, et ce n'était pas le moins du monde érotique. Scotty a souri, puis il a ajouté : « Parlons du braquage. Il y a ce que vous savez et ce que je sais. Faisons la paix et ramassons le pognon. Et voyons si on peut vous faire réintégrer le LAPD. »

C'est le chambranle de la porte qui m'a permis de rester debout alors que la tête me tournait. Scotty poursuivait : « J'ai récolté un tuyau. Une femme, une communiste, a décidé de se délester de trois livres d'héroïne au profit de l'ATN. Voyons si on peut exploiter ça pour faire de vous un héros. »

Le mot *héros* a tout changé ; à mes yeux, le flic le plus sanguinaire de sa génération s'est retrouvé soudain doté d'un halo et d'une angélique paire d'ailes. Scotty m'a lancé un clin d'œil. Incapable de le lui rendre, je lui ai tendu la main. Scotty a préféré me serrer dans ses bras.

82

Las Vegas, 22 mars 1970

Les Parrains appelaient sans cesse. Ivar Smith rajoutait son grain de sel. Il n'y en avait que pour leur rage anti-Rouges.

Le Mouvement du 14 juin avait incendié les chantiers des casinos. Prescience : le Nain venait de donner son accord à la construction de quatre établissements supplémentaires. Wayne prenait les appels : Carlos, Santo, Sam. Terry Brundage avait appelé. Mesplède avait appelé. Leur rage s'amplifiait. Les appels avaient cessé brusquement deux jours plus tôt.

Il jouait le jeu. Il simulait sa propre fureur.

Un état de rêve éveillé.

Wayne étudiait son graphique mural. Le rectangle de Leander James Jackson l'interpellait. Il le détailla. Il traça des connexions. Il se rappela son voyage là-bas.

Les rafles commençaient. Il avait appelé Celia. Elle lui avait dit : « Le travail que vous avez fait est une source d'inspiration pour le nôtre. » Des planques abritaient leurs militants. La Banda trouverait des gens à interroger et à torturer. Le prix à payer serait épouvantable. Il faut que nous le disions : la foi, c'est de cette façon que ça fonctionne.

À l'aéroport, la sécurité était minimale. Les douaniers étaient enrôlés pour la chasse aux Rouges. Il avait quitté la R.D. sans difficulté.

Wayne traçait des lignes. Le déclic se produisit à nouveau. Un souvenir fugace puis qui s'évanouit. En rapport avec le dossier caviardé de Joan. Cela lui titillait le cerveau. Il avait fait ce rapprochement, et rien d'autre ne venait.

Il se recula pour avoir de nouveau une vue d'ensemble du tableau. Il en voyait les éléments principaux. Il vit un petit mot punaisé à l'écart, d'un côté. Il comprit tout de suite que ce n'était pas lui qui l'avait ajouté.

« Chère Mme Hazzard. » L'acte d'accusation rédigé par Trouduc. La réaction de Mary Beth inscrite en dessous.

« Je trouve ceci parfaitement crédible. Si tu me l'avais dit toi-même, j'aurais peut-être pu te pardonner. »

Il signa des papiers au cabinet de son avocat. Il passa à la Hughes Tool Company et encaissa une traite bancaire. Il prit l'avion pour L.A. et se rendit en voiture à la Banque populaire de Los Angeles-Sud. Lionel Thornton lui fit ouvrir la salle des coffres. Il préleva 1,4 million de dollars sur l'écrémage des casinos, les recettes de Tiger Kab, et les bénéfices des night-clubs. Il en remplit trois mallettes. Il appela la compagnie Hughes Charter et réserva une place sur un vol à destination de Saint-Domingue.

Les arbres poussaient à l'envers. Joan semait des émeraudes et ensemençait les nuages. Chaque goutte de pluie était un miroir.

Il revit son enfance à Peru, dans l'Indiana. Il vit Dwight et Wayne Senior et le Klan gagné par la confusion. Sa mère pénétra dans une goutte de pluie. Il avait appris la chimie chez les mormons, à l'université Brigham Young. Les tableaux moléculaires se remplissaient d'eux-mêmes en vert. Les racines des arbres inversaient le sens de leur croissance. Elles retinrent son regard et le laissèrent plonger en elles. Il vit Little Rock en 57 et Dallas en 63. JFK lui fit au revoir de la main. Wendell Durfee s'esclaffa. Il présenta ses excuses à Reginald Hazzard pour ne pas avoir été capable de le retrouver.

L'air fondit. Des particules chargées d'humidité se transformèrent en neige. Le Dr King murmurait des équations chimiques. L'univers devint logique l'espace d'un instant. Joan frotta sa cicatrice avec de la poudre d'émeraude et la regarda s'effacer. Janice lui dit de ne pas se faire de souci. Les planètes se réalignèrent et décidèrent sur un coup de tête de lui expliquer la physique. Il entendit « La foi, c'est de cette façon que ça fonctionne » et laissa ses yeux se poser sur le soleil.

Un taxi l'emmena à Borojol. Le chauffeur avait la trouille. Alerte rouge – ça se voyait.

Des flics qui frappent aux portes, qui arrêtent la circulation, les interpellations et les fouilles dans la rue. Des flics sur les toits, avec des jumelles. Des flics scrutant la foule et des photos anthropométriques.

Le taxi déposa Wayne à la planque. Une fenêtre était à moitié fendue. Il sentit une odeur de sang et de désinfectant et entendit la moitié d'un cri.

Joan apparut à la fenêtre. Ils se regardèrent. Elle vit ses mallettes et fit signe à quelqu'un, à l'intérieur. La porte s'ouvrit. Wayne se tourna dans cette direction. Un jeune homme s'empara des mallettes et rentra dans la maison en courant.

Wayne regarda à travers la fenêtre. À l'intérieur, Joan posa sa main sur la vitre. Wayne plaça la sienne sur celle de Joan. Le verre était tiède. Leurs regards se croisèrent. Joan s'éloigna la première.

Un taxi le déposa au bord de la rivière. Au crépuscule, il traversa le pont et entra en Haïti. Un Tonton Macoute le reconnut – *Ça va, Boss ?*

Wayne entra à pied dans un village. Des fêtards masqués traversaient un cimetière en dansant. Des hommes étaient assis, adossés à des pierres tombales. Ils restaient immobiles. *La poudre zombie* – des verres à pied roulaient à terre depuis leur giron.

Les fêtards portaient des coupe-coupe dans des fourreaux. Leurs masques étaient maculés de sang. L'air était chargé d'odeurs : poudre de reptile et musc de volaille.

Wayne entra dans une taverne. Des bannières de la secte Bizango créaient l'atmosphère. Il attira toutes sortes de regards. Il désigna des bouteilles et créa une concoction qu'il n'avait pas essayée auparavant. Le barman composa son breuvage. Une mousse verte lui brûla les yeux lorsqu'il la but. Il laissa trop d'argent sur le comptoir.

Deux cimetières le séparaient de la prochaine taverne. Wayne les traversa et lut des épitaphes en français. Ses ancêtres s'étaient réenterrés sous ses pieds. Il vit un homme zombifié pris de convulsions. Il reconnut dans sa boisson le goût de la poudre à canon et du foie de rainette.

Les fêtards masqués le suivaient. Un chien portant un chapeau pointu le mordit et s'enfuit. Wayne suivait des yeux les constellations. Il clignait des paupières et faisait décrire des arcs de cercle à des météores.

Le *clic* se dévoila enfin à lui. Thomas Frank Narduno, abattu au Grapevine Tavern. L'une des relations connues de Joan Rosen Klein. Une ramification entre Joan et Dwight qui restait encore à explorer.

Il entra dans une taverne et commanda une potion. Six *bokurs* le regardèrent boire. Deux hommes lui donnèrent leur bénédiction. Quatre autres agitèrent des amulettes et lui lancèrent un sort. Il laissa trop d'argent sur le comptoir.

Il ressortit. Le ciel respirait. Il palpa la texture de la lune. Les cratères devinrent des mines d'émeraudes.

Une ruelle apparut. Un coup de vent l'y entraîna. Des feuilles s'agitaient et lançaient des arcs-en-ciel tourbillonnants. Trois hommes sortirent d'un rayon de lune. Ils portaient des coupe-coupe dans des fourreaux. Ils avaient des ailes d'oiseaux à l'endroit où auraient dû se trouver leurs bras droits.

Wayne dit :

– Que la paix soit avec vous.

Ils sortirent leurs coupe-coupe et le massacrèrent sur place.

83

Los Angeles, 25 mars 1970

– L'ATN s'est procuré de l'héroïne. C'était un marché entre deux anciens potes de prison. C'est Ezzard Jones qui a mis ça sur pied.

Dwight dit :

– Continuez.

– C'est venu de nulle part. Un groupe de Panthères s'est tiré à Oakland après la fusillade de décembre. Un gros bonnet de la drogue s'est fait blouser dans l'affaire. Les types qui travaillent pour lui sont prêts à laisser la came en dépôt.

Le Carolina Pines, sur Sunset Boulevard. La clientèle de 8 heures du matin : des prostituées qui tombent de sommeil et des profs du lycée de Hollywood.

Dwight alluma une cigarette.

– Continuez.

Marsh fit tourner sa fourchette.

– L'ATN en a touché une livre et demie. Ce qui est drôle, c'est que le type qui leur a donné la came en dépôt en a laissé la même quantité au FLMM. Je ne sais pas comment cela s'est goupillé, mais ça ressemble à une sorte de consensus. « Il faut qu'on se voie et qu'on en discute, mon frère, pour ne pas foirer notre coup. » Je suis censé servir de médiateur, la semaine prochaine, pour une « rencontre au sommet ».

Sacrée Joan. Absolument géniale. Elle a partagé les richesses et multiplié par deux les inculpations.

Dwight fit un rond de fumée dans le style de Joan. Il sortit difforme et se dispersa trop vite.

– Faites-le. Arrangez-vous pour que cela se produise le plus tôt possible.

Dwight retourna au local. Il sentait le renfermé. Il remonta les stores et ouvrit les fenêtres. Il sortit un télex de la machine.

D.H.,
L'ambassade dominicaine m'a contacté il y a quelques instants.
À mon grand regret, je dois vous informer que Wayne Tedrow a été assassiné en Haïti à une date indéterminée au cours de la semaine dernière. Le crime semble avoir été motivé par des griefs d'ordre politique et racial. Le corps a été abandonné du côté dominicain de la Plaine du Massacre. Des bouts de papier couverts de symboles tapageurs et de slogans anti-américains ont été découverts dans les poches de la victime. Veuillez évaluer cette situation nouvelle en tenant compte des opérations qu'effectuait la victime pour le compte de RMN, de M. Hughes, de nos amis italiens, etc. Appelez-moi dès réception de ce communiqué.
JEH

L'obscurité de la pièce lui fut d'une grande aide. Les murs se refermaient autour de lui. Le bruit de la rue était à un niveau constant. Il mit en marche le climatiseur fixé sous la fenêtre pour le couvrir.

Il se blottit dans des endroits exigus. L'alcôve de son bureau et le placard lui donnèrent une impression de sécurité. Il ramassa ses jambes contre sa poitrine et endura les crampes. Il se couvrit la tête pour obtenir davantage d'obscurité. Il balança son arme dans une gaine de chauffage pour ne pas se flinguer. Sa chemise était trempée parce qu'il avait pleuré à chaudes larmes recroquevillé sur lui-même.

Le temps perça un trou quelque part. Il balança ses somnifères et sa gnôle dans la gaine pour ne pas risquer de s'endormir. Le téléphone sonnait et sonnait toujours. Il sortit de son nid en rampant et lança le téléphone sur le plancher. Le combiné était près de lui, la ligne crépita, il entendit sa voix à elle.

Le trou s'agrandit. Il s'empara du téléphone. Il parvint à dire :

« Oui ? » et « C'est la première fois que tu m'appelles ». Il parlait avec la voix de Wayne.

La ligne crépita. Il perdit sa voix à elle. La connexion s'améliora. Il la retrouva.

– Balaguer rafle des gens et les torture. Wayne a fait sauter les chantiers. Balaguer fait une déclaration.

Dwight toussa. La ligne crachota et coupa. Il ouvrit les stores et retrouva la vue. Tout se mit à tourner devant ses yeux. Il appela à L.A. son spécialiste du brouillage de communications. Un message enregistré se déroula. Il demanda qu'on le rappelle : il voulait une minute avec Le Président.

La lumière le blessait. Il referma les stores soigneusement. Des rideaux de défense passive et un voyage dans le temps : Wayne avec sa première boîte de chimie et son grand-père immigré écossais.

Peru, Indiana. Printemps 48. Wayne mélange des poudres et fabrique un arc-en-ciel.

Le téléphone sonna. Il souleva le combiné. Un sous-fifre dit quelque chose. Dwight s'essuya les yeux. Un déclic sur la ligne. Richard Nixon dit :

– Vous êtes gonflé de m'appeler à l'improviste.

– Wayne Tedrow est mort. Balaguer perd la tête et il rafle des gens à cause d'un coup tordu dont Wayne est l'auteur. Nous connaissons tous Wayne depuis un sacré bail, monsieur le président. Avec tout le respect que je vous dois, il faut que vous mettiez fin à ce cirque.

Nixon siffla.

– Bien sûr, Dwight. Je vais appeler le nabot. Bon sang, ces satanés mormons du Nevada sont givrés.

84

Saint-Domingue, 26 mars 1970

Vue sur la rue, coup d'œil au miroir. Il ne pouvait pas s'arrêter de regarder les deux.

Sa suite était au dernier étage, le panorama était vaste. Les flics bottaient le cul aux Rouges dans les *graaaandes* largeurs. Le spectacle durait depuis huit jours. Rafles, harcèlements, bagarres. Des échauffourées en masse.

Le spectacle vu de sa fenêtre, il n'arrivait pas à s'en arracher. Son dos balafré, idem. La marque « 6/14 » était là pour toujours. La cicatrice était permanente. Elle lui plaisait *presque*. Elle l'étonnait et lui donnait sans cesse envie de la *regarder*.

Crutch allait et venait entre la fenêtre et le miroir. Il était torse nu, il transpirait. Il entendait son cœur battre – *bip*, *bip*, *bip*.

Ivar Smith venait de l'appeler. Le mauvais sort jeté à Wayne avait fonctionné. Des nègres vaudou avaient massacré ce salopard qui adorait les négros.

Sa tête l'élançait. Ses vaisseaux sanguins vibraient. C'était une migraine de force 10 sur l'échelle de Richter. L.A. lui faisait peur quand il était ici. Quand il se trouvait sur place, c'était *pire*. Il avait déchiffré les signaux : Dwight Holly et Marsh Bowen avaient lancé un plan foireux pour vendre de l'héroïne.

L'héroïne de l'ékipe Tiger. *Son* héroïne. La conclusion était sacrément évidente.

Crutch regarda par la fenêtre. Du grabuge de tous les côtés. Un vrai cirque de fourmis. La rue était une fourmilière. Les flics et les cocos se coursaient.

Des sirènes hurlèrent. Un vacarme à déchirer les tympans. Et en stéréo. Le bruit semblait couvrir toute la ville. Les groupes de fourmis espingos se figèrent.

Crutch alla jusqu'au miroir. Sa cicatrice était rose et plissée. 14/6, *por vida.*

Cette piste menant au braquage le travaillait : Leander James Jackson alias Laurent-Jean Jacqueau. Il avait localisé Jackson à Nègreville et l'avait filé. Il avait appris que dalle. Il avait filé Marsh Bowen. Bingo : Bowen retrouve Scotty Bennett au Tommy Tucker's Playroom.

Deux rivaux qui se haïssent – très bons copains, tout à coup. *Qu'est-ce que ça veut dire ?*

Crutch s'approcha de la fenêtre. Sa tête le faisait souffrir. Il transpirait. Il respirait mal et son haleine embuait la vitre.

Il la frotta pour voir clair. Il cligna des yeux et plissa les paupières. Le cirque des fourmis avait disparu.

Boire un café semblait une bonne idée. Il allait faire un saut jusqu'à Gazcue et boire un java. Savourer le mauvais sort qui avait fonctionné. Récapituler les faits et réfléchir à l'enquête.

Crutch marchait sans se presser. Il coupa à travers le terrain de polo. Il lorgna les femmes qui traînaient au paddock. Il atteignit Calle Bolívar et se dirigea vers le Malecón.

Pas de flics, pas de fourmilière. Ce déclenchement de sirène, ce devait être un signal pour que tout s'arrête.

Il avait toujours mal à la tête. La douleur circulait de nouveau et ne lui faisait pas de cadeau. Il entendit une voiture rouler au ralenti derrière lui. Il entendit des pas marteler la chaussée. Il vit des ombres devant lui.

Une prise en étau :

Deux types derrière lui, deux autres devant. Ils ont des foulards sur le visage. Un foulard glisse, c'est Felipe Gómez-Sloan.

Les quatre hommes lui rentrent dedans. Ils lui écartent les bras comme pour le suspendre à une corde à linge, ils le frappent à la nuque du tranchant de la main, ils lui ferment la bouche avec du ruban adhésif. Il libère un de ses bras et arrache le masque de Canestel. La rue bascule, le ciel le frappe sur la tête, il voit Tiger Kar.

Ils le balancèrent dans le coffre qu'ils refermèrent d'un coup sec. Il arracha son bâillon. Il donna des coups de pied dans le pêne de la serrure et s'étrangla en avalant de l'air vicié. Tiger Kar démarra. Il entendit qu'on frappait le siège arrière. Le revêtement intérieur du coffre se déchira et laissa entrer de l'air et de la lumière. Une lame de couteau surgit par l'orifice et découpa le vide en tranches.

Encore plus de lumière. Voilà une main. Voilà les tatouages du Frenchie qui représentent des pitbulls.

Le Frenchie hurla. Une bouillabaisse de mots. *Salopard, pédé, pute rouge. Héroïne* en français. *Cocksucker* en anglais.

La lame frappait toujours dans le vide. Crutch se recroquevilla pour rester hors de portée et lança un coup de pied. Il toucha la main du Frenchie. La lame déchira sa chaussure de tennis. Il se contorsionna et replia les jambes.

Des émanations emplirent le coffre – les cinq enfoirés fumaient. Crutch vit les yeux du Frenchie par le trou du coffre.

– Ce n'est pas le « 14 juin » qui a volé la drogue, c'est Dwight Holly. Il y avait une caméra de sécurité dans le hall de l'hôtel. Elle a enregistré la date et l'heure aussi. Ça ne peut pas être quelqu'un d'autre.

Les Cubains feulaient comme des tigres. Saldivar exhala sa fumée de cigarette à l'intérieur du coffre. Crutch s'étouffa et lança un coup de pied vers son visage.

Le Frenchie s'esclaffa. Crutch se tortillait contre la serrure du coffre. Des cigarettes le bombardèrent. Il écrasa à mains nues les bouts incandescents pour les éteindre.

Il pria. Son mal de tête se logea entre ses deux yeux et entoura le contour des objets d'une lisière blanche. Le Frenchie déclara :

– Les attentats à la bombe ont grandement contrarié Sam et Carlos. Sam et Carlos ne savent pas quel rôle tu as joué dans tout ça, bien que je leur aie dit que tu avais peut-être un faible pour les communistes. Je doute que le président Balaguer lance la construction d'une nouvelle série de casinos avec ce risque de sabotage potentiel. Sam et Carlos pensent que tu devrais améliorer ton palmarès d'anticommuniste.

Tiger Kar fonçait. Elle semblait rouler pleins gaz sur l'*Autopista*. Crutch priait. Il débita à toute vitesse les psaumes et le Gloria Patria. Il avait des élancements dans la tête. Ses yeux le brûlaient. Il vit Jésus et Martin Luther à Wittenberg. De la fumée emplissait le coffre. Des mégots suivaient. Feulements de tigres, grondements de tigres, des visages grimaçants dans l'orifice.

Pariguayo, pariguayo, pariguayo.

Crutch vomit et s'étrangla. Des cahots faisaient dévier Tiger Kar.

Crutch colla son visage à l'orifice pour aspirer une goulée d'air. Gómez-Sloan lui brûla le nez avec une cigarette.

Il hurla et roula en arrière pour s'éloigner du trou. Il entendit *pariguayo, pariguayo, pariguayo*. Tiger Kar freina et fit un tête-à-queue en dérapage contrôlé. Les portières claquèrent. Le coffre s'ouvrit et laissa entrer la lumière – *Je-vois-Jésus*.

C'est un trou à rats. C'est une décharge publique avec six cabanes autour.

Des déchets de papier et du paillis. Cinquante tonnes de *quelque chose* haché menu. Des os qui dépassent d'un tas de cendres. Ça remue à l'intérieur – des queues d'alligators en jaillissent.

Pariguayo, pariguayo, pariguayo.

Le soleil lui fit sortir son mal de tête par les yeux. Des mains qui l'agrippaient le maintenaient debout et le faisaient avancer. Quelqu'un lui arrima sur le dos un machin lourd en encombrant. Le machin était muni d'un tuyau d'arrosage, d'une buse, et d'une détente. Quelqu'un lui mit un chalumeau entre les mains.

Pariguayo, pariguayo, pariguayo.

C'était L.A. ou la R.D. C'était la décharge de Boyle Heights ou les marécages de Watts ou il ne savait quel territoire du « 14 juin ». Le soleil faisait fondre le chalumeau entre ses mains. D'autres mains le poussaient vers une cabane à l'ouverture béante. À l'intérieur : deux douzaines de personnes ligotées et bâillonnées au ruban adhésif.

Des Noirs. Des hommes, des femmes, des enfants – la peau sur les os, et qui se tortillaient. Des plaies suppurantes gorgées de pus. Des yeux jaunes affolés et déjà vitreux.

Le chalumeau sentait l'essence. Les yeux jaunes lui parlaient. C'était L.A. ou Haïti. Ces gens, c'était de la racaille de Nègreville ou bien des seigneurs vaudou. Les psaumes repassaient dans sa tête.

Des mains l'aidèrent à trouver son équilibre. Des mains mirent les siennes en place sur le chalumeau. Des nuages noyèrent le soleil un instant.

Il s'avança et fit volte-face. Il les vit tous les cinq et sut leurs noms sans se tromper pour la première fois. Le soleil s'éclipsa de nouveau et lui fit un clin d'œil. Il actionna la détente.

La flamme jaillit et cracha droit devant lui. Ils hurlèrent et se démenèrent convulsivement en se transformant en torches.

Les munitions qu'ils portaient à la ceinture explosèrent. Des morceaux de leur anatomie s'arrachèrent du reste de leur corps.

DOCUMENT EN ENCART : 30/3/70. *Extrait du journal de Marshall E. Bowen.*

Los Angeles
30 mars 1970

« Sommet du militantisme noir » : savourons le concept.

Je devais être l'agent facilitateur. Leander James Jackson représenterait l'ATN et Joseph Tidwell McCarver mènerait les négociations pour le compte du FLMM. Ce grandiose événement était prévu pour un après-midi sous la forme d'un barbecue chez McCarver. Il y aurait des côtelettes, du poulet, des légumes, de la gnôle, des joints, et de la tourte à la patate douce. Le jardin de Joe serait décoré de façon festive. Sa fille de quatre ans et son fils de six ans feraient diversion et leur présence servirait peut-être à limiter l'emploi de l'épithète *enfoiré*.

La drogue était en ma possession. Je serais chargé de négocier le pourcentage de la répartition ATN/FLMM et en fin de parcours le partage des bénéfices. Plus important encore, c'est à cette occasion que je transférerais mon allégeance de M. Holly à Scotty.

Ce plan était le produit du sommet Bowen-Bennett au Tommy Tucker's Playroom. Nous avions abouti à la conclusion qu'une action immédiate était de rigueur. Le partage de la drogue serait effectué ; les imbéciles de l'ATN et du FLMM quitteraient le lieu de la réunion en possession d'une quantité importante d'héroïne ; Scotty ferait aussitôt une descente pour les arrêter. Cela impliquerait que je dévoile prématurément mon statut d'infiltrateur du FBI, en baisant au passage M. Holly et M. Hoover, dans l'espoir de réintégrer le LAPD en un éclair. Si le plan fonctionnait, l'ATN et le FLMM seraient discrédités tous les deux, les fédéraux obtiendraient leurs inculpations, et je serais rétabli dans mes fonctions au LAPD. M. Hoover et M. Holly seraient furieux. J'avais unilatéralement mis fin à l'opération, avec l'aide de Scotty. La rancœur couverait un moment puis se dissiperait. Scotty et moi serions alors libres de mettre en commun nos informations sur le braquage. Nous formerions un tandem puissant qui s'emploierait à récupérer l'argent et les émeraudes ; l'OPÉRATION MÉÉÉCHANT FRÈRE serait considérée comme un succès. Un pan entier du début de ma vie, avec ses paysages mentaux, prendrait une dimension entièrement nouvelle.

J'ai demandé à Scotty comment il avait appris ma fixation sur le braquage, au point de m'interroger à ce sujet. Scotty m'a expliqué qu'il avait récolté des tuyaux selon lesquels je me renseignais depuis des mois en posant des questions déguisées. À tout hasard, il avait fait des recherches sur mon compte. Bingo : mon adresse – 84e Rue, à l'angle de Budlong Avenue – figurait sur mon vieux permis de conduire.

Joe McCarver était propriétaire d'une petite maison à deux pas du carrefour de la 68e Rue et de Slauson. Il faisait une belle journée. Le jardin était confortablement équipé de chaises longues ; les mômes pataugeaient dans un petit bassin. Scotty était garé deux pâtés de maisons plus loin, dans une voiture banalisée. Il avait un émetteur-récepteur équipé pour recevoir des appels téléphoniques. Tout ce qu'il me fallait, c'est quatre secondes avec le téléphone que Joe avait dans sa chambre.

« Ça, c'est génial, *enfoiiiiiré* », a dit Claude Torrance alors qu'on s'asseyait. La drogue était posée sur une longue table de pique-nique, comme sur un autel. Il fallait supporter la tension entre les deux groupes avant de commencer la négociation ; on a donc fait circuler du rhum à 75 degrés et des joints améliorés à la seringue. Je me suis contenté d'une consommation modeste. Les trois autres ont vidé une bouteille de rhum entière et fumé plusieurs joints. Joe s'est attaqué à la nourriture ; j'ai préparé les remarques d'introduction de ma médiation. Puis Claude a commencé à me chercher des poux dans la tête.

« Frère, et je t'appelle "frère" avec des putains de guillemets, pourquoi est-ce que tu as cafté le Frère Jomo Kenyatta Clarkson à ces enfoirés de flics, l'an dernier ? »

J'ai répondu quelque chose de neutre. Je me suis montré conciliant, ajoutant : « Hé, mon frère, restons cool. »

Leander est intervenu ; je suis sûr qu'il ne trouvait pas ma réponse suffisamment virile. Il a dit à Claude : « Écoute-moi, mon petit gars. J'ai planté Jomo avec ma lame, et je l'ai vu pisser du sang de lavette. Il était anémique parce qu'il était faiblard du côté cérébral et qu'il adorait se conduire comme un dégueulasse. J'ai jeté un sort sur son âme de nègre, et il est mort le lendemain. Je suis en relation avec des *bokurs* de la secte Bizango et avec le fantôme du Baron Samedi. Ils ont *forcé* Jomo à se foutre en l'air. Ils ont envoyé des légions de fourmis rouges dans le trou de sa bite pour qu'elles montent par l'intérieur lui bouffer les yeux et le cerveau. Et ça, c'est la pure vérité, mon petit gars. »

J'ai retenu mon souffle.

Claude a dit : « Le Baron Samedi a sucé ma grosse bite noire », et il a craché sur les chaussures de Leander.

Et puis :

Leander a sorti une arme. Joe a sorti une arme. Claude a sorti une arme. Il y a eu un très bref instant où ils auraient tous pu faire machine arrière. Un coup de vent violent a traversé le jardin. Une bouteille est tombée. Elle a fait beaucoup de bruit en se brisant. C'est ce qui a tout déclenché.

Les trois hommes avaient des automatiques à gros chargeurs. Ils ont tiré tous les trois en même temps, tandis que je plongeais sous la table.

C'étaient des tirs à très courte distance. Le vacarme était épouvantable. Leander a tiré sur Claude et l'a tué. Joe a tiré sur Leander et l'a tué. Leander a eu le temps de tirer sur Joe et de l'abattre alors qu'il s'effondrait. Les trois hommes étaient à terre. Ils étaient techniquement morts, mais encore agités de mouvements spasmodiques. Ils continuaient de faire feu dans tous les sens. Les enfants ont hurlé et tenté de s'enfuir. Des balles perdues et des ricochets les ont touchés. J'ai vu le cerveau de la petite fille jaillir de son crâne et tomber dans le bassin.

Je me suis roulé en boule, couvert la tête, et j'ai attendu d'autres détonations ou des râles d'agonie. Il n'y en a pas eu. J'ai regardé autour de moi, j'ai vu trois cadavres d'hommes et deux corps d'enfants. Tout cela s'était déroulé en moins de dix secondes. J'ai eu une épiphanie. Cela a été une image mentale instantanément transformée en réalité tangible. J'ai aussitôt mis en scène le tableau de mon héroïque rédemption par l'épreuve du feu.

La maison et le jardin étaient flanqués par deux terrains vagues, ce qui me donnait à la fois l'isolement dont j'avais besoin et le temps de travailler. Calmement, j'ai sorti mon arme et j'ai logé une balle dans la tête de feu Claude Cantrell Torrance. Tous aussi calmement, j'ai fait de même avec les cadavres de Joseph Tidwell McCarver et de Leander James Jackson. Pour finir, je leur ai ôté leurs armes des mains et j'ai tiré au hasard. J'ai essuyé les poignées des automatiques, puis je les ai remises tranquillement dans leurs mains.

Bien sûr qu'ils se sont tiré dessus, tous les trois. Mais j'ai vite maîtrisé la situation et je les ai abattus tous les trois. C'est vraiment moche, pour les mômes. J'ai essayé de les envoyer à l'abri, mais les ricochets les ont eus avant.

J'ai traversé le jardin et j'ai disposé les corps dans des positions convaincantes pour accréditer mon scénario des feux croisés. J'ai effacé avec des serviettes en papier les traces laissées par les corps que j'avais traînés, et j'ai examiné la vue d'ensemble. Puis je suis rentré dans la maison en courant et j'ai passé un appel faussement affolé à Scotty.

Sa sirène a retenti instantanément ; je l'ai entendue à deux pâtés de maisons de distance. Je suis ressorti calmement dans le jardin.

DOCUMENT EN ENCART : 1/4/70. *Article du* Los Angeles Express :

FUSILLADE ENTRE MILITANTS NOIRS

Il y a deux jours, un barbecue dans un jardin de Los Angeles-Sud s'est terminé par une flambée de violence qui a coûté la vie à trois hommes et à deux enfants. Les premières dépêches d'agence attribuaient la tuerie à une transaction qui aurait mal tourné entre trafiquants de drogue. Il semblerait à présent que la véritable explication dépasse de loin cette première hypothèse.

Les trois victimes adultes – Leander James Jackson, 31 ans ; Joseph Tidwell McCarver, 32 ans ; Claude Cantrell Torrance, 23 ans – étaient des activistes forcenés du militantisme noir, a déclaré aux journalistes le sergent Robert S. Bennett lors d'une conférence de presse. Les deux enfants tués – Theodore et Darleen McCarver, âgés de six et quatre ans – étaient ceux que McCarver avait eus avec sa concubine. Le sergent Bennett a ensuite révélé qu'il y avait eu une sixième personne dans le jardin de Joe McCarver : l'ex-agent de police du LAPD Marshall E. Bowen.

« Vous vous rappelez sans doute l'agent Bowen en raison d'une confrontation qui nous a opposés, lui et moi, le 1er octobre 1968 », a précisé le sergent Bennett. « Le comportement de l'agent Bowen a eu pour conséquence son renvoi du LAPD. En réalité, notre altercation et son licenciement n'étaient qu'une ruse destinée à permettre à l'agent Bowen d'infiltrer de façon crédible l'Alliance des Tribus

Noires et le Front de Libération des Mau-Mau, deux redoutables groupuscules de nationalistes noirs fermement décidés à vendre de l'héroïne pour financer leurs activités subversives. »

L'agent Bowen s'est à son tour approché du microphone. « Jackson, McCarver et Torrance possédaient tous les trois des casiers judiciaires chargés, et des liens avec les communistes », a-t-il expliqué. « J'accumulais des preuves contre eux depuis mon faux renvoi du LAPD, il y a dix-huit mois. Ce barbecue chez McCarver devait être en fait une "réunion au sommet pour vendre de la drogue", et le point culminant de mon travail d'infiltrateur pour le FBI. Malheureusement, une querelle verbale a dégénéré en fusillade. Je me suis précipité pour tenter de mettre les deux enfants à l'abri, mais des balles perdues les ont atteints avant que je puisse le faire. À cet instant, j'ai moi-même échangé des coups de feu avec Jackson, McCarver et Torrance, alors qu'ils se tiraient dessus entre eux. »

Le directeur du FBI J. Edgar Hoover a salué « le travail remarquable de l'agent Bowen qui est parvenu à faire échouer les activités de deux organisations d'obédience communiste ». Ed Davis, le nouveau chef du LAPD récemment nommé, a annoncé que l'agent Bowen réintégrerait la police de Los Angeles avec le grade de sergent et qu'il recevrait la plus haute distinction de ce service : la Médaille du courage.

DOCUMENT EN ENCART : 2/4/70. *Article du* Milwaukee Sentinel :

ÉTRANGES RUMEURS EN PROVENANCE DE
LA RÉPUBLIQUE DOMINICAINE

La République dominicaine est une nation relativement paisible depuis la guerre civile de 1965, un bref engagement militaire qui prit fin il y a presque cinq ans. Les fusiliers marins des forces américaines, satisfaits d'avoir écrasé dans l'œuf une révolte communiste potentielle, étaient repartis. Un dictateur de gauche, provisoirement à la tête du pays, avait été déposé, et le réformateur centriste Joaquín Balaguer est au pouvoir depuis 1966. Mais depuis quelques semaines, des rumeurs alarmantes circulent au sein de la R.D., comme on l'appelle communément.

Aucune de ces rumeurs n'a été confirmée par les faits, mais elles sont toutes similaires, avec une remarquable constance, amenant les journalistes américains à se demander s'il existe un lien entre divers événements récents.

Il y a eu une éruption de manifestations de groupes de gauche à Saint-Domingue, en particulier à l'initiative des castristes du « Mouvement du 14 juin ». Les sources gouvernementales indiquent que cela n'a rien d'inhabituel ; la liberté d'expression est encouragée en R.D. et il n'est absolument pas anormal, par conséquent, que les gens manifestent. Par ailleurs, des ragots attribuent à des actes de sabotage la destruction de quatre chantiers où s'édifiaient des hôtels-casinos financés par des intérêts américains – là encore, les sources gouvernementales ont publié un démenti. Ajoutez à cela le meurtre d'un ressortissant américain aux mains d'une secte vaudou anti-dominicaine, et la découverte des corps calcinés d'un Français lié à la droite radicale et de quatre exilés cubains, censément financés par de riches Américains appartenant à la communauté des exilés cubains fixés à Miami, et vous obtenez de quoi lancer la rumeur d'une vaste conspiration.

Terence Brundage, le responsable de l'antenne locale de la CIA, a déclaré à nos correspondants : « C'est exactement ça : une rumeur, et rien d'autre. Il y a un tas de ragots qui circulent, qui n'ont aucun rapport entre eux, et ça s'arrête là. »

Cette version a été confirmée par le porte-parole du président Balaguer. « Balivernes que tout cela », a-t-il affirmé. « Les chantiers de construction n'ont pas été sabotés. Ce sont des défauts de construction qui ont causé leur effondrement, et nous sommes en pourparlers avec notre groupe d'investisseurs américains, qui ont hâte de commencer à reconstruire. »

DOCUMENT EN ENCART : 3/4/70. *Transcription mot pour mot d'une communication téléphonique du FBI. – MARQUÉE :ENREGISTRÉE À LA DEMANDE DU DIRECTEUR – CLASSÉE : CONFIDENTIEL 1-A ; DESTINATAIRE UNIQUE : LE DIRECTEUR – Interlocuteurs : Directeur Hoover, Agent spécial Dwight C. Holly.*

JEH. - Bonjour, Dwight.
DH. - Bonjour, monsieur le directeur.
JEH. - Vous avez une voix sinistre, alors que

j'exulte. Je n'ai pas été d'aussi bonne humeur depuis 1919. Vous étiez venu au port d'embarquement avec moi, Dwight. Nous avons souhaité bon voyage à une Emma Goldman d'humeur belliqueuse.

DH. – Oui, monsieur.

JEH. – Le jeune Bowen a finalement pris son essor. Je ne lui en veux pas de nous avoir « court-circuités » au profit du LAPD et de l'incontournable sergent Robert S. Bennett. Notre séducteur sépia veut récupérer son emploi, et qui peut le lui reprocher ?

DH. – Oui, monsieur.

JEH. – L'ATN et le FLMM ont momentanément éclipsé les Panthères. Le Bureau possède un million de cuves de bonne encre noire. L'avenir de ces deux groupes se résume à des inculpations en masse. C'est une illustration frappante de la turpitude morale des Noirs, à laquelle il ne manque rien, même pas la mort de deux négrillons pour vous briser le cœur.

DH. – Oui, monsieur.

JEH. – Vous me semblez sinistre et d'une nervosité extrême, Dwight. Vous devriez...

DH. – J'ai besoin de tenter un coup de bluff en votre nom et en celui du président Nixon, monsieur. S'il devait vous revenir aux oreilles, j'apprécierais grandement que vous confirmiez qu'il a votre aval. Et je ne solliciterai jamais plus d'autre faveur.

JEH. – Sinistre et impertinent. Un Dwight Chalfont Holly que je n'ai jamais entendu auparavant.

DH. – Oui, monsieur.

JEH. – Je suis d'humeur euphorique, Dwight. Par conséquent, ma réponse est oui. Nous avons abattu l'ATN et le FLMM tels des chiens écumant de rage. Je dis les choses comme elles sont.

DH. – Merci, monsieur.

JEH. – Au revoir, Dwight.

DH. – Au revoir, monsieur.

85

La Nouvelle-Orléans, 4 avril 1970

Des demi-tours et des changements de direction aux mauvais endroits. Des culs-de-sac non signalés. La carte routière était vieille de dix ans.

Des panneaux l'envoyaient vers des sorties et le renvoyaient vers des nœuds routiers. Il évitait des débris laissés par les travaux de surfaçage et des casques de chantier qui traînaient sur la chaussée. Le décor lui paraissait surchargé. Le monde bougeait au ralenti et il courait à perdre haleine.

Dwight s'engagea sur une route d'accès. Enfin – un panneau indiquant le Town & Country.

Il était complètement épuisé. Il restait seul avec sa fatigue. Karen était retournée dans l'Est et Joan avait disparu. Il faisait des heures supplémentaires à plein temps. Il avait vu les photos de la scène de crime. Elles paraissaient bidon. Le LAPD avait cru à la version de Marsh Bowen ou bien avait choisi de l'entériner. Trouduc lui avait envoyé un petit mot :

« Dwight, j'ai vu Marsh avec Scotty B., deux soirs avant la fusillade. On aurait dit deux bons copains. Ça m'a surpris, alors je me suis dit qu'il vaudrait mieux que je vous mette au courant. »

La route était pleine de nids-de-poule. Des marécages la bordaient de chaque côté. Le motel était en forme de L ; les murs, décapés à la sableuse, étaient de couleur rose. Trois voiturettes de golf étaient garées devant le bureau de la réception.

Dwight rangea sa voiture à côté d'elles. La porte du bureau était ouverte. Une balle de golf franchit le seuil en plusieurs rebonds et descendit les marches. C'était une succession d'arrêts sur images. Une séquence que la chaleur accablante ralentissait au maximum. Tout ce qu'il voyait lui flanquait la trouille.

Il verrouilla la voiture et s'approcha. Son costume se fripait. Il vit Santo, Sam et Carlos en tenue de golf.

Le bureau était décoré en pin noueux. Les Parrains étaient assis dans des fauteuils poire. Ils remplissaient leurs verres avec des alcools contenus dans des carafes en verre taillé. Carlos désigna un siège près de la porte. Dwight obtempéra. Santo mit en marche un climatiseur mural et fit jaillir de l'air froid.

Santo constata :

– Dwight est trop maigre.

Santo dit :

– Je ne vois pas là un homme qui apporte de bonnes nouvelles.

Carlos dit :

– Nous, on en a, des bonnes nouvelles. Espérons que ses mauvaises nouvelles ne vont pas les contrarier.

Dwight se laissa tomber dans son fauteuil. L'air s'en échappa comme un gros soupir. Il se sentait tout léger.

Santo but une gorgée d'anisette.

– Dwight H. qui a perdu sa langue. Qui m'aurait dit que je verrais ça un jour ?

Sam prit une gorgée de Galliano.

– Il a avalé beaucoup de couleuvres, ces derniers temps. C'est le genre de régime qui fait perdre du poids.

Carlos dégusta son XO.

– C'est un homme qui a subi une grosse perte. Wayne T. a fait sauter les chantiers des casinos et nous a tondus à tout-va pour on ne sait quelle raison. Dwight essaie de prendre la mesure de toutes les saloperies commises par cet enfoiré de mormon.

Dwight prit la parole :

– Je sais que vous avez des projets. Je n'aurai besoin que de quelques minutes de votre temps.

Santo but une gorgée d'anisette.

– Sur ce plan-là, vous avez raison. Le temps, c'est ce qui nous manque le plus, en ce moment.

Sam prit une gorgée de Galliano.

– Je suis en train d'écrire un livre sur Wayne. Ça s'appelle : *Mort d'un chasseur de nègres*.

Carlos avala un peu de XO.

– Des Rouges ont cramé l'ékipe Tiger. Je parie qu'ils sont allés faire des cartons à Cuba.

Santo passa au Drambuie.

– Ils étaient bien trop zélés à mon goût. Il faut dire les choses comme elles sont : c'étaient des cinglés de droite.

Sam passa au schnaps.

– Trouduc est le dernier survivant. Il était parti coller son œil à quelques fenêtres quand l'ékipe s'est fait griller.

Carlos prit une gorgée de XO.

– Pourquoi porter le deuil des événements récents ? Balaguer a repris les rênes et il vide nos poches comme avant. Cette fois, on n'embauchera pas des amateurs de bois d'ébène ni de mercenaires néo-nazis qui ont un emploi du temps chargé en dehors des heures de service.

Santo reprit du Drambuie.

– Les Blancs adorent perdre de l'argent dans des paradis tropicaux. C'est l'Ère du Verseau [1], baby.

Sam renchérit :

– Laisse entrer le soleil[1].

Carlos rajouta :

– Tu as raison, mon frère. Laisse-toi aller.

Dwight secoua la tête.

– Pas de casinos à l'étranger. C'est la consigne qui vient tout droit du président. La R.D. a été un putain de ratage dans les grandes largeurs. Ça ne se reproduira pas. Le président est formel. Vous pouvez compter sur sa coopération dans tous les autres domaines, mais votre projet de casinos est mort et enterré, à partir de maintenant.

Ils le fixèrent. Ils s'y reprirent à deux fois. La séquence se déroula en arrêts sur images et dura le triple de temps.

Carlos lui lança son verre au visage. Le verre heurta le mur et vola en éclats. Santo et Sam lancèrent leurs verres. Ils atterrirent devant le fauteuil. De l'alcool trop doux aspergea Dwight.

Il se leva et sortit. Ses jambes se dérobaient sous lui. Il s'écroula dans sa voiture. Il vit un lit et une pelouse au bout d'un tunnel.

---

1. Allusion à la comédie musicale *Hair*.

86

Los Angeles, 5 avril 1970

Le parking.

Les retrouvailles avec les vieilles connaissances.

Retour au bercail.

Trouduc, pariguayo. Tu as tué le type qui a assassiné JFK. Tu as flingué un tas de Rouges et vécu beaucoup d'aventures. Tu as vingt-cinq ans. Tes cheveux sont parsemés de gris et ton visage s'est creusé de rides. Ton dos est lacéré de coups de couteau.

Crutch était assis dans sa caisse. La vieille équipe était toujours en circulation. Clyde et Buzz Duber, Phil Irwin et Chick Weiss. Bobby Gallard et Fred Otash.

Il avait droit à davantage de *ça-va-mon-vieux ?* et de *t'as-pas-l'air-en-forme*. Fred O. le regardait d'un sale œil. Freddy avait participé aux assassinats du Dr King et de Bobby. Freddy savait qu'il le savait. Tout ça, c'était de l'histoire ancienne maintenant.

Les affaires marchaient. Chick avait envoyé Bobby et Phil sur une affaire de chantage. À la résidence Ravenswood, il y avait un producteur priapique. Son épouse nº 3 rêvait de faire sa valise tandis que le petit mari rêvait de viande grecque.

Hé, vieux, t'as pas été mêlé à un truc plutôt cool aux Caraïbes ?

Pas si cool que ça. J'aurais dû rester chez nous.

Il avait libéré les villageois. Ceux-ci avaient fait une vraie fête à leur grand-bwana-blanc et s'étaient enfuis dans les broussailles. Il avait mis le feu à Tiger Kar puis il était rentré à pied à Saint-Domingue. Il avait fait ses valises et foutu le camp le plus tôt possible.

Les Parrains ne lui avaient jamais demandé de comptes. En arrivant à L.A., il avait démantelé ses dispositifs de sécurité, repris contact avec Clyde et Buzz, et s'était remis à son ancien boulot : les filatures. Buzz le bombardait de questions. Il minimisait absolument tout. Buzz l'avait interrogé sur son enquête. Il avait dit qu'il ne s'en occupait plus.

Une pluie d'orage éclata. Les gars se réfugièrent dans leurs caisses. Cela faisait huit jours qu'il était de retour. Clyde s'était rendu compte qu'il ne tournait pas rond et lui confiait des tonnes de travail. Il embarquait le Philippin monté comme un cheval dans les histoires d'adultères, tous sexes confondus. Il enfonçait les portes à coups de pied et prenait des tas de photos. Sal Mineo avait besoin d'argent ; il avait accepté de sauter une dame. L'affaire avait foiré quand Sal n'avait pas pu bander. Cette histoire lui avait laissé une sale impression. Elle aurait dû le stimuler. Au lieu de ça, elle lui faisait peur.

Tout lui faisait peur.

Rien ne lui semblait plus *sans danger*. Il avait sa piaule aux Vivian Apartments et une autre au centre-ville où il entassait ses dossiers. Il ne s'y sentait pas en sûreté. Il butinait dans le dossier de sa mère et dans celui de son enquête. Ils lui paraissaient dangereux. Il matait dans Hancock Park. Julie Smith était mariée, enceinte, et avait quitté la maison. Dana Lund avait un amant un peu crétin. Elle avait vieilli autant que lui.

Crutch mit le contact et alluma la radio. Il entendit une bribe de chanson : *Des visages surgissent de la pluie* [1]. Il en eut des frissons. Cela sortait tout droit du vaudou. Cette chanson le visait *personnellement*. Il pleuvait, à présent. Plissant les paupières, il tenta de voir à travers son pare-brise et de scruter les visages. Zéro – rien d'autre que des piétons abrités sous des parapluies.

Il voit des signes partout.

Il passe des nuits blanches ou bien dort trop longtemps. Il a des crises de larmes, comme un môme – *Trouduc*, *pariguayo*. Il voit des choses sans le vouloir. Des rediffusions de la Zone Zombie avec L.A. comme décor.

Son enquête a été mise en sommeil quelque part dans sa tête. Elle était là, pourtant, en veilleuse depuis longtemps. Leander James Jackson, c'était Laurent-Jean Jacqueau, mais ils sont morts tous les deux. Gretchen/Celia se trouvait quelque part. Cela lui faisait mal de penser à Joan.

---

1. Dans la chanson *People Are Strange* (Les gens sont étranges), du groupe The Doors.

La pluie tombait en zigzag. Crutch assista à deux accrochages. La radio diffusait son bla-bla : Hanoi, Jane Fonda, James Earl Ray.

Crutch l'éteignit. Une fille noire descendait Beverly. Le mauvais sort qu'il avait jeté se retournait contre lui : il pensait à Wayne.

Tu as essayé de me mettre en garde, je ne t'ai pas écouté, je t'ai cafté. Quelques jours plus tard, tu étais mort, et moi je suis ici. Salaud, tu m'as ré-envoûté. Je n'arrive pas à garder ce que je mange. J'ai peur de rester seul et je deviens schizo quand il y a des gens autour de moi. Je suis allé à l'église ce matin. Je voulais annuler le mauvais sort. Le pasteur a viré à coups de pied au cul le petit voyeur que je suis.

Pariguayo : « celui qui fait tapisserie ».

Clyde l'a emmené à une grande soirée du LAPD. Jack Webb faisait office de maître de cérémonie. Marsh Bowen y a reçu la Médaille du courage.

Marsh était pédé. Qui le savait, et qui ne le savait pas ? Qui y accordait de l'importance, qui s'en moquait ? Marsh avait posé pour la photo au côté de Scotty Bennett. C'était une vraie paire de copains poivre-et-sel, maintenant. La « fusillade entre militants noirs » ? – une énorme bourde des fédéraux. L'opération de Big Dwight se retourne contre lui et les flics emportent le morceau. Dwight avait disparu quelque part. Crutch avait appelé le local deux ou trois fois sans obtenir de réponse.

Le tonnerre grondait, des éclairs zébraient le ciel. Le ciel vira au rouge lance-flammes. Crutch fut saisi par la frousse. Il courut jusqu'au poste de travail pour se mettre à l'abri.

Deux mécaniciens désossaient une Oldsmobile de 62. Crutch les regarda démonter le volant d'inertie pour remplacer l'embrayage. Un journal était posé, déplié, sur l'établi. Crutch y jeta un coup d'œil.

Le *Vegas Sun*. Un article sur les obsèques de Wayne. Une photo de Mary Beth Hazzard, portant un voile noir.

Elle pleurait. *Elle avait cru ce qu'il lui avait dit sur Wayne et elle pleurait sa disparition malgré tout.*

Le Stardust se trouvait vers le milieu du Strip. La suite de Wayne avait une porte qu'il était facile de crocheter. Crutch avait lu un livre sur le vaudou. Ôter un mauvais sort, il n'y avait rien de plus simple. Il suffisait de toucher les effets de la victime et d'annuler ses pensées néfastes. Il n'y croyait pas. C'était une approche luthérienne, à un million de battements de cœur près. Crutch se dit qu'il avait une dette envers Wayne.

Le voyage en voiture lui prit six heures. La pluie ne cessa pas une minute. Des visages apparaissaient et s'effaçaient avec la musique que diffusait la radio. Il se gara au sous-sol et prit l'ascenseur jusqu'à l'étage de Wayne. Personne ne répondit quand il frappa à la porte. Il força la serrure et entra.

La suite n'avait pas changé d'aspect. Le même mobilier, la même odeur de substances caustiques. Les lieux semblaient préservés.

Crutch retourna dans le labo. Un espace de rangement pour les documents avait été aménagé juste à côté. Des piles de paperasses, des cartons remplis de dossiers, un graphique mural. Une autre version de ses archives *à lui*.

Les flèches, les lignes qui joignent les encadrés. Les notes soigneusement rédigées à la main.

Crutch suivit les lignes et les flèches. Des faits, de la logique, des conjectures. Tout cela tenait parfaitement debout.

Le fils disparu de Mary Beth. Les émeraudes. Haïti et Leander James Jackson. La femme aux cheveux bruns striés de gris.

Celia, activiste de gauche. Une allusion à Joan et Dwight Holly amoureux l'un de l'autre.

Son enquête et celle de Wayne – inséparables.

Mon Dieu, ce petit drapeau rouge.

87

Silver Hill, 5 avril – 4 décembre 1970

Le lit, la pelouse. Les bâtiments blancs, le sommeil par intraveineuse.

La coercition avait permis son admission. Il était resté trente jours, alors. Il devait y passer huit mois, cette fois. Entre ses deux séjours, treize années de pénitence sous forme de subsides mensuels. Sa première visite était due au hasard. Le contexte : négligence et ivrognerie. Les conséquences : des paiements motivés par la culpabilité et le régime sec. Ce séjour-ci était le résultat d'un dessein irresponsable et d'une démarche politique empreinte de cruauté. Les pertes humaines engendrées étaient innombrables. La mentalité qui avait provoqué ces actions nécessitait qu'on l'examine en connaissance de cause.

Il était ici. Elle était en il ne savait quel endroit où elle s'était rendue lorsqu'elle avait disparu. Elle n'ignorait pas sa propre complicité. Son insouciance avait engendré le chaos en d'autres occasions. Elle avait pris ses distances afin de reconstruire la volonté dont elle aurait besoin pour revenir.

Silver Hill était un endroit magnifique. Son séjour couvrit trois saisons. Il eut droit à la splendeur du printemps, à l'embrasement de l'été, et à la neige.

Il avait envoyé un télex à M. Hoover. Il y annonçait son besoin d'un long repos sans préciser à quel endroit. M. Hoover savait qu'il viendrait ici. Une carte arriva pour lui un mois plus tard.

Prenez autant de temps qu'il vous en faudra. J'ai un nouvel emploi pour vous. C'est à Los Angeles. Vous commenceriez en janvier.

« Superviseur de dossiers. » Un euphémisme pour : « Fouille-merde. » Cela consistait à engranger des ragots et des scandales bien juteux. Pour enrichir la collection privée de la vieille tante.

Un travail sans grands risques. Une mission au cours de laquelle il n'y aurait pas mort d'hommes.

L.A., c'était L.A. Il se sentirait peut-être en sécurité au nord des quartiers sud. Karen s'y trouvait. Joan pourrait refaire surface et le retrouver.

C'est à La Nouvelle-Orléans qu'il s'était effondré. Il avait affrété un avion du Bureau pour venir directement ici. Les médecins l'avaient examiné et trouvé physiquement sain. Ils l'avaient forcé à ingurgiter des repas copieux et à retrouver un poids en rapport avec sa stature. Ils l'avaient mis sous sédation. Il dormit dix-huit heures par jour pendant six semaines d'affilée. Il se réveilla en sursaut. Il vit ses chers disparus à l'instant même où il ouvrit les yeux. Il sanglota. Il passa des crises de larmes aux accès de panique pendant lesquels il se jetait contre les murs. Les infirmiers lui faisaient des piqûres. Il se rendormait et recommençait.

Les murs de sa chambre étaient capitonnés. Quand il se jetait contre eux, il ne se faisait aucun mal. Il souhaitait s'infliger des souffrances. Il pensait qu'elles effaceraient les traits des morts.

Il finit par se sortir de cette phase. La répétition en vint à bout. Il évitait les psys et les autres patients. Il passait des heures avec un troupeau de chèvres domestiques. Elles vivaient, protégées, dans le parc de l'établissement. Elles étaient là pour consoler les patients souffrant de syndrome d'épuisement professionnel.

Il les nourrissait et les caressait. Il commanda par correspondance des animaux en peluche et les envoya aux filles de Karen. Il faisait comme si les gamines étaient ses enfants, comme s'il avait une vie dans laquelle personne n'était exploité ni martyrisé. Ces pensées l'anéantissaient. Il en devenait fou et il pleurait et il redoutait de ne plus jamais être capable de réintégrer le monde extérieur.

Ses chers disparus venaient le voir. Il restait assis, immobile, en leur compagnie. Il passait des semaines à les écouter et des semaines à leur parler. Il finit par trouver un endroit où ils pouvaient coexister.

Ils venaient et repartaient. Il commença à voir ce qu'ils voulaient et ce qu'il leur devait. Ils lui rendirent sa santé mentale en la lui laissant en dépôt.

Karen lui envoyait des lettres remplies de prières quaker pour retrouver la paix. Les filles lui avaient écrit des cartes de remerciements pour les peluches. Karen lui envoya une photo d'elles trois. Leur adresse et leur numéro de téléphone étaient gribouillés au dos. Au-dessus, Dina avait écrit : « Si cet homme se perd, veuillez nous le renvoyer, s'il vous plaît. »

Il gardait la photo sur lui. Il passait des heures avec les chèvres. Il passa en revue l'intégralité du processus et commença à y voir clair.

Une opération détaillée. Un projet applicable dans plusieurs contextes à la fois. Un scénario explicatif. Disons les choses comme elles étaient alors et comme elles sont maintenant.

Le délire raciste de M. Hoover. La guerre du FBI contre le mouvement pour les droits civiques. Son calamiteux faux pas avec les groupes de militants noirs.

Une orgie de dénonciations. Des inculpations en masse. Un traité sur la collusion généralisée. JFK, RFK et MLK sont morts. Laissez-moi vous dire comment.

Un grand document social, dont les acteurs principaux sont sous les feux des projecteurs. Marsh Bowen : un homosexuel sournois et un provocateur impitoyable. Des figures de la Mafia qui ont noué des liens ignobles avec le ghetto. Des tueurs à gages dans l'orbite de M. Hoover. L'agent spécial Dwight C. Holly – appelé à tout avouer.

Une mesure d'une sévérité inégalée. Une idée grandiose inspirée par la manie de M. Hoover de tenir des dossiers sur tout. Une épopée de paperasserie malveillante rendue banale par le poids ahurissant de sa vacuité. Un texte si profond qu'il découragerait toute lecture superficielle et inspirerait des études contradictoires pour l'éternité.

Il vit tout cela. Il ne coucha rien sur le papier. Il se reposa et cajola ses chèvres.

Karen lui fit parvenir une tarte à la pêche pour Thanksgiving. Il la partagea avec ses chèvres. Il commença à s'inquiéter de leur sort. Il interrogea un administrateur.

Celui-ci lui dit : « Il ne leur sera fait aucun mal, monsieur Holly. Elles resteront ici jusqu'à la fin de leurs jours. Elles sont ici pour les gens comme vous. »

Il se reposa. Il dormit. Il eut quelques rêves paisibles dans lesquels figurait Wayne. Il révisa et embellit son idée. Bientôt, il pourrait lui en parler, à *elle*. Il savait qu'il ne parviendrait pas à la retrouver. Il avait le sentiment que s'il retournait à L.A., c'est elle qui le trouverait.

Il se trompait. Cela se produisit brusquement. Elle le trouva là-bas, avec ses chèvres.

Il entendit des pas. Il se retourna et il la vit. Elle lui parut plus redoutable et plus éblouissante que jamais. Elle n'avait pas perdu une seule parcelle de son autorité.

Il dit :

– Bonjour, camarade.

Il sortit son petit drapeau rouge.

Elle demanda :

– Qu'allons-nous faire ?

Il répondit :

– Laisse-moi t'expliquer.

QUATRIÈME PARTIE

Cartel de moricauds

5 décembre 1970 – 18 novembre 1971

DOCUMENT EN ENCART : 5/12/70. *Transcription mot pour mot d'une communication téléphonique du FBI. – ENREGISTRÉE À LA DEMANDE DU DIRECTEUR – CLASSÉE : CONFIDENTIEL 1-A ; DESTINATAIRE UNIQUE : LE DIRECTEUR – Interlocuteurs : Directeur Hoover, Président Richard M. Nixon.*

RMN. – Bonjour, Edgar.

JEH. – Bonjour, monsieur le président.

RMN. – Comment allez-vous ? Vous m'avez semblé un peu mal fichu, au brunch de l'American Legion.

JEH. – Je vous assure que je me porte comme un charme, monsieur le président. Et comme vous le savez, je suis toujours prêt à « faire le beau ».

RMN. – « Faire le beau pour avoir du sucre », on comprend vite le sens de ce vieux dicton quand on gouverne notre foutu pays.

JEH. – Oui, monsieur. Et puisque nous abordons ce sujet, permettez-moi d'ajouter que j'espère sincèrement être encore capable de faire le beau pendant la majeure partie de votre second mandat.

RMN. – Edgar, vous êtes une vieille saloperie d'une espèce rare. Toute personne qui vous sous-estime devrait consulter un spécialiste du cerveau.

JEH. – Merci, monsieur le président. J'aimerais aussi ajouter que nous sommes amis depuis 1914.

RMN. – Je suis né en 1913, Edgar. Nous avons dû faire connaissance lors d'une soirée dans mon berceau.

JEH. – (Silence de six secondes.) Eh bien, euh... Oui, monsieur le président.

RMN. – Vous avez sans doute un dossier là-dessus. Vous ouvrez un dossier à chaque fois qu'un gauchiste lâche un pet...

JEH. – Si je considère la personne en question comme subversive, alors, oui.

RMN. – Quoi de neuf dans l'univers des militants noirs ? Au département de la justice, mes gars me disent que cette ânerie est sur le déclin.

JEH. – C'est peut-être le cas, monsieur. Les

Panthères et les E.U. sont massivement infiltrés, et les groupes d'une importance de toute évidence secondaire, l'ATN et le FLMM, sont kaput. Seize inculpations pour actes criminels ont été prononcées, monsieur le président. Une petite opération, à l'échelle du FBI, mais un vrai bijou.

RMN. – Cette « fusillade » a été un vrai succès.

JEH. – Oui, monsieur. Et j'irais jusqu'à dire, un grand chelem.

RMN. – Hummm...

JEH. – (Quinte de toux/huit secondes.)

RMN. – Ça ne va pas, Edgar ?

JEH. – Je me remets d'un rhume, monsieur le président.

RMN. – Je n'ai pas été spécialement enchanté, le mois dernier, par les résultats des élections au congrès. Vous perdez un siège par-ci, un siège par-là, et avant qu'on s'en rende compte, ça commence à chiffrer. Je pourrais vous demander un petit coup de main avant les élections générales de 72. Les démocrates vont présenter une bonne équipe. J'aimerais obtenir des informations compromettantes sur leur compte suffisamment en avance.

JEH. – Euh... quel genre de...

RMN. – Des perquisitions illégales, Edgar. Ne jouez pas les effarouchés. Ne me dites pas que vous n'avez jamais fait ça chez Lyndon Johnson.

JEH. – Euh... Effectivement, monsieur.

RMN. – Dwight Holly serait tout désigné pour ce travail.

JEH. – Dwight a osé un coup de bluff en nos noms, monsieur le président. Il a formellement interdit à nos amis italiens de construire d'autres casinos à l'étranger. L'idée est saine, mais l'acte lui-même était très irrévérencieux.

RMN. – Dwight, c'est mon préféré. On bavarde au téléphone, de temps en temps. Vous avez raison, son plan est parfait. Je garde les Parrains à distance et à intervalles réguliers j'accorde ma grâce présidentielle à leurs hommes. De cette façon, tout paraît régulier.

JEH. – Oui, monsieur. Je suis de votre avis.

RMN. – Big Dwight est impayable. Vous m'avez dit qu'il suivait une cure de repos, c'est ça ?

JEH. – C'est exact, monsieur le président. Il sera de retour le mois prochain à l'agence de Los Angeles.

RMN. – Dwight est plein d'esprit. C'est ce que j'aime en lui.

JEH. – (Quinte de toux/quatorze secondes.)

RMN. – Ça va, Edgar ?

JEH. – Oui, monsieur. Ça va très bien. (Quinte de toux/douze secondes.)

RMN. – Bon sang, Edgar...

JEH. – Je vous assure, monsieur le président, que je suis en pleine forme.

RMN. – Si vous le dites.

JEH. – Il va falloir que je...

RMN. – Bebe Rebozo m'a raconté une histoire à se tordre, l'autre jour. Il a frayé avec quelques politicards, au Paraguay. C'est d'eux qu'il la tient.

JEH. – Euh, oui, monsieur.

RMN. – C'est une sorte de mythe. Depuis l'époque où Dieu était encore en culottes courtes, c'est un magot secret composé d'émeraudes qui finance tous les coups d'État d'extrême droite. Avez-vous jamais entendu...

JEH. – (Quinte de toux et commentaire inaudible/la transcription s'arrête ici.)

88

SCOTTY BENNETT. *Los Angeles, 7 décembre 1970*

« Parmi les nombreuses choses que j'ai apprises au cours de ma mission d'infiltration, c'est qu'un criminel né reste un criminel né, quels que soient les griefs d'ordre racial ou politique qui lui servent de justification, quelles que soient la validité ou la faiblesse de l'idéologie qu'il exprime. »

Le laïus recueillit des applaudissements. Yorty, le maire, et Davis, le directeur général de la police, applaudirent. Marsh avait fière allure : des galons de sergent sur un uniforme flambant neuf, une coupe afro près du crâne.

Salle pleine : le gymnase de l'école de police, bourré de flics et de politiciens. Pas de fédéraux – sacrée surprise.

« Le LAPD a su, magnifiquement, porter un coup d'arrêt aux aspects criminels du militantisme noir, tout en respectant le droit constitutionnel des nationalistes noirs de s'exprimer sur les questions d'ordre civique, alors que dans le même temps il ouvrait les bras à une nouvelle génération d'officiers de police issue des minorités. »

Scotty s'esclaffa intérieurement. Il avait approché Bowen en mars. Il l'avait laissé mijoter tout ce temps. Aujourd'hui, c'était le grand jour : celui du sommet du grand braquage.

Cet enfoiré savait parler. Il choisissait ses mots et il jouait avec le rythme. Il évitait soigneusement l'esthétique homo.

Le directeur général l'appréciait. Il déplaisait aux flics de base. Sam Yorty adorait son numéro de lèche-bottes façon Oncle Tom.

Marsh passa la vitesse supérieure. Oh, oh, oh ! Quel crescendo ! Il donnait des coups de poing dans le vide comme JFK. Il fit jouer la corde sensible de la rédemption comme MLK. Il obtint une véritable ovation.

Le public s'agglutina autour du pupitre. Marsh Bowen était

devenu M. Charmant. Scotty lui lança un clin d'œil en gagnant la sortie.

Vol à main armée – article 211 du code pénal. Chez lui, son bureau personnel abritait comme un trésor tout ce qui s'y rapportait.

Dix-huit photos sur les murs. Pour illustrer dix-huit morts d'hommes. Les douze membres des Panthères Noires n'avaient pas droit à cet honneur. On ne peut pas photographier ceux qui sont morts et enterrés.

Des braquages de magasins d'alcool et des vols à l'arraché sur des marchés. Des embuscades et des fusillades spontanées. Dix-huit hommes de race noire abattus.

Marsh s'imaginait que Scotty haïssait les Noirs. Marsh se trompait. Scotty ne prononçait jamais le mot *nègre*. Il haïssait les tueurs, les revendeurs de drogue et les braqueurs. Il y avait des militants noirs dans le tas. Si son tableau de chasse ne comptait que des Noirs, c'était le fait du hasard et des données démographiques. Les événements en avaient décidé ainsi.

Ann et les mômes étaient à Fresno. La maison était zone réservée pour une soirée entre hommes. Scotty avait sorti de l'alcool, des Fritos et des bols de sauces pour les tremper dedans. Scotty avait préparé tous ses dossiers.

Marsh Bowen avait attiré son attention dès le début. Marsh avait fait circuler ces billets de banque maculés. Marsh avait travaillé brièvement à la Banque populaire de Los Angeles-Sud. Marsh était entré au LAPD. Des détails qui l'avaient fait tiquer, mais rien de concluant.

Puis Marsh devient agent fédéral et le provoque. Et puis Marsh commence à se renseigner sur le braquage. Puis Scotty vérifie les archives du service des permis de conduire et trouve l'ancienne adresse de Marsh : l'angle de la 84e Rue et de Budlong Avenue.

Scotty se goinfrait de Fritos et de purée de haricots. Les photos collées au mur lui parlaient.

Rydell Tyner lui disait : « Bon sang, Scotty... » Il répondait : « Petit, je t'avais prévenu. »

Bobby Fisk se vidait de son sang dans le magasin All American Liquor. Scotty avait donné le rouleau de billets de Bobby à la grand-mère de celui-ci.

Lamar Brown avait un cou très mince. La chevrotine triple zéro lui avait arraché la tête.

La sonnette du sous-sol tinta. Scotty ouvrit la porte. Marsh était de nouveau en civil.

– Bonsoir, collègue.

– Bonsoir, Scotty.

– Fais comme chez toi. On est entre nous, on se la montre.

D'alors à maintenant : six ans et dix mois. Marsh donna le coup d'envoi : il était sur les lieux, ce jour-là.

Il y a bien *eu* un troisième voleur. Il était noir. Le chef de bande avait tiré sur lui, l'avait brûlé chimiquement et laissé pour mort. Ce troisième homme avait gagné une ruelle en rampant et s'était caché. Marsh habitait dans ce pâté de maisons, à l'époque. Il avait vu le troisième homme. Il avait vu son gilet pare-balles et la couche de gaze protectrice dont il s'était couvert préventivement. Il en avait déduit que ces précautions lui avaient sauvé la vie. L'intervention du LAPD fut *BRUTALE*, au point de scandaliser Marsh. Il emmena le blessé chez un voisin médecin et l'y cacha. Le médecin soigna les blessures et les brûlures du jeune homme. Celui-ci refusa de révéler son identité. Il repartit deux jours plus tard, en laissant au médecin vingt mille dollars en coupures maculées. Le médecin déposa la somme à la Banque populaire de Los Angeles-Sud. Il donna pour instructions à Lionel Thornton de réinjecter petit à petit cet argent liquide dans la communauté. Des dons aux œuvres de charité : à effectuer avec prudence. Quelques billets refaisaient surface dans la communauté noire. Scotty cuisinait les passeurs. Le médecin était décédé en 65. Marsh fit une fixation sur cette affaire. Il se fit engager à la banque, n'apprit rien, et démissionna.

Scotty prit le relais. Lui *aussi* était présent sur les lieux ce jour-là. Il avait tout de suite senti que c'était l'Affaire du siècle. Il arriva sur la scène de crime avant les flics en uniforme. Il trouva des douilles endommagées par un automatique qui s'était enrayé et il les empocha. Les convoyeurs de fonds avaient tiré avec des revolvers. C'était aussi le cas du chauffeur du camion de lait, du chef de bande, et des deux braqueurs morts. Donc : un *troisième* homme était venu et reparti. C'était *lui* qui avait utilisé l'automatique enrayé.

Un troisième homme – la logique confirmée concrètement.

Scotty arpenta la scène de crime. Il vit une traînée de sang qui s'en éloignait. Elle s'arrêtait près de cette ruelle. Il avait recueilli un échantillon de sang, en quantité suffisante pour en déterminer le groupe. Il découvrit des granulés de combustible chimique à un mètre de là. Ils étaient recouverts de salive. Il en déduisit que l'homme les avait recrachés.

Ils l'avaient tous les deux compris ce jour-là : un troisième homme s'était échappé.

Scotty avait fait analyser l'échantillon sanguin, en secret. Le groupe – rare : AB ⁻. Les autres morts avaient des groupes différents. Les douilles endommagées : résultat nul, mon frère. Il avait testé tous les automatiques conservés par le LAPD – d'alors à aujourd'hui, tous les pistolets de calibre moyens trouvés au dépôt. Les résultats : tous négatifs. Il avait fait analyser les granulés de combustible : les composants étaient inidentifiables.

Marsh fit un bond dans le temps : j'ai une nouvelle piste. Je t'en reparle tout à l'heure, quand on aura fait le tour de la question. Je vais te donner une confirmation maintenant. J'ai consulté les archives aux postes de la 77e Rue et de University. J'ai découvert que les numéros de référencement étaient bidon. Je sais que tu possèdes des paperasses pour ton usage personnel.

Scotty désigna son coffre aux trésors. Il remplit leurs verres et se lança dans son explication.

Il avait cherché l'origine de la cargaison d'émeraudes, et enregistré quelques progrès. Tout était parti de la République dominicaine, avec l'aval du gouvernement. Ledit gouvernement n'avait rien voulu communiquer au LAPD. Scotty avait tout essayé. D'autres flics avaient essayé aussi, avec moins d'enthousiasme. Personne n'avait pu déterminer la provenance des pierres. L'hypothèse de Scotty : elles étaient d'origine douteuse, voire crapuleuse. Les expéditeurs avaient préféré ne pas les faire voyager par la valise diplomatique. Ils avaient choisi la compagnie Wells Fargo à la place.

Et :

Les documents relatifs à l'expédition avaient disparu des bureaux de la Wells Fargo une semaine après le braquage. Un cambriolage de professionnels. Les responsables de la Wells Fargo refusèrent toute coopération. Ils refusèrent catégoriquement de parler à la police.

Marsh intervint. Il avait entendu des rumeurs – des Noirs dans le besoin reçoivent des émeraudes, d'expéditeurs anonymes. Scotty connaissait ces rumeurs. Une légende du ghetto, qui sait ? Invérifiable.

Scotty monta en régime pour aborder la partie la plus intéressante. Voilà, c'est le ciment qui fait tout tenir ensemble :

Six mois après la braquage, il avait coincé un témoin oculaire partiel. Le type avait affirmé que le chef de la bande était *blanc*. Bon, d'accord, c'est un Blanc. Bon, d'accord, il y a des rumeurs sur un braqueur noir. Mais en 64, les gangs mixtes façon gaufrette fourrée, c'était *extrêêêêmement rare*. Le témoin n'avait pas d'autre signalement à fournir. Scotty s'était senti frustré, à ce moment-là. Un coup tu gagnes, un coup tu perds. Il avait élaboré une piste possible partant d'un cadre de la Wells Fargo. Cela n'avait jamais dépassé le stade des spéculations.

Le type en question s'appelait Richard Farr. Il avait disparu après le braquage et le cambriolage chez Wells Fargo. Farr était à moitié anglo-saxon, à moitié dominicain. Scotty avait accumulé des documents sur son compte. Aucune piste n'en était sortie. Sa connexion avec la R.D. semblait prometteuse, pourtant. De même : Farr était peut-être un genre de communiste.

Scotty remplit les verres. Marsh prit son air de petit écolier studieux – s'il vous plaît, m'sieur, apprenez-moi des choses.

L'enquête capota. Il n'en sortit rien. Les pistes s'effilochèrent. Scotty s'attaqua à un autre aspect de l'affaire : l'identification des braqueurs morts. Cela prit des années. Il mit sur l'affaire son copain coroner, Tojo Tom Takahashi.

Tojo Tom avait congelé des échantillons de chairs prélevés sur les cadavres calcinés. Il avait isolé des cellules de la peau d'un des types et les avait examinées en laboratoire. Il avait découvert des leucocytes malades. Cette maladie n'était constatée que chez les individus de race blanche.

Scotty avait entrepris une recherche dans les archives des cinquante États. Cela avait pris des années. Fin 69 : bingo ! La ville : Pine-de-Klebs, Alabama. L'homme : Douglas Frank Claverly.

Dougie souffrait de cette maladie de peau. Dougie était un ex-voleur à main armée acoquiné avec le Ku Klux Klan. Examen approfondi de ses antécédents : résultat nul. Oui, mais : Dougie avait disparu en janvier 64 – un mois avant le braquage.

Scotty fit de nouveau appel à Tojo Tom. Tojo identifia le chauffeur du faux camion de lait. Une bague porte-bonheur fondue lui donna la solution. La bague était incrustée dans la peau.

Tojo parvint à extraire la bague et fit des tests sur les cellules de peau collées au métal. Bon, c'est un Noir. Tojo eut recours à des produits chimiques et à un macroscope et il déchiffra une inscription : JJW & CV.

Scotty retrouva la piste de la bague, remontant jusqu'à Modesto. Cela lui prit un paquet de semaines. Elle avait été commandée par un certain Jerome James Wilkinson. C'était un Noir. Il n'avait pas de casier judiciaire, pas de famille. Il louait ses services pour briser des grèves. Il avait disparu en janvier 64, un mois avant le braquage.

Entre le Dr Fred Hiltz. Le mot de la fin : c'est à *lui* que les émeraudes étaient destinées.

Marsh en resta bouche bée. Des années plus tôt, il avait infiltré des groupes gauchistes pour le Dr Fred et Clyde Duber. Scotty lui dit qu'il était au courant. Scotty démentit la légende qui courait depuis longtemps sur le braquage.

Les pierres étaient censément destinées à un coffre de la Wells Fargo. Les billets provenaient d'un dépôt en liquide. Les pierres, en réalité, étaient envoyées au Dr Hiltz en personne. Une société bidon devait les réceptionner pour lui, après quoi un acolyte du Dr Hiltz ferait office de courrier. Le Dr Fred en *baaaaavait* à l'idée de posséder les pierres. Les émeraudes étaient indissociables d'un mythe entretenu pas les givrés d'extrême droite, un mythe qui le faisait bander.

Le Dr Fred s'était fait descendre en 68. Marsh dit qu'il connaissait les faits principaux. Scotty lui révéla les détails réservés aux initiés.

Il avait coincé Jomo C. pour cette série d'attaques de magasins d'alcool. Quelqu'un s'était fait passer pour Marsh lui-même. Le faux Marsh avait cafté l'auteur des vols et donné un tuyau sur une cache d'armes de première importance. Ce coup bas avait mis Marsh en danger au sein du ghetto. Marsh ne le savait que trop bien. Marsh savait que Jomo avait avoué le meurtre du Dr Fred et celui de son acolyte. Voilà ce que Marsh ne savait pas :

Scotty avait interrogé Jomo en présence de Dwight Holly. Big Dwight avait entendu les aveux de Jomo concernant l'affaire Hiltz. Il n'avait pas assisté à la deuxième séance de questions/réponses.

Prison du comté de Los Angeles. Le bloc cellulaire pour les détenus en isolement. La cellule dont Jomo était l'unique occupant.

Jomo avait peur de lui, à présent. Jomo l'appelait « M. Scotty ». Jomo plié en deux par deux coups de tuyau de caoutchouc dans les reins.

Jomo lâche que c'est un « coupe-circuit » qui lui a suggéré de braquer le Dr Hiltz. Tu trouveras un abri anti-aérien. Vole l'argent liquide. Ne tue pas le Dr Fred. *Mets-le en garde*. Dis-lui bien de ne rien révéler à personne au sujet de février 64. Il comprendra de quoi tu veux parler.

Jomo ne savait rien sur le braquage. Scotty avait déterminé cela. Jomo s'était refermé comme une huître. Jomo avait refusé de livrer le nom de son coupe-circuit. *« Coupe-circuit »* : un terme en usage chez les agents fédéraux.

Scotty avait insisté. Scotty avait frappé Jomo à coups de tuyau. Jomo avait tenu bon. Scotty avait frappé Jomo trop fort et l'avait tué. Scotty avait trempé un drap de lit dans la cuvette des toilettes et mis en scène un faux suicide.

Marsh se mit à trembler. Petit, je t'ai foutu la trouille ? Scotty lui confectionna un cocktail et lui remplit son assiette de chips.

Cela lui redonna des forces. Il raconta la fin de son histoire.

Wayne Tedrow taraudé par le remords. Sa quête pour retrouver Reginald Hazzard. Ce môme était sans doute le troisième homme. Marsh venait de consulter un dossier de la police de Las Vegas. Reginald avait des connaissances en chimie. Marsh avait réfléchi à la question. Un vieux souvenir avait refait surface : les corps calcinés impliquaient un vrai talent de chimiste. Les granulés et la combustion chimique : Scotty était aussi de cet avis.

Il trempa une chips dans la sauce.

– Il faut qu'on détermine le groupe sanguin du môme Hazzard.

Marsh dessina dans le vide le symbole du dollar. Scotty dessina dans le vide 50/50. Marsh dit :

– Ça promet d'être amusant.

89

Los Angeles, 8 décembre 1970

Chick Weiss appréciait l'art nègre. Les œuvres africaines comme celles en provenance des îles. Des statues exaltant la virilité, et des gardiens des esprits sans bras mais pourvus d'ailes.

Elles encombraient son cabinet d'avocat. Butoirs de portes et bibelots posés sur son bureau. En bois sculpté, avec des yeux profondément enfoncés.

Crutch et Phil Irwin approchèrent des sièges. Un dieu zoulou se dressait entre eux. Il était deux fois plus petit que nature. Sa bite avait trois glands. Ses yeux en verroterie faisaient camelote.

Chick se prépara un panatela. Il avait pour cela un outil en forme de déesse noire. Il lui écarta les jambes, inséra le cigare dans son entrecuisse, et en sectionna l'extrémité. Il enfonça un bouton. La bouche de la déesse cracha une flamme.

Phil trouva le gadget à son goût. Crutch détourna les yeux. Chick fit de la place sur son bureau pour y poser les pieds.

– Il me faut un film. Papa est un magnat de la pub, Maman est une hippie. Papa a plein de copains au LAPD. L'un d'eux lui a montré une bande de surveillance enregistrée à la grande fête de l'amour de Griffith Park. On y voit Maman qui suce un type à côté du carrousel. Papa a embauché Clyde pour en savoir plus sur le lascar. Ils se retrouvent pour baiser au Sunset Breeze Hotel un mardi sur deux. Je vous demande d'y aller avec douceur et discrétion. Je veux un film tourné sur le vif, les artistes. Pas de photos à la sauvette, cette fois.

Crutch se leva. Phil se leva et tituba – un reste de gueule de bois. Il bouscula le dieu zoulou, dont la bite perdit quelques paillettes.

Chick dit :

– Foutez le camp, espèces de païens. Vous êtes trop puérils pour apprécier cette œuvre d'art inestimable.

Grosse chaleur, aujourd'hui. Phil soudoya le réceptionniste. Crutch força la chambre du rendez-vous galant et mit la clim hors service. Ils entrouvrirent la fenêtre pour faire circuler l'air. L'objectif de la caméra passerait dans la fente. Phil disait que Chick prenait son pied avec les films de surveillance. Il en avait rempli des étagères. Il adorait voir baiser des laiderons et des crétins. C'était illégal et contraire à la morale. Chick s'en foutait. Il avait de l'influence. Il organisait pour l'élite de L.A. des soirées projections pour pervers.

Ils surveillaient le parking depuis leur voiture. Phil bombarda Crutch de questions sur ses activités récentes. Crutch ne lâcha rien. Leur cible, c'était la chambre 6. Les chambres adjacentes étaient des huttes à hippies. Ces débiles écoutaient du rock à fond toute la journée. Cela garantissait la couverture sonore de l'opération.

Crutch sirotait du café. Phil buvait du rhum à 75 degrés. Ils bavardaient, parlant des derniers ragots, du combat de Mando Ramos à l'Olympic. Freddy O. avait acheté Tiger Kab – tu parles d'une rigolade.

Phil chargea la caméra. La voiture de leurs cibles se gara. L'épouse et l'étalon hippie entrèrent dans la chambre 6.

Crutch prit une photo d'eux à la volée. Son appareil enregistra la date et l'heure d'arrivée. Phil trimballa la caméra jusqu'à la fenêtre entrouverte.

Il glissa l'objectif dans la fente. Il pressa le bouton de mise en marche. Les magasins de pellicule étaient pleins. On tourne !

C'était une caméra muette. Parfait. Le visuel suffisait pour un divorce en Californie. L'épouse et le hippie étaient *bruyants*. Crutch les entendait malgré le vacarme du rock. Phil le caméraman s'inséra des bouchons dans les oreilles.

Crutch tenta de piquer un petit somme. Impossible. *Baise-moi, baise-moi*, ça lui en avait coupé l'envie. Il pensa à ces satanées statues, chez Chick. Les yeux en verroterie rouge. Des ailes à la place des bras.

La porte du nid d'amour s'ouvrit. Phil retira sa caméra et s'accroupit. L'épouse et le hippie remontèrent dans leur voiture et partirent. Phil rapporta son matériel.

– Ils se sont fait un 69. J'ai filmé le décor et toute la partie de cul en une seule prise. Chick va adorer.

Crutch dit :

– T'es un minable.

Phil s'empoigna l'entrejambe et sourit jusqu'aux oreilles.

Elle envoya sa carte de bonne heure. Il restait plusieurs semaines avant Noël. Celle-ci portait le cachet d'Amarillo, au Texas.

Crutch empocha le billet de cinq dollars. Crutch rangea la carte dans son classeur. De 55 à 70 : seize cartes en tout. Margaret Woodard Crutchfield avait parcouru la moitié des États-Unis.

Sa penderie était bourrée de dossiers. Il suspendait ses fringues dans la salle de bains. Le dossier sur son enquête occupait six cartons ici. Il en avait neuf de plus au centre-ville.

Il regarda par la fenêtre. Les illuminations de Noël étaient déjà en place. Ouais, c'est un rituel. Ouais, tu devrais y aller.

Il avait volé le drapeau rouge dans l'alcôve de Wayne. Il l'avait scotché sur son tableau de bord. Il avait déchiré ses photos de Joan. Un exorcisme pour annuler le mauvais sort qu'il avait jeté. Hancock Park était mort sans les photos de Joan. Il avait besoin d'elle pour la juxtaposition.

Huit mois qu'il est rentré. Il lui reste des résidus de son état de choc. Il ne parvient toujours pas à dormir. Il n'arrive pas à travailler sur son enquête. Ses cauchemars sont anodins, à présent. Les barbituriques les phagocytent. Il travaille pour Clyde et fait le chauffeur à temps partiel. Freddy Otash a racheté la compagnie Tiger Kab. Wayne Tedrow en avait siphonné la trésorerie. Freddy l'a eue pour une bouchée de pain.

Le siège de Tiger Kab, c'est le point de rassemblement où l'on retrouve tous les Noirs qui font la mode. La compagnie se met au service des musiciens, des militants, et des fans de la Motown qui veulent s'encanailler. Sonny Liston assure le spectacle. Rock Hudson y vient draguer de la bite noire en limousine tigrifiée. Redd Foxx apporte de la cocaïne et des biscuits fourrés. Les chauffeurs blancs portent des smokings à rayures tigrées. Les clients noirs adorent l'inversion du rôle d'esclave.

Son enquête, l'enquête de Wayne, le braquage. Trois affaires réunies. Il a vu les archives de Wayne en avril. Il est immobilisé ici depuis. Il y pense. Il suit la boucle.

De L.A. à la R.D. et Haïti. Retour à L.A. de nouveau. Il est sur les traces de Gretchen Farr. Elle a escroqué Fred Hiltz. Elle est également connue sous le nom de Celia Reyes. Elle embrasse Joan. Il voit la Maison de l'Horreur. Des morceaux de cadavre, de la poudre vaudou, des éclats de verre couleur émeraude. Celia a des liens avec la R.D. Celia possède un livre de code. Il travaille pendant des mois sur le décodage. Succès. Les symboles du carnet correspondent à ceux de la maison de la mort. Il identifie la victime : Maria Rodriguez Fontonette, *alias* « La Tatouée ».

Joan et Celia sont profondément communistes. La Tatouée trahit la cause. Elle finit cadavre dans la Maison de l'Horreur. Celia est acoquinée avec Sam G. Elle veut foutre en l'air les chantiers des casinos. Wayne le Givré y parvient le premier. Et *lui*, Crutch, se mêle des affaires de la Mafia. Il pose des micros dans la chambre d'hôtel de Sam G. Il vend de la drogue avec Luc Duhamel. Luc le zombifie. Il entend « émeraudes en vrac », « 1964 », « Laurent-Jean Jacqueau ». *Tout est lié.*

Il est de retour à L.A. Il participe à la mission de Dwight Holly pour les fédéraux. Il pose des micros chez Marsh Bowen. Il entend : « Marsh, c'est Leander James Jackson. » Cela signifie que c'est Laurent-Jean Jacqueau.

Tout est lié. Marsh habitait au carrefour Budlong Avenue-84e Rue *Alors*. Marsh est intime avec Scotty B. *Maintenant*. Leur traité de paix a précédé la « fusillade entre militants noirs ».

Le dossier de Wayne. D'étranges dons d'émeraudes. Reginald Hazzard, disparu depuis longtemps. Reginald quitte Vegas *deux mois* avant le braquage. Ce gamin s'y connaît en chimie. Il a étudié les herbes *haïtiennes*. Joan a été le professeur de Reginald à l'École de la liberté. C'est Joan qui a payé sa caution pour le faire libérer. En décembre 63. Le braquage se profile à l'horizon.

Joan est omniprésente. Elle est l'informatrice de Dwight Holly et probablement sa maîtresse. Dwight se repose dans une cellule capitonnée. *Où est Joan, et pourquoi est-ce que je n'arrive pas à la trouver ?*

Crutch prit sa voiture pour se rendre au croisement de Plymouth Boulevard et de la 2e Rue. Les guirlandes de Noël étaient allumées chez Dana. Son sapin remplissait la fenêtre en façade. Les boîtes de cadeaux étaient empilées jusqu'aux branches.

Une musique sentimentale – du Ray Conniff – sa guimauve habituelle pour la période des fêtes.

Il lui a acheté un cardigan en cachemire chez Bullock. Noir, à torsades. Pour le boutonner, on glissait les cornes de petits élans dans des passants.

Le cardigan était enveloppé dans un emballage cadeau. Crutch s'approcha de la porte d'entrée et posa le paquet sur le paillasson. Il fit retentir la sonnette et détala aussitôt.

Le chic radical :

Quatre taxis Tiger sortirent du parking. Crutch vit François Truffaut, plusieurs Noirs, et Hanoi Jane en personne. Un autre véhicule Tiger, une limousine à châssis long, s'approcha dans un grondement de moteur. Phil Irwin était au volant. Son smoking tigré laissait de la fausse fourrure partout sur le siège. Ses passagers : Chick Weiss, Cesar Chavez et Leonard Bernstein.

La limousine fonça vers le sud. Crutch entra dans le bureau. Fred O. tenait le standard. Redd Foxx sniffait de la cocaïne. Milt C. tenait Macaque Junkie sur ses genoux. Sonny Liston fumait un joint.

Macaque Junkie dit :

– Le 8 mars, à Jew-York, Mohamed Ali rencontre Smokin' Joe Frazier. Suivez le match à la télévision en circuit fermé chez Tiger Kab, le siège social du Cartel des Moricauds.

Sonny souffla de la fumée au visage de Macaque Junkie. Milt fit tousser et s'étrangler sa marionnette.

– Ali est un déserteur sans couilles. L'islam est une religion de merde. Ali se fait enfiler par Gamal Abdel Nasser et le *dés*honorable Elijah Muhammad.

Redd Foxx hurla de rire. Il fit voler de la poudre blanche et de la morve. Fred O. gloussa. Crutch ricana bêtement.

Sonny ôta l'emballage d'un suppositoire à la morphine. Le plus rapide de l'Ouest : il plongea la main dans son pantalon et se le propulsa dans le rectum.

– Allez, petit. Tu vas me conduire à Vegas.

Le champion piqua du nez à San Bernardino et s'écroula à Barstow. Crutch tint bon toute la nuit à coups de dexédrine. Pas un chat sur la route I-15. Crutch roulait à 170. Dans le désert, il faisait un froid polaire. Six milliards d'étoiles brillaient dans le ciel.

La radio ronflait sourdement. Les chaînes de montagnes coupaient la réception. Crutch tomba sur une série de vieilleries. Des chansons de bals de fins d'année, début 60. Le Magical Mystery Tour du Mateur.

La musique crachota de nouveau. Crutch tourna le bouton. Sonny glapit comme un chien qui rêve.

Crutch jeta un coup d'œil à son rétro. Sonny était allongé, les pieds sortant de la fenêtre. Du sable entrait dans la voiture. Sonny dit :

– Merde.

– Ça va, Champion ?

– Ne m'appelle pas « Champion ». C'est comme ça qu'on s'adresse à tous ces anciens sparring partners qui finissent clodos, abrutis par les coups qu'ils ont reçus.

– D'accord, Patron.

Sonny alluma une cigarette. Il enflamma le filtre, laissa tomber l'allumette et fit une nouvelle tentative. Au sixième grattage, il obtint une combustion.

Crutch dit :

– Je vous ai vu combattre Wayne Bethea. Vous lui avez bien botté le cul.

Sonny bâilla à se décrocher la mâchoire.

– J'ai connu un gars qui s'appelait Wayne. Il n'arrêtait pas de descendre des Noirs qu'il n'avait pas envie de tuer. Ce môme, vraiment, il ne haïssait personne, mais les emmerdes lui tombaient dessus sans arrêt. Il cherchait tout le temps des nègres à tuer et des nègres à sauver, mais sa bonne femme pensait qu'en fin de compte ça ne faisait aucune différence.

Ils franchirent une côte. Le Vegas Strip surgit de la nuit. Des lumières de couleur comprimées par l'obscurité.

Sonny dit :

– Dépose-moi au Sands. J'ai des gens à voir.

Crutch accéléra. Il se sentit ré-envoûté et *dés*-envoûté. Sonny lui glissa trois diables rouges dans la poche de son smoking. Sa veste de tigre peluchait – elle perdait ses poils par paquets.

– Ne reprends pas la route tout de suite. Gare-toi quelque part et repose-toi.

Il était quatre heures du matin. Grande animation sur le Strip. Une foule de taxis et de voiturettes de golf en circulation. Les voiturettes étaient équipées de bars. Les passagers lampaient des cocktails, les conducteurs roulaient en zigzag.

Crutch se gara devant le Sands. Sonny lui donna un billet de cent dollars et lui ébouriffa les cheveux. La devanture de la cafétéria était une grande baie vitrée. Les gens virent la limousine extravagante et poussèrent des cris de joie.

Sonny en sortit. Les gens lui firent des signes. Il entra dans la cafétéria en titubant. Mary Beth Hazzard s'approcha de lui et le serra dans ses bras.

Les dexies neutralisèrent les diables rouges. Il gara la limousine sous le Stardust et dormit comme une masse jusqu'à midi. Sa veste en peau de tigre perdait ses poils. Ils lui chatouillaient les narines. Il se sentait épuisé-ravagé jusqu'aux tréfonds de l'âme.

Il renonça à dormir et choisit le petit déjeuner. Une petite pile de crêpes et du café suffirent à le revigorer. Vas-y, crétin, fais-le. Tu seras re-zombifié si tu ne le fais pas.

Il se rendit au syndicat des personnels hôteliers. La limousine prit à elle seule deux places de parking. Il eut droit à quelques regards furieux. Ils cédèrent vite la place aux gloussements. Son smoking en faux tigre faisait marrer tout le monde.

Une femme de ménage lui fournit des indications. Il était sur des charbons ardents. La porte de son bureau était ouverte. Elle leva les yeux de son travail quand il entra.

Il dit :

– Je suis navré de ce qui est arrivé à Wayne.

Elle posa son stylo.

Il dit :

– Il a tenté de me mettre en garde contre certaines choses.

Elle rectifia la position de son sous-main.

Il dit :

– Je vois des choses que les autres ne voient pas. Je sais comment retrouver les gens.

Elle ouvrit son sac à main et en sortit un trousseau de clés.

90

Los Angeles, 11 décembre 1970

Les filles poursuivaient le chien d'un voisin. Posté deux maisons plus loin, il les regardait.

Dana courait vite. Ella avait la démarche d'un bambin qui fait ses premiers pas. Le chien courait en rond, insaisissable. Ils restaient confinés au jardin de devant. Les peluches qu'il avait envoyées étaient là, sur la véranda.

Dwight repoussa son siège en arrière. La voiture était pleine : des teintures, des solvants et des pinceaux. Du papier à lettres de toutes les sortes.

Il avait quitté Silver Hill de bonne heure. Il devait commencer le mois prochain son nouveau boulot pour le Bureau. Joan avait compris son plan. Elle l'avait assuré de son soutien total, comme on signe un pacte de sang – la foi, c'est de cette façon que ça fonctionne.

Nixon l'avait appelé hier. Comment s'est passée votre cure de repos ? Nous sommes heureux de vous voir de retour parmi nous – et, à ce propos...

Le président montait une équipe pour une opération – il lui fallait quatre hommes pour une perquisition illégale. Dwight avait décliné son offre. Le président avait paru froissé. Dwight lui avait recommandé Howard Hunt, de la CIA.

Elle attrapa le chien. Il la fit tomber avec ses pattes et la lécha. Elle se mit à rire.

Karen monta dans la voiture. Leurs bras se heurtèrent quand ils s'embrassèrent en biais. Leurs jambes se cognaient sans cesse.

Ils finirent par trouver une position confortable et n'en bougèrent plus. Les filles regardèrent dans leur direction et lui adressèrent des signes.

Karen tint le visage de Dwight entre ses mains.

– Tu n'as pas changé.
– Tu es encore plus belle.
– Je pensais que tu aurais grossi avec toutes les tartes que je t'ai envoyées.
– Mes chèvres ont presque tout mangé.
Karen releva les genoux.
– Mon mari est dans le jardin de derrière. Il va falloir que je parte dans une minute.
– On se revoit dans la semaine ?
– Oui.
– Au Beverly Wilshire ?
– Ça ne se refuse pas.
Ils joignirent leurs mains sur le volant. Karen dit :
– Le nouveau collecteur de ragots de M. Hoover. Tu ne seras pas au travail depuis dix minutes que je te demanderai déjà d'éliminer des dossiers.
– Pourquoi ne pas te contenter d'attendre cinq minutes ? Tu sais bien que je ferai ça pour toi.
Karen rit.
– Toi, tu veux quelque chose. Une visite impromptue après tant de mois, ça ne te ressemble pas.
Dwight lui caressa les genoux.
– Je pense que tu devrais constituer une équipe. Il y a un centre d'archivage du Bureau à Media, en Pennsylvanie. Je crois que tu devrais t'y attaquer au début du mois de mars. Ils gardent là-bas au minimum dix mille dossiers de surveillance. Tu pourrais les voler et du même coup révéler au grand jour la politique de harcèlement du FBI.
Karen alluma une cigarette.
– Je n'arrive pas à en croire mes oreilles.
– Tu devrais.
– Et c'est une idée à *toi* ? Elle ne vient pas de...
– Pas maintenant, s'il te plaît.
– Pas d'armes, on entre et on ressort.
– C'est ça.
– Et tu m'en diras plus. Sur la base de « ce qu'il faut savoir » ?
Dwight hocha la tête.
– Oui, et bientôt.
Ella tomba et s'érafla le genou. Elle se mit à pleurer. Karen dit :
– Il faut que j'y aille.

Dwight demanda :
– Tu m'aimes ?
Karen répondit :
– Je vais y réfléchir.

Des dossiers :

La salle des archives avait la dimension d'un parking. Des étagères en hauteur, des étagères en profondeur, on y accède par des escabeaux roulants. Des dossiers politiques, des dossiers criminels, des dossiers sur des affaires de droit civil. Des dossiers sur les informateurs. Des dossiers de surveillance, des dossiers sur des ragots, d'autres sur des affaires de corruption. 600 000 dossiers en tout.

Tous indexés. Des classeurs contenant les index attachés par une chaîne devant chaque étagère.

Dwight parcourut les travées. Les escabeaux se déplaçaient grâce à des roulettes bien huilées. Les structures métalliques, hautes de trois mètres soixante, étaient boulonnées au sol. Douze étagères par élément. Vingt-quatre éléments au total.

– Vous êtes en avance. De pratiquement un mois, en fait.

Dwight se retourna. Jack Leahy était perché sur un escabeau.

– Vous allez détester ce boulot. Ces dossiers ne présentent pas M. Hoover sous son meilleur jour.

– L'agent spécial en charge le plus irrévérencieux du Bureau. Comment avez-vous fait pour durer aussi longtemps ?

– Une veine d'avocat, je suppose. Et puis, le droit civil comparé à *ça* ? Allons...

Ils se serrèrent la main. Jack s'assit sur une marche de l'escabeau.

– Je ne vous avais pas vu depuis l'affaire Hiltz et le lancement de MÉÉÉCHANT FRÈRE.

– Ma foi, dans les deux cas, ça s'est bien terminé, et dans les deux cas, j'ai pu rester dans l'ombre.

– Oui, mais à quel prix !

Dwight secoua la tête.

– Je préfère ne pas en parler.

– Ce n'est pas moi qui vous le reprocherai. La vieille tante, des militants de troisième ordre et Scotty Bennett en même temps ? Je n'aurais pas attendu aussi longtemps que vous pour aller me mettre au vert.

– Changeons de sujet, Jack. C'est de l'histoire ancienne, maintenant.

Jack toussa.

– Enfin, bon, vous connaissez la musique. Vous supervisez les dossiers de ragots d'ordre général, vous les complétez avec des infos en provenance des indics. Parmi ceux-ci, vous avez des flics, des criminels qui demandent des faveurs, des journalistes, des poseurs de micros, des loufiats, des portiers, des chauffeurs, des huissiers qui récupèrent des biens, des employés d'hôtel, des piliers de bar, et tous les frustrés de l'univers. Tâchez de *sous-payer* vos tuyaux. La vieille tante veut des scoops, mais à prix bradé.

Dwight éternua. La salle des archives était réfrigérée. L'air sec combattait la pourriture du papier.

– Vous entretenez des postes d'écoute permanents ?

Jack leva les yeux au ciel.

– Nous avons des baisodromes et des suites d'hôtels truffés de micros. Par exemple, Duke Wayne débarque à Chicago. Le portier appelle l'agent spécial en charge de Chicago. En deux temps trois mouvements, le Duke se voit offrir pour le même prix la suite de luxe du dernier étage. Manque de chance pour lui, elle est sur écoute. Le Duke adore se travestir, à propos. Il porte une robe hawaïenne extra-longue taille 56.

Dwight s'esclaffa.

– Y a-t-il autre chose que je devrais savoir ?

– La plupart des bains publics de L.A. fréquentés par les homos sont surveillés. Un jour, la vieille tante a repéré un membre du conseil municipal dans les bains-douches de La Cienaga Boulevard, et depuis elle fait tourner à temps complet un poste de surveillance dans neuf établissements de ce genre.

Dwight prit un dossier au hasard et le parcourut. Johnny Ray suce une bite dans Ferndell Park. Le sucé est un informateur du FBI. Lana Turner broute des sœurs de couleur, vers 1954. Un mouchard passe un appel depuis le Bac à Sable de Sam le Sultan.

Jack demanda :

– Et comment va la santé de la vieille tante ? Je l'ai vue à Washington le mois dernier. Elle m'a paru positivement sépulcrale. J'ai eu une informatrice, autrefois, surnommée « Arielle la Belle Cruelle ». Ce devait être la sœur que la vieille tante avait perdue de vue depuis longtemps.

Le boxon rempli de garçons de Liberace. Danny Thomas le

voyeur, Peggy Lee la nymphomane. Sol Hurok le brouteur de chattes. James Dean le masochiste – le « cendrier humain. »

Dwight remit le dossier à sa place. Des notes en marge s'attardaient dans sa tête. Ava Gardner et Redd Foxx. Jean Seberg et la moitié des Panthères Noires.

– Amusez-vous bien, Dwight. J'ai dit à la vieille tante que le monde nouveau était celui de la grande partouze, mais elle n'a pas voulu me croire.

Il avait loué une petite maison pour disposer d'un refuge. Elle lui servait d'espace de travail et de repos. Elle était proche du local et de la maison de Karen. Joan et lui en avaient la clé. Ils y laissaient leur matériel. La fenêtre donnait sur la rue de Karen. Il pouvait regarder les filles jouer.

Le carrefour de Baxter Street et Cove Avenue était tout près. À deux pâtés de maisons, à portée d'une paire de jumelles.

Dwight se gara devant la porte et apporta ses cartons. Il avait le temps de ruminer. Il devait retrouver Joan au Statler un peu plus tard. Son refuge était une tanière de conspirateur. Salon, cuisine, salle de bains, un matelas pour les petits sommes.

Il sortit une chaise sur la terrasse. Il braqua sa paire de Bausch & Lombs vers le sud. Karen traversait son jardin. Dina et Ella coursaient des chats.

Karen avait un air hagard. Sa proposition l'avait stupéfiée. Elle sait qu'il s'agit d'une opération secondaire. Elle sait que l'opération principale est énorme. Il ne peut pas lui en révéler le but. Nous allons tuer M. Hoover et faire porter le chapeau à Marsh Bowen.

Ils vont instrumentaliser une convergence. Marsh sera impliqué à l'avance par des pistes constituées de documents fabriqués. Ils remonteront jusqu'à l'année zéro et s'étendront au-delà de l'an 2000. Ils recruteront un tireur d'élite. Bob Relyea a tué MLK. Il pourrait tuer de nouveau. L'assassin est un policier noir homosexuel. Il tue le symbole le plus évident de l'autorité blanche de son époque et met fin à ses jours aussitôt après. Des documents mis en place à cet effet révèlent une politique publique qui a mal tourné. Marsh Bowen a été rongé par une folie incubée par la politique. Le FBI le suborne et l'envoie en mission d'infiltration. Il subit une transformation radicale. En même temps, il tente d'exploiter sa situation. Il est en proie à ses propres démons d'ordre sexuel, qui suscitent chez lui une honte difficile à supporter. La « Fusillade entre militants noirs » a provoqué la mort de deux enfants. Marsh Bowen reprend sa carrière dans la police avec les honneurs, des honneurs qu'il doit au massacre de deux innocents. C'est M. Hoover qui a imaginé le contexte général. L'agent spécial Dwight C. Holly l'a mis en place.

Ils vont créer un journal intime de Marsh Bowen. Il détaillera l'ascension d'un jeune Noir à la conversation brillante et psychiquement déconnecté. Les entrées de ce journal décriront son étrange amitié avec l'agent spécial Holly. L'agent Holly a soulagé sa conscience auprès de Marsh Bowen. Il lui a exposé la guerre du FBI contre le mouvement pour les droits civiques et décrit la haine raciale intense de M. Hoover.

Le complot pour assassiner le Dr King n'y serait pas mentionné. Cela éclipserait le choc de la mort de M. Hoover et provoquerait une apocalypse. L'amitié fictive Holly-Bowen y serait décrite avec force. Elle engloberait un univers de culpabilité et d'espoir. Le journal constituerait un programme complet. Il amènerait les lecteurs à un copieux corpus de documents fédéraux préexistants. Ces documents formeraient un récit constitué de détails ordinaires qui se dilueraient dans l'horreur. Les jurys d'accusation inculperaient Marsh post mortem. La classe politique tout entière serait engloutie par les rumeurs de complot. Toutes les pistes, réelles ou falsifiées, remonteraient jusqu'à M. Hoover et son héritage de haine.

M. Hoover était partiellement discrédité, à présent. Ses diatribes anti-King étaient de notoriété publique. Elles étaient négligeables comparées à ceci. Elles n'avaient pas cet impact nécessaire pour créer un choc brutal. Ceci constituerait un événement immense. Il provoquerait des vagues d'incrédulité suivies d'une résignation tragique devant l'évidence.

Dwight en serait le déclencheur. Il comparaîtrait devant des comités et des jurys d'accusation. Il serait convoqué devant le Sénat. Il décrirait de quelle façon il avait exploité Marsh Bowen. Il détaillerait la propre rancœur raciale qui l'avait habité toute sa vie, il rendrait compte, minutieusement, de son faux pas avec les militants noirs et il évaluerait le montant des pertes en vies humaines. Il révélerait son amitié avec Marsh et il dresserait un tableau saisissant d'un Blanc et d'un Noir, deux âmes jumelles, l'une étant le reflet inversé de l'autre, pareillement aux prises avec leurs contraintes. Il accorderait à Marsh son pardon et cet amour distancié qu'on éprouve pour ceux que l'on dévie du droit chemin. Il raconterait l'histoire de sa dépression. Il se résignerait à ce que sa vie soit examinée à la loupe sans aucun respect de son intimité.

La maison de Karen se trouvait à un jet de pierre. Dwight régla la mise au point de ses jumelles. Ella lançait des cubes en bois sur Dina. La grande sœur riait et partait en courant.

Il avait exposé son plan à Joan. Ils étaient au lit. Ils avaient loué une chambre d'hôte près de Silver Hill. Elle avait tremblé comme il tremblait tous les jours. Il lui avait inspiré la crainte admirative qu'elle-même lui avait toujours inspirée.

Il irait en prison. Une peine de quatre à six ans lui semblait raisonnable. Une détention en milieu protégé, avec des courts de tennis, et les privilèges réservés aux fédéraux. Il y aurait même des animaux dont il pourrait s'occuper.

Joan avait dit : « Prends ces comprimés. Ils t'aideront à dormir. » Deux capsules marron à base d'herbes.

Elles ne lui avaient pas fait perdre connaissance. Elles l'avaient emmené entre la veille et le sommeil. Joan le guidait d'un endroit à un autre. Elle posa ses mains sur la poitrine de Dwight et l'obligea à respirer au même rythme qu'elle. Elle commença à lui parler en français et en espagnol. Il comprit presque tout ce qu'elle lui dit. *Cap-Haïtien, Cotuí, Pico Duarte. Puerto Plata, Saint-Raphaël, El Guyabo.*

Respire à fond, je suis là, tu n'as plus rien à craindre maintenant. Je vais te dire ce qu'on a fait des cadeaux de Wayne.

Il se trouvait au Statler. Ça, il le savait. Ils avaient des chambres payées par le Bureau. Joan lui avait couvert les yeux et ordonné d'aller où elle lui disait d'aller.

Chaque centime versé par Wayne a servi à alimenter la lutte. Nous avons restauré quatre de nos planques et acheté des médicaments au marché noir. Celia a repeint les murs. Balaguer avait décidé de transformer la vedette Tiger Klaw *en yacht de plaisance. Quatre camarades ont dynamité la coque en cale sèche.*

Nous avons transporté par avion de la nourriture et des herbes médicinales jusqu'aux bidonvilles de Dajabón. Là-bas, une petite secte a canonisé Wayne Tedrow. Ses membres portent des photos de lui découpées dans les journaux, attachées à des chapeaux pointus. Il existe un mythe à son sujet, à présent, un mythe qui provient d'un rêve. Les gens croient qu'il a été martyrisé et assassiné par des hommes ailés.

Reste calme, maintenant, je sais que tu le vois, je sais que tu l'aimais. Nous honorons les morts à travers l'imagerie. La foi, c'est de cette façon que ça fonctionne.

Celia gérait nos achats d'armes. Elle se les procurait à Cuba et les expédiait à Port-au-Prince. Avec cet argent, j'ai fait sortir des détenus de la prison de La Victoria, et je leur ai fourni des armes et des faux papiers d'identité. L'argent allait aux convertis venus de La Banda. Ils laissaient les portes ouvertes et déchiraient les documents. Un jeune homme à qui Wayne avait sauvé la vie lui a remboursé sa dette intégralement. Il a tué six bourreaux de La Banda dans un bordel de Borojol. Celia a fait sauter la chambre de torture située sous le terrain de golf d'El Presidente.

Nous avons perdu certains des nôtres. Des représailles à l'aveuglette étaient inévitables et nous ont coûté beaucoup de vies. El Jefe a muselé la presse écrite et télédiffusée pour les empêcher de rendre compte de nos actions. Les informations se sont propagées grâce à des brochures ronéotées et à des émetteurs radio à ondes courtes.

De nombreux esclaves libérés par Wayne nous ont rejoints. Certains d'entre eux portent son portrait autour du cou. Il y a eu des escarmouches le long de la côte nord de la R.D. Une équipe de démolisseurs du 14/6 a fait sauter Tiger Krique. De nombreuses sectes vaudou tiennent les chantiers de construction pour des lieux sacrés. Beaucoup de gens refusent de les traverser. Nous avons abattu au fusil des dirigeants des Tontons Macoutes et trois bokurs *sanguinaires sur un terrain de golf près de Ville-Bonheur. Celia est perdue quelque part en R.D. ou à Haïti. Il y a des mois qu'elle est injoignable. Je n'arrive pas à la retrouver et je ne peux pas raisonnablement poursuivre mes recherches avec le travail qu'il nous reste à faire. Si tu as vu tout ou partie de ce que je viens de te raconter et que mes images t'ont guidé, alors tu devrais essayer de dormir.*

Le Statler mettait des peignoirs de bain à la disposition de ses clients. Taille unique. Celui de Dwight était trop petit pour lui. Joan était enfouie sous le sien.

Elle s'était levée la première. Le service des chambres était venu et reparti. Dwight servait le café. Joan examinait les différentes variétés de papier. Le chariot du service des chambres était devenu une table de travail. Le canapé servait de banc d'étude.

– Comment fait-on vieillir les documents ?

– Deux passages dans un four à convection. On traite le papier chimiquement et on le fait chauffer. On ajoute ensuite le texte écrit à l'encre ou tapé à la machine.

– Comment différencier l'écriture script de la cursive ?

– On prépare des stencils et on écrit en caractère d'imprimerie ou à la main à l'intérieur des limites.

Joan alluma une cigarette. Elle avait les yeux rouges – manque de sommeil et abus de tabac.

– Le journal intime, c'est le plus important. C'est notre document de base, donc il faut qu'il soit découvert.

Dwight s'assit sur le canapé.

– Nous devons nous assurer qu'il ne tient pas déjà un journal. Il faut le localiser, afin de pouvoir le subtiliser et le remplacer juste avant la convergence.

– Tapé à la machine, nous sommes d'accord ? On ne peut pas se permettre de créer à la main un faux de cette longueur.

Dwight but une gorgée de café.

– D'accord. S'il a une machine, nous en achèterons une identique et nous l'utiliserons. Je rapporterai un échantillon de la frappe à ma première perquisition clandestine.

Joan lui prit les mains.

– Scotty Bennett ? Il est intime avec Marsh, maintenant.

Dwight haussa les épaules.

– Scotty, c'est l'élément imprévisible. D'un côté, c'est un flic bardé de décorations, de l'autre c'est une sale brute. L'important, c'est qu'il donne de l'épaisseur au contexte général. Il a tué dix-huit braqueurs armés et au moins douze Panthères, et ce fait sera soit révélé au grand jour, soit occulté au point que cela fera très mauvais effet pour le LAPD.

Joan sourit.

– Ils étaient comment, tes rêves ?

Dwight sourit.

– Très limpides tant que tu m'as parlé. Un peu chaotiques par la suite.

Joan désigna une pile de pochettes d'allumettes. Toutes en provenance de bars homos. Le Dragueur de Mines, le Jaguar, le Repaire du Faucon. Marsh drague à Hollywood. Marsh garde des poppers au nitrite d'amyle dans des cachettes.

– Il pourrait avoir un amant qui contredirait notre profil.

Dwight secoua la tête.

– C'est un solitaire, il est discret, il est d'autant plus circonspect à présent qu'il est célèbre. Il est en couverture du magazine *Ebony* ce mois-ci.

Joan éteignit sa cigarette.

– Qui est le tireur ?

– Un Klansman que j'ai déjà employé.

– Compétent ?

– Oui.

– Le plus dur, ce sera de les réunir au même endroit.

Dwight reprit du café. Cela enraya un mal de tête qui commençait à poindre.

– Il faut que Marsh soit seul. Cela ne marchera que si le tireur est à une certaine distance. Le tireur fait feu, il abat Marsh, et il laisse une arme comme pièce à conviction. Tout le problème, c'est de le manipuler pour aboutir à la convergence voulue et de permettre une ligne de tir utilisable.

Joan hocha la tête.

– Tout se résume à un prétexte. Il faut donner à Marsh une bonne raison d'être là.

Dwight confirma.

– Oui. Et le meilleur endroit, ce serait L.A. Premièrement, Marsh est ici. Deuxièmement, le LAPD mettrait toutes ses ressources sur l'affaire, parce qu'il essaie d'enterrer tout ce qui est potentiellement embarrassant pour eux. Jack Leahy prendrait l'enquête en charge pour le compte du Bureau, et Jack est un client redoutable qui a une vision bien particulière de M. Hoover.

Joan massa les tempes de Dwight. Elle aplatit une veine protubérante.

– Ça va prendre des mois.

– Le plus dur, c'est de créer les différents niveaux de l'implicite. Il nous faut dès le début mettre en place les éléments de désinformation.

– La moindre incohérence va encourager un examen plus rigoureux.

– Et un degré supplémentaire de paranoïa et un désir général encore plus acharné de faire coïncider tous les éléments.

Joan dit :

– Cet événement qui doit précipiter la conclusion finale. Tu y as réfléchi ?

Dwight fit craquer ses phalanges.

– Je l'ai déjà prévu. Le Bureau a un centre d'archivage à Media, en Pennsylvanie. Il y a 10 000 dossiers de surveillance stockés là-bas. C'est un endroit où il est facile de s'introduire.

Joan sourit.

– Un vol avec effraction rendu public ?

– Oui, un préavis, en quelque sorte. Avec un peu de chance, cela provoquera l'indignation d'une grande partie de l'opinion publique, et la sensibilisera à l'importance accordée aux documents confidentiels. Donc, l'événement que nous allons créer en deviendra d'autant plus compréhensible.

– Plus les gens s'intéresseront aux dossiers, plus ils découvriront de choses, et plus il y aura de choses qu'ils seront incapables de voir. Ils ne sauront pas réellement ce qu'ils recherchent, donc ils étudieront avec davantage d'attention, et le processus se dispersera et s'atténuera.

Dwight s'étira. Sa nuque était douloureuse. Il avait dormi lové contre Joan.

– Karen.

Dwight dit :

– Oui. C'est elle qui dirigera l'équipe.

Joan tira ses cheveux en arrière.

– Ma foi, elle est très douée.

– Oui.

– Tu ne peux pas lui dire ce que nous préparons.

– Je le sais bien.

– Il y a deux conceptions de l'éthique en jeu, ici.

– Je sais.

Joan alluma une cigarette. Dwight scruta son visage. Davantage de rides de stress. Davantage de cheveux gris que de cheveux noirs, à présent.

– Qui a caviardé ton dossier ?

– Je ne te le dirai pas.

– Explique-moi comment les choses ont mal tourné pour toi. Dis-moi comment tu t'en es sortie, et comment tu as trouvé le moyen de réaliser tout ce que tu as fait.

– Je ne te le dirai pas.

Dwight fit craquer ses pouces.

– Tu connaissais Tommy Narduno. Il a été tué au Grapevine Tavern.

Joan le regarda droit dans les yeux.

– Oui, il y était. Je suis sûre que c'est toi et tes collègues qui l'avez tué. Tout comme il était sûr que c'était toi qui avais organisé l'assassinat de King.

Dwight soutint son regard.

– Dis-moi comment il l'a su.

– Il t'a vu à Memphis deux jours avant. Il savait qui tu étais par rapport à M. Hoover. Il t'a vu distribuer des enveloppes à des flics de Memphis.

Dwight cligna des yeux. Smitty's Bar-B-Q. Un flic crache du jus de tabac, un autre s'évente avec une liasse de billets de cent, un autre se bâfre de côtes de porc cramées.

– Quoi d'autre ?

– Karen m'a dit que tu n'étais pas en forme, ce printemps-là.

– « L'École de la liberté. » Vous vous connaissez depuis longtemps, Karen et toi.

Joan se colla à lui. Dwight transpirait. Son peignoir était trempé.

– Karen et moi, nous nous connaissons depuis plus longtemps que tu ne crois.

– Et tu l'as manipulée afin de me rencontrer.

– Oui.

– Pourquoi ?

– Parce que je savais, c'est tout.

– Ce n'est pas une réponse.

– Parce que je pressentais un but commun. Parce que je pensais que tu pourrais peut-être m'aider à tuer M. Hoover.

Dwight la regarda fixement. Elle lui toucha la jambe. Wayne lui sourit de quelque part. *Regarde, M'man. Même pas peur.*

Joan dit :

– Nous avons eu la même idée chacun de notre côté. J'ai envie de le tuer depuis l'époque où j'étais enfant, et je ne te dirai pas pourquoi.

DOCUMENT EN ENCART : 16/12/70. *Extrait du journal intime de Karen Sifakis.*

Los Angeles
16 décembre 1970

Je vais le faire, bien sûr. Je vais confier le travail à mes camarades les plus proches, les plus prudents aussi ; personne ne sera blessé au cours de l'action. Dwight m'a procuré un plan schématique du Centre d'archivage et m'a affirmé que le bâtiment ne serait pas gardé. Le système d'alarme est ancien et le bâtiment lui-même assez isolé. Bill K., Saul M. et Anna B.W. ont accepté de participer à l'opération. Dwight la qualifie d'« entreprise de démystification, en elle-même, et d'elle-même ». Évidemment, il fait preuve d'hypocrisie en utilisant ce genre d'argument ; il sait que la possibilité, pour moi, de révéler au grand jour les surveillances illégales pratiquées par le FBI, c'est une tentation à laquelle je ne peux résister. Il a fixé la date au 8 mars. C'est ce soir-là qu'aura lieu le match de boxe entre Mohamed Ali et Joe Frazier. Dwight pense que les flics du coin seront tentés d'entrer dans les bars pour écouter la retransmission à la radio, ou le regarder sur une chaîne de télé pirate ; leur pouvoir de concentration et leur volonté de repérer préventivement tout acte sortant de l'ordinaire seront diminués.

Mes camarades sont résolument non violents. Je ne peux pas dire sans réserve la même chose au sujet de Dwight. Il a souffert d'une dépression nerveuse à la suite de la folie meurtrière qui a fait s'entretuer ces militants noirs, et il se sent complice. Je le vois dans ses attentions toujours plus affectueuses pour mes filles. Dois-je révéler un certain secret ici ? Deux enfants ont trouvé la mort au cours de ce partage de drogue qui a mal tourné. C'est précisément ce choc qui semble motiver ses actes. Je le vois faire ce que je fais. Je préserve mes enfants en cloisonnant ma vie : je travaille assidûment à assurer leur sécurité alors que je me comporte avec une imprudence considérable en dehors de chez moi. J'incarne l'orgueil d'une façon différente de celle de Dwight ; son imprudence est définie de façon traumatique, alors que la mienne est drapée d'oripeaux spirituels et peut même être considérée comme un choix de vie puéril.

Ella a presque deux ans, à présent. Partout où elle va, elle emporte les peluches que Dwight lui a offertes. Comme Dina, elle sait maintenant qu'elle a deux pères à temps partiel et qu'elle a gagné le gros lot dans le domaine des papas ravis. Quand elles seront plus grandes, elles me demanderont des explications. Je leur dirai : « C'était une époque de folie », et j'aurai l'impression de passer pour une imbécile.

C'est ma première entrée dans ce journal depuis celle de mars. Dans cette dernière, je décrivais mon déjeuner avec Joan et le cadeau qu'elle m'avait fait : une superbe émeraude. Je me remémore de plus en plus fréquemment la conversation que nous avons eue ce jour-là. Joan parlait des rêves comme d'un état de conscience interconnecté, d'un virus qui se transmet entre des gens aux esprits semblables qui ne peuvent reconnaître cette similitude de peur de devoir renoncer à leur propre personnalité. Cette explication tenait debout, même si ses aspects mystiques me semblaient très peu compatibles avec ce que je savais de Joan. Actuellement, beaucoup de choses étranges et surréalistes tiennent debout, parce que nous vivons « une époque de folie ». De ce point de vue, Joan et moi sommes toutes les deux les guides des rêves de Dwight. Je m'efforce de lui apporter le rêve de la paix et je suis jalouse que Joan ait pu lui apporter le rêve d'une conversation enflammée entre deux pensées.

Et pour Dwight la pensée se concrétise toujours par l'action.

Mon mari a quitté la ville il y a quatre jours. Dwight vient me voir un soir sur deux. Je suis sûre qu'il couche avec Joan les nuits où nous ne sommes pas ensemble. Et il m'appelle au moins une fois par jour pour parler de politique. Il s'efforce de tenir un discours utilitaire, mais des perceptions idéalistes s'y insinuent sans cesse.

J'ai remarqué à diverses heures de la journée des scintillements provenant d'un reflet du soleil sur une paire de jumelles, en haut de Baxter Street. J'en ai identifié la source : une petite maison dans laquelle j'ai pénétré. J'ai reconnu les vêtements dans la penderie. C'étaient ceux de Dwight et de Joan, évidemment.

J'ai remarqué, sur une table, du matériel pour falsifier des documents, et des cartons remplis de produits chimiques et de ramettes de papier. Je prie pour que mes rêves de paix puissent croiser leurs rêves à eux, et les empêcher de faire encore plus de mal.

DOCUMENT EN ENCART : 18/12/70. *Extrait du journal de Marshall E. Bowen.*

Los Angeles
18 décembre 1970

La semaine dernière, j'ai appréhendé un Noir, un pauvre type, pour vagabondage. Il avait plusieurs délits dans ses antécédents et ne possédait aucun moyen de subsistance visible. J'allais procéder à son arrestation, quand il a fait une drôle de tête, me reconnaissant soudain. Il a souri jusqu'aux oreilles et a déclaré d'un ton assez neutre : « C'est vous, le Patron. »

Il avait raison. Je *suis* le Patron. Je suis un gradé plusieurs fois décoré du LAPD ; je suis, selon le magazine *Ebony*, une « icône de la nouvelle masculinité noire », un « sérieux candidat au poste de directeur de la police un jour prochain ». Une carrière politique ne serait pas exclue, pas plus qu'une carrière dans le journalisme télévisuel. Je fais les couvertures des magazines : *Ebony* et *Jet*, et bientôt *Sepia*. Je peux me permettre de me montrer magnanime, étant donné la tournure inespérée que prend mon existence. Alors, j'ai dit à mon pauvre type : « Tu as raison, mon frère. C'est moi le Patron. » Et je l'ai laissé partir.

Je travaille au Bureau d'investigation de la division de Hollywood. Je roule dans l'une des Chrysler de la patrouille de nuit et je coordonne les enquêtes sur les activités criminelles en cours dès qu'elles sont repérées. J'ai droit à des regards respectueux et des regards rancuniers de la part de criminels de tous les acabits, et à des regards respectueux et des regards rancuniers de la part de mes collègues officiers de police. J'ai vingt-six ans, et je compte trois ans de service au LAPD. Je suis sergent, on m'a affecté à une prestigieuse division d'investigation. Je suis le héros noir qui a mené à bien une mission d'infiltration pour briser les reins de deux dangereux groupuscules de militants noirs qui s'adonnaient au trafic de drogue et qui étaient, fondamentalement, *anti*-Noirs. Je ne suis plus un frère de seconde zone qui s'encanaillait pour donner le change. J'ai quitté mon taudis de Watts pour m'installer dans une jolie maison de Baldwin Hills. Permettez-moi de le répéter : je suis assurément LE PATRON.

J'ai profité du *Zeitgeist* du militantisme noir, j'en ai tiré le meilleur, et au maximum. Le mouvement nationaliste noir est en déroute. C'est, à l'échelle du pays tout entier, une cascade d'inculpations, de procès, de condamnations et de tracas juridiques divers, résultat de plusieurs années d'infiltration par la police et de querelles entre les groupes. Eldridge Cleaver se cache en Algérie. Les Panthères et les E.U. ont explosé à la suite de mesquines guerres de territoires, de leur incompétence généralisée et de leur agressivité congénitale. L'ATN et le FLMM sont kaput. Ma déposition a envoyé en prison mes frères qui fumaient des joints, qui buvaient de la gnôle et qui couraient la gueuse. Wayne Tedrow voulait mourir après un geste grandiose et il y est parvenu en Haïti. M. Holly a fait une dépression nerveuse. Dans le ghetto, aujourd'hui, on me *craint*. Je suis un indic connu en tant que tel, un traître célèbre, et un flic impitoyable.

« C'est vous, le Patron. » Ça ne fait aucun doute.

Je traîne souvent chez Tiger Kab. Le nouveau patron est un certain Fred Otash. « Freddy O. » est un ex-flic du LAPD, un ancien détective privé, un mercenaire au service de la Mafia, et un aimant qui attire toutes les rumeurs non vérifiées. Freddy pratique l'extorsion de fonds, Freddy dope des chevaux de course, Freddy a participé aux attentats contre MLK et RFK. Je n'en crois rien et je crois tout. Je suis *Le Patron*. J'ai une histoire récente et vérifiable, et je possède actuellement une classe bien plus grande.

Sonny Liston reste un habitué de Tiger Kab. Nous passons du temps ensemble. Il adore l'autorité et il est ravi que j'aie été un salopard depuis qu'il me connaît. Sonny souffre d'une dépendance assez grave à l'héroïne, et son ami Wayne lui manque beaucoup. Il parle de Wayne avec nostalgie ; je compatis souvent à son chagrin, parce que j'aimais bien Wayne, moi aussi. Sonny sait que j'ai connu Wayne chez Tiger Kab ; Sonny ne sait pas que nous étions complices au sein du même complot. Ce qui me manque plus que tout, ce sont mes conversations avec Wayne. Nos états de rêve éveillé ont concordé pendant quelques agréables moments, et nous avons tenté de déchiffrer ce que tout cela pouvait signifier.

M. Holly ne me manque pas. Nous ne nous sommes pas reparlé depuis notre dernière entrevue avant la « Fusillade ». Il connaît la version édulcorée des événements de cette journée, et il sait quel bénéfice j'en ai tiré. Il ne veut pas me voir, et je ne veux pas le voir non plus. M. Holly me rappelle l'entraîneur de football pour qui j'avais le béguin au lycée. Je le craignais et je souhaitais obtenir son respect et son affection. Puis je suis entré dans un cycle d'affirmation personnelle et je me suis détaché de lui avec le temps. Monsieur Holly, adieu. Vous m'avez appris des choses. Merci pour votre aide.

Je laisse s'exprimer mon Penchant de façon discrète et seulement à distance respectable de la ville. Ventura et Santa Barbara sont parfaits pour cela. J'appréhende des homos dans Selma Avenue et Hollywood Boulevard, et je me munis de gants lestés de grenaille pour ce travail. J'ai une règle : tout homosexuel qui minaude ou qui tortille du croupion avec trop d'insistance en ma présence reçoit une raclée.

Je suis flic. Je m'attire toutes sortes d'ennemis parmi mes collègues blancs. Cela n'a pas d'importance. Je suis intime avec le seul flic blanc qui compte.

Scotty m'a demandé si la mort des deux enfants me pesait sur la conscience. J'ai répondu : « Pas beaucoup. » Nous ne nous ferons jamais totalement confiance, mais nous nous entendons très bien. Nous avons mis en commun nos informations sur le braquage, et nous sommes tombés d'accord sur un point : il faut retrouver Reginald Hazzard. Hier, j'ai appelé Mary Beth Hazzard à Las Vegas. J'ai joué de mon charme de Noir chevaleresque, j'ai parlé de mon amitié avec Wayne Tedrow, et j'ai expliqué que je savais que Wayne cherchait son fils disparu. J'ai mentionné mes liens avec le LAPD et lui ai proposé mon aide. Wayne avait-il constitué un dossier à ce sujet ? Lui parlait-il de l'état de ses recherches ?

Mme Hazzard s'est montrée polie. Non, ils ne parlaient pas de la disparition de Reginald. Elle avait jeté le dossier après la mort de Wayne. Elle ne voulait rien savoir.

J'ai appelé Scotty. Nous avons renoncé à la piste qu'aurait pu offrir ce dossier. J'ai consulté les archives de l'hôpital de Las Vegas et j'ai découvert le groupe sanguin de Reginald Hazzard. Oui, c'était bien AB⁻. Oui, il correspondait à celui du braqueur qui s'était échappé.

Scotty a lancé une vérification des archives à l'échelle du pays entier sur Reginald et n'a rien appris. Nous sommes tombés d'accord sur la conclusion à en tirer : soit il était mort, soit il avait quitté les États-Unis. Scotty consulte en ce moment les demandes de passeport.

Nous avons prévu une deuxième réunion stratégique. Scotty m'a rapporté les dernières paroles, prophétiques, d'un braqueur de bars qu'il avait abattu en 1963. Ce type s'attaquait au Silver Star Bar, au carrefour d'Oakwood et Western. Scotty était entré sur ses talons et lui avait tiré dans le dos. Le type était mort quelques instants plus tard. Il avait juste eu le temps de dire : « Scotty, c'est toi le Patron. »

Ça en fait un de plus.

91

Los Angeles, 19 décembre 1970

Le service des douanes a lâché le morceau. Demande de passeport rejetée, n° 1189, le 14/3/64.

C'est deux semaines et demie après le braquage. Reggie est à La Nouvelle-Orléans. Il dépose une demande de passeport, sous son vrai nom. Il a une pièce d'identité bidon et récolte un refus. Le bureau de La Nouvelle-Orléans : connu pour son laxisme. Sa pièce d'identité : falsifiée, c'est sûr.

Scotty reposa le téléphone. Calme plat dans la salle de garde. Rien ne traînait dans son box. Il tira deux bouffées de sa cigarette et l'écrasa. Il se mit à cogiter.

Reggie est le pilier de l'affaire. Reggie essaie de quitter le pays. Il se fait rejeter à La Nouvelle-Orléans. A-t-il essayé de nouveau ailleurs ? A-t-il *obtenu* son passeport et a-t-il pu partir ?

Jomo Jackson, lui *méééchant* Noir. Jomo reçoit des infos sur le Dr Fred Hiltz. Il faut que tu braques ce salopard de raciste. Il faut que tu lui flanques *le trac* à propos de février 64.

Jomo a dit que c'était un « coupe-circuit » qui lui avait refilé les infos. « Coupe-circuit » : typiquement un terme en vigueur dans le contre-espionnage. Jomo est mort brusquement, mais essaie un peu cette hypothèse :

C'est une *femme* qui a cornaqué le faux Marsh Bowen. C'est elle qui lui a dit de cafter Jomo. C'est une *femme* qui a fait savoir par téléphone que Marsh était pédé. Dwight Holly avait assisté au premier interrogatoire de Jomo : le mot *femme* lui avait presque donné des sueurs froides.

Scotty alluma une autre cigarette et en tira deux nouvelles bouffées. Ses cogitations s'accélérèrent.

Macaque Junkie déclara :
– Ça sent le cochon. Je vois un gigantesque rôti de porc sur deux pieds. Pourquoi est-ce que ce salopard de la race porcine porte un drôle de petit nœud papillon ?
Les frères qui traînaient là gloussèrent. Scotty ôta son chapeau et salua. Sonny Liston se figea, en pleine prise. La table du répartiteur était couverte de poudre.
Fred O. gérait les appels du standard. Scotty lui montra la porte donnant sur le parking. Ils avaient assuré ensemble les gardes de nuit au commissariat central en 52. Freddy pouvait se faire des à-côtés. Il avait des talents cachés.
Le parking avait besoin d'un bon coup de balai. Les capotes usagées et les cannettes de bière lui hérissaient le poil. Fred O. annonça :
– Dis-moi quelque chose d'intéressant. Ça me coûte de l'argent de te parler.
Scotty expédia dans sa bouche une pastille contre les brûlures d'estomac.
– C'est pour piéger un pédé. Un homo en qui je n'ai pas confiance.
Fred O. se cura les oreilles avec un coton-tige.
– C'est pas donné. Tu auras besoin d'un appât, d'un photographe, et d'un type qui fait le guet.
– Je peux te donner cinq mille dollars.
Fred O. brandit l'index vers le ciel. Scotty rectifia :
– Dix.
– Quinze. Dernier prix. Comme on est de vieux compagnons de tranchées, je vais m'y atteler tout de suite et te laisser le temps de récolter le fric.
Scotty dit :
– Ça marche.
Fred O. ajouta :
– J'ai piégé un homo en 67, avec Pete Bondurant. On a muselé un militant pour les droits civiques. On travaillait en sous-main pour les fédéraux. C'est un certain Dwight Holly qui finançait l'opération.
Scotty leva les yeux au ciel.
– Je connais Holly. Je ne veux pas qu'il soit au courant.
– Aucun problème pour moi.
– Parle-moi du personnel.
– Pete et moi, on a de quoi faire pression sur Sal Mineo – une

histoire d'homicide. Il s'est fâché contre son petit copain pédé et il l'a découpé en morceaux. Sal a la cote auprès des homos. On pourrait se servir de lui une nouvelle fois.

Scotty mâchait sa pastille.

– Je connais Sal. Il baise tout ce qui est mâle. Il a été star de cinoche pendant six secondes. Mon pigeon pourrait se laisser tenter.

Freddy alluma une cigarette.

– Fred Turentine pour les photos et Phil Irwin pour faire le pet. Fred T., c'est le meilleur de tout l'Ouest. Phil est un sacré chauffeur, et il conduit pour moi à temps partiel.

Scotty secoua la tête.

– Phil est un alcoolo, et il adore le bois d'ébène. Le moindre bar, la moindre nana noire suffisent à le déconcentrer.

Freddy haussa les épaules.

– D'accord. Le petit Crutchfield, alors. Il connaît Sal, par l'intermédiaire de Clyde Duber. Il a des couilles, à sa façon, dans le genre pervers.

Scotty lui tapa une cigarette, en tira deux bouffées, et la jeta.

– Bon, ça me va. Il y a trois mises en garde dès le départ, cependant. Premièrement, cette opération, c'est un coup de poker de première importance pour moi. Deuxièmement, je veux avoir tous les négatifs et tous les tirages. Troisièmement, c'est moi qui tire les ficelles au moment de faire chanter le pigeon.

– Bien sûr. Je n'y vois aucun inconvénient. C'est ton fric, c'est toi qui fixes les règles.

Un taxi Tiger Kab sortit du parking. Wilt Chamberlain était assis à côté du chauffeur. Le basketteur qui faisait la une des journaux lissait sa coupe afro.

– Le pigeon, c'est un flic. Nous devons être très prudents. Ce n'est pas la première tapette venue qu'on peut coincer les doigts dans le nez.

– Donc, Reggie dépose sa demande de passeport à La Nouvelle-Orléans et elle est rejetée. Supposons qu'il ait tenté le coup ailleurs, avec d'autres papiers d'identité à son nom, faux mais plus convaincants, ou sous un autre nom, et que sa demande ait été rejetée ou acceptée. Une nouvelle série de coups de téléphone ne nous servira à rien. Ces putains de refus de délivrance, il faut qu'on les voie, parce qu'ils sont toujours accompagnés de photos. Je me suis renseigné. Les bureaux les plus laxistes, c'est Milwaukee, St. Pete, et Lynn, Massachusetts. Les types qui ont des papiers périmés ou des pièces d'identité bidon, c'est là qu'ils vont en premier. Tu as accumulé les jours de perme. Tu vas sur place, tu fais du barouf en brandissant ton insigne, et tu consultes les archives.

Pipers, sur Western Avenue. La clientèle de 16 heures : des ambulanciers qui avalent du café.

Marsh dit :

– Je m'en occupe.

Scotty fit :

– Bien dit, mon frère.

– Et qu'est-ce qu'on fait pour la Banque populaire ? Je me disais qu'on pourrait interroger Lionel Thornton.

Scotty secoua la tête.

– C'est trop glandilleux. Premièrement, il est cul et chemise avec tous les politiciens de L.A. qui ont un peu de pouvoir. Deuxièmement, tu as travaillé là-bas et tu n'as rien appris. Troisièmement, j'ai infiltré des flics débutants dans la banque en 66 et 67, et eux *non plus*, ils n'ont rien appris.

Marsh chipotait sa nourriture. Il était délicat. Il avait *preeeesque* l'air d'une tante.

Scotty arrosa ses frites de ketchup.

– Bon, on est en 64. Le Dr Fred a hâte de récupérer ces fameuses émeraudes. Après, en 68, le Dr Fred se fait braquer et flinguer. Ensuite, en 69, Jomo m'apprend qu'un « coupe-circuit » – son propre terme – lui dit de calmer le Dr Fred au sujet de février 64.

Marsh hocha la tête.

– Continue.

– Alors, toi, tu caftes Jomo, sauf que ce n'est pas vraiment toi. C'est le printemps 69. L'opération des fédéraux bat son plein. Toi, tu es la taupe de Dwight Holly. Wayne Tedrow est *ton* coupe-circuit, il est sur la piste de Reggie, dommage que la maman de Reggie ait balancé le dossier à la poubelle, c'est de l'histoire ancienne, et je parie que Wayne était trop submergé de travail pour avoir fait beaucoup de progrès dans ses recherches. C'est le terme *intermédiaire* qui me revient sans cesse à l'esprit. *C'est typiquement un mot qu'emploient les flics des renseignements.* Je pense à une sorte de confluence entre flics de droite et flics de gauche sur ce coup-là.

Marsh hocha la tête. Scotty dit :

– *Cherchez la femme.*

Marsh haussa les épaules. Mon frère, qu'est-ce que tu veux dire par là ?

– Il y avait une femme qui soufflait à l'oreille du type qui s'est fait passer pour toi. Big Dwight a sursauté quand j'ai mentionné ce détail. Passons maintenant au mois de mars dernier. On me confie un tuyau selon lequel une *femme* communiste veut se débarrasser de trois livres d'héroïne.

Marsh fit la grimace. Aussitôt, Marsh reprit un air *innocent*. Revirement instantané. Mon frère, c'est dur à avaler.

92

Los Angeles, 20 décembre 1970

Blak-O-Rama : « la Nouvelle Afro-desi-essence ».

Crutch feuilletait le premier numéro. Phil Irwin et Chick Weiss le lui avaient passé. Phil adorait les filles noires à coiffure bouffante en mini-culotte au crochet. L'article principal chantait les louanges de Tiger Kab. C'était « Le point de rencontre des dernières tendances de la Nouvelle Masculinité Noire ». C'était « un laboratoire social qui montre que l'intégration peut marcher ».

Les clients se faisaient rares. Crutch était installé dans une limousine tigrifiée. Son smoking en peau de tigre avait des pellicules. Les sièges en peau de tigre avaient la gale. Il souffrait d'une *saaale* fatigue oculaire. Il avait lu le dossier de Wayne six fois.

Il planquait le dossier dans sa piaule du centre-ville. Les nouveaux cartons envahissaient l'espace vital. Ses relectures lui avaient appris ceci :

Wayne n'avait pas fait le rapprochement entre Reggie Hazzard et le braquage du fourgon blindé. Wayne ne savait pas que le braquage était le pivot central de toute l'affaire. Wayne n'avait pas vu le lien entre le braquage et Joan Rosen Klein. Wayne n'avait pas *complètement* rapproché Laurent-Jean Jacqueau et Leander James Jackson. Wayne n'avait pas déterminé dans *quel* trou perdu Joan avait fait sortir Reggie de prison. Wayne était mort avant la « Fusillade entre Militants Noirs ». Wayne ne savait pas que Scotty B. et Marsh B. étaient associés à présent. *Wayne n'avait absolument pas fait le lien avec le braquage.*

Crutch feuilletait *Blak-O-Rama*. Les clients prestigieux de Tiger Kab donnaient leurs impressions. Wilt Chamberlain : « Les meilleurs taxis de L.A., baby. » Archie Bell : « Tiger Kab la met bien profond à l'Homme Blanc. » Allen Ginsberg : « Tiger Kab, c'est l'avant-garde multiraciale. »

Phil Irwin entrait dans le parking. Il transportait Chick Weiss et une pute cubaine. Chick Weiss avait l'œil hagard à cause des Quaaludes. Buzz Duber sortait du parking. Il transportait Lenny Bernstein et un travelo mulâtre.

C'est la plaque tournante des dernières tendances. Les chauffeurs de Clyde Duber qui font le taxi en heures sup'. Du café noir musclé à la Dexédrine. Tiger Kab qui tourne rond vingt-quatre heures sur vingt-quatre.

Crutch sortit de sa limousine et arpenta le parking. Lenny le B. se remettait les balloches en place. Chick et Phil avalèrent des ludes et firent *aaaah*.

Chick expliquait :

– *Consentement mutuel*. N'oubliez pas ce que je vous dis : c'est la formule qui sonne le glas de vos petits boulots de branleurs.

Phil renchérit :

– Ça devait arriver. Ça fait partie de cette connerie de mouvement hippie qui balaie tout le pays. Plus la peine de prouver qu'on a des raisons de demander le divorce.

Chick enfonça le clou :

– Ça veut dire que des avocats véreux comme moi n'ont plus besoin de payer des pervers comme vous pour enfoncer des portes et coller l'œil à la fenêtre.

Phil dit :

– Nous, des *pervers* ? C'est l'hôpital qui se fout de la charité.

Chick lui ferma son clapet. Lenny le B. avala un lude et fit *aaaah*.

Crutch les dédaigna et entra dans le bureau. Le Cartel de Moricauds était au boulot. Milt C., Fred O., quelques Panthères égarées et quelques flics errants. Et Sonny Liston, qui venait de se faire un rail.

Il brandissait le *Vegas Sun*. Il citait un article d'une voix *forte*.

« Un ex-champion dans la mouise. L'ancien caïd des boxeurs poids lourds n'a plus un rond. De nombreuses sources confidentielles ont confié à votre serviteur que notre concitoyen Sonny Liston, qui fut champion du monde de sa catégorie et un puissant pourvoyeur de prouesses pugilistiques, pourrait demander bientôt des bons de nourriture à l'aide sociale, et quémander un emploi de portier de casino façon Joe Louis. La rumeur dit que son pécule diminue, diminue, et qu'il n'en reste plus, résultat de déplorables habitudes de vie, et l'éventualité d'un troisième combat contre Mohamed Ali, si ce dernier devait survivre à la rencontre, titre en jeu, avec Smokin'

Joe Frazier le 18 mars prochain, est considérée par les professionnels de la boxe comme un projet purement chimérique, et rien de plus. »

Redd Foxx commenta :

– Ça me paraît crédible.

Macaque Junkie dit :

– Moi, je vais m'occuper de ton cul. Tu seras *jamais* dans la dèche si tu vends ton gros popotin noir pour *moi*.

Sonny dit :

– C'est un ramassis de conneries. J'ai quatorze mille dollars en actions Kellog's Rice Krispies, et j'en ai six mille dans ma poche.

Freddy fit un signe à Crutch. Ils entrèrent dans les toilettes. Freddy tourna le verrou.

– Ça te plairait de piéger un pédé pour moi ? Je te donnerai deux mille dollars.

Crutch se sentit défaillir.

– Merde, et comment ! Comptez sur moi.

– On veut Sal Mineo comme appât. Tu le connais, alors c'est toi qui vas le recruter. Il touchera trois mille cinq cents dollars, et il n'aura pas le droit de refuser. Mentionne mon nom, ça devrait couper court à toutes ses protestations.

Crutch déglutit.

– C'est pour qui ?

– Scotty Bennett.

Crutch re-déglutit.

– Qui est le pigeon ?

Freddy s'esclaffa.

– Ce flic qui s'appelle Marsh Bowen. Il est de la jaquette, le méchant nègre.

Sonny cuvait sur la banquette arrière. Ils étaient à mi-chemin de Vegas. Dans cinq jours, c'était Noël. Tous les chauffeurs de Tiger Kab portaient des bonnets rouges.

Crutch ôta le sien. Ça jurait avec son smoking tigré. Minuit s'évapora – encore une course avec un retour à vide.

Un pédé à faire chanter. Ça se gâte au paradis. C'est forcément en rapport avec le braquage.

Sonny défit son garrot.

– On m'a parlé de toi, le Mateur. Tu as cafté les affaires de

Wayne à Mary Beth. C'est les lutins du Père Noël qui m'ont *tout* dit. Ça veut dire que je t'ai à l'œil.

Crutch eut des palpitations. Un coyote traversa la route en courant. Crutch lâcha le volant et faillit l'écraser.

La radio capta de nouveau. Les montagnes avaient bloqué le signal soixante kilomètres plus tôt. Brenda Lee chantait *Jingle Bell Rock*.

Crutch jeta un regard au rétro. Son rythme cardiaque atteignit les 200 pulsations à la minute. Sonny était assommé par l'héroïne. Ses dentiers sortaient à moitié.

Les chants de Noël le consolèrent jusqu'à la frontière de l'État. La thérapie par la diversion rejoint le retour aux sources.

Noël 54. Grand-Maman Woodard est venue d'Ortonville, Minnesota. Une crise cardiaque l'emporte en mars. La mère de Crutch fait ses valises en juin.

Noël 62. Il se fait dérouiller par Paul McEachern. Noël 66. Il vole la voiture du petit ami de Dana Lund et balance des pétards allumés dans le réservoir d'essence.

Sonny s'ébroua. Qu'est-ce qu'elle fait là, cette seringue ? Crutch ne dit rien. Vegas s'annonçait à cinquante kilomètres de là.

Sonny dit :

– Je suis pas dans la dèche, et j'ai pas besoin qu'on me fasse la charité. Le *Vegas Sun* passe un article bidon et un crétin anonyme m'envoie par la poste une émeraude de toute beauté. Il enveloppe cette putain de pierre précieuse dans ce putain d'article, pour que je saisisse bien l'allusion.

Comme un direct au foie. Crutch a le souffle coupé et il voit double. La route plonge. Il accroche le poteau d'une clôture. La lune fait un bond, un saut et un écart.

Sonny agrippa le rebord de la portière. Crutch stabilisa le volant. La lune se recala à moitié.

– Est-ce que je peux voir l'enveloppe et l'émeraude ?

– Non, le Mateur, tu peux pas. Ce que tu peux faire, c'est m'emmener à Vegas en un seul morceau et me foutre une paix royale.

Les émeraudes, le pédé à pressurer, la connexion du Cartel de Moricauds. Tout ça est lié.

Il s'envoya une dose et s'endormit sur le parking du Sands. Il se réveilla et s'enfila une nouvelle dose accompagnée de gaufres et de Bloody Mary. À L.A., Redd Foxx avait vendu à Sonny quatre sachets d'héroïne. Sonny s'en était injecté un sachet dans la limousine. Sonny devait être dans un état comateux à l'heure qu'il était.

Crutch alla repérer sa baraque. La limousine tigrée à châssis long attirait des regards insistants. La baraque était luxueuse selon les critères des Noirs. Le quartier était à moitié blanc.

C'était maintenant ou jamais.

Il avait sur lui une cale à glisser entre porte et chambranle et un jeu de passes. La Buick maousse de Sonny était garée devant la maison. Le heurtoir de la porte était un gant de boxe en bronze..

Il faut réveiller les morts. Surtout ne pas commettre d'erreur ici.

Crutch mania le heurtoir, actionna la sonnette et donna des coups de pied dans la porte. Il n'obtint pas de réponse et recommença la même séquence. Le silence s'intensifia. Il tripota sa cale à la hauteur du pêne et entra sans hésiter.

Des ronflements lui parvinrent. Sonny était dans le cirage, allongé sur le canapé en skaï. Il avait utilisé un sandow comme garrot. La seringue était encore entre ses doigts.

« Un champion dans la mouise ? » Ouais, sans aucun doute. La baraque était plus que crasseuse et manquait de meubles. Le plafond avait des fuites de sciure de bois et de fréon. Des gamelles pour chien les récoltaient.

Une fouille rapide – s'agit de ne pas déconner, cette fois.

D'abord, visite d'ensemble. Un salon, une cuisine, deux chambres. Pas d'étagères, pas de penderies, des fringues dans des sacs en papier. Commençons par les placards intégrés de la cuisine.

Il fouilla la poubelle. Il trouva des barquettes cramées de repas tout prêts et des bouteilles de vodka, vides, d'un demi-litre. Il fouilla les tiroirs de la cuisine – eurêka, c'est ça.

Une enveloppe blanche, dimensions standard, pas d'adresse d'expéditeur. Le nom et l'adresse de Sonny inscrits en capitales d'imprimerie. Postée à L.A., la coupure de presse à l'intérieur, pas d'émeraude.

Crutch saisit l'enveloppe par les bords. Il la glissa dans une pochette en plastique et mit à sa place une enveloppe libellée à la main.

Dans son sommeil, Sonny poussa un cri de petit chien qui rêve.

Clyde lui avait télégraphié trois mille dollars, aux bons soins du Dunes. Il fit fructifier la somme jusqu'à cinq mille dollars à la roulette. Il avait sa photo de Reggie Hazzard. Il acheta une carte routière de la région Californie-Nevada. Il se fit porter pâle chez Tiger Kab. Il planqua la limousine tigrée dans un garage à la journée pour ne pas avoir l'air d'un hurluberlu.

Il loua une berline Ford. Il largua son smoking en peau de tigre et s'acheta une veste de sport. Il partit graisser la patte à quelques flics de la cambrousse. Ce qu'aurait dû faire Wayne dès le départ.

Des patelins paumés. Des bleds à la frontière et des repaires de culs-terreux. Des grains de poussière dans le désert, avec des postes de police comptant six, huit ou douze hommes.

Rainbow Hill, Crescent Peak, Dyer, Daylight Peak. Woodford, Minden, Pahrump, Salisbury, Mid-Lockie. Quatorze bleds avec l'étiquette « Californie-Nevada » au milieu.

Il roula d'un trou perdu à l'autre. Il brandit sa photo accompagnée d'un billet de cent dollars. Il soudoya des flics péquenauds, des flics contremaîtres agricoles et des salopards qui exploitaient des immigrés clandestins. Il insista sur décembre 63. Il décrivit Joan. Il mentionna la violation de conditionnelle – puis-je consulter vos archives, s'il vous plaît ?

Certains flics l'envoyaient promener. La plupart prenaient son fric. D'autres flics prétendaient avoir balancé à la poubelle les dossiers des libérés sous caution qui s'étaient évaporés. La plupart arguaient du renouvellement du personnel pour noyer le poisson.

Il poursuivit ses recherches pendant trois jours. Il dépensa 3 400 dollars. Il dormit dans des hôtels bon marché et rêva à Joan. Il visita les neuf dixièmes des villes figurant sur sa carte routière. Il reprit le chemin de L.A.

Il quitta la route I-15 à McKendrick. Le poste de police était une baraque préfabriquée semi-cylindrique, en tôle ondulée, qui dominait un champ de laitues. Des détenus ramassaient les salades. La flotte de véhicules, c'était quatre vieilles Ford et seize canassons. Les récolteurs de laitues portaient des combinaisons de toile marquées au pochoir. Les flics conduisaient des voiturettes de golf et s'enfilaient des bouteilles de bière.

Crutch se gara très d'un cheval rouan attaché à un poteau. Un flic tanné par le soleil s'approcha. Il avait des plaies purulentes comme Crutch Senior.

– Je peux vous aider, jeune homme ?

– J'avais quelques questions, si vous aviez la gentillesse...

Le flic tendit la main.

– La gentillesse, ça se paie. N'essayons pas de prétendre le contraire.

Crutch lui lâcha un billet de cinquante dollars.

– Une arrestation pour vagabondage et possession d'arme à feu. En décembre 63. C'est un jeune Noir qui s'est fait coincer, et une femme blanche aux cheveux bruns, avec des mèches grises, a payé sa caution pour le faire libérer.

Le flic tendit la main. Crutch secoua la tête. Le flic dit :

– J'étais présent ce jour-là. La gentillesse, c'est pas gratuit.

Crutch rajouta deux billets de cinquante. Le flic fit claquer ses doigts. Crutch lui en donna deux de plus.

Le flic se gratta une croûte de nez.

– Un jeune nègre et une juive. En fuite. Ne demandez pas à consulter les archives, parce qu'il n'y en a pas. Le môme a laissé des livres communistes et des livres de chimie dans sa cellule. Ils sont peut-être encore dans le local des scellés.

Les outils :

De la poudre à révéler les empreintes et des pinceaux. Des feuilles de plastique souple enduites d'adhésif pour le transfert. Une loupe et la carte d'empreintes digitales de Joan Rosen Klein.

Les objets :

L'enveloppe de Sonny Liston. *Chimie élémentaire* de Magruder. *Les Damnés de la terre* de Frantz Fanon.

Il travaillait aux Vivian Apartments. Il avait fait de la place sur son bureau et installé tout son matériel. Sa grosse lampe à col de cygne lui fournissait la lumière nécessaire.

Les pages des livres étaient poreuses. Elles ne gardaient pas les empreintes. Les jaquettes pelliculées des mêmes livres devaient conserver des traces. L'enveloppe était lisse. La probabilité qu'il puisse y trouver des empreintes était bonne.

Crutch plongea un pinceau dans de la poudre rouge. L'une des jaquettes était blanche, l'autre beige clair.

Il enfila des gants de caoutchouc. Il ouvrit les livres et les posa à l'envers sur le bureau, la jaquette vers lui. Il obtint deux surfaces à peu près planes. Pour chaque volume : la couverture, le dos, et la quatrième de couverture. Il posa l'enveloppe sur le côté.

Respire bien à fond, maintenant.

Il saupoudra légèrement les livres et l'enveloppe. Il obtint des taches, des volutes et des traînées. Il ajouta une seconde couche de poudre. Il trouva deux empreintes exploitables sur le livre communiste. Il trouva deux empreintes exploitables sur l'enveloppe.

Respire bien à fond, maintenant.

Il prit sa loupe. Il examina les empreintes du livre et la carte d'empreintes de Joan. L'une des deux lui parut correspondre au premier regard.

Boucles, volutes et inversions. Points de comparaison : 4, 5, 6, 7, 8, 9...

Identiques.

Joan avait touché le livre de Fanon avec l'index de la main droite. Cela s'était passé en décembre 63 ou avant. Le livre était resté depuis au poste de police de McKendrick.

Crutch examina la seconde empreinte. Concentre-toi – imprime chaque portion dans ton cerveau.

Il la mémorisa. Il scruta la carte d'empreintes de Joan et fit plusieurs passages avec sa loupe. Non – pas de concordance avec la seconde empreinte.

Il posa une bande transparente adhésive. Il obtint un transfert propre de l'empreinte inconnue. Il en renforça le contraste à l'aide d'une bande de plastique noir. L'empreinte apparut, finement détaillée, blanc sur noir.

Respire bien à fond – plus qu'une.

Il passa à l'enveloppe. Il observa les deux empreintes. Il les mémorisa. Il ré-examina la carte d'empreintes de Joan. Il plissa les paupières pour les examiner à la loupe. Non – pas de concordance.

Il posa deux bandes transparentes adhésives. Il obtint un transfert propre des empreintes inconnues. Il en renforça le contraste à l'aide d'une bande de plastique noir. Les empreintes apparurent, finement détaillées, blanc sur noir.

Il posa les bandes des deux empreintes de l'enveloppe à côté de celle du livre. Il fit un aller-retour avec sa loupe. Une empreinte était manifestement différente. L'autre était parfaitement identique.

Voilà ce que cela signifiait :

Joan avait touché le livre de Frantz Fanon en 1963. Une deuxième personne avait touché le livre à cette époque-là. La même personne avait touché l'enveloppe de Sonny, fin 1970.

Cela ne pouvait pas être les flics de McKendrick. Une hypothèse sans aucune certitude : Reggie Hazzard.

Reggie n'avait pas de casier judiciaire. Cela voulait dire : pas d'empreintes digitales archivées. Reggie avait un permis de conduire délivré au Nevada. Le service des permis de conduire du Nevada n'exigeait pas d'empreintes.

L'enveloppe portait le cachet de Los Angeles. L'émeraude avait-elle été postée là-bas ? Ou bien *envoyée* à L.A. pour être réexpédiée ensuite ?

Respire bien à fond – il y a encore du boulot.

Noël arriva et s'éloigna. Le nouvel an fut noyé sous des torrents de pluie. Sonny Liston mourut d'une overdose une semaine plus tard. La veillée mortuaire chez Tiger Kab se transforma en happening.

Redd Foxx et Milt C. firent leur numéro. *Blak-O-Rama* consacra un article à l'événement. Fred O. fournit la gnôle. Chick Weiss fournit la drogue et des putes des îles. La clique des Duber Boys rappliqua. Les chauffeurs formèrent un kortège de taxis et traversèrent Nègreville en trombe. Les Panthères et les flics mangèrent des grillades côte à côte en parfaite harmonie. Lenny Bernstein cita Krishnamurti. Scotty Bennett échangea des coups avec le boxeur Jerry Quarry. Comme ils y allaient de bon cœur, cela faillit tourner au vinaigre.

Le traquenard pour homo était remis à plus tard. Freddy voulait quinze mille dollars. Scotty avait tenté de marchander à dix mille, sans succès. Scotty rassemblait la somme. Freddy avait dit à Crutch de ne pas aborder tout de suite Sal le Sournois.

Il avait fait quelques divorces pour Clyde. Il avait envoyé à Mary Beth Hazzard d'autres questions : Wayne avait-il laissé d'autres documents ? Il avait fait le taxi à temps partiel pour Tiger Kab. Il consultait tous les soirs les relevés d'empreintes au service des permis de conduire du centre-ville.

Insomnie et fatigue oculaire. Ampoules de Nembutal et flacons de collyre. Examen manuel de tous les relevés d'empreintes. Comparaison avec les deux bandes de plastique.

Dans sa tête, il tenait le compte des cartes déjà vues. Il en perdit le fil au-delà de dix mille. Il tint un compte journalier. Il en perdit le fil le 6 janvier.

Le 7, il arriva en retard. Il soudoya le préposé du service de nuit, procédure opératoire standard. Il avait apporté ses relevés d'empreintes, sa loupe et son collyre.

Il ouvrit une nouvelle boîte. Il examina les onze premières fiches sans résultat. Il sortit la fiche 12. Les volutes lui disaient quelque chose.

Respire bien à fond, maintenant. La seconde empreinte de l'enveloppe. Non, oui, non... peut-être.

Les points : 1, 2, 3, 4, 5, 6, 7, 8, 9... jusqu'à 14... Le compte est bon.

Correspondance parfaite. *Merde... Un nom qu'il connaissait.*

Lionel Darius Thornton, sexe masculin, race noire. Lionel le Blanchisseur. Le *consigliere* du Cartel des Moricauds.

93

Los Angeles, 9 janvier 1971

Chez Marsh : culturel et non-militant.

Il était entré en forçant les verrous grâce à des lamelles en tungstène. Les lunettes à infrarouge lui permettaient de voir dans le noir. Laissons les lumières éteintes pour désaturer les teintes.

Baldwin Hills. Une maison basse adjacente à Stocker Street. Bourgeoisie noire. Meubles à structure tubulaire. Une école à l'esthétique *coool.*

Dwight explorait tranquillement les lieux. Il était 21 h 49. En tant qu'invité d'honneur, Marsh avait un discours à faire, ce soir, dans une réunion des Républicains. Il avait la cote auprès des pontes du parti. Grâce à sa réussite à la force du poignet. C'était le gouverneur Reagan qui lui fournissait ses engagements.

C'est une première visite. Repérons les lieux.

Dwight prenait des photos. Son Minox lui permettait d'obtenir des clichés lumineux sans flash. Son refuge disposait d'un labo. Joan pourrait y développer les pellicules.

Des Rauschenberg et des Rothko dans des cadres en acier brossé. Un lieu austère, globalement. Une matrice métallique.

Dwight tapota les panneaux muraux. Il fouilla les étagères et les tiroirs de classeurs. Il vit des livres d'art, des avis d'imposition, et du papier à lettres vierge. Marsh accumulait les paperasses. Il croyait savoir que Joan l'avait qualifié de « chroniqueur clandestin ».

Dwight traversa la chambre. Le motif à base de tubes s'y prolongeait. Marsh adorait le métal brossé. C'était rude et fonctionnel. La chambre exsudait une odeur de mâle, à l'exclusion de tout parfum féminin. Marsh n'était qu'obstination dans le raffinement.

Marsh était le tout nouvel archétype de l'assassin insatisfait. Ceci était son repaire de psychopathe. C'était froid et impeccable. Au-delà, on ne pouvait aller que vers le *terrifiant.*

Dwight examina les tiroirs de la table de nuit. Il feuilleta le carnet d'adresses de Marsh et en photographia chaque page. Il vit des listes d'hommes répertoriés par leur seul prénom. Il vit les numéros de téléphone de plusieurs bars : le Klondike, le 4-Star, le Dragueur de Mines, le Spike. Marsh se sentait en sécurité à présent. La turne qu'il occupait lors de l'opération était du style Actors Studio. Cette maison-ci regorgeait de références homosexuelles.

Il leur fallait des endroits où laisser des pièces à conviction. Marsh, le rat de la meute homo aux goûts artistiques chastes. La maison offrait un tableau exquis. Employons-nous à en saper les fondations.

Ici, on va planquer des pochettes d'allumettes de bars pour pédés. Là, on va planquer des photos de sodomie. La veille de l'assassinat, on va maculer les draps de sperme. Dans la salle de bains, on va planquer des godes couverts de merde.

La maison allait susciter un examen étonnamment détaillé. Il fallait que la façade se fissure lentement. Il fallait que l'horreur s'accumule lentement.

Dwight tapotait les panneaux muraux. Aucun ne sonnait le creux jusqu'à maintenant. *Trouver des cachettes potentielles.* Pour y déposer de la littérature subversive et des ouvrages de sciences politiques pornographiques. L'instinct de Joan : il tient un journal, trouve-le, on le volera et on le remplacera par le nôtre avant l'assassinat.

Une machine à écrire électrique Underwood. Une pile de papier machine à côté.

Dwight inséra une feuille sous le rouleau et tapa toutes les lettres, les nombres et les symboles. À première vue, ils paraissaient corrects. Il photographia le clavier et les coussinets des barres de frappe. Ceux-ci pouvaient avoir des défauts. Il faudrait alors les reproduire à l'aide d'outils sur une machine semblable. Les techniciens de la police scientifique examineraient certainement l'Underwood. Il faudrait créer une ressemblance crédible.

Il tapota d'autres panneaux muraux. Aucun ne sonnait le creux. C'était une première visite. Il ne se fiait pas encore à ses oreilles.

Des cachettes. Les équipes de techniciens allaient tout éventrer. Il fallait que Marsh soit démasqué post mortem de façon féroce. Il était plein de ressources et d'une ingéniosité débordante. La maison devait regorger de découvertes de dernière minute.

Documents compromettants par-ci. Documents compromettants

par-là. C'est la vision de sa propre vie que Dwight perçoit déformée. Dwight engrange des documents pour M. Hoover. Il cherche sur son lieu de travail même des endroits où il pourrait insérer des documents falsifiés.

Un mois déjà qu'il faisait ce nouveau boulot. M. Hoover lui avait accordé une augmentation de salaire. Les dossiers archivés ne contenaient que des scandales répugnants. La plupart d'entre eux concernaient Los Angeles. Marsh était né à L.A. Après sa mort, on allait passer au crible le moindre dossier de l'agence de L.A. pour voir s'il y était mentionné.

Il feuilletait des dossiers et cherchait des points d'ancrage pour des ajouts trafiqués. C'était implicitement opérationnel. Vous cachez des documents jaunis artificiellement. Ces infos impliquent un déséquilibre politique émergent et une pathologie d'homo qui ne s'assume pas. Les dossiers que le FBI a la sale manie de constituer sur tout le monde accusent Marsh Bowen. Ceux qui n'ont apparemment aucun rapport avec l'affaire sont malgré tout scrutés avec diligence. M. Hoover se retrouve mis en cause après la mort de Marsh. La compilation des documents est perçue comme un pensum ampoulé et un exemple de scatologie approuvé par les autorités. Dans l'opinion publique, la bataille fera rage entre l'indignation et l'excitation. L'agent spécial Dwight C. Holly expliquera ce que tout cela signifie.

Il passait des heures dans le bâtiment des archives. Jack Leahy trouvait cela étrange. Dwight trouvait Jack Leahy étrange. Jack faisait toujours des plaisanteries sur l'état de santé de la vieille tante. Jack ne savait pas qu'elle était plus souvent lucide que confuse.

Les dossiers :

Joan avait une piètre opinion de cette idée de raid contre le centre d'archivage de Pennsylvanie. Elle pensait que cela révélerait trop tôt la folie des dossiers qui régnait au FBI. Elle trouvait qu'il exploitait Karen, qu'il transformait une pacifiste quaker en complice d'assassinat.

Ils cessèrent d'en parler. La question resta en suspens, dans le domaine du non-dit.

Dwight fouilla les penderies du couloir. Il vit sur une étagère les uniformes repassés de Marsh et un ceinturon enroulé sur lui-même.

On trouve des acteurs. On en déguise un en flic. On se procure une voiture de police. On bricole une toile de fond qui ressemble à Griffith Park. Voilà un faux Marsh en uniforme. Il tourne la tête.

Un suspect menotté lui taille une pipe. Marsh lui braque un flingue sur la tempe.

On vieillit chimiquement le tirage photo. On le glisse dans un uniforme élimé. C'est un souvenir oublié au fond d'une poche.

On achète des amphètes à un coin de rue. On les glisse derrière ses sous-vêtements. Marsh est remonté à bloc quand il prend son service et il drague pour trouver des distractions.

Dwight sortit par la porte de derrière. Marsh jouissait d'une vue splendide. Le quartier était agréable. Marsh avait vingt-six ans. Il lui restait douze mois à vivre. Au maximum.

Le service des chambres leur apporta deux steaks d'aloyau et un bordeaux trop capiteux. Il buvait moins. Joan buvait davantage. L'insomnie avait changé de camp.

Ils déjeunèrent en peignoir. Une pluie à grosses gouttes martelait les vitres. Dans la cheminée brûlait une fausse bûche en plastique.

Joan dit :

– Tes intrusions ne me plaisent pas. C'est précipité.

– Tu t'inquiètes de la convergence.

– Exactement.

– C'est la seule chose que nous ne pouvons pas maîtriser.

– Il faut qu'ils se trouvent volontairement au même endroit au même moment.

Dwight s'affala dans son fauteuil.

– La même *ville*, l'endroit où aura lieu l'assassinat étant préétabli. Il faudrait que ce soit à L.A. Il est descendu au Beverly Wilshire les six dernières fois qu'il est venu ici. Il demande toujours une suite dont les fenêtres donnent au nord. Il y a sept immeubles d'un et de deux étages juste en face de l'hôtel, de l'autre côté de la rue. Deux d'entre eux ont des panneaux : « Bureaux à louer ». Les autres bâtiments sont des boutiques et des restaurants. Ils utilisent comme espaces de stockage les pièces des premier et deuxième étages qui font face à l'hôtel.

Joan alluma une cigarette.

– Continue. Dis-moi comment tu vois les choses.

– Je pense que nous devrions trouver un jeune Noir qui aurait à peu près l'âge de Marsh. Une forte ressemblance est cruciale. Il loue un bureau, que l'on décore. C'est là que Marsh sera censé se rendre pour sauter des garçons, se droguer, et c'est là qu'il planquera des armes. Je volerai des tubes de sperme dans un hôpital. On répandra les fluides graduellement. Marsh commence à craquer. Sa consommation de drogue est en augmentation constante. Je demanderai au tireur de lui injecter une dose massive de cocaïne avant de repartir. Je lui montrerai comment lui introduire des toxines dans le foie pour suggérer une toxicomanie de longue date.

Joan exhala un rond de fumée.

– Tu es étonnamment doué, camarade.

Dwight lui prit les mains.

– Tu t'inquiètes pour Celia.

– Je ne veux pas en parler. Elle a toujours été consciente des risques.

– Je pourrais passer quelques coups de téléphone.

– Je ne veux pas que tu le fasses.

Dwight sourit.

– Quand j'ai établi le lien entre toi et Tommy Narduno, j'ai pensé que tu voulais me faire la peau.

Joan sourit.

– Je l'ai envisagé. Tommy croyait pouvoir révéler le versant « Grapevine » de votre opération et provoquer du remue-ménage dans les médias. Il a toujours été naïf sur ce plan-là. Sa vraie nature, au fond, c'était celle d'un journaliste de la presse à scandales. Il portait un micro caché la nuit où vous l'avez tué.

Dwight trembla. Joan désigna la bouteille de vin. Dwight secoua la tête.

– Qu'est-ce qui t'a persuadée de passer l'éponge ?

– C'est Karen qui m'a persuadée. Elle a insinué que tu étais prêt. Elle a cité Goethe, à un moment. L'expression qu'elle a employée, c'était « la chute vers le haut ».

Dwight ouvrit une fenêtre. Des grêlons lui frôlèrent le visage.

– Jomo et la manœuvre avec Marsh. Quel était ton raisonnement derrière ça ?

Une rafale secoua les vitres. Joan tourna son fauteuil pour accueillir l'humidité froide venue du dehors.

– Il y avait tes objectifs et les miens. Ils étaient à la fois synchrones et inconciliables. Je savais que Marsh devait te servir de taupe. Ton choix révélait ta pathologie. Il était hardi, grandiose, et autodestructeur. J'ai passé du temps avec Marsh et j'ai découvert qu'il était faible et presque obnubilé par son désir de servir ses propres intérêts. Il draguait des hommes quand il croyait que je regardais ailleurs, ce qui était un faux pas de véritable acteur, dramatiquement malsain et narcissique. Alors, j'ai appelé Scotty Bennett et je lui ai révélé les préférences sexuelles de Marsh. Et puis, j'ai appelé Scotty une nouvelle fois et j'ai servi d'intermédiaire dans la dénonciation par Marsh de Jomo Jackson. C'était une stratégie double : je voulais mettre Marsh en danger et le forcer à faire allégeance à l'ATN. Je considérais Jomo comme nuisible, et j'étais presque sûre que Scotty ne résisterait pas au désir de le tuer.

Le vent souleva la nappe et fit tomber la bouteille de bordeaux. Dwight extirpa Joan de son fauteuil.

Puckett, Mississippi. Six parcs à caravanes et neuf kamps du Klan.

Bob Relyea dirigeait la Klavern des Chevaliers Exaltés. Il faisait de la lèche aux flics du coin et balançait des informations à l'ATF. Il vendait des champignons magiques et des publications racistes. Il braquait des stations-service. Il avait vendu de l'héroïne à Saigon et travaillé avec Wayne Tedrow. C'était lui qui avait assassiné Martin Luther King.

Il faisait un temps frisket et sek. Le kamp konsistait en une kasemate en tôle ondulée et un chenil pour la race kanine. Quatre konnards traînaient près du champ de tir. Les cibles étaient des mannekins de magasins d'habillement. On leur avait mis des masques à l'effigie d'Eldridge Cleaver.

Bob vit la voiture arriver. Dwight freina et s'arrêta bien avant le kamp. Bob parcourut le reste du chemin au petit trot.

Dwight ouvrit la porte passager et la boîte à gants. Un rouleau de billets de cent en tomba. Bob l'attrapa au vol et le fourra sous sa chemise.

– Ça, c'est juste pour parler un moment ?

– C'est ça.

– Laisse-moi deviner. Si je flingue quelqu'un, il y a encore plus de fric à venir de la même source.

– Bien vu, dit Dwight.

Bob fit :

– Eh bien, mon vieux...

Dwight alluma une cigarette.

– Tu touches cinquante mille dollars. Tu descends la cible et le bouc émissaire sur place. Deux tirs faciles. Cette partie-là ne me cause pas le moindre souci. C'est de réunir les deux qui me tracasse.

S'il le faut, j'enlèverai le bouc émissaire et je l'amènerai sur place, mais j'aimerais mieux éviter de le faire.

Bob se cura le nez.

– La cible, c'est un gros client ?

Dwight lui fit un clin d'œil.

Bob dit :

– Ça va jaser.

– C'est ce que je veux. Il y a une intention derrière tout ça.

– Qui est la cible ?

Dwight rit.

– Quand tu la verras, tu la reconnaîtras tout de suite.

DOCUMENT EN ENCART : 6/2/71. *Extrait du journal intime de Karen Sifakis.*

Los Angeles
6 février 1971

Je vais aller jusqu'au bout, quoi que cela puisse entraîner, faciliter ou présager du côté de Joan et de Dwight. Je prends le risque de déclencher la violence. Je me sens loyale envers Joan et je lui suis reconnaissante du changement qu'elle a provoqué chez Dwight. Nous avons fait un long chemin ensemble. Je peux affirmer sans me vanter qu'au cours des années mon pacifisme a atténué les actions violentes de Joan. Il est certainement vrai que sa personnalité fougueuse m'a sporadiquement rapprochée de Dieu et d'une conception non-violente des confrontations. Elle est de moi et je suis d'elle et Dwight est de nous deux. Il existe une alchimie profonde dans ce qui nous rapproche et ce qui nous éloigne. Je continue à croire en notre dialogue autant que j'en redoute les conséquences potentielles. Ma terrible dispute avec Dwight m'a forcée à admettre l'arrogance et l'hypocrisie qui sont au cœur de ma logique morale. L'ardeur de sa conversion m'a convaincue de la nécessité de ce risque.

Dwight connaît à présent l'étendue et la densité de ma relation avec Joan, à défaut d'en savoir les détails précis. Joan a fait des allusions, ou révélé notre amitié par des regards ou des digressions que le brillant et brillamment paranoïaque Dwight Holly a captés au passage et transformés en certitudes mentales. J'ai menti à Dwight par omission ; je suis certaine, à présent, que Joan s'est servie de moi afin de l'approcher ; maintenant, Dwight et Joan me mentent en me cachant les détails de leur « opération ». Je suis entièrement coupable de la création du lien entre Dwight et Joan. J'aurais dû dire à Dwight que Joan a utilisé de fausses identités et que celles-ci ont occulté une grande partie de ses actions subversives. J'aurais dû dire à Dwight que Joan avait organisé une série de vols à main armée dans l'Est. J'aurais dû lui dire que nous étions ensemble en Algérie et que j'ai organisé une veillée de prières pour les parachutistes français auxquels Joan et ses camarades avaient tendu une embuscade près de Béchar. J'aurais dû lui dire que j'avais participé à l'invasion du 14 juin, dans le rôle, non-violent, de stratège. Je ne lui ai révélé aucune de ces choses, parce que je désirais, de façon morbide, provoquer une conflagration entre *Eux*, parce que je voulais déchaîner *Leur* colère pour satisfaire une rage enfouie en *Moi*, pour les lancer, *Eux*, à l'assaut, avec cette fureur unique dont je *les* savais capables, du monde circonspect, idéologiquement compromis, radicalement chic et tellement prudent qui était le mien.

À présent, je dois assumer jusqu'au bout mon rôle d'instigatrice dans ce jeu d'influences, jouer ma partition jusqu'à la dernière note, en maudissant les vicissitudes d'un mode de vie radical alors même que je prie pour la paix. Je pratiquerai le vol avec effraction, je déroberai des dossiers, je dévoilerai au grand jour les pratiques d'une bureaucratie oppressive qui accumule les documents sur les citoyens, en espérant que le match de boxe très attendu entre deux champions noirs ne ravira pas à mes actions la une des journaux. L'ironie de la chose : Dwight a qualifié mon cambriolage d'« événement médiatique », et le Centre d'archivage se trouve à Media, en Pennsylvanie.

La querelle avec Dwight a eu lieu ici, chez moi ; Dina et Ella nous ont entendus nous emporter l'un contre l'autre, jusqu'à la conclusion ponctuée d'une porte qui claque. Ce fut une altercation née de mon propre orgueil. J'ai surestimé mon influence sur Dwight et raillé celle de Joan. J'ai été véhémente, mesquine, jalouse, et philosophiquement douteuse. Dwight a répliqué avec la fureur d'un converti et d'un amant infidèle. « Tu fais sauter des monuments, tu détruis des symboles, tu attaques des portraits bienveillants d'institutions qui ne sont liées au pouvoir qu'au trente-sixième degré », m'a-t-il dit. « Cela te permet d'avoir un sentiment de supériorité pendant que d'autres personnes souffrent et meurent, et tu continueras à le faire, jusqu'au jour où tu feras exploser un monument confédéré et un débris de plâtre crèvera l'œil d'un gamin noir qui passait par là. Alors, tu reviendras ici pour te morfondre et prier et imaginer une action spectaculaire et conforme à tes principes de quaker pour te remettre dans la course que tu aimes tant, et qui est violente par nature. »

Et il avait raison.

Et il a ajouté :

« Et ne traite jamais Joan Rosen Klein avec condescendance, parce que c'est toi qui me l'as mise dans les bras. »

Et il avait raison. Et c'est pourquoi je vais exécuter la tâche que Joan et lui m'ont assignée.

DOCUMENT EN ENCART : 21/2/71. *Extrait du journal de Marshall E. Bowen.*

En route pour Boston
21 février 1971

Depuis ma dernière rencontre avec Scotty, je voyage et j'explore des pistes potentielles. Les journées de permission que j'ai accumulées me servent de couverture. Je suis censé les avoir mises à profit pour m'offrir un voyage en voiture à travers tout le pays. En fait, j'ai passé mon temps à vérifier laborieusement, à la main, les demandes de passeport acceptées et les demandes refusées à La Nouvelle-Orléans, St. Petersburg et Milwaukee, avant d'aller consulter les archives de Lynn, Massachusetts. Ce sont les villes que Scotty estime les plus laxistes, les plus permissives et les moins compétentes dans la délivrance de passeports. À chaque fois, j'ai profité de mon passage pour laisser s'exprimer mon Penchant, et je me suis enivré de la liberté de pouvoir me défouler dans les bars que ne fréquentaient pas les célébrités locales. On n'a pas délivré de passeport à Reginald Hazzard dans lesdites villes, et je ne l'ai pas trouvé non plus dans les demandes rejetées. Sa photographie – avec ou sans cicatrices de brûlures traitées médicalement – ne figurait sur aucun des milliers de formulaires que j'ai examinés.

J'ai donc voyagé et profité de mon temps libre loin de L.A. J'appelais Scotty tous les deux ou trois jours pour lui annoncer : « Rien de neuf. » J'ai cogité, j'ai eu des rêves très frappants, et j'ai beaucoup réfléchi à la remarque de Scotty : *« Cherchez la femme. »*

C'est une femme qui m'a dénoncé à Scotty. Dwight Holly a réagi de façon étrange quand Scotty lui a révélé ce fait. Je suis de plus en plus persuadé que cette femme est Joan Rosen Klein.

Joan a cultivé mon amitié à la fin de l'année 68 et au début de 69. J'étais l'infiltrateur de Dwight Holly, et je savais que M. Holly avait un informant en jeu. Joan était très raffinée et semblait surqualifiée pour la sphère de bas étage du militantisme noir. Elle faisait preuve de beaucoup de persistance dans sa façon de se rapprocher de moi, il se peut qu'elle ait essayé de me séduire, mais ses sens aiguisés de prédatrice lui apprirent qu'elle n'avait rien à espérer de ce côté. Toute cette reconstitution mentale m'a paru intellectuellement cohérente jusqu'au moment où j'ai rencontré Junior Jefferson, peu de temps avant que je ne commence ce voyage.

Junior s'empiffrait de poulet et de gaufres au Tommy Tucker's Playroom, et il râlait sur le sort de Tiger Kab. D'abord, les Parrains lui rachètent Black Cat Cab et la rebaptisent du nom de cette espèce de fiotte de bestiole. Ensuite, le regretté Wayne Tedrow pique toutes les recettes de Tiger Kab et les Parrains revendent l'affaire à Freddy Otash. Alors, Freddy vire Junior et le déclare tricard dans l'enceinte de la compagnie. Maintenant, Tiger Kab est l'endroit le plus couru de la planète, ils vont montrer le combat Ali-Frazier sur leur télévision en circuit fermé – et lui, Junior, n'aura même pas le droit de venir.

Nous avons continué à compatir. Nous avons reparlé de la Fusillade avec un certain étonnement. Junior m'a dit : « Depuis le début, t'étais pas autre chose qu'un enfoiré de mouchard de flic du FBI. » J'ai reconnu que c'était vrai. Junior m'a affirmé que ça ne le gênait pas, et avec beaucoup de nonchalance, il a mentionné avoir vu Dwight Holly et cette « Joan, la Juive coco » qui se tenaient la main dans un restaurant chinetoque de Pico Boulevard la semaine dernière.

Cherchez la femme.

Lynn est une ville miteuse qui vit grâce à son usine de chaussures, perdue au milieu de douzaines d'autres villes miteuses de la même taille, et quand je suis entré dans le bureau des passeports, j'ai constaté qu'il était tout aussi minable. Un Irlandais rubicond était de service à l'accueil. Il en a presque chié dans son froc en voyant un Noir bien habillé lui brandir sous le nez un insigne de sergent du LAPD. Je lui accorde cependant un certain sens de la repartie. Quand je lui eus exposé l'objet de ma visite, il m'a dit : « Vous ne ressemblez pas à Jack Webb [1], sergent », puis il m'a conduit à leurs archives.

C'était la sixième fiche de la quatrième boîte. La photo était celle de Reginald Hazzard, le visage portant des cicatrices de brûlures graves. Le nom figurant sur le document était maculé

1. Créateur et acteur vedette de la célèbre série policière télévisée *Dragnet* (1951-59 et 1967-70), dans laquelle il incarnait le personnage principal (le sergent Joe Friday). Il en était également le scénariste, et souvent le metteur en scène et le producteur.

d'encre, illisible. Au verso, le cachet administratif d'enregistrement était parfaitement net.

Reginald avait obtenu un visa pour se rendre en Haïti, le 11 juin 64.

L'idée me traversa aussitôt l'esprit : je ne le dirai pas à Scotty.

94

Los Angeles, 1er mars 1971

Scotty annonça :
– J'ai le fric.
Fred O. commenta :
– Il a braqué un magasin d'alcool. C'est un expert en la matière.
Fred Turentine dit :
– Je déteste piéger les pédés. La bande-son est répugnante.
La pizzeria Barone sur Ventura Boulevard. Un célèbre repaire de ritals. Ils avaient un salon privé. Décoré de portraits de macaronis prestigieux.
La bière était glacée à vous décaper les dents, la pizza brûlante à vous emporter la gueule. Scotty lança l'enveloppe sur la table. Le petit Crutchfield avait des fourmis rouges dans son slip. Il n'arrêtait pas de se gratter les couilles.
Scotty versa les bières.
– Parlons résultats. J'ai pris une seconde hypothèque sur la maison, alors, je ne veux pas entendre parler de gros retards ni de ratages.
Fred O. décapita au couteau son verre de bière. La mousse tomba sur le carrelage.
– J'ai piégé un pédé pour Dwight Holly, il y a un moment de ça. Le type que j'ai employé, c'était un Blanc. On pourrait faire appel à lui pour épicer la sauce.
Scotty dit :
– *Non*. Dwight et moi, on a eu des mots, sur cette opération des fédéraux. Je ne veux pas qu'il soit au courant de ce qu'on prépare.
Fred T. prit une part couverte d'anchois. *Ooooh*, ça brûle.
– J'aimerais autant qu'on évite ce gars-là. J'ai appris qu'il travaillait aux archives, à l'agence de L.A. Il a eu une espèce de dépression nerveuse.

Scotty but une gorgée de bière.

– Je veux quelque chose de spectaculaire. Des photos, un film, des actes sexuels variés. Le môme amène Sal. Marsh et Sal s'échauffent. Ça devient torride. Je veux qu'on les voie se sucer et s'enfiler dans des décors différents.

Le môme dit :

– Je me charge de trouver Sal.

Fred T. fit remarquer :

– Hé, il parle !

Fred O. prévint :

– Fermez vos stores. V'là le matou mateur !

Scotty miaula et fit un clin d'œil. De la musique enregistrée emplit la pièce. Dino chevrota : *That's amore.*

– Quelque chose de spectaculaire. N'oubliez pas : ce n'est pas un chantage pour lui faire cracher du fric. C'est une menace au cas où ça tournerait mal.

L'équipe était valable. La pizza était merdique. Scotty avait encore mal aux dents à cause de la bière glacée.

Marsh était rentré. Les bureaux des douanes : sa tournée avait fait pschitt... La piste des passeports était morte. Reggie Hazzard : retour à la case départ.

Sa jauge à essence était dans le rouge. Scotty sortit de l'autoroute. Devant lui, une station Richfield avec une cabine téléphonique.

Il se gara. Il dit au pompiste de lui faire le plein et le pare-brise. Il glissa ses piécettes dans la fente de l'appareil et appela Marsh.

– Allô ?

– Du côté Reggie, c'est mort, pour le moment. Je commence à trouver ça frustrant.

– Tu n'es pas le seul.

– Je me dis qu'on devrait cuisiner Lionel Thornton.

– Je ne suis pas contre.

Scotty se frotta les dents.

– Sois moins ambigu. Tu as reçu cette putain de Médaille du courage. Tu es Ramar de la jungle, maintenant.

Marsh rit.

– Tu as raison. On devrait le faire.

– Quand ?

– Le 8 mars. C'est Thornton qui blanchit l'argent de Tiger Kab. Et Tiger Kab retransmet le combat Ali-Frazier. Thornton sera là, et il remportera l'argent à la banque.

Scotty dit :

– Ça me plaît. On le chopera sur le trajet.

95

Los Angeles, 4 mars 1971

La tournée des bars à fiottes :

Il était allé au Trou d'Homme, à la Bitte d'Amarrage, à l'Enclume, au Dragueur de Mines, à la Forge. C'était Zarbiville. Des mômes malsains mataient son matos. Des sniffeurs de nitrate d'amyle, des mecs en cuirs, des poitrails nus sous des cottes de maille.

Sal n'était jamais chez lui. Sal était un habitué des clubs homos et des cafés ouverts toute la nuit. La tournée des crêperies : le Caroline Pines, chez Arthur J., le Grill de Biff.

Crutch retourna au Klondike. C'était le quartier général de Sal. Le barman encaissa les chèques qu'il lui restait. C'était là que Sal venait régulièrement chercher des queues. Il calçait le proprio, deux commis et le friturier.

Crutch se gara en double file devant la porte. Les tantes qui traînaient là se pâmèrent à la vue de son taxi. Lenny sortit du Klondike avec deux marins. Les tantes appelaient les marins des « fruits de mer ».

Lenny adressa un signe à Crutch. Crutch fit un signe à Lenny. Crutch pensa : c'est ici que tout a commencé.

L'été 68. Le Dr Fred l'engage. Trouve-moi Gretchen Farr. Son enquête a presque trois ans. Elle est peut-être sur le point de se désintégrer.

Les empreintes digitales. Joan a touché l'un des livres de Reggie Hazzard. C'est avéré. Une deuxième personne a touché le livre et l'enveloppe de Sonny. Une hypothèse valable : Reggie H. Une troisième personne a touché l'enveloppe. Empreinte confirmée : Lionel Thornton.

Question :

Est-ce Reggie qui envoie les émeraudes aux Noirs dans le besoin ?

Réponse :

Oui, probablement.

Reggie a survécu au braquage. Reggie possédait une partie de l'argent liquide et des émeraudes. Reggie n'habite pas à L.A. Reggie est quelque part ailleurs, sinon Wayne l'aurait retrouvé. Reggie vit dans la clandestinité. Des lettres portant le cachet de L.A. pourraient lui attirer des ennuis. Reggie est parti depuis longtemps.

Une *énoooorme* piste – à présent compromise parce qu'il y avait un pédé à piéger.

Crutch surveillait la porte. Rock Hudson sortit avec Arthur-Arlene Johannsson. Arthur-Arlene vendait des gâteaux au chocolat enrichis au Dilaudid ou à la marie-jeanne. Chick Weiss avait traité tous ses divorces. C'étaient les *épouses* qui payaient une pension alimentaire. Vous avez épousé un *travelo* ? Allez vous faire foutre.

Rock adressa un signe à Crutch. Crutch fit un signe à Rock. Un taxi Tiger se pointa. Phil Irwin était au volant. Chick Weiss était assis à l'avant. Arthur-Arlene poussa Rock sur la banquette arrière. Sa perruque à cheveux plats était de guingois.

Crutch fit tourner son petit drapeau rouge. Joan avait disparu. Il ne parvenait pas à la retrouver. Ce qui ne l'empêchait pas de croire : *elle est à Los Angeles.* L.A., c'était L.A. – c'était la Joan Zone. Il avait suivi Dwight Holly à deux reprises. Dwight était peut-être l'amant de Joan. Dwight savait repérer les voitures suiveuses et l'avait semé à chaque fois.

Voilà Sal. Il traîne dans son sillage Natalie Wood et une goudou camionneuse. Natalie était une lesbienne exhibitionniste, elle broutait des minous dans des soirées hollywoodiennes. Au début des années 60, Clyde l'avait tirée d'un repaire de gouines où elle servait d'esclave.

Crutch siffla. Sal le repéra et vint le rejoindre. Natalie et l'hommasse se roulèrent une pelle. Deux mignons minaudiers les applaudirent.

Sal passa la tête dans le taxi.

– Laisse-moi deviner. Clyde a besoin de moi pour un divorce.

– Pas exactement.

– Pas de fille. On a essayé une fois, tu te souviens ?

Crutch annonça :

– Freddy Otash. Il m'a dit qu'il savait quelque chose sur toi, et que ce n'était pas vraiment comme si tu pouvais refuser.

Sal soupira. Son accroche-cœur voleta. Crutch lui ouvrit la portière. Sal monta et alluma une Kool au menthol. Crutch capta l'odeur d'un mélange de menthe et de haschich.

Il tourna le coin de la rue et se gara. Sal dit :

– J'espère qu'il est bien monté.

– Tu ramasses trois mille cinq cents dollars.

Sal tira sur son quasi-joint pratiquement jusqu'au filtre. Sal fit ses yeux de biche.

– On a déjà vécu ça ensemble. Je me suis trouvé des milliers de fois avec un type dans sa voiture garée quelque part, mais avec toi, ça n'a rien eu de romantique.

Crutch dit :

– Ne commence pas avec moi.

– Crois-moi, ce n'est pas mon intention.

– Le pigeon, c'est un certain Marshall Bowen. C'est ce flic qui est un petit peu célèbre.

Sal gémit.

– Encore un nègre. Avec Freddy, c'est toujours un nègre. J'aime la viande noire, mais pas à tous les repas.

Crutch ouvrit la boîte à gants et en sortit sa flasque. Sal s'en empara pour avaler une gorgée en vitesse.

– Dis-moi, ma choute. As-tu fini par trouver l'autrefois nommée Gretchen Farr ?

Crutch récupéra sa flasque.

– Non. Il s'en est fallu de peu, mais rien à faire.

Sal reprit la flasque. Il but une gorgée et la rendit. Crutch but une gorgée. Sal la reprit et la garda dans son giron.

– Moi non plus, je ne l'ai pas revue. Gretchie était strictement insaisissable, à sa façon qui n'appartenait qu'à elle.

Crutch saisit la flasque. Sal la lui abandonna à regret.

– Tu m'as dit tout ce que tu savais, hein ?

– Ma foi...

– Allez, Sal...

– Eh bien...

Crutch serra les poings. Sal fit *ooooh, j'ai peur*. Crutch vida la flasque. Sal frotta ses pouces contre ses index. Crutch sortit cent dollars. Sal brandit deux doigts. Crutch ressortit son portefeuille et allongea un autre billet.

Sal baissa son dossier et contempla la doublure du toit. Il se pelotonna et tripota son accroche-cœur.

– Bon... tu connais la façon de procéder de Gretchie. Elle sautait des tas de types, leur empruntait du fric et disparaissait. Tu te souviens de tout ça, ma choute ?

Crutch hocha la tête.

– Ouais. Tu lui présentais des bonshommes, mais tu ne te rappelles plus leurs noms. Elle faisait toujours très attention à ne pas baiser avec des types qui fréquentaient les mêmes sphères, pour qu'ils ne puissent pas échanger leurs impressions.

Sal hocha la tête.

– C'est *çaaaaa*.

Crutch donna un coup de poing dans le coussin du siège. L'impact secoua à peine Sal, qui se mit à *riiiire*.

– Tu ne me fais pas *peur*, Crutch. Et, franchement, je ne crois pas un mot de toutes ces rumeurs imbéciles sur ces communistes que tu aurais tués.

Une migraine format train de marchandises lui percuta le crâne. Entre les deux yeux, une vraie merveille. Il sortit son tube d'aspirine et en avala trois à sec. *Ferme-la. Ne fous pas cette opération en l'air.*

Sal se débarrassa de ses sandales et agrippa le rebord du tableau de bord avec ses orteils. Miss Froufrou avait des grands pieds puants.

– Alors, juste avant qu'on parle d'elle pour la première fois, j'ai vu Gretchie dans une soirée. Je ne t'en ai rien dit, parce que ça m'a paru tellement irréel...

– Et alors ?

– Eh bien... Gretchie parlait d'une fille, une certaine Maria, qu'on appelait aussi « La Tatouée ». Elle avait « payé pour sortir du livre des morts », elle avait trahi « La Cause », mais elle avait « fait pénitence ». Crois-moi, rien de tout ce charabia n'avait *la moindre* signification pour moi, jusqu'à ce que Gretchie me dise que Maria venait à L.A., que c'était une sacrée nana, et est-ce que je pourrais la présenter à des gens de cinéma ? Ça, c'était davantage dans mes cordes, alors je lui ai répondu que je parlerais d'elle autour de moi, ce que je n'ai *pas* fait, parce que Gretchie me devait de l'argent pour plusieurs recommandations que je lui avais données, mais elle ne m'avait jamais payé, alors qu'est-ce qui aurait pu me motiver si elle devait m'arnaquer une fois de plus ? Donc, on en est restés là. Gretchie ne m'a jamais reparlé de Maria, mais elle m'a quand même payé, d'une certaine façon, pour mes recommandations. Elle m'a donné une toute petite émeraude et un paquet d'herbe. C'était de la dope haïtienne, une vraie saloperie.

Respire bien à fond, maintenant.

Sal conclut :

– *Franchement*, ma choute, tu as déjà entendu parler d'une fantasia pareille ?

96

Los Angeles, 6 mars 1971

Travaux d'écriture et confection d'empreintes : il faut soigner les détails.

Des mots doux entre homos griffonnés sur des serviettes en papier. Des extraits d'un faux journal intime. Des empreintes décalquées et déposées sur des romans pornos pédés et des textes de propagande.

Le refuge était calme. Dwight travaillait seul. Il avait fait la tournée des bars la nuit d'avant. Il était allé au Jaguar, au Dragueur de Mines, au Repaire du Faucon. Il avait posé sur le comptoir des billets d'un dollar et raflé des serviettes en papier. Les fiottes l'avaient en masse repéré comme flicard.

Il écrivait avec des mouvements saccadés, irréguliers. « J'adore ta coupe de cheveux ! » ; « C'est quand tu veux, chéri », suivi d'un numéro de téléphone maculé. « Je t'ai vu à la télé !!!! J'arrive pas à croire que c'est toi que je vois ici ! »

Des styles d'écriture différents. Du papier gaufré. Des débris ramassés au fond d'une poche. Petites touches réalistes pour indiquer un style de vie.

Les bouquins : *Les Durs et les bien membrés*, de Lance Le Grec. *AmeriKKKan Gestapo*, de Richard T. Saltzman, docteur ès lettres. *J'irai sucer sur vos tombes* et *La Semence démoniaque*. Des essais sur la guerre menée par M. Hoover contre le Dr King.

Dwight utilisa des transparents de relevés d'empreintes. Dwight simula une manipulation des couvertures de livres. Dwight rédigea des mots doux d'homos qui ont le béguin. Des numéros de téléphone qui bavent, des bouts de serviette en papier déchirées, des mots à moitié maculés. Marsh : « J'en ai une de 22 centimètres. Et toi ? »

Il veillait à la propreté de son bureau. Il travaillait avec des gants de caoutchouc. Il emballait ses œuvres dans des sacs en plastique. Il concocta une entrée pour le faux journal.

Réfléchis bien à ce que tu vas écrire. Tape le texte à la machine. Tu as une Underwood identique à celle de Marsh. N'oublie pas : bricole à la lime le « c » et le « j » minuscules pour obtenir un manque au même endroit que sur la sienne.

Tu seras sur place au moment de la convergence. Joan planquera le faux journal.

Ce qui implique d'autres violations de domicile. Il pourrait bien tenir un vrai journal.

Dwight fit de la place sur le bureau. Il rangea dans son sac les livres et les mots doux et sortit un bloc-notes. La photo reçue à Silver Hill était calée verticalement contre une lampe. Karen, Dina, Ella. Leur adresse, leur numéro de téléphone. « Si cet homme se perd, veuillez nous le renvoyer, s'il vous plaît. »

Il la recouvrit d'un mouchoir. Il se mit à écrire son faux journal de Marsh :

« Mon processus de radicalisation a véritablement commencé quand j'ai compris que je ne contrôlais plus mes perceptions. Les symptômes physiques se manifestaient en proportion directe de mes efforts pour les réprimer. C'était comme si un virus m'avait envahi. C'était autrement plus déconcertant que la panique à laquelle j'ai cédé lorsque j'ai pris pleinement conscience de mon homosexualité il y a une dizaine d'années. Je me suis mis alors à éprouver de la haine envers moi-même, et aujourd'hui ce que j'éprouve est une autre haine, politiquement définie, et dirigée vers le monde extérieur. Ma haine s'est appesantie sur des cibles immédiates : cette brute de Scotty Bennett, ce manipulateur imperturbable qu'est l'agent Holly, et mon alma mater raciste, le LAPD – et tout cela est monté peu à peu, inexorablement, jusqu'à un niveau inéluctable. Je ne peux pas enrayer la propagation du virus, à moins de m'inoculer l'anti-toxine que seule pourra créer la mort de JEH. »

Dwight relut ce qu'il venait d'écrire. Il recouvrit son bureau d'une bâche et sortit sur la terrasse.

Des nuages bouchaient le ciel au-dessus de Silver Lake. Une brume recouvrait la maison de Karen. Leur altercation se déroula de nouveau dans sa tête. Elle avait effrayé Dina. Ella avait semblé l'observer avec attention. Dwight soupesa une idée qui lui traversait l'esprit : Ella savait des choses qu'il ignorait. Elle les avait apprises de Joan.

Il se passe des événements bizarres dans le *spiritus mundi*. Karen parle de Dwight à Joan. Le camarade Tommy se trouve à Memphis le jour de l'attentat. Karen avait lu ses rêves et lui avait tenu les mains tout le temps où il faisait des cauchemars. *Joan se contentait de comprendre.*

Un écureuil se percha sur le rebord de la terrasse. Dwight lui lança des glands en douceur. La bestiole les prit dans ses pattes et détala.

La sonnerie de la porte retentit. Dwight regarda par la fenêtre latérale. Eleanora sautait sur la véranda.

Dwight traversa en hâte la pièce de devant et ouvrit la porte. Ella se jeta dans ses jambes. Il la souleva d'un bras. Elle lui mordilla le cou pour le taquiner.

Karen s'appuyait à un pilier de la véranda. Dwight lui dit :

– Tu aurais pu entrer par effraction.

– Je réserve mes talents pour Media.

– Merci.

– De rien.

Ella se tortilla. Dwight la reposa. Elle courut dans la pièce de devant.

– Comment as-tu découvert cette maison ?

Karen entra.

– J'ai remonté la piste des reflets de tes jumelles. Je me suis dit : je détecte ici la présence d'un voyeur, et j'ai appliqué les règles de la géométrie dans l'espace.

Dwight rit. Karen passa un bras autour de lui. Il l'éloigna du bureau. Ella jeta un coup d'œil dans un carton. Dwight la saisit et l'en éloigna.

Elle lui échappa et montra le carton du doigt. Elle fit une mimique qui voulait dire : *C'est quoi ?*

Dwight dit :

– Ce sont des armes pour incriminer les suspects, mon petit chou.

Karen laissa tomber son sac à main et flanqua un coup de pied dedans. Dwight demanda :

– Tu m'aimes ?

Karen répondit :

– Oui, espèce de salaud.

Insertion de faux documents :

Il travaillait dans la section des dossiers. Il restait intérieurement décontracté. Nonchalant et clandestin nocturne.

Il sortait des dossiers d'histoires de mœurs et des dossiers de ragots. Il y trouvait des fiches d'interrogatoires de terrain et il y rajoutait le nom de Marsh Bowen. Marsh repéré dans trois descentes visant des bars homos, Marsh à un bal costumé de travelos, Marsh à une fête raciste anti-faces-de-craie.

Dwight se rendit dans la section consacrée aux activités subversives. Il y déposa un document vieilli chimiquement.

C'était Joan qui l'avait créé. C'était lui qui avait suggéré la perspective. Un agent à présent décédé était censé l'avoir écrit. Marsh travaillait pour Clyde Duber à l'époque. Marsh travaillait contre Clyde pour les Musulmans Noirs. L'agent avait des soupçons. Clyde n'en avait jamais rien su.

Dwight avait revendu des actions. Pour constituer l'avance à verser à Bob Relyea. Il avait besoin de connaître le calendrier des déplacements de M. Hoover. Demain matin : il prend l'avion pour se rendre à Media.

Il parcourut l'index des dossiers de dénonciations. Des noms lui sautèrent aux yeux. William Buckley caftait des néo-conservateurs. Charlton Heston caftait des fumeurs de hasch. Sal Mineo caftait des folles du fion par paquets de douze. Sal le Salace : l'appât avarié pour piéger Bayard Rustin.

Il trouva d'autres fiches d'interrogatoires de terrain. Il en compléta une à l'encre bleue et en cursive. Il en compléta deux à l'encre noire et en majuscules. Marsh l'infatigable – en 66 et 67. Des rixes au Klondike. Des histoires salaces avec des hippies aux grandes fêtes de l'amour de Griffith Park.

Dwight referma sa mallette et se dirigea vers la sortie. Il vit Jack Leahy devant les portes de l'ascenseur.

– Laissez-moi deviner. Vous n'arrivez pas à dormir, et les dossiers, ça commence à vous faire bicher.

Dwight sourit.

– Vous êtes le seul Fédé de la planète qui ait jamais utilisé le verbe « bicher ».

– C'est vrai, mais vous n'avez pas répondu à ma question.

Dwight enfonça le bouton d'appel de l'ascenseur.

– Les dossiers de ragots, c'est une drogue. Demandez à Qui-vous-savez ce qu'il en pense.

Jack s'esclaffa.

– Il y a des lustres que je n'ai pas parlé à la vieille tante. Je suis plus gradé que vous, mais elle vous parle beaucoup plus souvent qu'à moi.

– Vos propos sont impolitiques, Jack. Vous oubliez de qui vous parlez et à qui vous le dites.

Les portes s'ouvrirent. Ils entrèrent dans la cabine. Les portes eurent une secousse et se fermèrent.

– Suis-je l'objet d'une surveillance sporadique, Jack ? Puisque nous sommes dans l'insubordination, j'apprécierais une réponse de votre part.

Leahy secoua la tête.

– Dwight Holly, « le bras armé de la loi ». Qui carbure au café et aux cigarettes depuis vingt ans que je le connais, et qui commence enfin à voir des choses.

Il entra dans le local. Le téléphone sonnait, avec insistance. Il lâcha sa mallette, et trouva le combiné à tâtons dans le noir.

Karen dit : « Personne ne meurt », et raccrocha.

97

Los Angeles, 8 mars 1971

Ali ! Ali ! Ali !

Ce cri résonnait à travers le Congo. Retransmissions pirates depuis des magasins de spiritueux, des salles de billard. Elles rassemblaient tous les amateurs de télé. Des bandes massées sur les trottoirs captaient le reportage des radios portatives. Des pichets et des joints circulaient. Les groupes comptaient de dix à cent personnes. Central Avenue était une vraie *mori*ca*caud*phonie.

Les lueurs des tubes cathodiques palpitaient derrière les fenêtres. Les branchements pirates : à la Mosquée 19, chez Sam le Sultan, au Salon de coiffure Cedric « Décrêpage et défrisage ». Activité intense à l'intérieur comme à l'extérieur. Grosses transactions sur les parkings. Des maquereaux à talonnettes prenaient des paris sur chaque reprise du combat.

Scotty passa en voiture près de Tiger Kab. Le bureau était bondé et illuminé par l'écran de télé. L'Ékipe était captivée. Fred O., Milt C., Crutchfield le Mateur. D'innombrables zoulous des quartiers sud. Macaque Junkie avec des gants de boxe, sur le téléviseur.

Et Lionel D. Thornton – avec un sac à fermeture éclair rempli de billets de banque.

Scotty s'arrêta près du parking, le moteur tournant au ralenti. Marsh monta dans la voiture. Il portait des gants et des chaussures à semelles de crêpe. Scotty prit ses propres gants sur le tableau de bord. Les deux hommes observèrent le bureau de la compagnie.

La radio avait des faiblesses. Le signal faiblissait et revenait. Marsh régla la fréquence. Des parasites et la décision : Frazier remporte le combat.

Marsh éteignit le poste. Scotty annonça :

– Il a un flingue.

– Je sais. Un petit revolver, au creux des reins, dans la ceinture de son pantalon.

– Il va rentrer à pied. Je ne vois pas sa voiture.

– Il y a six pâtés de maisons jusqu'à la banque.

Scotty passa sa flasque. Marsh but une gorgée d'alcool.

– J'ai perdu cent dollars.

Scotty dit :

– Je paierai pour toi. J'en ai gagné trois cents.

– Tu as parié contre Ali ?

– J'ai combattu à Saipan. Les insoumis, je ne peux pas les blairer.

Marsh repassa la flasque.

– Donne-moi le score : les fantassins japonais ou les braqueurs armés ? Chez qui as-tu fait le plus de morts ?

Scotty but une gorgée.

– J'ai mis le feu à un bunker bourré de munitions. J'ai fait cramer cent Japs pendant leur sommeil.

– On t'a décoré ?

– J'ai reçu la Navy Cross. Sympa, mais pas aussi prestigieuse que ta médaille.

Marsh sourit. La flasque changeait de mains en contrepoint. Lionel Thornton sortit de chez Tiger Kab.

Il partit à pied en direction du sud. Les portes de la banque se trouvaient dans une rue latérale, face au sud. Scotty dit :

– On va le cueillir là-bas.

Agitation et clameurs chez Tiger Kab. Des abrutis hurlaient *Frazier !* Des crétins hurlaient *Ali !* Deux frères échangèrent des coups. Fred O. s'interposa. Le téléviseur bascula. Macaque Junkie tomba sur le plancher.

Scotty partit vers l'ouest et piqua plein sud en prenant Stanford Avenue. Il vira vers l'est par la 63e Rue et se gara le long du trottoir d'en face.

Marsh dit :

– Cette porte de hangar juste à gauche de l'entrée. Il ne nous verra pas, là-bas.

Scotty enfila ses gants.

– Il est là dans quatre minutes.

Marsh déglutit. Il débordait d'énergie mais se sentait un peu moite. Scotty sentit que son pouls s'emballait.

– Ça va, le trac, mon frère ?

– Ça ira, mon frère. Tu sais que je suis là parce que j'en ai *envie*.

Scotty fit un clin d'œil.

– Alors, on y va.

Ils traversèrent la rue. La porte du hangar les dissimulait bien. Marsh consulta sa montre. Scotty entendit des pas.

Ils se rapprochent, à présent. Ils sont plus sonores. On entend sa respiration, on voit son ombre, on entend cliqueter les clés.

Voilà la clé qui entre dans la serrure, le déclic du pêne qui se rétracte, la porte qui balaie le sol.

Ils bondirent.

Ils l'étouffèrent. Ils foncèrent sur lui. Ils le poussèrent à l'intérieur. Le sac de billets traversa les airs. Scotty bâillonna Thornton à pleine main. Marsh s'empara de son arme. Thornton se débattit et lança des coups de pied. Marsh reçut la pointe de sa chaussure en pleine figure.

Thornton tenta de mordre. Sa bouche était immobilisée. Marsh lui asséna des manchettes sur la nuque. Thornton eut le souffle coupé. Marsh s'empara des clés et verrouilla les portes de l'intérieur. Thornton se débattait toujours. Scotty le fit passer par-dessus sa tête et l'expédia à six mètres.

Le pauvre type décolla. Son corps tout entier fit un soleil. Ses pieds frôlèrent le plafond. Il atterrit près de la cage du caissier.

Il hurla. Marsh approcha un lampadaire pour éclairer son visage.

Le plancher était sombre. Le lampadaire projetait un faisceau étroit. Il cadrait la tête de Thornton, et rien de plus.

Thornton hurla. Scotty lui marcha sur le cou. Il cessa de crier. Sa bouche était en sang. Son atterrissage forcé lui avait brisé les dents de devant.

Scotty hocha la tête. Marsh dit :

– Ce qui nous intéresse, ce sont les billets maculés d'encre, ceux qui ne le sont pas, et les émeraudes. Vous savez de quoi nous parlons. Nous pensons que vous avez des informations qui pourraient nous aider.

Thornton se débattit. Scotty appuya un peu plus fort avec son pied. Scotty sortit sa flasque de secours. Le sirop du pasteur Bennett pour faciliter les confessions : du bourbon avec des comprimés de Valium.

Marsh prit la flasque. Marsh saisit les cheveux de Thornton et les tira en arrière. La bouche de Thornton s'ouvrit en grand. Marsh y versa une rasade. Thornton faillit tout recracher. Marsh lui ferma la bouche avec son pied pour qu'il avale.

Scotty hocha la tête. Marsh ôta son pied. Thornton avala une goulée d'air. Thornton dit « non ».

Marsh le gifla. Thornton lui mordit la main. Scotty lui empoigna les cheveux et le traîna derrière le guichet du caissier. Marsh déroula le fil électrique pour approcher le lampadaire.

La cage du caissier était sombre. Le lampadaire projetait un faisceau étroit. Marsh braqua celui-ci sur le visage. La rangée des guichets se retrouva éclairée à contre-jour.

Scotty dit :

– Vous ne pouvez pas gagner, ici. Vous pouvez faciliter les choses ou les rendre difficiles.

Thornton perdait son sang, qui dégoulinait sur le plancher. Un cafard s'approcha ventre à terre. Marsh l'écrasa sous sa chaussure. Thornton aspira de l'air.

– Saloperie de petit péquenaud blanc. Ordure de négro lèche-cul.

Scotty hocha la tête. Marsh sortit une matraque souple et cingla les genoux de Thornton. Le banquier se mordit la lèvre inférieure pour étouffer un cri.

Marsh dit :

– Le sergent Bennett et moi-même avons mis en commun nos informations sur cette enquête. Nous *savons* que vous avez blanchi au moins une petite partie de l'argent du braquage. Vous voulez bien nous faire part de vos commentaires ?

Thornton cracha du sang et des lambeaux de tissus organiques. Thornton rampa jusqu'à un pilier du mur contre lequel il prit appui. Thornton secoua la tête – non, rien du tout, allez vous faire foutre.

Scotty rapprocha encore le lampadaire. Marsh le pencha pour que la lumière soit plus aveuglante. La bouche de Thornton était réduite à des lambeaux sanguinolents. Marsh prit la flasque et lui versa une rasade dans le gosier.

Thornton tenta de régurgiter. Scotty lui empoigna les cheveux et lui tira la tête en arrière. Marsh lui lubrifia de nouveau la gorge.

Des gargouillis, à présent – du sang, de la bile, et la potion de Scotty. Le mélange commença à suinter entre les lèvres. Marsh ferma la bouche de Thornton avec sa main pour le forcer à tout ravaler.

Thornton secoua la tête – *niet*, *nein*, *no*. Marsh ôta le bâillon que formait sa main et lui matraqua les jambes.

– Le sergent Bennett et moi avons accumulé chacun de notre côté des informations que nous avons décidé de partager. Nous étions tous les deux présents ce matin-là. Il serait stupide de notre part de ne pas coopérer.

Thornton secoua la tête. Une dent arrachée s'envola. Scotty lui relâcha les cheveux. Thornton s'allongea de nouveau sur le sol et ravala son sang. Il secoua la tête – *nein, niet, niet.*

Marsh dit :

– J'avais un voisin, un vieux médecin noir. Il a soigné l'un des braqueurs, qui avait été laissé pour mort par le chef de la bande. Ce médecin a reçu vingt mille dollars en billets maculés en paiement de ses services. C'est à vous qu'il a donné l'argent, en vous demandant de le distribuer prudemment, par petites sommes, à la communauté. Le braqueur survivant a guéri, et on ne l'a jamais revu. Vous voulez bien nous faire part de vos commentaires ?

Thornton ouvrit de grands yeux. Manifestement, il réfléchissait à toute vitesse. Ce sacré Marsh, quelle intelligence... Scotty pensa : *Bravo, petit.*

Il faisait chaud dans la cage du caissier. Scotty était trempé de sueur/ Marsh aussi. Scotty vit un climatiseur mural et le mit en marche.

Un souffle d'air froid en sortit bruyamment. Thornton s'en remplit goulûment les poumons. Marsh lui matraqua les genoux. Thornton hurla. Les vibrations du climatiseur se mêlèrent à son cri.

Marsh leva sa matraque. Scotty secoua la tête. Thornton cligna des paupières pour se protéger les yeux de la lumière aveuglante. Scotty s'interposa entre le lampadaire et lui pour lui faire de l'ombre. Marsh s'accroupit près de Thornton et lui chatouilla le menton du bout de sa matraque.

– Le sergent Bennett et moi-même croyons que le survivant du braquage était un jeune chimiste du nom de Reginald Hazzard. J'ai une théorie que je n'ai pas encore partagée avec le sergent Bennett : je pense que le jeune Hazzard avait trouvé un moyen d'éliminer partiellement ou complètement les traces d'encre, et que c'est peut-être *vous* – un vieux spécialiste du blanchiment d'argent – qui avez hérité de *tout* l'argent à remettre dans le circuit. Vous voulez bien nous faire part de vos commentaires ?

Thornton ouvrit des yeux *immenses*. Cette réaction avait la valeur d'un sérum de vérité. Marsh, espèce d'enfoiré de génie. *Le cerveau de la bande avait approché le Blanchisseur individuellement.*

Thornton pissa et chia dans son pantalon. Marsh la chochotte se releva en se pinçant les narines.

Scotty cligna des yeux. Le climatiseur crachait des paillettes de glace. Un cafard traversa en zigzag la flaque de sang.

Marsh dit :

– Reginald Hazzard.

Thornton sanglota et cracha du sang.

Marsh demanda :

– Qui envoie les émeraudes aux Noirs dans le besoin ?

Thornton roula sur lui- même pour sortir du halo lumineux. Marsh lui lança un coup de pied dans le dos. Scotty secoua la tête. Marsh eut une mimique qui voulait dire : *Et maintenant ?* Scotty sortit sa lampe-crayon et fit décrire de larges cercles au faisceau.

Marsh sortit un rouleau de bande adhésive et ferma la bouche de Thornton. Scotty lui menotta le poignet droit à un tuyau de chauffage. L'idée se transmit par télépathie : on retourne toute la baraque.

Ils travaillèrent avec deux lampes-crayons et les passe-partout de Thornton. Ils passèrent les lieux au crible, ils creusèrent, ils observèrent, ils mirent en l'air, ils sondèrent, ils secouèrent, ils retournèrent tout *trois fois*.

Ils ouvrirent tous les tiroirs de bureaux et tous les tiroirs-caisses.

Ils fouillèrent tous les placards.

Ils vidèrent toutes les étagères.

Ils soulevèrent tous les tapis.

Ils fouillèrent toutes les armoires.

Ils brisèrent toutes les appliques.

Ils scrutèrent toutes les surfaces, tous les plans de travail et tous les compartiments à la recherche de renseignements sur la salle des coffres.

Ils recommencèrent une fois, deux fois. Ils examinèrent en détail tous les débris résultant de l'opération.

Marsh constata :

– Il n'y a rien, là-dedans.

Scotty s'enferra :

– Si, il y a quelque chose.

– Enfin, il n'est pas idiot à ce point-là. Il a une planque chez lui, ou une niche quelque part, ici même.

Scotty secoua la tête.

– Il est sûr de lui. C'est ici qu'il blanchit l'argent. Il a forcément des registres auxquels il peut se référer. Il a un coffre quelque part.

Marsh retourna en courant près de Thornton. Il *avait été* M. Propre et le Blanchisseur. *Maintenant*, il n'est que merde, sang et pisse.

Marsh enfila des gants lestés. Trois cent quarante grammes chacun – du plomb sur la paume et des bandes de métal sur les doigts.

Marsh dit :

– Vous allez parler, à présent.

Marsh plia les doigts. Marsh frappa M. Propre dans le dos.

Thornton sanglota et se roula en boule. Scotty se précipita et tira Marsh en arrière.

– Non, pas ça. Du calme, mon frère. On sonde les murs d'abord.

Marsh laissa retomber ses bras. Oui, mon frère – d'accord – oui, oui.

Scotty le relâcha. Marsh percuta le climatiseur mural. Scotty fonça vers le local de rangement et en ressortit armé d'un pied-de-biche. Marsh sourit jusqu'aux oreilles.

Ils frappèrent les murs.

Ils les éventrèrent et les défoncèrent.

Ils se passèrent le relais.

Ils transpiraient. Ils furent bientôt trempés. Ils se relayaient pour reprendre leur souffle et démolir les murs sans s'arrêter.

Ils éventrèrent les murs du bureau de Thornton et ceux de la salle du personnel et ceux de la caisse. Ils défoncèrent ceux de la banque elle-même et continuèrent sur leur lancée. Ils arrachèrent les plinthes et les boiseries. Ils avalèrent de la poussière et des bouts de plâtre. Ils entendirent Thornton gémir et tousser. Ils cognèrent et détruisirent et se passèrent le relais, titubant sur leurs jambes.

Ils s'attaquèrent au couloir du fond. Scotty, épuisé, sans force, s'adossa au mur. Marsh donna le premier coup. Un bloc de plâtre tomba. Un registre à reliure toile lui dégringola dans les mains.

Il était enveloppé dans du plastique et scellé par du ruban adhésif. Il mesurait vingt centimètres sur trente et comptait de nombreuses pages. Scotty déchira l'emballage. Marsh lut la première page. Elle était couverte d'un quadrillage de lignes et de colonnes contenant des chiffres. Des dates tout à gauche. La première : 4/64.

Ils se frottèrent les yeux. Ils tournèrent les pages. Ils virent des dates, des chiffres, et des désignations codées à l'aide de nombres. Ils virent au jour le jour le détail des sommes déposées à la banque. Le dernier total inscrit : supérieur à sept millions.

Marsh dit :

– L'argent du braquage a servi de capital de départ. Il l'a blanchi, puis prêté et a accumulé les intérêts. Il a commencé avec deux millions, et le montant dépasse les sept millions aujourd'hui. C'est ce qu'ils ont ici même. C'est un bilan des fonds présents dans les murs.

Scotty dit :

– Il y a un coffre.

Le registre était doublé en cuir. Marsh incisa la peau au couteau et glissa la main à l'intérieur. Une feuille de papier en tomba.

Un schéma. Une boîte noire. Des chiffres notant les dimensions et l'emplacement. Une cachette. Peut-être ici, peut-être pas. Un coffre secret. *Pas dans la salle des coffres de la banque.*

Ils retournèrent près de Thornton. Il s'était redressé sur son séant. Son sang était épais et poisseux et commençait à se couvrir d'une croûte. Il avait fait une petite pile de ses dents cassées. Il était couvert de poussière de plâtre. Sa transpiration la transformait en boue.

Scotty demanda :

– Où est le coffre ?

Thornton secoua la tête.

Marsh lui mit le croquis sous le nez.

– Le coffre. La combinaison.

Thornton dit :

– Non.

Scotty lui lança un coup de pied dans la jambe. Thornton lui fit un doigt. Marsh lui plia l'index en arrière et le lui brisa. Thornton pinça les lèvres pour étouffer son cri.

Marsh rafla le pied-de-biche et courut jusqu'au couloir. Scotty regarda sa montre – cela faisait trois heures qu'ils étaient là. Thornton cracha une dent qui atterrit dans son giron. Scotty lui adressa un clin d'œil.

– J'en reste toujours ébahi quand des types intelligents comme vous choisissent de souffrir pour rien. Nous pourrions être en train de sabler le champagne ensemble, à l'heure qu'il est.

Thornton dit :

– Va baiser ta mère. Petite saloperie de face-de-craie.

Les coups frappés contre les murs recommencèrent. Marsh cognait fort et vite. Encore de la poussière et des bouts de plâtre qui volent. Le torchis suivait le mouvement.

Marsh s'entêta. Thornton cracha du sang épaissi par le plâtre en suspens dans l'air. Scotty s'assit et ferma les yeux. Il ressentait des douleurs partout.

Les coups cessèrent. Marsh fit : « *Wooooooou !* » Il revint en courant. Scotty garda les yeux fermés. Ses paupières pesaient cinq tonnes chacune.

– C'est un dossier de coupures de presse, mon frère. Qui remonte au printemps 64. Il y a des articles sur les bénéficiaires et une liste de leurs noms et adresses. C'est l'Histoire avec un grand « H » qui s'écrit là, mon vieux. Il y a les familles de plusieurs types qui ont été lynchés au Mississippi, les petites tuées dans l'attentat contre l'église à Birmingham, cette femme qui a perdu son fils dans les émeutes de Watts.

Scotty rouvrit les yeux. Marsh tenait dans ses bras des rouleaux de papier et des articles découpés dans des journaux. Thornton grinça des mâchoires. Ses dents étaient tombées. Les gencives frottaient contre les gencives.

Marsh laissa tomber toutes ses paperasses. Elles atterrirent juste à côté d'une flaque de sang. L'air glacé les fit voleter.

– Par centaines, collègue. Des victimes de tirs de policiers, des malades, des manifestants abattus dans le Sud. On y trouve Mary Beth Hazzard et son mari mort et toute la suite jusqu'à l'« Ex-champion Sonny Liston dans la mouise ».

Scotty tapota gentiment le Blanchisseur.

– Donnez-moi la combinaison.

Thornton secoua la tête.

Scotty demanda :

– Est-ce que les émeraudes sont ici ?

Thornton répondit :

– Allez vous faire foutre.

Marsh lui empoigna le pouce droit et le brisa.

ÇA, c'est un hurlement – dix secondes, pas moins.

Scotty demanda :

– Dites-moi si vous connaissez bien Reginald Hazzard.

Thornton dit :

– Allez vous faire foutre.

Marsh lui empoigna l'auriculaire de la main droite et le brisa.

ÇA, c'est un rugissement – douze secondes, pas moins.

Scotty répéta :

– Est-ce que les émeraudes sont ici ? C'est vous qui les envoyez ? Est-ce qu'on vous les poste, charge à vous de les réexpédier ? Est-ce que Reginald se trouve quelque part à l'étranger ? Qui d'autre est impliqué dans tout ça ?

Thornton dit :

– Allez vous faire foutre.

Marsh lui empoigna le pouce gauche et le brisa.

Cris et hurlements. À percer les tympans – une bonne minute.

Scotty sortit sa flasque spéciale confession. Marsh empoigna les cheveux de Thornton et lui tira la tête en arrière. Thornton ouvrit la bouche en grand. Thornton suça le goulot comme s'il n'attendait que ça. Ses yeux disaient *Encore*.

Bien sûr, Patron. C'est ma tournée.

Thornton eut un haut-le-cœur mais ne régurgita rien. Scotty regarda sa montre. Une minute pour qu'il s'en *imprègne à fond*.

Thornton s'empourpra et plia les mains. Thornton pétrit des muscles noués qui le faisaient souffrir. Décollage au bout de quarante-trois secondes.

– Je ne sais pas où est Reggie. Je reçois du courrier de l'étranger. Ils sont renvoyés par des correspondants anonymes de divers endroits. C'est moi qui expédie les émeraudes, mais elles me sont remises par un coupe-circuit.

Un « coupe-circuit » – Ouh ! Ça se précise !

– Donnez-nous le nom du coupe-circuit.

Thornton toussa.

– Je ne sais pas comment elle s'appelle.

Scotty répéta :

– Elle ?

Marsh dit :

– Décrivez-la.

Thornton eut une toux sèche.

– Blanche, la quarantaine, des lunettes. Des cheveux bruns avec des mèches grises.

Marsh tiqua. Cela n'échappa pas à Scotty. *Mon frère, tu t'es grillé.*

Thornton eut une toux grasse. Du sang s'écoula sur son menton.

– Où est le coffre ?

– Je ne vous le dirai pas.

– Donnez la combinaison.

– Je ne le ferai pas.

– Reconstituez toute cette histoire pour nous. On a le temps de vous écouter.

– Je ne le ferai pas.

– Expliquez-nous le code des opérations dans le registre.

– Je ne le ferai pas.

Marsh plia ses gants lestés. Scotty lui tira les bras en arrière.

– Va dans son bureau et rapporte son carnet d'adresses. Il se trouve dans le tiroir du haut, à droite.

Thornton s'adossa au mur et se mit à trembler. Marsh détala, balayant l'obscurité du faisceau de sa lampe. Scotty examina les menottes de Thornton. Ses poignets étaient profondément entamés par les crans de serrage.

Marsh revint au galop. Scotty éplucha le carnet, nom par nom. Ils lisaient à la lumière de leurs lampes. Marsh était penché au-dessus de Scotty. De *A* à *K* : deux femmes. Janice Altschuler, April Kostritch. Un nom qui fait tiquer à la lettre *L* : ASC John Leahy/FBI n° 48770.

Deux autres femmes : Helen Rugert et Sharon Zielinski. Des « raccords » ? Réaction instinctive : non.

Thornton eut une toux sèche.

– Ces femmes sont membres du conseil municipal et juristes. Je vous l'ai dit, je ne connais pas le nom du coupe-circuit.

Scotty fit craquer ses phalanges.

– Où l'appelez-vous ?

– Je ne l'appelle *pas*. C'est elle qui me contacte.

– Pourquoi le nom de Jack Leahy figure-t-il dans votre carnet ?

– Nous sommes amis. Nous jouons au golf ensemble.

– Êtes-vous un informateur du FBI ? Le n° 48770 est-il votre matricule confidentiel du Bureau ?

– Non, nous jouons au golf ensemble !

Scotty le gifla. Thornton se cogna la tête. Scotty essuya des traces de sang et de morve sur sa jambe de pantalon.

– Êtes-vous un informateur confidentiel du Bureau ?

– Oui.

– Avez-vous connu feu le Dr Fred Hiltz, ou travaillé avec lui ?

– Cet enfoiré de « Roi de la Haine » ? Pourquoi aurais-je fait une chose pareille ?

Sérum de vérité – je le crois sur parole.

– Qui dénoncez-vous à Jack ?

– La racaille du ghetto, c'est tout. Des revendeurs de drogue et des ahuris genre Panthères Noires.

Marsh laissa tomber le carnet d'adresses. Scotty lui envoya un signal lumineux avec sa lampe-crayon. Marsh lui répondit de même. Leurs regards se rencontrèrent. Ils poursuivirent par télépathie.

Scotty demanda :

– Où est le coffre, monsieur Thornton ?
– Je ne vous le dirai pas.
Marsh prit le relais :
– Que ne nous avez-vous pas dit que vous auriez dû nous révéler dans le cadre d'aveux complets ?
Thornton rit.
– Mon petit bonhomme, tu n'es qu'un salopard de nègre à la bouche remplie de mots à quatre dollars.
Scotty insista :
– Menez-nous au coffre, je vous prie.
– Je ne le ferai pas.
Marsh demanda :
– Où sont les émeraudes ?
– Si je le savais, je ne vous le dirais pas.
Scotty haussa les épaules.
Marsh haussa les épaules.
Ils braquèrent leurs lampes sur le visage de Thornton. Ils obtinrent une belle cible. Marsh sortit un flingue sans pedigree et l'abattit.

98

Los Angeles, 8 mars 1971

Sal l'Insolent adorait la cuisine du Sud. Il se rua sur les buffets d'après-combat et s'empiffra encore plus que les frères. Il était déglingué par la marie-jeanne. Il était lanciné par sa libido. Il se goinfrait d'ailes de poulet et bavait devant la virilité des voyous. Marsh Bowen était introuvable. Crutch voulait que Sal le voie. Le boulot de Sal : donner le coup d'envoi de leur béguin.

La fête s'éternisait. La revue de détail de la rencontre manquait de piquantes perceptions. Pédanterie des Panthères. Fraziéristes frondeurs et musulmans mongoliens.

Les gogos faisaient durer le moment. Le prix d'entrée incluait la bouffe et un buffet de stupéfiants. La Cuisine de Big Mama fournissait la nourriture. Fred O. fournissait la pharmacie.

La consommation sur place battait son plein. Les crétins s'entassaient dans les taxis Tiger et s'endormaient comme des masses.

Où est Marsh ?

Crutch bâilla. Il avait les nerfs anesthésiés. Sa revue de détail *à lui* tournait en rond. La Tatouée veut rencontrer des gens du cinéma. Elle a été désenvoûtée. Les empreintes des enveloppes : celle de Reggie Hazzard, peut-être ; celle de Lionel Thornton, certainement.

Sal bouffait du chou frisé. Crutch bâilla de nouveau. Il lisait beaucoup, en ce moment. Ses nouvelles marottes : la chimie et la dialectique de gauche.

Il se mettait dans la peau de Reggie Hazzard. Il avait encore demandé à Mary Beth de lui faire parvenir des dossiers et n'avait pas reçu de réponse. Il lisait les livres de Reggie. Il faisait des expériences simples, en suivant les instructions. Il avait dilué deux poudres et fait exploser une poubelle. Il a appris le rôle de United Fruit au Guatemala. Il a suivi le récit. Les rôles des bons et des méchants s'en sont trouvés inversés. Il a fini par souffrir de fatigue oculaire. Et il a commencé à voir *ROUGE*.

Marsh entra dans le bureau. Il avait l'air secoué-nerveux. Qu'est-ce donc que cette tache sur son pantalon ?

Sal remarqua sa présence. Sal eut une mimique signifiant *Oh-là-là !* Marsh se dirigea vers les toilettes. Crutch le suivit. Marsh laissa la porte entrouverte.

Marsh se lava les mains. Des taches sombres virèrent au rouge puis au rose. Il trempa les manchettes de sa chemise et les essora. Crutch capta une odeur de sang.

Marsh s'essuya le visage. Marsh sortit un stylo et inscrivit quelque chose sur son bras gauche. Crutch plissa les paupières et parvint à déchiffrer :

FBI/48770.

99

Media, 8 mars 1971

L'agence régionale. Un dépôt d'archives qui occupe deux pièces. Un bureau dans un immeuble de trois étages.

La ville de Media, c'était Coma-City. Un trolleybus reliait le bled à Philadelphie, à vingt kilomètres de là. La porte d'entrée était faite pour les pieds de biche à lame fine.

Il est 23 h 49. La rumeur fait le tour du monde : Frazier a battu Ali.

Dwight se gara dans une rue latérale. Il avait pratiquement une vue en diagonale. Il voyait la porte d'entrée et les fenêtres du bureau.

Karen lui avait fait un topo la veille. Ils avaient discuté des conséquences.

Le sentiment de Dwight : M. Hoover va bétonner l'affaire. Solution : des fuites en direction de la presse écrite. Il fallait viser les *graaands* quotidiens. Joindre des documents. Avertir aussi quelques feuilles à scandales. Laisser la rumeur grossir d'elle-même. Faire passer les extraits de dossiers par des intermédiaires. Inventer un groupuscule gauchiste. Revendiquer le cambriolage en leur nom.

Joan n'était pas d'accord. Son point de vue : nous sabordons la grande révélation. Celui de Dwight : ce n'est qu'un prélude et une mise en condition. Les dossiers archivés à Media sont *inoffensifs*. Ils détaillent des harcèlements prosaïques et des surveillances de routine. Les dossiers juteux sont ailleurs. C'est *notre* opération qui va les révéler. Le FBI post-Hoover ne sera pas capable d'étouffer le scandale. Le cambriolage de Media aura fait connaître au grand public le terme COINTELPRO. Les commentaires des fédéraux vont déformer la vérité. C'est *moi* qui révélerai au monde entier ce que cela signifie réellement. Le Bureau ne pourra pas resserrer les rangs après l'attentat. Media aura provoqué une indignation générale autour des dossiers du Bureau. Il ne sera plus possible de noyer le poisson une fois l'attentat commis. C'est *moi* qui serai découvert. C'est *moi* qui bousculerai la hiérarchie. C'est *moi* qui sortirai de l'ombre pour témoigner.

Dwight leva ses jumelles. Une camionnette entra dans son champ de vision.

Quatre personnes en sortirent : deux hommes, deux femmes. Ils étaient vêtus comme des bourgeois quadragénaires. Les femmes avaient des sacs à main boursouflés remplis de sacs à linge. Karen portait un tailleur-pantalon de mère de famille de banlieue.

Dwight leur avait donné son passe-partout. Ils s'approchèrent sans hâte de la porte d'entrée et la déverrouillèrent. Karen sabota au poinçon le boîtier de la serrure pour simuler un cambriolage.

Ils fermèrent la porte. L'immeuble resta plongé dans le noir. Les points lumineux des lampes-crayons trouèrent l'obscurité. Prenez l'escalier de derrière. Évitez les risques que représente l'ascenseur.

Dwight regarda sa montre. Elle marquait minuit. Il observa les quatre fenêtres. Une demi-minute s'écoula. Les faisceaux des lampes pilonnaient l'obscurité.

Une voiture passa devant l'immeuble. Une Mercedes dernier modèle, un couple pépère, genre retour du country club. Papa écoutait la radio. Dwight capta « Ali ».

Les faisceaux continuaient de canarder dans tous les sens. Quelques carreaux s'éclairaient brièvement. Une voiture de police passa devant l'immeuble. Deux gros flics bâillaient à l'intérieur.

Dwight comptait les minutes, l'œil rivé à sa montre. L'aiguille des secondes se traînait. Les fenêtres restèrent noires pendant quarante-huit secondes. Compris, c'est terminé.

Il surveilla le hall d'entrée. Les voilà. Les sacs à linge sont bourrés. Passez la porte. Rejoignez la camionnette et démarrez.

Les trois autres marchaient devant. Karen s'arrêta sur le trottoir et se tourna vers lui. Dwight embrassa le bout de ses doigts et toucha le pare-brise. Karen brandit un poing serré.

DOCUMENT EN ENCART : 12/3/71. *Article du* Los Angeles Herald Express :

LES ONDES DE CHOC D'UN VOL SUIVI DE MEURTRE PERPÉTRÉ DANS LES QUARTIERS SUD

IL RESSORT DE L'ENQUÊTE UN PORTRAIT COMPLEXE DE LA VICTIME

Lionel D. Thornton, 51 ans, président de la Banque populaire de Los Angeles-Sud, est mort d'une façon horrible pendant la nuit de lundi à mardi. Regagnant l'établissement après avoir assisté au combat de boxe Ali-Frazier au siège d'une compagnie de taxis bien connue, il a été agressé devant la porte de la banque dans laquelle on l'a fait entrer de force. Il a ensuite été dépouillé de la recette de la compagnie de taxis, puis torturé et tué. Les premières constatations effectuées par la police de Los Angeles ont révélé que le ou les voleurs/meurtriers, en proie à une rage destructrice, ont saccagé toute la banque, peut-être à la recherche d'un coffre secret ou encore d'une somme en liquide cachée par M. Thornton dans les murs de la banque. Le plus triste, dans cette affaire, c'est que le crime a pu être inspiré par des rumeurs jamais confirmées qui couraient sur le compte de M. Thornton lui-même.

« Je n'ai que de bonnes choses à dire au sujet de M. Thornton », a déclaré aux journalistes, lors d'une conférence de presse organisée en hâte, le sergent Robert S. Bennett, le principal enquêteur chargé de l'affaire. « Il était depuis de nombreuses années l'un des piliers de la communauté noire locale, ainsi qu'en témoignent la vague de chagrin provoquée par son décès et le nombre d'hommages élogieux que nous entendons depuis que la nouvelle a été communiquée, ce matin. »

Le sergent Bennett, 49 ans, dirige une équipe de six inspecteurs chargés d'élucider le meurtre et d'amener devant la justice le ou les suspects. « Personnellement, je pense que M. Thornton a toujours été une personnalité irréprochable », a-t-il confié aux reporters. « Cela étant dit, je crois que ce meurtre découle d'une rumeur qui circule depuis longtemps dans les quartiers sud, et selon laquelle M. Thornton avait peut-être des liens avec le crime organisé et qu'il conservait entre les murs de la banque de l'argent blanchi. Je ne crois pas à ces rumeurs. Je crois que le crime résulte d'une désinformation entretenue en permanence. La tragédie, c'est que M. Thornton a donné sa vie pour les 2 000 dollars de recette d'une compagnie de taxis, et que le ou les suspects l'ont tué et ont saccagé l'intérieur de la banque à la recherche de quelque chose qui ne s'y trouvait pas. »

L'enquête continue. Le sergent Bennett et son équipe de six hommes vont mener la croisade visant à appréhender le ou les meurtriers de Lionel D. Thornton. Une enquête complémentaire sera menée par l'agence de Los Angeles du FBI, supervisée par l'agent spécial en charge John C. Leahy.

DOCUMENT EN ENCART : 12/3/71. *Transcription mot pour mot d'une communication téléphonique du FBI. – ENREGISTRÉE À LA DEMANDE DU DIRECTEUR – CLASSÉE : CONFIDENTIEL 1-A ; DESTINATAIRE UNIQUE : LE DIRECTEUR – Interlocuteurs : Directeur Hoover, Agent spécial Dwight Holly.*

DH. – Bonjour, monsieur le directeur.

JEH. – C'est tout sauf un bon jour, Dwight.

DH. – Monsieur ?

JEH. – L'agence régionale de Media, Pennsylvanie, a été cambriolée la nuit dernière. De très nombreux dossiers ont été volés.

DH. – L'endroit est-il sécurisé, monsieur ? Et pardonnez mon ignorance, mais je ne sais pas où se trouve Media.

JEH. – C'est un local où travaillent deux agents, près de Philadelphie. La salle des archives récolte le surplus des agences de New York, Boston et Philadelphie. L'intrusion a eu lieu pendant que les officiers de police se trouvaient à la Pizzeria Shakey, où ils regardaient une rediffusion du Combat des Grands Singes entre Cassius Clay et Smokin' Joe Frazier.

DH. – Monsieur, cette agence est-elle sécurisée ?

JEH. – Elle l'est. Le cambriolage a été découvert par les agents eux-mêmes. Ils se sont abstenus de prévenir la police de Media, et ils ont appelé l'ASC de Philadelphie. Media n'a pas encore atteint les médias.

DH. – Les dossiers, monsieur ?

JEH. – Insipides, selon les critères qui sont les vôtres à l'agence de Los Angeles. Accablants selon ceux des dérangés du cerveau qui militent pour les libertés civiques. Nous avons perdu des dossiers annexes de surveillance, des transcriptions d'écoutes téléphoniques, et des addenda de COINTELPRO.

DH. – C'est une violation scandaleuse, monsieur.

JEH. – L'émotion vous rend confus et hypersensible, aujourd'hui, Dwight. Les séjours prolongés en sanatorium sapent les personnes fortes. Qui confondent leurs états émotionnels avec le monde qui les entoure.

DH. – Oui, monsieur.

JEH. – Voilà qui est mieux. Je reconnais là l'ancien « bras armé de la loi ». Implacable et docile.

DH. – Oui, monsieur.

JEH. – Mieux encore.

DH. – Oui, monsieur.

JEH. – Je suis sûr que nos raisonnements suivent le même cheminement. Quel groupe marginal d'illuminés va revendiquer cet exploit ? Vont-ils rendre publics ces dossiers ? À quel torchon gauchisant perfide vont-ils les communiquer ?

DH. – Combien d'agents travaillent sur l'enquête, monsieur ?

JEH. – Quarante-six, à temps plein. Évidemment, il n'y a pas de témoin oculaire et les voleurs n'ont laissé aucune trace tangible de leur passage.

DH. – Je vais interroger mes informateurs, monsieur.

JEH. – Faites donc. Motivez-les en leur offrant des rétributions en argent liquide, et utilisez vos méthodes amplement indiscrètes avec ma bénédiction pleine et entière.

DH. – Oui, monsieur.

JEH. – J'ai envoyé une note de service générale à toutes nos agences de terrain. Elles s'emploient en ce moment même à renforcer la sécurité de leurs archives.

DH. – Oui, monsieur.

JEH. – Ne sous-estimez pas ma volonté d'empêcher tout futur cambriolage. Ne sous-estimez pas la robustesse de mon état de santé. Mon médecin, le Dr Archie Bell, voit en moi un spécimen exceptionnel.

DH. – Oui, monsieur.

JEH. – Le président Nixon est un malade mental. Il refuse de m'informer qu'il me reconduira dans mes fonctions de directeur après sa réélection acquise d'avance l'an prochain. Je dis les choses comme elles sont, frère Dwight. Richard le Roublard m'a demandé de pratiquer des perquisitions illégales chez les principaux candidats démocrates, ce que j'ai refusé de faire. Je traîne les pieds. Notre petit Nixon commence à transpirer à grosses gouttes.

DH. – Je comprends ça, monsieur.

JEH. – Je n'en doute pas. Et qu'en est-il de votre santé mentale ? Avez-vous recouvré votre vision brutale de l'existence ?

DH. – Grandement, monsieur.

JEH. – Nous avons perdu quelques dossiers, mais nous finirons par nous imposer. Les dossiers que contient mon sous-sol superbement protégé feraient s'écrouler le monde entier.

DH. – Absolument, monsieur.

JEH. – Au revoir, Dwight.

DH. – Au revoir, monsieur.

DOCUMENT EN ENCART : 12/5/71. *TRANSCRIPTION MOT POUR MOT DE NIVEAU 1 – CONTACT SÉCURISÉ/ Transcription d'une communication téléphonique d'ACCÈS PRIORITAIRE – Dossier classé n° 48297. Interlocuteurs : Président Richard M. Nixon et Agent spécial Dwight C. Holly, FBI.*

RMN. – Bonsoir, Dwight.

DH. – Bonsoir, monsieur le président.

RMN. – Cela fait bien trop longtemps, mon ami.

DH. – Je le pense aussi, monsieur.

RMN. – Avez-vous de quoi occuper vos journées ?

DH. – Amplement, monsieur.

RMN. – C'est ce qu'il faut faire. Continuez de nager jusqu'à ce que votre chapeau flotte.

DH. – C'est un conseil très sage, monsieur.

RMN. – Vous avez raison. À ce sujet, il me faudrait mentionner ceci : Qui-vous-savez doit se faire un sang d'encre, en ce moment, au sujet de ce cambriolage.

DH. – C'est le cas, monsieur. Nous en parlions ce matin, lui et moi. Puis-je vous demander si c'est lui qui vous a informé ?

RMN. – C'est le ministre de la Justice qui m'a appelé. Il m'a dit : « La vieille tante s'est peut-être pris la bite dans l'essoreuse. »

DH. – Me permettez-vous d'être abrupt, monsieur ?

RMN. – Absolument, Dwight. Pourquoi mâcher ses mots ? Je ne vous appelle qu'après avoir pris quelques verres, quand je ne désire rien d'autre qu'un peu de franchise.

DH. – Les cambrioleurs revendiqueront ou ne revendiqueront pas leur action, il se peut qu'ils communiquent ou pas le contenu des dossiers à la presse. Entre parenthèses, j'ajouterai que Media, Pennsylvanie, est la Sibérie de tous les centres d'archivage, et que toutes les informations contenues dans les dossiers sont antérieures à votre élection.

RMN. – Ça me plaît bien, ça.

DH. – C'est bien ce que je pensais, monsieur le président.

RMN. – Voilà ce que je crains : à mon avis, Qui-vous-savez pourrait être sénile au point de rendre publics ses dossiers à mon sujet pour garder son poste.

DH. – Vous serez réélu en novembre 72, monsieur. Le jour de votre investiture en janvier 73 me paraît le meilleur moment pour régler le problème.

RMN. – Ça me plaît bien, ça.

DH. – C'est bien ce que je pensais, monsieur. Et permettez-moi d'ajouter que si le cambriolage devait être revendiqué et les dossiers divulgués en conséquence, cela rendra Qui-vous-savez plus circonspect quant aux risques de rendre des dossiers publics dans le but de dénigrer quelqu'un.

RMN. – Dwight, vous êtes un chef.

DH. – Merci, monsieur le président.

RMN. – En ce qui concerne l'élection de l'an prochain, donc. La vieille tante traîne les pieds sur un certain front. « Les plombiers des ombres. » Ça ne manque pas de peps, comme concept, vous ne trouvez pas ?

DH. – Franchement, monsieur le président, c'est digne du ghetto. C'est aussi de cette façon que je le conçois.

RMN. – Dwight, vous êtes impayable. On en reparlera la prochaine fois.

DH. – Oui, monsieur.

RMN. – Vous avez besoin de quelque chose ?

DH. – Une seule, monsieur le président.

RMN. – Je vous écoute.

DH. – L'agence de Los Angeles renforce la sécurité de son unité d'archivage. Les agents redoutent que Qui-vous-savez débarque sans prévenir avant qu'ils aient fini. Pourriez-vous obtenir du département de la justice le calendrier de ses déplacements ?

RMN. – Bien sûr, Dwight. En catimini, mon petit. Exactement comme nos conversations.

DH. – Merci, monsieur le président.

RMN. – Gardez le cap, Dwight.

100

Los Angeles, 13 mars 1971

Scotty crayonnait.

Son box était enveloppé de trois murs. Il dessinait de petites émeraudes. Il y ajoutait ce symbole grec qui représente la féminité. Cela voulait dire : « *Qui est la femme* ? »

Il était tôt. L'équipe de nuit avait tout laissé en désordre. Scotty sabotait le travail. Il envoyait ses équipes de renforts explorer des impasses. Il avait supervisé le travail des techniciens sur les lieux du crime. Marsh et lui avaient bien effacé leurs traces. Les gars du labo n'avaient trouvé aucune piste lors de leur premier examen. Ce qui voulait dire qu'ils en feraient un deuxième.

Ils avaient volé la recette de Tiger Kab et rien d'autre. Jack Leahy menait une enquête parallèle, pour le compte du FBI. M. Propre faisait le mouchard pour les fédés. Entre familles tuyau-de-poêle, il y a des rencontres inévitables.

Ce coffre caché. Jusqu'à maintenant, introuvable. La filière. Frère Bowen, qui tenait crânement sa place.

Scotty scruta une liste. Fred O. l'avait envoyée par télex. La liste alphabétique des invités venus assister au combat de boxe dans les locaux de Tiger Kab.

Milt C. et Fred T. Lenny Bernstein et Wilt Chamberlain. Voilà Sal Mineo – amené par Crutchfield le Mateur. Sal le Saute-au-paf était censé faire la connaissance de Macho Marsh ce soir-là.

Scotty saute directement au bas de la liste. Ah, ah ! Marcus et Lavelle Bostitch.

Ils habitaient à Watts. Ils squattaient une baraque derrière la mosquée de Moumar n° 2. Drogués, braqueurs, pédophiles. Candidats au prix Nobel.

Les Bostitch Boys ne se baladaient pas en bagnole. C'est comme ça qu'ils étaient devenus légendaires. Ils roulaient sur des vélos Schwinn « Sting-Ray » à guidon en col de cygne et selle banane.

Les bécanes n'étaient pas là. La porte n'était pas verrouillée. Les Maures de la mosquée étaient en bruyant tête à tête avec Allah. Scotty entra sans attendre.

Il avait apporté un nécessaire à empreintes, un canif, et trois rouleaux de billets entourés d'une bande aux armes de Tiger Kab. Il s'était muni de relevés d'empreintes pris aux archives, de bande de transfert, de poudre à empreinte et de six sachets en plastique.

La baraque empestait. La puanteur typique des junkies. Manque d'hygiène et suppuration. Il fouilla rapidement les lieux. Pas d'armes sur place. Ça ne voulait rien dire.

Deux fauteuils tendus de tissu. Un plancher recouvert de linoléum. Un matelas. Pas de salle de bains, pas de cuisine, pas de placards ni d'étagères.

Au travail.

Scotty fendit le dessous du matelas et y glissa trois rouleaux de billets. Il ouvrit un sac en plastique et il en répandit le contenu – des débris provenant des murs de la banque. Il ramassa des cheveux crépus sur un rebord de fenêtre et les glissa dans un sachet.

Il saupoudra les encadrements de portes et quatre surfaces planes qu'on pouvait aisément toucher ou agripper. Il obtint deux séries d'empreintes latentes. Il les compara à celles des cartes du fichier central. C'étaient bien les Bostitch Boys, avec dix points de concordance.

Il les transféra sur bande et les rangea soigneusement dans des tubes ad hoc. Il mit dans un sachet des fibres de fauteuil et d'autres cheveux. Il mit dans un autre de la terre et des grains de poussière. Il glissa un flingue sans pedigree dans une fente du matelas.

Les Infidèles psalmodiaient toujours. Scotty passa à pied devant la mosquée pour regagner sa voiture. Un bronzé coiffé d'un fez lui fit un salut de prière, les mains sur les genoux. Scotty le salua de même.

Scène de crime : LAPD/FBI. Bandes jaunes et policiers en uniformes tout autour de la banque.

Scotty montra son insigne au planton qui gardait la porte. Le type le laissa entrer. Les planchers étaient recouverts par des bâches. Des tamis étaient rangés en piles qui montaient jusqu'à la taille. Les gravats ramassés emplissaient des sacs géants. La cage du caissier empestait le Luminol [1]. Ils cherchaient à établir les groupes sanguins. Thornton avait peut-être fait couler le sang de ses agresseurs alors qu'eux-mêmes le saignaient.

Faux.

Scotty entra dans le bureau de M. Propre et verrouilla la porte de l'intérieur. Il transféra les empreintes des Bostitch sur les murs et les étagères. Il dispersa quelques cheveux, de la terre et de la poussière. Il glissa un billet de cent dollars taché de sang sous une dalle de moquette.

Il déverrouilla la porte et ressortit. Un camion cantine apportait des repas aux flics qui montaient la garde. Jack Leahy se prélassait dans une voiture du Bureau.

Scotty s'approcha de lui.

– Laissez-moi deviner. Le Blanchisseur avait des connexions qui vous incitent à la prudence. M. Hoover vous a dit d'aller jeter un coup d'œil.

– En quelques mots, c'est ça.

– C'est un vrai fatras, là-dedans. L'équipe médico-légale n'a rien trouvé au premier examen. J'en ai demandé un second.

Jack dit :

– Voue avez toujours été méticuleux, sur ce plan-là.

Scotty sourit.

– M. Propre mérite qu'on fasse le maximum. J'ai gagné de l'argent en pariant sur Frazier, alors je suis enclin à la générosité.

Jack essuya ses lunettes.

– Des suspects ?

– Deux Noirs. Ils étaient chez Tiger Kab pour le combat. Je pense qu'ils ont suivi Thornton et l'ont agressé.

Une vieille bagnole dévala la rue. Deux frères brandirent leur poing serré en direction des flics.

Scotty s'esclaffa.

– Cette histoire commence à me faire penser au meurtre de Fred Hiltz.

Jack dit :

– Je vous le concède.

– Cette enquête-là, vous nous l'aviez retirée, mais cette fois, je ne le permettrai pas.

---

1. Produit qui révèle les traces de sang par chimioluminescence.

Jack dit :

– Pour l'instant, je veux bien vous le concéder.

– Hiltz était un informateur du Bureau. Je crois que M. Propre en était un aussi.

Jack dit :

– Sans commentaire.

La mosquée de Moumar était fermée pour la nuit. Les deux vélos Schwinn étaient dehors.

Les bécanes de la jungle. Sacoches et bavettes de garde-boue en faux croco. Pneus lisses et klaxon qui fait aaa-ou-gah.

Scotty regarda à travers la fenêtre. Ah, les frangins... Comme c'est gentil à vous.

Ils étaient dans les vapes. Ils s'étaient shootés et tutoyaient Titan. Cuillers, seringues et héroïne étaient là, bien en évidence.

Scotty enfila ses gants et entra. Marcus et Lavelle somnolaient dans deux fauteuils disposés côte à côte. Scotty sortit deux armes sans pedigree. Le pistolet n° 1, c'était celui avec lequel Marsh avait flingué M. Propre. Le pistolet n° 2, il l'avait volé lors d'une rafle de trafiquants de drogue, en 62 ou dans les environs.

Que la paix soit avec vous, mes frères.

Scotty mit le pistolet n° 1 dans la main droite de Marcus, dont il plaça l'index sur la détente. Il leva l'arme et cala le canon contre l'oreille droite de Marcus. Il posa son propre index sur la détente et il appuya.

La détonation fut retentissante. Marcus partit en arrière, mort. La balle resta à l'intérieur du crâne. Scotty lui relâcha le bras. L'arme tomba près de sa main.

Scotty mit le pistolet n° 2 dans la main droite de Lavelle, dont il plaça l'index sur la détente. Il leva l'arme et cala le canon contre l'oreille droite de Lavelle. Il posa son propre index sur la détente et il appuya.

La détonation fut retentissante. Lavelle partit en arrière, mort. La balle resta à l'intérieur du crâne. Scotty lui relâcha le bras. L'arme tomba près de sa main.

De jolies brûlures dues à la poudre. Empiriquement correctes et cohérentes avec ce qu'on apprend dans les manuels. Un mignon filet de sang qui s'écoulait de la bouche. Des suintements à retardement sortant des yeux.

101

Los Angeles, 14 mars 1971

FBI/48770.

Fonds-toi dans la masse. Tu es un ouvrier parmi d'autres. Tu vas réussir ce coup-là les doigts dans le nez.

La veille, il avait observé l'équipe. Les types étaient vêtus de combinaisons et ils apportaient leur boîte à sandwiches pour déjeuner sur la pelouse de l'immeuble fédéral. Les agents les comptaient quand ils arrivaient le matin. L'après-midi : rien. Tu n'es qu'un guignol de plus harnaché d'une ceinture porte-outils.

D'après Clyde, les fédés s'étaient fait cambrioler près de Philadelphie. Cela justifiait une *blitzkrieg* contre une salle d'archivage. Clyde affirmait que les codes à cinq chiffres désignaient les indics. Eh merde... je tente le coup.

Crutch mangeait un casse-croûte au salami. Les ouvriers l'ignoraient. *Tout se tient.* M. Propre meurt. Marsh avec du sang sur les mains. Scotty hérite de l'enquête, deux suicides de drogués, affaire classée.

Un coup de sifflet retentit. Les ouvriers se levèrent et s'étirèrent. Six types plus lui. S'il vous plaît, pas de recomptage.

Crutch se joignit à eux. Personne ne pipa. Il avait une barbe de deux jours et une casquette de peintre enfoncée sur la tête. Il s'était mis des traînées de peinture sur le visage.

Ils entrèrent dans le hall. Un fédé appela l'ascenseur. Crutch s'accroupit entre deux gros polacks. Personne ne dit rien.

L'ascenseur s'arrêta au 11e. Le fédé les conduisit au bout d'un couloir. Dwight Holly passa près d'eux, portant une écritoire à pince. Il n'y vit que du feu.

Les archives étaient adjacentes à la salle de garde principale. Elles occupaient un espace grand comme un hangar pour avions.

Le fédé leur fit au revoir de la main. L'équipe se dispersa. Les types se mirent à dévisser les glissières des étagères. Crutch se rendit six rangées plus loin et les singea.

Il travaillait lentement. Les autres types trimballaient péniblement des panneaux. *Maintenant je vois ce que je dois faire. Examiner les étagères à dossiers. Localiser celui que je cherche grâce à son préfixe et son matricule.*

Des étagères à dossiers, constituant des sections, composées de rangées. Enchaînés aux étagères : des classeurs contenant des index. « ICB. » Abréviation en langage fédé : « Informateurs Confidentiels du Bureau. »

Les vrais travailleurs *travaillaient*. Les panneaux et les serrures étaient montés *vite*. Crutch se déplaça d'un air affairé. Donne l'impression de faire du zèle, maintenant. Serre quelques vis.

Il s'éloigna des autres types. Il ouvrit des classeurs. Il parcourut seize rangées de dossiers. Les abréviations se brouillaient devant ses yeux. Rangée 17 : « ICB/00001. »

Il déglutit. Il leva les yeux. Il compta les numéros et les étagères jusqu'au sommet. Nom de Dieu – la série de 40 000 se terminait tout en haut.

Il n'y avait pas d'échelles, ici. Il fallait grimper.

Il grimpa. Les étagères vacillèrent. Il se démena comme un singe, s'agrippant par ici, se hissant par là. Il atteignit le sommet. Le plafond était tout près.

Il rampa. Il avala de la poussière, des bracelets de caoutchouc, et des insectes morts depuis des lustres. Il jeta un coup d'œil par-dessus le rebord et il vit les onglets des dossiers. Il repéra la série des 45 000, celle des 46, celle des 47. Il réprima ses éternuements. L'étagère vacillait de droite à gauche. Il arriva aux 48 000. Il vit l'onglet rouge de *son* dossier.

Il le sortit.

Il lut la première page.

Le Blanchisseur, orgueil de la communauté noire – un abject mouchard au service des fédés.

Il caftait exclusivement des braqueurs. Il communiquait ses tuyaux au patron de l'agence, Jack Leahy. Leur relation avait commencé en 63. Les noms des voleurs étaient caviardés. *Tous les éléments sont si proches que ça ne peut pas être un hasard ; tout se tient*. Rien n'est hors sujet : je tiens toute l'affaire, là, entre mes doigts.

L'étagère tangua. Crutch faillit restituer son sandwich. Des mouchardages de vols à main armée. Dissémination et désinformation. Forcément.

Crutch éternua. L'étagère pencha. Il faillit lâcher le dossier. Une page en tomba. Il vit un paragraphe caviardé. Dieu lui parla : c'est Jack Leahy qui a caviardé le dossier de Joan Rosen Klein.

102

Los Angeles, le Mississippi rural, 15 mars – 18 novembre 1971

L'Opération.

Ils ne la nommaient jamais. Ils n'avaient ni besoin ni envie de le faire. Ils n'échangeaient jamais de mémorandums. Il n'était pas utile de garder sur le papier des traces de leurs tâches. Avoir recours aux acronymes, c'était céder à la facilité et au goût de la satire. Cela avait des relents nauséabonds de manœuvres d'agents fédéraux puérils, prenant plaisir à léser des citoyens n'ayant pas leurs privilèges.

Il accomplissait son travail aux archives de façon superficielle, et il se consacrait pleinement aux préparatifs de l'Opération. Un aide de Nixon lui avait envoyé le programme des déplacements de M. Hoover. La vieille tante était fragile. Elle voyageait moins. Elle n'avait pas prévu de venir à L.A. cette année.

Il dormait bien. Ses nerfs étaient sains. Il s'était débarrassé de sa gnôle et de ses somnifères. Il imaginait des filatures. Il empruntait des détours et des raccourcis. Les voitures suiveuses disparaissaient. Ce n'était qu'une peur résiduelle.

La vieille tante avait confiance en lui. L'Opération était sécurisée. Le refuge restait inviolé. Il n'y avait pas de surveillance.

Il cessa de consulter son rétro en se rendant d'un endroit à un autre. Sa dépression était derrière lui, à présent. Il passait d'une tâche à la suivante, sans paranoïa. L'Opération était incompréhensible. Personne ne soupçonnerait leur objectif, personne n'en contesterait le résultat. Une avalanche de papier s'ensuivrait. Le cambriolage de Media en constituait les prémices. L'Événement était inévitable.

Joan travaillait avec lui, tâche après tâche. Elle comprenait le niveau de détail requis. Ils parlaient, ils complotaient, ils construisaient un gigantesque labyrinthe de papier. Joan refusait d'élucider sa stupéfiante déclaration : *J'ai envie de le tuer depuis l'époque où j'étais enfant, et je ne te dirai pas pourquoi.*

Il ne lui redemanda pas de s'expliquer. Il ne le demanda pas à Karen non plus. Il lança de nouvelles consultations des archives sur les membres connus de sa famille. Tous les dossiers avaient été perdus, égarés, déplacés, détruits ou volés. Il renonça. Il n'était pas censé savoir. Elle lui expliquerait un jour, ou elle ne le ferait pas. Il constata qu'il était devenu moins curieux de savoir. Cette Opération, c'était la leur. Ce qui les liait, c'était qu'elle était brutale et d'une envergure considérable.

Le cambriolage de Media avait porté ses fruits. Karen et son équipe étaient restés anonymes. Elle avait fait fuiter les documents grâce à une brochette d'intermédiaires. Le *Washington Post* avait dégainé avant tout le monde, le 24 mars. Le *New York Times* et le *Village Voice* avaient suivi. Le tollé général avait pris de l'ampleur. Karen attribuait les fuites à un « Comité citoyen pour réclamer une enquête sur les méthodes du FBI ». L'homme de la rue eut droit à jeter un coup d'œil sur des dossiers de surveillance insipides. La femme de la rue découvrit le sens du terme COINTELPRO. M. Hoover fit des commentaires trahissant sa stupéfaction. Le président fut soulagé. Les dossiers ne révélaient que des coups fourrés pré-Nixon.

Cela fonctionna. Joan concéda le fait. Dans l'opinion publique, l'événement perdit de son attrait et le retrouva. Des pisse-copie de gauche se faisaient toujours les dents dessus. Le mot COINTELPRO était implicitement entré dans la langue. L'Événement inscrirait le concept dans une mare de sang.

Le travail était tendu. L'Opération le sustentait idéologiquement. L'Opération motivait Joan d'une façon totalement vindicative. Elle la concevait comme une vendetta. Elle refusait de révéler l'origine de sa croisade vengeresse. Elle devenait de plus en plus hagarde. La mort de Lionel Thornton la déstabilisait. C'était au pire un blanchisseur d'argent sale et au mieux un porteur de valises au service des politiques. Joan refusait d'en parler. Elle disait toujours ce qu'elle disait toujours : « Je ne le ferai pas. »

Joan couchait avec lui dans des suites d'hôtels et travaillait avec lui au refuge. Elle passait la nuit dans des planques quand il couchait avec Karen. Elle s'inquiétait du sort de Celia. Elle passait des coups de téléphone et tâchait de trouver Celia en République dominicaine. Elle refusait toutes les aides qu'il lui proposait.

Elle allait s'asseoir seule sur la terrasse. Elle buvait du thé à petites gorgées et avalait des gélules contenant des herbes médicinales. Il en vola quelques-unes et les fit analyser. C'étaient des potions haïtiennes pour la fertilité. Joan essayait de tomber enceinte à bientôt quarante-cinq ans. Elle voulait un enfant – un enfant de lui. Cela le stupéfiait. Il n'y avait aucune chance que la conception se produise. Il le savait. Il ne le lui dit jamais. Il ne fit jamais mention des potions. Il regardait son visage se transformer alors qu'elle suppliait son corps de concevoir. Il se délectait de cette tâche insensée et de son obstination.

La maison de Karen se trouvait au bas d'une pente abrupte. Il braquait ses jumelles dans sa direction et regardait les enfants jouer. Karen lui avait fait un compte rendu du cambriolage à Media et ne lui avait rien dit de plus. Ils avaient officiellement mis fin à leurs échanges d'informations confidentielles. Il acceptait ce fait. Karen avait décrit Media comme une dette envers Joan et envers lui, ajoutant respectueusement qu'elle s'en était acquittée. Il avait confirmé que c'était le cas. Elle n'était jamais revenue au refuge. Il gardait sur lui la photo de Karen et de ses deux filles. La nuit, elle lui lançait des messages codés. Elle sentait sa présence sur la terrasse et passait à plein volume les quatuors à cordes de Beethoven. Elle laissait la lumière allumée dans la cuisine pour localiser l'origine du son.

La musique envahissait ses rêves. Wayne remplaçait le Dr King. Des crocodiles et des rivières en Haïti. Des explosions en R.D. et des hommes noirs émaciés avec des ailes.

L'Opération progressait. La convergence restait l'obstacle principal. Il s'était rendu en avion dans le Mississippi à quatre reprises. Bob Relyea restait mobilisé. Bob s'entraînait. Bob garderait le silence. Bob ne connaîtrait pas sa cible avant le jour de l'attentat.

Il s'était introduit clandestinement chez Marsh Bowen en six occasions supplémentaires. Il avait cherché un journal intime caché et n'en avait pas trouvé. Joan était persuadée que Marsh tenait chaque jour un journal intime qui ne cachait rien. Son égocentrisme de comédien-né donnait toutes les raisons de le penser. Leur faux journal intime était le *deux ex machina* de l'Opération. Ils devaient s'assurer qu'un vrai journal ne serait pas découvert.

Marsh assurait des services de nuit et donnait des conférences pour motiver ses collègues. Dwight perquisitionnait secrètement chez lui et furetait partout. Il fouillait les poubelles, il fouillait son bureau et ses tiroirs, il sondait les murs à la recherche de panneaux sonnant le creux. Il avait trouvé de nombreux livres d'art et des brochures touristiques sur Haïti. Toujours pas de journal intime jusqu'à maintenant.

La salle des archives était sécurisée, à présent. C'était une précaution post-Media. Cela ne changeait rien pour lui. Il était agent du FBI. Il avait les clés pour accéder à toutes les étagères. La présence de Marsh Bowen dans les dossiers était déjà amplement représentée. Sans aucun discernement, le sergent Bowen menait une vie dissolue. Sur le plan politique, le sergent Bowen était instable, et cela depuis des années.

Dwight restait tard au bureau. Il bavardait avec le très caustique Jack Leahy. Jack faisait une fixation sur le déclin de la vieille tante, aujourd'hui à bout de souffle. Il trouvait à pisser de rire le cambriolage de Media. Jack considérait l'événement comme prévisible. Par nature, c'était une grande gueule, mais assurée d'une pension de retraite confortable. Il semblait n'en avoir strictement rien à foutre.

Dick Nixon devenait braillard au-delà de deux cocktails. Il appelait Dwight deux fois par mois. M. Hoover l'appelait deux fois plus souvent. Hoover tapait sur les nerfs de Nixon. Nixon tapait sur les nerfs de Hoover. Quand le président était à moitié bourré, il exprimait sa frustration. Hoover piquait des colères pour se rassurer entre deux dérapages cérébraux. Les deux hommes trouvaient réconfortant de parler au Bras armé de la loi. Dwight, c'était le porte-flingue qui s'était sorti de sa dépression nerveuse.

Et Dwight, quelle était sa consolation ? Le journal de Bowen.

Il crée un univers d'hommes tourmentés qui se trouvent plongés dans des situations extrêmes. Il attribue ses rêves à Marsh. Le discours de Marsh est façonné à l'image de celui qu'il tient à Karen et à Joan. Le journal de Marsh paraît presque utopique. Il réfute le monde qui existe et prophétise le monde qui pourrait être. Les entrées couvrent la période allant du lancement de MÉÉÉCHANT FRÈRE jusqu'au moment présent. Marsh se sent coupable d'avoir exploité la « fusillade entre militants noirs ». Il est déterminé à assassiner J. Edgar Hoover. Son rôle de flic-acteur lui a apporté la gloire et a semé la mort. Sa confusion morale est le contrepoint de sa vie intime torturée et de son penchant quotidien pour la perversion.

Il a ajouté des détails puisés dans sa propre dépression nerveuse. La déprime de Marsh, c'est la déprime de Dwight, hyper-radicalisée.

Il a créé un lien Holly-Bowen qui n'existait pas. Les deux hommes parlent de la dépression comme d'un appel à la violence armée et un moyen de transcender une pathologie égoïste. Il décrit ses actions publiques comme un cauchemar personnel et le véhicule de son expiation. Il explique ce que cela représente d'avoir à *faire* quelque chose pour ne pas tomber dans la folie. C'est son histoire et l'histoire de Marsh finalement retrouvées.

Il est venu pour veiller sur Marsh. Il ne regrettera pas de l'avoir tué.

103

Los Angeles, 15 mars – 18 novembre 1971

Frustration. Une frustration incessante, bon sang, jour après jour.

Le grand jury du comté avait incriminé les Bostitch Boys à titre posthume. Après quoi Scotty avait mieux respiré. Les deux frères avaient massacré M. Propre et conclu un pacte pour se suicider ensuite. Parfait, mais l'enquête sur le braquage était stoppée net.

Qui est la Femme ?

Elle était l'intermédiaire de Thornton, et c'était elle qui lui fournissait les émeraudes. Il y avait une *Femme* omniprésente dans la ramification Jomo. Marsh dresse l'oreille quand il parle d'une *Femme*. Marsh est ambigu. Il est solide comme un roc *et* indigne de confiance.

Qui est la Femme ? Son impression : elle a participé à l'OPÉRATION MÉÉÉCHANT FRÈRE. C'est bien joli, mais :

Il ne peut pas sonder Dwight Holly. Dwight est subtil et très malin et il le sonderait aussitôt en retour. Il ne peut pas sonder Jack Leahy. Jack est au courant de l'OPÉRATION MÉÉÉCHANT FRÈRE. Jack est subtil et très malin et il le sonderait aussitôt en retour.

Frustration. Obsédante, nuit après nuit.

Marsh et lui avaient volé le dossier de coupures de presse et le registre codé. Il avait tenté de décrypter le code. Des mois de travail. Il avait songé à engager un cryptographe. Un professionnel aurait pu percer le code. Il avait fini par renoncer à cette idée. Le cryptographe aurait été *informé*, une fois le travail fini. Encore un mystère qui aurait trouvé son explication.

Les inspecteurs de banque du FBI avaient fouillé la Banque populaire de fond en comble. Scotty les avait accompagnés, ainsi que Jack Leahy. Ils avaient réduit en miettes les murs, les planchers et le toit. Ils avaient trouvé le coffre grâce au croquis de M. Propre. À l'intérieur : une réserve de drogue et 89 000 dollars.

Une broutille. Un bouche-trou. Une précaution en cas de dénonciation.

L'argent et le reste des émeraudes étaient cachés ailleurs. Thornton était rusé. Il avait joué la carte « Je ne sais rien ». Il se savait mort, de toute façon. Théorie : l'argent et les pierres précieuses étaient bien dans le coffre. Les braqueurs le savaient. Ils les en avaient retirés avant que l'équipe des inspecteurs de banque ne vienne faire son travail.

Où est Reggie ? *Qui est la Femme ?* Qui fera parvenir les émeraudes aux bénéficiaires à présent que M. Propre était mort ?

Frustration. Suées nocturnes. *Hooou*, les ruades pour rejeter les draps...

Marsh aussi était frustré. Il avait lu tous leurs dossiers. Quand il les consulte, il décortique le moindre détail. À eux deux, ils forment la plus grande équipe poivre-et-sel de flics francs-tireurs. Cela fait des années qu'ils sont sur l'affaire, et ils sont encore loin de l'arc-en-ciel au pied duquel se trouve le chaudron rempli d'or.

La frustration entraînait le besoin d'un exutoire. Scotty baisait encore plus souvent sa femme et ses copines, et il ne vivait que pour les surveillances. En mai, il avait flingué deux cholos à la sortie d'une bodega de Boyle Heights. Marsh avait adoré – aux moins, ce n'étaient pas des Noirs. Une semaine plus tard, il éliminait deux néo-nazis qui pillaient un marché de Vermont Avenue appartenant à des Noirs. Sa décharge de chevrotine avait arraché un bras à l'un des petits Blancs. Il avait emmené un petit môme noir à l'abri. Marsh avait *adooooré*. Marsh avait des accointances au sein de l'Association pour les droits civiques des Noirs. Celle-ci lui décernerait peut-être une médaille.

Marsh se défoulait à *sa* façon. Tu veux aller de ton côté ? Pas de problème. Marsh avait disparu trois fois en huit mois. Il *disait* qu'il faisait des voyages en voiture, pour se réaligner les neurones. Ce devait être des escapades coquines. Des réunions homos, des excursions homos, des rendez-vous homos.

Frustration. Tu veux de la *booooonne* baise ? Laisse le pasteur Bennett et Crutchfield le Mateur maquereauter pour toi.

Sal le Saute-au-paf faisait un gringue éhonté à Macho Marsh. Marsh refuse de céder à ses avances. Ce qui rend Sal cinglé. De même que le Mateur, Fred T. et Fred O.

Frustration. *Qui est la Femme ?*

Il a reniflé dans tous les coins de Nègreville. Il n'a rien récolté de substantiel. Son signalement rappelle quelque chose à certains. D'autres guignols semblent en avoir un peu peur. Un type a dit qu'elle pouvait avoir des liens avec les militants noirs. Il a interrogé ses contacts chez les Panthères et les E.U. et n'a rien appris. Les clowns de l'ATN et du FLMM étaient tous en prison. Il ne pouvait pas aller les interroger sur place. Ses visites seraient notées. Des commentaires finiraient par circuler.

L'affaire tournait tout entière autour d'*Elle*. La femme aux cheveux striés de gris était *Tout*.

DOCUMENT EN ENCART : 18/11/71. *Extrait du journal intime de Karen Sifakis.*

Los Angeles
18 novembre 1971

Le cambriolage de Media remonte à huit mois. Mes camarades et moi-même n'avons toujours pas été appréhendés ; aucun membre ne s'est désolidarisé du groupe ; la surveillance par le FBI d'organisations politiques, de mouvements pour les droits civiques et d'individus enclins à la contestation a été révélée par une vague de reportages d'actualités, d'éditoriaux vindicatifs et de commentaires sur les ondes de la radio et de la télévision. La divulgation de ces pratiques a fait beaucoup de bruit, mais s'efface déjà des esprits. Le concept de COINTELPRO a été révélé au peuple américain, qui dans sa grande majorité a choisi de l'ignorer. Les opérations d'infiltration du FBI, nettement plus draconiennes, n'étaient mentionnées dans aucun des dossiers transmis à la presse. Dwight et Joan semblent satisfaits de cet état de fait. Je suis parfaitement capable de discerner les pensées secrètes de Dwight. Il est ravi que la guerre spécifique du FBI contre le mouvement pour les droits civiques et les groupes de militants noirs n'ait pas été placée préventivement sous l'égide d'un COINTELPRO.

Je ne veux pas savoir ce que concoctent Joan et Dwight ; je suppose que j'apprendrai en même temps que l'opinion publique de quelle nature sont leurs projets, mais je commence à subodorer un événement d'une importance grandiose. Le cambriolage de Media a été une tactique de diversion et/ou une manipulation. Les ramifications de ma seule et unique opération pour le compte de Joan et Dwight ne deviendront apparentes qu'avec le temps. Je ne veux pas les connaître. Ils le savent, et ils ne me mettent pas dans la confidence en ce qui concerne leurs projets. J'ai prié à ce sujet, et j'ai fait le vœu de continuer à les aimer, quels que soient les abominations et le chaos qu'ils puissent provoquer.

Nous ne nous voyons jamais à trois. Joan a refait surface dans ma vie ; nous nous retrouvons pour déjeuner ou prendre un café deux ou trois fois par semaine, toujours ici à Silver Lake ou dans Echo Park. Nous parlons sans cesse de politique. Nixon, le Vietnam, les problèmes du monde du travail et le déclin du militantisme noir peuvent nous absorber pendant des heures. Joan est émaciée, et elle s'exprime nerveusement, par rafales explosives et cependant parfaitement cohérentes d'invectives, auxquelles se mêlent des pans d'un monologue politique pénétrant. Ses ravissantes mèches grises si caractéristiques commencent à virer au blanc, et transparaissent sous sa chevelure majoritairement noire. Je crains qu'elle ne devienne paranoïaque – elle dit qu'elle a par intermittence l'impression d'être suivie – et elle parle souvent de sa compagne/camarade Celia, dont elle a perdu la trace quelque part en Haïti ou en République dominicaine. Celia a dit un jour à Joan de ne pas tenter de la retrouver si elle devait disparaître. Combien de fois Joan a-t-elle dit la même chose à des amants ou camarades ? Aujourd'hui, c'est elle qui est privée d'une personne qu'elle aime, et c'est son attachement à Dwight Chalfont Holly qui l'a amenée à ce point où elle n'est plus capable de nier son chagrin.

Joan fume constamment et boit des bols entiers d'infusions d'herbes haïtiennes. Elle avale des gélules d'herbes médicinales à chaque repas, à des moments de la journée. Je lui ai demandé pourquoi. Elle m'a répondu qu'elle cherchait à tomber enceinte. Elle voulait avoir un enfant.

Je n'ai pas voulu connaître ses motivations. J'ai compris que je ne devais pas lui demander « Pourquoi ? » Joan répondrait sûrement : « Je ne te le dirai pas. » Une femme de son âge ne peut pas imposer, par la volonté, à son corps de procréer. Joan ne semble pas savoir à quel point c'est improbable. Cette évidence continue de rester dans le domaine du non-dit, bien que ce soit une vérité inéluctable. Elle veut avoir cet enfant avec Dwight.

Joan et moi nous sommes toujours caché des choses. Nous sommes individuellement compromises et hypocrites ; nous vivons dans un univers de mensonge que l'on nous a moralement chargées de miner et de renverser. Je pourrais dire à Joan l'unique chose que je n'ai jamais dite à Dwight. Cela lui ferait peut-être de la peine, ou peut-être pas. Je sais ce que cela ferait à Dwight. Je redoute la nouvelle dépression que cela risquerait de provoquer chez lui, et la résolution farouche qui en découlerait certainement.

DOCUMENT EN ENCART : 18/11/71. *Extrait du journal de Marshall E. Bowen.*

Baldwin Hills,
18 novembre 1971

Je pensais que le meurtre me perturberait davantage et qu'il affecterait plus gravement mon corps et mon esprit. Ce n'est pas le cas. J'ai endossé le rôle de meurtrier et me suis comporté à la manière d'un homme qui tue pour la première fois et qui est déterminé à survivre. Mon équilibre psychologique a eu besoin de quelques jours pour s'adapter. J'ai exploré mentalement les conséquences possibles de mes actes pendant que Scotty gérait la situation. Je l'ai retrouvé pour une série de dîners tardifs chez Hollie Hammonds. On a bu un peu d'alcool et mangé des sandwiches au steak. Scotty m'a fait la leçon. En fin de compte, tu vas survivre. Tu as fait ce qui était nécessaire ; tu le referas s'il le faut. Voilà. Tu te sens mieux, maintenant ?

Je me suis senti mieux sur le moment, et c'est toujours vrai actuellement. Dans notre partenariat, c'est moi qui ai les atouts en main. Je sais deux choses que Scotty ignore : Reginald Hazzard et les émeraudes se trouvent en Haïti. La femme, c'est Joan Rosen Klein.

Ma vie est une succession de jeux d'ombres et d'événements disparates. Je travaille au bureau des enquêtes du commissariat de Hollywood. Je me rends aux cocktails organisés par l'industrie du cinéma, et je savoure les réactions ambivalentes que ma présence y provoque. Il y a trois ans, j'étais un policier qui avait été roué de coups, exclu, et converti à la cause du militantisme noir. *Voilà* ce qui me donnait un certain cachet aux yeux des professionnels du cinéma. Aujourd'hui, je suis un policier dont on vient de révéler la vraie nature : un informateur infiltré ; un officier de police qui vante les vertus de l'autoritarisme lors de conférences de prestige et qui porte fièrement l'uniforme du LAPD. Les gens de cinéma seraient trop heureux de pouvoir me détester en me taxant de trahison, mais c'est impossible. J'ai gagné la partie et mon image est trop positive.

Je passe d'une soirée à une autre et j'ai rencontré des gens, dont le très séduisant acteur Sal Mineo, qui a tenu des rôles importants dans plusieurs films notables des années 50 traitant le thème de la jeunesse en colère. Sal a le Penchant, et il est bien décidé à me le faire partager. Sal s'est amouraché de moi ; nous nous croisons par hasard, nous bavardons au téléphone, nous flirtons, nous sortons prendre un café, mais nous ne couchons *pas* ensemble. Sal est très persévérant, *et* il est adorable, mais ma vie est déjà bien trop remplie pour que je puisse y caser une amourette, même à mi-temps. C'est étrange. C'est une projection mentale. Je parle à Sal et je raccroche ; Scotty m'appelle cinq minutes plus tard. Scotty a réglé le problème Thornton/frères Bostitch avec beaucoup de panache, et il a fait circuler une série de dossiers du service des Renseignements généraux prouvant que M. Propre était, en fait, un comparse de la Mafia. Des journalistes militants ont repris l'information ; des articles ont paru à Los Angeles et ont eu les honneurs de la presse nationale. Scotty calomnie nos morts alors que nous cherchons désespérément des pistes sur nos vivants. Nous avons envisagé une tentative pour nous approprier le dossier du FBI concernant Thornton, leur informateur confidentiel, mais Scotty pense que c'est trop risqué. *Pour ma part*, j'ai envisagé d'aller y jeter un coup d'œil indépendamment de lui, mais je n'ai pas découvert de quelle façon je pourrais m'y prendre.

Je garde pour moi le fait que Reggie est en Haïti et que *la Femme* est Joan. Elle est la maîtresse de Dwight Holly. Ce qui la rend inapprochable. Si l'on marchait sur les plates-bandes de Dwight, il pourrait réduire à zéro tous nos efforts.

Projections mentales : feintes, coups bas, rétention d'information et supercheries.

Je cache des choses à Scotty. J'ai tenté d'obtenir la *totalité* des dossiers des douanes sur Reginald Hazzard et je n'ai pas réussi. Pour y accéder, il faut disposer d'un mandat délivré par un juge. Mes cachotteries sont purement motivées par mon orgueil et par ma haine raciale. J'ai appris des choses grâce à l'OPÉRATION MÉÉÉCHANT FRÈRE. Gloire à M. Holly : j'ai *effectivement*, en partie, transcendé ma pathologie d'acteur égoïste. J'ai *effectivement* suivi la voie de la radicalisation.

Scotty Bennett représente le monde blanc qui s'emploie à me laminer par son indifférence. Je ne peux pas laisser faire ça. Scotty est l'oppresseur blanc, et je ne céderai pas devant lui. Scotty n'a aucune intention de partager l'argent et les émeraudes. Il faut que je les découvre avant lui et que je tue Scotty avant qu'il ne me tue.

J'ai fait trois voyages en Haïti. Je les ai synchronisés avec les parties de pêche d'une semaine, accompagnées de beuveries, qui réunissent Scotty et ses copains flics. Sal était déjà allé en Haïti pour un tournage et il a partagé avec moi ce qu'il sait de ce pays extraordinaire et ancestral. J'ai pris l'avion pour Port-au-Prince. J'ai visité Haïti dans la peau d'un homme noir de classe moyenne parlant couramment le français. J'ai montré ma photo de Reggie Hazzard et j'ai posé des questions. Je n'ai rien appris de substantiel et j'ai flairé que de toute évidence Reginald devait s'y trouver.

Haïti était primitive et séduisante. J'ai eu l'impression de régresser. C'était un processus d'immersion pour acteur. Je me suis rendu dans des tavernes de sectes vaudou et j'ai bu leur alcool, le Klerin. J'ai rêvé d'hommes ailés dépourvus de bras. J'ai assisté à quelques cérémonies vaudou et avalé des poignées d'herbes. Je suis sorti de transes et me suis découvert en train de danser avec des hommes portant des masques en bois. Je me suis réveillé d'un trip à l'herbe et j'ai vu que j'avais du sang sur les mains. L'homme couché près de moi m'apprit que j'avais mangé un poulet fraîchement tué.

Ma personnalité changeante m'a bien servi en Haïti. Je me faisais passer pour un touriste français, ce qui m'a aidé à poser des questions sur Reginald. Personne ne connaissait Reginald. Beaucoup de gens m'ont raconté des histoires sur le regretté Wayne Tedrow et ses courageuses actions en faveur des Haïtiens. Qu'aurait dit Wayne en apprenant cela ? Des gens se promènent avec des photos de lui autour du cou. J'ai entendu le récit de la mort de Wayne vingt ou trente fois. Les détails variaient. Plusieurs personnes m'ont dit que des hommes ailés sont venus pour le tuer. Wayne et moi partagions le concept d'état de rêve éveillé. Il le reliait à la chimie. Tout cela était une histoire d'âmes prédestinées prises dans un flux.

Je suis allé trois fois en Haïti. J'y retournerai. Reginald Hazzard s'y trouve forcément.

104

Los Angeles, 15 mars – 18 novembre 1971

Le Mateur.

C'est son ancien nom et son nouveau nom redécouvert. Autrefois, on l'appelait Trouduc ou *pariguayo*. Il avait demandé à Clyde le pourquoi du changement. Clyde lui avait expliqué : « Il y a déjà un bon moment que tu fais partie du décor. Les gens du Milieu te connaissent. Il court des rumeurs sur ton compte. Certains types les croient, d'autres pas. Si une étiquette te colle à la peau, il faut bien se dire qu'elle comporte une part de vérité. »

Il laissa filer. Il ne dit pas qu'il savait tout sur les assassinats de JFK, MLK et RFK. Il ne parla pas des communistes qu'il avait tués ni de son enquête. Il ne parla pas de ses cauchemars ni des saloperies qu'il avait vues et commises sur cette île.

Le Mateur... Bien sûr, c'était vrai. Le Mateur... ça ira pour le moment.

Il effectuait des filatures pour Clyde et Chick Weiss. Il piégeait des conjoints infidèles. Il défonçait des portes et collait l'œil aux fenêtres.

Le Mateur, sans aucun doute. Le Lecteur, aussi. Étudiant à mi-temps – ça cadre avec le reste.

Il avait lu d'autres manuels de chimie et des livres sur les théories politiques de gauche. Il avait mélangé une pâte à base de soufre et fait sauter un panneau indicateur à l'angle de la 1re Rue et d'Oxford Avenue. Il avait appris l'histoire des Wobblies [1] et le dynamitage de l'immeuble du *Los Angeles Times*. Il avait préparé une pâte explosive à base d'engrais et fait sauter un panneau « VIVA VIETNAM ».

---

1. Mouvement syndicaliste fondé en 1905.

Il y avait en lui comme un rêve en mouvement. C'était comme s'il devenait Reggie et Wayne.

Il étudiait. Il apprenait. Il travaillait pour Tiger Kab à temps partiel. Il s'était rendu à Vegas pour tenter de retrouver l'herboriste haïtien. Ce type avait disparu. Il s'était renseigné aux alentours et avait découvert d'autres herboristes. Aucun d'eux ne connaissait Reggie. Ils savaient tous préparer leurs herbes pour produire des effets délirants.

Ils avaient dit qu'ils le feraient profiter de leur savoir. Il passa deux semaines à Vegas et apprit des trucs. Ils lui montrèrent comment mélanger des organes de crapaud et des toxines de poisson-lune. Ils lui montrèrent de quelle façon les fougères et les foies de rainettes déclenchaient des crises cardiaques. Il apprit la zombification. Il prépara des potions pour provoquer le haut mal. Il apprit des formules de drogue qui procurent des trips. Il apprit un peu de créole.

Il fit sauter un panneau à la gloire de Nixon à Los Angeles-Est. Il avalait des herbes, il roulait au hasard et collait l'œil aux fenêtres. Il tenta de filocher Dwight Holly de nouveau. Il le perdit trois fois de suite. Il eut de la chance au quatrième essai.

Dwight se rendait dans une maison basse de Silver Lake. Il se planqua et le surveilla. Dwight restait enfermé pendant de longues heures. Quand il prenait des pauses, il descendait la rue jusqu'à une maison du bas de la côte. Une femme de haute taille et deux petites filles habitaient là. Un mari par intermittence leur rendait visite à l'occasion. Il consulta les archives des ventes de biens immobiliers et découvrit le nom de la femme : Karen Sifakis.

Il fit d'autres vérifications. Il extorqua un coup de téléphone à Clyde. Clyde lui apprit que Karen S. était une prof de fac et une informatrice des fédéraux. C'était la maîtresse de Big Dwight. Big Dwight se pointait chez elle par la porte de derrière dès que le petit mari était reparti par la porte d'entrée. Cela durait depuis cinq ou six ans.

Il avalait des herbes et surveillait la maison de Silver Lake. Elle était bourrée de dossiers, comme ses piaules à lui. Il fut tenté de s'y introduire. Il en fut incapable. La simple idée de le faire le paralysait. Il avait appris tous ces nouveaux trucs. Cela l'incitait à rester tranquille et à se contenter de *regarder*.

Et puis elle arriva.

Elle paraissait plus âgée, plus grisonnante, et plus implacable. Ses lunettes étaient toujours de guingois. Sa démarche tout en souplesse n'avait pas changé. Il se planqua soigneusement et, invisible, la vit venir vingt jours de suite. Il essayait d'imaginer quels vêtements elle porterait. Certains jours, il voyait sa cicatrice au bras, parfois non. Lui, il avait toujours dans le dos sa cicatrice qui dessinait les chiffres 14/6.

Il la regardait arriver et repartir. Il commençait à pressentir la signification de tout cela.

Lui, Crutch, est le lien entre des événements ahurissants et d'une importance capitale. Personne ne le sait et tout le monde s'en moque. Il a relié entre eux une série de crimes déconcertants. C'est Scotty Bennett et Marsh Bowen qui ont tué Lionel Thornton et ils recherchent le butin du fourgon blindé. Ça, il le sait. Personne d'autre ne le sait et tout le monde s'en moque sauf lui.

C'est Jack Leahy qui a caviardé le dossier de Joan Rosen Klein. Personne ne le sait et tout le monde s'en moque. Il a pisté Joan quand elle allait retrouver Jack et il a assisté à trois de leurs déjeuners. Il rôdait non loin. Il les a entendus parler de Celia, perdue en R.D. Il a entendu le mot *Haïti*. Reggie vivait en Haïti. Il en avait fortement l'intuition. C'est Reggie qui envoie les émeraudes. Personne d'autre ne le sait et tout le monde s'en moque sauf lui.

Il est seul dans ses quêtes. Joan et Jack étaient impliqués dans le braquage. Il tient cette conclusion pour un fait acquis. Marsh et Scotty en savent plus et moins que lui. Il travaille sur cette affaire depuis très longtemps. Tout cela est impossible à prouver. Ses procès sur le papier sont psychiquement inviolés et spécieux. Tout est dans sa tête.

L'île le terrifie. Il a peur d'y retourner. Il risquerait de redevenir cet enfant monstrueux et de perdre tout ce qu'il possède.

À présent, il est apprenti chimiste et apprenti Rouge. Il lit des dossiers et des livres et perd connaissance dans les paperasses. Le dossier de sa mère, le dossier de Wayne, le dossier sur « La Tatouée ». Il se perd dans les certitudes logiques et les incohérences. Personne ne sait quelle somme de travail il abat et tout le monde s'en moque.

La Tatouée voulait connaître des gens de cinéma. Il ne savait pas *qui* elle avait rencontré. Son stock de suspects était bien fourni. Ce n'était pas Joan qui avait tué La Tatouée. Cela le consolait. Cela lui permettait de la pister et de vivre d'autant plus avec elle.

Joan déjeune avec Karen Sifakis. Il les observe. Il sait qu'elles se partagent l'amour de Dwight Holly. Elles ne parlent jamais de

Dwight. Lui, c'est la tierce personne qui rôde en arrière-plan. Seuls les voyeurs savent comment cet arrangement fonctionne.

Il suit Joan. Il vit dans l'espoir qu'elle le mènera quelque part. Cet espoir doit justifier tout ce temps qu'il a passé avec elle. Il faut qu'elle fasse quelque chose ou qu'elle dise quelque chose qui lui permettra de prendre du repos et de renoncer à tout cela.

Voilà trois ans, quatre mois et vingt-neuf jours que je vous suis. Je sais que vous avez une histoire que vous ne pouvez raconter à personne d'autre qu'à moi.

CINQUIÈME PARTIE

Flingue sans pedigree

18 novembre 1971 – 26 mars 1972

105

Puckett, 18 novembre 1971

– Alors, c'est qui, que je vais tuer ?
– Tu le sauras quand tu le verras.
– Tu as déjà arrêté une date ?
– L'été prochain, c'est ce qui conviendrait le mieux. Il faut que ça se passe à L.A.
– Ces assassinats politiques, ça fait beaucoup de vagues. Après, il y a plein de groupes patriotiques qu'on examine à la loupe.

Le kamp était komble. *Mi kasa es su kasa*. Les Chevaliers Exaltés invitaient des kollègues. Le kamp les hébergeait pour la nuit. Des krétins du Klan, des exilés cubains, des *fascistas* d'Amérique du Sud.

La kaserne était pleine à kraquer. Le champ de tir grouillait d'activité. Le shérif du comté préparait un élan adulte pour le repas. Ses adjoints creusaient une fosse pour la cuisson.

Bob ajouta :

– Les rumeurs de conspiration, c'est justement ce que tu veux. Je redoute simplement que mon nom apparaisse sur la liste des suspects.

Dwight secoua la tête.

– Aucun danger. Le bouc émissaire aura tout sur le dos, cette fois. Personne n'ira chercher un autre suspect que lui. On l'a façonné à partir de zéro. Plus tu l'examines, et plus tu as envie de l'examiner davantage.

Bob se mit à faire la gueule. Il se tassa au fond de sa chaise longue. Sa robe de Klansman frôlait le sol. Il faisait chaud pour la mi-automne. Le jour baissait. Des exilés montaient des lampes à arc. Une klannette décrépie préparait un buffet.

Dwight ferma les yeux. Pour Bob, c'était le signe qu'il fallait déguerpir. Tu es un assassin et un raté, s'il te plaît, hors de ma vue.

Bob partit flâner. Dwight rouvrit les yeux. Le kamp manquait de klasse. Comparé à ceci, le Klan de son père était d'une rare élégance. En Indiana, dans les années 20. Colloques anti-immigrants et pyramides de Ponzi. Lectures publiques d'ouvrages sur l'eugénisme. Un kwatuor à kordes féminin.

La nuit tomba complètement. Des bestioles bombardèrent les lampes à arc. L'élan rôti sentait bon. Les tarés se ruèrent sur le buffet des amuse-gueules pour bouffer des Fritos et boire du whiskey.

Dwight s'éloigna des réjouissances. Les lampes à arc projetaient un faisceau large et dégageaient de la chaleur. Le terrain du camp était en terre battue. Les klowns du Klan se mélangeaient. Leurs robes étaient salies jusqu'aux genoux.

Joan l'inquiétait. Elle était hagarde. Elle fumait sans arrêt et vidait des doubles scotches le soir. Elle était haineuse envers M. Hoover. C'était stérile et cela ne lui ressemblait pas du tout. Elle refusait d'expliquer le pourquoi de ses invectives. Elle faisait barrage à ses questions avec des regards et des « je ne te le dirai pas ». C'était frustrant. Leur calendrier se rallongeait « de façon insensée ». Elle savait que M. Hoover était âgé et qu'il voyageait moins. Il était à présent quelque peu discrédité. Il participait moins souvent à des réunions publiques. Ses visites chez le médecin prenaient le pas sur ses déplacements. La Maison Blanche envoyait par télex les mises à jour de son programme. Joan s'inquiétait pour Celia. Dwight avait obtenu un appel non prévu au président pour solliciter son aide. Nixon l'avait rabroué. « Vous avez déjà bu à ce puits, petit. Vous ne pouvez pas y retourner. »

Bizarrement, Joan s'émouvait de certains événements. La mort de Lionel Thornton l'avait choquée et elle y pensait toujours. Elle refusait de dire *pourquoi*. Scotty Bennett avait mené l'enquête et résolu l'affaire, fissa. Scotty le perturbait un peu. Scotty entretenait une amitié tordue avec Marsh. Crutchfield le Mateur la lui avait signalée avant la « Fusillade ». La vie de Marsh allait être examinée à la loupe post mortem. Ce qui soulevait une question : devaient-ils faire figurer Scotty dans le faux journal de Marsh ?

Les insectes volants bombardaient les lampes à arc. Les débiles mangeaient, buvaient, et ignoraient Dwight. Ils savaient qu'il travaillait pour le FBI. Leur préjugé se trompait de cible. Tout ça à cause d'un calembour crétin : FBI = Federal Bureau of *Integration*.

Le faux journal définissait l'Opération. Il y travaillait pendant que Joan ou Karen dormaient. Il utilisait le style oratoire de Marsh et accentuait un discours politique qu'il avait élaboré dans sa tête. Il attribuait à Marsh ses propres souvenirs d'enfance. Alchimie et transposition. Il était un fils de Klansman qui donnait des coups. Marsh était un petit Noir qui prenait des coups. Il composait de lui un portrait bienveillant. Il créait de toutes pièces un béguin imaginaire de Marsh pour l'agent Holly lui-même. Cela altérait le travail de Marsh dans l'OPÉRATION MÉÉÉCHANT FRÈRE. Dwight ignorait tout de la relation entre Marsh et Scotty. Le journal devait décrire Scotty de façon réaliste. Les passages consacrés à Scotty devaient résister à l'examen de l'opinion publique et aux réfutations véhémentes de Scotty. Le thème devrait en être l'autorité. Marsh la haïssait pour des raisons idéologiques, mais ne pouvait s'en passer. Il était semblable à son vieux copain M. Holly, sur ce plan.

La Klanfest s'animait. Des fragments de ragots parvenaient aux oreilles de Dwight. Emmett Till était un agent communiste. Rosa Parks faisait des passes pour le compte d'une cabale sioniste. Le Dr King était hermaphrodite.

Une gamine du Klan apporta à Dwight une assiette pleine et une bière Lax. Il la remercia et la regarda détaler. La graisse qui suintait de la viande d'élan lui coupa l'appétit. Il alluma une cigarette.

Joan prenait toujours ses gélules pour la fertilité. Il ne lui avait jamais dit qu'il les avait fait analyser. Elle avait eu quarante-cinq ans le mois dernier. Elle ne pouvait pas tomber enceinte, c'était impossible. Malgré tout, il retournait l'idée dans sa tête. C'était un rêve chimérique, plutôt plaisant pendant un moment. Il durait un peu moins longtemps à chaque fois. Il lui rappelait ce qu'était sa vie. Il l'emmenait vers les enfants de Karen et l'abandonnait froidement en cours de route, seul sous la pluie.

Des kliques du Klan rassemblèrent des chaises près de lui. Les Klansmen tinrent leurs assiettes en équilibre et racontèrent des histoires. Un type avait vendu la bite de Che Guevara à Joseph Mengele. Le Quatrième Reich prendrait naissance au Paraguay. Un type raconta des histoires de coups d'État et d'émeraudes mystiques.

Joan buvait de la tisane au lit. Les herbes exsudaient, amères, par les pores de sa peau. Dwight remarqua de nouvelles touches de gris dans ses sourcils.

Son peignoir était ouvert. Les herbes la faisaient transpirer. Dwight fit disparaître par ses baisers le voile de sueur qui lui couvrait les seins.

– Dis-moi à quoi tu penses.

– Que je devrais céder. Que tu devrais appeler ton ami et lui faire passer quelques coups de téléphone pour retrouver Celia.

Dwight secoua la tête.

– Je l'ai appelé du Mississippi. Il a refusé.

Joan s'éloigna de lui en roulant sur elle-même. Dwight ôta son peignoir et celui de Joan et se lova autour d'elle. Elle lui mordilla les doigts pendant une seconde, puis glissa la main de Dwight sous sa propre tête.

– Tout cela prend trop de temps.

– Il viendra probablement à L.A. l'été prochain. Je recevrai bientôt la mise à jour de son programme.

– Suppose qu'il ne descende pas au Beverly Wilshire ?

– Pas de danger. Nous allons bientôt devoir louer la planque, et commencer à mettre en place les pièces à conviction.

Joan toussa.

– Le jeune Noir qui va la louer sera un témoin.

– Nous le manipulerons par l'intermédiaire d'un coupe-circuit. S'il choisit de parler, il passera pour un dingue. Les anonymes veulent entrer dans l'histoire. Rien que pour l'assassinat de Kennedy, il y a eu environ quatre mille faux témoins.

L'oreiller de Joan était trempé de sueur. Dwight le lui ôta et en glissa un propre sous sa tête.

Joan prit une gélule sur sa table de nuit. Dwight lui passa son verre d'eau.

Elle avala sa gélule. Ses cheveux étaient humides. Dwight les lui sécha à l'aide d'un drap.

Elle commençait à s'assoupir. Elle s'endormit, la tête au creux de la main de Dwight.

Il travaillait tard. Minuit, cela signifiait : l'heure où il inventait Marsh en puisant dans ses propres souvenirs. Il se rappela un troc proposé par un flic, en 53. La police de Cleveland voulait un dossier du FBI. Celui d'un suspect de vol qualifié qui avait des sympathies pour le communisme. L'agent spécial en charge avait refusé un échange de dossiers. Cleveland avait envoyé l'ex-femme d'un flic soudoyer Dwight. Elle aimait les hommes croisés par hasard. À cette époque, Dwight aimait les femmes que le hasard lui faisait rencontrer. Ils passèrent la nuit au Shaker Heights Plaza. Elle avait apporté du champagne. Elle avait apporté le dossier. Les deux partenaires s'étaient appréciés mutuellement. Le lendemain matin, elle avait lu le dossier. La police coinça le type – six chefs d'inculpation.

Bon, maintenant... du sur mesure pour Marsh Bowen.

L'époque, c'est aujourd'hui. Marsh est de service à Hollywood. Il fait une ronde en voiture. Il est seul. Il patrouille. Marsh mélange le plaisir et le travail. Il repère un prostitué mâle bien gaulé. Il lui fait une palpation de sécurité, ce qui le fait bander. L'autre s'en aperçoit.

Marsh relève l'identité du môme et vérifie s'il a des antécédents. Bingo ! Possession de drogue et conduite en état d'ivresse. Marsh lui dit : « Comment veux-tu qu'on règle ça, à présent ? » Fondu au noir sur une étreinte brutale dans une ruelle sombre.

Il n'arrivait pas à trouver le sommeil. Joan dormait profondément. Marsh passerait la nuit à Ventura. Le Conseil pour un Leadership Noir l'avait invité à une conférence. Le clou de la soirée : son discours sur « Le rôle du policier issu des minorités dans le travail d'équipe ».

Il était 2 h 14 du matin. Il s'était introduit chez Marsh en forçant les verrous avec ses lamelles en tungstène, et il portait des lunettes à infrarouge. Il avait pris son Minox. Il perquisitionnait dans une obscurité teintée de rose.

Il ouvrit des tiroirs et tapota des panneaux. Rien de nouveau. Il examina les murs de la chambre. Marsh avait une nouvelle litho de Rothko. Dwight passa en revue l'étagère à disques. De nouveaux albums de Chet Baker et de la Staatskapelle de Dresde. Il fouilla la poubelle de la cuisine. Marsh avait un faible, à présent, pour les plats fins surgelés. Voilà une carte d'embarquement pour un voyage en avion. Marsh s'était rendu récemment à Port-au-Prince, en Haïti. Hypothèse éclairée : il choisit ses plaisirs *loin* de son lieu de travail. Un paradis pour fiottes afro.

Dwight retourna dans le salon. Toujours le statu quo. Les cadres en acier brossé, la table de travail bien rangée, le carnet d'adresses près du téléphone.

Il parcourut les pages. Ah !... À la lettre *B*, les numéros de Scotty Bennett, chez lui et à son travail. Il feuilleta de *C* jusqu'à *M*. Ah !... encore un nouveau.

Sal Mineo. Un préfixe de Hollywood Ouest.

Logique : Sal est pédé. Sal aime se faire enfiler, son fondement est très fréquenté.

Mais :

Dwight lui-même avait eu recours à Sal pour piéger un homosexuel, il y avait bien quatre ans de cela. Il avait vu le nom de Sal sur une liste d'indics du Bureau.

Statu quo ? Probablement, mais...

Un agent somnolait dans la salle de garde. Les clés de la salle d'archivage pendaient à un tableau en liège. Dwight les rafla au passage et fonça tout droit vers le fond du bâtiment.

Les dossiers des IC, les « Informateurs Confidentiels du Bureau », étaient repérés par un code à 5 chiffres et s'empilaient jusqu'au plafond. Dwight consulta l'index. Là : « Mineo, Salvatore »/02108. Troisième étagère, deux rangées plus loin.

Dwight déverrouilla le panneau, se hissa sur la pointe des pieds, et prit le dossier. Il était bien mince. Quatre pages en tout. Un simple résumé chronologique.

Août 66. Sal est engagé pour un second rôle. Il sert de faire-valoir à la vedette d'un polar de série B, intitulé *Southside Crackdown*. Le film est distribué dans les circuits de drive-in bas de gamme et disparaît. Le scénario s'inspire vaguement du célèbre braquage de 1964.

Jusque-là... rien de passionnant.

Jack Leahy se rend sur le tournage. Jack interroge Sal, les autres acteurs, et toute l'équipe. Des individus suspects traînaient-ils dans les parages ? Jack interroge-t-il ces gens-là au sujet du *vrai* braquage ?

Sal ne savait rien du tout. Même chose pour tous les autres. Jack fit du charme à Sal qui perdit du même coup son pucelage d'indic. Sal se mit à cafter des acteurs pédés, en échange, de temps à autre, de quelques piécettes.

Rien de neuf, rien de palpitant, statu quo – mais n'écartons pas cette piste tout de suite.

Dwight réfléchit. Un détail lui mit la puce à l'oreille. Et même un boisseau de puces.

Le Bureau avait enquêté sur le braquage *pendant dix secondes*. C'était l'affaire du LAPD et l'obsession de Scotty Bennett. Scotty et Marsh, comme larrons en foire, à présent. Le braquage : un vrai dada pour Clyde Duber. Marsh avait travaillé pour Clyde. Scotty avait cuisiné Jomo C. au sujet du braquage. Cela n'avait aucun sens, sur le moment. Cela en avait un, maintenant. Jomo avait tué Fred Hiltz, Jomo était un braqueur. Il y a Joan qui rôde derrière tout ça. Elle avait dénoncé Jomo par personne interposée. Elle avait cafté Marsh comme homosexuel. Que veulent Marsh et Scotty ? Dossier à onglet rouge, drapeau rouge. L'alliance Marsh-Scotty ne doit pas entraver l'Opération.

Dwight remit le dossier en place. Après le boisseau de puces, il se sentait des fourmis dans les jambes.

Sal le Malsain ne dormait jamais. Il faisait la fermeture des bars homos puis il débriefait dans les cafétérias. Son milieu naturel, c'étaient les réunions entre copines juste avant l'aube. Le friturier du Klondike lui avait dit de tenter sa chance chez Arthur J.

Dwight s'y rendit pleins gaz. Sal le Sodomite était attablé avec trois travelos. Il racontait sa vie. J'ai embourbé James Dean pendant le tournage de *La Fureur de vivre*. Il était monté comme un têtard. Je l'ai ramoné jusqu'à ce qu'il chante *Ramona*.

Les travelos se tordent. Sal le Salace bave sur Rock Hudson. Il avait une bite de bacille. Je lui ai agacé les amygdales jusqu'à ce qu'il s'égosille.

Dwight surgit près de la table. Les travelos s'étranglèrent et décampèrent. Ils laissèrent leurs cafés et leurs crêpes. Dwight se servit.

Sal caressa son accroche-cœur.

– Bonjour, monsieur Holly.

– Qu'est-ce qui se profile à l'horizon, Sal ?

– Pas vous encore une fois, j'espère.

Dwight se servit du café.

– Rien de tel.

– Pas de piège à pédés ? Pas d'acharnement contre un pauvre partisan de la justice sociale qui, par hasard, préfère les garçons ?

Dwight essuya une trace de rouge à lèvres sur sa tasse à café.

– L'été 66. Tu tournais *Southside Crackdown*. Jack Leahy s'est pointé pour poser des questions.

Sal mit du beurre sur ses pommes de terre.

– Et alors ? C'est de l'histoire ancienne. Ce film était un navet. J'ai dû faire un procès pour me faire payer mes journées de tournage.

– Tu as commencé à faire l'indic pour Jack.

– Eh bien...

Dwight rafla un gressin et se gratta la nuque. Redd Foxx entra avec cet avocat véreux de Chick Weiss. Un crétin de chez Tiger Kab les accompagnait.

– Alors, je suppose que l'histoire ne s'arrête pas là. « Jack Leahy s'est pointé... » À toi de me raconter la suite.

Sal haussa les épaules.

– Alors, un autre flic est arrivé, qui m'a posé le même genre de questions.

Dwight dit :

– Scotty Bennett ?

Sal leva les yeux au ciel.

– Oh, oui. Scotty Bennett.

Dwight cassa son gressin en deux.

– Je vais te donner un nom. Je veux voir comment tu réagis.

– Il est un peu *tôt* pour ce genre de petit jeu, mais bon, je veux bien.

Dwight dit :

– Marshall Bowen.

Sal le Servile eut une attaque et un haut-le-cœur. Oui, pas de doute... Il est vert.

– Raconte-moi ça, ajouta Dwight.

Sal tripota son accroche-cœur.

– Et pourquoi je ferais ça ?

– Si tu le fais, je t'offre le petit déjeuner. Sinon, je t'embarque pour viol de mineur. Il y a un pervers qui saute les gamins du collège Berendo, et tu corresponds au signalement.

Sal avala un Valium et le fit passer avec une gorgée de café. Sal inspira longuement, genre « allez, finissons-en une bonne fois ».

– Très bien, mon chéri. J'ai un autre piège à pédé sur le feu. C'est Freddy Otash qui m'a recruté. L'opération est financée par un flic, mais je ne sais pas son nom. La cible, c'est Bowen, mais je n'arrive *pas* à le décoincer et l'emmener au plumard. Il y a des types qui sont comme ça. Je *meurs d'envie* de le régaler, mais ce type refuse de mordre à l'hameçon.

Scotty Bennett. Marsh. Ils deviennent omniprésents, maintenant.

– Qui d'autre est dans le coup ?

– Fred Turentine prend les photos. Le disgracieux Crutchfield le Mateur me surveille de près.

– Bowen. Qu'est-ce qui se passe, avec lui ?

Sal roula les yeux. Sal fit voleter son accroche-cœur. Sal fit son numéro de tapette exaspérée.

– Il *refuuuuuse* de mordre à l'hameçon, c'est tout. Pourtant, comme *appâââât*, je me pose un peu là. C'est *diiiiingue*. Marsh est pédé, j'en mettrais ma main au feu, mais il ne *veuuut* pas céder, voilà tout. Il est *teeeeellement* bizarre. Il reste assis là, c'est tout, ou alors il délire complètement sur *Haïti*, comme s'il ne pouvait pas s'intéresser à autre chose qu'à ce putain de pays.

Dwight se frotta les yeux. Ses radars ratissaient large. D'autres détails se mettaient en place, d'autres puces lui agaçaient l'oreille.

Bon, Jack Leahy : il sait que Bowen était au cœur de MÉÉÉ-CHANT FRÈRE. Jack a une dent contre M. Hoover. Dwight vient de perquisitionner chez Marsh. Il a vu un billet d'avion pour Haïti. Il y a les herbes *haïtiennes* de Joan. Récemment, il y a eu du grabuge en R.D. et en *Haïti*. Celia se trouve là-bas. Crutchfield le Mateur *a été* là-bas. Une rumeur persistante sur le Mateur : il est à la recherche d'une femme en fuite. Elle arnaque des hommes. Elle a peut-être des liens avec les *Rouges*. Le Mateur est un raté, laissons-le faire sa petite enquête.

Le chaînon : l'arnaqueuse, c'est Celia. Lance le filet, franchis le pas. Plus loin encore, dis-le tout haut.

Le passé de Joan, soupçonnée de vol. Les choses qu'elle refuse de dire. Allons encore plus loin : c'est Jack Leahy qui a caviardé le dossier de Joan. Ils étaient complices dans l'affaire du braquage.

Une pluie d'orage éclata. Elle tambourina contre les vitres. Les gouttes tombaient comme des aiguilles. Trois drag-queens entrèrent. Elles portaient des robes de bal trempées. Les poils de leurs thorax transparaissaient sous le tissu imbibé d'eau. Elles virent Sal et lui firent des signes. Elles virent Dwight et prirent la fuite.

Sal fit la moue. Sal réprimanda Dwight, en brandissant sa fourchette.

– Monsieur Holly, vous foutez en l'air ma vie sentimentale.

106

Los Angeles, 22 novembre 1971

La télé du bar beuglait. L'Amérique pleure JFK, comme chaque année à la même date, pour la huitième fois. Nous étions innocents alors, le monde entier nous hait aujourd'hui.

Scotty fit un signe au barman. Celui-ci changea de chaîne. Bucky le Castor vantait les mérites du dentifrice Ipana. Scotty refit un signe au barman. Celui-ci débrancha l'appareil.

Marsh dit :

– Tu es à cran, mon frère. Va faire un tour et flingue quelques braqueurs. Tu te sentiras mieux, après.

La Kibitz Room du traiteur-restaurant Canter. La clientèle de 18 heures : des juifs alcooliques qui reviennent de la synagogue.

Scotty alluma une cigarette, en tira deux bouffées, et l'éteignit. Scotty avala un kreplach[1] et repoussa son assiette.

– On aboutit sans cesse dans des impasses.

– Scotty, c'est terminé. Les inspecteurs de banque ont récupéré le magot du coffre, et ils ne veulent rien dire. On ne trouve pas Reggie, on ne trouve pas les émeraudes, et on ne peut rien faire de plus.

– Non, *ce n'est pas terminé*. Il faut qu'on trouve cette femme. On l'interroge, elle parlera. On avisera ensuite.

Marsh secoua la tête. Condescendant, paternaliste, le numéro du Noir noble.

– Tu vas enquêter auprès des compagnies maritimes qui affrètent des cargos. Tu vas éplucher les listes de tous les passagers qui ont payé leur billet en travaillant à bord, entre le printemps 64 et la fin de l'année. Au départ de tous les grands ports et vers toutes les destinations à l'étranger. Tu vas faire ce que je te demande, bordel ! Et tout de suite !

---

1. Sorte de ravioli cuit et servi dans un bouillon.

107

Los Angeles, 26 novembre 1971

Un colis arriva aux Vivian Apartments. Posté de Las Vegas. Le contenu cliquetait. Il pesait une tonne.

Crutch paya le facteur et tira le colis à l'intérieur. Adresse de l'expéditeur : Mary Beth Hazzard, boîte postale 19. Une enveloppe était scotchée sur le carton.

Merde... elle a répondu à sa lettre. Merde... elle a encore trouvé quelque chose...

Il ouvrit l'enveloppe. Mary Beth avait écrit :

M. Crutchfield,

Un officier de police de Cleveland, Ohio, a envoyé ceci à Wayne en réponse à l'une de ses nombreuses demandes de renseignements. C'est la mise à jour d'un dossier du FBI concernant une femme nommée Klein, sur laquelle Wayne avait des soupçons. Comme vous pouvez le voir, à part l'en-tête et quelques numéros de référence, le texte lui-même a été caviardé. Wayne m'avait dit qu'il n'avait obtenu que des résultats très limités dans ses tentatives pour ôter chimiquement le masquage à l'encre noire, mais je joins à cet envoi les appareils et les produits chimiques qu'il m'a dit avoir utilisés.

Bien à vous,

M.B.H.

Le dossier portait la date de mise à jour : 8/12/68. SUJET KLEIN, JOAN ROSEN, des numéros d'enregistrement, et adios. Six pages pleines caviardées à l'encre noire.

Un dossier. Envoyé à un mort. Ce putain de génie de la chimie : « des résultats très limités ».

Et un spectroscope.

Et un fluoroscope.

Et de l'acide hydroxyque à pH élevé.

Et les notes de Wayne sur le bombardement d'un document à l'aide de rayonnements contrastés.

Il déballa tout le matériel. Il parcourut ses manuels de chimie et trouva un tableau de proportions pour l'utilisation de l'acide hydroxyque. Il ne trouva rien sur les spectroscopes et les fluoroscopes. Il brancha les deux appareils à une prise murale et les disposa sur son bureau. Il prit des cotons-tiges et enfila des gants de caoutchouc. Il disposa les pages caviardées.

Il bascula les deux interrupteurs. Une lumière bleue et une lumière rose apparurent. « *Bombardement* » – hein ? – tu veux dire qu'il faut mélanger les deux en essayant plusieurs intensités ?

Ce qu'il fit. Il pencha les appareils et croisa leurs faisceaux. Pendant les quatre premières tentatives, cela n'eut pour résultat que de rendre le noir plus opaque. Au cours des deux suivantes, le noir s'éclaircit. Crutch déposa *de toutes petites* quantités d'acide hydroxyque sur l'encre à présent moins dense. L'acide rongea le papier et brûla le bureau.

Modifie le réglage des faisceaux. Attaque l'encre la plus noire, maintenant.

Ce qu'il fit. Beaucoup d'acide par-ci, peu d'acide par-là. Il brûla le papier et le bureau aussi.

Il s'arrêta. *Respire bien à fond.* Il essaya l'appareil à faisceau bleu et une application généreuse d'acide. Il brûla le papier et le bureau. Recommençons. Il essaya l'appareil à faisceau rose et une application légère d'acide. Il brûla le papier et le bureau.

Sa main eut un soubresaut. La bouteille tomba. L'acide se répandit. Il brûla quatre pages pleines et attaqua le bureau.

Recommence. Respire à fond. Frère Wayne, je fais ce que je peux. Il nous reste deux pages.

Il épongea la flaque d'acide. Il croisa les faisceaux de nouveau. Il fit ressortir *toutes* les lignes les moins denses. Il y appliqua une quantité *infime* d'acide.

Le papier grésilla et se couvrit de bulles. Les lignes furent brûlées. Le bureau aussi.

Dernière page.

Son bureau portait des traces d'acide. Il l'essuya d'un coup de serviette. Il centra la page. Il bricola les faisceaux. Il obtint un hybride rose-bleu tout nouveau. Il vit les lignes à l'encre dense et les lignes à l'encre claire et il vit autre chose.

De petites marques de machine à écrire. Juste là, sous l'encre.

Il plissa les paupières pour mieux les examiner. Il prit sa loupe et la tint tout près. Il ne parvenait pas à déchiffrer les mots recouverts d'encre noire.

Respire à fond. Ne badigeonne pas, n'arrose pas, ne ronge pas, ne brûle pas le papier tout de suite.

Oui, essaie autre chose.

Il se rendit dans la cuisine. Il vida un vaporisateur de liquide pour nettoyer les vitres. Il en rinça l'intérieur à l'aide d'un détergent doux. Il le laissa sécher. Il l'emporta dans le salon et le posa sur son bureau.

Il y versa l'acide hydroxyque. Il revissa le bouchon. Il fit un essai de pulvérisation et obtint une fine brume d'acide.

L'air lui piqua les yeux. Il laissa la brume se dissiper. Il centra la page sous les faisceaux bleu et rose. Il vaporisa *très légèrement* les lignes d'encre, du haut de la page jusqu'en bas. L'encre se dilua en coulées aléatoires. En dessous, il découvrit des mots et des fragments de mots.

« LE SUJET JOAN ROS » – « a utilis » – « diverses identit » – « Williamson, Margaret Susan ; Broward, Sharon ; Goldenson, Rochelle ; Faust, Laura » – « B » – « D » – « L » – « Q » – « A » – (*salade de mots illisibles*).

« LE SUJET JOAN ROSEN KLEIN »... (*parenthèses, taches, parenthèses*). « Celia Reyes, *alias* Gretchen Farr » – « Mouvement du 14 juin »... (*taches et texte flou*). « À la date de rédaction de ce document (8/12/68), le SUJET REYES/FARR, selon nos informateurs, est à la recherche du meurtrier supposé d'une femme dominico-haïtienne surnommée "La Tatouée" (véritable patronyme inconnu) qui aurait semble-t-il disparu de Los Angeles pendant l'été 68. D'autres rapports signalent que le SUJET REYES/FARR s'est assuré pour cette entreprise l'aide de LEANDER JAMES JACKSON (militant noir présumé). »

« LE SUJET » – (*taches*) – « EIN » – « susp » – « révo » – (*taches*) – « nement » – « Algérie » – « Caraïb. »

Oh, merde. Il y a des lignes entières. Des adresses en espagnol. Des planques en R.D.

« Une rumeur persist » – (*taches*) – « censément » – « cherchant à stopper un flot d'émeraudes de contrebande ayant censément servi à financer » – (*taches, taches*) – « coups d'É. »

Les lettres commençaient à s'effacer.

Il perdit des lettres et des mots entiers. Une phrase se brouilla et devint blanche. Il cligna des yeux. Il se frotta les paupières. Il perdit le mot « JOAN ».

Il vaporisa la page. Il avait appuyé trop fort. La brume était sortie sous forme de jet. Les mots disparurent. L'air devint brûlant. La page s'enflamma.

108

Los Angeles, 26 novembre 1971

L'avion roulait sur la piste. Dwight avait un siège exigu dans l'allée centrale. Pine-de-Klebs, Mississippi, et retour, en dix-sept heures.

Le voyage était improvisé. Bob Relyea avait piqué une crise. Dwight, j'aime bien savoir qui je vais tuer. Bob, je ne te le dirai pas. Tiens, voilà cinq mille dollars. Va distribuer des tracts racistes et braquer des pharmacies.

La sortie se trouvait à côté du parking. Dwight descendit de l'avion, prit sa voiture et rejoignit l'autoroute. Il était 21 h 16. Joan était au refuge. Marsh était à Oxnard. Le Comité pour la Fierté Noire l'avait invité. Ce Frère Bowen – voilà quelqu'un qui sait discourir.

Dwight vira vers La Cienaga et grimpa le col de Stocker. Il était harassé. Il avait de nouveau les nerfs à vif et des insomnies. Le coup fourré dans lequel Sal Mineo était embarqué lui taraudait la tête. Il n'avait pas revu Joan depuis son entrevue avec Sal. Ils ne s'étaient pas parlé du tout. Il était pressé de toutes parts. Le président allait lui faire parvenir le nouveau calendrier des déplacements de M. Hoover. Il devait se rendre à Washington. Nixon voulait organiser un sommet sur les perquisitions illégales qu'il projetait. Convoqués par le président : « le bras armé de la loi » Dwight Holly et Howard Hunt, un vieux renard de la CIA. Karen et les filles seraient là-bas au même moment. L'occasion de montrer aux filles quelques monuments. Elles apprendraient plus tard à manipuler les explosifs.

La théorie d'une collusion Joan/Jack Leahy l'obnubilait. Ses premiers soupçons sur Joan : elle a un ami chez les fédéraux. Trois ans plus tard, il *ne sait pratiquement rien*.

Crutchfield le Mateur le lancinait. Ce petit salopard de fouille-merde. Carrément doté d'un flair incroyable et d'une obstination surhumaine. *Ils l'avaient laissé vivre.* Il savait tout, *à ce moment-là.* Qui pouvait deviner ce qu'il savait *aujourd'hui* ?

Le problème majeur : la convergence. Le problème secondaire : l'alliance Marsh-Scotty. La grande question : le piège à pédé tendu à Marsh implique-t-il que nous annulions notre opération ?

Dwight fit passer trois aspirines avec du café. Un signe : sa première migraine depuis Silver Hill.

Les lamelles pour forcer les verrous fonctionnaient à chaque fois. La pellicule d'huile sur le métal empêchait l'outil de laisser des marques. Ses lunettes lui procuraient un éclairage de maison hantée.

Dwight verrouilla la porte derrière lui. Le salon sentait le renfermé. Des relents d'encens y rôdaient encore. Marsh avait fait des folies : un nouveau Kandinsky. Il foutait en l'air la symétrie du mur nord.

Dwight furetait. C'était sa 6 000e perquisition illégale. Un boulot de flic, futile et répétitif – il adorait.

Il tapota des panneaux, il ouvrit des tiroirs, il passa la main sous les sièges et sous les tapis. Il vit qu'un peu de sciure était tombée d'une poutre du plafond, alors que ladite poutre était parfaitement lisse. Cela n'avait aucun sens.

Il approcha une chaise et monta dessus. Il plissa les paupières. Il décela de vagues marques d'un côté de la poutre. La sciure provenait d'une fente presque invisible.

Il pressa le flanc de la poutre du plat de la main. Le panneau de bois s'ouvrait vers l'intérieur. Une petite charnière grinça. La trappe rectangulaire se voyait à peine. Elle mesurait vingt centimètres sur vingt-cinq.

Une odeur de papier. Gagné ! La première chose qui se remarque.

Dwight y plongea la main. Le journal était relié cuir. Marsh était un esthète – le bord des feuilles était dentelé.

Il sortit le document de sa cachette et descendit de la chaise. Il prépara son Minox. Il posa le journal sur le bureau et commença à le lire.

Il *connaissait* Marsh. Son journal le lui confirma tout de suite. Leurs styles de narration étaient similaires. Ils savaient l'un et l'autre à quel point ils étaient intelligents. Ils possédaient tous les deux le même esprit caustique. Ils vénéraient tous les deux l'implacabilité. C'était pour Marsh un sentiment nouveau qui lui inspirait terreur et respect. Oui, petit... Oui, mon frère... Tu ne sais pas quel en est le prix.

Il était 22 h 21. Dwight avait douze cartouches de pellicule. Il pouvait photographier la majeure partie du texte.

Ce n'était pas pratique. Ouvrir à la bonne page, cadrer, presser le déclencheur. L'appareil n'était pas loin du texte, il le lisait tout en prenant les clichés. Tout y était. C'était son univers et celui du Frère Bowen combinés.

Le braquage comme Saint Graal. La façon dont il s'était amouraché de D.C. Holly. Son association sournoise avec Scotty Bennett. Wayne Tedrow et l'introuvable Reggie disparu depuis longtemps. Reggie comme survivant du braquage et pourvoyeur d'émeraudes. Le meurtre de Lionel Thornton. Les trois voyages en Haïti. Marsh identifie Joan comme étant La Femme. Il n'en dit pas un mot à Scotty.

Il photographia 73 pages. Il avait utilisé toutes sa réserve de pellicule. Il mémorisa la majeure partie du texte. Il remit le journal à sa place et ramassa la sciure. Il laissa la pièce impeccable.

Sa migraine avait disparu. L'Opération était compromise. Il se sentait calme, le cœur léger, et il éprouvait autre chose encore.

Le refuge était désert. Joan était sortie. Au bas de la côte, Karen écoutait la *Grosse Fuge* à plein volume. Dwight sortit sur la terrasse. La lumière brillait dans la salle de bains de Karen. La musique jaillissait, tonitruante, d'un petit carré violemment éclairé.

La chambre noire était entièrement équipée. Joan développait les pellicules mieux que lui, mais il connaissait les bases du procédé. Il prépara le révélateur, le bain d'arrêt et le fixateur, et développa l'une après l'autre les bandes de film 9 mm dans la cuve. L'ensemble des opérations lui prit quatre heures.

Après le lavage, il les suspendit pour les faire sécher. Sur chaque cliché, il discernait les mots sur le papier. Il fit une pause et appela le Mateur. Le môme n'arriva pas à placer un seul mot. Dwight glissa des allusions aux émeraudes, à Joan Klein et au braquage. *Tu ne bouges pas, Trouduc, tu ne fais rien. C'est compris ?*

Le Mateur déglutit et dit « oui ».

Les négatifs étaient secs. Il les décrocha de la corde à linge. Il avait un agrandisseur à sa disposition. Il tira une série d'épreuves à partir des négatifs, les développa, les fixa et lava. Dès qu'elles furent sèches, il les emporta dans le salon.

Créons un récit complet. Étalons les tirages à la hauteur des yeux. Disposons une frise pour les parcourir rapidement ou les lire en détail.

Les épreuves étaient un peu sombres et gondolées. Pas d'importance. L'éclairage du salon était bon.

Dwight sortit sur la terrasse. Il y avait toujours de la lumière dans la chambre de Karen. Il fit la mise au point de ses jumelles. Dina entra dans la chambre en courant. Elle pleurait. Karen la prit dans ses bras et la serra contre elle. Ma chérie, tu as fait un vilain cauchemar.

Les lumières s'éteignirent dans la chambre. Il attendit que celle de la salle de bains se rallume et que la musique reprenne. Il n'eut droit ni à l'une ni à l'autre. L'éclairage des gratte-ciel clignotait au centre-ville.

Une clé qu'on glisse dans la serrure de la porte d'entrée. La porte s'ouvrit et claqua. Ses pas étaient trop légers. Elle ne balança pas son sac à main.

Il attendit. Il scruta le ciel. Il revit l'hôtel de ville en 51. Le LAPD y avait son quartier général, à l'époque. Il avait vu un jeune flic maltraiter un voleur. Un mètre quatre-vingt-quinze, cheveux en brosse – Scotty B. en devenir.

Il vit l'ombre de Joan et il sentit le parfum de ses cheveux. Dwight s'appuya contre la rambarde de la terrasse. Elle s'approcha et se colla à lui.

– Je ne t'ai jamais menti ni trahi.

– Je le sais.

– Marsh a reconstitué une bonne partie de l'affaire.

Dwight se tourna vers elle. Elle l'entoura de ses bras. Le menton de Dwight frôlait le haut de sa tête.

– C'est moi qui ai recruté Reginald Hazzard. Il y a des années que Jack et moi sommes amis. Nous avons organisé le braquage ensemble. Reginald vit en Haïti depuis très longtemps.

Dwight toucha ses cheveux. Les mèches noires de la semaine précédente avaient viré au gris, et les grises au blanc.

– L'enquête conjointe de Scotty et Marsh sur le braquage donne à notre opération une tout autre dimension. Scotty sait que Marsh n'a rien d'un assassin solitaire. Il analyserait les faits avec un niveau d'acuité que nous ne pouvons pas nous permettre. Scotty saurait en un éclair que c'est nous qui sommes derrière tout ça.

Joan dit :

– Je ne suis pas d'accord.

Dwight secoua la tête.

– Ils se glissent mutuellement des peaux de banane. Scotty a monté un chantage sexuel dont Marsh est la cible. Marsh connaît ton nom et il sait que tu as été mon informatrice. À eux deux, ils ont tué Lionel Thornton. Dans ce contexte, Marsh n'ira jamais mettre les pieds dans la planque d'un tireur d'élite.

Joan dit :

– Je ne suis pas d'accord.

Dwight serra les poings. Joan les prit dans ses mains et les posa contre sa poitrine.

– Cela donne, à tous les niveaux, de la densité à notre scénario implicite. Cela incrimine Scotty Bennett et force le LAPD à minimiser l'affaire, ce qui rallongera d'autant la piste tracée par les documents, et augmentera considérablement l'impact de l'événement sur l'opinion publique. Nous pouvons combiner les journaux. Nous pouvons en ôter les références à Jack Leahy, à Reginald Hazzard, et à moi. Nous pouvons supprimer les références à Lionel Thornton, afin que sa famille soit épargnée. Considère ceci comme un document social qui nous ramène infailliblement à M. Hoover et à toutes les infamies qu'il a commises. Le braquage va salir la piste et améliorer la qualité générale de l'écriture et de la crédibilité. L'amitié Bennett-Bowen explicite toutes les réflexions que j'ai toujours voulu faire sur la haine et la cupidité.

Dwight se détacha d'elle. La lumière jaillit dans la salle de bains de Karen. Il tendit l'oreille. Aucune musique ne lui parvint.

– Parle-moi de Lionel Thornton.

– C'était un camarade, à sa façon.

– Il a blanchi l'argent pour Jack et toi.

– Oui.

– Jack est entré avec les inspecteurs de banque. Il avait au préalable retiré du coffre le plus gros de la somme d'origine. Il a laissé un peu d'argent en place pour que les inspecteurs le trouvent.

Joan confirma :

– Oui, tu as tout compris, mais il y a une chose que tu n'as pas dite et une question que tu n'as pas posée.

Dwight la regarda.

– Je ne te reproche aucune des actions que tu as commises. Étant donné ce que j'ai fait moi-même, je n'en suis tout simplement pas capable.

– Et la question ?

– La question, c'est : « À qui est allé l'argent ? » Et la réponse : « Tout est allé à la Cause. »

La musique commença à faible volume. Des cordes dissonantes. Il était très tard. Karen voulait qu'ils l'entendent tout doucement.

Joan dit :

– Je ne veux pas renoncer à ce projet.

Dwight essayait de capter la musique. Un vent soufflant à ras du sol l'étouffait.

– Marsh sait beaucoup de choses sur toi, Scotty *pourrait* apprendre qui tu es. Tu serais en danger, alors, et ton nom finirait par être divulgué.

Joan secoua la tête.

– Scotty ne sait rien de moi. Marsh ne dira rien sur mon compte, ni à lui, ni à personne d'autre. C'est un petit homme cupide et intéressé. Il veut tout pour lui. *Toi*, tu as vu les pages de son journal. Personne d'autre ne les a lues. Je ne figurerai pas dans la nouvelle version, et personne ne croira un seul mot de ce que Scotty dira sur toi. Lui, c'est le copain blanc du nègre pédé, et toi, tu es le témoin vedette du gouvernement qui a eu une dépression nerveuse et qui se sent obligé d'avouer.

Dwight chassa les larmes de ses yeux. Joan lui pressa les mains, les phalanges exsangues.

– Dis-moi ce que M. Hoover t'a fait.

Joan répondit :

– Non, je ne le ferai pas.

DOCUMENT EN ENCART : 3/12/71. *Communiqué par télex. Marqué : « CODE D'ACCÈS 1-A ; DESTINATAIRE UNIQUE. À DÉTRUIRE APRÈS LECTURE. » Destinataire : Agent spécial Dwight C. Holly. Expéditeur : Bureau d'organisation des déplacements, Centre des Communications, Washington, D.C.*

Monsieur,

Concernant votre dernière demande téléphonique, veuillez noter que le programme des déplacements du SUJET a été réduit, en raison de problèmes de santé récurrents. À la date d'aujourd'hui, il est prévu que le SUJET se rende à Miami le 14/4/72, à Cleveland le 5/5/72 et à Los Angeles le 10/6/72. Tout changement ou mise à jour ultérieur vous sera communiqué, ainsi que vous en avez fait la demande. Comme toujours, veuillez détruire après lecture.

DOCUMENT EN ENCART : 4/12/71. *Transcription officielle d'une communication téléphonique du FBI. – ENREGISTRÉE À LA DEMANDE DU DIRECTEUR – CLASSÉE : CONFIDENTIEL 1-A ; DESTINATAIRE UNIQUE : LE DIRECTEUR – Interlocuteurs : Directeur Hoover, Agent spécial Dwight Holly.*

JEH. - Bonjour, Dwight.

DH. - Bonjour, monsieur le directeur.

JEH. - (Quinte de toux : 12 secondes.)

DH. - Bonjour, monsieur le directeur.

JEH. - Ne vous répétez pas.

DH. - Oui, monsieur.

JEH. - Je ne sais pas pourquoi je continue à vous parler.

DH. - Oui, monsieur.

JEH. - Arrêtez de vous répéter. Je ne suis pas sénile. Je suis en parfaite santé.

DH. - Oui, monsieur.

JEH. - Vous avez recommencé. Arrêtez. Je vous dis de ne pas répliquer.

(Silence : 53 secondes.)

JEH. – Richard le Vicelard m'a demandé une perquisition clandestine au Watergate Hotel. J'ai refusé. Je garderai mon poste tant que je le mènerai en bateau. Je suis une aguicheuse. Je fais lanterner ce salopard. Il m'a traité de femmelette. Il a qualifié mon opération des hémorroïdes d'« hystérectomie ».

(Quinte de toux : 9 secondes.)

JEH. – J'ai un dossier sur Richard le Vicelard. Il m'a traité de chochotte. Mon sous-sol est renforcé à la Kryptonite. Aucun voleur de dossier au monde ne pourrait y pénétrer.

(Quinte de toux : 16 secondes/la transcription de l'appel téléphonique s'arrête ici.)

109

Los Angeles, 5 décembre 1971

– Sal, tu es plutôt beau mec. Pourquoi est-ce que tu n'arrives pas à faire tomber ce type dans ton plumard ?

Conférence au sommet. La deuxième sur le piège à pédé. Président : le sergent Scotty Bennett. Également présents : Sal, Fred O., Crutchfield le Mateur.

– Écoutez, il y a des types qui ne mordent pas à l'hameçon, tout simplement. Parfois, je tombe sur le genre « Je ne suis pas celle que vous croyez », parfois, c'est parce qu'ils n'aiment pas la bite, et puis c'est tout.

Le Silver Star, sur Western Avenue. Ici, Scotty dînait gratis. Le propriétaire se faisait souvent braquer. Il appelait Scotty directement. Un serveur apporta des gin-fizz et des bretzels. Leur box faisait face à la porte. Scotty avait insisté. Il reconnaissait les visages instantanément. Il possédait cette mémoire photographique propre à certains flics.

Fred O. se rongeait une peau morte. Le Mateur se grattait les couilles. Sal le Soyeux était déprimé. Il adorait aller au charbon. Il mourait d'envie d'explorer le profond puits de mine de Marsh Bowen.

Le serveur disparut. Sal dit :

– Je vous ai déjà vu, sergent. C'était sur un tournage de film.

– Je sais. *Southside Crackdown*. J'ai emmené mes mômes le voir. Ma fille mouillait pour toi. Je lui ai dit : « T'as vraiment pas de bol, ce mec est de la jaquette. »

Sal gloussa. Fred ricana. Le Mateur ne se joignit pas à eux. Le Mateur était toujours à l'écart, dans sa tête. Il y ouvrait des fenêtres sur ailleurs.

Scotty se goinfrait de bretzels.

– Raconte-moi tout. Pourquoi est-ce que ce guignol ne fait pas ce qu'on attend de lui ?

Sal haussa les épaules.

– Marshey est coriace. Il a son petit univers à lui bien organisé, et il n'aime pas les changements de programme. Il a son boulot de flic, ses discours, et sa passion pour la peinture. Et maintenant, il ne parle plus que d'une seule chose : les voyages qu'il a faits en Haïti.

Tiens, donc.

On se renvoie la balle. Lancée en douceur, facile à rattraper. Marsh ne lui disait pas tout. Haïti avait une frontière commune avec la R.D. C'était de là que provenaient les émeraudes. Haïti, c'était Reggie et les pierres.

Sal le Saute-au-paf blablatait. Scotty cessa de l'écouter. Le Mateur ne tenait pas en place. Vise un peu ses mains moites et la sueur qui lui coule dans le cou.

Scotty vida son verre.

– Continue ton numéro de charme, Sal. Je vais t'approvisionner en Quaaludes. Un petit coup de *Soul Train* sur la stéréo, et va-va-voom...

Sal ricana.

– Ce n'est pas comme si c'était *moi* qui n'en avais pas envie. Marshey est très beau mec. Je l'appelle « La Princesse Africaine ».

Fred O. se tint le bide. Le Mateur hurla de rire. Des bretzels prémâchés sillonnèrent l'espace.

Scotty dit :

– Que tout ça reste entre-nous, entre hommes blancs. Pas question que tu ailles voir Dwight Holly. C'est *notre* piège à pédé. Le *sien*, c'est de l'histoire ancienne.

Tiens, donc.

Sal piqua un fard à « Dwight Holly ». Le Mateur eut des soubresauts résiduels.

Sal tripota son accroche-cœur.

– M. Holly, je ne l'ai vu qu'une fois, il y a longtemps. Mon fédé *à moi*, ça a toujours été Jack Leahy. Il me bombardait de questions sur le plateau de *Southside Crackdown*. Vous vous rappelez, sergent ? Vous aussi, vous m'en posiez plein. Et le braquage par-ci, et le fourgon blindé par-là, comme si une pauvre fille comme moi pouvait savoir *quoi que ce soit* sur ce genre d'exploit.

Tiens, donc.

Le Mateur cligna des yeux à « Leahy ». Le Mateur cligna des yeux à « braquage ». Voilà que le Mateur jette des regards dans tous les sens et qu'il pique une légère suée.

Scotty lança un regard furieux à Sal. Sal s'humecta les lèvres et eut un petit sourire affecté. Fred O. rongeait toujours sa peau morte. L'air lourdement chargé lui siffla aux oreilles. Le Mateur avala et ré-avala sa salive. Sa pomme d'Adam dansa le Frug et le Peppermint Twist.

Scotty se rendit aux toilettes. Les carreaux blancs l'attiraient. Il appuya son front contre le mur. Voyons, voyons, voyons – démêlons tout ça avec logique.

Leahy. Des questions sur le braquage *alors*. La Banque populaire vandalisée *maintenant*. Jack était entré dans le bâtiment avec l'équipe des inspecteurs. Il a participé au braquage. C'est lui qui a le magot maintenant.

« Haïti », ça voulait dire que Marsh devait disparaître.

110

Los Angeles, 5 décembre 1971

La frise du tableau de bord : rien que des photos nouvelles. Sa manip sur le caviardage lui a fourni une piste brûlante et quatre fausses identités. Il était remonté des faux noms jusqu'aux numéros des portraits anthropométriques. Il avait trouvé quatre nouvelles Joan.

Williamson, Goldenson, Broward et Faust. Joan en 1949. Joan trois, cinq et sept ans plus tard.

Elle est plus jeune, ses cheveux sont plus foncés, elle a déjà un air presque féroce. Elle est toujours rebelle. Sans lunettes, elle cligne des yeux. Ses épaules sont plus rondes. Sa mâchoire n'a pas encore pris cet angle dur.

Crutch contemplait les photos. Le sommet venait de se terminer. Il avait capté les ondes mentales de Scotty. Scotty avait embrayé sur Marsh-en-Haïti.

Il tourna la clé de contact et roula tranquillement vers le sud. Clyde avait du travail pour lui. En plus, on avait besoin de lui chez Tiger Kab. Son enquête partait en morceaux et lui revenait en pièces détachées.

Dwight Holly l'avait appelé pour le mettre en garde. Trouduc, ne fais rien. Celia était à la recherche de l'assassin de La Tatouée, tout comme lui. Scotty allait régler son compte à Marsh, dans les plus brefs délais.

Il traversa Hancock Park. Il zyeuta à travers les fenêtres, en plein jour. Il n'y avait rien d'excitant à voir.

Noël arrivait bientôt. Sa mère lui enverrait une carte et un billet de cinq dollars. Il achèterait un cadeau à Dana Lund.

Il passa près du parking des chauffeurs. Phil Irwin et Buzz Duber lui firent signe. Chick Weiss pelotait une pute métisse.

La fille partit en traînant la patte vers l'aire de service. L'amateur de bois d'ébène Chick Weiss la fusilla du regard. Crutch s'arrêta et laissa son moteur tourner au ralenti. Chick passa la tête dans l'habitacle.

– Tu es tout bleu, gamin. Tu devrais t'inscrire aux Voyeurs Anonymes.

– Baise ta mère.

– J'ai essayé, un jour. Elle m'a repoussé et elle m'a envoyé à la fac de droit.

Un vent chaud se leva. Crutch dirigea la clim vers ses couilles.

– Mets-moi sur un traquenard.

Chick répondit :

– Pas question. C'est Phil qui fait ça pour moi. J'ai sous contrat ce Philippin monté comme un âne, alors je ne peux pas grever mes frais généraux pour te distraire de ton ennui.

Crutch rit. Chick dit :

– Tire-toi de là. Fais quelque chose d'idiot et de courageux, pour que les gens s'imaginent que tu baises de temps en temps.

Il passa devant Tiger Kab. Le LAPD leur avait prêté quelques détenus. Ils portaient des combinaisons rayées façon tigre. Ils faisaient des lavages-lustrages contraints et forcés. Redd Foxx leur servait des assiettes de nourriture du Sud.

Crutch essayait de se défiler. Il ne pouvait pas laisser faire ça.

Milt C. le vit et lui fit signe. Macaque Junkie agita une patte. Crutch leur fit signe à son tour et partit vers l'ouest pour rejoindre Stocker Street.

La maison était somptueuse. Baldwin Hills, c'était le haut de gamme des quartiers noirs. Ray Charles et Lou Rawls vivaient au bout de la rue. Il les avait transportés tous les deux dans un taxi Tiger.

Crutch descendit de voiture et sonna à la porte. Marsh Bowen lui ouvrit. Il était en uniforme. Sa Médaille du courage étincelait.

Marsh le regarda à deux fois. Oh, oui – le môme qui travaille pour Clyde Duber.

Crutch dit :

– Scotty sait que vous êtes allé en Haïti. Je pense que vous feriez mieux de disparaître.

111

Washington, D.C., 7 décembre 1971

Chez Harvey, la salle était bondée. Il attendait au bar. Howard Hunt était en retard. Les clients de midi circulaient d'une table à l'autre.

Ted Kennedy et John Mitchell. Le vice-président Agnew qui racontait une plaisanterie à plusieurs tables à la fois. Dwight en capta des fragments. Un lion baisait un zèbre, ha.

Il ne se remettait pas du décalage horaire et il était épuisé par ses nuits blanches. Il avait déjeuné avec Jack Leahy la veille. Un entretien grinçant comme des ongles qui raclent un tableau noir. Ils n'avaient pas discuté de l'Opération. Joan lui en avait déjà parlé. Jack l'approuvait et voulait qu'elle se réalise. Ses regards signifiaient qu'il leur donnait son aval. Cela, au moins, était très clair.

Jack était venu pour parler – mais uniquement de ce qu'il avait choisi comme sujets. Il dit que Joan et lui se connaissaient de longue date. Il dit qu'il avait lui-même sorti l'argent de la banque. Ils ne parlèrent pas du braquage. Jack déclara qu'il haïssait Hoover autant que Joan le haïssait. Dwight lui demanda pourquoi. Jack répondit : « Je ne vous le dirai pas. »

Hunt était en retard. Cela le rendait furieux. Karen et les filles étaient à Washington. Dwight sirotait son café et scrutait le restaurant. Ronald Reagan entra. Son passage déclencha des *Oooh*, des *Aaaah* et des quolibets.

Il avait travaillé trois jours d'affilée avec Joan. Ils avaient combiné des extraits du faux journal de Marsh avec des passages de celui qu'il avait réellement rédigé. L'ensemble était à présent tout à fait cohérent. Ils en avaient supprimé le meurtre de Lionel Thornton. Cela aurait gravement incriminé Scotty et l'aurait poussé à parler. L'omission de ce chapitre le convaincrait peut-être de garder le silence. Joan avait été proche de Lionel Thornton. La suppression du passage épargnerait sa famille.

Le nouveau texte révélait la fixation que faisait Marsh sur le braquage. C'était à cause de cette obsession qu'il s'était associé avec Scotty, tout aussi obnubilé que lui par l'événement, et qu'il poursuivait des buts illusoires. Marsh n'était plus à présent que cupidité et perversion. Ce n'était que sur le tard que la politique lui avait inspiré du ressentiment. Il était à la fois pantin et marionnettiste. Son psychisme s'était désarticulé de seize millions de façons. Les flics l'avaient accepté et lui avaient donné une identité. Les flics lui avaient dit de préserver cette identité tandis qu'il en endossait une autre, antithétique à la précédente. La quête de l'argent et des émeraudes ne l'avait mené nulle part. Il ne savait plus qui il était, où il était, ni ce qu'il devait faire. Il avait donc décidé d'assassiner un personnage public pour rendre tout cela cohérent.

Howard Hunt entra. Dwight lui fit signe de le rejoindre. Le barman aussi avait vu Hunt, et il lui préparait déjà un martini-gin.

Hunt en but deux gorgées et bourra sa pipe. Il essuya ses lunettes avec sa cravate.

– Je ne peux pas rester pour le déjeuner.

– Je n'y comptais pas.

– Il fait chaud, dehors. Le printemps va être pénible.

Dwight lui passa une enveloppe. Hunt l'empocha et alluma sa pipe.

– Alors ?

– Cet été. Le Watergate. À vous de décider du moment exact et du personnel.

– La vieille tante l'a envoyé paître. J'ai entendu des rumeurs.

– Le Boss m'aime bien. Restons-en là.

Hunt finit son martini-gin.

– C'est vous qui dirigez l'opération ?

Dwight secoua la tête.

– Regardez dans l'enveloppe. Il y a un numéro relais que vous pouvez appeler. Le Boss a un faible pour les Cubains. Vous connaissez déjà. Les boîtes à lettres, les téléphones relais, et le papier flash. Pour moi, c'est terminé, tout ça.

Hunt posa un billet de cinq dollars sur le comptoir. Dwight le lui rendit.

– C'est ma tournée.

– Dwight, « le bras armé de la loi ». Toujours grand seigneur.
– J'ai été content de vous voir, Howard.

Hunt mit sa casquette de golf et ressortit. La porte s'ouvrit en grand. Le soleil inonda le comptoir et le plancher de la salle. Deux grands costauds firent entrer un vieillard frêle.

Il traînait les pieds. Il flottait dans ses vêtements. Ses lunettes glissaient sur son nez. Taches de vieillesse sur les mains, tremblements, la peau du cou qui pendait, des petits pas maniérés de deux centimètres.

Le vieil homme regarda vers le bar et vit Dwight. Il avait des yeux vitreux d'un marron foncé. Aucune étincelle n'y était visible de l'extérieur. Dwight cligna des paupières et refit le point sur lui. M. Hoover braquait fixement devant lui des yeux qui semblaient morts.

Les gardes du corps l'amenèrent à une table en douceur. Il lui fallut trois minutes pour parcourir quinze mètres. Il regarda autour de lui, l'œil vague. Personne ne le remarquait. Autour de lui, les gens sautaient d'une table à l'autre. Un serveur lui apporta un plat cuit d'avance.

Dwight était juste dans son champ de vision. Une faible distance les séparait. Il s'éloigna du bar. Sa silhouette, imposante, se détachait nettement.

M. Hoover regarda dans sa direction. Dwight lui adressa un signe de la main. M. Hoover ne réagit pas.

Le premier garde du corps coupait son steak. Le second le faisait manger. Ted Kennedy remarqua sa présence et tourna la tête. Ronald Reagan sourit et regarda dans sa direction. M. Hoover le vit sans réagir. De la salive coulait sur son menton.

Dwight s'avança de trois pas. Sa présence en devint d'autant plus évidente. M. Hoover toussa. De la salive se répandit dans son assiette. Un serveur se précipita pour la lui changer. Dwight s'avança encore. Il dominait de toute sa hauteur M. Hoover, qui était tout près. Il regarda Dwight droit dans les yeux et ne le reconnut pas.

Les filles sautaient à la corde autour du monument. Assis sur un banc, Dwight et Karen se tenaient la main.

– Tu leur as dit que Washington était le père de notre pays ?

Karen sourit.

– Ton histoire de l'Amérique n'est pas la mienne.

– Je serais tenté de contester cette affirmation.

– Étant donné les événements récents, je serais tentée de concéder que tu as raison de le faire.

La pelouse était remplie de nounous et de poussettes et de mômes qui jouaient au ballon. Un petit garçon aperçut l'étui d'aisselle de Dwight et sourit.

Karen dit :

– Voilà sept ans que nous sommes ensemble.

– Je sais. Tu auras quarante-sept ans en février.

– Emmène-moi quelque part pour un week-end. Je m'attends constamment au pire. Tu t'apprêtes à commettre quelque chose d'irréparable. Je veux passer un moment avec toi d'abord.

Dwight pivota sur le banc pour se tourner vers Karen. Elle le regarda. Il lui prit le visage entre ses mains. Quelques larmes roulèrent. Il les chassa de ses pouces.

– J'ai renoncé à le faire.

Karen se pencha en arrière, s'éloignant de lui pour mieux le regarder. Ses larmes jaillirent à flots. Elle ôta sa veste en laine pour se sécher les yeux.

Le cardigan mauve en cachemire. Le premier cadeau de Noël que Dwight lui offrait. Elle lui avait dit : *Quoi ? Tu ne m'en a pas acheté un rouge ?*

– Pourquoi ?

Dwight répondit :

– Personne ne meurt.

Il avait une grande suite au Willard. Aux frais du Bureau. La salle de bains comprenait une cabine de douche.

Le service des chambres lui apporta une bouteille de bourbon. Cela le fit saliver. Il emporta sa mallette et la bouteille dans la salle de bains. Il jeta les pages du faux journal intime dans le bac de la douche et les arrosa de bourbon.

Il gratta une allumette et la laissa tomber sur les feuilles imbibées. La cabine de douche était idéale pour circonscrire les flammes. Dwight les laissa monter très haut.

La pomme de douche pendait hors de la cabine. Il ouvrit l'eau pour tout éteindre. Les pages se transformèrent en une boue de cendres noires.

Un téléphone mural était fixé au-dessus des toilettes. Dwight composa directement le numéro du refuge. Il entendit trois sonneries, puis :

– Oui ?

– On se retire. Je ne peux pas le faire.

Joan dit :

– Non.

Et elle raccrocha.

DOCUMENT EN ENCART : 8/12/71. *Extrait du journal de Marshall E. Bowen.*

Je reconnais toujours le moment où quelque chose touche à sa fin. J'ai ouvert ma porte, j'ai vu cet imbécile de môme sur ma véranda, et j'ai compris que plusieurs fils de mon existence s'étaient dévidés jusqu'au bout. Je ne lui ai pas demandé de préciser sa mise en garde ; je ne lui ai pas dit que je l'avais aperçu ici et là suffisamment souvent pour savoir qu'il était un artiste de la filature discrète pour qui je ne devais pas avoir beaucoup de secrets. Sa voiture était garée dans mon allée. En allant récupérer mon quotidien sur ma pelouse, je vis que le môme avait collé des photos de Joan Rosen Klein sur son tableau de bord. À cet instant précis, j'ai compris que c'était fini.

Il est reparti. J'ai sorti mon journal intime de sa cachette, j'ai liquidé mon compte en banque, préparé un sac, et j'ai pris l'avion pour venir ici. Je doutais fort que Scotty vienne me retrouver jusqu'ici, ou qu'il lance le LAPD à mes trousses, prenant du même coup le risque que je révèle les nombreux forfaits que nous avions commis à deux. Mon instinct me disait que l'argent était à Los Angeles et que Reginald et les émeraudes se trouvaient ici. Donc, je suis monté à bord d'un avion pour Port-au-Prince.

Haïti est un pays essentiellement noir. Je suis un Noir qui parle le français couramment, un Américain, un policier. Je possède le don des langues propre aux acteurs de talent. Jamais je ne pourrais me faire passer pour un pur Haïtien, mais je suis maintenant capable de me débrouiller en créole haïtien. Les gens d'ici se sentent honorés quand ces ignares d'étrangers s'efforcent de parler leur langue et y parviennent effectivement. Mon aisance et mon charme naturel m'ont permis de profiter de la vie dans ce pays, et de l'observer.

Je me déplace à pied et à bicyclette et je descends dans de petits hôtels. Je pose des questions sur Reginald Hazzard en français et en anglais partout où je vais. Je décris le jeune Noir au visage marqué par des brûlures ; parfois, je montre les preuves de mon appartenance à la police. Beaucoup de gens se rappellent avoir vu Reginald, mais personne ne sait où il est. J'ai toute la vie devant moi pour le retrouver. Je ne retournerai pas en Amérique.

Les Tontons Macoutes m'ont surveillé en de nombreuses occasions et m'ont interrogé quatre fois. Mon statut de flic américain les stupéfie. Ce sont *tous* des flics véreux, et ils sentent que je le suis aussi. Ils m'ont vu donner de l'argent pour obtenir des renseignements sur Reginald. Je suis certain qu'ils savent qui il est et peut-être même où il se trouve à présent. Les Tontons m'ont mis en garde en me racontant l'histoire d'un autre policier américain qui s'est cru tenu d'explorer l'Haïti rural. Wayne Tedrow était blanc, et n'était pas comme moi protégé par sa couleur de peau. Les Tontons Macoutes ne m'ont pas menacé ; ils m'ont laissé entendre que les Noirs américains disposant de ressources financières peuvent s'acheter ici un anonymat garantissant leur sécurité et vivre tranquillement en Haïti tant qu'ils ont de l'argent. Ils ont également insinué que c'était peut-être le cas de Reginald Hazzard, puis ils ont ajouté, également, que je devrais peut-être rentrer chez moi.

J'ai décidé de rester. Les Tontons acceptent cette idée avec une certaine réticence – parce que Haïti est un pays dangereux, que je suis un flic noir qui parle leur langue avec une aisance certaine, et parce que, apparemment, ils m'aiment bien. L'un d'eux m'a appris que le LAPD leur avait demandé des détails sur mes activités et mon lieu de résidence. Les Tontons n'avaient pas encore répondu. Ce devait être une démarche en sous-main entreprise par Scotty. J'ai donné de l'argent à cet homme en lui disant d'opposer à cette demande une fin de non-recevoir. Il m'a assuré qu'il le ferait.

Je ne me lasse pas de me promener autour de Port-au-Prince, visitant les villes voisines de moyenne importance et aussi les villages plus lointains. Je bois du Klerin et je fais des trips grâce à toutes sortes d'herbes haïtiennes. Pendant l'une de ces expériences, j'ai reconstitué le dernier jour de Wayne sur cette terre. Un *bokur* m'a préparé une potion portant le nom de Wayne. Elle m'a fait découvrir le plus saisissant de tous les paysages mentaux. Je vois souvent des visages surgis de mon passé sous des formes totalement altérées. Je vois ma vie comme celle d'un môme noir de la classe moyenne, d'un poseur de gauche, d'un policier, d'un homosexuel, d'un faux militant noir et d'un meurtrier. Je vis dans un état contemplatif et serein. Le 24 février 64 et tout ce que j'ai fait pour en tirer profit me semblent totalement hors de propos.

Il m'arrive parfois de penser à Scotty. Je pense fréquemment à Wayne, et à M. Holly plus qu'à personne d'autre. Je l'aimais à la façon dont ceux qui souffrent moralement aiment ceux qui illustrent le mieux leur volonté complexe de s'affirmer et de survivre. Je pense que nous nous connaissions bien l'un l'autre. En fin de compte, cela n'a débouché sur rien de plus que cela. Étant donné ce que je suis, ce qu'il est, ce que nous sommes, c'était un lien qui reflétait une certaine solvabilité – et, de ma part, une certaine affection. Curieusement, je m'en nourris encore aujourd'hui.

L'Haïti rural me fascine. On pourrait le comparer au quartier des prostitués homosexuels sado-maso de Hollywood-Est. J'ai assisté à un certain nombre de cérémonies vaudou. J'ai vu zombifier des hommes et des femmes. Des groupes d'hommes me suivent parfois, mais je ne me sens jamais menacé. Je pense à Wayne et à nos discussions sur l'état de rêve éveillé. J'ai envie de me sentir immobilisé physiquement afin d'être parfaitement statique et privé de la volonté de mobiliser la moindre pensée consciente ou la moindre réaction. J'ai une réserve d'herbes incroyablement puissantes et de toxines de poisson-lune que je garde pour une occasion spéciale. Je la garde toujours sur moi. Je cherche la stimulation et la stimulation me cherche. Je veux être chimiquement prêt à magnifier tout état de révélation dans lequel je risque de me trouver. Je me rappelle souvent ma première conversation avec M. Holly. C'était à Chicago, pendant les émeutes de l'été 68 réprimées par la police. J'étais dans une cellule du quartier sud, roué de coups par des flics racistes – une victime, donc, mais qui se trouvait appartenir aussi à la police. M. Holly entamait alors les premières manœuvres pour me piéger et me forcer à prendre part à l'OPÉRATION MÉÉÉCHANT FRÈRE. Il m'avait cité « une femme d'une grande sagesse », dont j'ai appris par la suite qu'il s'agissait de sa maîtresse quaker et gauchiste. « Prends bien garde au but que tu poursuis, car il te poursuit aussi », m'a dit M. Holly. C'était une reconnaissance immédiate de la vie que j'avais menée jusqu'alors et une prophétie fascinante concernant mon avenir.

Hier, assis sur un banc à Cayes-Jacmel, j'explorais cette pensée, précisément, dans mon esprit, en regardant la mer des Caraïbes. Le soleil brillait et il ne faisait pas trop chaud. J'avais acheté à un marchand un dessert à la glace pilée relevé d'une rasade de Klerin. Il avait un goût sucré de fruits, avec une pointe d'amertume par-derrière. Reginald Hazzard s'approcha et s'assit près de moi.

Je l'ai reconnu d'après mon souvenir de cette journée, près de huit ans auparavant. La photo que m'avait montrée Wayne était une image plate, qui datait d'avant qu'il ne soit défiguré. Cet homme était bien celui que mon voisin médecin et moi-même avions sauvé après le braquage, le cachant avant la réaction violente de la police.

Nous nous sommes salués. Les cicatrices de brûlures de Reginald s'étaient atténuées, laissant sur sa peau foncée des taches d'un blanc rosâtre. Il m'a remercié de l'avoir sauvé et m'apprit qu'il avait entendu des rumeurs selon lesquelles un policier avait posé des questions. Trois semaines plus tôt, quelqu'un m'avait montré du doigt pour qu'il me repère. Il n'avait pas cessé de me suivre depuis. Il avait tout de suite compris qui j'étais. Il lui avait fallu une longue période d'observation pour s'assurer que je ne lui voulais aucun mal.

Il avait une bouteille de Klerin. On se l'est passée et repassée. Je ne lui ai pas demandé de détails sur le braquage. Il ne m'a pas demandé de détails sur ma carrière dans la police ni sur ma récente célébrité dans ma ville natale. Il savait beaucoup de choses sur mon compte. Je l'ai senti aussitôt, et j'ai compris qu'il serait malséant de chercher à le confirmer ou de me montrer indiscret de quelque façon que ce soit.

J'ai demandé à Reginald s'il se sentait en sûreté en Haïti. Reginald m'a répondu que oui, mais il a ajouté que sa mère lui manquait beaucoup. Je n'ai pas mentionné la mort de son père pendant l'été 68, ni le fait que Wayne Tedrow se trouvait indéniablement dans l'orbite du meurtre. Je n'ai fait aucune allusion au statut de Wayne en tant que héros populaire en Haïti. Je n'ai rien dit de la liaison de Wayne avec Mary Beth Hazzard, ni de sa quête pour découvrir le jeune homme qui m'avait si facilement trouvé. Il savait tout cela, ou il n'en savait rien, ou il en connaissait une infime partie, ou la majeure partie. J'ai compris cela, et, de nouveau, je me suis comporté de manière convenable.

Le soleil descendait sur la mer. Nous gardions le silence beaucoup plus que nous ne parlions. Reginald m'a demandé si je connaissais Joan. Je lui ai dit que oui. Reginald m'a mis une émeraude au creux de la main et m'a dit que c'était la toute dernière. Je l'ai remercié. Il s'est levé et s'est éloigné de moi.

Je me suis rendu à bicyclette dans l'intérieur des terres. Des villages étaient éparpillés le long de chaînes de montagnes basses et de plaines couvertes de broussailles. Des branches tombées à terre et des cailloux pointus ont déchiré mes pneus. J'ai continué à pied. La nuit devenait plus dense. Je sentais que des groupes d'hommes me suivaient.

La lune éclairait le paysage de temps en temps. J'apercevais alors des crocodiles en vadrouille et des arbres marqués avec du sang. Je sentais que les groupes, derrière moi, prenaient de l'ampleur. Je suis arrivé dans un tout petit village avec un hôtel minuscule. Des phares de voiture m'ont épinglé. Au passage, j'ai salué le conducteur d'un signe de la main. Il portait un masque en bois de couleur blanche.

J'ai avalé ma réserve d'herbes spéciales et je suis entré dans le village. Un chien portant un chapeau pointu a couru vers moi et m'a mordu. Je suis entré dans l'hôtel et me suis adressé en français au réceptionniste. Il m'a donné une chambre donnant sur la rue, au premier étage.

Elle était étroite et basse de plafond, simplement équipée d'un lavabo, d'un lit et d'une chaise. J'ai éteint la lumière. Tenant au creux de ma main l'émeraude de Reginald, je me suis posté devant la fenêtre. L'effet des herbes commençait à se faire sentir. La lune transformait l'émeraude en prisme. Des gens entraient dans les rayons du prisme et en ressortaient, et ils me disaient des choses étonnantes.

Un groupe d'hommes se forme, dehors, en ce moment même. Ils lèvent les yeux vers moi. Ils sont armés de coupe-coupe qu'ils portent dans des fourreaux. Ils ont un bras gauche et une aile à la place du bras droit.

Je sens que mon corps se fige peu à peu. Mes pensées se dispersent dès que je commence à les élaborer. Dans un instant, je vais mâcher le stylo avec lequel j'écris. Les hommes ailés pénètrent dans l'hôtel, à présent. J'ai laissé la porte ouverte pour eux.

112

Los Angeles, 22 janvier – 18 mars 1972

Scotty avait appris la nouvelle tardivement. Elle l'avait abattu. Elle l'avait tourneboulé. Il avait passé une semaine à courir dans une seule direction. La nouvelle l'avait renvoyé ventre à terre à son point de départ pour repartir en courant et s'asseoir au calme en prenant le temps de réfléchir. Ce type lui manquait plus que tout. Il avait un ami en lui. Cet ami lui avait fait un sale coup avant de prendre la fuite. Il lui manquait quand même.

Marsh s'était fait assassiner en Haïti. Scotty savait bien que c'était là-bas que Marsh était parti. Il avait envoyé une demande de renseignements signée du LAPD et reçu une réponse longtemps après. Il ne *pouvait pas* se rendre sur place. Vu son statut de flic blanc, toutes les portes se fermeraient devant lui. Une extradition était hors de question. Marsh avait disparu de la circulation, mais il était par ailleurs irréprochable. Des flics de l'inspection des services fouillèrent sa maison. Ils trouvèrent des noms de bars homos dans son carnet d'adresses. Ils interrogèrent Scotty. Avec Marsh, vous avez eu un affrontement violent en 68. Racontez-nous ça.

Il leur révéla la mission de Marsh comme taupe du FBI. Les types de l'inspection se ruèrent sur l'info et interrogèrent Dwight Holly. Dwight leur affirma que Marsh avait fait un travail remarquable. Les flics de l'inspection échafaudèrent des hypothèses foireuses. Marsh avait cafté des militants noirs. C'était peut-être une vengeance à retardement.

Scotty railla leur théorie. Haïti... Quelle importance ? Laissez tomber. Disons que c'était un voyage d'agrément à caractère sexuel. Ne révélez pas qu'il était homo. Ne salissez pas le LAPD. N'éclaboussez pas son vieux père.

Marsh avait peut-être laissé un journal intime. Cette possibilité le rongeait. Il avait fouillé sa maison et découvert une cachette dans une poutre du plafond. Il y stagnait une odeur de cuir et de papier. Explication évidente : Marsh avait emporté son journal en Haïti. L'inspection des services avait décidé de clore le dossier. C'était la meilleure solution pour tout le monde. Le flic de la « Fusillade entre militants noirs » était une tapette. On lui a donné la Médaille du courage... allez donc comprendre *ça*.

La nouvelle l'avait démonté. Pendant les semaines précédentes, il avait été à cran, tiraillé en permanence. Il avait broyé du noir dans son antre. Il avait assuré des planques. Il avait emmené Ann et les mômes à Disneyland. Il avait emmené quatre de ses maîtresses à Vegas en quatre week-ends consécutifs. Dans tout Nègreville, il avait glissé des billets pour obtenir des tuyaux et attendu qu'on le rappelle. Qui est cette femme communiste ?

Marsh avait toujours été cachottier. Ils avaient fait des coups extravagants ensemble. Marsh était bavard *mais* il savait garder pour lui ce qui ne regardait personne. Il le respectait pour cela. *Lui*, Scotty, se sortait toujours de leurs coups fumants. Marsh en était mort. Saloperie d'Haïti. Les mille-pattes volants et le vaudou. Marsh était un crypto-mystique. Il parlait ce jargon-là, parfois. Reggie et les émeraudes – une impasse, un échec. Le magot, c'était autre chose.

Quelqu'un avait prévenu Marsh. Juste après le sommet sur le piège à pédé. Les suspects : Sal Mineo, Fred Otash, Crutchfield le Mateur. Sal et Fred n'avaient aucune raison de faire ça. Ce qui ne laissait que le Mateur. Scotty avait passé des semaines à réfléchir à la question.

Le Mateur était omniprésent. Il circulait partout, il collait l'œil aux carreaux, et il n'ouvrait jamais la bouche. Fred O. laissait entendre qu'il *savait* des choses. Il avait *vu* des trucs et il avait *fait* des trucs – ne traitez pas ce môme par le mépris.

Le Mateur vivait dans sa tête. Scotty aussi, ces derniers temps. Le braquage vivait entièrement dans sa tête, à présent. Marsh était *sur place* ce jour-là. Lui aussi. *L'un comme l'autre*, ils savaient ce que cela représentait, et pourquoi il fallait qu'ils mettent la main sur le butin. Personne d'autre ne pouvait comprendre ça.

Il remit à plus tard le problème de Crutch le Mateur. Il passa en voiture près du parking des chauffeurs. Il vit Crutch et lui flanqua la frousse. Les pièces du puzzle s'étaient mises en place lors du sommet. Cela se résumait à ceci :

Le braquage avait été monté par Jack Leahy. Les détails importaient peu. Jack était entré dans la banque avec les inspecteurs. Il en avait retiré l'argent auparavant.

La confrontation se passera en douceur. Il verra où est son intérêt et sera d'accord pour partager le magot.

Scotty avait saturé les quartiers sud. M. Scotty, il est sacrément généreux avec ses billets verts. Il a récolté un tas de tuyaux concordants la semaine dernière.

Identité probable de l'inconnue : Joan Rosen Klein. Son pedigree : militante de la gauche dure. Il y a les dossiers des flics sur son compte qui ont disparu. Il y a des rumeurs de vols à main armée. Elle est informatrice pour le FBI. Elle est peut-être la maîtresse de Big Dwight.

Scotty mit en commun tous ses tuyaux. Il mâcha des pastilles de menthe pour l'haleine et réfléchit à la question. Ça semblait coller. C'est une Rouge, elle est dangereuse. Elle rôde à la marge de toutes les actions des militants noirs depuis 68.

Elle justifie un sommet de flics véreux. Un seul ordre du jour : le partage étendu du magot en liquide.

Cela détrône tous les autres objectifs. C'est fondamentalement de gauche. Partageons les richesses. Je ne cherche pas à faire du mal à qui que ce soit.

Il en parle à Dwight. Dwight en parle à Jack et Joan. Le compte en dollars diminue. Ce sont des grosses sommes malgré tout.

Marsh lui manquait. Il ne l'oubliait pas. C'est pourquoi il avait eu un beau geste.

Le piège à pédé était kaput. Fred O. lui avait rendu la moitié de l'argent. Scotty avait signé un chèque et l'avait envoyé au père de Marsh, à Chicago.

Hé, papa Bowen. Notre affaire est tombée à l'eau, mais j'aimais bien votre fils.

113

Los Angeles, 22 janvier – 18 mars 1972

Une Planque.

C'est un terme radical. Qui fait partie de la nomenclature de la Joan Zone. Crutch en a une version personnelle.

Il avait besoin d'une planque. Il était devenu un Rouge à la petite semaine. Il savait des choses à faire froid dans le dos et il possédait un matériel de chimie. Il avait de nouvelles idées. Il avait sur le dos un Blanc de droite qui voulait se venger.

Scotty était passé près du parking des chauffeurs et lui avait lancé un clin d'œil. Scotty avait fait embaucher chez Tiger Kab ses deux malabars de fils. Malabar 1 et Malabar 2 avaient le même gabarit que leur père. Ils avaient cligné de l'œil et affiché *un sourire narquois*.

Trouduc, Mateur, *pariguayo*. Ajoutons « Mouchard » à la liste. Scotty savait qu'il avait prévenu Marsh Bowen. Les clins d'œil, ça voulait dire : t'es mort – mais pas tout de suite.

Une Planque.

Il avait loué une baraque dans les collines de Hollywood. Il y avait entreposé ses dossiers, ses livres, ses herbes et son matériel de chimie. Ils sont *en sécurité* là-haut. Lui n'y était *pas* en sécurité. Il dort aux Vivian Apartments et dans sa piaule du centre-ville de façon sporadique. Il dort dans sa voiture. Il loue des chambres de motel pour la circonstance. Il fait des filatures pour Clyde et Chick. Il se sent *en sécurité* quand il suit des gens. Il se sent *en danger* quand il s'arrête.

Marsh est parti quelque part. Tout l'hiver, Crutch avait rôdé dans le quartier de Silver Hill et constaté les allées et venues incessantes des équipes de surveillance. Scotty avait fouillé la maison de Marsh. Des flics de l'inspection des services l'avaient sondée de fond en comble fin janvier. Dwight avait prévenu Crutch : Ne fais rien,

Trouduc. Dwight savait presque tout ce qu'il savait. Dwight pourrait ou non décider de le tuer. Scotty, lui, n'hésiterait pas une seconde, c'était certain.

Une Planque.

Une exécution reportée à plus tard.

Il ne pouvait pas s'enfuir. L.A. était L.A. Il n'y avait qu'ici qu'il se sentait *en sécurité*. C'était *ici* que se trouvait son enquête. C'était *ici* qu'il transportait des gens en taxi et qu'il les suivait. C'était *ici* qu'il faisait sauter des plaques de rue portant des noms de gens de droite. Il savait de quelle façon vivre *ici* ; il ne pouvait pas partir ailleurs. L.A. lui donnait toujours des trucs urgents à faire.

Gretchen/Celia avait tenté de retrouver l'assassin de La Tatouée. Feu Leander James Jackson l'avait aidée. Crutch avait trouvé quatre des relations connues de Jackson. Elles avaient déclaré que Leander était obsédé par l'affaire. Elles avaient affirmé qu'il ne conservait aucune archive. Une fille du nom de « Celia » partageait sa fixation. Ils communiquaient par relais téléphonique. L'affaire de La Tatouée commençait par un méchant gris-gris haïtien.

Une Planque.

Son matériel est en sécurité, ici. Pas lui. Il se sent bizarre et déboussolé. Il vient d'avoir vingt-sept ans. Il paraît beaucoup plus âgé. Il a des mèches grises dans les cheveux et un sigle communiste tailladé dans le dos. Il n'arrive pas à parler aux gens qui sont importants pour lui. Il préfère les suivre.

Il suit Dwight Holly. Joan semble l'avoir quitté. Dwight reste dans son perchoir, près de la maison de Karen, pendant plusieurs jours entiers d'affilée. Les cartons et le matériel ont disparu. Dwight attend près du téléphone. Il soulève le combiné toutes les demi-heures. Il surveille la maison de Karen avec des jumelles. Il s'illumine quand il voit les petites.

Dwight reste immobile. Lui, Crutch, il a besoin de bouger. Parfois, il suit Karen. Elle l'a mené à des déjeuners avec Joan.

Les filatures, c'était facile. La mobilité était son point fort. Les voitures, du camouflage. Son physique d'adolescent crétin lui servait de couverture. Les écoutes par micros cachés, c'était facile. Il savait percer des trous, réaléser, et passer des fils. Surprendre une conversation dans un lieu public, c'était difficile. Les gens pouvaient vous voir et deviner vos intentions.

Il s'installa tout près de Joan et Karen. Elles prenaient un café et fumaient cigarette sur cigarette dans une cafétéria de Hillhurst

Avenue. Joan dit qu'elle avait « l'argent ». Elle trouvait ça encourageant. Elle était inquiète. Celia avait disparu en Haïti ou en R.D. Joan avait coupé les ponts avec Dwight. Sa décision avait un rapport avec « l'Opération ». Le terme fit frémir Karen. Joan dit le mot « planque » à deux reprises. Joan dit que Dwight ne parviendrait jamais à la retrouver.

Elles étaient si bonnes amies. Il décela un accent de New York dans leurs voix. Karen était rousse et ne ressemblait pas à une Grecque. Depuis quelque temps, il faisait froid. Joan portait des pulls. Il ne voyait pas la cicatrice du coup de couteau qu'elle avait reçu.

Il prit une photo d'elle en catimini. Joan avait quarante-sept ans, quatre mois et dix-sept jours.

Il scotcha la photo à son tableau de bord. Il se déplace tout le temps. Toutes ses photos sont en sécurité.

114

Los Angeles, 22 janvier – 18 mars 1972

Partis.

Joan avait pris leurs documents falsifiés et leur matériel de contrefaçon. Jack avait quitté le FBI. Il avait posté sa lettre de démission dans la salle de garde. Le ton en était respectueux. Il y remerciait M. Hoover et chantait les louanges de sa direction. Veuillez envoyer mes chèques de pension à ma boîte postale dans l'Oregon rural.

Marsh s'était enfui en Haïti et on l'avait assassiné là-bas. L'inspection des services du LAPD était venue interroger Dwight. Il n'avait pas fait mention du sergent Robert S. Bennett. Il avait porté aux nues la prestation du sergent Bowen dans l'OPÉRATION MÉÉÉCHANT FRÈRE. Les flics lui dirent que Marsh était homosexuel. Dwight joua la surprise.

Ils sont partis. Joan est partie. Elle a vidé le refuge et laissé la ligne téléphonique intacte. C'est une ligne non répertoriée. Joan est la seule à connaître le numéro. Si le téléphone sonne, c'est elle.

Dis-moi des choses.

Dis-moi ce que cet homme t'a fait.

Non, je ne le dirai pas.

La haine de Joan dépassait de loin la fougue avec laquelle Dwight s'était converti. Quelle que fût la haine que nourrissait Jack, il ne s'en départait jamais. Leur rage à tous deux avait éclipsé la honte et la culpabilité de Dwight. Leurs blessures étaient plus profondes encore. Dwight ne se sentait pas capable de tuer cet homme. Ils étaient partis pour le faire à leur façon. Ils ne pouvaient plus se servir de Marsh. Ils trouveraient un autre bouc émissaire ou bien ils se passeraient de la toile de fond patiemment mise en place. Il ne les en empêcherait pas. Ils le savent. Si Joan appelle, il le lui confirmera.

Il s'introduisit chez Marsh une dernière fois. Il fouilla la cachette. Le journal intime avait disparu.

Il appela Bob Relyea pour lui dire que l'opération était annulée. Garde l'argent et achète-toi un drap neuf pour te faire une robe de Klansman. Bob fut soulagé. Dwight, depuis le début, ça promettait de finir en eau de boudin. Mon frère, il se trame encore quelque chose. Ne t'éloigne pas de la télé.

Il repensait sans cesse à Washington. Cela l'avait aidé que Karen soit là-bas. Il avait vu M. Hoover. Il pardonnait à Marsh à cause de ce que cet homme avait fait de lui. *Personne ne meurt* n'était pas une profession de foi.

Il se rend au bureau. Le téléphone du refuge et celui du local ne sonnent jamais. M. Hoover n'a pas appelé. Nixon n'a pas appelé. Crutchfield le Mateur le piste et traîne dans les parages. Le môme sait tout, sauf : *C'est terminé*. Petit, je n'ai pas la volonté nécessaire pour te tuer.

Il avait emmené Karen en voyage pour le week-end de son anniversaire. Ils séjournèrent dans une petite maison de campagne et firent copieusement l'amour. Elle avait vu Joan. Il le savait. Elle ne prononça pas une seule fois son nom.

Elle passe le quatuor à cordes tous les soirs. Debout sur sa terrasse, il écoute. Il tient le petit drapeau de Joan. Karen laisse une lampe allumée pour lui.

115

Los Angeles, 19 mars 1972

Chez Sam le Sultan. Le Bac à Sable à 8 heures du matin – carrément surréaliste.

Scotty avait une clé. Sambo faisait l'indic pour l'ATF et le LAPD. Sambo louait la salle pour les fêtes de départs en retraite de ces messieurs. Redd Foxx s'y produisait pour se mettre la police dans la poche. Redd chauffait le public comme un forcené. C'était un fan honteux de tous ces porcs de flics blancs.

La partie de l'établissement réservée aux boxes avait besoin d'un bon ménage. L'estrade de l'orchestre était une vraie décharge. Les Soul Survivors laissaient tout leur matériel sur la scène. Les murs étaient tendus de velours vert. Ils absorbaient la fumée de cigarette. Les tapis à mèches étaient épais. Ils absorbaient la pisse.

Ne perdons pas de temps. Un sommet doit être bref. On se pince le nez, on se serre la main, et on s'en va.

Scotty était assis dans un box du fond. Il alluma une cigarette, en tira deux bouffées, et l'éteignit. Il avait laissé la porte entrouverte. Dwight Holly entra.

La pénombre le surprit. Il resta dans le vestibule le temps de s'y habituer. Il prit ses repères. Il vit Scotty et le rejoignit.

Leurs genoux se frôlèrent sous la table. Ils se déplacèrent latéralement pour trouver un peu de place.

– Merci d'être venu.

– Je n'aurais pas voulu manquer ça.

– Ça ne prendra pas longtemps.

Dwight dit :

– Nous sommes tous les deux de bons négociateurs. Je pense que nous arriverons assez vite à un accord.

Scotty fit tournoyer un cendrier. Des mégots en jaillirent.

– Vous avez consulté les autres, n'est-ce pas ? Vous négociez en leur nom ?

Dwight secoua la tête.

– Nous allons conclure un marché tous les deux. Je ferai en sorte qu'ils l'acceptent. Il faut que cette histoire trouve une fin, nous le savons tous. Si vous êtes raisonnable, ça sera fait aujourd'hui même.

Scotty inclina son chapeau.

– Je pensais que vous alliez me faire une palpation, pour vérifier que je n'avais pas de magnéto.

– Je pensais que vous alliez me faire une palpation, pour vérifier que je n'avais pas de flingue à la cheville.

Scotty s'esclaffa.

– Il en aura fallu, du temps, pour que toutes les pièces du puzzle se mettent en place.

– M. Hoover n'a pas facilité les choses, je le concède.

– Laissez-moi simplement vérifier que je ne suis pas fou. Le braquage, c'était Jack Leahy, Joan Klein, et ce môme noir qui s'est fait cramer. Le tout animé par des mobiles politiques de givrés.

Dwight sourit.

– C'est à peu près tout.

Scotty dit :

– Je vous laisse les émeraudes.

Dwight dit :

– C'est très correct de votre part.

– C'est Leahy qui a sorti les billets.

– Oui.

– Combien ?

– Un peu plus de sept millions.

Scotty fit craquer ses phalanges.

– Tout a été blanchi ? Plus de taches d'encre ?

Dwight hocha la tête.

– Tout en billets impeccables, numéros de série non consécutifs. Des coupures de cinq à cent dollars. Vous n'avez jamais vu d'argent aussi propre.

– J'en veux la moitié.

Dwight secoua la tête.

– 40 %.

Scotty dit :

– 45.

Dwight dit :

– C'est d'accord.

L'atmosphère de la salle était âcre et semblait toxique. Le velours était lacéré par endroits. Scotty sentait des particules en suspens lui attaquer l'épiderme.

– Parlons du Mateur. C'est un problème annexe, ici. Je crois qu'il sait presque tout.

Dwight opina :

– J'en suis sûr.

– Il traîne ici depuis toujours. Il connaît tous les protagonistes. Il représente un danger potentiel dont nous pouvons nous passer.

Dwight hocha la tête. Scotty ajouta :

– On l'élimine.

Dwight dit :

– Pas question. J'augmente votre part jusqu'à 50 %, mais je ne veux pas qu'on touche à lui.

Un klaxon retentit dans la rue. Dwight sursauta un peu. Il était maigre. Sa poitrine semblait plus volumineuse que d'habitude. Il portait sans doute un gilet pare-balles.

– On ne peut pas se permettre qu'il continue à nous pister, et qu'il vienne nous trouver la main tendue pour réclamer du fric. Ce petit branleur ne nous lâchera jamais.

Dwight dit :

– Non.

Il bougea un peu. Sa chemise se tendit. Le tissu du gilet pare-balles devint visible en dessous.

– Je ne peux qu'insister. C'est dur à avaler sur le moment, mais vous me remercierez un jour.

– Non. Reprenons tout à zéro. J'augmente votre part jusqu'à 55 %, et je vous accorde une concession de plus. Je fais un pas en avant, et vous un pas en arrière, et tout va bien.

Un klaxon retentit. Dwight sursauta. Il glissa une main sous la table. Scotty agrippa le rebord de ladite table. Dwight regardait ses mains. Scotty lut ses pensées. *Il se demande : il va dégainer à droite ou à gauche ? Gilet pare-balles ou pas ?*

Leurs regards se croisent. Leurs regards se trouvent. Leurs mains disparaissent.

Dwight tira. La balle ricocha sous la table. Un coussin explosa. Scotty se baissa et roula sur le plancher. Il vit les jambes de Dwight et la main qui tenait l'arme. Il sortit deux flingues sans pedigree. Dwight tira deux fois. Il toucha le montant du box et le gilet de

Scotty. Scotty fut projeté en arrière et le rebond le propulsa en avant. L'impact dédoubla sa vision. Il souleva la table et la renversa. Dwight tira. La balle ricocha et lui entama le cou. La table tomba sur lui. Il perdait du sang et son tir manqua sa cible. Scotty se dégagea du box et tira à deux mains. Il toucha Dwight aux jambes et au bas-ventre. Il déchiqueta la main avec laquelle Dwight tenait son arme.

Dwight fit feu. Un pan de mur céda. Dwight tira dans le vide. Ses doigts ne répondaient plus. Du sang recouvrait le barillet et la détente. Scotty s'approcha de lui et d'un coup de pied lui fit sauter le revolver de la main.

Dwight lui cracha du sang au visage. Scotty lui souleva son gilet pare-balles et lui tira dans les tripes. L'air était chargé de nuages épais. Les émanations de cordite irritaient les muqueuses.

Scotty retrouva son souffle et ses jambes. Il vérifia qu'il n'avait pas été touché. Tout va bien – pas la moindre éraflure. Ils avaient utilisé l'un et l'autre des revolvers. Donc, pas de douilles qui traînent sur le plancher.

Il sortit de sa poche un rouleau de billets de cent entouré d'une bande tigrée. Il le glissa dans la poche de veste de Dwight. Il se frotta la poitrine. Il sentit les projectiles enfoncés dans son gilet pare-balles. Ça va – je peux m'en aller, maintenant.

Il le fit sans se presser. En flâneur. Il vit une boîte à lettres au coin de la rue et il y glissa l'enveloppe.

Une dénonciation. Anonyme. Rédigée en jargon du ghetto. L'agence locale du FBI en était la destinataire. Jack Leahy la *verrait*. Dwight C. Holly, agent fédéral véreux. C'est lui qui a suborné et abattu les frères Bostitch. Surveille ça de près, ne fais rien. Le Bras armé de la loi est le suspect rêvé pour le sac de la Banque populaire.

Des nuages bas au-dessus de Nègreville. Des émanations de poudre qui sortent de la porte. Un arc-en-ciel qui se forme au sud.

Bon sang... c'est le 24 février 64 qui recommence.

116

Los Angeles, 19 mars 1972

Il courait à plat ventre ou bien il roulait dans les airs. Des jambes lui avaient poussé dans le dos et le propulsaient. Il ne savait comment c'était possible.

Des murs verts s'effondraient. Une pellicule rouge tenait ses yeux à l'écart. Son bras droit l'élançait. Un homme vert accourut avec une bouteille et resta planté devant lui.

Je crois que je comprends.

Il se rappelait avoir rampé. Il se rappelait le trottoir et le vieux Noir. La photo dans sa poche. Le numéro de téléphone de Karen au verso.

Sur les murs verts poussèrent des lumières blanches. Ses jambes étaient des roues. La pellicule rouge se déchira et laissa entrer des visages. De nouveaux hommes verts avec des bouteilles. Pas les visages qu'il avait envie de voir.

Tu sais qui tu es. Une dernière fois, s'il vous plaît.

Il commença à s'agripper et à cligner des yeux. Le rouge revint. Il écarta des choses et renversa des choses. Il les entendit se fracasser. Ses mains ne pesaient rien. Elles ressemblaient davantage à des ailes.

Ses jambes cessèrent de le faire rouler. Quelqu'un épongea le rouge et l'en débarrassa. Quelqu'un lui prit les mains et lui transmit un peu de vie en les serrant. Il vit les rives d'un fleuve entourant Karen.

Elle lui dit :

– Les deux filles sont de toi, Dwight. Je te jure que c'est vrai.

Les deux fleuves se rejoignirent et engloutirent Karen. Elle s'en extirpa et tint bon, tout près de lui. Il chercha les mots et les trouva et les prononça d'une voix ferme :

– Est-ce que tu m'aimes ?

Les fleuves revinrent, de plus en plus sombres. Les murs verts se rétrécirent à la dimension d'une pointe d'aiguille. Elle dit : « Je vais y réfléchir » alors que les lumières s'éteignaient.

117

Los Angeles, 23 mars 1972

La Cave de l'Oncle Gibb – *encore*. De tous les magasins de spiritueux des quartiers sud, c'était lui qui détenait le record : vingt-neuf braquages depuis 1963. Le vieux Gibb secouait toujours la tête. « Monsieur Scotty, j'ai un nuage noir au-dessus de la tête. »

Le tuyau lui était parvenu une heure plus tôt. Un coup de téléphone crédible. Une femme noire avait surpris une conversation dans la rue. Deux voyous avec des fusils. Monsieur Scotty, il faut empêcher ça.

Scotty faisait le guet dans une ruelle, à côté de la porte de derrière de la boutique. Il était venu dans sa voiture personnelle. Il allait les cueillir quand ils entreraient.

Son stratagème avait fonctionné, sa lettre avait rempli son office. La mort de Dwight Holly n'avait pas été annoncée. Le magot de la banque et Jack Leahy, le passé douteux du Bras armé de la loi. Comme prévu – le FBI avait enterré tout ça.

Bientôt, Joan. Elle se montrerait accommodante. Il court-circuiterait Jack et la contacterait directement. Elle comprendrait que le partage était une question de bon sens.

Le temps était brumeux. Le pare-brise se couvrait de gouttelettes. Scotty tourna la clé de contact et mit les essuie-glaces en marche.

Une femme s'approchait. Elle était grande et rousse. Elle ne paraissait pas tout à fait perdue. Elle n'avait pas l'air à sa place dans Nègreville.

Scotty baissa sa vitre. Elle fit le tour de la voiture et se pencha dans l'habitacle. Scotty s'apprêtait à sortir un baratin du style : ma-petite-vous-ne-retrouvez-plus-votre-chemin ? Elle posa une main sur le rebord de la portière. À cet instant Scotty comprit que sa présence détonait dans le décor.

Elle leva un petit revolver à canon court. Elle lui tira six balles en plein visage.

DOCUMENT EN ENCART : 24/3/72. *Extrait du journal intime de Karen Sifakis.*

Les pages qui suivent serviront d'aveux, si jamais il faut un jour en arriver là. Je n'ai pas l'intention de prendre la fuite. Je n'ai pas l'intention de mentir si je suis mise en cause officiellement. Je n'ai pas l'intention de fournir des justifications personnelles ou politiques pour l'acte horrible que je viens de commettre. Je l'ai commis parce que j'aimais Dwight Holly du fond de mon âme et parce que l'autre femme qu'il aimait n'avait pas assez de volonté pour le faire. Je suis déterminée à survivre sans Dwight et je prie pour avoir la force d'y parvenir, au nom de nos enfants.

J'ai accompli cet acte dans un état de fureur. Je n'ai pas pris le temps de prier ni de me forcer à réfléchir. Je me suis rendue à pied à la petite maison de Dwight et j'ai trouvé un petit revolver sans pedigree dans une caisse. J'ai tué dans l'esprit d'une apostasie irraisonnée. Je refuse aujourd'hui et je refuserai toujours de nier ma responsabilité personnelle pour cet acte. Dwight avait sabordé son opération pour épargner une vie. Mes sermons perpétuels en faveur de la non-violence ont influencé sa décision. La profonde conviction avec laquelle il condamnait ses propres ignominies m'a contrainte à honorer de façon violente le prix qu'il a payé pour racheter son passé et chercher à se transcender. Je n'aurais pas pu vivre avec moi-même si je n'avais pas décrit un cercle pour revenir vers cet homme d'une grande bravoure et vers la femme que j'avais envoyée pour lui dispenser son enseignement. Le lien qui nous unissait tous les trois doit continuer à s'épanouir en moi. Mon acte fut une tentative pour solder toutes les dettes et nous maintenir unis tous les trois, alors que l'un de nous est mort et que l'autre n'est plus en état d'agir. Je suis clairement consciente de la grandiloquence et de la duplicité de ces déclarations alors même que je les rédige. Pour l'heure, j'ai cessé de m'en soucier. Je ne renierai jamais ce que j'ai fait.

Je comprends à présent l'importance que Dwight attachait au fait d'être père. Je ne veux pas m'attarder sur la question de savoir si j'aurais dû lui dire la vérité plus tôt. Il l'a apprise le temps d'un dernier éclair de pensée consciente, et il le saura dans le monde qui suit celui-ci. Quand le moment s'y prêtera, je changerai le nom de notre fille pour l'appeler Holly.

Dwight tenait plus à Marshall Bowen qu'il n'a jamais voulu l'admettre. Bowen est mort en Haïti il y a quelques mois. Je vais faire rapatrier son corps pour qu'il soit enterré aux États-Unis avec Dwight. Je m'assurerai qu'ils puissent reposer en paix près de quelques chèvres domestiques.

118

Los Angeles, 26 mars 1972

Elle était dans la maison. Elle n'en sortait jamais. Il la surveillait depuis des jours et des jours.

Il avait parlé à Clyde la veille au soir. Les ragots allaient bon train. Dwight Holly était mort. Des braqueurs avaient flingué Scotty. Clyde avait passé en revue toutes les hypothèses. Aucune ne tenait la route. *Lui*, il avait un regard aux rayons X. Il n'y avait que *lui* qui savait ce que tout cela signifiait.

Elle restait dans la maison. Il dormait dans sa voiture et surveillait les fenêtres. Il l'avait vue une fois, deux jours plus tôt. Elle cherchait quelque chose dans le placard où les cartons de dossiers se trouvaient avant. Elle portait un jean élimé et la veste d'un costume de Dwight.

Il commença à compter les jours écoulés depuis celui où il l'avait vue pour la première fois. Il s'arrêta à mille. Il regarda la photo du tableau de bord et piqua un coup de sang. Il courut jusqu'à la porte et secoua la poignée.

La porte s'ouvrit. Joan était assise sur le plancher. Elle avait le visage gonflé et strié de larmes. Elle avait entortillé plusieurs de ses mèches. Ses poignets étaient couverts de sang séché. Un couteau était planté dans le mur. À côté de lui, elle avait écrit le mot *Non* avec son sang.

Il faillit marcher sur ses lunettes. Elle plissa les paupières pour le regarder. Il ramassa ses lunettes et se dirigea vers elle. Elle se recula à son approche et cala son dos contre le mur.

Il lui tendit ses lunettes. Elle les mit. Ses yeux accommodèrent à travers ses larmes. Elle leva le regard vers lui.

– Mademoiselle Klein, je m'appelle Donald Crutchfield. Il y a très longtemps que je vous suis. Je vous serais reconnaissant de bien vouloir me parler.

SIXIÈME PARTIE

Camarade Joan

26 mars – 11 mai 1972

119

JOAN ROSEN KLEIN. *Los Angeles, 26 mars 1972*

Elle l'avait déjà vu. C'était un visage et une forme floue qui surgissaient çà et là, avec persévérance. C'était intermittent. Il semblait se métamorphoser. Il s'effaçait puis il réapparaissait, changé.

Alors, je vais tout vous dire. C'est l'histoire que j'aurais dû lui raconter.

Elle fit un brin de toilette et se pelotonna dans la veste en tweed de Dwight. Elle leur avait préparé une théière. Des nuages bas s'amoncelaient. Un orage de printemps menaçait.

Cela commença avec les pierres précieuses. Les « Flammes Vertes », la « Mort Verte ». En Colombie, vers le milieu du seizième siècle. Les colonisateurs espagnols écrasent les Indiens Muzo et profanent leurs mines d'émeraudes. Les Espagnols deviennent des Colombiens. Les Muzo deviennent de la main-d'œuvre réduite en esclavage. La tradition se perpétue jusqu'à nos jours. Les compagnies minières profanent les montagnes Itoco. Elles se trouvent près de Bogotá.

Les grands-parents de Joan étaient des émigrés juifs allemands. Ils étaient partis aux États-Unis et s'étaient installés à New York. Isidore Klein avait fait un voyage en Amérique du Sud et s'était pris de passion pour la légende des Flammes Vertes.

C'était un quasi-mystique. Il était Rouge jusqu'au bout des ongles.

Des bandits Rouges arrivèrent dans la vallée de Muzo où se trouvaient les mines. Ces hommes s'étaient donné le nom de *quaqueros*. Cela signifiait : « chasseurs de trésors ». Ils percèrent des tunnels qui rejoignaient ceux des compagnies minières afin d'extraire des pierres pour leur propre compte. Une guerre sanglante les opposa bientôt aux escouades d'hommes de main des compagnies.

Ils volaient régulièrement des pierres et se faisaient régulièrement piéger, torturer et tuer. Il existait des douzaines de bandes de *quaqueros*. Certaines étaient politiquement étiquetées. C'est uniquement à ces dernières qu'Isidore Klein achetait ses émeraudes. Il reversait une partie de ses bénéfices à des groupes d'insurgés sud-américains. Il vendait ses émeraudes à des bijouteries renommées dans tous les États-Unis. Il devint riche. Il fit don de petites fortunes à des cabales anarchistes et à des organisations de travailleurs de gauche. Il vivait confortablement. Il vivait plus modestement que d'autres immigrés arrivistes. Son accession à la fortune était comparable à l'accession au pouvoir de certain jeune avocat. Ce jeune avocat s'appelait John Edgar Hoover. Au départ, c'était un obscur tâcheron du ministère de la Justice. Mais il était brillant, et il comprit qu'il avait une chance à saisir dans les événements extravagants qui se succédaient.

La peur du Péril Rouge qui suivit la Première Guerre mondiale lui permet d'accéder à l'Histoire. Une bombe explosa au domicile du ministre de la Justice. Ce fut le point de départ de l'action menée par Hoover.

Les raids anti-Rouges. Les libertés individuelles suspendues, abrogées, écrasées, prohibées, supprimées. Les droits du Premier amendement conchiés. Rafles politiquement motivées, emprisonnements sous de faux prétextes, expulsions selon le bon vouloir des autorités. Simultanément, résurgence des groupes anti-immigrants et du Klan. John Edgar Hoover mesura la force de la peur et l'exploita. Sa mainmise sur le pouvoir s'affirma en égale proportion.

Isidore Klein avait un fils nommé Joseph, né en 1902. Isidore l'avait élevé pour en faire un *Rouge*. Joseph épousa Helen Hershfield Rosen en 1924. Helen avait été élevée pour devenir une *Rouge*. Leur fille Joan naquit la nuit de Halloween 1926. Ses parents et ses grands-parents l'élevèrent pour en faire une *Rouge*.

Le FBI venait d'être constitué, l'ancien *Bureau of Investigation* ayant été considéré comme moribond. John Edgar Hoover en prit la direction. C'était un génie de l'organisation et un magicien ès relations publiques. Son programme visait à étouffer toute contestation. Il perfectionna ses techniques durant la folle décennie du boom économique des années 20. Il avait compris la valeur métaphysique de L'Ennemi. Il avait compris que les Rouges pouvaient tenir ce rôle. Les gangsters étaient des repères picaresques pour l'imagination du public. Il leur manquait la force omniprésente des Rouges. Le boom économique céda la place à la Grande Dépression.

La Gauche américaine se mobilisa. Hoover sentit un retournement de l'opinion en faveur de l'insurrection. Il réagit. Il entra dans l'arène publique avec beaucoup de perspicacité. Il tint un discours anti-Rouges et garda le silence sur le crime organisé. Il se construisit une image de héros national. Il déclencha un raz-de-marée de surveillances illégales, de contrôles officiels et d'arrestations non motivées. Il mobilisa dès lors toute l'attention d'Isidore Klein.

Le nom de Hoover était omniprésent. Isidore se rappela le nom cité par des camarades harcelés en 1918. Il commença à observer Hoover. Il se forgea peu à peu cette idée que Hoover était son ennemi personnel. Il passa à l'action dans des lieux publics. Il se servit de ses pierres précieuses.

Grâce à elles, il fit sortir de prison des éléments subversifs. De petits et de gros cadeaux en émeraudes déverrouillèrent des portes de prison. Les émeraudes subvenaient aux besoins de Joseph, de Helen, et de la petite Joan. Ils campaient dans des salles de réunions socialistes et distribuaient des tracts dans les files d'attente pour la distribution de pain. Ils hébergeaient et nourrissaient des militants de gauche en fuite. Quand ils participaient aux piquets de grève, ils avaient des accrochages avec les hommes de main du patronat, et ils écopaient de trois ou quatre jours de détention. Ils menaient leur guerre à eux. Isidore Klein combattait de plus en plus clairement un ennemi nommé J. Edgar Hoover.

Son arme, c'étaient les mots. Les émeraudes finançaient la publication clandestine de tracts anti-Hoover. Isidore Klein distribuait ses tracts en quantités importantes. Furieux, M. Hoover en prit bonne note et mit en place une surveillance rigoureuse dont Isidore était l'objet. Des descentes de police systématiques visèrent les imprimeries qui produisaient les documents d'Isidore, et ce dernier se retrouvait régulièrement en prison. Les émeraudes lui permettaient d'en sortir. Les pierres étaient des colifichets, des talismans, des souvenirs, des pots-de-vin. La Grande Dépression faisait rage. Une petite émeraude permettait à la famille d'un flic de vivre pendant des mois. Les Flammes Vertes étaient le feu de la magie et de la révolution. M. Hoover le savait. Il ne parvenait pas à mettre fin à la circulation des émeraudes ni par conséquent à celle des tracts. Il pensait qu'Isidore gardait une réserve de pierres chez lui dans la 63e Rue Est. Il donna l'ordre à une escouade d'agents de New York de mettre sa maison à sac et de voler les émeraudes. C'était en 1937. Joan Rosen Klein avait dix ans.

L'escouade était sous les ordres de l'agent spécial Thomas D. Leahy. C'était un veuf qui élevait un fils de seize ans prénommé John. L'escouade vandalisa le foyer d'Isidore. Les hommes trouvèrent vingt-trois livres d'émeraudes Muzo de première qualité et les volèrent. Isidore rentra tard ce soir-là. Il découvrit le vol et fut victime d'une crise cardiaque fatale.

Joseph et Helen Klein étaient à présent privés de ressources. Ils savaient que le cambriolage avait été ordonné par Hoover et ils racontèrent à Joan l'histoire en détail. Hoover garda les émeraudes. Il en distribua de petites quantités à ses comparses pour services rendus. Les *quaqueros* trouvèrent des importateurs de pierres précieuses moins contestables. Hoover donna des émeraudes à des capitaines briseurs de grèves et à des infiltrateurs de groupes subversifs. Il conserva pour lui seul la plus grande partie des pierres.

La mort d'Isidore Klein consterna Tom Leahy. Il en conçut un sentiment d'horreur à l'encontre de M. Hoover. Sa peur et sa révulsion prirent des proportions comparables à son sentiment de culpabilité et sa haine de soi. En lui-même, un rouage se mit à tourner dans le mauvais sens – ou dans le bon sens – et son opinion se radicalisa.

Subrepticement, il commença à apporter son aide à des militants de gauche et à les prévenir des raids que les fédéraux préparaient contre eux. Il agissait avec les plus grandes précautions et brouillait ses pistes. L'agent Tom devint un précieux secret de la gauche clandestine. Les Klein avaient entendu parler de lui. Personne ne savait qu'il avait dirigé la descente destinée à voler les émeraudes. Hoover avait étouffé toute mention de l'affaire dans les médias. L'agent Tom avoua son forfait à Joe et Helen Klein et à leur fille. Joe et Helen lui pardonnèrent. Une profonde amitié se noua entre eux. L'agent Tom était touché au fond du cœur par leur pardon. Cela fut pour lui une source d'inspiration. Il était avocat et enquêteur criminel, deux activités qu'il pratiquait avec talent. Il savait de quelle façon récolter des informations et accumuler grâce à elles des charges pouvant mener à une inculpation. Il décida de constituer un copieux dossier à charge contre J. Edgar Hoover et de le rendre public.

Il sonda d'autres agents, des sous-fifres de Hoover, des collègues des forces de l'ordre et des rivaux. Il prit des dépositions de témoins attestant de la négligence de Hoover et de sa tactique délibérée du rideau de fumée. Le dossier grossit pour atteindre plusieurs milliers de pages. Il répertoriait ses convoitises, ses mesquineries, ses violations à grande échelle des libertés civiques, et ses endémiques abus de pouvoir. Joe et Helen Klein prirent connaissance du dossier. La jeune camarade Joan lut le dossier qui la fascina et la mit en rage.

C'était alors l'automne 1940. Joan avait quatorze ans. Jack[1], le fils de Tom Leahy, presque vingt. Tom Leahy était un Rouge qui possédait un insigne du FBI. Il formait Jack à devenir un révolutionnaire flic. M. Hoover avait quarante-cinq ans. Il détenait les émeraudes. Il était en pleine ascension. Il possédait le pouvoir qu'il avait toujours convoité.

Il avait créé un mythe. La presse écrite et les ondes radio le diffusaient pour lui. Il déchiffrait adroitement l'époque dans laquelle il vivait. Il avait échafaudé une fable : celle de ses certitudes morales et de sa propre suprématie. Elle était faite sur mesure pour la Grande Dépression et le début de la Deuxième Guerre mondiale. Elle postulait que l'ennemi invisible se répandait partout, comme une épidémie. Elle justifiait l'existence du FBI et sa propre gouvernance aussi longtemps qu'il pourrait rendre le mythe réel.

Hoover avait des informateurs partout. Il apprit la trahison de Tom le Rouge et l'existence du dossier anti-Hoover. Il lui parvint aux oreilles que Leahy était parti prendre des dépositions. Leahy se trouvait isolé dans un camp de militants de gauche dans les Catskills. Le moment était idéal.

Il acheta les services d'une escouade de policiers locaux. Il leur fit parvenir des colis d'émeraudes, pas d'argent liquide. Les policiers firent une descente dans le camp. Plusieurs occupants résistèrent. Les policiers les rassemblèrent et réduisirent en cendres les dortoirs des femmes.

Joseph et Helen résistèrent. Ils furent arrêtés et roués de coups dans une prison de l'État de New York, près de Poughkeepsie. Ils moururent de leurs blessures.

Joan était à la maison, à Brooklyn, ce week-end-là. Un voile de rage et d'horreur s'abattit sur elle.

Des agents de New York mirent sens dessus-dessous l'appartement de Tom Leahy. Ils trouvèrent son dossier. Hoover le lut et le brûla. Ses informateurs lui fournirent des arguments pour l'accuser de sédition. La guerre faisait rage de nouveau. Hoover sortit un atout

1. Jack est le diminutif familier de John.

de sa manche : la « sécurité nationale ». Il fit arrêter Tom Leahy, qui fut jugé sous le sceau du secret. Tom fut condamné par un juge et un jury convoqués à la hâte. Il écopa de six années d'emprisonnement à Sing Sing.

Le dossier constitué par Tom Leahy était exhaustif. Il était annoté avec diligence et superbement construit. Il suscita la passion dévorante de M. Hoover pour la constitution de dossiers.

La paperasserie du FBI s'accrut en volume pour atteindre dix tonnes par an. Tom Leahy mourut en prison en 1943. Il se suicida en buvant de l'alcool frelaté fermenté dans les toilettes. Il avait été régulièrement tabassé. Les gardes qui le frappaient portaient tous une bague ornée d'une émeraude.

Jack, le fils de Tom, disparut et vécut dans l'anonymat. Il fit des études supérieures et servit dans la marine américaine. Il fut admis à la faculté de droit Notre-Dame. Il était entièrement et résolument *Rouge* et tout aussi résolument décidé à se venger. Il échafauda toute une piste de documents répertoriant d'obscurs changements de noms et boucla la boucle pour redevenir John Leahy, le rebelle. La piste débutait peu après la date de son anniversaire et se poursuivait chronologiquement. Le dossier constitué par son père lui avait appris à monter des ensembles de documents. Son père ayant eu accès aux dossiers de Hoover, il avait aussi appris à confectionner des faux. Il postula pour entrer au FBI et franchit l'étape de la vérification des antécédents des candidats. Il intégra le Bureau en 1950.

Agent spécial John C. Leahy – *ROUGE*.

Il accomplit les missions de routine que le Bureau lui confiait. Il garda le contact avec les amis activistes de son père. En secret, il expurgeait les dossiers de ses camarades pour les mettre à l'abri de la curiosité du FBI. Jack Leahy : larbin du FBI le jour, provocateur *ROUGE* la nuit.

Jack reprit contact avec Joan. Entrée dans la clandestinité, elle était devenue une criminelle. Aujourd'hui, son désir de vengeance ratissait large. Elle était restée fermement *ROUGE*.

Elle recrutait sur les campus des facs. Fièrement, elle avait gardé son vrai nom, comme Jack l'avait fait. Un usage sporadique de divers alias brouillait sa piste. Elle avait fait la connaissance de Karen Sifakis. Leur profonde amitié commença. Un dialogue fluctuant la définissait. Karen prêchait la non-violence. Joan était presque toujours en désaccord avec elle.

Un briseur de grève avait braqué un pistolet sur elle. Elle l'avait frappé à coups de bastaing. Elle gardait d'une autre confrontation la cicatrice d'un coup de couteau.

Deux légionnaires l'avaient coincée à un concert de Paul Robeson. Elle avait été rouée de coups. Elle attendit neuf ans. Elle flingua les deux hommes dans leur sommeil.

Elle adorait le grand frisson des attaques à main armée. Elle les organisait et restait à l'écart au moment de passer à l'action. Elle était consciente d'elle-même en tant que femme. Elle se tapissait dans certains coins sombres quand elle donnait libre cours à sa fureur *ROUGE*.

Jack lui communiquait des informations confidentielles sur des transports de fonds – paies d'employés d'usine ou contenu de coffres de banques. Elle faisait toujours don des butins de ses braquages à la Cause. Joan et Jack devinrent camarades-amants. Ils partageaient une histoire familiale et une haine familiale. Ils gravitaient ensemble et aussi dans des cercles qui se recoupaient. Joan s'appela Williamson, Goldenson, Broward et Faust, et revenait toujours à Klein. Jack resta agent fédéral sous son nom, qui était à la fois son vrai nom et un patronyme entièrement fictif. Jack fit sortir Joan de prison. Jack mit à contribution ses contacts dans les forces de police de diverses villes pour faire disparaître de leurs archives les traces de ses condamnations. Joan conçut le braquage de deux usines de textile à Los Angeles – en 51 et 53. Des rafles systématiques la ramassèrent dans leurs filets. Jack la fit sortir et détruisit les rapports de police. Joan conçut un braquage à Dayton, Ohio. Jack soudoya les enquêteurs principaux et parvint à expurger presque tous les documents.

Joan se mit à voyager de par le monde, visitant les points du globe où la révolution battait son plein. Ce fut une mission échevelée et une besogne sanglante d'une extrême urgence. Son dialogue avec Karen Sifakis refrénait les pires de ses envies. Son ardeur atteignit parfois des sommets au cours desquels la situation dégénérait : en 51, 56, 61. Karen était la seule à en connaître les détails. Karen était la seule à savoir quel prix elle avait payé pour continuer sur la même trajectoire à cette cadence de folie.

Elle transporta de l'héroïne pour financer des coups d'État de gauche. Elle fomenta des révoltes en Algérie et à Cuba. Elle était insouciante, intrépide, vindicative, et par bien des côtés idéologiquement douteuse. La mort de son grand amour Dwight Holly lui apprit des choses. Son parcours à gauche était comparable au parcours de Dwight à droite pour ce qui était de leur haine et de leur rigueur fallacieuse. C'est ce qu'elle aurait dû lui dire avant de le quitter en toute hâte.

Elle voyageait. Elle courait pour s'éloigner de J. Edgar Hoover et pour se rapprocher de lui. Elle pensait aux émeraudes presque constamment. Elle entendit des rumeurs et de fausses légendes et des suppositions. Elle les analysa logiquement et en suivit la piste.

Jack l'accompagna dans cette démarche. Ils partagèrent leurs informations et parvinrent à cette conclusion :

Après la guerre, Hoover avait vendu les pierres à un fasciste paraguayen. Pure cupidité de sa part, et vengeance politique aussi. *El Jefe* cachait des savants nazis que les États-Unis voulaient récupérer. *El Jefe* connaissait de brillants gemmologues. Ceux-ci connaissaient *l'existence* de ces pierres et ils avaient leurs propres desseins.

Ils étudièrent les pierres. Leurs découvertes comprenaient une thèse sur les techniques d'exploitation minière. Un perfectionnement du simple forage à travers la roche. Employée avec succès, elle avait mis fin aux raids des *quaqueros*. *El Jefe* redoutait une vengeance ouverte des *quaqueros* et ordonna des massacres. Des douzaines de *quaqueros* furent tués.

La technologie du forage à travers la roche provoqua le licenciement d'une foule de mineurs. La hausse des bénéfices sur la vente d'émeraudes finança des coups d'État dans les Caraïbes et dans toute l'Amérique du Sud.

La Flamme Verte servit à soutenir le pouvoir de Rafael Trujillo. Le Bouc devint carrément obsédé. Il fallait qu'il s'approprie au plus vite les émeraudes Muzo-Klein d'origine. Leur provenance le rongeait. Il voulait que l'histoire des pierres se termine avec lui.

Trujillo amassa de l'argent haïtien et s'empara de terres appartenant à des Haïtiens. Papa Doc Duvalier avait été financé par les émeraudes et voulait les pierres précieuses pour lui. Trujillo et Duvalier se haïssaient. Trujillo assassinait des réfugiés haïtiens. Duvalier lançait des représailles. Les deux führers découvrirent leur convoitise commune. Ils décidèrent de se faire mutuellement confiance pour l'acquisition des pierres, et rien d'autre. Joan reconstitua l'itinéraire des émeraudes jusqu'à ce point, et pas plus. Elle se rendit en République dominicaine au début de l'année 59.

Elle découvrit un pays mûr pour la révolte. Elle trouva Celia.

Un réseau gauchiste les présenta l'une à l'autre. Celia était une héritière de la United Fruit qui avait connu des jours meilleurs. Elle était mi-américaine, mi-dominicaine, vieilles fortunes de part et d'autre. Elle utilisait de façon interchangeable le nom de famille de son père, Farr, et le nom de jeune fille de sa mère, Reyes. Gretchen et Celia venaient et cédaient leur place selon son bon plaisir. Joan préférait le second prénom. Celia était une victime de la révolution, de droite comme de gauche. Castro avait nationalisé les champs de canne à sucre et acculé son père à la faillite. Le Bouc avait récemment dépouillé sa mère en réquisitionnant ses terres. Celia était l'une des joueuses de polo les mieux classées du pays, et par ailleurs elle pratiquait l'escroquerie avec un talent extraordinaire. Elle possédait une intelligence omnivore sans être exactement brillante. Joan la trouva mûre pour une conversion. Un détail le lui prouva.

Les émeraudes. Celia en était folle.

Elles devinrent camarades-amantes. Celia était impétueuse et accommodante, indépendante et prête à se plier au concept de révolte. Celia était mystique. Joan ne l'était pas. Celia s'intéressait un peu à la philosophie orientale, et beaucoup au vaudou. Celia croyait à la force spirituelle des émeraudes. Joan n'y croyait pas. Elles firent des concessions sur leurs différences d'opinion et se rendirent dans le Cuba de Castro. Elles commencèrent à mettre sur pied l'invasion du 14 juin.

L'invasion échoua. Une rebelle nommée Maria Rodriguez Fontonette trahit la Cause. Un Tonton Macoute, Laurent-Jean Jacqueau, apportait son aide à la Cause. Jacqueau émigra secrètement aux États-Unis et changea son nom en Leander James Jackson. Joan et Celia furent capturées, emprisonnées, et libérées contre un pot-de-vin. Joan avait déposé le butin d'un braquage dans le coffre d'une banque de Los Angeles. Jack Leahy en sortit de l'argent liquide et trouva les officiels à corrompre.

Joan et Celia reprirent l'avion pour l'Amérique. Le Bouc fut assassiné. Juan Bosch et Joaquín Balaguer lui succédèrent. C'étaient des chefs d'État répressifs et d'un goût beaucoup moins ostentatoire. Balaguer avait hérité du Bouc sa fixation sur les émeraudes. Papa, resté au pouvoir, était toujours aussi fasciné par les pierres.

Les deux hommes se rencontrèrent. Ils collaborèrent et conclurent un marché annexe. Ils apprirent l'identité du *Jefe* paraguayen. Ils lui versèrent un acompte pour l'achat du reliquat d'émeraudes Muzo-Klein. *El Jefe* était pratiquement sans le sou et en mauvaise santé.

Il voulait vendre. On était en décembre 1963. Le destin intervint et fit foirer l'affaire.

Balaguer eut des revers financiers. Papa Doc eut des revers financiers. Ils n'avaient pas les fonds nécessaires pour acheter les pierres au comptant. Ils cherchèrent un Américain fortuné pour leur servir de bailleur de fonds.

Le bouche-à-oreille de la droite leur fournit un nom : le Dr Fred Hiltz. C'était un pamphlétaire raciste et un adorateur du mythe des émeraudes. Ils contactèrent le Dr Fred. Il envoya la somme à *El Jefe* par virement bancaire. Les pierres furent transportées par un coursier jusqu'à Saint-Domingue. Balaguer et Papa Doc s'y donnèrent rendez-vous *juste pour les toucher.* Ils ne faisaient pas suffisamment confiance à un simple coursier pour une remise en mains propres au Dr Fred. Celui-ci insista pour obtenir une livraison par fourgon blindé. Un Haïtien fut engagé pour emporter les pierres à L.A. par avion. C'était alors le 16 janvier 64. L'homme ne pouvait pas partir avant le 21 février. Balaguer et Papa Doc savourèrent ce contretemps. *Il leur permettait de toucher les pierres quelques jours de plus.*

SOUDAIN :

Un Tonton Macoute eut vent de l'expédition. Il contacta son vieux frère Macoute Leander James Jackson. Leander connaissait ses anciennes camarades Joan et Celia. Le hasard fit bien les choses : le frère de Celia, Richard Farr, travaillait chez Wells Fargo à L.A.

Jack Leahy dirigeait l'agence de L.A. du FBI. Richard connaissait l'itinéraire que prendrait le fourgon blindé. Richard avait annoncé qu'il y aurait un butin en billets de banque en plus des pierres précieuses. Jack connaissait des voyous de seconde zone qu'on pouvait sacrifier allègrement et laisser morts sur les lieux du braquage. Le plus gros obstacle consistait à les rendre inidentifiables. Joan connaissait un chimiste brillant, Reginald Hazzard. Elle l'avait eu comme étudiant à l'École de la Liberté. Elle l'avait fait sortir de prison le mois précédent.

Le plan s'échafauda. Reginald concocta une solution garantissant une combustion des cadavres jusqu'aux os. Jack recruta deux complices kleenex à jeter après usage : un Klansman nommé Claverly et un malfrat nommé Wilkinson. Le plan était à présent complet, *mais* :

Reginald voulait *être de la partie.* Il le dit à Joan et Jack. Joan et Jack se consultèrent et tentèrent de l'en dissuader. Reginald insista. Il pensait que ses compétences en chimie le rendaient indispensable et le mettaient à l'abri d'une traîtrise. Il avait raison et tort à la fois. Joan et Jack en débattirent, chacun avec ses arguments. Jack souhaitait qu'on lui accorde ce qu'il demandait, Joan voulait qu'on l'élimine. Jack eut gain de cause. Reginald ferait partie de l'équipe, et Reginald aurait la vie sauve. Le plan était à présent complet, *mais* :

Reginald redoutait un coup fourré. Reginald nourrissait un ressentiment d'enfant blessé. Ses camarades lui accordaient leur confiance pour la mise au point d'un combustible puissant, mais la lui refusaient quand il demandait à être présent pendant l'opération. *Et il avait fait partie de l'équipe ce jour-là.* Impulsivement, il avait déchiré le bordereau qui entourait une liasse et déclenché les jets d'encre. Impulsivement, Jack avait tiré sur lui.

Le retardateur de combustion dont il s'était enduit par précaution lui avait sauvé la vie. Les balles à tête creuse l'avaient touché malgré tout. Son onguent chimique avait fonctionné de façon imprévisible. Les granulés palliatifs qu'il s'était mis dans sa bouche l'avaient préservé des ravages des flammes, mais le composé chimique anti-combustion, paradoxalement, avait renforcé l'action des flammes.

Il avait donc survécu. Marsh Bowen et le médecin l'avaient sauvé. En s'écroulant sur le bitume, il avait raflé des poignées de billets maculés. Il les donna au médecin.

Il se cacha à Los Angeles-Est. Scotty Bennett dirigeait l'équipe mixte chargée de l'enquête. Jack y représentait le FBI. Les articles publiés dans la presse et les rapports de police le stupéfièrent. Ils ne mentionnaient que *deux* braqueurs retrouvés morts sur la scène de crime.

Jack voulait retrouver Reginald et le tuer. Joan lui dit non. Leur dispute fit rage pendant plusieurs jours. La camarade Joan eut le dernier mot. Elle partit à la recherche de Reginald et le découvrit. Elle le supplia de leur pardonner. Il lui dit qu'il voulait aller vivre en Haïti pour y étudier les vertus pharmaceutiques des herbes locales. Elle lui donna les émeraudes et lui demanda de servir la Cause.

Joan et Jack possédaient à présent quatre millions de dollars. Dans une douzaine de sacs, l'encre avait fui, maculant les liasses. Les taches rendaient les billets inutilisables pendant un certain temps. Ils patientèrent. Jack eut vent d'une rumeur : des billets provenant du braquage avaient été blanchis par la Banque populaire de Los Angeles-Sud. Il en informa Joan. Elle se renseigna sur le compte de Lionel Thornton. Elle apprit qu'il travaillait pour la Mafia. Elle apprit qu'il s'était fait un nom lors des luttes ouvrières de Detroit, dans les années 40. Elle fit en sorte de le rencontrer.

L'entrevue se passa très bien. Instinctivement, ils sentirent qu'ils pourraient collaborer. Une certaine confiance s'installa de part et d'autre. Thornton était versé dans la politique et soucieux de défendre ses propres intérêts. Joan engrangea des informations compromettantes sur son compte pour assurer ses arrières.

Elle lui remit des billets de banque, certains maculés, d'autres non. Reginald mit au point une préparation pour effacer le marquage à l'encre. Joan laissa Thornton placer l'argent à droite et à gauche. Les intérêts produits par les placements de la somme de départ s'accumulèrent dans un coffre secret caché dans la banque elle-même. Joan confia à Thornton le soin de faire parvenir aux bénéficiaires les émeraudes que Reginald prévoyait de distribuer. Les pierres vertes poursuivaient un circuit qui les ramenaient à Isidore Klein et ses luttes. Cela donna à Joan un semblant de tranquillité d'esprit.

Thornton fit sa part du travail et tint parole. Scotty Bennett et Marsh Bowen l'assassinèrent. Il ne révéla pas le nom de Jack ni celui de Joan.

Reginald resta en Haïti. Il y était toujours. Joan ne savait exactement où. Il avait pardonné à Joan et à Jack. Il avait dix-neuf ans, il était enthousiaste, il se laissait facilement entraîner. Il était passivement complice, et aussi coupable qu'eux. Il avait cru sans ciller à la révolution et n'avait jamais entrevu le prix à payer. Joan était un peu plus sensible à cet aspect du problème, à présent. Cela faisait trente ans qu'elle militait.

Les remous d'après-braquage se calmèrent. Joan profita du *Zeitgeist* des années 60. Jack resta au FBI. Il disséminait des informations. Il expurgeait ou il égarait les dossiers de leurs camarades. Joan resta en contact avec Karen Sifakis. Karen lui décrivait sa liaison avec un fédé mercenaire nommé Dwight Holly.

Dwight commettait des actes épouvantables pour M. Hoover. Au printemps 68, Dwight fit une overdose de morts violentes. Tommy Narduno avait subodoré la présence du FBI derrière l'assassinat du Dr King. Tommy avait vu Dwight à Memphis quelques jours plus tôt. Joan n'avait pas communiqué à Karen les impressions de

Tommy. Karen lui avait dit que Dwight préparait un COINTELPRO, et qu'il avait besoin d'une informatrice. Joan sut tout de suite que cette mission devait être pour elle.

MÉÉÉCHANT FRÈRE entra en phase de préparation.

Un incident imprévisible survint. Jack appela Joan et l'informa des remous qui se précisaient à l'horizon.

La source du problème : le Dr Fred. Il avait rassemblé plusieurs pistes sur le braquage, glanées dans le dossier de Clyde Duber. Il ne cherchait pas à se venger. Balaguer et Papa Doc lui avaient remboursé son prêt. Il voulait une seconde chance de mettre la main sur les pierres.

Hiltz voulait communiquer à M. Hoover toutes ses informations concernant le braquage. Hiltz était un informateur confidentiel auquel le Bureau faisait confiance, et un interlocuteur avec lequel Hoover aimait bavarder au téléphone. Joan réagit de façon sommaire.

Elle connaissait l'existence du magot que le Dr Fred gardait dans son abri anti-aérien. Leander avait *entendu parler* de Jomo Clarkson, grâce au bouche-à-oreille des militants noirs. Joan approcha Jomo et lui souffla ce plan : Volez l'argent du Dr Fred. Ne lui faites pas de mal. Flanquez-lui la trouille pour qu'il la boucle sur février 64. Ça le calmera.

Elle ne voulait pas un seul mort de plus. Elle y eut droit malgré tout. Jomo et son complice tuèrent le Dr Fred. Le complice prit la fuite. Jomo le retrouva et le tua.

MÉÉÉCHANT FRÈRE démarra. Joan devint l'informatrice de Dwight et sa maîtresse. L'affrontement imprévisible entre Marsh Bowen et Scotty Bennett se produisit. Joan et Dwight n'en devinèrent pas les prolongements, sur le moment.

Marsh et Scotty voulaient l'argent et les émeraudes. Ils s'associèrent et se trahirent réciproquement et ils moururent pour *leur* cause. Dwight et Joan s'associèrent et conspirèrent. Elle ne le trahit que par son silence. Ils avaient conçu une opération destinée à réparer tous les torts qu'on leur avait causés. Dwight s'en retira, unilatéralement. Leurs documents étaient en lieu sûr chez un camarade. Joan honorera la décision de Dwight de saborder leur plan. Elle ne possède pas le cran nécessaire pour le mener à bien.

Celia était perdue sur cette île. La Banda et les Tontons l'avaient dans le collimateur. Leurs mandats d'arrêt étaient motivés par son travail avec Wayne Tedrow. Celia était complètement déraisonnable par certains côtés. Maria Fontonette avait presque certainement été assassinée à L.A. plusieurs années auparavant. Celia se sentait complice. Elle avait jeté un sort sur La Tatouée. C'était absurde. Le vaudou, c'était le capitalisme barbare travesti en pratique magique. Celia était d'un autre avis. Cela n'avait pas d'importance. Celia était courageuse au-delà de l'idéologie. La foi, c'est de cette façon que ça fonctionne.

Telle était l'histoire qu'elle aurait dû raconter à Dwight. Une chose la hantait encore, cependant. Le dernier mot qu'elle lui avait dit, il n'aurait pas fallu que ce soit « non ».

Les nuages éclatèrent et déversèrent de la pluie. Le jeune homme paraissait différent. La longueur du récit de Joan était à la mesure de l'ampleur de sa surveillance. Ce visage surgissant à l'improviste, éternellement.

Je sais que vous avez envie de me toucher.

Alors, je vais vous laisser faire.

Il comprit le signal et se pencha en avant. Elle s'attendait à ce qu'il se montre maladroit. Il chassa le sang séché de ses poignets et il embrassa la raie de ses cheveux.

120

Los Angeles, 27 mars 1972

LA CHAISE ÉLECTRIQUE, LES MAINS ET LES PIEDS, L'ŒIL.

La peau calcinée, les moignons, la puanteur du lance-flammes. En Cinérama et Odoro-Vision. Attends... Il y a aussi un chien avec un chapeau vaudou et un palmier en feu.

Crutch se réveilla. Le chien qui aboyait était un vrai chien, là, dehors. Les flammes, c'était le soleil de 6 heures du matin.

Il retrouva ses repères. Il était dans sa turne n°3/sa planque n° 1. Scotty était mort. Il n'était plus obligé de se cacher.

Il faut que tu y retournes. C'est là qu'elle t'a emmené. Cela lui a coûté tout ce à quoi elle tenait. Elle a pointé ta carte de filature. Le total s'élève à trois ans et neuf mois.

Crutch fit du café et rédigea une liste de questions à poser à Celia. Elle savait des choses au sujet de La Tatouée. Il se demanda si elle tenait toujours à élucider cette affaire.

Il bricola avec son matériel de chimie. L'histoire défilait sans cesse dans sa tête. Le film se coinçait par-ci par-là.

L'Opération. Le plan de Joan et Dwight. Il ne pouvait s'agir que de *Ça*.

Crutch prit sa voiture pour se rendre chez Clyde Duber Associates et ouvrit la porte. Il était 7 h 10. Il avait le temps de travailler pour lui.

Il lut le dossier que Clyde avait constitué sur le braquage, et le dossier personnel de Marsh Bowen. Il connaissait la version de Joan, à présent. Les faits lui parlaient, de façon redondante. Qui en a encore quelque chose à foutre ?

Tournée d'adieux. Tu ne peux pas passer le restant de tes jours à coller l'œil aux trous de serrure et à pister des gens. Tu es malade dans ta tête.

Crutch repartit et passa près du parking des chauffeurs. Phil Irwin et Bobby Gallard somnolaient dans leurs caisses. Clyde organisait une veillée à la mémoire de Scotty. Le parking allait être illuminé et décoré de banderoles en tissu écossais.

Avant qu'il ne reparte, Joan avait trouvé son second souffle et s'était lancée dans un second monologue. Elle lui avait parlé de la liste noire d'Hoover et de tous les gens qu'il avait anéantis. Il avait mémorisé leurs noms. Il avait envie de toucher sa cicatrice et de lui montrer celle de son dos.

Il partit vers l'est. Il se gara devant le refuge et monta les marches. La sonnette ne fonctionnait pas. Il frappa un certain nombre de fois, très fort. La serrure était trop risible pour qu'il se prive de la forcer.

Elle avait confectionné un nid sur le plancher. Avec les vestes et les pulls de Dwight, avec les costumes d'agent fédéral de Dwight. Il reconnut l'odeur des cigarettes que Joan fumait et celle de l'après-rasage de Dwight. La lotion avait laissé des taches sur les costumes. Joan les avait copieusement arrosés.

Crutch sortit sur la terrasse. Une paire de superbes jumelles Bausch & Lombs était posée sur le rebord. Il régla la mise au point et les braqua sur la maison de Karen. Joan et Karen brûlaient des papiers dans le barbecue du jardin de derrière. Joan avait mis des bandages autour de ses poignets.

Les petites jouaient à chat. Une serviette tachée de sang était posée sur un dossier de chaise. Il observa attentivement les deux femmes. Joan semblait presque sourire et rire.

Il eut *UNE IDÉE*. Il ne la gâcha pas en la formulant clairement, ni dans sa tête ni à haute voix. Son matériel de chimie était à l'abri dans sa turne n° 3. Il s'offrit une nuit de Walpurgis et travailla jusqu'à tomber de fatigue.

Toxines de poisson-lune et ortie brûlante. Foies de rainettes conservés dans son frigo. Formules rigoureuses, pot-pourri et improvisation. Trois plaques chauffantes en batterie et des nuages en forme de champignon comme à Hiroshima.

Composer, réduire, améliorer, réviser, recalculer et réessayer. C'est comme le slogan pour le Brylcreem : « Un soupçon suffit. » Reformuler et réduire à l'échelle subatomique.

Il s'approchait du but. Une dose sortant d'un compte-gouttes parvenait à brûler du papier et du bois. Il refit ses calculs et ses tests. Il cogita sur des chaînes moléculaires interminables et réduisit encore la dose. Il crut être allé trop loin dans la réduction et s'être trompé dans ses calculs. Il parvint plus près que la première fois du but qu'il s'était fixé et il cria *Halte !* avant de s'effondrer.

Il déposa une particule sur un bout de fromage qu'il laissa sur sa terrasse de derrière. Il avala deux diables rouges et effaça toutes ses fatigues grâce à un sommeil profond.

Sédation. Pas de cauchemars. Pas de visions récurrentes de la Zone Zombie.

Des chants d'oiseaux l'arrachèrent au coma. Il sortit les jambes raides sur la terrasse de derrière.

Voilà le fromage et un rat mort. Une minuscule morsure l'avait expédié dans l'au-delà des rongeurs.

121

Los Angeles, 28 mars 1972

– Qui a tué Scotty Bennett ?
– Je ne te le dirai pas.
– Je me rappelle la première fois où tu m'as dit ça.
– C'était en 1944. Tu m'as demandé si je couchais avec ce garçon de l'Alliance des jeunes socialistes.
– Alors ? Tu couchais avec lui ?
– Je ne te le dirai pas.

Ils étaient assis dans la voiture de Jack. Elysian Park était encore trempé de pluie. C'était ici qu'elle avait rencontré Dwight, il y avait un certain temps de cela. À un jet de pierre : l'école de police du LAPD. Le lieu de rendez-vous choisi par Dwight pour intimider les gens.

Jack demanda :
– As-tu détruit le dossier ?
– Karen et moi l'avons brûlé hier.
– L'avait-elle lu ?

Joan alluma une cigarette.
– Elle n'avait pas besoin de le faire. Elle savait que ça ne pouvait pas être autre chose.

Une voiture de police passa tout près. Joan la suivit des yeux. Jack dit :
– Tu aurais pu glisser à la presse quelques pages sur Bowen et MÉÉÉCHANT FRÈRE.
– Pas sans salir Dwight.
– Quand on est mort, on est mort. Tous les jours, les camarades que nous avons perdus continuent de servir la Cause. « Ne portez pas le deuil ! Organisez-vous [1] ! » Ne me dis pas que tu n'as jamais entendu ce mot d'ordre.

---

1. Conseil donné à ses camarades par le syndicaliste Joe Hill, membre des Wobblies, avant son exécution.

– Les situations ont changé.
– Toi et le « Bras armé de la loi ».
– « Il y a des gens que vous attendez toute votre vie. » C'est Wayne Tedrow qui m'a dit ça.
Jack alluma une cigarette. Quand il se pencha, un rayon l'éblouit. Il abaissa le pare-soleil.
– L'inspection des services a enterré Scotty. Ils ont trouvé son dossier, dans lequel Bowen était cité partout. Avec du retard, ils ont conclu que c'étaient Scotty et Bowen qui avaient assassiné Thornton. Nous ne figurions pas dans le dossier. Sinon, je l'aurais appris.
Joan essuya ses lunettes avec un pan de sa chemise. Jack fit la même chose. Joan se rappela la première fois : Brooklyn, en 46.
– Nous possédons sept millions de dollars.
– Je sais.
– Celia me manque. Je suis trop connue là-bas pour partir à sa recherche.
Jack dit :
– Elle savait quels risques elle courait. C'est toi qui lui en as fait prendre conscience. Elle t'a dit de ne pas tenter de la retrouver si cela se produisait. Tu dois respecter cela. C'est ainsi que notre univers fonctionne.
Joan jeta sa cigarette.
– Tu pourrais y retourner.
– Je ne le ferai pas.
– Par principe ?
– Oui.
– C'est seulement une question de principe ?
Jack lui serra le bras. Cela lui fit mal. C'était un geste de camarade-amant rejeté, bien longtemps avant, en 46.
– C'est *toi* qui as sabordé l'Opération. Pas moi. C'est *toi* qui as été coupable de faiblesse pour des raisons sentimentales. C'est *toi* qui as fait passer une relation personnelle avant ton devoir, pas *moi*.
Joan regarda à travers sa vitre. Un jeune flic lui fit un signe de la main. Elle le lui rendit.
Jack dit :
– J'ai récolté une information.
– Je t'écoute.
– À la demande de Nixon, Dwight a mis sur pied une équipe de plombiers pour une perquisition clandestine. Nous pourrions en tirer avantage.

– Non.
– Pourquoi ?
– Je ne te le dirai pas.
Jack s'esclaffa. Joan avala deux comprimés à sec.
– Nous aurions dû avoir un enfant ensemble.
Jack lui pressa le bras, en douceur.
– Je me rappelle la première fois où tu m'as dit ça.
– C'était quand ?
– À l'automne 54. La télévision diffusait les auditions de l'enquête McCarthy sur l'armée américaine.
– Pourquoi se rappelle-t-on les choses de cette façon ?
– Pure arrogance. Nous sommes obnubilés par nos propres vies, au point de les confondre avec l'Histoire.
Joan sourit. Jack ouvrit sa mallette.
– J'ai un dossier sur ton nouvel ami. Je l'ai trouvé sur le bureau de Dwight. C'est Clyde Duber qui l'a constitué. Il pensait qu'un jour ou l'autre ce môme pourrait s'écarter du droit chemin.

DONALD LINSCOTT CRUTCHFIELD. Né à Los Angeles le 2 mars 45. Cheveux bruns, yeux marron, 1 mètre 75, 72 kilos.

Joan lisait le dossier au refuge. C'était son odeur à elle, à présent, qui imprégnait les vêtements. Elle captait de moins en moins celle de Dwight.

Clyde Duber avait recopié des rapports de police et tapé ses propres notes. Agrafé à la fin de la liasse se trouvait le carbone d'une fiche d'informateur confidentiel du Bureau. La tache floue et persévérante prend forme.

Le père clodo qui traîne sur les champs de courses. La mère qui abandonne le foyer familial. Le môme a 10 ans, alors. Elle lui envoie 5 dollars et une carte tous les ans à Noël. Le môme mène l'enquête pour retrouver sa mère.

La note additionnelle de Clyde Duber :

Il avait localisé Margaret Woodard Crutchfield en mai 65. Alcoolique, elle était morte d'une cirrhose à Beaumont, Texas. Clyde n'avait pas voulu briser le cœur du môme. Il avait mis ses amis à contribution aux quatre coins du pays. C'étaient eux qui continuaient la tradition du cadeau de Noël. Sa quête donnait au gamin une tâche noble à accomplir.

Le môme était habile. « Les voyeurs sont doués pour la filature et parfois pour l'investigation. » Clyde l'avait sorti du pétrin et lui avait donné du travail. Il avait remarqué son intransigeance et son invisibilité. Il redoutait ses « tendances perverses ». Il avait remarqué son intérêt pour l'affaire Dr Fred Hiltz/Gretchen Farr.

C'est donc à ce moment-là que cela a commencé. C'est sur ce terrain-là que tu m'as trouvée.

Celia se faisait appeler Gretchen cet été-là. Sous cette identité, elle était extravagante. Elle escroquait des hommes, elle prenait de la drogue, elle transportait de la cocaïne dans des avions de location. Elle traversait une phase mystique. La révolution l'ennuyait. Les assassinats de King et de RFK inspiraient aux hippies d'exécrables plaisanteries. Celia s'inquiétait pour La Tatouée. Elle l'avait envoûtée et désenvoûtée. Elle croyait fermement que La Tatouée était en danger. *Été 68. Le môme te voit.*

Les notes dactylographiées de Clyde Duber s'arrêtaient là. Joan consulta le rapport du bureau des informateurs. Le môme connaissait un chauffeur nommé Phil Irwin et un avocat spécialisé dans les divorces, du nom de Charles Weiss. Irwin était un informateur du FBI. Il caftait les époux infidèles qu'il pistait pour les procédures de divorce. Son manipulant au FBI le citait textuellement :

« Oui, je l'avoue, mon copain Chick et moi, on aime bien jouer les voyeurs. On a appris la technique avec le meilleur d'entre nous, Crutch Crutchfield. Dans tout Hancock Park, il n'y a pas une seule fenêtre à laquelle ce salopard pervers n'ait pas collé l'œil. Il ne s'en est jamais douté, mais Chick et moi, on le suivait pour étudier sa technique. Chick disait de lui qu'il "grimpait au Parthénon des Mateurs", même si j'ai aucune idée de ce qu'il voulait dire par là. »

Trois rapports établis par des polices municipales étaient référencés au-dessous. Santa Monica : Irwin et Weiss interrogés, soupçonnés de délit d'intention, en septembre 67. Beverly Hills : Irwin et Weiss interrogés, soupçonnés de délit d'intention, en avril 68. Rapport du LAPD, en mai 68 : l'agent immobilier Arnold D. Moffett interrogé au sujet de « soirées pornographiques ».

Joan se rappelait ce nom. Il avait loué une maison à « Gretchen ».

Le LAPD avait abandonné l'enquête. Des soirées pornographiques – et alors ? Une liste de relations connues était ajoutée en bas de page : quatre noms, plus Charles Weiss. « M. Weiss partage le penchant de M. Moffett pour l'art nègre bizarroïde. »

Joan pensa au môme. Lui montrer le dossier ? Peut-être, en partie.

Elle prit son canif. Avec la pointe de la lame, elle expurgea le document des lignes consacrées à Margaret Woodard Crutchfield. Le manche du canif s'adaptait à sa main de façon parfaite. Elle s'en était servie en 56 pour poignarder un nervi venu déloger un piquet de grève.

122

Los Angeles, 29 mars 1972

Redd Foxx dit :

– Scotty baisait un porc-épic. Il faut que je vous dise, bande d'enfoirés, que c'était un porc-épic *femelle*, alors, je vois pas ce qu'il y a de pervers là-dedans.

Ouarf, ouarf – la foule se bidonne, l'œil embué. Des bronzés ont flingué Scotty – on va picoler et porter le deuil.

Le parking des chauffeurs. Des guirlandes de Noël hors saison et des banderoles en tissu écossais. De la gnôle et des bocaux de bonbons aux amphètes. Vous allez adorer, c'est sûr.

Crutch, Clyde, Buzz, Phil Irwin et Chick Weiss. Milt C. sur la scène avec Redd et Macaque Junkie. L'ex-gouverneur Pat Brown et des flics en pagaille. Quatorze Panthères Noires. Un ancien braqueur noir devenu prédicateur à la télévision. Frau Scotty et six de ses copines.

Macaque Junkie dit :

– Scotty a serré mon petit cul de singe pour un braquage à deux ronds. J'ai volé six biscuits, quatre boîtes de fritons, un carton de gros rouge et dix cartouches de Kool King-Size. Scotty s'est rendu compte que j'avais de la *soul* et il m'a laissé la vie sauve. On a consommé sur place toutes ces saloperies, et puis on est partis courir la gueuse.

Ouarf, ouarf – on est terrassés par le chagrin, mais on se marre. Frau Scotty passa un joint à la copine n° 4. La copine n° 5 grignotait un chocolat au haschich.

Redd Foxx dit :

– Scotty était à la recherche d'un frère, un nommé Cleotis. C'était un braqueur qui aimait la chatte. Il dévalisait des magasins d'alcool avec un fusil à canon scié, et il baisait les salopes de Scotty avec son mandrin noir en acier trempé qui était dix fois plus long.

La copine n° 3 hurla de rire. La copine n° 2 serra dans ses bras Frau Scotty. Phil Irwin lança en l'air un Quaalude. Chick Weiss l'attrapa au vol avec la bouche. Pat Brown cligna des yeux – *Qu'est-ce que je fais ici ?*

Le vacarme de la soirée souvenir assommait Crutch. Il avait passé la journée à sonder sa mémoire et à passer des coups de téléphone. À exploiter : les planques en R.D. et les victimes d'Hoover.

Il re-mémorisa la liste de planques établie par la CIA. Il re-mémorisa la liste de planques du dossier de Joan. Il décrocha le téléphone dans sa turne n° 3 et il appela des gens.

Ils eurent davantage l'impression de répondre à un flic qu'à un camarade. Le nom de Joan lui permit de gagner un peu de leur confiance. C'était un salmigondis de noms tirés du récit et des monologues de Joan. Il les appela et les embobina. En retour, il récolta les dernières nouvelles et des anecdotes. J. Edgar s'est acharné sur vous – racontez-moi ça.

Ils lui confièrent leurs informations. Peines de prison, suicides, déprimes. Décès prématurés et harcèlement. Une foule de chantages du style *Caftez-vos-copains* – certains y succombèrent, d'autres pas.

Il continua d'appeler. Les gus continuèrent de lui parler et de lui donner des noms. Crutch plomba sa facture de téléphone. Les histoires à faire frémir se déversaient en avalanche : des fédéraux qui rôdent sous vos fenêtres et devant l'école de vos mômes. Vous avez bavé sur Gay Edgar, vous avez propagé des ragots, *maintenant on va vous le faire payer*.

Ces informations le minaient. Elles avaient réactivé *son Idée*. Davantage de suicides. Davantage de chers disparus. Tout ce chagrin le bouleversait comme un tremblement de terre et un raz-de-marée.

Frau Scotty monta sur scène et commença à larmoyer. Pour les Panthères, ce fut comme un signal : on dégage. Macaque Junkie lança un regard salace aux copines de Scotty, de la n° 1 à la n° 6. Il les fit craquer.

Crutch se dirigea vers le téléphone à pièces. Il avait le temps de passer d'autres appels, et d'alimenter encore sa rage. Il fouilla ses poches. Pas la moindre piécette de cinq ou dix cents. Il en sortit cette émeraude qui scintillait.

Son accolade en guise d'au revoir. C'est à ce moment-là qu'elle lui avait glissé la pierre.

Chérie, tu n'étais pas obligée. Tu avais déjà fait entrer le Rouge dans ma vie.

Le restaurant Sills' Tip-Top se trouvait à Las Vegas-Nord. Le trajet en voiture l'épuisa. Elle appelait cet établissement son repaire porte-bonheur. Si vous devez venir, retrouvez-moi là-bas.

C'était une cafétéria minable, à côté de la base aérienne de Nellis. Les clients du matin : des troufions de deuxième classe et des comiques de cabaret au chômage. Il arriva tout juste dans les temps – d'un poil de chatte.

Elle l'attendait dans un box du fond. L'endroit avait digéré l'intégration. La tension ambiante était minimale.

Crutch s'assit. Mary Beth lui dit :

– Vous avez toujours l'air à bout de souffle.

Une serveuse lui versa du café. Crutch en avala goulûment une gorgée et se brûla la bouche.

– Je viens toujours en courant quand j'ai quelque chose à vous dire. J'ai appelé avant de venir, cette fois, remarquez.

Mary Beth but un peu de café.

– Vous me semblez à chaque fois différent. C'est peut-être parce que je vous vois de loin en loin, et toujours sérieusement bouleversé.

Crutch saisit sa tasse maladroitement. Un peu de café se renversa. Mary Beth l'essuya.

– Vous me rappelez Wayne.

– J'en suis vraiment navré.

– Wayne a fait son lit tout seul. J'ai été heureuse de le partager pendant un temps, mais cela ne pouvait pas se terminer autrement.

Un crétin de la base aérienne les regarda d'un sale œil. Crutch lui rendit la pareille.

Mary Beth lui dit :

– Ne faites pas ça. Regardez où cela a mené Wayne, les gestes héroïques. Tâchez d'être plus prudent. Vous serez mieux servi, en fin de compte.

À retardement, Crutch eut une crampe d'avoir conduit trop longtemps. Il étendit ses jambes et bouscula Mary Beth. Cela le rendit nerveux. Elle ne bougea pas d'un pouce et lui laissa le temps de retrouver son calme.

– Je suis doué pour retrouver les gens.

– Vous me l'avez dit la dernière fois.

– Je me suis encore amélioré depuis. J'ai appris des choses.

– Vous paraissez changé, je le concède.

La serveuse vint compléter leurs tasses de café. Mary Beth releva les manches de son chemisier. Elle portait un bracelet en argent sur lequel était montée une émeraude.

– C'est votre fils qui vous a envoyé cette pierre.

– Comment le savez-vous ?

– Je ne vous le dirai pas.

Mary Beth regarda par la fenêtre. Crutch suivit son regard. Il était braqué sur un panneau qui affichait : RÉÉLISEZ NIXON.

– Je sais où se trouve votre fils.

– Comment le savez-vous ?

– Je ne vous le dirai pas.

Elle lui toucha la main.

– Je ne vous le demanderai pas. Vous ferez ce que vous avez décidé de faire, sans vous soucier de mes souhaits. La seule chose que je vous demande, c'est de ne pas mettre vos extravagances sur le compte d'une dette que vous pensez avoir envers Wayne.

La serveuse s'approcha. Crutch sursauta. Mary Beth mêla ses doigts aux siens. La serveuse capta son geste et ne regarda rien d'autre.

Mary Beth couvrit les deux mains de Crutch et les emprisonna sur la table. Il vit des paillettes vertes dans ses yeux.

– Pourquoi faites-vous toutes ces choses insensées ?

Crutch réfléchit à la question.

– Pour que les femmes m'aiment, répondit-il.

Les herboristes habitaient tout près. Ils partageaient le même labo, dans le garage du dénommé François. Crutch se pointa là-bas avec de la bière et des pizzas. Il arriva en plein milieu d'une manip.

Les gars firent une pause pour manger un morceau et boire un coup. Crutch leur dit qu'il avait *une Idée*. Je veux vendre du papier noir comme de la suie sans qu'il prenne feu et se consume.

D'accord, mon petit gars. On travaille, tu nous regardes, tu apprends.

Il expliqua le travail de Wayne sur le caviardage à l'encre noire et ses propres essais avec des résultats mitigés. Il leur dit qu'il pourrait apporter des liquides ou des poudres, mais pas les appareils à rayonnement. Il passa en revue tous les tableaux de molécules qu'il venait de mémoriser. Les types baragouinèrent en français et lui dirent de les regarder faire.

Trois plaques chauffantes entrèrent en action. Crutch perdit vite le fil des proportions et des processus de réduction. François posa sur le sol du garage des ramettes de papier machine. Les autres types remplirent des pulvérisateurs de nettoyant pour les vitres avec divers liquides. Crutch compta six flacons et six ramettes. François passa d'une ramette à l'autre et les aspergea.

La ramette n° 1 resta inerte, mouillée. La ramette n° 2 fit des bulles et bava. La ramette n° 3 explosa. Deux types éteignirent les flammes en les piétinant.

La ramette n° 4 se figea, crépita, et libéra une brume noirâtre.

123

Los Angeles, 1er avril 1972

Dwight manquait beaucoup à Ella.

Elle le disait à ses animaux en peluche. Elle ne le disait pas à Karen. Des *alligators* en peluche – des cadeaux de Dwight.

Joan la regardait. La petite percha ses alligators sur la table de pique-nique et leur parla en chuchotant. Elle avait trois ans. Elle commençait à savoir se comporter de façon stoïque et à cabotiner pour épater les adultes. Bientôt, elle apprendrait à morceler les informations.

Dina entra dans la maison en courant. Karen dit :

– J'ai décidé de disparaître. Il s'est passé trop de choses, ici. Je vais emmener les filles et partir, tout simplement.

Joan se frotta les poignets. Ils étaient en voie de guérison. Elle avait ôté les pansements la veille au soir. De nouvelles cicatrices se formaient.

– Ton mari ?

– Je lui laisserai une lettre. Il est trop égocentrique pour partir à ma recherche. Les filles lui manqueront pendant quelque temps, puis il passera à autre chose.

Joan proposa :

– Je peux te donner de l'argent. Tu n'auras plus besoin d'enseigner.

– J'apprécierais beaucoup.

Les alligators étaient dépenaillés. Ella, rigoureuse, leur assignait des tâches à accomplir. Elle ne parlait pas beaucoup. Elle écoutait et agissait. Elle était tenace et circonspecte. Elle deviendrait délibérément cassante.

Karen dit :

– Je veux me confectionner des nouveaux papiers. Je vais garder mon prénom et je me concocterai une personnalité à partir de là.

– Jack peut te fournir des portraits anthropométriques et un relevé d'empreintes digitales. Ton nom apparaîtra dans les dossiers de relations connues, mais tu pourras faire en sorte de ne pas être trop exposée.

Ella rafla ses alligators et rentra dans la maison en courant. Joan leva la tête et regarda en direction du refuge.

– Y a-t-il un lien génétique attaché à la vertu nommée persévérance ?

Karen désigna l'ombre d'Ella. Joan sourit. Des éclats de soleil bombardaient le jardin. Karen se couvrit les yeux.

– Nous sommes surveillées.

– Oui, je sais.

– Est-il inoffensif ?

– Je n'en suis pas sûre. C'est une sorte de converti, et il essaie d'être gentil.

– C'est mon mari qui m'a donné ces jumelles. Il tomberait raide mort s'il apprenait où elles ont traîné.

– Laisse-les-lui avec ta lettre. Ça fera un bon presse-papier.

La lumière fit un bond. Joan agita la main et fit un signe : *Venez ici.*

Les deux filles le dévisagèrent. Ella l'*examina.* Dina se couvrit la bouche et partit en courant. Ella s'éloigna sans se presser et jeta un coup d'œil par-dessus son épaule.

Karen dit :

– Ce café de Hillhurst Avenue. Vous y étiez tout le temps fourré.

Le garçon répondit :

– Je piste des gens. C'est de cette façon que je gagne ma vie.

Joan entendit Dina pleurer. Karen fit un geste – *Excusez-moi* – et elle rentra dans la maison. Le garçon était en bonne forme physique. Il avait de petits yeux marron et une coupe en brosse parsemée de gris. Son style annonçait clairement : j'emmerde mon époque et ses modes.

– Vos poignets vont mieux.

– Oui.

– J'espère que je ne vous dérange pas, vous et vos amies.

– C'est de cette façon que vous gagnez votre vie.

Il sourit.

– Je suis doué pour retrouver des gens.

Joan sourit.

– Nous avons déjà parlé de vos exploits.

– Je retrouverai Celia. Je la ferai sortir du pays et je la ramènerai.

Karen grondait Dina. Leurs voix portaient. La présence de Crutch perturbait la petite. Dina piquait une crise.

– Je devrais peut-être m'en aller.

– Vous n'y êtes pas obligé.

– Je vais ramener Reginald. Je pourrais aussi bien ramener Celia en même temps.

– Que voulez-vous ?

– Je n'en sais rien. C'est ma façon à moi de répondre : « Je ne vous le dirai pas. »

Ils se rendirent au refuge à pied et parlèrent jusqu'à la tombée de la nuit. Crutch relata ses aventures extravagantes en R.D. Joan renforçait l'effet de ses gélules à l'aide de tisanes haïtiennes. Ils laissèrent ouverte la porte donnant sur la terrasse pour avoir de l'air. Joan prenait sa température en secret et comptait les jours.

Elle alluma des bougies. Il lui dit qu'il aimait la lumière des flammes sur ses cheveux. Elle les fit voler en secouant la tête. Il dit qu'il y avait vu des étincelles.

Leurs pieds se heurtèrent. Elle le regarda. Ses yeux disaient : *Oui, maintenant*. Il l'embrassa. C'était doux. Elle l'embrassa sauvagement en retour. Cela voulait dire : *N'aie pas peur*. Il fit sauter un bouton de son chemisier. Il posa les mains sur ses seins.

Elle lui ôta sa chemise et découvrit sa cicatrice. Il commença à lui raconter l'histoire. Elle le fit taire. Cela voulait dire : *Je sais*. Cela lui rappelait tout ce qui concernait Dwight.

Il lui ôta ses bottines. Elle s'arc-bouta sur le plancher. Son chemisier était relevé, son jean déboutonné. Crutch fit courir sa bouche sur la peau nue qu'ils découvraient. Joan se cabra. Crutch lui ôta son jean et sa culotte et se débarrassa de ses chaussures et de son pantalon. Le chemisier de Joan était à moitié ouvert. Il défit les trois derniers boutons. Le plancher était froid sous le dos de Joan.

L'éclairage aux bougies et les ombres créaient une ambiance inhabituelle. Leurs esprits convergèrent de façon bizarre. Elle calcula l'écart qui les séparait en âge. Tabulation télépathique. Dix-huit ans, quatre mois, cinq jours.

Elle roula sur le matelas. L'odeur de Dwight s'y trouvait encore. Crutch s'agenouilla et ses muscles se tétanisèrent. Joan lui massa les jambes, le força à s'étendre, et le décrispa. Il lui embrassa les jambes. Elle s'ouvrit un peu pour lui. Il lui écarta délicatement les lèvres en les frottant du bout de son nez. Elle lui en fut reconnaissante.

Un coup de vent froid donna à Joan la chair de poule. Il se fit protecteur, alors. Il se drapa sur elle. *Ne crains rien/calme-toi/Je suis là.* Elle l'éloigna en douceur. Ses mains dansèrent sur lui.

Ses cheveux se déployèrent tandis qu'elle le touchait. Il se redressa pour *regarder. Calme-toi/ne regarde pas/Je suis là.*

Les mains de Joan se firent de plus en plus énergiques. Leurs esprits se connectèrent de nouveau. Il se laissa aller en arrière et ferma les yeux. Il laissa échapper de petits gémissements qu'elle n'avait jamais entendus auparavant.

Les flammes des bougies vacillèrent. Des ombres se formèrent sur les murs. Il rouvrit les yeux et vit le profil de Joan. Leurs esprits se reconnectèrent une fois encore. *Nous* n'avons jamais vu ça auparavant.

Crutch tenta de la faire rouler sur elle-même. Elle ne se laissa pas faire. Elle s'empala sur lui. Elle le laissa regarder et lui ordonna intérieurement de fermer les yeux. Elle s'agita et les emmena ailleurs. Cela dura un bon moment. Les bougies se consumèrent jusqu'au bout.

– Tu es vraiment décidé à faire ça ?

– Oui.

– Il y a une planque à Borojol. Le petit bâtiment près de la bodega avec terrasse. Tu pourrais récolter des pistes, là-bas.

– J'ai mémorisé quelques adresses.

– Il y a un médecin qui s'appelle Estevan Sanchez. Il déplace sans cesse son cabinet. Celia et lui sont proches. Il saura peut-être où la chercher.

– J'ai deux ou trois idées. Je connais des gens, là-bas.

– On peut les acheter ?

– Oui.

– Je te donnerai de l'argent.

– Ça me fait peur. Tu sais ce que j'ai vu, là-bas.

– Les événements que tu as vus, tu les as cherchés, et c'est eux qui t'ont trouvé. Ça se passe toujours de cette façon.

– Est-ce que Celia saura où se trouve Reginald ?

– C'est possible. Ils sont camarades.

– Ça me fait peur. Le pays lui-même. Ça m'angoisse davantage que tout ce qui pourrait se passer là-bas.

– Que cherchais-tu ?

– Tout.

– Qu'as-tu trouvé ?

– Une photo de toi sur une plage et un billet de retour.

– Cela en valait-il la peine ?

– Tu n'as pas à t'inquiéter pour moi. Je connais le prix des choses.

– Non, tu ne le connais pas. Tu ne peux pas continuer éternellement à courir à cette vitesse, parce qu'un jour, ça s'arrête, tout simplement.

– Ne me dis pas ça. Je commence tout juste à me mettre en route.

124

Saint-Domingue, 7 avril 1972

La Zone Zombie, distillée. Encore foutrement PLUS qu'avant.

Encore plus d'interpellations en pleine rue, de rongeurs toxiques, d'Haïtiens déshérités. Encore plus de *fascistas* qui maniaient la matraque et plus de distance entre les couleurs de peau.

Encore plus de chaleur. D'insectes volants. De Noirs culs-de-jatte dans des caisses à roulettes. Pas de constructions de casinos pour ménager les apparences. Encore plus de *mééééchant* juju et moins de contestation.

Crutch se rendit en taxi à Borojol. Il avait quatre cent mille dollars et un pistolet à silencieux. Les douaniers l'avaient laissé passer sans faire de difficulté. Il n'était pas étiqueté *Rouge*. Il avait ses listes en mémoire. Joan lui avait fourni deux faux passeports : un pour Celia, un pour Reggie.

Le trop familier ramène au maléfique. Tout lui rappelait quelque chose qu'il tentait d'oublier. Il passa devant le terrain de golf. Ses yeux retrouvèrent leur pouvoir rayons X. Voilà le bunker des tortures et la chaise électrique.

Le *New York Times* lui changea les idées. Les Démocrates débiles et Nixon. La dernière gaffe de J. Edgar. Une agitation soudaine dans la rue le détourna de son divertissement. Une descente de police lamine une faction de distributeurs de tracts.

Il avait passé quatre nuits avec Joan. Ils avaient parlé et fait l'amour. Il la quittait pendant de courtes périodes, pour aller respirer à fond. Il ne lui avait pas fait part de Son Idée. Il ne pouvait pas courir le risque qu'elle dise « non ». Il n'avait pas beaucoup dormi. Il se lovait autour d'elle et respirait l'odeur de ses cheveux sur l'oreiller. Elle lui tenait les mains qu'elle plaquait sur ses seins.

Le taxi entra dans Borojol. L'Encore Plus devint Encore Pire. Encore plus de gens écrasés par le talon de fer du pouvoir. Encore plus de mendiants dans des caisses à savon, d'Haïtiens pieds nus déambulant entre les crottes de rats et les tessons de bouteilles.

Voilà la bodega et sa terrasse. Voilà la planque.

Crutch paya le chauffeur et descendit du taxi. La planque paraissait bien innocente. Il frappa et n'obtint pas de réponse. Pas de bruits de pas à l'intérieur, pas d'échos de fuite précipitée.

Il ouvrit la porte d'un coup d'épaule. Le soleil traversant les vitres brisées le renseigna tout de suite.

Les murs étaient criblés de balles, le plancher jonché de douilles vides. L'un des murs était aspergé de sang, constellé de chevrotine, le tout mêlé à des cheveux bruns.

Des mouches bourdonnaient autour d'une blouse de médecin, rouge de sang, posée sur un dossier de chaise.

Reste éveillé. C'est un dernier regard. Va engranger encore plus de visions de l'Encore Plus. Sa quête était entravée par les règles en vigueur chez les Rouges. Joan connaissait la plupart de ses camarades par leur prénom seulement. Le Dr Sanchez n'avait pas de numéro de téléphone répertorié. Ce qui voulait dire qu'il allait devoir rouler et ouvrir l'œil.

Crutch loua une guimbarde et partit faire la tournée des planques. Il avait mémorisé quatorze adresses. Il commença par Gazcue et poursuivit vers l'ouest.

Les trois premières maisons étaient vides. Il frappa aux portes sans résultat puis entra en force. Il repéra des signes évidents de nettoyage. Il capta une odeur d'ammoniaque derrière laquelle stagnaient des relents de sang. En promenant sur les chambranles le faisceau de sa lampe de poche, il repéra des traces qui avaient échappé aux nettoyeurs.

Saint-Domingue de nuit : 28 °C et toujours sous la botte de l'oppression fasciste.

Il circula au hasard. Il se perdit dans les détails. Il vit trois femmes qu'il avait épiées un certain temps auparavant.

Les gamins noirs qui mangeaient les appâts rejetés par les bateaux de pêche. Les anciens chantiers de construction des casinos, envahis par les squatters, et les baraques en fer-blanc qui poussaient comme des champignons.

Il trouva quatre adresses de plus. Deux des maisons avaient disparu. Crutch parla avec un gus rencontré dans la rue. Le type lui apprit que La Banda les avait incendiées. Cela le mit en rogne. Il voulait que les planques soient comme des clubs privés. Toc, toc. Un judas s'ouvre. Il dit : « Je suis un ami. C'est la camarade Joan qui m'envoie. »

Il fit demi-tour. Il lui restait sept adresses à voir. Il rencontra deux familles sans histoire pour commencer. On vient de louer ce trou à rats. On connaît pas de Celia. On connaît pas de Rouges.

Il se rendit aux cinq dernières adresses. Il trouva une maison incendiée et quatre vides nettoyées à la hâte. Un poivrot lui dit que ces types de La Banda étaient des putains de pyromanes. Il vit des traces de chevrotine et des masses d'asticots sur du cartilage. Il vit une perruque afro déchiquetée par les plombs.

Il lui vint Une Autre Idée.

Ivar Smith dit :

– *Hola, pariguayo.*

Terry Brundage dit :

– Je ne pensais pas qu'on reverrait un jour ton petit cul de mateur.

Le bar du El Embajador à 8 heures du matin. Des Bloody Mary agrémentés d'une branche de céleri. Les deux bonshommes avaient pris un coup de vieux. Les deux bonshommes semblaient prématurément sclérosés.

Crutch fit de la place sur la table. Brundage mit du Tabasco dans son verre. Smith désigna la mallette.

– *¿Qué es esto?*

Crutch répondit :

– Quatre cent mille dollars.

Brundage dit :

– Ah, merde. Il travaille de nouveau pour les Parrains.

Smith dit :

– Comme si Wayne Tedrow et l'Ékipe Tiger ne suffisaient pas.

Brundage dit :

– Exactement ce dont on a besoin. Encore des embrouilles avec la Mafia et des sabotages communistes.

Smith dit :

– Wayne a tué les mormons dans mon estime. Moi qui les prenais tous pour de vrais Blancs de droite.

Brundage mordit dans sa tige de céleri.

– Je hais ces enfoirés de ritals.

Smith mordit dans sa tige de céleri.

– Je hais ces enfoirés de gauchistes convertis qui ont des talents de chimiste.

Crutch brandit ses photos : Reggie et Celia Reyes.

Brundage demanda :

– C'est qui, la chiquita ? J'aime beaucoup ses yeux.

Smith dit :

– Sambo ressemble à Chubby Checker. *« Come on, baby, let's do the Twist. »*

Crutch plongea la main dans sa mallette et leur lança dix mille dollars à chacun. Smith s'étrangla et faillit les asperger. Brundage en lâcha sa tige de céleri.

Crutch expliqua :

– Ce sont des Cocos, aucun doute là-dessus. Je veux les retrouver et les ramener aux États-Unis.

Brundage étala ses liasses de billets en éventail.

– Pourquoi ?

Crutch répondit :

– Je ne vous le dirai pas.

Smith étala ses liasses de billets en éventail.

– Laissons les motivations de côté pour le moment. Quelle portion de la somme est-ce qu'on garde pour nous ?

Crutch tapota sa mallette.

– La totalité. Vous payez tous les gens qu'il faut graisser, et vous gardez le reste.

Brundage dit :

– Explique-moi ça. Je ne dis pas non, mais donne-moi un aperçu.

– J'ai épuisé toutes mes pistes. Vous avez des dossiers, des informateurs, et du personnel. C'est une rafle. Vous les trouvez, ou vous trouvez les Cocos qui savent où ils sont.

Brundage sala son cocktail.

– Interpellations.

Smith poivra son cocktail.

– Interrogatoires. On met La Banda sur le coup.

Crutch ajouta :

– Ils pourraient se trouver en Haïti.

Brundage leva les yeux au ciel.

– Donc, on fait aussi appel aux Tontons.

Smith leva les yeux au ciel.

– Des primitifs malfaisants qui baisent des poulets, et qui ne travaillent pas pour rien.

Brundage mâcha son céleri.

– Papa Doc va vouloir en tâter.

Smith mâcha son céleri.

– Le Nain aussi.

Crutch étala une liasse en éventail.

– C'est beaucoup d'argent.

Brundage dit :

– J'ai du sang juif. On va le faire pour cinq cent mille tout compris.

Smith enchaîna :

– Je me sens de plus en plus juif. À cinq cent mille, on signe.

Crutch secoua la tête.

– Quatre cent mille, pas un sou de plus.

Brundage soupira et regarda Smith. Smith sala son cocktail et soupira à son tour.

– Ça pourrait mal tourner. Tu t'attaques à des éléments subversifs purs et durs.

Crutch tapota les photos.

– Ça m'est égal, tant qu'on ne touche pas à un seul de leurs cheveux.

Il resta éveillé. Le sommeil lui faisait peur. Ses cauchemars seraient pires que les saloperies dont il était témoin dans la réalité. Il se procura des dexies dans une *farmacia*. Il compléta son plein de carburant avec une glace en cornet assaisonnée au klerin. La glace aux fruits compensait la déshydratation.

Smith et Brundage consultèrent leurs dossiers pour établir une liste de noms. Le partage de l'argent liquide fut fait. Papa Doc et le Nain se goinfrèrent la moitié du fric : cent mille dollars chacun. Smith et Brundage gardèrent cinquante mille chacun. Le reste servit à couvrir les frais de l'opération et à payer les mercenaires. La Banda et les Tontons Macoutes fournirent la main-d'œuvre qui se chargerait de secouer les cocotiers.

Des brigades volantes : en R.D. et en Haïti. À leur disposition : les centres de détention ruraux qui bordent la rivière. Détecteurs de mensonges, penthotal, coercition. Des brutes armées de matraques souples et d'annuaires téléphoniques.

Cela prit trois jours de mettre l'opération sur pied. Le bureau de Smith servit de quartier général. Crutch resta éveillé et assista au processus. Brundage et Smith épluchèrent les listes de relations connues. Ils trouvèrent dix-neuf occurrences pour Celia et zéro pour Reggie. Cela limita le nombre de leurs cibles. Smith dit : Ne nous éparpillons pas. On interpelle, on interroge, on inculpe et/ou on relâche. Brundage n'était pas d'accord. Les Rouges se connaissent tous. On va constituer un vaste ramassis de donneuses.

La controverse traînait en longueur. Crutch se rangea du côté de Brundage. Le plus, c'est le mieux. Smith avança des arguments en faveur d'un compromis – moins d'interrogatoires pour davantage de résultats. N'encombrons pas les prisons. Ne donnons pas à ces salopards l'occasion de se concerter pour nous embobiner. Éliminons d'entrée la pouillerie qui ne connaît ni Celia ni Reggie. Proposons aux autres du fric en échange de leurs infos. Restreignons les interrogatoires aux suspects les plus probables.

Ils se mirent d'accord sur trente-quatre noms. Vingt-trois vivaient en R.D., onze en Haïti. Ils avaient sept équipes munies de voitures de police, quatre de La Banda et trois de Tontons Macoutes. Les centres de détention se trouvaient au milieu de l'île, près de Dajabón. Une passerelle pour piétons en permettait l'accès. La Plaine du Massacre était infestée de crocodiles, à cet endroit. Ces saloperies de bestioles bouffaient les détritus que les gens jetaient là, et aussi les Haïtiens errants en plein trip aux herbes vaudou.

Les détecteurs de mensonges étaient installés, le penthotal à portée de main. Les inquisiteurs se tenaient prêts. Les deux prisons possédaient des équipements de radio émetteurs-récepteurs, les voitures de police également. Le système était impeccable.

Smith dirigea l'opération. Crutch le rejoignit à la prison dominicaine. Des crocodiles se prélassaient sur la rive. Ils étaient somptueux. Crutch les contemplait à travers la fenêtre.

Notez le moment : exactement 7 heures du matin.

Smith appela les voitures par radio. Les voitures accusèrent réception en anglais et en français. Des portraits anthropométriques étaient punaisés aux murs : trente-quatre camarades au total.

Crutch avait lu leurs dossiers la veille au soir. Il s'agissait pour la plupart de mômes de son âge. Ils ressemblaient à des mômes. Pas lui. Il avait des cheveux gris et une cicatrice dans le dos. Un non-môme qui faisait exception : Estevan Sanchez, docteur en médecine.

Il semblait marqué par les batailles qu'il avait livrées. Joan l'avait qualifié de « combattant aguerri des brigades communistes ».

Les communications en provenance des voitures commençaient à arriver : on les a, on les a, on les a. Smith gérait les appels radio. Certains Rouges avaient résisté, d'autres pas. On rentre tout de suite.

Crutch sortit du bâtiment pour les attendre sur le pont. En contrebas, les crocodiles prenaient le soleil et nageaient. Il leur lança des poignées de bœuf séché. Les bestioles happaient les morceaux de viande à la surface de l'eau, en découvrant leurs dents. Leurs museaux convergeaient vers le pont.

Joan.

Dans chacune de ses pensées, à présent. Prenant le pas sur son enquête et son idée. Prenant le pas sur *Ceci.*

Elle lève les bras. Il l'embrasse à cet endroit. Elle dit : « Tu es incroyablement solide et persévérant. » Elle brode sur ce thème. Elle parle du gène de la persistance. Il lui demande où elle veut en venir. Elle lui répond : « Je ne te le dirai pas. »

Les heures défilèrent. Crutch resta dans la Joan Zone. Il avalait des dexies. Il regardait les crocos. Il entendait les appels des voitures sortant des haut-parleurs. Ouais, on a des Rouges – non, pas de Reggie ni de Celia.

Les voitures de police revenaient. Les bruits d'échappement les annonçaient. Vroum... Double retour au bercail – les deux rives en même temps. On aurait dit un ballet synchronisé. Crutch voyait les deux berges.

À droite : les Tontons Macoutes et des communistes noirs. À gauche : La Banda avec des communistes noirs et marron. Depuis le pont, Crutch les dénombra. Côté R.D. : dix-huit au total. En Haïti : neuf sur treize. Pas de Reginald Hazzard, pas de Celia Reyes.

Les camarades étaient menottés. Crutch compta vingt-quatre hommes et trois femmes. Les gros bras les poussaient et les bousculaient. Quelques-uns traînaient les pieds. De petits coups de matraque leur faisaient presser le pas de nouveau.

Ils pénétrèrent dans les prisons. De chaque côté de la rivière. À peine sortis des voitures, déjà entrés. Instantanément.

Rien n'était visible à travers les fenêtres. Debout sur le pont, Crutch nourrissait les crocos. Il se sentait vaseux, à plat. Des taches lumineuses surgissaient devant ses yeux. Il n'avait pas dormi depuis L.A.

Un croco bondit très haut. Crutch tendit le bras pour lui gratter le museau. Un homme hurla dans la prison dominicaine, tout près de lui. Un homme hurla dans la prison haïtienne, au loin.

Cela dura dix secondes. Les crocos grouillaient sous le pont. *Lance-nous ta barbaque, tout de suite !*

Crutch occulta toute la scène. Les crocos disparurent. Le temps s'effaça. Il avala d'autres dexies, il se sentit encore plus à plat, il vit davantage de taches lumineuses. Joan ôte ses lunettes et se frotte les yeux. Il lui couvre les bras de baisers. Il tire sur ses bottines. Elle rit et résiste. Il tombe sur le cul.

Un homme hurla dans la prison dominicaine. Deux hommes hurlèrent dans la prison haïtienne, au loin. Cela dura une demi-minute et s'arrêta.

Crutch ré-occulta la scène. Il sentit des picotements sur ses bras. Il se sentait assommé par une insolation. Il voyait des taches lumineuses. Il avait l'impression de flotter dans son pantalon. Les taches commencèrent à ressembler à des insectes.

Un homme hurlait dans la prison dominicaine. Cela durait et ne cessait pas. Il se concentra de toutes ses forces pour faire surgir une image de Joan. Elle touchait les vêtements de Dwight et pleurait. Il lui promit qu'il veillerait sur elle. Elle lui répondit : « Tu ne pourras pas. »

Une femme hurlait dans la prison dominicaine. Cela durait et ne cessait pas. Crutch se couvrit les oreilles. Cela n'arrêta pas le cri. Il tourna le dos à la prison et s'en éloigna. Ce fut pire. Ses oreilles le faisaient souffrir. Les taches se transformèrent en grilles qui recadrèrent tous les objets. Les hurlements s'intensifièrent. Il fit volte-face et fonça vers la prison.

La porte d'entrée était ouverte. À l'intérieur, des mômes étaient enchaînés à des conduites d'évacuation et à des bancs. Le cri résonnait dans un couloir du fond.

Crutch courait. Les taches lumineuses devinrent des silhouettes. Il envoya bouler un Tonton et un type de La Banda armé d'une Sten. Il parvint à un couloir transversal. Il vit de chaque côté des salles d'interrogatoires munies de miroirs sans tain. Des mômes résistaient au test du détecteur de mensonges. Des gros bras menottaient des mômes au dossier de leur chaise. Des gros bras agitaient des annuaires et des bouts de tuyaux.

La femme hurla plus fort. Crutch localisa le bruit et enfonça la porte d'un coup de pied. Elle était menottée à sa chaise. Ses bras étaient sanguinolents. Un Tonton Macoute brandissait une matraque entourée de barbelés.

Elle vit Crutch et hurla plus fort. Le Tonton lui barra la route. Oh, non, mon petit gars – elle est à moi.

Crutch fonça sur lui, l'avant-bras en équerre. Le cartilage de sa gorge céda. Crutch le frappa d'un coup de coude en plein sur le nez et le lui brisa. Le Tonton porta les deux mains à sa gorge et se convulsa. La femme hurla. Crutch ôta sa chemise et lui montra sa cicatrice.

Smith entra dans la salle en courant. Le Tonton Macoute vomissait des bouts de cartilage et du sang. Crutch vacilla et vit des taches. La femme regarda sa cicatrice. Leurs pensées convergèrent. Elle dit quelque chose en espagnol. Crutch crut entendre « Celia » et « Port-au-P... »

Deux Tontons Macoutes l'emmenèrent en voiture. Brundage et Smith minimisèrent l'échauffourée. Il a fait du zèle. Tu as eu une réaction disproportionnée. Merci pour le fric.

La voiture était une péniche vaudou. Une Impala 63, surbaissée et au toit aplati. Des fanions de la secte Bizango. Des pneus lisses et des enjoliveurs sphériques. Sur le tableau de bord, des photos de chiens portant des chapeaux pointus.

Crutch était vaseux sur la banquette arrière. Les taches lumineuses tournaient sans cesse devant ses yeux. Il avait battu son record établi à L.A. du nombre d'heures passées sans dormir en vigilance maximum. Les Tontons Macoutes l'avaient à la bonne. Le tortionnaire avait baisé la femme du chauffeur. Ça, mauvais juju. Toi, garçon blanc, être bras de la vengeance.

La péniche était climatisée. Les vitres teintées masquaient un peu la misère du décor. De petits villages et de grands panneaux à la gloire de Papa Doc. Omniprésents, les arbres marqués avec du sang et les demeurés aux chapeaux ornés de têtes de poulets.

Les gens se transformaient en taches lumineuses et vice-versa. Les Tontons parlaient à moitié en anglais, à moitié en français. La rafle leur avait rapporté à chacun un billet de cent. À Saint-Domingue, la Banda avait eu un accrochage avec des Rouges. Ça être mauvais gris-gris.

Port-au-Prince, c'était Merdeville avec une Brise de Mer. Des plages couvertes de rochers, des cubes en stuc, et des bâtiments érodés vieux comme le monde. La péniche s'arrêta devant une maison vert citron montée sur pilotis. Crutch dit au revoir et monta l'escalier en titubant.

Il frappa. La porte s'ouvrit. Celia Reyes s'appuya au chambranle.

Elle dit :

– Je vous ai déjà vu.

Il dit :

– Tout le monde m'a déjà vu.

Les taches se rejoignirent et tout devint noir.

Lieutenant Maggie Woodard, USNR[1].

Elle portait son uniforme bleu en hiver, son uniforme kaki en été. Son badge annonçait WOODARD. Elle n'avait jamais épousé Crutch Senior. Elle buvait trop et devenait geignarde ou expansive. Elle était devenue réserviste après la guerre.

Elle portait son uniforme le week-end. Il la regardait depuis les embrasures de portes. Elle vidait des cocktails et passait du Brahms sur un phonographe qui crachouillait. Elle fumait cigarette sur cigarette. Elle balançait au bout de son pied gauche la chaussure marron de son uniforme kaki. Elle balançait au bout de son pied droit la chaussure noire de son uniforme bleu. Elle l'avait surpris en train de rôder, et cela l'avait fait rire. Elle lui donnait les cerises au marasquin de son cocktail.

Apparition en fondu et dispersion. Le noir total s'éclaircit par endroits.

Nous sommes à Ensenada. Tu as une otite. Je ne supporte pas de te voir souffrir. Je trouve une farmacia et je te fais une piqûre.

Nous sommes à L.A. Ton père gaspille notre argent. Nous récupérons des bouteilles vides consignées et nous claquons tout au Bob's Big Boy.

Nous sommes à San Diego. Ton père est ailleurs. Tu es parti rôder, comme toujours. Tu reviens à l'improviste. Tu me surprends avec un amant à l'hôtel El Cortez.

Tu n'arrêtes pas de me surveiller. C'est ce jour-là que je fais mes valises. Tu es debout à la fenêtre. Je ne t'ai pas vu, mais je le sais.

1. United States Naval Reserve.

– Vous m'avez déshabillé.
– Vous déliriez. Ce que vous disiez était totalement incohérent.
– Combien de temps suis-je resté inconscient ?
– Deux jours entiers.
– Bon sang. J'ai l'impression que tout est différent.
– Alors, ce n'est peut-être pas qu'une impression.

Le peignoir était trop grand pour lui. Il avait perdu huit kilos, facilement. Elle lui prépara un petit déjeuner copieux. L'odeur lui leva le cœur. La cuisine était encombrée. Tout était hors de proportions. Les plats qui couvraient la table dégageaient des émanations bizarres.

Celia dit :
– C'est Joan qui vous envoie.
– Comment le savez-vous ?
– J'ai trouvé une photo d'elle dans vos vêtements.
– Qu'avez-vous trouvé d'autre ?
– Une médaille de saint Christophe, un automatique calibre .45, et une liste de questions méticuleusement préparées.

Crutch refit le point. Quatre ans, d'alors à maintenant. D'Hollywood à Haïti. Elle était toujours la même. Tout le reste avait changé.
– J'espère que vous voudrez bien y répondre.

Celia but une gorgée de café.
– Je ne crois pas que je prenne autant que vous cette histoire à cœur.
– Je ne comprends pas.

Elle sourit.
– J'ai changé. Mes convictions se sont cristallisées. Je ne suis plus cette personne imprudente et vindicative qui était farouchement décidée à venger La Tatouée.

Crutch chancela. La pièce aux dimensions disproportionnées se contracta sur elle-même. Il reçut soudain de plein fouet la chaleur de la cuisine et se mit à transpirer.
– Je vous serais reconnaissant de bien vouloir me dire ce que vous savez et ce dont vous vous souvenez.

Celia beurra son pain grillé. Elle portait une robe droite qui lui arrivait aux genoux. Ses cheveux tirés étaient maintenus serrés par une barrette.
– La Tatouée était une prêtresse vaudou. J'adhérais à ses croyances, alors, beaucoup plus que je ne le fais aujourd'hui. Elle

était excessive, j'étais excessive, et pour ma part j'essayais de manipuler un homme qui travaillait pour Howard Hughes. Je voulais que ces casinos soient construits dans mon pays. Joan et moi espérions infléchir cet événement pour qu'il soit bénéfique à la Cause.

Crutch versa du café.

– Je connais cette partie-là de l'histoire. Je sais aussi que vous avez jeté à La Tatouée un sort que vous avez cherché à annuler ensuite. Ce qui m'intéresse, ce sont les détails précis de cet été...

– Elle était excessive, j'étais excessive. Nous étions toutes les deux impliquées dans des projets immenses. Je lui avais jeté un sort parce que je croyais à ces choses, alors. Nous avons repris contact cet été-là. C'était une période dangereuse dans le monde entier. Je voulais à la fois faire du mal à La Tatouée et la sauver. Elle avait fait un film pornographique sur un thème vaudou. Un agent immobilier véreux avait organisé des projections privées, à peu près au moment où La Tatouée a disparu. Les éléments se rejoignaient. L'agent immobilier connaissait l'homme qui travaillait pour Howard Hughes. Tout cela semblait avoir une dimension mystique. Pour me faire plaisir, Joan me laissa louer une maison à cet homme. La Tatouée dormait dans une maison voisine, qui restait vide pendant de longues périodes. Joan et quelques camarades l'avaient utilisée comme planque des années plus tôt.

Convergence, confluence, coïncidence. Arnie Moffett, la Maison de l'Horreur, les notes sur les réunions communistes. Un saut dans le passé : de 68 au 6 décembre 62.

– L'agent immobilier s'appelait Arnold Moffett.

– Oui, ce doit être ça. Il avait une vague connexion avec les Caraïbes. Je crois qu'il faisait de l'import-export avec les Haïtiens.

Re-convergence. Arnie Moffett en 68 : Mes bicoques, c'est pour des tournages de films de cul.

– Vous connaissiez Sal Mineo. Vous lui avez demandé de la mettre en relation avec des gens de cinéma. Il vous avait déjà fourni des introductions auparavant. Vous vouliez annuler le mauvais sort. La Tatouée avait fait pénitence et avait payé pour s'extraire du livre des morts. Elle...

Celia lui emprisonna les deux mains. Il était agité et en sueur. Il la laissa le stabiliser.

– Sal appelait ça une « fantasia » à ce moment-là, et je dirais la même chose aujourd'hui. *La Tatouée était excessive, j'étais excessive. Nous l'étions comme vous l'êtes aujourd'hui*. La Tatouée s'est réconciliée avec les gens du « 14 juin » et a rendu des services à Joan. Joan m'a dit : « Ma chérie, arrête toutes ces bêtises. La Tatouée s'en sortira mieux si tu ne t'occupes plus d'elle. »

Crutch libéra ses mains.

– Et c'est ce que vous avez *fait* ? Et vous allez me dire que l'histoire s'arrête *là* ?

Celia hocha la tête.

– Je confirme. La Tatouée a disparu, et j'ai eu le légitime pressentiment, cet été-là, qu'elle avait été tuée. C'est encore ce que je pense, d'ailleurs, pour ce que vaut mon impression. À la fin de la même année, j'en ai parlé à un ami, et...

– Leander James Jackson, qui...

– Qui est lui-même décédé, à présent. *Lui* a enquêté sur La Tatouée, Il a parlé à l'agent immobilier, et il n'a obtenu aucun résultat.

Crutch se frotta les jambes. Il se sentait engourdi. Son cerveau rembobina la séquence, redémarra, s'arrêta de nouveau, repartit.

– Et vous me dites que ça s'arrête là ?

– Oui.

– Vous me dites que vous ne vous rappelez pas le nom des hommes que vous avez fait rencontrer à La Tatouée ?

– Oui.

– Vous ne savez pas qui a assisté aux projections ?

– C'est exact. J'ai une copie du film, mais Leander et moi n'avons jamais pu identifier les autres acteurs.

– Vous me dites que Jackson a interrogé Arnie Moffett sur les projections et qu'il n'a rien appris, et qu'à partir de cet instant, vous avez tout simplement abandonné vos recherches ?

Celia lui toucha le bras.

– Vous êtes opiniâtre et plein de ressources, sinon vous ne m'auriez jamais retrouvée. Si vous tenez vraiment à faire plaisir à Joan, comme je le suppose, vous pouvez trouver de meilleurs moyens de servir La Cause.

Redémarrage, rembobinage, marche/arrêt, crachouillis/étincelles/extinction.

– Savez-vous où se trouve Reginald Hazzard ?

– Oui. Il habite à quinze cents mètres d'ici.

Crutch s'esclaffa.

– C'est aussi simple que ça ?

Elle prit une serviette en papier et lui épongea le visage. La sueur lui coulait dans les yeux.

– Je vous ramène à Joan.

– Non, il n'en est pas question. Je vais lui écrire une lettre.

La boîte de film pesait lourd. L'enveloppe était cachetée. Les initiales C.R./J.K. étaient inscrites au dos.

Il décida de marcher et de ré-évaluer la situation. Cela ne fonctionna pas. Il se sentait *redirigé* et non pas *détourné*. Il avait *de nouveau* la piste Arnie Moffett. Il avait toujours Cette Idée.

Il avait appelé Ivar Smith de chez Celia. Ils avaient préparé le voyage de retour. La navette Tonton jusqu'à Saint-Domingue. De là, un avion pour L.A. Ensuite, passer un coup de téléphone à Vegas en priant pour que ça marche.

Ses doigts étaient entaillés par les feuilles de papier. Cela lui arrivait parfois quand il lisait des dossiers. Il ressentait des picotements. Son cerveau venait de lui re-signaler la douleur.

Des embruns et de l'humidité. Une odeur d'épices dans l'atmosphère. Des Noirs qui parlent le français.

Il balança le passeport de Celia dans une poubelle. Il rafla une banane sur un étalage et l'engloutit. Des gamins écoutaient une radio portable. Souvenirs, souvenirs : Archie Bell & the Drells qui chantent *Tighten Up*.

Voilà « Chez Reggie ». C'est d'un vert des Caraïbes phosphorescent.

La porte était ouverte. La porte-moustiquaire était en place, mais il y avait un trou dans le grillage. Crutch y glissa la main et souleva le loquet.

Un labo et un centre d'archivage. Des rangées de flacons et des dossiers empilés. Des manuels de chimie, des verres gradués, des becs Bunsen et des récipients. D'impressionnants tableaux moléculaires.

Ses doigts le piquaient. Il scruta les étagères et se laissa guider à l'intuition. Voilà de l'*ocimum basilicum*. Bien sûr. Pourquoi pas ?

Il plongea dans le bocal les doigts de sa main gauche. Ils le picotèrent de plus belle, puis la sensation disparut. Il ressortit ses doigts. Les coupures disparaissaient, leurs deux bords se rejoignaient.

– Vous croyez aux remèdes haïtiens ?

Crutch se retourna. Zéro pour Chubby Checker. Reggie ressemblait à Harry Belafonte avec une moustache à la Fu-Manchu.

Crutch répondit :

– Je crois à tout.

Le sommeil finit par le trouver et remporta la bataille. Il voulait tout revoir une dernière fois et dire adieu à Wayne. Il ne trouva que le rideau noir de la perte de conscience et des relents de cigarettes.

Il capta l'odeur de l'aéroport. Kérosène et caoutchouc brûlé. Il entendit des slogans scandés juste après ça.

« Muerto », La Banda, « Raids » *en español.*

Il ouvrit les yeux. Il vit des mômes brandissant des panneaux bordés de noir. La photo d'un type basané. ESTEVAN JORGE SANCHEZ, 1929-1972.

Il referma les yeux. Reggie lui dit :

– Ne dormez pas. Nous sommes arrivés.

Le Nain leur offrait le voyage en première classe. Reggie était grand. Il était ravi d'avoir de la place pour ses jambes. Crutch tentait de faire surgir dans sa tête des images de Joan, et il ne voyait qu'Estevan Sanchez en continu.

Reggie, c'était M. Placide. Tout dans son attitude annonçait le fait accompli. Il n'avait pas ergoté, protesté, posé de questions. Reggie, le benêt génial au passé tumultueux.

Crutch resta éveillé. Le cauchemar l'avait potentiellement revigoré et lui permettait de tenir. Reggie lisait des livres de chimie et s'empiffrait. Ses cicatrices de brûlures avaient un côté exotique. L'hôtesse avait un faible pour lui. Reggie, le savant angélique socialement inadapté.

Crutch se mit en colère sans aucune raison. La vibration des moteurs trouva le moyen de s'insinuer en lui. Il fut pris d'étourdissement. Le sommeil lutta contre lui et gagna la partie.

– Monsieur, nous sommes arrivés.

L'hôtesse le secouait. Il rafla son sac et bouscula les passagers qui l'empêchaient de passer. Les pans de sa veste voletaient. Les gens aperçurent son pistolet et furent pris de panique. Il descendit la passerelle en jouant des coudes. Il écarta de son chemin quelques crétins de hippies et une religieuse. Il atteignit le tarmac. Il vit Reggie et Mary Beth dans les bras l'un de l'autre.

Reggie sanglotait. Mary Beth lui tenait la tête baissée. Levant les yeux, elle vit Crutch. Elle lui laissa contempler ses yeux pailletés de vert pendant un instant, puis elle emmena son fils.

125

Los Angeles, 13 avril 1972

Joan confectionnait des identités.

Elle travaillait sur le bureau de Dwight. Les noms de Klein et Sifakis étaient *verboten*, à présent. Il s'était passé trop de choses. Elle avait trop utilisé Williamson, Goldenson, Broward et Faust.

Les deux femmes avaient besoin de certificats de naissance. Le cimetière de Forest Lawn lui avait envoyé une liste des parcelles, qui comprenait les noms des occupants et leurs dates de naissance et de décès. Elle la parcourut du début à la fin. Les défunts étaient listés par ordre alphabétique. Il leur fallait deux femmes. Date de naissance : dans les années 20. Un nom qui suggérait une origine ethnique, l'autre pas. Joan était juive et son physique le laissait supposer. Karen était grecque et rien dans son aspect ne l'indiquait.

Elle scrutait des colonnes. Parmi les combinaisons satisfaisantes d'âges et de noms, le choix était maigre. Il leur fallait des femmes solitaires. Qui n'avaient pas de famille, ou très peu de parents survivants. Cela nécessitait des recherches dans les archives. Après cela : confection de permis de conduire, de cartes de sécurité sociale, mise en place des documents falsifiés dans les archives officielles.

Les noms l'ennuyaient. Elle but une gorgée de thé et alluma une cigarette. Les cicatrices de ses poignets la démangeaient. Elle balaya du regard l'intérieur du refuge.

Une enveloppe près de la porte. Un papier luxueux. Elle passait de justesse dans la fente.

Elle se leva pour la ramasser. Elle vit les initiales au verso. Elle fendit le rabat et lut le petit mot joint au contenu.

Mi Amor,
Me quedo. Por la Causa. Con respeto al regalo que eres tu.

Elle avait déposé un baiser sur la feuille, sous sa signature. Ses lèvres avaient laissé une trace rouge vif.

126

Los Angeles, 14 avril 1972

Séance privée.

Clyde et Buzz étaient sortis. Crutch avait mis en route le projecteur de la salle de réunion. Il mit la bobine en place et engagea les perforations du film sur la griffe. Il descendit l'écran mural et éteignit les lumières. Il centra le faisceau et eut droit à l'*Action*.

Pellicule couleur, forte granulation. Il régla la mise au point. C'est mieux, maintenant, l'image est plus nette.

Panoramique. L'intérieur d'un salon. La caméra cadre une fenêtre. Il fait jour, dehors. La pièce est petite et meublée chichement. Ce n'est pas la Maison de l'Horreur.

Plan fixe : le salon, cadré serré. Cinq personnes entrent dans le cadre. Trois femmes, deux hommes. Tous sont nus, le corps peint. Des symboles vaudou, de la tête aux pieds. Les deux hommes sont noirs. Deux des femmes sont blanches. Ils portent tous des masques en bois. La troisième femme n'a pas de masque. Elle est couverte de tatouages délirants. C'est Maria Rodriguez Fontonette.

Crutch s'assit à califourchon sur une chaise. La caméra se promène dans le salon. Revoilà la fenêtre. La rue est visible, c'est Beachwood Canyon, nous sommes *tout près* de la Maison de l'Horreur.

La caméra se recentre. Les acteurs avalent des comprimés bruns. Des herbes haïtiennes, oui. On passe au gros plan. Voilà Maria, avec le tatouage sur son bras. Une profonde entaille devait couper le dessin en deux peu de temps après. Elle avait des mains ravissantes. Elles allaient être tranchées bientôt. Elle se déplaçait avec grâce. Le tueur l'avait éviscérée. Tous ces mouvements déliés, détruits à jamais.

Crutch regardait. Il sentait que le passé se comprimait. Été 68. La Tatouée dort dans la Maison de l'Horreur, La Tatouée y meurt.

Les maisons d'Arnie Moffett. Joan et Celia en louent une. Les projections privées dans les locations. Tout cela se télescope. Il était tout près au début de l'histoire, il ne l'a plus jamais été ensuite. Un déclic, une mise en garde : il y a quelque chose qui t'a échappé.

Changement de plan : on est dans une chambre, à présent. Il y a un lit sans couvertures. Les acteurs tournent autour. Ils parlent à quelqu'un qui se trouve hors champ. Leurs lèvres bougent sans émettre un son.

Crutch dévorait La Tatouée des yeux. Elle est belle, elle est vivante. Elle a trahi le mouvement du 14 juin en 59 et s'est réconciliée plus tard avec ses camarades. « C'était une période dangereuse », avait dit Celia. Il ne parvenait pas à imaginer un lien quelconque entre la Cause et un film de cul. Cette idée le choquait.

Les hommes tremblèrent et se convulsèrent. Ils tombèrent sur le lit. Leurs colonnes vertébrales se cambrèrent. Leurs jambes furent parcourues de spasmes. La drogue commençait à agir. C'était le premier stade de la zombification. Ils jetèrent leurs masques, haletants, la bouche grande ouverte. La sueur emportait la peinture qui couvrait leurs corps.

La Tatouée les fouetta. En douceur, pour la galerie. Les deux Blanches se mirent à trembler. Leurs mouvements étaient saccadés, comme ceux d'un automate. Elles s'allongèrent sur le lit et caressèrent les deux types jusqu'à ce qu'ils entrent en érection. Tous les quatre se convulsaient et battaient des bras et des jambes. Ils semblaient en proie à une crise d'épilepsie. Les deux hommes se contorsionnaient allongés sur le dos. Leurs mouvements ralentirent. Les femmes blanches les enfourchèrent et glissèrent en elles leurs verges raides. La caméra cadra serré les pénétrations.

Des herbes différentes. Les femmes se contorsionnaient en accéléré. Elles clouaient leurs partenaires sur le lit. Leurs hanches et leurs bras se mouvaient en contrepoint. Leurs têtes bougeaient selon un axe bizarre. La caméra filma les hommes en gros plan. Leurs paupières étaient ouvertes, ils avaient des yeux morts. La Tatouée fouetta les femmes en douceur. Leurs contorsions s'accélérèrent.

La Tatouée disparut et revint dans le cadre. Elle tenait un tisonnier massif, en forme de phallus. Le gland rougeoyait. Il était presque chauffé à blanc. Elle l'approcha du tapis, dont les poils se consumèrent aussitôt. Les femmes s'agitèrent et ouvrirent la bouche. La Tatouée leur enfourna le gland du tisonnier. Elles le sucèrent sans manifester de douleur. Quand il ressortit de leurs bouches, La

Tatouée l'appuya sur le sommier. Le tissu brûla et le tisonnier s'enfonça jusqu'aux ressorts.

Les hommes étaient zombifiés. Les femmes se servaient d'eux pour un coït vaudou. La Tatouée reprit le phallus incandescent et pyrograva le mur. Crutch *comprit*. Il *connaissait* ces symboles. La Tatouée les avait dessinés dans la Maison de l'Horreur. La Tatouée les dessinait avec un tisonnier incandescent sur le mur d'un décor de film de cul.

Les perforations se déchirèrent, le film se coinça. L'écran devint tout blanc. Le film s'achevait à cet endroit précis.

Convergence. Connexion. Confluence. Le mot de Clyde Duber : *C'est qui tu connais et qui tu suces et de quelle façon vous êtes tous liés les uns aux autres.*

Un déclic, une mise en garde : il y a quelque chose qui t'échappe. Tu ne sais pas qui a tué La Tatouée. Tu ne sais pas qui a orchestré tout ça.

Crutch se remonta Beachwood Canyon en voiture. Tout tenait dans un mouchoir de poche. Ici, c'est la Maison de l'Horreur. Là, celle que Joan et Celia avaient louée. Là-bas, les autres locations appartenant à Arnie Moffett. Tes souvenirs vieux de quatre ans tiennent le coup.

Il parcourut dans tous les sens les rues adjacentes. Il calibra la vue depuis la fenêtre du film de cul. La voici, intacte. Les mêmes palmiers et la même allée de l'autre côté de la rue. Un panneau de l'agence immobilière Moffett.

Tous les éléments restent proches. Trois pas par-ci, un jet de pierre par-là. Qui – ou quel événement – a déclenché toute cette histoire et lui a donné sa cohérence ?

Celia avait dit qu'Arnie Moffett dirigeait une entreprise d'import-export. Clic – nous y revoilà. *Confluence. C'est qui tu connais et qui tu...*

Crutch repartit vers le centre-ville. Il avait ses entrées au bureau des licences de L.A. L'accès aux dossiers lui coûtait cinquante dollars et un clin d'œil.

L'employé de permanence le reconnut. Les licences d'import-export d'il y a quelques années ? Les cartons de la pièce 12.

La pièce en question était un marécage de paperasses moisies.

Les cartons étaient repérés par années. Pas d'onglets, pas de classement alphabétique. Un vrai boulot d'archéologue.

Il commença par l'année 66 et remonta le temps. Il trouva ce qu'il cherchait en 63.

Arnie avait monté une petite entreprise. « Arnie, Objets exotiques des îles. » Bibelots, babioles. *Connexion.* Importations en provenance de : la Jamaïque, Haïti, la République dominicaine. *On se rapproche, maintenant.* Où est-il, ce déclic qui va tout lier ensemble ?

Le même bureau. Le même traiteur juste à côté. « Le Havre du Héros Hébreu ».

Crutch avait apporté une demi-bouteille de Jim Beam. Arnie était un poivrot. L'alcool avait fait passer les coups, la première fois. Cela marcherait peut-être encore, aujourd'hui.

Crutch entra. Une cloche tinta. Arnie était assis derrière le même bureau. Sa chemise de joueur de bowling était verte, aujourd'hui. Il se curait le nez en lisant *Spécial Auto.*

Crutch prit le siège réservé aux clients. Arnie l'ignora. Crutch posa le flacon sur le sous-main.

Arnie y jeta un coup d'œil. Crutch dit :

– L'été 68. Quel est le premier souvenir que vous en gardez ?

Les yeux sur l'étiquette. Arnie réfléchit, *re*-réfléchit et *re*-cogita. Aaaah, il a compris.

– La première chose que je me rappelle, c'est tous ces foutus problèmes politiques. La deuxième, c'est vous.

Crutch ôta la capsule métallique qui scellait le bouchon et passa la bouteille à Arnie. Il en avala une rasade.

– La troisième chose qui me vient à l'esprit, c'est que vous paraissez beaucoup plus âgé. La quatrième, c'est que j'espère que vous avez changé de croisade. Si vous avez des questions à me poser sur mes bicoques, Gretchen Farr, Farlan Brown ou Howard Hughes, vous avez déjà entendu toutes les réponses.

Crutch dit :

– Leander James Jackson.

Arnie s'envoya une deuxième rasade.

– Qui ça ?

– L'autre type qui est venu vous poser des questions. À propos de cette femme surnommée « La Tatouée », de votre plateau de tournage de films de cul, de la maison que vous louiez pour les projections.

Arnie se fourragea une narine.

– Nous avons deux recherches différentes, ici. À quel endroit est-ce qu'elles se rejoignent, je n'en sais rien. Vous aviez votre croisade Gretchen, et lui était obsédé par La Tatouée. Il est mort, à propos. Il s'est fait flinguer au cours de cette « fusillade entre militants noirs ». Et, soit dit en passant, je ne vous ai rien caché. Je vous ai expliqué que je louais mes bicoques pour des tournages de films pornos, mais vous ne m'avez pas posé de questions sur La Tatouée.

Re-convergence, *dé*-convergence. Jusqu'à maintenant, Arnie jouait cartes sur table. Les embrouilles rôdaient à la périphérie.

– Parlez-moi de La Tatouée.

– Qu'est-ce que je pourrais en dire ? Je connaissais quelqu'un qui connaissait quelqu'un qui la connaissait. J'ai appris qu'elle était à la rue. Elle a su que j'avais dirigé une boîte qui importait des trucs de son pays de merde. Elle voulait faire une espèce de film débile qui mélange le cul avec la magie vaudou, et elle avait besoin d'un endroit pour faire des projections privées. On en a parlé au téléphone. Je lui ai donné quelques noms de spectateurs potentiels. Ils étaient tous du genre pervers, des anciens clients qui achetaient mes babioles d'importation. Elle les a appelés elle-même, ce qui a mis fin à notre brève rencontre – dont je n'ai tiré qu'un profit très modéré.

Crutch se frotta les yeux.

– Vous avez assisté au tournage ?

– Non.

– Vous avez rencontré l'équipe ou les autres acteurs ?

– Non.

– Vous avez vu le film ?

– *Niet*. Le porno, ce n'est pas mon truc. Moi, je préfère avoir une vraie femme avec moi entre les draps. Dix minutes d'extase, et puis je retourne regarder *Bowling Academy* sur Canal 13.

Crutch se frotta la nuque. Elle était pleine de nœuds et de crampes.

– Qui est allé aux projections ? Donnez-moi des noms.

Arnie suça le goulot de la pinte.

– Je ne sais pas. J'ai envoyé à La Tatouée une copie de ma liste.

– Elle a été assassinée cet été-là. Comment vous voyez ça ?

Arnie mima une branlette.

– Je ne vois rien du tout. L'Haïtien pensait qu'on l'avait zigouillée, et je vais vous répéter ce que je lui ai dit : Bobby le K. et le grand ponte des droits civiques se sont fait flinguer, cette année-là, alors je ne suis pas plus bouleversé que ça par la mort d'une pauvre pétasse venue des îles.

Crutch vit *Rouge*. Exactement comme la première fois. Non, ne t'énerve pas.

– Où elle est, cette putain de liste de clients ?

Arnie fit éclater une pustule qu'il avait au cou.

– Si elle encore quelque part, c'est forcément dans mon garage. La clé est au crochet, près des chiottes. Amusez-vous bien, mais ne revenez pas dans quatre ans me raconter les mêmes salades.

Poussière, moisissures, toiles d'araignées, souris. Bidons d'huile, batteries hors d'usage, un carter de moteur fêlé. Quarante contrefaçons d'une balle de base-ball signée par Sandy Koufax.

Le garage d'Arnie Moffett, dans le quartier de Mar Vista.

Des ordonnances vierges volées. La collection complète du mensuel *Food Service*. Une photo de Marlon Brando avec une bite dans la bouche. Quatre carabines à air comprimé, deux tondeuses à gazon hors d'usage, un squelette de chat.

Crutch se mit au travail. Il déblaya une couche de crottes de rats pour accéder à une pile de cartons. Il parvint à la première rangée. Le C.V. d'Arnie s'enrichit de plusieurs lignes. *Il vendait des capotes qui titillent, des chapelets, le Rallongeur de Bite Bob le Bourricot. Il vendait des faux billets pour les matches de football. Il était président du Debra Paget Fan Club. Il vendait par correspondance des poupées à l'effigie de JFK et de Jackie. Il livrait en personne des poppers de nitrite d'amyle dans des bars homos. Il dirigeait une agence d'intérim pour des immigrés sans papiers qu'il plaçait en tant que commis de cuisine.*

Enfin... « Arnie, Objets exotiques des îles. »

Il déchira le dessus du carton. Une pile de factures en jaillit. Il vida le contenu sur le sol. Voilà : « Clients/59-63. »

Quatre pages agrafées. Une flopée de noms.

Crutch parcourut la liste par ordre alphabétique. Les noms et les adresses n'évoquaient rien pour lui. Il parvint à la dernière page : de « T » à « Z ». Il tomba en arrêt devant :

« Weiss, Charles. 1482 North Roxbury, Beverly Hills. »

Chick : avocat spécialisé dans les divorces. Chick : acoquiné avec les chauffeurs. Chick : le meilleur pote de Phil Irwin. Phil : embauché et viré par le Dr Fred Hiltz – trouvez-moi Gretchen Farr. Chick : drogué notoire et amateur de bois d'ébène.

Et...

Voici...

Le...

DÉCLIC.

Le bureau de Chick. Une conférence pour piéger une épouse volage. La statue aux trois phallus. La déesse noire qui écarte les cuisses. Bibelots importés – tous salement vaudou.

Il lui fallait un flingue sans pedigree. Le refuge n'était pas loin. *Des armes impossibles à identifier.* Dwight avait pu en laisser quelques-unes.

Le soir tombait. Il partit vers le nord-est pied au plancher. En chemin, il passa devant chez Karen. Vues à travers la fenêtre : Karen et Joan dans le salon. Les deux petites semblaient exubérantes.

Il y avait de la lumière au refuge. Crutch prit la clé sous le paillasson et entra. Un dossier était calé à la verticale sur le bureau. Joan lui avait laissé un mot.

D.C.,

Un ami a trouvé ceci. Les fédés ont des documents sur toi. J'ai pensé que tu aimerais y jeter un coup d'œil.

J.K.

CRUTCHFIELD, DONALD LISCOTT.

Des rapports communiqués par Clyde Duber. Des paragraphes supprimés au canif. Les observations de Clyde : « Les voyeurs sont doués pour la filature. » « Tendances perverses. » Le môme enquêtait sur l'affaire Gretchen Farr. Il prenait cette mission trop à cœur.

Le rapport d'un informateur confidentiel du Bureau : Phil Irwin, qui caftait pour les fédés.

« Mon copain Chick et moi, on aime bien jouer les voyeurs. On a appris la technique avec le meilleur d'entre nous, Crutch Crutchfield. Dans tout Hancock Park, il n'y a pas une seule fenêtre à laquelle ce salopard pervers n'ait pas collé l'œil. Il ne s'en est jamais douté, mais Chick et moi, on le suivait pour étudier sa technique. »

Des rapports de police : Phil et Chick soupçonnés de délit d'intention. Leur relation connue, Arnie Moffett, interrogée au sujet de « soirées pornographiques ». Arnie partage le penchant de Chick pour « l'art nègre bizarroïde ».

Il vit *ROUGE*. Il avait du mal à respirer. Il but de l'eau fraîche au robinet de l'évier et la recracha. Il retrouva un peu son souffle.

Dwight avait laissé dans le placard un panier rempli d'accessoires. Il y trouva un flingue anonyme, des menottes, et un rouleau de toile adhésive.

Phil vivait dans des voitures. La plupart du temps, il passait la nuit dans son taxi Tiger. En général, il se garait dans le parking des chauffeurs, loin de la rue.

Crutch s'y rendit. La station-service était fermée. Une limousine Tiger à châssis long était garée près de l'atelier de mécanique. Phil en écrasait à l'arrière. Ses bras pendaient par la fenêtre.

Ronflements. Haleine chargée d'alcool. La tête de Phil calée sur le rebord de la portière.

Crutch gara sa voiture et s'approcha. Phil ne se réveilla pas. Crutch ouvrit ses menottes et referma un bracelet autour du poignet gauche de Phil. Phil poussa un petit cri dans son sommeil. Crutch raccourcit la crémaillère et passa l'autre bracelet autour du montant de la portière. Phil fit la grimace et ronfla.

Crutch ouvrit la portière en grand. La chaîne des menottes entama la peau de Phil, le souleva, et l'arracha de la banquette. Il émergea du sommeil. Il reprit contact avec la réalité en tombant sur les genoux. Il ne comprenait pas ce qui lui arrivait. Je ne peux pas bouger. Mon bras est au-dessus de ma tête et *il me fait mal.*

Il hurla. Il cligna des yeux et vit Crutch. Il dit :

– Hé, Mat...

Crutch lui lança un coup de pied dans les couilles. Phil vomit de la gnôle et des cacahuètes. Il tenta de se relever pour donner du mou à la chaîne. Crutch lui rebalança un coup de pied aux couilles. Phil retomba sur les genoux.

Il hurla. Le bracelet d'acier lui entamait profondément le poignet. De sang lui coulait le long du bras. Crutch dit :

– Été 68. Tu as eu l'enquête sur Gretchen Farr en premier, moi en second. Tu es parti faire la bringue, et c'est à ce moment-là que j'ai pris la suite.

Phil essaya de s'asseoir. La chaîne des menottes s'incrusta encore plus profond. Phil tenta de se lever. Crutch lui savata les couilles. Phil retomba sur les genoux, plus durement.

Il hurla, il toussa, des vomissures s'échappèrent de ses lèvres. Il laissa pendre sa tête sur son sternum et haleta.

Crutch dit :

– Toi et Weiss. Quand vous faisiez les voyeurs. Arnie Moffett, le film vaudou.

Phil laissa pendre sa tête. Crutch le gifla. Phil se baissa et tenta de lui mordre la main. Crutch sortit son flingue et le brandit à la hauteur des yeux de Phil.

– Je vais allumer la radio. Personne n'entendra la détonation. Tu travailles pour Tiger Kab. Tu circules partout dans Nègreville. Tu baises la moitié des filles noires au sud de Washington Boulevard. Combien de temps le LAPD va enquêter sur ta mort ?

Phil respira à fond, plusieurs fois de suite. Phil tourna en rond sur les genoux. Il eut soudain le regard fuyant d'un mouchard. Le sang coulait le long de son bras et trempait sa chemise.

– Bon, on aime bien coller l'œil aux trous de serrure. J'aime ça, tu aimes ça, Chick aime ça. Il connaissait ce type, Arnie. Chick lui achetait des bibelots, des bricoles. Arnie possédait des baraques qu'il louait pour des soirées et pour des projections privées. Chick avait vu ce film bizarre, et dedans, il y avait une fille qui lui plaisait bien. Il a appris qu'elle vivait dans une maison vide des environs, et je suppose qu'il est allé la mater.

Crutch demanda :

– Et c'est tout ?

– Tu veux en savoir plus ?

– Oui.

– D'accord, tu vas être servi. On t'a maté en train de mater, alors, on a appris en imitant le Roi des voyeurs. Ce qui te met dans un état pareil aujourd'hui, ça vient directement de toi.

Crutch sortit son rouleau de toile adhésive. Phil se tortilla et balança la tête dans tous les sens. Crutch lui agrippa les cheveux et l'entoura comme une momie. Il lui laissa un trou pour respirer à l'endroit du nez. Il lui couvrit la bouche, le crâne, les oreilles. Il le souleva du sol et le projeta sur la banquette à coups de pied. La crémaillère du bracelet lui laboura le bras, jusqu'à l'os. Les housses de siège en fausse fourrure de tigre s'affalèrent sur lui, le recouvrant entièrement.

Fumée de haschich. Suis la piste. La voiture de madame n'est pas là. Il est en plein trip au fond du jardin, près de la piscine.

Crutch descendit l'allée. Le jardin n'était pas éclairé. Les seules lueurs visibles étaient celles des reflets sur l'eau de la piscine.

De dimensions olympiques, le bassin. Des nus artistiques en décoraient le fond. Du Picasso sous LSD.

Chick était assis au bout du grand bain. Il se balançait sur sa chaise, un pied posé sur le plongeoir. Les émanations devinrent plus présentes. Il fumait une petite pipe munie d'un cône métallique.

Crutch approcha une chaise. Chick posa le regard sur lui.

– Tu es censé appeler avant de venir. Clyde le sait bien.

Et Phil, il a besoin d'appeler avant de venir ?

– Phil, c'est spécial. Clyde le sait bien, ça aussi.

Crutch retourna sa chaise et s'assit dessus à califourchon. La fumée de haschich lui brûlait les yeux. Il reconnut l'odeur de la lotion après-rasage Haï-Karaté.

L'eau de la piscine se rida. Chick tira une bouffée et proposa sa pipe à Crutch, qui secoua la tête.

– J'ai mis bout à bout quelques déductions. J'aimerais avoir vos commentaires.

Chick ralluma sa pipe. Le petit cône métallique rougeoya.

– Il y a quelque chose de sinistre dans cette visite que tu me fais. Ça commence à me déprimer.

– Vous avez tué une femme qui s'appelait Maria Rodriguez Fontonette. J'aimerais que vous me racontiez ça.

Chick sourit et lui fit un clin d'œil, fruit d'une longue pratique. Chick avait bien étudié son modèle, feu Scotty B.

– Il n'y a pas grand-chose à raconter, sauf que je dois reconnaître que tu m'as facilité les choses, sur ce coup-là.

– Il y en a eu d'autres ?

– Quelques-unes, ici et là.

– Vous matez, vous voyez une fille qui vous plaît, et vous la tuez. C'est ça ?

– Plus ou moins.

Chick tira une bouffée. Il avait les yeux rouges, ses pupilles étaient réduites à des points.

– Je l'ai espionnée. Elle aimait le vaudou, j'aimais le vaudou, on appréciait tous les deux l'art vaudou. On a avalé des herbes et parlé d'Haïti. Tout allait bien, jusqu'à ce qu'elle m'explique qu'elle se sentait coupable, à cause de je ne sais quelle invasion communiste qu'elle avait trahie. Ça gâchait tout. Ça m'a un peu déprimé, et puis je me suis dit, tu sais, tu es là dans une maison abandonnée, tu as toujours eu envie de le faire, et cette espèce de négresse interlope, elle ne manquera à personne.

Crutch approcha sa chaise.

– Alors, vous l'avez tuée.

– Ouais. J'ai séparé un de ses bras du torse et je lui ai coupé les deux mains. Elle m'avait raconté tout un tas d'histoires sur les émeraudes, alors j'ai broyé des bouts de verre teinté et j'ai enfoncé les éclats dans les blessures. J'avais commencé à avoir ces fantasmes environ cinq ans plus tôt. J'avais acheté une trousse d'instruments chirurgicaux et je la trimballais dans le coffre de ma voiture, mais je ne pensais pas avoir un jour le cran nécessaire pour m'en servir. Bref, la lune était en Scorpion, cette nuit-là, et je suis passé à l'action.

Crutch regarda la lune. Elle était en quartier, et à moitié masquée.

– J'ai l'impression que tu me juges, Mateur. Ça me scie.

– Ah oui ?

– J'ai toujours pensé que tu avais du culot à revendre, et un déficit du côté de l'intelligence. Maintenant, je dois ajouter : « Et une bonne dose d'hypocrisie. »

Crutch plongea la main dans sa poche. Chick tira une bouffée de sa pipe et lui souffla la fumée au visage.

– Tu ne peux pas te coller le nez aux carreaux impunément. L'inspiration du moment, ça existe. Comme disait le Dr King : « J'ai fait un rêve. » Tu ne sais jamais par qui tu as été surveillé, ni qui continue à te trotter dans ta tête.

Crutch sortit les comprimés et les lui montra. Chick demanda :

– Qu'est-ce que c'est ?

– Des herbes haïtiennes. Pour décoller. Tu te retrouves en orbite pendant un jour et demi.

Chick eut une mimique : *Je peux ?* Crutch hocha la tête : *Bien sûr.* Chick avala les comprimés à sec et ralluma sa pipe.

Crutch se pencha plus près.

– Parlez-moi des autres.

– Qu'est-ce que je pourrais en dire ? Elles me plaisaient, et je m'ennuyais.

– Comme ça, tout simplement ?

Chick tira une bouffée.

– Ouais, « tout simplement ». C'est les années 70, petit. « Fais ton truc de ton côté », comme on dit maintenant.

Crutch regarda autour de lui. La piscine, le clair de lune, le moment. Un battement d'ailes au-dessus de sa tête.

Chick le regarda. Quelques secondes s'écoulèrent. Son regard devint vitreux. De la mousse verte suinta de ses yeux, de son nez, de sa bouche. Ses bras s'agitèrent convulsivement et se rétractèrent. Des os cédèrent. Crutch les entendit se briser. Chick se leva et tituba. Des bulles de mousse lui sortaient des oreilles.

Crutch tendit la jambe pour le faire trébucher. Chick tomba dans la piscine. Crutch le regarda se débattre, puis flotter à plat ventre.

127

Los Angeles, 17 avril 1972

– Ne me donne pas de nom de famille. Il y a en a un que je pense adopter.
– Oserai-je deviner ?
– Disons simplement qu'il honore ces dernières années, tout en les fuyant.

Ella avait transformé le jardin en élevage d'alligators. Des nuages mijotaient et promettaient de la pluie. Joan rassembla tous les animaux en peluche.

Karen dit :
– Exécuteur littéraire. Qu'en penses-tu ? Tous nos dossiers, journaux intimes, mémorandums. Tout ce que nous avons rassemblé.

Joan leva les yeux en direction du refuge.
– Il serait tout indiqué. Il a une vocation d'archiviste.
– Que ferait-il de tous ces documents ?
– Il les lirait du premier au dernier et il y chercherait des réponses. Il y repèrerait des choses que personne n'a vues et il y imposerait sa propre logique. S'il grandit, il comprendra ce que tout cela signifie.

Les filles traînaient dans la maison. Joan regarda à travers la fenêtre. Dina regardait des dessins animés à la télévision. Ella s'approcha en catimini, débrancha la prise, et s'esclaffa.

Karen dit :
– Dwight me manque.

Joan dit :
– Il y a quelque chose qui change dans mon corps.

La pluie ne cessait pas. Un vent violent l'accompagnait. Joan lesta ses piles de paperasses avec des armes sans pedigree et diverses babioles appartenant à Dwight. Elle souhaitait la présence du vent. Crutch adorait voir ses cheveux voler.

Il y avait du bon et du mauvais. Le vent leur fournissait la toile de fond. Les rafales éteignaient les bougies.

Parfois il était ici avec elle, parfois il partait elle ne savait où. Il gardait les yeux ouverts. Elle lui fermait les paupières en les couvrant de baisers et caressait sur son cou une veine qui palpitait. Il laissait échapper des sons qu'elle n'avait jamais entendus auparavant. Il avait un répertoire de cris d'enfant. Des sons qui réfrénaient ses larmes. Il enfouissait son visage dans les cheveux de Joan, pour qu'elle ne puisse pas les voir.

Cela prenait du temps. Il partait à la dérive quelque part, puis il se manifestait à distance. Il passait du temps loin d'elle et il revenait. Il voyait ce qu'il voyait ou il pensait ce qu'il pensait et il revenait vers elle. Il glissait un genou entre ses jambes et il embrassait ses aisselles. Il s'introduisait en force. Elle roulait sur elle-même et s'agenouillait sur lui. Il avait alors un regard halluciné. Elle lui couvrait les yeux. Il lui embrassait les paumes et lui emprisonnait les doigts pour les garder dans sa bouche.

– *Dis-moi ce que tu viens de faire.*

– *Je ne peux pas.*

– *As-tu pensé à l'île ?*

– *Oui, en partie.*

– *J'ai appris qu'Estevan Sanchez avait été tué.*

– *Oui, c'est exact.*

– *Avec ta complicité ?*

– *Oui.*

– *Crois en la pureté de tes intentions. Il y aura toujours des pertes en vies humaines, et il y en aura toujours moins si tu agis avec audace.*

– *Il s'est passé autre chose.*

– *Dis-moi.*

– *Je ne le ferai pas.*

– *Avec ta complicité ?*

– *Oui.*

– *As-tu agi avec audace ?*

– *Oui.*

– As-tu eu conscience que tu devais agir parce que personne d'autre ne le ferait ?

– Oui.

– Est-ce que cela te soulage aujourd'hui ?

– Non.

– Ton alternative était de faire tout ce qu'il fallait ou ne rien faire du tout. Tu as bien choisi.

– Comment saurai-je que j'ai fait le mauvais choix ?

– Quand le résultat sera une catastrophe que rien ne pourra amender.

– Que devrai-je faire alors ?

– Trouver en toi une détermination plus profonde et tâcher d'être, la prochaine fois, plus fort et plus malin.

– Il y a une idée qui tourne dans ma tête, en ce moment.

– Dis-moi ce que c'est.

– Je ne peux pas.

– Très bien.

– Dis-moi pourquoi tu as expurgé mon dossier.

– Je ne le ferai pas.

– Je crois que je ne serai plus jamais en sûreté. Je serai toujours à guetter quelque chose qui sera peut-être là ou pas.

– Tu as toujours été comme ça.

– Existe-t-il un moyen de fuir tout ça ?

– Pas pour toi ni pour moi. Nous pourrions fuir, mais nous reviendrons toujours.

128

Los Angeles, 18 – 30 avril 1972

Il travaillait dans sa turne n° 3. Il avait fermé les volets, tiré les rideaux, et mis en route la climatisation. Il avait arrêté toutes les pendules, débranché le téléphone. Il avait transformé le jour en nuit et la nuit en jour.

C'était une combustion contrôlée. Il avait vidé la masse d'archives qu'il entreposait aux Vivian Apartments. Il avait mis en cartons tous les dossiers qu'il conservait au centre-ville. Il possédait la formule de la solution aux herbes haïtiennes et la seringue. Il avait la retranscription des formules communiquées par les spécialistes des herbes. Brûle le dossier de ta mère, brûle le dossier de Wayne, brûle le dossier de ton enquête. Échafaude tes pyramides de paperasses à brûler puis examine les résultats.

Il avait volé à Dwight ses lamelles de tungstène pour forcer les verrous. Le tungstène prélubrifié pénétrait n'importe quoi. Il avait son billet d'avion, sa barbe postiche, ses papiers d'identité bidon. Il avait tout. Il devait passer à l'action, parce que personne d'autre ne le ferait.

Il avait vidé les cartons. Les piles de documents atteignaient trois mètres de haut. Le dernier carton dont il déversa le contenu fut celui consacré à son enquête. Le meurtre avait eu lieu à deux pas. Il aurait dû s'en douter, alors. Il l'avait compris beaucoup plus tard. Il avait agi, parce que personne d'autre ne l'aurait fait.

Il conserva les portraits anthropométriques de Joan. Il les punaisa sur le mur du fond, au sous-sol. Il suspendit sa médaille de saint Christophe à un clou.

Les Haïtiens lui avaient donné des aide-mémoire. Il fit chauffer des liquides et remplit des pipettes. Il fit tomber des gouttelettes sur du papier buvard. Il vit une vérification croisée de ses tableaux moléculaires. Il perfectionna l'effet « effacer les mots sans détruire le papier ».

Des documents effacés. Du papier noirci, gondolé, rendu friable. Des émanations odorantes et brumeuses – mais pas de fumée à proprement parler.

Il prépara six bouteilles de son produit et les enveloppa dans du papier matelassé. Il mit dans son sac trois pulvérisateurs vides. Il avait acheté quarante filets pour transporter le linge. Il les bourra tous de paperasses.

Des filets pleins en forme de boules, de cylindres, de cosses. Prêts à être aspergés.

Il emplit son pulvérisateur n° 1. Il arrosa son Parthénon de Paperasses, œuvre de sa vie. Les documents se gondolèrent, se couvrirent de bulles, noircirent, se réduisirent, et les textes se désintégrèrent. L'opération dégagea une forte odeur. Elle provoqua chez lui une irritation des yeux. Les ballots de papier vibraient. Les frêles filets cédèrent. Des bouts de papier dépourvus d'inscriptions s'envolèrent.

Crutch s'approcha du mur du fond. Les portraits de Joan étaient couverts de poussière. Il les nettoya. Il passa la médaille de saint Christophe autour de son cou.

Je te vengerai.

Je ferai honneur à ce cadeau inestimable que tu représentes pour moi.

Tu as failli et tu m'as donné ton drapeau pour que j'en prenne soin. Je le porterai à ta place désormais.

129

Los Angeles, 1er mai 1972

Premier mai.

Des drapeaux rouges remontaient en tourbillonnant Silver Lake Boulevard. Des banderoles à message politique s'y mêlaient. ARRÊTEZ LA GUERRE, FIERTÉ NOIRE, DROITS DES FEMMES. Les manifestants détournaient la circulation. Des flics en rogne faisaient des heures supplémentaires.

Joan observait la scène depuis la terrasse. Les jumelles de Dwight lui offraient une vue rapprochée. Elle reconnut des visages du défilé pour la libération des Rosenberg, vingt ans plus tôt.

Elle allait partir bientôt. Ses nouveaux papiers d'identité étaient prêts. Elle allait recommencer sa vie sous le nom de Jane Anne Kurzfeld. Karen aussi était prête à partir. Elle n'avait pas voulu révéler son nouveau patronyme. Elles communiqueraient par relais téléphoniques.

Elle possédait une somme d'argent confortable. Elle avait donné une somme égale à Karen. Jack se chargerait de gérer le reste.

Des voitures contournaient le parcours du défilé. Certains conducteurs klaxonnaient pour la paix. D'autres balançaient des ballons remplis de pisse et faisaient des doigts aux manifestants.

Le môme avait disparu. Quelque chose le chagrinait lors de leur dernière rencontre. Karen était d'accord avec elle : il est opiniâtre, il a un talent certain pour les coïncidences. Nous lui laisserons nos archives.

Joan alluma une cigarette, en tira deux bouffées, et l'éteignit. Non, elle ne devrait pas fumer. Ce changement, dans son corps, s'était confirmé. *Oui, je suis sûre que c'est bien ça.*

130

Washington, D.C., 1er mai 1972

Premier mai.

Des drapeaux rouges et des yippies, des pacifistes vieillissants à foison. Beaucoup de banderoles et de causes à défendre. Des flics à cheval comme à Chicago en 68. Rien de comparable pour ce qui était des effusions de sang.

Quelques escarmouches, quelques poursuites, quelques manifestants piétinés. Des clowns couverts de peinture rouge, des goules avec des masques de Nixon.

Il se fondit dans la masse. Il portait une tignasse de hippie postiche. Sa fausse moustache et sa fausse barbe le démangeaient. Sa perruque était posée de travers. Son sac à dos bourré rendait plus crédible son personnage.

Il était arrivé en avion deux jours plus tôt. C'était sous un faux nom qu'il avait voyagé et rempli sa fiche d'hôtel. Il avait reconnu sa cible à trois reprises. La porte du sous-sol paraissait inviolable. La boîte à fusibles du sous-sol semblait accessible. La fenêtre de la buanderie était toujours entrouverte.

Pas de domestiques à demeure. Pas de fédéraux en faction à l'extérieur. Pas de chien de garde.

Elle lui demanderait si c'était lui qui avait fait le coup. Il lui adresserait un clin d'œil à la Scotty Bennett. Il répondrait : « Je ne te le dirai pas. »

Les manifestations de la journée devinrent des fêtes nocturnes. Il alla traîner à Lafayette Park. La Maison Blanche se trouvait de l'autre côté de la rue. Il avait fait élire Richard le Roublard. Avec l'aide du Frenchie. C'était un milliard d'années avant qu'il ne devienne Rouge.

Des hippies fumaient de l'herbe et prenaient du bon temps.

Quelques filles ôtèrent T-shirt et soutien-gorge. Des flics traversaient la pelouse – des passages de pure forme.

Crutch partit tranquillement à Rock Creek Park. Washington était remplie de bourgeois et de rebelles. Personne ne faisait attention à lui.

Il arriva à une station-service Texaco et alla se changer dans les toilettes pour remettre ses fringues ordinaires. Il déchiqueta son déguisement de hippie, sa perruque et ses pilosités postiches, et fit tout disparaître en tirant la chasse d'eau. Il entra dans le parc et trouva un coin tranquille. Début de l'opération : minuit.

Les journaux de L.A. avaient attribué le décès de Chick Weiss à une overdose. Phil Irwin n'avait pas moufté. Il se rappela plusieurs choses que Joan lui avait dites. Estevan Sanchez rôdait encore dans sa tête.

L'air était lourd et humide. Des insectes nocturnes le bombardaient. Il était à l'écart. Des feux d'artifice étaient tirés de l'autre côté du parc.

Le compte à rebours était interminable. Les aiguilles de sa montre se traînaient. Minuit arriva enfin. Il se sentit vaseux jusqu'à minuit et trois minutes. Et bing ! – les réserves d'adrénaline entrèrent en action.

Il partit, tranquillement, d'un pas de sénateur. Belle nuit, beau quartier. Je suis un gentil garçon qui rentre chez maman avec son linge sale.

Voilà Northwest Thirtieth Place. L'allée pour garer la voiture. La maison néo-géorgienne.

Por la Causa. Sois audacieux. Sois téméraire.

La fenêtre était entrouverte et dépourvue de grillage. Il s'approcha, souleva le cadre, et sauta à l'intérieur. Il atterrit en souplesse.

L'éclairage du sous-sol n'était pas allumé. La cuisine sentait le détergent parfumé au citron. Il avait vu des photos dans *Le Mensuel des Antiquaires*, et des plans à l'échelle. Il sortit sa lampe-crayon et s'approcha de la porte d'accès au sous-sol.

Elle était verrouillée. Il introduisit un crochet n° 6 dans la serrure et fit jouer les gorges. De l'extérieur, l'accès était impossible. De l'intérieur, c'était facile.

Il descendit l'escalier. Il rétrécit le faisceau de sa lampe.

C'étaient ses archives et celles de Wayne et le labo de Reggie à des dimensions colossales. Le sous-sol s'étendait sur toute la longueur et la largeur de la maison. La hauteur de plafond était exploitée au maximum pour engranger encore plus de dossiers. Les étagères dépassaient l'altitude du Matterhorn et atteignaient presque les nuages.

Il avait apporté quarante-quatre bombes pour détruire les documents, chacune entourée d'un filet et munie d'un bouchon à vis. Il ouvrit son sac à dos et les disposa une par une, étagère par étagère. Il arriva au fond du sac. Sa potion destinée à provoquer une crise cardiaque s'était répandue. La seringue s'était brisée.

Il resta figé. Un million de voix répétaient *Trouduc, Mateur, Pariguayo*. Il se couvrit les oreilles. Cela ne les fit pas taire. Les voix s'acharnaient sur lui. Il s'assit par terre et laissa les voix hurler jusqu'à épuisement.

Il mit son masque à gaz. Il courut d'un bout à l'autre du sous-sol. Il dévissa les quarante-quatre bouchons.

Les émanations s'élevèrent.

Des nuages colorés se formèrent.

Les murs les empêchaient de se disperser.

Le papier brunit, se gondola, crépita et se consuma. De petites explosions se firent entendre. Les étagères à dossiers vibrèrent. La peinture se décolla des murs. Les émanations changeaient de couleur : clair/foncé, clair/foncé. Des bribes de papier se désintégraient dans l'atmosphère.

Crutch remonta l'escalier et ferma la porte derrière lui. La lumière jaillit dans la cuisine. M. Hoover se tenait près du réfrigérateur.

Crutch plongea la main dans sa poche et en sortit l'émeraude. M. Hoover trembla et ses yeux se braquèrent sur la pierre.

Elle étincelait sans cesse. Elle attirait le regard comme un aimant. La lueur verte s'amplifiait encore et encore. M. Hoover vacilla et se mit à baver. M. Hoover porta la main à son cœur et remonta au premier en titubant.

131

Los Angeles, 3 mai 1972

La nouvelle fit la une des journaux. Crise cardiaque, à soixante-dix-sept ans.

Elle n'éprouva aucune émotion. Les notices nécrologiques allaient chanter ses louanges ou le traîner dans la boue. Dwight lui avait arraché sa haine pour cet homme. Il lui était devenu complètement indifférent.

Joan se gara devant la maison.

Chez le voisin, on regardait les nouvelles à plein volume. Les images du téléviseur se reflétaient sur la vitre. Le môme appelait cet endroit sa « turne n° 3 ». Sa voiture au moteur gonflé avait disparu. Joan ouvrit la porte avec une carte de crédit bidon et entra.

Le salon était en désordre. Un courant d'air fit tournoyer des bribes de papier. Une odeur bizarre flottait dans la pièce. Les murs étaient couverts de taches de suie.

Une pile de magazines consacrés à l'automobile. Des tubes à essai et des flacons de produits chimiques. Des observations griffonnées sur un bloc-notes. Un fusil à canon scié.

Joan ouvrit son sac à main et en sortit un Polaroïd. Elle souleva son pull pour montrer à quel point elle avait changé. Elle tint l'appareil à bout de bras et prit une photo de son ventre.

L'épreuve sortit aussitôt. L'image se révéla peu à peu en moins d'une minute. Joan la posa sur le rebord de la fenêtre, calée verticalement contre la vitre.

Ta détermination a ressuscité ma détermination.

Je n'arrive pas à imaginer quel genre de personne tu vas devenir.

Je suis heureuse que cela soit arrivé avec toi.

DOCUMENT EN ENCART : 11/5/72. *Extrait du journal intime de Karen Sifakis.*

Los Angeles
11 mai 1972

Je pars. C'est la dernière fois que j'écris dans ce journal. La maison est vendue, la voiture est chargée. Les filles sont installées confortablement à l'arrière, avec les peluches d'Ella. Je n'aurai plus jamais besoin d'enseigner en fac. Les profits d'un vol à main armée d'une violence inouïe subviendront à mes besoins jusqu'à la fin de mes jours.

Pour l'instant, je ne possède pas de nom de famille. J'ai réfuté toutes les fausses identités que je me suis vu proposer. C'est un risque, mais je l'assume volontiers. Le moment venu, je raconterai toute l'histoire aux filles et je leur dirai comment je suis venue à prendre le nom de Holly.

J'ai fermé la maison, et je suis allée jeter un dernier coup d'œil au refuge ; je me suis assurée que toutes les portières de la voiture étaient verrouillées. Dita a fait un peu la moue ; Ella m'a souri. J'ai remarqué le petit drapeau rouge attaché au siège.

J'ai regardé autour de moi. Je voulais la voir une dernière fois ou au moins capter l'odeur de sa cigarette. Elle était partie. Elle avait toujours considéré que les au revoir avaient un côté mystique et hypothétique. Les camarades devraient être prêts à se retrouver ou à se perdre de vue pour toujours. La foi, c'est de cette façon que ça fonctionne.

MAINTENANT

La photographie a été conservée. L'histoire s'est arrêtée à cet instant précis il y a trente-sept ans. L'histoire a repris son cours avec la première série de documents.

Ils arrivent à intervalles irréguliers. Il s'agit toujours d'envois anonymes. J'ai compilé des extraits de journaux intimes, des transcriptions de conversations historiques, et des doubles de dossiers de police. Des gauchistes et des militants noirs d'âge respectable m'ont raconté leurs histoires et fourni des confirmations. La loi sur la liberté d'information, qui permet à tout citoyen de se faire communiquer des documents officiels, m'a beaucoup servi.

J'ai trouvé les journaux de Marshall Bowen et de Reginald Hazzard. J'ai trouvé les carnets de Scotty Bennett. Joaquín Balaguer s'est révélé d'une franchise étonnante. La bibliothèque Richard Nixon m'a fourni une aide de pure forme. La bibliothèque J. Edgar Hoover a fait de la résistance. Ses porte-parole nient catégoriquement la présence de documents calcinés dans son sous-sol au moment de son décès.

J'ai interrogé de nombreux camarades de Joan Rosen Klein et Karen Sifakis. Leurs souvenirs constituent une contribution importante à ce récit. Ils ont refusé de révéler les nouvelles identités de Joan et Karen. Mes tentatives pour les soudoyer ou leur forcer la main ont systématiquement échoué.

Ma propre mémoire fonctionne en parfait synchronisme avec tous les événements que j'ai relatés. Je n'en ai pas oublié le moindre instant. Quarante mille pages nouvelles appuient mes dires. J'ai brûlé toutes mes archives d'origine. J'ai reconstitué tous les documents, afin de pouvoir vous raconter cette histoire.

La plupart des personnages sont décédés. Sal Mineo a été assassiné au cours d'un braquage raté. L'alcool a eu la peau de Phil

Irwin. Tiger Kab a fait faillite. Freddy Otash a succombé à une crise cardiaque. Dracula est mort en 76, Farlan Brown un an plus tard. Clyde et Buzz ont disparu. Les Parrains sont morts. Mary Beth est toujours en vie. Reginald Hazzard est retourné en Haïti. Dana Lund est décédée en 2004. Jack Leahy s'est évanoui.

J'étais le plus jeune de tous. Je suis toujours en bonne santé. Je dirige à Los Angeles une agence florissante de détectives privés. Mon entreprise fournit des gardes du corps à des célébrités et vérifie les allégations que veulent publier les feuilles à scandales. Je suis fréquemment invité dans des émissions de télévision qui colportent des ragots. Mes employés utilisent les dernières technologies. Leur travail me rapporte de l'argent. Cela me permet de revivre l'histoire et de continuer à chercher Joan.

Je sais qu'elle est encore en vie. Je sais que Karen et ses filles sont en vie et qu'elles vont bien. Mes prouesses de fin limier ne m'ont pas permis de retrouver leurs traces.

Dieu m'a donné un tempérament de nomade et une discipline de chercheur. Mes tendances de vagabond rebelle me poussent plutôt, à présent, à servir le bien. Je recherche les êtres aimés perdus de vue et je les ramène à la maison. Je le fais constamment, de façon anonyme et à mes frais. J'ai retrouvé beaucoup de gens disparus et un certain nombre de chiens perdus. Ce livre englobe quatre années et circonscrit de nombreux arcs magiques. Quelques bribes de cette magie ont fini par s'implanter en moi. J'écoute, je regarde, j'amasse des documents. Je suis des gens qui me mènent à d'autres gens que je ramène aux personnes qui les aiment le plus. Ce processus m'acquitte d'une promesse sacrée et m'amène si près de Joan que j'en ai le souffle coupé.

Elle a quatre-vingt-trois ans aujourd'hui. Notre enfant en a trente-six. L'instinct me dit que c'est une fille. Ma mère a quatre-vingt-quatorze ans. Elle m'envoie toujours une carte et un billet de cinq dollars à Noël chaque année.

« Ton alternative est de faire tout ce qu'il faut ou ne rien faire du tout. » C'est Joan qui m'a dit ça. J'ai payé le prix fort pour vivre l'Histoire. Je n'arrêterai jamais mes recherches. Je prie pour que ces pages lui parviennent, et pour qu'en les lisant elle ne se trompe pas sur le sens de ma dévotion.

J'ai fait le tour du monde des foyers de révolution. Je suis allé au Nicaragua, à la Grenade, en Bosnie, au Rwanda, en Russie, en Iran et en Irak. J'ai dessiné des portraits de Joan et je l'ai vieillie dans ma tête. Je lis les journaux et les magazines et je cherche ses actions par ellipses. Je vois des femmes qui pourraient être elle et je les suis jusqu'au moment où leur aura se désintègre. J'ai payé des millions de dollars en pourboires. J'entends parler d'explosions de voitures piégées ou de trafics d'armes et j'examine soigneusement des photos numérisées. J'ai un laboratoire rempli de matériel pour en améliorer le rendu. Des correspondants m'envoient chaque jour des séquences filmées. J'observe les scènes de foules et je retiens mon souffle en attendant le moment où ce sera Elle.

Sa photo. Mon gène de la persistance.

Mon alternative fluctue souvent entre Alors et Maintenant. Je vis dans le second avec réticence. Je vis dans le premier avec la rectitude d'un môme converti.

Il y a une fête à Tiger Kab. Une île étrange m'attire. Je suis sur les traces d'un tueur, une chasse à l'homme dont l'issue risque d'être ma propre inculpation. Je me fais des amis et des ennemis et continue mon errance à toute vitesse. J'ai le droit de voler et la bride sur le cou.

C'est une histoire qui est là en permanence. Elle n'en finit pas de se dérouler. Elle m'apprend sans cesse des choses nouvelles. Je vous donne ce livre et vous décerne le titre de camarade. Voici mon offrande en guise de réunion – à la mère que j'ai perdue, à l'enfant que j'ai perdu, et à Joan, la Déesse Rouge.

Mise en page PCA
44400 Rezé

Cet ouvrage a été achevé d'imprimer en janvier 2010
dans les ateliers de Normandie Roto Impression s.a.s.
61250 Lonrai (Orne)
N° d'impression : 10-0120
Dépôt légal : décembre 2009

Imprimé en France